A SURVEY OF

French Literature

A SURVEY OF
French Literature

VOLUME TWO: THE NINETEENTH
AND TWENTIETH CENTURIES

REVISED EDITION

MORRIS BISHOP / *Cornell University*

HARCOURT, BRACE & WORLD, INC.
New York · Chicago · Burlingame

Drawings by Alison Mason Kingsbury

Library of Congress Catalog Card number: 65-14282
Printed in the United States of America

TABLE OF CONTENTS

All works are complete unless otherwise indicated

PREFACE

The editor of this compilation has been guided by certain principles: to introduce the student to the greatest masters of French literature; to make a Survey of Literature rather than a course in literary history; to choose famous examples rather than obscure ones; to choose examples more for their merit, interest, and present vitality than for their "significance" or importance for other than literary reasons; to present one long selection in preference to a collection of *morceaux*; and to organize this volume in forty lessons, representing the number of assignments usually possible in an American college semester.

In the choice of selections, the editor has been forced often to compromise, for one cannot always find examples that are at the same time famous, interesting, self-contained, and of convenient length. The editor will embark on no long defense of his own judgment, which others have every right to impugn. No doubt every teacher will quarrel with some of the editor's choices and omissions, particularly as we approach our own times. Some will be distressed by the absence of Mme de Staël, George Sand, Huysmans, Loti, and Barrès. The editor is very sorry; he can barely accommodate forty immortals.

The case of Balzac may serve as an illustration of the editor's problems and of his effort to resolve them. Balzac's great novels, flowing and diverse as life itself, do not well lend themselves to excerpting. The familiar short stories seemed unsatisfactory for one reason or another. The editor chose *La Femme abandonnée*, which, though much praised by the critics, is not famous in the sense that *Le Curé de Tours* is famous. (A good number of students, and some teachers, have asserted that *Le Curé de Tours* is dull.) *La Femme abandonnée*, if not famous, is interesting, self-contained, and of convenient length; it is splendidly illustrative of Balzac's purpose and method. Thus the editor made what seemed to him the best compromise of his principles.

The Introductions provide such facts and generalizations as a student will need for reference, in view of examinations. They are intended to leave plenty of scope for the teacher's own commentary. They are in English, since the average student apprehends more readily and retains better the emphases and subtleties of his own language than those of one still strange. He should get on as quickly as possible to the substance offered by the French masters.

In the footnotes, words and phrases which might not be in the vocabulary of the average student are translated, and other aids to fluent reading and ready comprehension are given. The footnotes are mostly in English, to save time and to prevent distraction of the student's attention.

In this Revised Edition account has been taken of criticisms offered by many teachers. The Twentieth Century has been expanded at the expense of the Nineteenth. The Romantic poets have been reduced, the Parnassians eliminated. Renan and Rolland have disappeared, to the editor's pain. But only by editorial ruthlessness could space be found for our contemporaries, Malraux, Giono, Camus, Anouilh, Robbe-Grillet, Ionesco, and the new poets. These writers may properly stand with their great predecessors; their presence demonstrates the continuing richness and power of French literature.

The kindness of French publishers who have permitted the use of copyrighted works is acknowledged with each selection in the footnotes.

INTRODUCTION

Literature is the best that man has ever thought and dreamed. As such, it has always been the substance of liberal education in the Western world, in ancient Greece and Rome, in Moslem lands, in China. It has served to form young minds according to the tradition of their race and of the world. It has been welcome to the young, for it has given them access to understanding, strength, solace, and joy.

Among the literatures of the world, each race naturally chooses its own as the most helpful and harmonious to its spirit. For most of us, English literature, including American, is the richest and the most directly appealing. There may be some dispute as to which literature is second in importance. Some would elect Greek literature, some German; and other claims may be made. But for the great majority of educated Americans, French literature comes second to English for its past and present meaning.

Each national literature has its general characteristics, as well as its list of masterpieces.

In the first place, French literature, by comparison with others, is a *serious* literature. French writers have always been deeply concerned with the essential problems of man in his world, with the definition of his relation to Nature and to God, with the analysis of his behavior in society, with the understanding of his obscure emotions. The Frenchman often casts his observations in a light and graceful form, but on the whole he is more interested in presenting a general contention about life than is his English or American compeer.

The seriousness of the writer is matched by the seriousness of the French reader. The intellectual content of the average French book is greater than that of a corresponding American book. The Frenchman reads books instead of magazines; the sale of serious books in proportion to the population is larger in France than in the United States. Every French newspaper reserves a section for literary articles and discussions, and even when, during the Second World War, the newspapers were reduced to two or four pages, the literary columns were preserved. The universal French respect for literature has given its authors a popular prestige which both rewards and stimulates them.

Secondly, French literature is a *rational* literature. It derives more from cold and sober reason than from the mysterious impulses of inspiration. It is a literature of the idea, of thought, rather than of the lyric outburst. Unlike Italian and English literature, it is supreme in prose rather than in poetry. The Frenchman seeks in his reading more an intellectual pleasure than an emotional experience. (There are many exceptions to these statements, of course; that is the fault of all generalizations.)

French literature is, thirdly, a *psychological* literature. The center of its concern is man's nature as revealed by his actions. The first great monument of French literature, the *Chanson de Roland*, is a fine, stirring epic of battle and adventure; but even in this primitive tale the events are provoked by the character of the actors. This preoccupation with human psychology has continued to our own time. To the Frenchman, man is more interesting than external Nature, than machinery, commerce, the technics of civilization.

Fourthly, French literature is, relative to many others, *free*. Despite external restrictions imposed in certain periods, the French writer has always been impelled to push his thought and observation to their logical ends. If his speculation brings him to perilous and unwelcome conclusions, if he discovers evil and ugliness in the human spirit, he will not be deterred by convention from stating his conclusions. For this reason more squeamish peoples than the French have invested French literature with an aura of wickedness, with regard to both the radicalism of its thought and its frankness in reporting the relations of the sexes.

Fifthly and finally, French literature is *artistic*. The French are deeply conscious of form in all the arts. They admire good technique. They are trained in their schools to an exact appreciation of literary form by the remorseless word-by-word analysis of paragraphs and stanzas. Practically everyone who can read a newspaper has strong opinions about literary style. When Victor Hugo's *Hernani* was staged, a run-on line (in which the thought is carried from one line to the next without a break, contrary to classic rule) caused a riot in the audience.

As the public has a strong sense of literary form, the author typically is intensely concerned with questions of technique. He weighs his words, plays endlessly with *la coupe de la phrase*; he insists upon the *ordonnance*, or harmonious structure, of the whole. The result is that literary men, the best judges, regard French literature as the most notably artistic in the world. (In Camus' *La Peste* a would-be author spends his entire life working on the first sentence of his novel. The American reader finds this development absurd; to the Frenchman it is grotesque, but not absurd.)

Such are the most striking qualities of French literature, as they seem to your editor after a lifetime of reading. His judgments are by no means final; they are to be taken as casts at truth, not Truth, not dogmas to be memorized for examination purposes.

The student should read with a free mind, accepting or rejecting the critical judgments provided for him. He has now reached the stage where he must develop his own critical judgment. Reading is itself a creative act. There is no reward in the dull repetition of secondhand opinions. The student should not let someone else do his reading for him.

The reward of reading is the literary experience by which one lends oneself to a great writer, accepts as much as possible of his wisdom, shares in the story he tells, feels the delayed charge of his poetic emotion. What one should gain from the reading of this book is a greater understanding, if not wisdom. And what one should chiefly gain is pleasure. For intellectual pleasure, of a high, rare, and noble quality, is the chief end of literary study.

The editor congratulates you, the student, on the opportunity you will have, in reading this book, to gain understanding and delight. The editor envies you.

M. B.

The Early Nineteenth Century

The Early Nineteenth Century

| 1800 | 1825 | 1850 |

HISTORY

1804. Napoléon, Emperor
1812. Invasion of Russia
1815. Hundred Days; Waterloo
1815–24. Louis XVIII
1818. Géricault: Romantic painting
1821. Death of Napoléon
1821. Greek Revolt
1824–30. Charles X
1830–48. Louis-Philippe, Conquest of Algeria
1837. Accession of Victoria
European revolutions 1848
Second Republic 1848–51

FRENCH LITERATURE

1801. Chateaubriand: *Atala*
1802. Chateaubriand: *Génie du christianisme*
1820. Lamartine: *Méditations*
1822. Hugo: *Odes et Ballades*
1826. Vigny: *Poèmes antiques et modernes*
1827. Hugo: *Cromwell*
1828. Ste-Beuve: *Tableau de la poésie*
1829. Mérimée: *Tamango*
1830. Hugo: *Hernani*
1830. Musset: *Contes d'Espagne et d'Italie*
1831. Stendhal: *Le Rouge et le Noir*
1831. Hugo: *Notre-Dame de Paris*
1833. Balzac: *Eugénie Grandet*
1834. Balzac: *Le Père Goriot*
1835. Musset: *La Nuit de mai*
1835. Vigny: *Chatterton*
Stendhal: *La Chartreuse de Parme* 1839
Ste-Beuve: *Port Royal* 1840+
Dumas: *Les Trois Mousquetaires* 1844
Mérimée: *Carmen* 1845
Chateaubriand: *Mémoires d'outre-tombe* 1848

OTHER LITERATURES

1805. Wordsworth: *Prelude*
1808. Goethe: *Faust*, Part I
1812. Byron: *Childe Harold*
1817. Keats: *Poems*
1817. Franklin: *Autobiography*
1818. Leopardi: *All'Italia*
1818. Schopenhauer: *Die Welt als Wille und Vorstellung*
1819. Shelley: *Prometheus Unbound*
1819. Irving: *Sketch Book*
1820. Scott: *Ivanhoe*
1821–23. Manzoni: *I promessi sposi*
1827. Poe: *Tamerlane*
1835. Browning: *Paracelsus*
1836. Emerson: *Nature*
1837. Carlyle: *French Revolution*
1837. Dickens: *Pickwick Papers*
Gogol: *Dead Souls* 1842
Wagner: *Tannhäuser* 1845
Thackeray: *Vanity Fair* 1848

The Early Nineteenth Century

As the nineteenth century recedes from our view, as we learn to classify it historically among its sister centuries, it looms ever greater and greater. Like the Renaissance, it was marked by an outburst of *vital energy*, not in this case merely west-European, but worldwide. Indeed, the nineteenth century might properly be called the Great Renaissance, and perhaps some day it will be.

It was a century of *revolution*, intellectual, social, industrial, and political.

The intellectual revolution was "a shift from conceiving the cosmos as a static mechanism to conceiving it as a dynamic organism."* The conception of the cosmos as a static mechanism implies that it was created once for all; man's effort is to understand its universal perfection. The conception of the cosmos as a dynamic organism implies that it is changing and growing, that there is no absolute perfection and no preestablished pattern for philosophy, art, government, anything—even truth. Thus the way is opened for all diversity, for every originality.

The social revolution meant the downfall of the noble aristocracy, the rise of the bourgeoisie, the substitution of wealth for rank as the badge of the world's esteem. The industrial revolution made life easier, more agreeable, for many (by, for instance, the diffusion of cheap newspapers and cheap lighting to read them by). At the same time it created a new class, the industrial proletariat, whose lives were often, according to sober social historians, more wretched than those of medieval serfs.

The political revolutions undermined the old accepted systems. Kings found it necessary to justify themselves by works, to accept constitutions guaranteeing popular rights. Most of Europe moved toward liberalism, male suffrage, and removal of censorship. France came twice to the edge of communism (in 1848 and 1871).

The effect of these revolutions was, in our field, to create a new public of relatively uneducated readers and a new class of professional writers, living, sometimes very well, by the pen. These writers developed a new type of literature for the mass public, often violently at odds with the type of literature for the cultivated few, the élite. We shall be concerned with both types of literature.

This literature, or these literatures, were governed by *literary theories*, sometimes formulated, sometimes implicit. These theories, propounded by and for the few, usually lived briefly, dwindled, and died. But some of them proved to be vital and vigorous; they were communicated, though in diluted form, to the literature for the many.

Three literary theories were most vitally effective in French nineteenth-century literature. These were *Romanticism, Realism, and Symbolism*. Only the first now concerns us.

Romanticism, like Classicism, has so many meanings that no definition of it can be satisfactory. Let us then distinguish: Romanticism has a large meaning and a small meaning.

In its *large meaning*, Romanticism is a state of mind, opposed to Classicism, which has always existed, which exists today. It is the prizing of emotion above reason; it is tender-mindedness versus tough-mindedness (William James); it is the desire and expectation of change rather than the desire and expectation of fixity (Jacques Barzun); it is organicism, dynamism, diversitarianism (Arthur O. Lovejoy); it is the recognition of the subconscious

* Morse Peckham: "Toward a Theory of Romanticism," *Publications of the Modern Language Association.* March 1951.

3

(F. L. Lucas); its values are change, imperfection, growth, diversity, the creative imagination, the unconscious (Morse Peckham). In this large sense Euripides was a Romantic. So was Shakespeare; so were D. H. Lawrence and James Joyce.

This state of mind was very marked in the French *pre-Romantics*, especially Rousseau. It became a school in eighteenth-century Germany; Goethe's *Sorrows of Werther* (1773) had a great influence in France. English Romanticism likewise took form in the mid-eighteenth century, with Richardson, Cowper, Macpherson, etc. The romantic spirit invaded not only literature but philosophy, graphic art, music, even costume, even behavior.

But it is the *small meaning* of Romanticism that prevails in French literary history. In the small meaning, Romanticism is a literary theory elaborated and practiced by a group of writers in the early nineteenth century. It flourished from about 1820 to about 1850, and its period of dominance lasted only from 1830 to 1843. Its constant characteristics are the search for emotion and passion, the taste for the mysterious and often the fantastic, the exaltation of individualism, the esteem of personal lyricism.*

The admiration of the Romantics for their own passion had its effect on their lives as well as on their works. Inspiration was regarded as sacred, justifying any infringement of social rules as well as any violation of literary tradition. (Modern insistence on "self-expression" is a Romantic trait.) In order to give free play to inspiration the Romantics developed their own *literary doctrine*.

According to this doctrine, the inherited rules of classic literature were abolished, for they interfered with the free expression of inspiration. There should be no limitation on *subject matter*; the grotesque should accompany the sublime, the ugly should pair with the beautiful. Since the writer's imagination was unhappy in the commercialized, industrialized present, it would flee, not, however, to the marble purity of Greece and Rome, but to the strange, devil-haunted mystery of the Middle Ages. In *form*, the artist was free to follow wherever inspiration should lead. He would not be bound by Boileau's distinctions of *genres*, tragedy, comedy, and the rest. He would cast off all the rules that fettered *verse form*. And in *language*, he would accept any word that pleased him; there should no longer be any distinction between the *style noble* and the *style bas*. "Je mis un bonnet rouge au vieux dictionnaire," said Hugo.

The Romantic theory readily lends itself to absurd exaggerations in practice. But the Romantic poet, wild-eyed, wild-haired, quivering with self-induced emotion, has been sufficiently mocked. The fact is that the Romantics gave to French literature some of its greatest masterpieces. And the Romantic innovations have never been revoked. We agree that literature should be free, that it should render all accessible reality, that it must express the individual's mysterious emotional life, including the subconscious. What most of us regard today as poetry is the lyricism conceived and shaped by the Romantics. We agree even that inspiration is more important to the artist than hard work. We believe that genius exists.

Modern literature is inconceivable without the contributions of the Romantics.

* René Jasinski: *Histoire de la littérature française*. Paris, Boivin, 1947, Vol. II, p. 427.

1-2. Chateaubriand [1768–1848]

François-René de Chateaubriand was a pure Romantic, in the larger sense of the word. In the smaller sense (an adherent of a certain French literary school, with its defined doctrines and aesthetic), he was not a member, but a great forerunner, like Rousseau. He opened the way to the proper Romantics by his idealization of the mysterious ego, by his poetic, emotional description of exotic nature, by his aesthetic Christianity, by his appreciation of the Middle Ages. He transformed French prose, revealing its powers of rendering sensuous meaning in harmonious cadences. He was and is a model for the student of prose style. "Nous sommes tous plus ou moins les fils du patriarche," says a modern writer.*

The tenth child of a Breton nobleman, he was born in Saint-Malo, on a night of howling tempest, Nature's salute to the future master. He was brought up mostly in the grim, solitary Breton castle of Combourg; you will read in a moment his eerie memories of his haunted youth. His dearest companion was his sister Lucile, excessively emotional, gifted with psychic powers. His adolescence was difficult; he once attempted suicide. A lieutenant in the royal army, he scorned the decadence of the court, looked skeptically on revealed religion, and dreamed of a new, free, Rousseauan world, based on Nature's laws. He could not, however, bring himself to join the revolutionists of 1789.

In 1791 he came to America. He wished to see the free natural savages of the forests and the new free social men of the young Republic side by side. He had also the fantastic purpose of building two enormous covered wagons, proceeding westward to the Pacific, journeying north to Alaska, and returning along the arctic coast via Hudson Bay to civilization.

What did he do in America? He *says* that he interviewed General Washington in Philadelphia, went to Boston to see the sacred battlefield of Lexington, returned to New York, sailed up the Hudson to Albany, rode to Niagara Falls, crossed western Pennsylvania to Pittsburgh, descended the Ohio and Mississippi to Natchez, made a side trip to Florida, returned overland via Nashville to Chillicothe, Ohio (which was in fact still untouched wilderness). There he learned of King Louis XVI's flight and recapture. He returned to France immediately to fight on the royal side.

What in fact did he do in America? His interview with Washington is pure imagination. The itinerary he describes is an absolute impossibility, in his four and a half months in this country. An intensive search has so far revealed no independent check on his own assertions. No one noticed him on his travels (and he must have been rather striking, since, he says, he was wearing a bearskin robe and a red woolen cap with ear tabs, in a New York State August.) None of the stories he tells can be corroborated; some of his assertions are grotesquely impossible. He probably made the journey to Niagara, and then returned to Philadelphia.

But it really makes no difference what he did or did not see. The important thing is that in his American experiences he found material for great art.

He returned to France, married (frankly for money), joined the royalist army in Belgium, was wounded, and took refuge in London. There he was penniless and hungry; he ate (he *says*) even grass and paper. He lived somehow by tutoring, and wrote an *Essai sur les*

---

* Louis Gillet in *Les Nouvelles Littéraires*, November 5, 1938.

Révolutions, skeptical, radical, anti-Catholic. Mysteriously converted ("j'ai pleuré et j'ai cru," he says; but there is a troublesome story that his London publisher persuaded him that he was on the wrong side; infidelity was going out and Christianity coming in), he wrote *Le Génie du christianisme*. An extract, *Atala*, appeared in 1801, and suddenly made Chateaubriand famous. *Atala* is a prose poem, a pulsing tale of love and Christian faith in a wild American setting. It is vibrant with emotion, sumptuous in description of exotic nature.

Le Génie du christianisme (1802) is a defense of Catholicism more on *aesthetic* than on *rational* grounds. It emphasizes the beauty of Christian doctrine and ceremony. The art inspired by Christianity, literary, graphic, plastic, architectural, surpasses any pagan art. Especially the art and architecture of the Middle Ages deserve our reverent admiration. The French should open their eyes to the splendor of their own past.

Interpolated in *Le Génie du christianisme* is the story of *René*. René is Chateaubriand's young self; even the name is his own. He is intensely emotional, and he observes his emotion with fascination. He alternates between fits of frenzy and periods of pathological boredom. Conscious of his superiority to the world, contemptuous of religion, he sees no recourse but suicide. A mild manic-depressive, we might say. But in his own time, René represented the superior young man's dream-picture of himself. It became fashionable to confront the world with loathing and despair, to patrol lonely cliffs on stormy midnights, to be at the same time a misanthropic hermit and a volcano of passion. This attitude, or affliction, became known as *le mal de René*, and later as *le mal du siècle*.

Chateaubriand evidently conceived and wrote *René* as a part of an *épopée de l'homme de la nature*. He adapted it to the purpose of his *Génie du christianisme* by arguing that he was teaching the young not to withdraw from their duties toward society, and that he was showing the evil results of eighteenth-century skepticism (for the Renés of the past would have found peace in a monastery).

Many readers of the story wonder whether the "criminelle passion" of Amélie for René was founded on fact, that is, whether Lucile de Chateaubriand's love for her brother was abnormal. Everything points to the conclusion that it was not, that Chateaubriand put in the suggestion of incest to make the story more exciting.* Lucile, in fact, married and was widowed and, mentally deranged, died as a boarder in a convent. (Sainte-Beuve says she killed herself.) Chateaubriand did not even attempt to discover and mark her grave.

There is little need to describe Chateaubriand's other works, valuable and influential though they are—works such as *Les Martyrs* (1809), *L'Itinéraire de Paris à Jérusalem* (1811), *Mémoires d'outre-tombe* (1848–1850). Nor is there need to pass in review his eminent political career. He was ambassador to Berlin, London, Rome; he was Minister of Foreign Affairs under Louis XVIII. (His chef in London invented the Chateaubriand: cook a beefsteak between two others; throw away the two outside ones.)

He died in 1848 and was buried, by his own arrangement, on a rocky islet off Saint-Malo, beaten by all the storms from the western ocean ("Levez-vous vite, orages désirés . . .").

The young American of today, inclined to find Chateaubriand insufferably vain, ridiculous in his tragic pose, untrustworthy with facts, is apt to wonder why we esteem him so highly. The answer lies in the richness of his creative imagination, and especially in the magic of his style, which redeems every shortcoming. One can compare his style only to music. In his descriptions, as of the awe and mystery of American solitudes, he sought to transpose visual sensations into musical prose. There are passages which can be played on a flute, and others which seem to call for a full orchestra. The serious student should read aloud such paragraphs as that in *La Vie au Château de Combourg* beginning "Les soirées d'automne et d'hiver . . .", (p. 8), or that in *René* beginning "La solitude

---

* See Armand Weil: *René, texte critique*. Geneva, Droz, 1947.

absolue . . .", p. 16. Then, if he has any ear for the evocative harmonies of the French language, he will understand why Chateaubriand has been called, for a century and a half, the Enchanter.

MÉMOIRES D'OUTRE-TOMBE

[Extracts]

La Vie au château de Combourg*

Pendant la mauvaise saison, des mois entiers s'écoulaient sans qu'aucune créature humaine frappât à la porte de notre forteresse. Si la tristesse était grande sur les bruyères° de Combourg, elle était encore plus grande au château : on éprouvait, en pénétrant sous ses voûtes, la même sensation qu'en entrant à la Chartreuse de Grenoble...°

Le calme morne du château de Combourg était augmenté par l'humeur taciturne et insociable de mon père. Au lieu de resserrer sa famille et ses gens autour de lui, il les avait dispersés à toutes les aires de vent° de l'édifice. Sa chambre à coucher était placée dans la petite tour de l'est, et son cabinet° dans la petite tour de l'ouest. Les meubles de ce cabinet consistaient en trois chaises de cuir noir et une table couverte de titres° et de parchemins. Un arbre généalogique de la famille des Chateaubriand tapissait le manteau de la cheminée, et dans l'embrasure d'une fenêtre on voyait toutes sortes d'armes, depuis le pistolet jusqu'à l'espingole.° L'appartement de ma mère régnait au-dessus de la grand'salle, entre les deux petites tours : il était parqueté° et orné de glaces de Venise à facettes.° Ma sœur° habitait un cabinet dépendant de l'appartement de ma mère. La femme de chambre couchait loin de là, dans le corps de logis° des grandes tours. Moi, j'étais niché dans une espèce de cellule

isolée, au haut de la tourelle de l'escalier° qui communiquait de la cour intérieure aux diverses parties du château. Au bas de cet escalier, le valet de chambre de mon père et le domestique° gisaient° dans les caveaux voûtés, et la cuisinière tenait garnison° dans la grosse tour de l'ouest.

Mon père se levait° à quatre heures du matin, hiver comme été : il venait dans la cour intérieure appeler et éveiller son valet de chambre, à l'entrée de la tourelle. On lui apportait un peu de café à cinq heures; il travaillait ensuite dans son cabinet jusqu'à midi. Ma mère et ma sœur déjeunaient chacune dans leur chambre, à huit heures du matin. Je n'avais aucune heure fixe, ni pour me lever, ni pour déjeuner; j'étais censé° étudier jusqu'à midi : la plupart du temps je ne faisais rien.

A onze heures et demie, on sonnait le dîner que l'on servait à midi. La grand'salle était à la fois salle à manger et salon; on dînait et l'on soupait à l'une de ses extrémités du côté de l'est; après le repas, on se venait placer° à l'autre extrémité du côté de l'ouest, devant une énorme cheminée. La grand'salle était boisée,° peinte en gris blanc et ornée de vieux portraits depuis le règne de François Ier° jusqu'à celui de Louis XIV;° parmi ces portraits, on distinguait ceux de Condé et de Turenne :° un tableau représentant Hector tué par Achille sous les murs de Troie était suspendu au-dessus de la cheminée.

Le dîner fait, on restait ensemble, jusqu'à deux heures. Alors, si° l'été, mon père prenait le divertissement de la pêche, visitait ses potagers,° se promenait dans l'étendue du vol du chapon;° si l'automne et l'hiver, il partait pour la chasse, ma mère se retirait dans la chapelle, où elle passait quelques heures en prière. Cette chapelle

---

* Combourg, about 25 miles southeast of Saint-Malo, in Brittany. The castle dates in part from the eleventh century; it still stands. Chateaubriand was sixteen years old at the period he describes. 12. *bruyères:* heath. 16. *Chartreuse de Grenoble:* picturesque eleventh-century monastery in the mountains of southeast France. 21. *aires de vent:* points of the compass. 23. *cabinet:* study, small room. 26. *titres:* deeds, certificates of ownership. 31. *espingole:* blunderbuss. 33. *parqueté:* floored with inlaid wood. 34. *à facettes:* made of fitted sections. 34. *Ma sœur:* i.e., Lucile. 37. *corps de logis:* main block of building.

1. *tourelle de l'escalier:* tower enclosing circular staircase. 5. *domestique:* servant staff. 5. *gisaient:* lay, were lodged. 6. *tenait garnison:* was quartered. 8. *se levait:* Notice the force of the imperfect tense throughout. 17. *censé:* supposed. 23. *se venait placer = venait se placer.* 25. *boisée:* wainscoted. 27. *François Ier:* reigned 1515–47. 28. *Louis XIV:* reigned 1643–1715. 29. *Condé, Turenne:* famous generals, period of Louis XIV. 34. *si = si c'était.* 35. *potagers:* kitchen gardens. 36. *vol du chapon:* as far as a capon can fly — about 200 feet. (Term used in medieval definitions of land rights.)

était un oratoire sombre, embelli de bons tableaux des plus grands maîtres, qu'on ne s'attendait guère à trouver dans un château féodal, au fond de la Bretagne. J'ai aujourd'hui en ma possession une *Sainte Famille* de l'Albane,° peinte sur cuivre, tirée de cette chapelle : c'est tout ce qui me reste de Combourg.

Mon père parti et ma mère en prière, Lucile s'enfermait dans sa chambre; je regagnais ma cellule, ou j'allais courir les champs.

A huit heures, la cloche annonçait le souper. Après le souper, dans les beaux jours, on s'asseyait sur le perron.° Mon père, armé de son fusil, tirait des chouettes° qui sortaient des créneaux° à l'entrée de la nuit. Ma mère, Lucile et moi, nous regardions le ciel, les bois, les derniers rayons du soleil, les premières étoiles. A dix heures on rentrait et l'on se couchait.

Les soirées d'automne et d'hiver étaient d'une autre nature. Le souper fini et les quatre convives revenus de la table à la cheminée, ma mère se jetait, en soupirant, sur un vieux lit de jour° de siamoise flambée;° on mettait devant elle un guéridon° avec une bougie. Je m'asseyais auprès du feu avec Lucile; les domestiques enlevaient le couvert et se retiraient. Mon père commençait alors une promenade qui ne cessait qu'à l'heure de son coucher. Il était vêtu d'une robe de ratine° blanche, ou plutôt d'une espèce de manteau que je n'ai vu qu'à lui. Sa tête, demi-chauve, était couverte d'un grand bonnet blanc qui se tenait tout droit. Lorsqu'en se promenant il s'éloignait du foyer, la vaste salle était si peu éclairée par une seule bougie qu'on ne le voyait plus; on l'entendait seulement encore marcher dans les ténèbres : puis il revenait lentement vers la lumière et émergeait peu à peu de l'obscurité, comme un spectre, avec sa robe blanche, son bonnet blanc, sa figure longue et pâle. Lucile et moi, nous échangions quelques mots à voix basse quand il était à l'autre bout de la salle; nous nous taisions quand il se rapprochait de nous. Il nous disait en passant : « De quoi parliez-vous ? » Saisis de terreur, nous ne répondions rien; il continuait sa marche. Le reste de la soirée, l'oreille n'était plus frappée que du bruit

mesuré de ses pas, des soupirs de ma mère et du murmure du vent.

Dix heures sonnaient à l'horloge du château : mon père s'arrêtait; le même ressort° qui avait soulevé le marteau° de l'horloge semblait avoir suspendu ses pas. Il tirait sa montre, la montait,° prenait un grand flambeau° d'argent surmonté d'une grande bougie, entrait un moment dans la petite tour de l'ouest, puis revenait, son flambeau à la main, et s'avançait vers sa chambre à coucher, dépendante de la petite tour de l'est. Lucile et moi, nous nous tenions sur son passage; nous l'embrassions en lui souhaitant une bonne nuit. Il penchait vers nous sa joue sèche et creuse sans nous répondre, continuait sa route et se retirait au fond de la tour, dont nous entendions les portes se refermer sur lui.

Le talisman° était brisé; ma mère, ma sœur et moi, transformés en statues par la présence de mon père, nous recouvrions les fonctions de la vie. Le premier effet de notre désenchantement se manifestait par un débordement de paroles : si le silence nous avait opprimés, il nous le payait cher.

Ce torrent de paroles écoulé, j'appelais la femme de chambre, et je reconduisais ma mère et ma sœur à leur appartement. Avant de me retirer, elles me faisaient regarder sous les lits, dans les cheminées, derrière les portes, visiter les escaliers, les passages et les corridors voisins. Toutes les traditions du château, voleurs et spectres, leur revenaient en mémoire. Les gens étaient persuadés qu'un certain comte de Combourg, à jambe de bois, mort depuis trois siècles, apparaissait à certaines époques, et qu'on l'avait rencontré dans le grand escalier de la tourelle; sa jambe de bois se promenait aussi quelquefois seule avec un chat noir.

Ces récits occupaient tout le temps du coucher de ma mère et de ma sœur : elles se mettaient au lit mourantes de peur; je me retirais au haut de ma tourelle; la cuisinière rentrait dans la grosse tour, et les domestiques descendaient dans leur souterrain.

La fenêtre de mon donjon s'ouvrait sur la cour intérieure; le jour, j'avais en perspective les créneaux de la courtine° opposée, où

5. *Albane:* Albani, seventeenth-century painter. 13. *perron:* entrance steps. 14. *tirait des chouettes:* would shoot owls. 15. *créneaux:* battlements. 23. *lit de jour:* couch. 23. *siamoise flambée:* cotton material, in Siamese style. 24. *guéridon:* small table. 29. *ratine:* frieze, rough woolen cloth.

4. *ressort:* spring. 5. *marteau:* hammer. 6. *montait:* here, would wind. 7. *flambeau:* candlestick. 19. *talisman:* talisman, spell. 48. *courtine:* wall joining two towers.

végétaient des scolopendres° et croissait un prunier° sauvage. Quelques martinets,° qui durant l'été s'enfonçaient en criant dans les trous des murs, étaient mes seuls compagnons. La nuit, je n'apercevais qu'un petit morceau de ciel et quelques étoiles. Lorsque la lune brillait et qu'elle s'abaissait à l'occident, j'en étais averti par ses rayons, qui venaient à mon lit au travers des carreaux losangés° de la fenêtre. Des chouettes, voletant° d'une tour à l'autre, passant et repassant entre la lune et moi, dessinaient sur mes rideaux l'ombre mobile de leurs ailes. Relégué dans l'endroit le plus désert, à l'ouverture des galeries, je ne perdais pas un murmure des ténèbres. Quelquefois le vent semblait courir à pas légers; quelquefois il laissait échapper des plaintes; tout à coup ma porte était ébranlée avec violence; les souterrains poussaient des mugissements,° puis ces bruits expiraient pour recommencer encore. A quatre heures du matin, la voix du maître du château, appelant le valet de chambre à l'entrée des voûtes séculaires,° se faisait entendre comme la voix du dernier fantôme de la nuit. Cette voix remplaçait pour moi la douce harmonie au son de laquelle le père de Montaigne éveillait son fils.°

L'entêtement du comte de Chateaubriand à faire coucher un enfant au haut d'une tour pouvait avoir quelque inconvénient; mais il tourna à mon avantage. Cette manière violente de me traiter me laissa le courage d'un homme, sans m'ôter cette sensibilité d'imagination dont on voudrait aujourd'hui priver la jeunesse. Au lieu de chercher à me convaincre qu'il n'y avait point de revenants,° on me força de les braver. Lorsque mon père me disait, avec un sourire ironique : « Monsieur le chevalier aurait-il peur? » il m'eût fait coucher avec un mort. Lorsque mon excellente mère me disait : « Mon enfant, tout n'arrive que par la permission de Dieu; vous n'avez rien à craindre des mauvais esprits, tant que vous serez bon chrétien »; j'étais mieux rassuré que par tous les arguments de la philosophie. Mon succès fut si complet que les vents de la nuit dans ma tour déshabitée ne

servaient que de jouets à mes caprices et d'ailes à mes songes. Mon imagination allumée, se propageant sur tous les objets, ne trouvait nulle part assez de nourriture et aurait dévoré la terre et le ciel.

SOUVENIRS D'AMÉRIQUE

Lorsque, après avoir passé le Mohawk,° j'entrai dans des bois qui n'avaient jamais été abattus, je fus pris d'une sorte d'ivresse d'indépendance; j'allais d'arbre en arbre, à gauche, à droite, me disant : « Ici plus de chemins, plus de villes, plus de monarchie, plus de république, plus de présidents, plus de rois, plus d'hommes. » Et, pour essayer si j'étais rétabli dans mes droits originels,° je me livrais à des actes de volonté qui faisaient enrager mon guide, lequel, dans son âme, me croyait fou.

Hélas! je me figurais être seul dans cette forêt où je levais une tête si fière! Tout à coup je viens m'énaser° contre un hangar.° Sous ce hangar s'offrent à mes yeux ébaubis° les premiers sauvages que j'aie vus de ma vie. Ils étaient une vingtaine, tant hommes que femmes, tous barbouillés° comme des sorciers, le corps demi-nu, les oreilles découpées, des plumes de corbeau sur la tête et des anneaux passés dans les narines. Un petit Français, poudré et frisé,° habit vert pomme, veste de droguet,° jabot et manchettes de mousseline,° raclait° un violon de poche et faisait danser *Madelon Friquet°* à ces Iroquois. M. Violet (c'était son nom) était maître de danse chez les sauvages. On lui payait ses leçons en peaux de castors° et en jambons d'ours. Il avait été marmiton° au service du général Rochambeau° pendant la guerre d'Amérique. Demeuré à New-York après le départ de notre armée, il se résolut d'enseigner les beaux-arts aux Américains. Ses vues s'étant agrandies avec le succès, le nouvel Orphée°

9. Mohawk, river of east-central New York, tributary of the Hudson. Chateaubriand would have followed Genesee Road, from near Utica through Oneida and Geneva (which barely existed) to Canandaigua; thence a well-marked trail led through present Avon and Batavia to Niagara. 17. *droits originels:* ironic reference to Rousseau and doctrines of the Revolution. 22. *m'énaser:* bump into. 22. *hangar:* shed. 23. *ébaubis:* astounded. 26. *barbouillés:* bedaubed. 29. *poudré et frisé:* with hair powdered and curled. 30. *droguet:* drugget, coarse woolen fabric. 31. *jabot... mousseline:* neck cloth and cuffs of muslin. 31. *raclait:* was scraping. 32. *Madelon Friquet:* popular song of early eighteenth century. 35. *castors:* beavers. 36. *marmiton:* cook's helper. 37. Rochambeau, commander of French forces that came to American aid during the Revolution. 41. *Orphée:* Orpheus, legendary Greek musician.

1. *scolopendres:* hart's-tongues (ferns growing on damp walls). 2. *prunier:* plum tree. 2. *martinets:* swifts. 9. *carreaux losangés:* diamond-shaped panes. 10. *voletant:* fluttering. 19. *mugissements:* moans. 23. *séculaires:* centuries old. 27. Montaigne's father aroused him by sweet music, to spare him shock. 36. *revenants:* ghosts.

porta la civilisation jusque chez les hordes sauvages du Nouveau Monde. En me parlant des Indiens, il me disait toujours : « Ces messieurs sauvages et ces dames sauvagesses. » Il se louait beaucoup de la légèreté de ses écoliers; en effet, je n'ai jamais vu faire de telles gambades.° M. Violet, tenant son petit violon entre son menton et sa poitrine, accordait° l'instrument fatal; il criait aux Iroquois : « A vos places! » Et toute la troupe sautait comme une bande de démons.

N'était-ce pas une chose accablante pour un disciple de Rousseau, que cette introduction à la vie sauvage par un bal que l'ancien marmiton du général Rochambeau donnait à des Iroquois? J'avais grande envie de rire, mais j'étais cruellement humilié...°

Nous voilà, mon guide et moi, remontés à cheval. Notre route, devenue plus pénible, était à peine tracée par des abattis d'arbres.° Les troncs de ces arbres servaient de ponts sur les ruisseaux, ou de fascines° dans les fondrières.° La population américaine se portait alors vers les concessions de Genesee. Ces concessions se vendaient plus ou moins cher selon la bonté du sol, la qualité des arbres, le cours et la foison° des eaux...

Les défrichements° sur les deux bords de la route que je parcourais offraient un curieux mélange de l'état de nature et de l'état civilisé. Dans le coin d'un bois qui n'avait jamais retenti que des cris du sauvage et des bramements° de la bête fauve, on rencontrait une terre labourée; on apercevait du même point de vue le wigwaum d'un Indien et l'habitation d'un planteur. Quelques-unes de ces habitations, déjà achevées, rappelaient la propreté des fermes hollandaises; d'autres n'étaient qu'à demi terminées et n'avaient pour toit que le ciel.

J'étais reçu dans ces demeures, ouvrages d'un matin; j'y trouvais souvent une famille avec les élégances de l'Europe : des meubles d'acajou,° un piano,° des tapis, des glaces, à quatre pas de la hutte d'un Iroquois. Le soir, lorsque les serviteurs étaient revenus des bois ou des champs avec la cognée° ou la houe,° on ouvrait les fenêtres. Les filles de mon hôte, en beaux cheveux blonds annelés,° chantaient au piano le duo de *Pandolfetto* de Paisiello, ou un *cantabile* de Cimarosa,° le tout à la vue du désert et quelquefois au murmure d'une cascade...

Nous avançâmes vers Niagara. Nous n'en étions qu'à huit ou neuf lieues, lorsque nous aperçûmes, dans une chênaie,° le feu de quelques sauvages, arrêtés au bord d'un ruisseau, où nous songions nous-mêmes à bivouaquer. Nous profitâmes de leur établissement : chevaux pansés,° toilette de nuit faite, nous accostâmes la horde. Les jambes croisées à la manière des tailleurs, nous nous assîmes avec les Indiens, autour du bûcher, pour mettre rôtir nos quenouilles de maïs.°

La famille était composée de deux femmes, de deux enfants à la mamelle, et de trois guerriers. La conversation devint générale, c'est-à-dire par quelques mots entrecoupés de ma part et par beaucoup de gestes; ensuite chacun s'endormit dans la place où il était. Resté seul éveillé, j'allai m'asseoir à l'écart, sur une racine qui traçait° au bord du ruisseau.

La lune se montrait à la cime des arbres, une brise embaumée, que cette reine des nuits amenait de l'Orient avec elle, semblait la précéder dans les forêts, comme sa fraîche haleine. L'astre solitaire° gravit° peu à peu dans le ciel : tantôt il suivait sa course, tantôt il franchissait des groupes de nues, qui ressemblaient aux sommets d'une chaîne de montagnes couronnées de neiges. Tout aurait été silence et repos, sans la chute de quelques feuilles, le passage d'un vent subit, le gémissement de la hulotte :° au loin on entendait les sourds mugissements de la cataracte de Niagara, qui, dans le calme de la nuit, se prolongeaient de désert en désert, et expiraient à travers les forêts solitaires. C'est dans ces nuits que m'apparut une muse inconnue : je recueillis quelques-uns de ses accents; je les marquai sur mon livre, à la clarté des étoiles, comme un musicien vulgaire écrirait les notes que lui dicterait quelque grand maître des harmonies.

7. *gambades:* capers. 8. *accordait:* would tune. 17. No other traveler of the period reported M. Violet and his picturesque trade. 20. *abattis d'arbres:* felled trees. 22. *fascines:* bundles of light wood (Perhaps a description of "corduroy roads"). 22. *fondrières:* mud holes. 26. *foison:* abundance. 28. *défrichements:* clearings. 33. *bramements:* bellowings. 42. *acajou:* mahogany. 43. Antiquarians assert that there were no pianos west of Albany at this date.

1. *cognée:* ax. 1. *houe:* hoe. 3. *annelés:* curled, ringleted. 5. *Paisiello, Cimarosa:* eighteenth-century composers. ("Pandolfetto" was Chateaubriand's favorite song.) 9. *chênaie:* oak grove. 13. *pansés:* groomed. 17. *quenouilles de maïs:* ears of corn. 25. *traçait:* emerged. 30. *l'astre solitaire = la lune.* 30. *gravit:* climbed. 37. *hulotte:* hoot owl.

RENÉ

[*The circumstances are told in the prologue to*
Atala*: « En 1725, un Français, nommé René, poussé
par des passions et des malheurs, arriva à la Louisiane. Il remonta le Meschacebé (Mississippi) jusqu'aux Natchez, et demanda à être reçu guerrier de
cette nation. Chactas l'ayant interrogé, et le trouvant
inébranlable dans sa résolution, l'adopta pour fils, et
lui donna pour épouse une Indienne, appelée Céluta. »*]

En arrivant chez les Natchez, René avait été
obligé de prendre une épouse, pour se conformer
aux mœurs des Indiens, mais il ne vivait point
avec elle. Un penchant mélancolique l'entraînait
au fond des bois; il y passait seul des journées
entières, et semblait sauvage parmi les sauvages.
Hors Chactas,° son père adoptif, et le père
Souël,° missionnaire au fort Rosalie,° il avait
renoncé au commerce des hommes. Ces deux
vieillards avaient pris beaucoup d'empire sur
son cœur : le premier, par une indulgence
aimable; l'autre, au contraire, par une extrême
sévérité. Depuis la chasse du castor, où le
Sachem aveugle raconta ses aventures à René,°
celui-ci n'avait jamais voulu parler des siennes.
Cependant Chactas et le missionnaire désiraient
vivement connaître par quel malheur un
Européen bien né avait été conduit à l'étrange
résolution de s'ensevelir dans les déserts de la
Louisiane. René avait toujours donné pour
motif de ses refus le peu d'intérêt de son histoire,
qui se bornait, disait-il, à celles de ses pensées et
de ses sentiments. « Quant à l'événement qui
m'a déterminé à passer en Amérique, ajoutait-il,
je dois ensevelir dans un éternel oubli. »

Quelques années s'écoulèrent de la sorte, sans
que les deux vieillards lui pussent arracher son
secret. Une lettre qu'il reçut d'Europe, par le
bureau des Missions étrangères, redoubla tellement sa tristesse, qu'il fuyait jusqu'à ses vieux
amis. Ils n'en furent que plus ardents à le presser
de leur ouvrir son cœur; ils y mirent tant de discrétion, de douceur et d'autorité, qu'il fut enfin
obligé de les satisfaire. Il prit donc jour° avec eux
pour leur raconter, non les aventures de sa vie,
puisqu'il n'en avait point éprouvé, mais les
sentiments secrets de son âme.

Le 21 de ce mois que les sauvages appellent *la
lune des fleurs,*° René se rendit à la cabane de
Chactas. Il donna le bras au Sachem, et le conduisit sous un sassafras, au bord du Meschacebé.
Le père Souël ne tarda pas à arriver au rendez-
vous. L'aurore se levait : à quelque distance
dans la plaine, on apercevait le village des
Natchez, avec son bocage de mûriers° et ses
cabanes qui ressemblent à des ruches d'abeilles.°
La colonie française et le fort Rosalie se montraient sur la droite, au bord du fleuve. Des
tentes, des maisons à moitié bâties, des forteres-
ses commencées, des défrichements couverts
de nègres, des groupes de blancs et d'Indiens,
présentaient, dans ce petit espace, le contraste
des mœurs sociales et des mœurs sauvages. Vers
l'orient, au fond de la perspective, le soleil
commençait à paraître entre les sommets
brisés des Apalaches,° qui se dessinaient comme
des caractères° d'azur dans les hauteurs dorées du
ciel; à l'occident, le Meschacebé roulait ses ondes
dans un silence magnifique et formait la bordure
du tableau avec une inconcevable grandeur.

Le jeune homme et le missionnaire admirèrent
quelque temps cette belle scène, en plaignant le
Sachem, qui ne pouvait plus en jouir; ensuite le
père Souël et Chactas s'assirent sur le gazon, au
pied de l'arbre; René prit sa place au milieu
d'eux, et, après un moment de silence, il parla
de la sorte à ses vieux amis :

« Je ne puis, en commençant mon récit, me
défendre d'un mouvement de honte. La paix
de vos cœurs, respectables vieillards, et le calme
de la nature autour de moi me font rougir du
trouble et de l'agitation de mon âme.

« Combien vous aurez pitié de moi! que mes
éternelles inquiétudes vous paraîtront misérables! Vous qui avez épuisé tous les chagrins de la
vie, que penserez-vous d'un jeune homme sans
force et sans vertu, qui trouve en lui-même son
tourment et ne peut guère se plaindre que des
maux qu'il se fait à lui-même? Hélas! ne le con-
damnez pas : il a été trop puni!

« J'ai coûté la vie à ma mère en venant au
monde; j'ai été tiré de son sein avec le fer.°

2. *lune des fleurs:* i.e., May. 8. *bocage de mûriers:* grove
of mulberry trees. 9. *ruches d'abeilles:* beehives. 19. *Apalaches:*
Appalachian mountains, in fact about 300 miles eastward. 20.
caractères: letters. (An example of Chateaubriand's bold,
novel similes.) 45. *avec le fer:* i.e., Caesarean operation.
(Obviously Chateaubriand's birth did not cost his mother
her life; perhaps this is a recollection of Rousseau. But most
of the following development is reminiscence.)

18. *Chactas:* blind Natchez chief, hero of *Atala.* 19. *père
Souël:* a historic character. 19. *fort Rosalie:* French fort on
site of Natchez, Mississippi. 25. *le Sachem... René:* reference
to the story of *Atala.* 45. *prit jour:* made an appointment.

J'avais un frère, que mon père bénit, parce qu'il voyait en lui son fils aîné. Pour moi, livré de bonne heure à des mains étrangères, je fus élevé loin du toit paternel.

« Mon humeur était impétueuse, mon caractère inégal.° Tour à tour bruyant et joyeux, silencieux et triste, je rassemblais autour de moi mes jeunes compagnons; puis, les abandonnant tout à coup, j'allais m'asseoir à l'écart pour contempler la nue fugitive, ou entendre la pluie tomber sur le feuillage.

« Chaque automne, je revenais au château paternel, situé au milieu des forêts, près d'un lac, dans une province reculée.

« Timide et contraint devant mon père, je ne trouvais l'aise et le contentement qu'auprès de ma sœur Amélie.° Une douce conformité d'humeur et de goûts m'unissait étroitement à cette sœur; elle était un peu plus âgée que moi. Nous aimions à gravir les coteaux ensemble, à voguer sur le lac, à parcourir les bois à la chute des feuilles : promenades dont le souvenir remplit encore mon âme de délices. O illusions de l'enfance et de la patrie, ne perdez-vous jamais vos douceurs?

« Tantôt nous marchions en silence, prêtant l'oreille au sourd mugissement de l'automne, ou au bruit des feuilles séchées que nous traînions tristement sous nos pas; tantôt, dans nos jeux innocents, nous poursuivions l'hirondelle° dans la prairie, l'arc-en-ciel sur les collines pluvieuses; quelquefois aussi nous murmurions des vers que nous inspirait le spectacle de la nature. Jeune, je cultivais les Muses; il n'y a rien de plus poétique, dans la fraîcheur de ses passions, qu'un cœur de seize années. Le matin de la vie est comme le matin du jour, plein de pureté, d'images et d'harmonies.

« Les dimanches et les jours de fête, j'ai souvent entendu, dans le grand bois, à travers les arbres, les sons de la cloche lointaine qui appelait au temple l'homme des champs. Appuyé contre le tronc d'un ormeau,° j'écoutais en silence le pieux murmure. Chaque frémissement de l'airain° portait à mon âme naïve l'innocence des mœurs champêtres, le calme de la solitude, le charme de la religion, et la délectable mélancolie des souvenirs de ma première enfance! Oh! quel cœur si mal fait n'a tressailli au bruit des cloches de son lieu natal, de ces cloches qui frémirent de joie sur son berceau, qui annoncèrent son avènement à la vie, qui marquèrent le premier battement de son cœur, qui publièrent dans tous les lieux d'alentour la sainte allégresse de son père, les douleurs et les joies encore plus ineffables de sa mère! Tout se trouve dans les rêveries enchantées où nous plonge le bruit de la cloche natale : religion, famille, patrie, et le berceau et la tombe, et le passé et l'avenir.°

« Il est vrai qu'Amélie et moi nous jouissions plus que personne de ces idées graves et tendres, car nous avions tous les deux un peu de tristesse au fond du cœur : nous tenions cela de Dieu ou de notre mère.

« Cependant mon père fut atteint d'une maladie qui le conduisit en peu de jours au tombeau. Il expira dans mes bras. J'appris à connaître la mort sur les lèvres de celui qui m'avait donné la vie. Cette impression fut grande; elle dure encore. C'est la première fois que l'immortalité de l'âme s'est présentée clairement à mes yeux. Je ne pus croire que ce corps inanimé était en moi l'auteur de la pensée; je sentis qu'elle me devait venir d'une autre source; et, dans une sainte douleur qui approchait de la joie, j'espérai me rejoindre un jour à l'esprit de mon père.

« Un autre phénomène me confirma dans cette haute idée. Les traits paternels avaient pris au cercueil quelque chose de sublime. Pourquoi cet étonnant mystère ne serait-il pas l'indice de notre immortalité? Pourquoi la mort, qui sait tout, n'aurait-elle pas gravé sur le front de sa victime les secrets d'un autre univers? Pourquoi n'y aurait-il pas dans la tombe quelque grande vision de l'éternité?

« Amélie, accablée de douleur, était retirée au fond d'une tour, d'où elle entendit retentir, sous les voûtes du château gothique, le chant des prêtres du convoi° et les sons de la cloche funèbre.

« J'accompagnai mon père à son dernier asile; la terre se referma sur sa dépouille;° l'éternité et l'oubli le pressèrent de tout leur poids : le soir même l'indifférent passait sur sa tombe; hors

---

6. *inégal:* variable. 17. *Amélie:* i.e., Lucile de Chateaubriand, four years older than the author. 30. *hirondelle:* swallow. 43. *ormeau:* elm. 45. *airain:* brass, bronze.

9–12. The ringing of church bells was forbidden in France when this melodious passage was written. 43. *convoi:* funeral procession. 46. *dépouille:* remains.

pour sa fille et pour son fils, c'était déjà comme s'il n'avait jamais été.

« Il fallut quitter le toit paternel, devenu l'héritage de mon frère : je me retirai avec Amélie chez de vieux parents.

« Arrêté à l'entrée des voies trompeuses de la vie, je les considérais l'une après l'autre sans m'y oser engager. Amélie m'entretenait souvent du bonheur de la vie religieuse; elle me disait que j'étais le seul lien qui la retînt dans le monde,° et ses yeux s'attachaient sur moi avec tristesse.

« Le cœur ému par ces conversations pieuses, je portais souvent mes pas vers un monastère voisin de mon nouveau séjour; un moment même j'eus la tentation d'y cacher ma vie.° Heureux ceux qui ont fini leur voyage sans avoir quitté le port, et qui n'ont point, comme moi, traîné d'inutiles jours sur la terre!

« Les Européens, incessamment agités, sont obligés de se bâtir des solitudes. Plus notre cœur est tumultueux et bruyant, plus le calme et le silence nous attirent. Ces hospices de mon pays, ouverts aux malheureux et aux faibles, sont souvent cachés dans des vallons qui portent au cœur le vague sentiment de l'infortune et l'espérance d'un abri; quelquefois aussi on les découvre sur de hauts sites où l'âme religieuse, comme une plante des montagnes, semble s'élever vers le ciel pour lui offrir ses parfums.

« Je vois encore le mélange majestueux des eaux et des bois de cette antique abbaye où je pensai dérober ma vie au caprice du sort; j'erre encore au déclin du jour dans ces cloîtres retentissants et solitaires. Lorsque la lune éclairait à demi les piliers des arcades et dessinait leur ombre sur le mur opposé, je m'arrêtais à contempler la croix qui marquait le champ de la mort et les longues herbes qui croissaient entre les pierres des tombes. O hommes qui, ayant vécu loin du monde, avez passé du silence de la vie au silence de la mort, de quel dégoût de la terre vos tombeaux ne remplissaient-ils pas mon cœur !

« Soit inconstance naturelle, soit préjugé contre la vie monastique, je changeai mes desseins; je me résolus à voyager. Je dis adieu à ma sœur; elle me serra dans ses bras avec un mouvement qui ressemblait à de la joie, comme si elle eût été heureuse de me quitter; je ne pus me défendre d'une réflexion amère sur l'inconséquence des amitiés humaines.

« Cependant, plein d'ardeur, je m'élançai seul sur cet orageux océan du monde, dont je ne connaissais ni les ports ni les écueils.° Je visitai d'abord les peuples qui ne sont plus; je m'en allai, m'asseyant sur les débris de Rome et de la Grèce, pays de forte et d'ingénieuse mémoire, où les palais sont ensevelis dans la poudre° et les mausolées des rois cachés sous les ronces.° Force de la nature, et faiblesse de l'homme! un brin d'herbe perce souvent le marbre le plus dur de ces tombeaux, que tous ces morts, si puissants, ne soulèveront jamais!

« Quelquefois une haute colonne se montrait seule debout dans un désert, comme une grande pensée s'élève, par intervalles, dans une âme que le temps et le malheur ont dévastée.

« Je méditai sur ces monuments dans tous les accidents° et à toutes les heures de la journée. Tantôt ce même soleil qui avait vu jeter les fondements de ces cités se couchait majestueusement, à mes yeux, sur leurs ruines; tantôt la lune se levant dans un ciel pur, entre deux urnes cinéraires° à moitié brisées, me montrait les pâles tombeaux. Souvent, aux rayons de cet astre qui alimente les rêveries, j'ai cru voir le Génie des souvenirs, assis tout pensif à mes côtés.

« Mais je me lassai de fouiller dans des cercueils, où je ne remuais trop souvent qu'une poussière criminelle.°

« Je voulus voir si les races vivantes m'offriraient plus de vertus, ou moins de malheurs, que les races évanouies. Comme je me promenais un jour dans une grande cité, en passant derrière un palais, dans une cour retirée et déserte, j'aperçus une statue qui indiquait du doigt un lieu fameux par un sacrifice.° Je fus frappé du silence de ces lieux; le vent seul gémissait autour du marbre tragique. Des manœuvres° étaient couchés avec indifférence au pied de la statue, ou taillaient des pierres en sifflant. Je leur demandai ce que signifiait ce monument : les

6. *écueils:* reefs. 10. *poudre:* dust. 11. *ronces:* brambles. 21. *accidents:* here, changes of light. 26. *urnes cinéraires:* urns to contain ashes of dead. 33. *poussière criminelle:* i.e., the remains of some ancient malefactor. 40. Behind Whitehall Palace, London, stands a statue of James II, pointing inaccurately (and without the sculptor's intent) to the spot where his father, Charles I, was beheaded in 1649. 42. *manœuvres:* workmen.

10. *qui la retînt dans le monde:* i.e., which restrained her from becoming a nun. 15. Young Chateaubriand in fact proposed briefly to become a priest.

uns purent à peine me le dire, les autres igno-
raient la catastrophe qu'il retraçait. Rien ne
m'a plus donné la juste mesure des événements
de la vie, et du peu que nous sommes. Que sont
devenus ces personnages qui firent tant de bruit ?
Le temps a fait un pas, et la face de la terre a été
renouvelée.

« Je recherchai surtout dans mes voyages les
artistes, et ces hommes divins qui chantent les
dieux sur la lyre, et la félicité des peuples qui
honorent les lois, la religion et les tombeaux.

« Ces chantres° sont de race divine, ils possèdent le seul talent incontestable dont le ciel ait
fait présent à la terre. Leur vie est à la fois naïve
et sublime; ils célèbrent les dieux avec une
bouche d'or, et sont les plus simples des hommes; ils causent comme des immortels ou
comme de petits enfants; ils expliquent les lois
de l'univers et ne peuvent comprendre les
affaires les plus innocentes de la vie; ils ont des
idées merveilleuses de la mort, et meurent sans
s'en apercevoir, comme des nouveau-nés.

« Sur les monts de la Calédonie,° le dernier
barde qu'on ait ouï dans ces déserts me chanta
des poèmes dont un héros consolait jadis sa
vieillesse. Nous étions assis sur quatre pierres
rongées de mousse;° un torrent coulait à nos
pieds; le chevreuil° paissait° à quelque distance
parmi les débris d'une tour, et le vent des mers
sifflait sur la bruyère de Cona.° Maintenant la
religion chrétienne, fille aussi des hautes
montagnes, a placé des croix sur les monuments
des héros de Morven,° et touché la harpe de
David au bord du même torrent où Ossian fit
gémir la sienne. Aussi pacifique que les divinités
de Selma° étaient guerrières, elle garde des
troupeaux où Fingal livrait des combats, et elle
a répandu des anges de paix dans les nuages
qu'habitaient des fantômes homicides.°

« L'ancienne et riante Italie m'offrit la foule
de ses chefs-d'œuvre. Avec quelle sainte et
poétique horreur° j'errais dans ces vastes
édifices consacrés par les arts à la religion! Quel
labyrinthe de colonnes! quelle succession d'arches et de voûtes! Qu'ils sont beaux, ces bruits

qu'on entend autour des dômes, semblables aux
rumeurs des flots dans l'Océan, aux murmures
des vents dans les forêts, ou à la voix de Dieu
dans son temple! L'architecte bâtit, pour
ainsi dire, les idées de poète, et les fait toucher
aux sens.°

« Cependant qu'avais-je appris jusqu'alors
avec tant de fatigue ? rien de certain parmi les
anciens, rien de beau parmi les modernes. Le
passé et le présent sont deux statues incomplètes :
l'une a été retirée toute mutilée du débris des
âges; l'autre n'a pas encore reçu sa perfection
de l'avenir.

« Mais peut-être, mes vieux amis, vous surtout,
habitants du désert, êtes-vous étonnés que, dans
ce récit de mes voyages, je ne vous aie pas une
seule fois entretenus des monuments de la
nature ?

« Un jour, j'étais monté au sommet de l'Etna,°
volcan qui brûle au milieu d'une île. Je vis le
soleil se lever dans l'immensité de l'horizon au-
dessous de moi, la Sicile resserrée comme un
point à mes pieds,° et la mer déroulée au loin
dans les espaces. Dans cette vue perpendiculaire
du tableau, les fleuves ne me semblaient plus
que des lignes géographiques tracées sur une
carte; mais, tandis que d'un côté mon œil
apercevait ces objets, de l'autre il plongeait
dans le cratère de l'Etna, dont je découvrais les
entrailles brûlantes entre les bouffées d'une
noire vapeur.

« Un jeune homme plein de passions, assis
sur la bouche d'un volcan, et pleurant sur les
mortels dont à peine il voyait à ses pieds les
demeures, n'est sans doute, ô vieillards, qu'un
objet digne de votre pitié; mais, quoi que vous
puissiez penser de René, ce tableau vous offre
l'image de son caractère et de son existence :
c'est ainsi que toute ma vie j'ai eu devant les
yeux une création à la fois immense et imperceptible, et un abîme ouvert à mes côtés. »

En prononçant ces derniers mots, René se tut
et tomba subitement dans la rêverie. Le père
Souël le regardait avec étonnement, et le vieux
Sachem aveugle, qui n'entendait plus parler le
jeune homme, ne savait que penser de ce silence.

René avait les yeux attachés sur un groupe

---

12. *chantres:* bards. 23. *Calédonie:* Caledonia, Scotland.
(Reference to romantic prose poems purportedly translated
from fragments of works by Gaelic bard, Ossian, by James
Macpherson in the 1760's.) 27. *mousse:* moss. 28. *chevreuil:*
roebuck, stag. 28. *paissait* (from *paître):* was grazing. 30.
Cona: small stream in Argyllshire, Scotland. 33. *Morven:*
Scottish mountain, scene of exploits of Fingal, a hero of
Ossianic poems. 36. *Selma:* home of Fingal. 39. *fantômes homi-
cides:* i.e., shades of Gaelic warriors. 42. *horreur:* here, awe.

6. *L'achitecte… sens:* This bold metaphor is typical of the
new Romantic freedom of poetic expression. 19. Etna, active
volcano in Sicily. Romantic heroes felt a particular affinity
for volcanoes. 22–23. *La Sicile… à mes pieds:* a typically
Romantic exaggeration.

d'Indiens qui passaient gaiement dans la plaine. Tout à coup sa physionomie s'attendrit, des larmes coulent de ses yeux; il s'écrie :

« Heureux sauvages! oh! que ne puis-je jouir de la paix qui vous accompagne toujours! Tandis qu'avec si peu de fruit je parcourais tant de contrées, vous, assis tranquillement sous vos chênes, vous laissiez couler les jours sans les compter. Votre raison n'était que vos besoins, et vous arriviez mieux que moi au résultat de la sagesse, comme l'enfant, entre les jeux et le sommeil. Si cette mélancolie qui s'engendre de l'excès du bonheur atteignait quelquefois votre âme, bientôt vous sortiez de cette tristesse passagère et votre regard levé vers le ciel cherchait avec attendrissement ce je ne sais quoi inconnu qui prend pitié du pauvre sauvage.° »

Ici la voix de René expira de nouveau, et le jeune homme pencha la tête sur sa poitrine. Chactas, étendant les bras dans l'ombre et prenant le bras de son fils, lui cria d'un ton ému : « Mon fils! mon cher fils! » A ces accents, le frère d'Amélie, revenant à lui et rougissant de son trouble, pria son père de lui pardonner.

Alors le vieux sauvage : « Mon jeune ami, les mouvements d'un cœur comme le tien ne sauraient être égaux;° modère seulement ce caractère qui t'a déjà fait tant de mal. Si tu souffres plus qu'un autre des choses de la vie, il ne faut pas t'en étonner : une grande âme doit contenir plus de douleurs qu'une petite.° Continue ton récit. Tu nous as fait parcourir une partie de l'Europe, fais-nous connaître ta patrie. Tu sais que j'ai vu la France et quels liens m'y ont attaché; j'aimerais à entendre parler de ce grand chef° qui n'est plus et dont j'ai visité la superbe cabane. Mon enfant, je ne vis plus que pour la mémoire. Un vieillard avec ses souvenirs ressemble au chêne décrépit de nos bois : ce chêne ne se décore plus de son propre feuillage, mais il couvre quelquefois sa nudité des plantes étrangères qui ont végété sur ses antiques rameaux. »

Le frère d'Amélie, calmé par ces paroles, reprit ainsi l'histoire de son cœur :

« Hélas, mon père! je ne pourrai t'entretenir de ce grand siècle dont je n'ai vu que la fin dans mon enfance, et qui n'était plus lorsque je rentrai dans ma patrie. Jamais un changement plus étonnant et plus soudain ne s'est opéré chez un peuple. De la hauteur du génie, du respect pour la religion, de la gravité des mœurs, tout était subitement descendu à la souplesse de l'esprit, à l'impiété, à la corruption.°

« C'était donc bien vainement que j'avais espéré retrouver dans mon pays de quoi calmer cette inquiétude, cette ardeur de désir qui me suit partout. L'étude du monde ne m'avait rien appris, et pourtant je n'avais plus la douceur de l'ignorance.

« Ma sœur, par une conduite inexplicable, semblait se plaire à augmenter mon ennui; elle avait quitté Paris quelques jours avant mon arrivée. Je lui écrivis que je comptais l'aller rejoindre; elle se hâta de me répondre pour me détourner de ce projet, sous prétexte qu'elle était incertaine du lieu où l'appelleraient ses affaires. Quelles tristes réflexions ne fis-je point alors sur l'amitié, que la présence attiédit,° que l'absence efface, qui ne résiste point au malheur, et encore moins à la prospérité!

« Je me trouvai bientôt plus isolé dans ma patrie que je ne l'avais été sur une terre étrangère. Je voulus° me jeter pendant quelque temps dans un monde qui ne disait rien et qui ne m'entendait pas. Mon âme, qu'aucune passion n'avait encore usée, cherchait un objet qui pût l'attacher; mais je m'aperçus que je donnais plus que je ne recevais. Ce n'était ni un langage élevé ni un sentiment profond qu'on demandait de moi. Je n'étais occupé qu'à rapetisser° ma vie, pour la mettre au niveau de la société. Traité partout d'°esprit romanesque, honteux du rôle que je jouais, dégoûté de plus en plus des choses et des hommes, je pris le parti de me retirer dans un faubourg° pour y vivre totalement ignoré.

« Je trouvai d'abord assez de plaisir dans cette vie obscure et indépendante. Inconnu, je me mêlais à la foule : vaste désert d'hommes!

« Souvent assis dans une église peu fréquentée, je passais des heures entières en méditation. Je

4–18. The idea of the happy savage had been fixed in French consciousness by Rousseau. 28. *égaux:* steady, placid. 32. *une grande âme... petite:* a succinct statement of the theory of the Romantic hero. 37. *ce grand chef:* i.e., Louis XIV.

1–9. Reference to the *Régence* (1715–24). 24. *attiédit:* cools. 29. *voulus:* tried. 36. *rapetisser:* constrict, diminish. 38. *traité d':* called. 41. *faubourg:* outlying quarter of city (apparently Paris).

voyais de pauvres femmes venir se prosterner devant le Très-Haut, ou des pécheurs s'agenouiller au tribunal de la pénitence. Nul ne sortait de ces lieux sans un visage plus serein, et les sourdes clameurs qu'on entendait au dehors semblaient être les flots des passions et les orages du monde qui venaient expirer au pied du temple du Seigneur. Grand Dieu, qui vis en secret couler mes larmes dans ces retraites sacrées, tu sais combien de fois je me jetai à tes pieds pour te supplier de me décharger du poids de l'existence, ou de changer en moi le vieil homme!° Ah! qui n'a senti quelquefois le besoin de se régénérer, de se rajeunir aux eaux du torrent, de retremper son âme à la fontaine de vie! Qui ne se trouve quelquefois accablé du fardeau de sa propre corruption, et incapable de rien faire de grand, de noble, de juste?

« Quand le soir était venu, reprenant le chemin de ma retraite, je m'arrêtais sur les ponts pour voir se coucher le soleil. L'astre, enflammant les vapeurs de la cité, semblait osciller lentement dans un fluide d'or, comme le pendule° de l'horloge des siècles. Je me retirais ensuite avec la nuit, à travers un labyrinthe de rues solitaires. En regardant les lumières qui brillaient dans la demeure des hommes, je me transportais par la pensée au milieu des scènes de douleur et de joie qu'elles éclairaient, et je songeais que sous tant de toits habités je n'avais pas un ami. Au milieu de mes réflexions, l'heure venait frapper à coups mesurés dans la tour de la cathédrale° gothique; elle allait se répétant sur tous les tons et à toutes les distances d'église en église. Hélas! chaque heure dans la société ouvre un tombeau et fait couler des larmes.

« Cette vie, qui m'avait d'abord enchanté, ne tarda pas à me devenir insupportable. Je me fatiguai de la répétition des mêmes scènes et des mêmes idées. Je me mis à sonder mon cœur, à me demander ce que je désirais. Je ne le savais pas; mais je crus tout à coup que les bois me seraient délicieux. Me voilà soudain résolu d'achever dans un exil champêtre une carrière à peine commencée et dans laquelle j'avais déjà dévoré des siècles.

« J'embrassai ce projet avec l'ardeur que je mets à tous mes desseins; je partis précipitamment pour m'ensevelir dans une chaumière,° comme j'étais parti autrefois pour faire le tour du monde.

« On m'accuse d'avoir des goûts inconstants, de ne pouvoir jouir longtemps de la même chimère,° d'être la proie d'une imagination qui se hâte d'arriver au fond de mes plaisirs, comme si elle était accablée de leur durée; on m'accuse de passer° toujours le but que je puis atteindre : hélas! je cherche seulement un bien inconnu, dont l'instinct° me poursuit. Est-ce ma faute, si je trouve partout des bornes, si ce qui est fini° n'a pour moi aucune valeur? Cependant je sens que j'aime la monotonie des sentiments de la vie, et si j'avais encore la folie de croire au bonheur, je le chercherais dans l'habitude.°

« La solitude absolue, le spectacle de la nature, me plongèrent bientôt dans un état presque impossible à décrire. Sans parents, sans amis, pour ainsi dire seul sur la terre, n'ayant point encore aimé, j'étais accablé d'une surabondance de vie. Quelquefois je rougissais subitement, et je sentais couler dans mon cœur comme des ruisseaux d'une lave ardente; quelquefois je poussais des cris involontaires, et la nuit était également troublée de mes songes et de mes veilles. Il me manquait quelque chose pour remplir l'abîme de mon existence : je descendais dans la vallée, je m'élevais sur la montagne, appelant de toute la force de mes désirs l'idéal objet d'une flamme future; je l'embrassais dans les vents, je croyais l'entendre dans les gémissements du fleuve; tout était ce fantôme imaginaire, et les astres dans les cieux, et le principe même de vie dans l'univers.

« Toutefois cet état de calme et de trouble, d'indigence et de richesse, n'était pas sans quelques charmes : un jour je m'étais amusé à effeuiller une branche de saule° sur un ruisseau, et à attacher une idée à chaque feuille que le courant entraînait. Un roi, qui craint de perdre sa couronne par une révolution subite,

2. *chaumière:* cottage. 7. *chimère:* chimera, fantastic obsession. 10. *passer = dépasser.* 12. *instinct:* instinctive desire. 14. *fini:* finite, limited. 18. This passage and those that follow analyze the *mal de René,* or *mal du siècle,* with its wild impulses, disgust with existence, excessive dreaming, refusal of life's ordinary activities and obligations. One may compare it with the *acedia,* or melancholia, or pathological boredom, of monastic life. (See Dante's *Purgatorio,* Canto XVIII.) 42. *saule:* willow.

12. *le vieil homme:* the old man (of sin) (*Biblical expression*). 24. *pendule:* pendulum. (Notice the gender.) 33. *cathédrale:* i.e., Notre-Dame de Paris.

ne ressent pas des angoisses plus vives que les miennes à chaque accident qui menaçait les débris de mon rameau. O faiblesse des mortels! ô enfance du cœur humain, qui ne vieillit jamais! Voilà donc à quel degré de puérilité notre superbe° raison peut descendre! Et encore est-il vrai que bien des hommes attachent leur destinée à des choses d'aussi peu de valeur que mes feuilles de saule.

« Mais comment exprimer cette foule de sensations fugitives que j'éprouvais dans mes promenades? Les sons que rendent les passions dans le vide d'un cœur solitaire ressemblent au murmure que les vents et les eaux font entendre dans le silence d'un désert : on en jouit, mais on ne peut les peindre.

« L'automne me surprit au milieu de ces incertitudes : j'entrai avec ravissement dans les mois des tempêtes. Tantôt j'aurais voulu être un de ces guerriers° errants au milieu des vents, des nuages et des fantômes, tantôt j'enviais jusqu'au sort du pâtre° que je voyais réchauffer ses mains à l'humble feu de broussailles° qu'il avait allumé au coin d'un bois. J'écoutais ses chants mélancoliques qui me rappelaient que dans tout pays le chant naturel de l'homme est triste, lors même qu'il exprime le bonheur. Notre cœur est un instrument incomplet, une lyre où il manque des cordes, et où nous sommes forcés de rendre les accents de la joie sur le ton consacré aux soupirs.

« Le jour, je m'égarais sur de grandes bruyères terminées par des forêts. Qu'il fallait peu de choses à ma rêverie! une feuille séchée que le vent chassait devant moi, une cabane dont la fumée s'élevait dans la cime dépouillée° des arbres, la mousse qui tremblait au souffle du nord sur le tronc d'un chêne, une roche écartée, un étang désert où le jonc flétri° murmurait! Le clocher solitaire s'élevant au loin dans la vallée a souvent attiré mes regards; souvent j'ai suivi des yeux les oiseaux de passage qui volaient au-dessus de ma tête. Je me figurais les bords° ignorés, les climats lointains où ils se rendent; j'aurais voulu être sur leurs ailes. Un secret instinct me tourmentait; je sentais que je n'étais moi-même qu'un voyageur; mais une voix du ciel semblait me dire : « Homme, la saison de ta migration n'est pas encore venue; attends que le vent de la mort se lève, alors tu déploieras ton vol vers ces régions inconnues que ton cœur demande. »

« Levez-vous vite, orages désirés, qui devez emporter René dans les espaces d'une autre vie! » Ainsi disant, je marchais à grands pas, le visage enflammé, le vent sifflant dans ma chevelure, ne sentant ni pluie ni frimas,° enchanté, tourmenté, et comme possédé par le démon de mon cœur.°

« La nuit, lorsque l'aquilon° ébranlait ma chaumière, que les pluies tombaient en torrent sur mon toit, qu'à travers ma fenêtre je voyais la lune sillonner les nuages amoncelés,° comme un pâle vaisseau qui laboure les vagues, il me semblait que la vie redoublait au fond de mon cœur, que j'aurais eu la puissance de créer des mondes. Ah! si j'avais pu faire partager à une autre les transports que j'éprouvais! O Dieu! si tu m'avais donné une femme selon mes désirs; si, comme à notre premier père, tu m'eusses amené par la main une Ève tirée de moi-même... Beauté céleste! je me serais prosterné devant toi, puis, te prenant dans mes bras, j'aurais prié l'Éternel de te donner le reste de ma vie!

« Hélas! j'étais seul, seul sur la terre! Une langueur secrète s'emparait de mon corps. Ce dégoût de la vie que j'avais ressenti dès mon enfance revenait avec une force nouvelle. Bientôt mon cœur ne fournit plus d'aliment à ma pensée, et je ne m'apercevais de mon existence que par un profond sentiment d'ennui.

« Je luttai quelque temps contre mon mal, mais avec indifférence et sans avoir la ferme résolution de le vaincre. Enfin, ne pouvant trouver de remède à cette étrange blessure de mon cœur, qui n'était nulle part et qui était partout, je résolus de quitter la vie.°

« Prêtre du Très-Haut, qui m'entendez, pardonnez à un malheureux que le ciel avait presque privé de la raison. J'étais plein de religion, et je raisonnais en impie; mon cœur aimait Dieu, et mon esprit le méconnaissait; ma conduite, mes discours, mes sentiments, mes pensées, n'étaient que contradiction, ténèbres,

---

6. *superbe:* proud. 20. *guerriers:* i.e., of Ossian. 22. *pâtre:* shepherd. 23. *broussailles:* brushwood. 36. *cime dépouillée:* leafless top. 39. *jonc flétri:* withered reed. 44. *bords:* shores.

9. *frimas:* frost. 11. This beautiful paragraph is often quoted. 12. *aquilon:* north wind. 15. *sillonner... amoncelés:* furrow the heaped-up clouds. 40. Chateaubriand had in his youth attempted to shoot himself. His gun failed to discharge; a stranger appeared; he decided that he was not yet fated to die.

mensonges. Mais l'homme sait-il bien toujours ce qu'il veut? est-il toujours sûr de ce qu'il pense?

« Tout m'échappait à la fois, l'amitié, le monde, la retraite. J'avais essayé de tout, et tout m'avait été fatal. Repoussé par la société, abandonné d'Amélie quand la solitude vint à me manquer, que me restait-il? C'était la dernière planche sur laquelle j'avais espéré me sauver, et je la sentais encore s'enfoncer dans l'abîme!

« Décidé que j'étais à me débarrasser du poids de la vie, je résolus de mettre toute ma raison dans cet acte insensé. Rien ne me pressait; je ne fixai point le moment de départ, afin de savourer à longs traits les derniers moments de l'existence et de recueillir toutes mes forces, à l'exemple d'un ancien,° pour sentir mon âme s'échapper.

« Cependant je crus nécessaire de prendre des arrangements concernant ma fortune, et je fus obligé d'écrire à Amélie. Il m'échappa quelques plaintes sur son oubli, et je laissai sans doute percer l'attendrissement qui surmontait peu à peu mon cœur. Je m'imaginais pourtant avoir bien dissimulé mon secret; mais ma sœur, accoutumée à lire dans les replis° de mon âme, le devina sans peine. Elle fut alarmée du ton de contrainte qui régnait dans ma lettre et de mes questions sur des affaires dont je ne m'étais jamais occupé. Au lieu de me répondre, elle me vint tout à coup surprendre.

« Pour bien sentir quelle dut être dans la suite l'amertume de ma douleur et quels furent mes premiers transports en revoyant Amélie, il faut vous figurer que c'était la seule personne au monde que j'eusse aimée, que tous mes sentiments se venaient confondre en elle avec la douceur des souvenirs de mon enfance. Je reçus donc Amélie dans une sorte d'extase de cœur. Il y avait si longtemps que je n'avais trouvé quelqu'un qui m'entendît et devant qui je pusse ouvrir mon âme!

« Amélie, se jetant dans mes bras, me dit : « Ingrat, tu veux mourir, et ta sœur existe! Tu soupçonnes son cœur! Ne t'explique point, ne t'excuse point, je sais tout; j'ai tout compris, comme si j'avais été avec toi. Est-ce moi que l'on trompe, moi qui ai vu naître tes premiers sentiments? Voilà ton malheureux caractère, tes dégoûts, tes injustices. Jure, tandis que je te presse sur mon cœur, jure que c'est la dernière fois que tu te livreras à tes folies; fais le serment de ne jamais attenter à tes jours. »

« En prononçant ces mots, Amélie me regardait avec compassion et tendresse, et couvrait mon front de ses baisers; c'était presque une mère, c'était quelque chose de plus tendre. Hélas! mon cœur se rouvrit à toutes les joies; comme un enfant je ne demandais qu'à être consolé; je cédai à l'empire d'Amélie : elle exigea un serment solennel; je le fis sans hésiter, ne soupçonnant même pas que désormais je pusse être malheureux.

« Nous fûmes plus d'un mois à nous accoutumer à l'enchantement d'être ensemble. Quand le matin, au lieu de me trouver seul, j'entendais la voix de ma sœur, j'éprouvais un tressaillement de joie et de bonheur. Amélie avait reçu de la nature quelque chose de divin; son âme avait les mêmes grâces innocentes que son corps; la douceur de ses sentiments était infinie; il n'y avait rien que de suave et d'un peu rêveur dans son esprit; on eût dit que son cœur, sa pensée et sa voix soupiraient comme de concert; elle tenait de la femme la timidité et l'amour, et de l'ange la pureté et la mélodie.

« Le moment était venu où j'allais expier toutes mes inconséquences.° Dans mon délire, j'avais été jusqu'à désirer d'éprouver un malheur, pour avoir du moins un objet réel de souffrance; épouvantable souhait que Dieu, dans sa colère, a trop exaucé!°

« Que vais-je vous révéler, ô mes amis! voyez les pleurs qui coulent de mes yeux. Puis-je même… Il y a quelques jours, rien n'aurait pu m'arracher ce secret… A présent, tout est fini!

« Toutefois, ô vieillards! que cette histoire soit à jamais ensevelie dans le silence : souvenez-vous qu'elle n'a été racontée que sous l'arbre du désert.

« L'hiver finissait lorsque je m'aperçus qu'Amélie perdait le repos et la santé, qu'elle commençait à me rendre. Elle maigrissait; ses yeux se creusaient, sa démarche était languissante et sa voix troublée. Un jour je la surpris

---

18. *un ancien:* probably Canius Julius, as reported by Montaigne, in *Essais*, Bk. II, chap. 6. 27 *replis:* recesses, secret places.

31. *inconséquences:* inconsistencies, indiscretions. 35. *exaucé:* granted. (René's longing for "experience," even though it be suffering, is a symbol of the Romantic revolt against classic convention, codified well-being.)

tout en larmes au pied d'un crucifix. Le monde, la solitude, mon absence, ma présence, la nuit, le jour, tout l'alarmait. D'involontaires soupirs venaient expirer sur ses lèvres; tantôt elle soutenait sans se fatiguer une longue course; tantôt elle se traînait à peine : elle prenait et laissait son ouvrage, ouvrait un livre sans pouvoir lire, commençait une phrase qu'elle n'achevait pas, fondait tout à coup en pleurs, et se retirait pour prier.

« En vain je cherchais à découvrir son secret. Quand je l'interrogeais en la pressant dans mes bras, elle me répondait avec un sourire qu'elle était comme moi, qu'elle ne savait pas ce qu'elle avait.

« Trois mois se passèrent de la sorte, et son état devenait pire chaque jour. Une correspondance mystérieuse me semblait être la cause de ses larmes, car elle paraissait ou plus tranquille, ou plus émue, selon les lettres qu'elle recevait. Enfin, un matin, l'heure à laquelle nous déjeunions ensemble étant passée, je monte à son appartement; je frappe : on ne me répond point; j'entr'ouvre la porte : il n'y avait personne dans la chambre. J'aperçois sur la cheminée un paquet à mon adresse. Je le saisis en tremblant, je l'ouvre, et je lis cette lettre, que je conserve pour m'ôter à l'avenir tout mouvement de joie.

A René

« Le ciel m'est témoin, mon frère, que je donnerais mille fois ma vie pour vous épargner un moment de peine; mais, infortunée que je suis, je ne puis rien pour votre bonheur. Vous me pardonnerez donc de m'être dérobée de chez vous comme une coupable; je n'aurais jamais pu résister à vos prières, et cependant il fallait partir... Mon Dieu, ayez pitié de moi!

« Vous savez, René, que j'ai toujours eu du penchant pour la vie religieuse;° il est temps que je mette à profit les avertissements du ciel. Pourquoi ai-je attendu si tard? Dieu m'en punit. J'étais restée pour vous dans le monde°... Pardonnez, je suis toute troublée par le chagrin que j'ai de vous quitter.

« C'est à présent, mon cher frère, que je sens bien la nécessité de ces asiles contre lesquels je vous ai vu souvent vous élever.° Il est des malheurs qui nous séparent pour toujours des hommes : que deviendraient alors de pauvres infortunées?... Je suis persuadée que vous-même, mon frère, vous trouveriez le repos dans ces retraites de la religion : la terre n'offre rien qui soit digne de vous.

« Je ne vous rappellerai point votre serment : je connais la fidélité de votre parole. Vous l'avez juré, vous vivrez pour moi. Y a-t-il rien de plus misérable que de songer sans cesse à quitter la vie? Pour un homme de votre caractère, il est si aisé de mourir! Croyez-en votre sœur, il est plus difficile de vivre.

« Mais, mon frère, sortez au plus vite de la solitude, qui ne vous est pas bonne; cherchez quelque occupation. Je sais que vous riez amèrement de cette nécessité où l'on est en France de *prendre un état.*° Ne méprisez pas tant l'expérience et la sagesse de nos pères. Il vaut mieux, mon cher René, ressembler un peu plus au commun des hommes et avoir un peu moins de malheur.

« Peut-être trouveriez-vous dans le mariage un soulagement à vos ennuis. Une femme, des enfants occuperaient vos jours. Et quelle est la femme qui ne chercherait pas à vous rendre heureux! L'ardeur de votre âme, la beauté de votre génie, votre air noble et passionné, ce regard fier et tendre, tout vous assurerait de son amour et de sa fidélité. Ah! avec quelles délices ne te° presserait-elle pas dans ses bras et sur son cœur! Comme tous ses regards, toutes ses pensées, seraient attachés sur toi pour prévenir° tes moindres peines! Elle serait tout amour, tout innocence devant toi : tu croirais retrouver une sœur.

« Je pars pour le couvent de... Ce monastère, bâti au bord de la mer, convient à la situation de mon âme. La nuit, du fond de ma cellule, j'entendrai le murmure des flots qui baignent les murs du couvent; je songerai à ces promenades que je faisais avec vous au milieu des bois, alors que nous croyions retrouver le bruit des mers dans la cime agitée des pins. Aimable compagnon de mon enfance, est-ce que je ne vous verrai plus? A peine plus âgée que vous, je vous balançais° dans votre berceau; souvent

---

42. *religieuse:* monastic, conventual. 45. *le monde:* i.e., secular life.

1. *vous élever:* protest. 19. *état:* position, profession. 32. Notice that in a passage of heightened emotion Amélie quits the *vous* forms for the *tu* forms. 35. *prévenir:* forestall. 48. *balançais:* used to rock.

nous avons dormi ensemble. Ah! si un même tombeau nous réunissait un jour! Mais non, je dois dormir seule sous les marbres glacés de ce sanctuaire où reposent pour jamais ces filles qui n'ont point aimé.

« Je ne sais si vous pourrez lire ces lignes à demi effacées par mes larmes. Après tout, mon ami, un peu plus tôt, un peu plus tard, n'aurait-il pas fallu nous quitter? Qu'ai-je besoin de vous entretenir de l'incertitude et du peu de valeur de la vie? Vous vous rappelez le jeune M... qui fit naufrage à l'Ile-de-France.° Quand vous reçûtes sa dernière lettre, quelques mois après sa mort, sa dépouille terrestre n'existait même plus, et l'instant où vous commenciez son deuil en Europe était celui où on le finissait aux Indes. Qu'est-ce donc que l'homme, dont la mémoire périt si vite? Une partie de ses amis ne peut apprendre sa mort que° l'autre n'en soit déjà consolée! Quoi, cher et trop cher René, mon souvenir s'effacera-t-il si promptement de ton cœur? O mon frère! si je m'arrache à vous dans le temps, c'est pour n'être pas séparée de vous dans l'éternité.

« *Amélie.*

« *P. S.* Je joins ici l'acte de la donation de mes biens; j'espère que vous ne refuserez pas cette marque de mon amitié. »

« La foudre qui fût tombée° à mes pieds ne m'eût pas causé plus d'effroi que cette lettre. Quel secret Amélie me cachait-elle? Qui° la forçait si subitement à embrasser la vie religieuse? Ne m'avait-elle rattaché à l'existence par le charme de l'amitié que pour me délaisser tout à coup? Oh! pourquoi était-elle venue me détourner de mon dessein! Un mouvement de pitié l'avait rappelée auprès de moi; mais bientôt, fatiguée d'un pénible devoir, elle se hâte de quitter un malheureux qui n'avait qu'elle sur la terre. On croit avoir tout fait quand on a empêché un homme de mourir! Telles étaient mes plaintes. Puis, faisant un retour sur moi-même : « Ingrate Amélie, disais-je, si tu avais été à ma place, si comme moi tu avais été perdue dans la vide de tes jours, ah! tu n'aurais pas été abandonnée de ton frère! »

« Cependant, quand je relisais la lettre, j'y trouvais je ne sais quoi de si triste et de si tendre, que tout mon cœur se fondait. Tout à coup il me vint une idée qui me donna quelque espérance : je m'imaginai qu'Amélie avait peut-être conçu une passion pour un homme qu'elle n'osait avouer. Ce soupçon sembla m'expliquer sa mélancolie, sa correspondance mystérieuse et le ton passionné qui respirait dans sa lettre. Je lui écrivis aussitôt pour la supplier de m'ouvrir son cœur.

« Elle ne tarda pas à me répondre, mais sans me découvrir son secret : elle me mandait seulement qu'elle avait obtenu les dispenses du noviciat° et qu'elle allait prononcer ses vœux.

« Je fus révolté de l'obstination d'Amélie, du mystère de ses paroles et de son peu de confiance en mon amitié.

« Après avoir hésité un moment sur le parti que j'avais à prendre, je résolus d'aller à B...° pour faire un dernier effort auprès de ma sœur. La terre où j'avais été élevé se trouvait sur la route. Quand j'aperçus les bois où j'avais passé les seuls moments heureux de ma vie, je ne pus retenir mes larmes, et il me fut impossible de résister à la tentation de leur dire un dernier adieu.

« Mon frère aîné avait vendu l'héritage paternel et le nouveau propriétaire ne l'habitait pas. J'arrivai au château par la longue avenue de sapins; je traversai à pied les cours désertes; je m'arrêtai à regarder les fenêtres fermées ou demi-brisées, le chardon° qui croissait au pied des murs, les feuilles qui jonchaient° le seuil des portes, et ce perron solitaire où j'avais vu si souvent mon père et ses fidèles serviteurs.° Les marches étaient déjà couvertes de mousse; le violier° jaune croissait entre leurs pierres déjointes et tremblantes. Un gardien inconnu m'ouvrit brusquement les portes. J'hésitais à franchir le seuil; cet homme s'écria : « Hé bien! allez-vous faire comme cette étrangère qui vint ici il y a quelques jours? Quand ce fut pour entrer, elle s'évanouit, et je fus obligé de la reporter à sa voiture. » Il me fut aisé de reconnaître l'*étrangère* qui, comme moi, était venue

---

12. *l'Ile-de-France:* Mauritius, French island colony off east African coast. (The identity of "le jeune M..." is disputed.) 19. *que:* except when. 30. *fût tombée:* Notice the force of the subjunctive. 32. *Qui = Qu'est-ce qui.*

15. *dispenses du noviciat:* i.e., release from the usual novitiate, or long testing of religious vocation. 20. *B...:* Brest, seaport in western Brittany. 33. *chardon:* thistle. 34. *jonchaient:* were heaped upon. 36. Cf. the description of evenings at Combourg. This passage records Chateaubriand's actual emotions on revisiting the castle, unoccupied and desolate. 38. *violier:* gillyflower.

chercher dans ces lieux des pleurs et des souvenirs!

« Couvrant un moment mes yeux de mon mouchoir, j'entrai sous le toit de mes ancêtres. Je parcourus les appartements sonores où l'on n'entendait que le bruit de mes pas. Les chambres étaient à peine éclairées par la faible lumière qui pénétrait entre les volets° fermés : je visitai celle où ma mère avait perdu la vie en me mettant au monde, celle où se retirait mon père, celle où j'avais dormi dans mon berceau, celle enfin où l'amitié avait reçu mes premiers vœux dans le sein d'une sœur. Partout les salles étaient détendues,° et l'araignée filait sa toile dans les couches° abandonnées. Je sortis précipitamment de ces lieux, je m'en éloignai à grands pas, sans oser tourner la tête. Qu'ils sont doux, mais qu'ils sont rapides, les moments que les frères et les sœurs passent dans leurs jeunes années, réunis sous l'aile de leurs vieux parents! La famille de l'homme n'est que d'un jour; le souffle de Dieu la disperse comme une fumée. A peine le fils connaît-il le père, le père le fils, le frère la sœur, la sœur le frère! Le chêne voit germer ses glands° autour de lui; il n'en est pas ainsi des enfants des hommes!

« En arrivant à B… je me fis conduire au couvent; je demandai à parler à ma sœur. On me dit qu'elle ne recevait personne. Je lui écrivis : elle me répondit que, sur le point de se consacrer à Dieu, il ne lui était pas permis de donner une pensée au monde; que si je l'aimais, j'éviterais de l'accabler de ma douleur. Elle ajoutait : « Cependant, si votre projet est de paraître à l'autel le jour de ma profession, daignez m'y servir de père :° ce rôle est le seul digne de votre courage, le seul qui convienne à notre amitié et à mon repos. »

« Cette froide fermeté qu'on opposait à l'ardeur de mon amitié me jeta dans de violents transports. Tantôt j'étais près de retourner sur mes pas; tantôt je voulais rester, uniquement pour troubler le sacrifice. L'enfer me suscitait jusqu'à la pensée de me poignarder dans l'église et de mêler mes derniers soupirs aux vœux qui m'arrachaient ma sœur. La supérieure

du couvent me fit prévenir° qu'on avait préparé un banc dans le sanctuaire, et elle m'invitait à me rendre à la cérémonie, qui devait avoir lieu dès le lendemain.

« Au lever de l'aube, j'entendis le premier son des cloches… Vers dix heures, dans une sorte d'agonie, je me traînai au monastère. Rien ne peut plus être tragique quand on a assisté à un pareil spectacle; rien ne peut plus être douloureux quand on y a survécu.

« Un peuple immense remplissait l'église. On me conduit au banc du sanctuaire; je me précipite à genoux sans presque savoir où j'étais ni à quoi j'étais résolu. Déjà le prêtre attendait à l'autel; tout à coup la grille mystérieuse s'ouvre, et Amélie s'avance, parée de toutes les pompes du monde.° Elle était si belle, il y avait sur son visage quelque chose de si divin, qu'elle excita un mouvement de surprise et d'admiration. Vaincu par la glorieuse douleur de la sainte, abattu par les grandeurs de la religion, tous mes projets de violence s'évanouirent; ma force m'abandonna; je me sentis lié par une main toute-puissante, et, au lieu de blasphèmes et de menaces, je ne trouvai dans mon cœur que de profondes adorations et les gémissements de l'humilité.

« Amélie se place sous un dais.° Le sacrifice commence à la lueur des flambeaux, au milieu des fleurs et des parfums, qui devaient rendre l'holocauste agréable. A l'offertoire, le prêtre se dépouilla de ses ornements, ne conserva qu'une tunique de lin,° monta en chaire,° et, dans un discours simple et pathétique, peignit le bonheur de la vierge qui se consacre au Seigneur. Quand il prononça ces mots : « Elle a paru comme l'encens qui se consume dans le feu, » un grand calme et des odeurs célestes semblèrent se répandre dans l'auditoire; on se sentit comme à l'abri sous les ailes de la colombe mystique et l'on eût cru voir les anges descendre sur l'autel et remonter vers les cieux avec des parfums et des couronnes.

« Le prêtre achève son discours, reprend ses vêtements, continue le sacrifice. Amélie, soutenue de deux jeunes religieuses, se met à genoux sur la dernière marche de l'autel. On vient alors me chercher pour remplir les

---

8. *volets:* shutters. 14. *détendues:* stripped of their hangings and curtains. 15. *couches:* beds. 25. *glands:* acorns. 36. The entry into a conventual order symbolizes the mystical marriage to Christ; the father, or his substitute "gives the bride away."

1. *prévenir:* inform. 17. *monde:* the secular world. (The ceremony represents the death of the worldly creature, the entry into spiritual life.) 28. *dais:* canopy. 33. *lin:* linen. 33. *chaire:* pulpit.

fonctions paternelles. Au bruit de mes pas chancelants dans le sanctuaire, Amélie est prête à défaillir. On me place à côté du prêtre pour lui présenter les ciseaux. En ce moment je sens renaître mes transports; ma fureur va éclater, quand Amélie, rappelant son courage, me lance un regard où il y a tant de reproche et de douleur, que j'en suis atterré. La religion triomphe. Ma sœur profite de mon trouble; elle avance hardiment la tête. Sa superbe chevelure tombe de toutes parts sous le fer sacré; une longue robe d'étamine° remplace pour elle les ornements du siècle° sans la rendre moins touchante; les ennuis de son front se cachent sous un bandeau de lin, et le voile mystérieux, double symbole de la virginité et de la religion, accompagne sa tête dépouillée. Jamais elle n'avait paru si belle. L'œil de la pénitente était attaché sur la poussière du monde, et son âme était dans le ciel.

« Cependant Amélie n'avait point encore prononcé ses vœux, et pour mourir au monde il fallait qu'elle passât à travers le tombeau. Ma sœur se couche sur le marbre; on étend sur elle un drap mortuaire; quatre flambeaux en marquent les quatre coins. Le prêtre, l'étole° au cou, le livre à la main, commence l'Office des morts; de jeunes vierges le continuent. O joies de la religion, que vous êtes grandes, mais que vous êtes terribles! On m'avait contraint de me placer à genoux près de ce lugubre appareil. Tout à coup un murmure confus sort de dessous le voile sépulcral; je m'incline, et ces paroles épouvantables (que je fus seul à entendre) viennent frapper mon oreille : « Dieu de miséricorde, fais que je ne me relève jamais de cette couche funèbre, et comble de tes biens un frère qui n'a point partagé ma criminelle passion! »

A ces mots échappés du cercueil, l'affreuse vérité m'éclaire; ma raison s'égare; je me laisse tomber sur le linceul° de la mort, je presse ma sœur dans mes bras; je m'écrie : « Chaste épouse de Jésus-Christ, reçois mes derniers embrassements à travers les glaces du trépas° et les profondeurs de l'éternité, qui te séparent déjà de ton frère!»

« Ce mouvement, ce cri, ces larmes, troublent la cérémonie : le prêtre s'interrompt, les

religieuses ferment la grille, la foule s'agite et se presse vers l'autel; on m'emporte sans connaissance. Que je sus peu de gré à ceux qui me rappelèrent au jour!° J'appris, en rouvrant les yeux, que le sacrifice était consommé, et que ma sœur avait été saisie d'une fièvre ardente. Elle me faisait prier de ne plus chercher à la voir. O misère de ma vie! une sœur craindre de parler à un frère, et un frère craindre de faire entendre sa voix à une sœur! Je sortis du monastère comme de ce lieu d'expiation où des flammes nous préparent pour la vie céleste, où l'on a tout perdu comme aux enfers, hors l'espérance.

« On peut trouver des forces dans son âme contre un malheur personnel, mais devenir la cause involontaire du malheur d'un autre, cela est tout à fait insupportable. Éclairé sur les maux de ma sœur, je me figurais ce qu'elle avait dû souffrir. Alors s'expliquèrent pour moi plusieurs choses que je n'avais pu comprendre : ce mélange de joie et de tristesse qu'Amélie avait fait paraître au moment de mon départ pour mes voyages, le soin qu'elle prit de m'éviter à mon retour, et cependant cette faiblesse qui l'empêcha si longtemps d'entrer dans un monastère : sans doute la fille malheureuse s'était flattée de guérir! Ses projets de retraite, la dispense du noviciat, la disposition de ses biens en ma faveur, avaient apparemment produit cette correspondance secrète qui servit à me tromper.

« O mes amis! je sus° donc ce que c'était que de verser des larmes pour un mal qui n'était point imaginaire! Mes passions, si longtemps indéterminées, se précipitèrent sur cette première proie avec fureur. Je trouvai même une sorte de satisfaction inattendue dans la plénitude de mon chagrin et je m'aperçus, avec un secret mouvement de joie, que la douleur n'est pas une affection qu'on épuise comme le plaisir.

« J'avais voulu quitter la terre avant l'ordre du Tout-Puissant, c'était un grand crime : Dieu m'avait envoyé Amélie à la fois pour me sauver et pour me punir. Ainsi, toute pensée coupable, toute action criminelle entraîne après elle des désordres et des malheurs. Amélie me priait de vivre, et je lui devais bien de ne pas aggraver ses maux. D'ailleurs (chose étrange!) je n'avais plus envie de mourir depuis que j'étais réellement malheureux. Mon chagrin

---

12. *étamine:* coarse cloth. 13. *siècle:* the secular world. 26. *étole:* stole. 42. *linceul:* shroud. 45. *trépas:* death.

4. *jour:* life. 32. *sus:* learned.

était devenu une occupation qui remplissait tous mes moments : tant mon cœur est naturellement pétri° d'ennui et de misère!

« Je pris donc subitement une autre résolution; je me déterminai à quitter l'Europe et à passer en Amérique.

« On équipait dans ce moment même, au port de B…, une flotte pour la Louisiane; je m'arrangeai avec un des capitaines de vaisseau, je fis savoir mon projet à Amélie, et je m'occupai de mon départ.

« Ma sœur avait touché aux portes de la mort; mais Dieu, qui lui destinait la première palme des vierges, ne voulut pas la rappeler si vite à lui; son épreuve ici-bas fut prolongée. Descendue une seconde fois dans la pénible carrière° de la vie, l'héroïne, courbée sous la croix, s'avança courageusement à l'encontre des douleurs, ne voyant plus que le triomphe dans le combat, et dans l'excès des souffrances l'excès de la gloire.

« La vente du peu de bien qui me restait, et que je cédai à mon frère, les longs préparatifs d'un convoi, les vents contraires, me retinrent longtemps dans le port. J'allais chaque matin m'informer des nouvelles d'Amélie, et je revenais toujours avec de nouveaux motifs d'admiration et de larmes.

« J'errais sans cesse autour du monastère, bâti au bord de la mer. J'apercevais souvent, à une petite fenêtre grillée qui donnait sur une plage déserte, une religieuse assise dans une attitude pensive; elle rêvait à l'aspect de l'Océan où apparaissait quelque vaisseau cinglant° aux extrémités de la terre. Plusieurs fois, à la clarté de la lune, j'ai revu la même religieuse aux barreaux de la même fenêtre : elle contemplait la mer, éclairée par l'astre de la nuit, et semblait prêter l'oreille au bruit des vagues qui se brisaient tristement sur des grèves° solitaires.

« Je crois encore entendre la cloche qui, pendant la nuit, appelait les religieuses aux veilles° et aux prières. Tandis qu'elle tintait avec lenteur et que les vierges s'avançaient en silence à l'autel du Tout-Puissant, je courais au monastère : là, seul au pied des murs, j'écoutais dans une sainte extase les derniers sons des cantiques,° qui se mêlaient sous les voûtes du temple au faible bruissement° des flots.

« Je ne sais comment toutes ces choses, qui auraient dû nourrir mes peines, en émoussaient au contraire l'aiguillon.° Mes larmes avaient moins d'amertume, lorsque je les répandais sur les rochers et parmi les vents. Mon chagrin même, par sa nature extraordinaire, portait avec lui quelque remède : on jouit de ce qui n'est pas commun, même quand cette chose est un malheur. J'en conçus presque l'espérance que ma sœur deviendrait à son tour moins misérable.

« Une lettre que je reçus d'elle avant mon départ sembla me confirmer dans ces idées. Amélie se plaignait tendrement de ma douleur et m'assurait que le temps diminuait la sienne. « Je ne désespère pas de mon bonheur, me disait-elle. L'excès même du sacrifice, à présent que le sacrifice est consommé, sert à me rendre quelque paix. La simplicité de mes compagnes, la pureté de leurs vœux, la régularité de leur vie, tout répand du baume sur mes jours. Quand j'entends gronder les orages et que l'oiseau de mer vient battre des ailes à ma fenêtre, moi, pauvre colombe du ciel, je songe au bonheur que j'ai eu de trouver un abri contre la tempête. C'est ici la sainte montagne, le sommet élevé d'où l'on entend les derniers bruits de la terre et les premiers concerts du ciel; c'est ici que la religion trompe doucement une âme sensible : aux plus violentes amours elle substitue une sorte de chasteté brûlante où l'amante et la vierge sont unies; elle épure les soupirs, elle change en une flamme incorruptible une flamme périssable, elle mêle divinement son calme et son innocence à ce reste de trouble et de volupté d'un cœur qui cherche à se reposer et d'une vie qui se retire. »

« Je ne sais ce que le ciel me réserve, et s'il a voulu m'avertir que les orages accompagneraient partout mes pas. L'ordre était donné pour le départ de la flotte; déjà plusieurs vaisseaux avaient appareillé° au baisser du soleil; je m'étais arrangé pour passer la dernière nuit à terre, afin d'écrire ma lettre d'adieux à Amélie. Vers minuit, tandis que je m'occupe de ce soin et que je mouille mon papier de mes larmes, le bruit des vents vient frapper mon oreille. J'écoute, et au milieu de la tempête je distingue les coups de canon d'alarme mêlés au glas° de

3. *pétri:* molded, compounded. 16. *carrière:* arena. 33. *cinglant:* sailing. 39. *grèves:* beaches. 42. *veilles:* vigils, night watches. 47. *cantiques:* hymns. 48. *bruissement:* murmuring.

2–3. *en émoussaient… l'aiguillon:* blunted their pricking. 42. *appareillé:* set sail. 49. *glas:* tolling.

la cloche monastique. Je vole sur le rivage où tout était désert et où l'on n'entendait que le rugissement des flots. Je m'assieds sur un rocher. D'un côté s'étendent les vagues étincelantes, de l'autre les murs sombres du monastère se perdent confusément dans les cieux. Une petite lumière paraissait à la fenêtre grillée. Était-ce toi, ô mon Amélie! qui, prosternée au pied du crucifix, priais le Dieu des orages d'épargner ton malheureux frère? La tempête sur les flots, le calme dans ta retraite; des hommes brisés sur des écueils, au pied de l'asile que rien ne peut troubler; l'infini de l'autre côté du mur d'une cellule; les fanaux° agités des vaisseaux, le phare° immobile du couvent; l'incertitude des destinées du navigateur, la vestale connaissant dans un seul jour tous les jours futurs de sa vie; d'une autre part, une âme telle que la tienne, ô Amélie, orageuse comme l'Océan; un naufrage plus affreux que celui du marinier : tout ce tableau est encore profondément gravé dans ma mémoire. Soleil de ce ciel nouveau, maintenant témoin de mes larmes, échos du rivage américain qui répétez les accents de René, ce fut le lendemain de cette nuit terrible qu'appuyé sur le gaillard° de mon vaisseau je vis s'éloigner pour jamais ma terre natale! Je contemplai longtemps sur la côte les derniers balancements des arbres de la patrie et les faîtes° du monastère qui s'abaissaient à l'horizon. »

Comme René achevait de raconter son histoire, il tira un papier de son sein, et le donna au père Souël; puis, se jetant dans les bras de Chactas et étouffant ses sanglots, il laissa le temps au missionnaire de parcourir la lettre qu'il venait de lui remettre.

Elle était de la supérieure de... Elle contenait le récit des derniers moments de la sœur Amélie de la Miséricorde, morte victime de son zèle et de sa charité en soignant ses compagnes attaquées d'une maladie contagieuse. Toute la communauté était inconsolable et l'on y regardait Amélie comme une sainte. La supérieure ajoutait que, depuis trente ans qu'elle était à la tête de la maison, elle n'avait jamais vu de religieuse d'une humeur aussi douce et aussi égale, ni qui fût plus contente d'avoir quitté les tribulations du monde.

Chactas pressait René dans ses bras; le vieillard pleurait. « Mon enfant, dit-il à son fils, je voudrais que le père Aubry° fût ici; il tirait du fond de son cœur je ne sais quelle paix qui, en les calmant, ne semblait cependant point étrangère aux tempêtes : c'était la lune dans une nuit orageuse. Les nuages errant ne peuvent l'emporter dans leur course; pure et inaltérable, elle s'avance tranquille au-dessus d'eux. Hélas! pour moi, tout me trouble et m'entraîne! »

Jusqu'alors le père Souël, sans proférer une parole, avait écouté d'un air austère l'histoire de René. Il portait en secret un cœur compatissant,° mais il montrait au dehors un caractère inflexible; la sensibilité du Sachem le fit sortir du silence :

« Rien, dit-il au frère d'Amélie, rien ne mérite dans cette histoire la pitié qu'on vous montre ici. Je vois un jeune homme entêté de chimères, à qui tout déplaît, et qui s'est soustrait aux charges de la société pour se livrer à d'inutiles rêveries. On n'est point, monsieur, un homme supérieur parce qu'on aperçoit le monde sous un jour odieux. On ne hait les hommes et la vie, que faute de voir assez loin. Étendez un peu plus votre regard, et vous serez bientôt convaincu que tous ces maux dont vous vous plaignez sont de purs néants. Mais quelle honte de ne pouvoir songer au seul malheur réel de votre vie sans être forcé de rougir! Toute la pureté, toute la vertu, toute la religion, toutes les couronnes d'une sainte rendent à peine tolérable la seule idée de vos chagrins. Votre sœur a expié sa faute; mais, s'il faut dire ici ma pensée, je crains que, par une épouvantable justice, un aveu sorti du sein de la tombe n'ait troublé votre âme à son tour. Que faites-vous seul au fond des forêts où vous consumez vos jours, négligeant tous vos devoirs? Des saints, me direz-vous, se sont ensevelis dans les déserts? Ils y étaient avec leurs larmes et employaient à éteindre leurs passions le temps que vous perdez peut-être à allumer les vôtres. Jeune présomptueux, qui avez cru que l'homme se peut suffire à lui-même!

« La solitude est mauvaise à celui qui n'y vit pas avec Dieu; elle redouble les puissances de l'âme, en même temps qu'elle leur ôte tout sujet pour s'exercer. Quiconque a reçu des forces doit les consacrer au service de ses semblables; s'il les laisse inutiles, il en est

---

14. *fanaux:* side lights. 15. *phare:* beacon. 26. *gaillard:* raised deck. 29. *faîtes:* roofs.

2. *père Aubry:* missionary in *Atala.* 12. *compatissant:* compassionate.

d'abord puni par une secrète misère, et tôt ou tard le ciel lui envoie un châtiment effroyable.° »

Troublé par ces paroles, René releva du sein de Chactas sa tête humiliée. Le Sachem aveugle se prit à sourire; et ce sourire de la bouche, qui ne se mariait plus à celui des yeux, avait quelque chose de mystérieux et de céleste. « Mon fils, dit le vieil amant d'Atala, il nous parle sévèrement; il corrige et le vieillard et le jeune homme, et il a raison. Oui, il faut que tu 10 renonces à cette vie extraordinaire qui n'est pleine que de soucis : il n'y a de bonheur que dans les voies communes.

« Un jour le Meschacebé, encore assez près de sa source, se lassa de n'être qu'un limpide 15 ruisseau. Il demande des neiges aux montagnes, des eaux aux torrents, des pluies aux tempêtes; il franchit ses rives, et désole ses bords charmants. L'orgueilleux ruisseau s'applaudit d'a- 20

bord de sa puissance; mais, voyant que tout devenait désert sur son passage, qu'il coulait abandonné dans la solitude, que ses eaux étaient toujours troublées, il regretta l'humble lit que lui avait creusé la nature, les oiseaux, les fleurs, les arbres et les ruisseaux, jadis modestes compagnons de son paisible cours. »

Chactas cessa de parler, et l'on entendit la voix du flamant° qui, retiré dans les roseaux° du Meschacebé, annonçait un orage pour le milieu du jour. Les trois amis reprirent la route de leurs cabanes : René marchait en silence entre le missionnaire, qui priait Dieu, et le Sachem aveugle, qui cherchait sa route. On dit que, pressé par les deux vieillards, il retourna chez son épouse, mais sans y trouver le bonheur. Il périt peu de temps après avec Chactas et le père Souël dans le massacre des Français et des Natchez à la Louisiane.° On montre encore un rocher où il allait s'asseoir au soleil couchant.

2. Père Souël's excellent lesson of duty and service attracted contemporary readers less than the picture of René's tortured soul. Chateaubriand notes in his Memoirs, with a certain smugness, that every schoolboy dreamed of being the unhappiest of men, a haggard, fascinating René.

9. *flamant:* flamingo. 9. *roseaux:* reeds. 19. In an uprising of Yazoo Indians in 1729, many French, including Père Souël, were massacred.

3. Two Romantic Poets

ALPHONSE DE LAMARTINE [1790–1869]

Alphonse de Lamartine was born in the Burgundian region of eastern France. His family was old, noble, proud, and poor. Most of his childhood was spent in the château of Milly, near Mâcon, among the vines which the Burgundians regard almost with pagan veneration. His nostalgia for his country childhood will be one of his constant themes.

In 1816 he was sent to Aix-les-Bains, in the French Alps, for treatment of liver trouble. (His health was always poor.) There, on the lovely Lac du Bourget, he came one day to the aid of an interesting lady, Mme Charles, the young wife of an old physicist. She was tuberculous and tragically aware of her doom. Suddenly and in the terror of death the two fell passionately in love. Their idyll was brief, lasting perhaps only a fortnight. Mme Charles returned to Paris and her husband, promising to rejoin Lamartine at Aix-les-Bains the following summer. But when summer came she was too ill to move. She died in December, 1817. Her memory inspired some of Lamartine's most beautiful and moving poems.

Lamartine did not spend the rest of his life mourning. We find him, at the very moment that he is writing one of his most urgent appeals to death, eagerly soliciting a post in a sous-préfecture and correcting proofs on his first book of poems. The book, *Méditations poétiques*, appeared in 1820, and gained an immediate success. The date is important, for the *Méditations* is the first volume of French poetry that is unmistakably Romantic in theme and manner.

In the same year 1820 Lamartine married (very happily, as it turned out) an English girl, Marianne Birch. He served in diplomatic posts in Italy. He wrote busily and fluently, and published several of his best collections of verse. At the same time he was active in politics, turning more and more to the left. After the Revolution of 1848 he became one of the five members of the provisional government and a popular idol. His popularity waned, however, before the rising power of Louis-Napoleon.

In his introduction to the *Méditations*, Lamartine called his poems "des soupirs de l'âme." It was an apt characterization. Lamartine's themes are the old, inevitable, universal ones: the grief of parting, the affliction of death, the adjuration to love while one may.

In the expression of his thought Lamartine uses a vague, unspecific vocabulary. In *Le Lac*, for instance, there is nothing to distinguish his lake from any lake, except the *rochers* and *grottes* which were the familiar stage properties of the pre-Romantics. The moon is *l'astre au front d'argent*, a worn-out classic cliché that evokes no sharp picture in the reader's mind. This vagueness, vaporousness, dimness of outline is a constant characteristic of Lamartine. But it has its merits. The reader does not see Lamartine's lake, he sees his own. He fills in the blanks from his own memory or imagination, he supplies his own experience of death, sorrow, love. He cooperates with the author, and he gives the author credit.

The magic of Lamartine resides in his *music*. The analysis of this verbal music baffles even the French critics. They can say only that every sensitive reader responds mysteriously to the mysterious resonances of Lamartine's verse. His is *poésie pure*, almost beyond the necessity of meaning.

He professed to be a natural, instinctive poet, an improviser, which is to say that he believed in his own inspiration. No one has defined his poetic method better than he did himself:

> Je chantais, mes amis, comme l'homme respire,
> Comme l'oiseau gémit, comme le vent soupire,
> Comme l'eau murmure en coulant.

L'Isolement

[*Written at Milly, shortly after the death of Mme Charles.*]

Souvent sur la montagne,° à l'ombre du vieux
    chêne,
Au coucher du soleil, tristement je m'assieds;
Je promène au hasard mes regards sur la plaine,
Dont le tableau changeant se déroule à mes
    pieds.

Ici gronde le fleuve aux vagues écumantes;   5
Il serpente, et s'enfonce en un lointain obscur;
Là, le lac immobile étend ses eaux dormantes
Où l'étoile du soir se lève dans l'azur.

Au sommet de ces monts couronnés de bois
    sombres,
Le crépuscule encor jette un dernier rayon;   10
Et le char vaporeux de la reine des ombres°
Monte, et blanchit déjà les bords de l'horizon.

Cependant, s'élançant de la flèche° gothique,
Un son religieux se répand dans les airs :
Le voyageur s'arrête, et la cloche rustique   15
Aux derniers bruits du jour mêle de saints
    concerts.

Mais à ces doux tableaux° mon âme indifférente
N'éprouve devant eux ni charme ni transports;
Je contemple la terre ainsi qu'une ombre
    errante :   19
Le soleil des vivants n'échauffe plus les morts.

L'ISOLEMENT. 1. *montagne:* no doubt the mountain of Craz, near Milly. (But the landscape Lamartine describes is synthetic, made up of memories of the Alps and the Lac du Bourget.)

11. *Et le char... ombres:* a typical periphrasis, a holdover from the classic art of poetry. 13. *flèche:* spire. 17. *tableaux:* The poet's first theme was the description of the background. Now he introduces his second theme: when the beloved is absent, the world is empty.

De colline en colline en vain portant ma vue,
Du sud à l'aquilon,° de l'aurore au couchant,
Je parcours tous les points de l'immense
    étendue,
Et je dis : « Nulle part le bonheur ne
    m'attend ! »

Que me font ces vallons, ces palais, ces
    chaumières,   25
Vains objets dont pour moi le charme est
    envolé ?
Fleuves, rochers, forêts, solitudes si chères,
Un seul être vous manque, et tout est
    dépeuplé !°

Que le tour du soleil ou commence ou s'achève,
D'un œil indifférent je le suis° dans son
    cours ;   30
En un ciel sombre ou pur qu'il se couche ou
    se lève,
Qu'importe le soleil ? je n'attends rien des jours.

Quand je pourrais le suivre en sa vaste carrière,
Mes yeux verraient partout le vide et les
    déserts :
Je ne désire rien de tout ce qu'il éclaire :   35
Je ne demande rien à l'immense univers.

Mais° peut-être au delà des bornes de sa
    sphère,
Lieux où le vrai soleil° éclaire d'autres cieux,
Si je pouvais laisser ma dépouille à la terre,
Ce que j'ai tant rêvé paraîtrait à mes yeux !   40

Là, je m'enivrerais à la source où° j'aspire ;
Là, je retrouverais et l'espoir et l'amour,
Et ce bien idéal que toute âme désire,
Et qui n'a pas de nom au terrestre séjour !

Que ne puis-je, porté sur le char de l'Aurore, 45
Vague objet de mes vœux, m'élancer jusqu'à
    toi !
Sur la terre d'exil pourquoi resté-je encore ?
Il n'est rien de commun entre la terre et moi.

22. *aquilon:* north wind; *here merely* the north. 28. A famous line. 30. *suis:* from *suivre.* 37. Here begins the third theme: the mystical aspiration toward an other-worldly ideal. 38. *le vrai soleil:* i.e., God. 41. *où = à laquelle.* Despite the startling resemblance of this passage to Du Bellay's "Si notre vie…" in *L'Olive* (see Vol. I, p. 96), Lamartine had probably never read Du Bellay. But his mind was full of reminiscences, particularly of Petrarch. A mighty collection of sources and resemblances may be found in G. Lanson's critical edition of *Les Méditations.*

Quand la feuille des bois tombe dans la prairie,
Le vent du soir se lève et l'arrache aux
    vallons :   50
Et moi, je suis semblable à la feuille flétrie :
Emportez-moi comme elle, orageux aquilons !°

                                    [*Méditations*]

L'Immortalité
[*Abridged*]

[*In its first version the poem was addressed to Mme Charles, shortly before her death.*]

Le soleil de nos jours pâlit dès son aurore ;
Sur nos fronts languissants à peine il jette encore
Quelques rayons tremblants qui combattent la
    nuit :
L'ombre croît, le jour meurt, tout s'efface et
    tout fuit.

Qu'un autre à cet aspect frissonne et
    s'attendrisse,   5
Qu'il recule en tremblant des bords du précipice,
Qu'il ne puisse de loin° entendre sans frémir
Le triste chant des morts tout prêt à retentir,
Les soupirs étouffés d'une amante ou d'un frère
Suspendus sur les bords de son lit funéraire,   10
Ou l'airain° gémissant, dont les sons éperdus
Annoncent aux mortels qu'un malheureux
    n'est plus !

Je te salue, ô Mort ! Libérateur céleste,
Tu ne m'apparais point sous cet aspect funeste°
Que t'a prêté longtemps l'épouvante ou
    l'erreur ;   15
Ton bras n'est point armé d'un glaive°
    destructeur ;
Ton front n'est point cruel, ton œil n'est point
    perfide ;
Au secours des douleurs un Dieu clément te
    guide ;
Tu n'anéantis pas, tu délivres : ta main,
Céleste messager, porte un flambeau divin ;   20
Quand mon œil fatigué se ferme à la lumière,
Tu viens d'un jour plus pur inonder ma
    paupière ;
Et l'espoir, près de toi, rêvant sur un tombeau,
Appuyé sur la foi, m'ouvre un monde plus beau.

52. *Emportez-moi… aquilons:* a recollection of *René's* "Levez-vous vite, orages désirés…" See p. 17. L'IMMORTALITÉ. 7. *de loin:* i.e., in advance. 11. *airain:* the church bell. (A metonymy in classic style.) 14. *funeste:* here, funereal. 16. *glaive:* sword.

Viens donc, viens détacher mes chaînes
    corporelles!   25
Viens, ouvre ma prison; viens, prête-moi tes
    ailes!
Que° tardes-tu? Parais; que je m'élance enfin
Vers cet être inconnu, mon principe et ma
    fin!...

                  [*Méditations*]

Le Lac

[*The poem was written, in its first form, in September, 1817, in Aix-les-Bains, beside the Lac du Bourget. Lamartine had gone there to meet Mme Charles, and had learned that she was too ill to join him. This is one of the best known and best loved poems in French.*]

Ainsi, toujours poussés vers de nouveaux
    rivages,
Dans la nuit éternelle emportés sans retour,
Ne pourrons-nous jamais sur l'océan des âges
    Jeter l'ancre un seul jour?

O lac! l'année à peine a fini sa carrière,
Et, près des flots chéris qu'elle devait revoir,
Regarde! je viens seul m'asseoir sur cette pierre
    Où tu la vis s'asseoir!

Tu mugissais ainsi sous ces roches profondes;
Ainsi tu te brisais sur leurs flancs déchirés;   10
Ainsi le vent jetait l'écume de tes ondes
    Sur ses pieds adorés.°

Un soir, t'en souvient-il? nous voguions° en
    silence;
On n'entendait au loin, sur l'onde et sous les
    cieux,
Que le bruit des rameurs qui frappaient en
    cadence   15
    Tes flots harmonieux.

Tout à coup des accents inconnus à la terre
Du rivage charmé frappèrent les échos;
Le flot fut attentif, et la voix qui m'est chère
    Laissa tomber ces mots :   20

« O temps, suspends ton vol! et vous, heures
    propices,°
    Suspendez votre cours!
Laissez-nous savourer les rapides délices
    Des plus beaux de nos jours!

« Assez de malheureux ici-bas vous implorent : 25
    Coulez, coulez pour eux;
Prenez avec leurs jours les soins° qui les
    dévorent;
    Oubliez les heureux.

« Mais je demande en vain quelques moments
    encore,
    Le temps m'échappe et fuit;   30
Je dis à cette nuit : « Sois plus lente »; et
    l'aurore
    Va dissiper la nuit.

« Aimons donc, aimons donc! de l'heure
    fugitive,
    Hâtons-nous, jouissons!
L'homme n'a point de port, le temps n'a
    point de rive;   35
    Il coule, et nous passons! »

Temps jaloux, se peut-il que ces moments
    d'ivresse,
Où l'amour à longs flots nous verse le bonheur,
S'envolent loin de nous de la même vitesse
    Que les jours de malheur?   40

Hé quoi! n'en pourrons-nous fixer au moins la
    trace?
Quoi! passés pour jamais? quoi! tout entiers
    perdus?
Ce temps qui les donna, ce temps qui les efface,
    Ne nous les rendra plus?

Éternité, néant, passé, sombres abîmes,   45
Que faites-vous des jours que vous engloutissez?
Parlez : nous rendrez-vous ces extases sublimes
    Que vous nous ravissez?

O lac! rochers muets! grottes! forêt obscure!
Vous que le temps épargne ou qu'il peut
    rajeunir,   50
Gardez de cette nuit, gardez, belle nature,
    Au moins le souvenir!

---

27. *Que* = *Pourquoi*. LE LAC. 12. The poet expects Nature to sympathize with his mood, and Nature does so. This is called the *pathetic fallacy*. 13. *voguions:* were sailing; *here,* were being rowed.

21. *propices:* propitious, favorable. 27. *soins* = *soucis.*

Qu'il soit dans ton repos, qu'il soit dans tes
    orages,
Beau lac, et dans l'aspect de tes riants coteaux,°
Et dans ces noirs sapins, et dans ces rocs
    sauvages   55
        Qui pendent sur tes eaux!

Qu'il soit dans le zéphyr qui frémit et qui
    passe,
Dans les bruits de tes bords par tes bords
    répétés,
Dans l'astre au front d'argent qui blanchit ta
    surface
        De ses molles clartés!   60

Que le vent qui gémit, le roseau qui soupire,
Que les parfums légers de ton air embaumé,
Que tout ce qu'on entend, l'on voit ou l'on
    respire,
        Tout dise : « Ils ont aimé! »
                  [*Méditations*]

Le Crucifix

[*Mme Charles, on her deathbed, bequeathed her crucifix to Lamartine. A friend brought it to him. By a "poetic fiction," he presumes that he was present at her death.*]

Toi que j'ai recueilli sur sa bouche expirante
Avec son dernier souffle et son dernier adieu,
Symbole deux fois saint, don d'une voix
    mourante,
        Image de mon Dieu;

Que de pleurs ont coulé sur tes pieds que
    j'adore,   5
Depuis l'heure sacrée où, du sein d'un martyr,
Dans mes tremblantes mains tu passas, tiède
    encore
        De son dernier soupir!

Les saints flambeaux jetaient une dernière
    flamme;
Le prêtre murmurait ces doux chants de la
    mort,   10
Pareils aux chants plaintifs que murmure une
    femme
        A l'enfant qui s'endort.

54. *coteaux:* hillsides.

De son pieux espoir son front gardait la trace,
Et sur ses traits, frappés d'une auguste beauté,
La douleur fugitive avait empreint sa grâce, 15
        La mort sa majesté.

Le vent qui caressait sa tête échevelée°
Me montrait tour à tour ou me voilait ses traits,
Comme l'on voit flotter sur un blanc mausolée°
        L'ombre des noirs cyprès.   20

Un de ses bras pendait de la funèbre couche;
L'autre, languissamment replié sur son cœur,
Semblait chercher encore et presser sur sa
    bouche
        L'image du Sauveur.

Ses lèvres s'entr'ouvraient pour l'embrasser
    encore,   25
Mais son âme avait fui dans ce divin baiser,
Comme un léger parfum que la flamme dévore
        Avant de l'embraser.°

Maintenant tout dormait sur sa bouche glacée,
Le souffle se taisait dans son sein endormi, 30
Et sur l'œil sans regard la paupière affaissée°
        Retombait à demi.

Et moi, debout, saisi d'une terreur secrète,
Je n'osais m'approcher de ce reste° adoré,
Comme si du trépas la majesté muette   35
        L'eût déjà consacré.

Je n'osais!... Mais le prêtre entendit° mon silence,
Et, de ses doigts glacés prenant le crucifix :
« Voilà le souvenir et voilà l'espérance :°
        Emportez-les, mon fils! »   40

Oui, tu me resteras, ô funèbre héritage!
Sept fois, depuis ce jour, l'arbre que j'ai planté
Sur sa tombe sans nom a changé de feuillage :
        Tu ne m'as pas quitté.

Placé près de ce cœur, hélas! où tout s'efface, 45
Tu l'as contre le temps défendu de l'oubli,
Et mes yeux goutte à goutte ont imprimé leur
    trace
        Sur l'ivoire amolli.

17. *échevelée:* disheveled. 19. *mausolée:* tomb. 28. *embraser:* kindle. (The comparison is with incense, which smolders and gives off its perfume before actually burning.) 31. *affaissée:* subsiding, limp. 34. *reste:* i.e., body. 37. *entendit = comprit.* 39. *l'espérance:* This is the theme of the remainder of the poem.

O dernier confident de l'âme qui s'envole,
Viens, reste sur mon cœur! parle encore, et
 dis-moi 50
Ce qu'elle te disait quand sa faible parole
  N'arrivait plus qu'à toi;

A cette heure douteuse où l'âme recueillie,°
Se cachant sous le voile épaissi sur nos yeux,
Hors de nos sens glacés pas à pas se replie,° 55
  Sourde aux derniers adieux;

Alors qu'entre la vie et la mort incertaine,°
Comme un fruit par son poids détaché° du
 rameau,
Notre âme est suspendue et tremble à chaque
 haleine
  Sur la nuit du tombeau; 60

Quand des chants, des sanglots la confuse
 harmonie
N'éveille déjà plus notre esprit endormi,
Aux lèvres du mourant collé° dans l'agonie,
  Comme un dernier ami :

Pour éclaircir° l'horreur de cet étroit passage, 65
Pour relever vers Dieu son regard abattu,
Divin consolateur, dont nous baisons l'image,
  Réponds, que lui dis-tu?

Tu sais, tu sais mourir! et tes larmes divines,
Dans cette nuit terrible où tu prias en vain,° 70
De l'olivier sacré baignèrent les racines
  Du soir jusqu'au matin.

De la croix, où° ton œil sonda ce grand
 mystère,
Tu vis ta mère en pleurs et la nature en deuil;
Tu laissas comme nous tes amis sur la terre, 75
  Et ton corps au cercueil!

Au nom de cette mort, que ma faiblesse
 obtienne
De rendre sur ton sein ce douloureux soupir :
Quand mon heure viendra, souviens-toi de la
 tienne,
  O toi qui sais mourir! 80

Je chercherai la place où sa bouche expirante
Exhala sur tes pieds l'irrévocable adieu,
Et son âme viendra guider mon âme errante
  Au sein du même Dieu.°

Ah! puisse, puisse alors sur ma funèbre couche,
Triste et calme à la fois, comme un ange éploré,
Une figure en deuil recueillir sur ma bouche 87
  L'héritage sacré!

Soutiens ses derniers pas,° charme sa dernière
 heure;
Et, gage consacré d'espérance et d'amour, 90
De celui qui s'éloigne à celui qui demeure
  Passe ainsi tour à tour,

Jusqu'au jour° où, des morts perçant la voûte
 sombre,
Une voix dans le ciel, les appelant sept fois,
Ensemble éveillera ceux qui dorment à l'ombre
  De l'éternelle croix! 96
   [*Nouvelles Méditations*]

Les Préludes

[*Part of a "sonate de poésie," which inspired
Liszt's symphony. The poet evokes the happy sim-
plicity of country life. Compare with Wordsworth's
Prelude.*]

O vallons paternels, doux champs, humble
 chaumière
Au bord penchant des bois suspendue aux
 coteaux,
Dont l'humble toit, caché sous des touffes de
 lierre,°
  Ressemble au nid sous les rameaux;

Gazons entrecoupés de ruisseaux et
 d'ombrages, 5
Seuil antique où mon père, adoré comme un roi,
Comptait ses gras troupeaux rentrant des
 pâturages,
  Ouvrez-vous! ouvrez-vous! c'est moi.

---

53. *recueillie:* ingathered, rapt. 55. *se replie:* withdraws.
57. *entre... incertaine:* i.e., the soul (line 59), uncertain
whether it belongs to life or death. 58. *détaché:* about to be
detached. 63. *collé:* fastened (i.e., to the crucifix). 65. *éclaircir:*
lighten, illuminate. 70. *cette nuit... en vain:* reference to the
night on the Mount of Olives when Christ prayed and received
no answer. 73. *où = de laquelle.*

84. The poet's prayer was in fact answered. On his deathbed his niece Valentine placed on his lips the crucifix of
Mme Charles... At this point the poet introduces his final
theme: may the crucifix pass from hand to hand as a symbol
of salvation until the end of the world. 89. *ses derniers pas:*
i.e., of the *figure en deuil* who will attend his death. 93. *jour:*
i.e., Judgment Day. LES PRÉLUDES. 3. *touffes de lierre:* tufts
of ivy.

Voilà du Dieu des champs la rustique
    demeure.°
J'entends l'airain frémir au sommet de ses
    tours;   10
Il semble que dans l'air une voix qui me pleure
    Me rappelle à mes premiers jours.

Oui, je reviens à toi, berceau de mon enfance,
Embrasser pour jamais tes foyers protecteurs.
Loin de moi les cités et leur vaine opulence! 15
    Je suis né parmi les pasteurs.

Enfant, j'aimais, comme eux, à suivre dans la
    plaine
Les agneaux pas à pas, égarés jusqu'au soir;
A revenir comme eux baigner leur blanche laine
    Dans l'eau courante du lavoir;   20

J'aimais à me suspendre aux lianes° légères,
A gravir° dans les airs de rameaux en rameaux,
Pour ravir le premier, sous l'aile de leurs mères,
    Les tendres œufs des tourtereaux;°

J'aimais les voix du soir dans les airs
    répandues,   25
Le bruit lointain des chars gémissant sous leur
    poids,
Et le sourd tintement des cloches suspendues
    Au cou des chevreaux° dans les bois.

Et depuis, exilé de ces douces retraites,
Comme un vase imprégné d'une première
    odeur,   30
Toujours, loin des cités, des voluptés secrètes
    Entraînaient mes yeux et mon cœur.

Beaux lieux, recevez-moi sous vos sacrés
    ombrages!
Vous qui couvrez le seuil de rameaux éplorés,
Saules contemporains,° courbez vos longs
    feuillages   35
    Sur le frère que vous pleurez.

Reconnaissez mes pas, doux gazons que je foule,
Arbres que dans mes jeux j'insultais° autrefois;
Et toi qui loin de moi te cachais à la foule,
    Triste écho, réponds à ma voix.   40

Je ne viens pas traîner dans vos riants asiles
Les regrets du passé, les songes du futur :
J'y viens vivre, et, couché sous vos berceaux°
    fertiles,
    Abriter mon repos obscur.

S'éveiller le cœur pur, au réveil de l'aurore, 45
Pour bénir, au matin, le Dieu qui fait le jour;
Voir les fleurs du vallon sous la rosée éclore,
    Comme pour fêter son retour;

Respirer les parfums que la colline exhale,
Ou l'humide fraîcheur qui tombe des forêts; 50
Voir onduler de loin l'haleine matinale
    Sur le sein flottant des guérets;°

Conduire la génisse° à la source qu'elle aime,
Ou suspendre la chèvre au cytise embaumé,°
Ou voir les blancs taureaux venir tendre
    d'eux-même   55
    Leur front au joug accoutumé;

Guider un soc° tremblant dans le sillon qui crie,
Du pampre domestique émonder les berceaux,°
Ou creuser mollement, au sein de la prairie,
    Les lits murmurants des ruisseaux;   60

Le soir, assis en paix au seuil de la chaumière,
Tendre au pauvre qui passe un morceau de
    son pain,
Et, fatigué du jour, y fermer sa paupière
    Loin des soucis du lendemain;

Sentir sans les compter, dans leur ordre
    paisible,   65
Les jours suivre les jours, sans faire plus de bruit
Que ce sable léger dont la fuite insensible
    Nous marque l'heure qui s'enfuit;

Voir de vos doux vergers° sur vos fronts les
    fruits pendre,
Les fruits d'un chaste amour dans vos bras
    accourir,   70
Et, sur eux appuyé, doucement redescendre :°
    C'est assez pour qui doit mourir.
                  [*Nouvelles Méditations*]

---

9. *demeure:* i.e., church. 21. *lianes:* creepers, wild vines.
22. *gravir:* climb. 24. *tourtereaux:* doves. 28. *chevreaux:* kids.
35. *Saules contemporains:* Willows, my contemporaries.
38. *j'insultais:* I used to assail.

43. *berceaux: here,* bowers. 52. *guérets:* plowed land, fields.
53. *génisse:* heifer. 54. *suspendre... embaumé:* tie the goat to
the perfumed broom bush. 57. *soc:* plowshare. 58. *Du
pampre... berceaux:* to prune the household grape arbors.
69. *vergers:* orchards. 71. *redescendre:* descend the downward slope of life.

ALFRED DE VIGNY [1797–1863]

Vigny's family was noble and ancient, but impoverished by the Revolution. As a child he learned the spirit of his caste: pride of race, a conviction of superiority with its rights, disdain for the commoner and the commonplace. He was destined naturally for the army. But when, at seventeen, he received his commission, Napoleon had fallen, and the peaceable reign of Louis XVIII had begun. He endured fourteen years of dreary barrack life (but he spent fully half of them on leave in Paris), and was discharged with the rank of captain. His slow promotion was an intolerable grievance to him, but one may suspect that he was not really the officer type. He married in 1825 a beautiful English girl with a rich father, Sir Hugh Mills Bunbury. His wife almost immediately lost her health and good looks; her father gave the young couple only a cannibal island in Polynesia, no doubt as a kind of joke. When Sir Hugh met Lamartine a few years later, he remarked that his son-in-law was also a French poet, but blest if he could remember the blighter's name. (The biographers still belabor the stingy milord, but after all, if some foreign poet-fellow marries your daughter for your money. . . .)

During his army furloughs, Vigny frequented Victor Hugo's Paris literary gatherings. His first poems appeared in 1822; his first real collection, the *Poèmes antiques et modernes*, in 1826. He wrote a historical novel, *Cinq-Mars*, and successfully staged an adaptation of *Othello* in 1829. His *Chatterton* (1835), describing the miseries of genius misunderstood and oppressed by society, is one of the best Romantic plays and is still produced.

The rest of his life was spent in partial retirement. He wrote little and published less. His second collection of poems (*Les Destinées*, 1864) appeared only after his death. He said: "Ma vie a été . . . très simple à l'extérieur, et, en apparence, presque immobile, mais pleine d'agitations violentes et sombres, éternellement dissimulées sous un visage paisible."

That phrase sums up his character. A man of acute sensibility, he was taught to scorn emotion, to hide it behind a mask of aristocratic impassiveness. Yet he took pains not to hide it completely. There is always the crooked smile that hints at the bleeding heart, the too-loud praise of silence, the too-insistent contempt of a world in which, after all, he has not succeeded according to his desire.

What was he complaining about? True, his health was always poor; he spent his life caring for two invalids, his wife and his mother; he was bitterly disappointed in his father-in-law. On the other hand, he was able to live without doing any regular work; he had a good share of literary success; his friends were the most eminent intellectuals of his day; a series of beautiful ladies consoled his wounded heart. There are plenty of people one can be sorrier for.

Vigny is commonly termed the philosopher of Romanticism, and his philosophy is called *heroic pessimism*. Very briefly,* he insists that the individual stands alone in a hostile world. Nature is man's enemy. If God exists, he is dumb and helpless; on the Day of Judgment he must come to justify himself to man; then we shall judge and no doubt condemn him. Everything suffers, and the genius, by the fact of his superiority, suffers superiorly. What then can we do? Suffer in silent scorn. This is the command of honor, of human pride. And we can still love our companions in misery.

Your editor will not attempt to conceal that he finds this philosophy, as philosophy, pitiable. But fortunately Vigny's fame and merit do not rest on his philosophy. They rest upon half a dozen poems, magnificent expressions of a state of mind that most men have occasionally known, that every thoughtful man can understand.

---

* Lanson et Tuffrau: *Manuel d'histoire de la littérature française*. Boston, Heath, 1931, p. 561.

His poems typically present a generalized idea by a dramatic symbol. In each of the following poems, you should ask yourself what is the symbolic meaning of Moses, of the wolf at bay, and so forth. The preoccupation with the symbol, which has a kind of existence independent of the thing symbolized, was to have a great influence on Baudelaire and on the symbolist school. Vigny was also a master of poetic language. Many of his ringing lines have so impressed themselves on the French that they are hardly recognized as quotations. Some of these lines will be pointed out as we proceed.

Moïse*

[*The best statement of the poem's meaning is that of Vigny himself. He wrote (in 1838): "S'il y en a un que je préfère aux autres, c'est Moïse. Je l'ai toujours placé le premier, peut-être à cause de sa tristesse... Mon Moïse n'est pas celui des Juifs. Ce grand nom ne sert que de masque à un homme de tous les siècles et plus moderne qu'antique : l'homme de génie, las de son éternel veuvage et désespéré de voir sa solitude plus vaste et plus aride à mesure qu'il grandit. Fatigué de sa grandeur, il demande le néant. Ce désespoir n'est ni juif ni chrétien." For the story of Moses on Mount Nebo, see Deuteronomy 34 : 1-9.*]

Le soleil prolongeait sur la cime des tentes°
Ces obliques rayons, ces flammes éclatantes,
Ces larges traces d'or qu'il laisse dans les airs,
Lorsqu'en un lit de sable il se couche aux déserts.
La pourpre° et l'or semblaient revêtir la
    campagne.   5
Du stérile Nébo gravissant la montagne,
Moïse, homme de Dieu, s'arrête, et, sans
    orgueil,
Sur le vaste horizon promène un long coup
    d'œil.
Il voit d'abord Phasga,° que des figuiers
    entourent;
Puis, au delà des monts que ses regards
    parcourent,   10
S'étend tout Galaad,° Éphraïm, Manassé,
Dont le pays fertile à sa droite est placé;
Vers le Midi, Juda, grand et stérile, étale
Ses sables où s'endort la mer occidentale;°
Plus loin, dans un vallon que le soir a pâli,   15
Couronné d'oliviers, se montre Nephtali;
Dans des plaines de fleurs magnifiques et
    calmes,
Jéricho s'aperçoit : c'est la ville des palmes;

Et, prolongeant ses bois, des plaines de Phogor,°
Le lentisque° touffu s'étend jusqu'à Ségor.°   20
Il voit tout Chanaan,° et la terre promise,
Où sa tombe, il le sait, ne sera point admise.
Il voit, sur les Hébreux étend sa grande main,
Puis vers le haut du mont il reprend son chemin.

Or, des champs de Moab couvrant la vaste
    enceinte,   25
Pressés au large pied de la montagne sainte,
Les enfants d'Israël s'agitaient au vallon
Comme les blés épais qu'agite l'aquilon.
Dès l'heure où la rosée humecte° l'or des sables
Et balance sa perle au sommet des érables,°   30
Prophète centenaire,° environné d'honneur,
Moïse était parti pour trouver le Seigneur.
On le suivait des yeux aux flammes de sa tête,°
Et, lorsque du grand mont il atteignit le faîte,°
Lorsque son front perça le nuage de Dieu   35
Qui couronnait d'éclairs° la cime du haut lieu,
L'encens brûla partout sur les autels de pierre,
Et six cent mille Hébreux, courbés dans la
    poussière,
A l'ombre du parfum par le soleil doré,
Chantèrent d'une voix le cantique sacré;   40
Et les fils de Lévi,° s'élevant sur la foule,
Tels qu'un bois de cyprès sur le sable qui roule,
Du peuple avec la harpe accompagnant les voix,
Dirigeaient vers le ciel l'hymne du Roi des Rois.

Et, debout devant Dieu, Moïse ayant pris
    place,   45
Dans le nuage obscur lui parlait face à face.°

MOÏSE. * *Moïse:* Moses. 1. *tentes:* i.e., of the pilgrim Jews on the edge of the promised land. 5. *pourpre:* purple dye or robe. (Notice gender.) 9. *Phasga:* Pisgah. 11. *Galaad:* Gilead. 14. *mer occidentale:* the Mediterranean.

19. *Phogor:* Peor. 20. *lentisque:* lentisk, mastic tree. 20. *Ségor:* Zoar. 21. *Chanaan:* Canaan. 29. *humecte:* moistens. 30. *érables:* maples. 31. *centenaire:* more than 100 years old. (Moses was 120.) 33. *flammes de sa tête:* "Behold, the skin of his face shone." Exodus 34 : 30. The flames are represented in art by horns (see Michelangelo's statue). 34. *faîte:* summit. 36. "There were thunders and lightnings, and a thick cloud upon the mount." Exodus 19 : 16. 41. *fils de Lévi:* the Levites, the priestly tribe. 46. "And the Lord spake unto Moses face to face, as a man speaketh unto his friend." Exodus 33 : 11.

Il disait au Seigneur : « Ne finirai-je pas ?
Où voulez-vous encor que je porte mes pas ?
Je vivrai donc toujours puissant et solitaire ?
Laissez-moi m'endormir du sommeil de la
    terre.°   50
Que vous ai-je donc fait pour être votre élu ?
J'ai conduit votre peuple où vous avez voulu.
Voilà que son pied touche à la terre promise.
De vous à lui qu'un autre accepte l'entremise,°
Au coursier d'Israël qu'il attache le frein ;   55
Je lui lègue mon livre° et la verge d'airain.°

« Pourquoi vous fallut-il tarir mes espérances,
Ne pas me laisser homme avec mes ignorances,
Puisque du mont Horeb° jusques au mont Nébo
Je n'ai pas pu trouver le lieu de mon
    tombeau ?   60
Hélas ! vous m'avez fait sage parmi les sages !
Mon doigt du peuple errant a guidé les
    passages.
J'ai fait pleuvoir le feu sur la tête des rois ;°
L'avenir à genoux adorera mes lois ;°
Des tombes des humains j'ouvre la plus
    antique,°   65
La mort trouve à ma voix une voix
    prophétique,°
Je suis très grand, mes pieds sont sur les nations,
Ma main fait et défait les générations. —
Hélas ! je suis, Seigneur, puissant et solitaire,
Laissez-moi m'endormir du sommeil de la
    terre !   70

« Hélas ! je sais aussi tous les secrets des cieux,
Et vous m'avez prêté la force de vos yeux.
Je commande à la nuit de déchirer ses voiles ;
Ma bouche par leur nom a compté les étoiles,
Et, dès qu'au firmament mon geste l'appela, 75
Chacune s'est hâtée en disant : « Me voilà. »
J'impose mes deux mains sur le front des nuages
Pour tarir dans leurs flancs la source des orages ;°
J'engloutis les cités sous les sables mouvants ;

Je renverse les monts sous les ailes des vents ; 80
Mon pied infatigable est plus fort que l'espace ;
Le fleuve aux grandes eaux° se range quand je
    passe,
Et la voix de la mer se tait devant ma voix.
Lorsque mon peuple souffre, ou qu'il lui faut
    des lois,
J'élève mes regards, votre esprit me visite ; 85
La terre alors chancelle et le soleil hésite,
Vos anges sont jaloux et m'admirent entre eux. —
Et cependant, Seigneur, je ne suis pas heureux ;
Vous m'avez fait vieillir puissant et solitaire,
Laissez-moi m'endormir du sommeil de la
    terre !   90

« Sitôt que votre souffle a rempli le berger,°
Les hommes se sont dit : « Il nous est
    étranger ; »
Et les yeux se baissaient devant mes yeux de
    flamme,
Car ils venaient, hélas ! d'y voir plus que mon
    âme.
J'ai vu l'amour s'éteindre et l'amitié tarir ; 95
Les vierges se voilaient et craignaient de
    mourir.
M'enveloppant alors de la colonne noire,°
J'ai marché devant tous, triste et seul dans ma
    gloire,
Et j'ai dit dans mon cœur : « Que vouloir à
    présent ? »
Pour dormir sur un sein mon front est trop
    pesant,   100
Ma main laisse l'effroi sur la main qu'elle
    touche,
L'orage est dans ma voix, l'éclair est sur ma
    bouche ;
Aussi, loin de m'aimer, voilà qu'ils tremblent
    tous,
Et, quand j'ouvre les bras on tombe à mes
    genoux.
O Seigneur ! j'ai vécu puissant et solitaire, 105
Laissez-moi m'endormir du sommeil de la
    terre ! »

Or, le peuple attendait, et, craignant son
    courroux,
Priait sans regarder le mont du Dieu jaloux ;°

49–50. This couplet is imprinted in every French memory.
54. *entremise:* mediation. 56. *mon livre:* Pentateuch, the first
five books of the Bible. 56. *verge d'airain:* rod which Moses
cast upon the ground and which became a serpent (Exodus
4 : 2–4). 59. *Horeb:* mountain in Sinai where God spoke
from the burning bush (Exodus 3 : 1–2). 63. Moses brought
lightning and hail on Pharaoh and the Egyptians (Exodus
9 : 23). 64. *mes lois:* i.e., the Ten Commandments. 65.
Des tombes... antique: probable reference to Exodus 13 : 19:
"And Moses took the bones of Joseph with him." 66. *La
mort... prophétique:* An obscure line. Perhaps a reference to
Moses' farewell song (Deuteronomy 32). 77–78. "And
Moses... spread abroad his hands unto the Lord: and the
thunders and hail ceased, and the rain was not poured upon
the earth." Exodus 9 : 33.

82. *Le fleuve aux grandes eaux:* i.e., the Red Sea
(Exodus 14 : 21). 91. *berger:* Moses was tending his
father-in-law's flocks when God first spoke to him.
97. *colonne noire:* pillar of cloud (Exodus 13 : 21). 108.
Dieu jaloux: "for the Lord, whose name is Jealous, is a
jealous God." Exodus 34 : 14.

Car s'il levait les yeux, les flancs noirs du nuage
Roulaient et redoublaient les foudres de
    l'orage,   110
Et le feu des éclairs, aveuglant les regards,
Enchaînait tous les fronts courbés de toutes
    parts.
Bientôt le haut du mont reparut sans Moïse. —
Il fut pleuré. — Marchant vers la terre promise,
Josué° s'avançait pensif, et pâlissant,   115
Car il était déjà l'élu du Tout-Puissant.

La Mort du loup

I

Les nuages couraient sur la lune enflammée,
Comme sur l'incendie on voit fuir la fumée,
Et les bois étaient noirs jusques à l'horizon.
Nous marchions, sans parler, dans l'humide
    gazon,
Dans la bruyère épaisse et dans les hautes
    brandes,°   5
Lorsque, sous des sapins° pareils à ceux des
    Landes,°
Nous avons aperçu les grands ongles marqués
Par les loups voyageurs que nous avions traqués.
Nous avons écouté, retenant notre haleine
Et le pas suspendu. — Ni le bois ni la plaine 10
Ne poussaient un soupir dans les airs;
    seulement
La girouette en deuil° criait au firmament;
Car le vent, élevé bien au-dessus des terres,
N'effleurait de ses pieds que les tours solitaires,
Et les chênes d'en bas, contre les rocs penchés, 15
Sur leurs coudes semblaient endormis et
    couchés.°
Rien ne bruissait° donc, lorsque, baissant la
    tête,
Le plus vieux des chasseurs qui s'étaient mis
    en quête
A regardé le sable en s'y couchant; bientôt,
Lui que jamais ici l'on ne vit en défaut,°   20
A déclaré tout bas que ces marques récentes

Annonçaient la démarche et les griffes
    puissantes
De deux grands loups-cerviers° et de deux
    louveteaux.°
Nous avons tous alors préparé nos couteaux,
Et, cachant nos fusils et leurs lueurs trop
    blanches,   25
Nous allions, pas à pas, en écartant les branches.
Trois s'arrêtent, et moi, cherchant ce qu'ils
    voyaient,
J'aperçois tout à coup deux yeux qui
    flamboyaient,
Et je vois au delà quatre formes° légères
Qui dansaient sous la lune au milieu des
    bruyères,   30
Comme font chaque jour, à grand bruit sous
    nos yeux,
Quand le maître revient, les lévriers° joyeux.
Leur forme était semblable et semblable la
    danse;
Mais les enfants du Loup se jouaient en silence,
Sachant bien qu'à deux pas, ne dormant qu'à
    demi,   35
Se couche dans ses murs l'homme, leur ennemi.
Le père était debout, et plus loin, contre un
    arbre,
Sa Louve reposait comme celle de marbre
Qu'adoraient les Romains, et dont les flancs
    velus°
Couvaient° les demi-dieux Rémus et
    Romulus.   40
Le Loup vient et s'assied, les deux jambes
    dressées,
Par leurs ongles crochus dans le sable
    enfoncées.
Il s'est jugé perdu, puisqu'il était surpris,
Sa retraite coupée et tous ses chemins pris;
Alors il a saisi, dans sa gueule brûlante,   45
Du chien le plus hardi la gorge pantelante,°
Et n'a pas desserré ses mâchoires° de fer,
Malgré nos coups de feu qui traversaient sa
    chair,
Et nos couteaux aigus qui, comme des
    tenailles,°
Se croisaient en plongeant dans ses larges
    entrailles,   50

---

115. Josué: Joshua (Vigny likes to introduce a new theme in his concluding lines, to reverberate in the reader's imagination). LA MORT DU LOUP. *5. brandes:* dry heather. *6. sapins:* fir trees. *6. Landes:* forested sandy lowlands of southwestern France. *12. girouette en deuil:* complaining weathervane. *16.* The picture is of gnarled scrubby oaks growing among rocks. *17. bruissait* (from *bruire*): rustled. *20. en défaut:* at a loss.

23. loups-cerviers: lynxes. (Apparently Vigny did not know that wolves and lynxes are totally different.) *23. louveteaux:* wolf cubs. *29. quatre formes:* evidently the two cubs and their shadows in moonlight. *32. lévriers:* hounds, greyhounds. *39. velus:* hairy. *40. Couvaient:* Sheltered. *46. pantelante:* quivering. *47. mâchoires:* jaws. *49. tenailles:* tongs.

Jusqu'au dernier moment où le chien étranglé,
Mort longtemps avant lui, sous ses pieds a
    roulé.
Le Loup le quitte alors et puis il nous regarde.
Les couteaux lui restaient au flanc jusqu'à la
    garde,
Le clouaient au gazon tout baigné dans son
    sang ;   55
Nos fusils l'entouraient en sinistre croissant.
Il nous regarde encore, ensuite il se recouche,
Tout en léchant le sang répandu sur sa bouche,
Et, sans daigner savoir comment il a péri,
Refermant ses grands yeux, meurt sans jeter un
    cri.   60

II

J'ai reposé mon front sur mon fusil sans
    poudre,
Me prenant à penser, et n'ai pu me résoudre
A poursuivre sa Louve et ses fils, qui, tous trois,
Avaient voulu l'attendre ; et, comme je le crois,
Sans ses deux Louveteaux, la belle et sombre
    veuve   65
Ne l'eût pas laissé seul subir la grande épreuve ;
Mais son devoir était de les sauver, afin
De pouvoir leur apprendre à bien souffrir la
    faim,
A ne jamais entrer dans le pacte des villes
Que l'homme a fait avec les animaux serviles 70
Qui chassent devant lui, pour avoir le coucher,
Les premiers possesseurs du bois et du rocher.

III

Hélas ! ai-je pensé, malgré ce grand nom
    d'Hommes,
Que j'ai honte de nous, débiles que nous
    sommes !
Comment on doit quitter la vie et tous ses
    maux,   75
C'est vous qui le savez, sublimes animaux !
A voir ce que l'on fut sur terre et ce qu'on laisse,°
Seul le silence est grand ; tout le reste est
    faiblesse.°
— Ah ! je t'ai bien compris, sauvage voyageur,
Et ton dernier regard m'est allé jusqu'au
    cœur !   80
Il disait : « Si tu peux, fais que ton âme arrive,
A force de rester studieuse et pensive,
Jusqu'à ce haut degré de stoïque fierté

Où, naissant dans les bois, j'ai tout d'abord
    monté.
Gémir, pleurer, prier est également lâche.°   85
Fais énergiquement ta longue et lourde tâche
Dans la voie où le sort a voulu t'appeler,
Puis, après, comme moi, souffre et meurs sans
    parler. »

Le Mont des oliviers

[The poem is full of reminiscences of the Biblical accounts of the vigil on the Mount of Olives, which the student should read : Matthew 26 : 36–46; Mark 14 : 32–42; Luke 22 : 39–46.]

I

Alors il était nuit, et Jésus marchait seul,
Vêtu de blanc ainsi qu'un mort de son linceul ;
Les disciples dormaient au pied de la colline,
Parmi les oliviers, qu'un vent sinistre incline ;
Jésus marche à grands pas en frissonnant
    comme eux ;   5
Triste jusqu'à la mort, l'œil sombre et
    ténébreux,
Le front baissé, croisant les deux bras sur sa
    robe
Comme un voleur de nuit cachant ce qu'il
    dérobe,
Connaissant les rochers mieux qu'un sentier
    uni,
Il s'arrête en un lieu nommé Gethsémani.   10
Il se courbe à genoux, le front contre la terre ;
Puis regarde le ciel en appelant : « Mon Père ! »
— Mais le ciel reste noir, et Dieu ne répond pas.
Il se lève étonné, marche encore à grands pas,
Froissant les oliviers qui tremblent. Froide et
    lente   15
Découle de sa tête une sueur sanglante.
Il recule, il descend, il crie avec effroi :
« Ne pourriez-vous prier et veiller avec moi ? »
Mais un sommeil de mort accable les apôtres.
Pierre à la voix du maître est sourd comme les
    autres.   20
Le Fils de l'Homme alors remonte lentement ;
Comme un pasteur d'Égypte, il cherche au
    firmament
Si l'Ange ne luit pas au fond de quelque étoile.
Mais un nuage en deuil s'étend comme le voile

---

77. *laisse: here*, bequeaths. 78. A much-quoted line.

85. A good statement of Vigny's doctrine of stoic honor. The whole final quatrain is very famous.

D'une veuve, et ses plis entourent le désert. 25
Jésus, se rappelant ce qu'il avait souffert
Depuis trente-trois ans, devint homme,° et la
    crainte
Serra son cœur mortel d'une invincible étreinte.
Il eut froid. Vainement il appela trois fois :
« Mon Père! » Le vent seul répondit à sa
    voix. 30
Il tomba sur le sable assis, et, dans sa peine,
Eut sur le monde et l'homme une pensée
    humaine.
— Et la terre trembla, sentant la pesanteur
Du Sauveur qui tombait aux pieds du Créateur.

II

Jésus disait : « O Père, encor laisse-moi vivre! 35
Avant le dernier mot ne ferme pas mon livre!
Ne sens-tu pas le monde et tout le genre
    humain
Qui souffre avec ma chair et frémit dans ta
    main?
C'est que la Terre a peur de rester seule et
    veuve,
Quand meurt celui qui dit une parole neuve, 40
Et que tu n'as laissé dans son sein desséché
Tomber qu'un mot du ciel par ma bouche
    épanché.
Mais ce mot est si pur, et sa douceur est telle,
Qu'il a comme enivré la famille mortelle
D'une goutte de vie et de divinité, 45
Lorsqu'en ouvrant les bras, j'ai dit :
    « Fraternité ».

« Père, oh! si j'ai rempli mon douloureux
    message,°
Si j'ai caché le Dieu sous la face du sage,
Du sacrifice humain si j'ai changé le prix,°
Pour l'offrande des corps recevant les esprits, 50
Substituant partout aux choses le symbole,
La parole au combat, comme au trésor l'obole,°
Aux flots rouges du sang les flots vermeils du
    vin,
Aux membres de la chair le pain blanc sans
    levain;°
Si j'ai coupé les temps en deux parts,° l'une
    esclave 55

Et l'autre libre; — au nom du passé que je lave,
Par le sang de mon corps qui souffre et va finir,
Versons-en la moitié pour laver l'avenir!°
Père libérateur! jette aujourd'hui, d'avance,
La moitié de ce sang d'amour et d'innocence 60
Sur la tête de ceux qui viendront en disant :
« Il est permis pour tous° de tuer l'innocent. »
Nous savons qu'il naîtra, dans le lointain des
    âges,
Des dominateurs durs escortés de faux sages
Qui troubleront l'esprit de chaque nation 65
En donnant un faux sens à ma rédemption.°
— Hélas! je parle encor, que déjà ma parole°
Est tournée en poison dans chaque parabole;
Éloigne ce calice impur et plus amer
Que le fiel, ou l'absinthe,° ou les eaux de la mer. 70
Les verges° qui viendront, la couronne d'épine,
Les clous des mains, la lance au fond de ma
    poitrine,
Enfin toute la croix qui se dresse et m'attend,
N'ont rien, mon Père, oh! rien qui
    m'épouvante autant!
Quand les Dieux veulent bien s'abattre sur les
    mondes, 75
Ils n'y doivent laisser que des traces profondes;
Et, si j'ai mis le pied sur ce globe incomplet,°
Dont le gémissement sans repos m'appelait,
C'était pour y laisser deux Anges à ma place
De qui la race humaine aurait baisé la trace, 80
La Certitude heureuse et l'Espoir confiant,
Qui, dans le paradis, marchent en souriant.
Mais je vais la quitter, cette indigente terre,
N'ayant que soulevé ce manteau de misère
Qui l'entoure à grands plis, drap lugubre et
    fatal, 85
Que d'un bout tient le Doute et de l'autre le
    Mal.

« Mal et Doute! En un mot je puis les mettre
    en poudre.
Vous les aviez prévus, laissez-moi vous absoudre
De les avoir permis. — C'est l'accusation
Qui pèse de partout sur la création! — 90
Sur son tombeau désert faisons monter Lazare.°
Du grand secret des morts qu'il ne soit plus
    avare,

LE MONT DES OLIVIERS. 27. *devint homme:* i.e., put aside his divine nature. (Thus Vigny makes of him a symbol of all humanity at odds with divinity.) 47. *message:* here, mission. 49. *prix:* cost. 52. *obole:* penny. (Reference to story of the widow's mite [Mark 12 : 41–44].) 54. *levain:* leaven, yeast. (Reference to the sacrifice of the Mass.) 55. *en deux parts:* i.e., B.C. and A.D.

58. (Jesus prays that he may atone for future guilt and sin.) 62. *pour tous:* for the advantage of all. 63–66. Evidently a reference to Protestantism. 67. *je parle… parole:* even while I am speaking, already my word… 70. *absinthe:* wormwood. 71. *verges:* rods (with which Jesus was to be chastized). 77. *incomplet:* i.e., imperfect. 91. *Lazare:* Lazarus, resurrected from death (John 11).

Et de ce qu'il a vu donnons-lui souvenir;
Qu'il parle. — Ce qui dure et ce qui doit finir,
Ce qu'a mis le Seigneur au cœur de la Nature, 95
Ce qu'elle prend et donne à toute créature,
Quels sont avec le ciel ses muets entretiens,
Son amour ineffable et ses chastes liens;
Comment tout s'y détruit et tout s'y renouvelle,
Pourquoi° ce qui s'y cache et ce qui s'y révèle;
Si les astres des cieux tour à tour éprouvés 101
Sont comme celui-ci coupables et sauvés;
Si la terre est pour eux ou s'ils sont pour la
    terre;
Ce qu'a de vrai la fable et de clair le mystère,
D'ignorant le savoir et de faux la raison; 105
Pourquoi l'âme est liée en sa faible prison,
Et pourquoi nul sentier entre deux larges voies,
Entre l'ennui du calme et des paisibles joies
Et la rage sans fin des vagues passions,
Entre la léthargie et les convulsions; 110
Et pourquoi pend la Mort comme une
    sombre épée,°
Attristant la Nature à tout moment frappée;
Si le juste et le bien, si l'injuste et le mal
Sont de vils accidents en un cercle fatal,
Ou si de l'univers ils sont les deux grands
    pôles, 115
Soutenant terre et cieux sur leurs vastes
    épaules;
Et pourquoi les Esprits du mal sont triomphants
Des maux immérités, de la mort des enfants;
Et si les Nations sont des femmes guidées
Par les étoiles d'or des divines idées, 120
Ou de folles enfants° sans lampes dans la nuit,
Se heurtant et pleurant, et que rien ne conduit;
Et si, lorsque des temps l'horloge° périssable
Aura jusqu'au dernier versé ses grains de sable,

Un regard de vos yeux, un cri de votre voix, 125
Un soupir de mon cœur, un signe de ma croix,
Pourra faire ouvrir l'ongle aux Peines
    éternelles,°
Lâcher leur proie humaine et reployer leurs
    ailes.
— Tout sera révélé dès que l'homme saura
De quels lieux il arrive et dans quels il
    ira.° » 130

III

Ainsi le divin Fils parlait au divin Père.
Il se prosterne encore, il attend, il espère,
Mais il renonce et dit : « Que votre volonté
Soit faite et non la mienne, et pour l'éternité! »
Une terreur profonde, une angoisse infinie 135
Redoublent sa torture et sa lente agonie.
Il regarde longtemps, longtemps cherche sans
    voir.
Comme un marbre de deuil tout le ciel était
    noir;
La Terre, sans clartés, sans astre et sans aurore,
Et sans clartés de l'âme ainsi qu'elle est
    encore, 140
Frémissait. — Dans le bois il entendit des pas,
Et puis il vit rôder la torche de Judas.

LE SILENCE

S'il est vrai qu'au Jardin sacré des Écritures,
Le Fils de l'Homme ait dit ce qu'on voit
    rapporté;
Muet, aveugle et sourd au cri des créatures, 145
Si le Ciel nous laissa comme un monde avorté,°
Le juste opposera le dédain à l'absence,
Et ne répondra plus que par un froid silence
Au silence éternel de la Divinité.

---

100. *Pourquoi:* The reason for. 111. *épée:* reference to the sword which hung by a thread over the head of King Damocles. 121. *folles enfants:* reference to the parable of the foolish virgins (Matthew 25 : 1–13). 123. *horloge: here,* hourglass.

127. *pourra... éternelles:* Will be able to make the eternal Punishments open their talons (release their prey). 130. Summarize the universal human problems which Vigny has propounded in this section. 146. *avorté:* aborted, gone wrong.

4-5 Hugo [1802–1885]

By the magic of his written words and by the vigor of his personality, Victor Hugo dominated French literature for a good half century. In his own time he was simply adored. Swinburne called him the greatest writer since Shakespeare and the greatest Frenchman of all time, and compared one of his books to the effort of God creating the springtime. Henry Adams heard an admirer ask Hugo if he believed in God. "I do," replied the Master. "Un dieu qui croit en Dieu!" exclaimed the awed worshipper.

He was a mental, spiritual, physical power. His strength and energy were legendary. The hairs of his beard blunted the barber's razors. His appetite was colossal and uncritical; he would pop an entire orange into his mouth without bothering to peel it. No wonder that he was regarded as almost superhuman, a force of Nature.

He was the son of an army officer who rose, under Napoleon, to be Lieutenant-General. Military assignments took the family to Corsica, Italy, Spain; the impressionable boy was fascinated by the exotic color and life of southern lands. At school in Paris, he revealed a precocious talent. At 15 he received a mention from the Academy. At 17 he founded a magazine with his two brothers and filled it with his contributions.

Through the 1820's the young poet was in full spate of production. ("Words flowed from Victor Hugo like light from the sun," says Lytton Strachey.) He accepted and codified the theories of the fumbling Romantics, made himself the leader of the school, assembled them in informal clubs (the two *cénacles*), and established a new magazine, *La Muse française*, to be their organ.

His *Préface de Cromwell* (1827) demanded the abolition of the classic rules for the structure of tragedies, and called for a new, bold, free drama, like that of Shakespeare. Hugo's example of the new, free drama was *Hernani*, staged, amid scenes of frightful tumult, in 1830.

This date of 1830 is very important in French literary history, for it marks the conquest by Romanticism of the theatre, as Chateaubriand had conquered French prose and Lamartine had conquered poetry. Thus 1830 is the beginning of the brief unquestioned dominance of Romanticism.

Hugo continued writing poetic dramas, of which the best, to the modern taste, is *Ruy Blas* (1838). He also published *Notre-Dame de Paris* (1831), his first important novel, and several volumes of his finest poetry.

This fecund stage of happy production came to an end in 1843. In that year his play *Les Burgraves* was a flat failure. Hugo abandoned the theater for good (except for one late experiment), and Romanticism, no longer triumphant, began to yield to new influences.

An intimate tragedy in 1843 overshadowed his literary setback. Returning from a vacation trip to the Pyrenees, he learned from a newspaper picked up in an inn that his beloved daughter, with her husband of only a few months, had been drowned while boating on the lower Seine, at Villequier. His grief was as colossal as his other emotions. Many of his most beautiful and moving poems were provoked by his long agony, his questioning of fate. For ten years he published no work of literature, although he continued writing to ease his spirit.

He distracted his sorrow also by an active political life. When Louis-Philippe was deposed, in 1848, Hugo became a Deputy, on the popular democratic side, and candidate for the presidency. But Louis-Napoleon won the election, and Hugo took the leadership of the opposition. So violent were his words that when Louis-Napoleon firmly established his power, by the bloody *coup d'état* of December 2, 1851, Hugo was forced to flee in disguise to Belgium. His blasts against "Napoléon le petit" made him so troublesome to the Belgians that he had to move to the British Channel Islands, in 1852. He lived first in Jersey, then in Guernsey, and for eighteen years carried on a personal war with Emperor Napoleon III, showering that monarch with such lyric abuse as had never been known in French literature. To his retreat, Hauteville House, came worshippers from the entire world, as a century before they had come to adulate Voltaire at Ferney. Here Hugo did much of his best work, including the splendid poems collected in *Les Contemplations* and *La Légende des siècles*.

With the fall of his enemy in 1870, Hugo returned to France, endured cheerfully the privations of the Siege of Paris, took some small part in politics, and continued to write busily. As "le glorieux vieillard" he became the pride of France. He died in 1885 and his funeral was his farewell sensation. Whole regiments of cavalry led the way from the Arc de Triomphe to the Panthéon, followed by a long file of barouches bearing the highest dignitaries of France and Europe, a procession of six-horse carriages loaded with wreaths and floral crowns, and finally, as he had specified in his will, the body of Victor Hugo in the rickety hearse used for the paupers of Paris. It was his final antithesis, his last contrast of the sublime and the grotesque.

Victor Hugo's important work lies in three fields: drama, fiction, and poetry.

His *dramatic theory* is set forth in the *Préface de Cromwell*. He says that the drama, the characteristic literary form of the nineteenth century, has as its aim nature and truth. Nature makes no distinction of *genres*; the tragic and comic, the beautiful and ugly, the sublime and grotesque, mingle in life, and they should mingle in the theater. To represent life, the theater has its special requirements and techniques. Verse is more suitable than prose, but the verse must be freed from the crippling rules of classic prosody. The unity of *time* (limiting the action to twenty-four hours) and the unity of *place* are artificial and should be abolished, but the unity of *action* is dramatically justified. Local color should be authentic and should be liberally introduced. A play constructed on these principles is a *drame*.

Hugo's most famous work of *fiction* is *Les Misérables* (1862). It is a collection of novels rather than a single story; it is a humanitarian epic. Society is the villain, and the book is a demand for social consciousness and social conscience. It had an enormous, worldwide success. As it appeared in America, month by month, it held the warring nation rapt. It is my own family's recollection that my grandfather, on receiving each new installment, would immediately read it aloud to a gaping circle, while business and household duties went undone. Many a soldier carried the successive volumes in his knapsack and died before the story ended.

Of his *poetry* a good deal has been said, and more comments will be made in the notes. Let it suffice that Hugo is the greatest master of *technique* in the history of French poetry, "le plus grand peintre et le plus grand musicien de la langue française," says Gilbert Chinard. His imagination was visual, his utterance musical. Only Shakespeare, in English, used every resource of his language as did Hugo in French. It is a pity that Hugo's thought could not match his verbal mastery.

Now that we are freed from the oppression of his personality, how do we judge his work? We recognize its many shortcomings: its bombast, philosophical and psychological insufficiency, shameless melodrama, verbosity, lack of humor. His sublime has often become grotesque. But we have only to read a few pages, a few words, to be captured by his narrative power, his poetic imagination, his prodigious mastery of language. André Gide, when asked who was the greatest French poet, replied: "Hugo—hélas!" And said Jean Cocteau, in another famous *boutade*: "Victor Hugo? C'était un fou qui se croyait Victor Hugo."

But however one may mock, whatever just criticism one may make, Victor Hugo remains the most acclaimed French poet of the nineteenth century and one of the great literary creators of all time.

Les Djinns*

Murs, ville,
Et port,
Asile
De mort,
Mer grise   5
Où brise
La brise,
Tout dort.

Dans la plaine
Naît un bruit.   10
C'est l'haleine
De la nuit.
Elle brame°
Comme une âme
Qu'une flamme   15
Toujours suit.

La voix plus haute
Semble un grelot.°
D'un nain qui saute
C'est le galop.   20
Il fuit, s'élance,
Puis en cadence
Sur un pied danse
Au bout d'un flot.

La rumeur approche,   25
L'écho la redit.
C'est comme la cloche
D'un couvent maudit,
Comme un bruit de foule
Qui tonne et qui roule,   30
Et tantôt s'écroule,
Et tantôt grandit.

Dieu! la voix sépulcrale
Des Djinns!... — Quel bruit ils font!
Fuyons sous la spirale   35
De l'escalier profond!

Déjà s'éteint ma lampe,
Et l'ombre de la rampe,°
Qui le long du mur rampe,
Monte jusqu'au plafond.   40

C'est l'essaim° des Djinns qui passe,
Et tourbillonne en sifflant.
Les ifs,° que leur vol fracasse,°
Craquent comme un pin brûlant.
Leur troupeau lourd et rapide,   45
Volant dans l'espace vide,
Semble un nuage livide
Qui porte un éclair au flanc.°

Ils sont tout près! — Tenons fermée
Cette salle où nous les narguons.°   50
Quel bruit dehors! Hideuse armée
De vampires et de dragons!
La poutre du toit descellée°
Ploie ainsi qu'une herbe mouillée,
Et la vieille porte rouillée   55
Tremble à déraciner ses gonds.°

Cris de l'enfer! voix qui hurle et qui pleure!
L'horrible essaim, poussé par l'aquilon,
Sans doute, ô ciel! s'abat sur ma demeure.
Le mur fléchit sous le noir bataillon.   60
La maison crie et chancelle penchée,
Et l'on dirait que, du sol arrachée,
Ainsi qu'il chasse une feuille séchée,
Le vent la roule avec leur tourbillon!

Prophète!° si ta main me sauve   65
De ces impurs démons des soirs,
J'irai prosterner mon front chauve
Devant tes sacrés encensoirs!°
Fais que sur ces portes fidèles
Meure leur souffle d'étincelles,   70
Et qu'en vain l'ongle de leurs ailes
Grince et crie à ces vitraux noirs!

---

38. *rampe:* banisters, stair rail. 41. *essaim:* swarm. 43. *ifs:* yew trees. 43. *fracasse:* shatters. 48. *au flanc:* i.e., hidden within. 50. *narguons:* flout, defy. 53. *poutre du toit descellée:* dislodged roof beam. 56. *à déraciner ses gonds:* enough to unseat its hinges. 65. *Prophète:* i.e., Mahomet. 68. *encensoirs:* censers.

* LES DJINNS. *Djinns:* Jinns, spirits of Mohammedan mythology. 13. *brame:* bells (like a stag). 18. *grelot:* small bell.

Ils sont passés! — Leur cohorte
S'envole et fuit, et leurs pieds
Cessent de battre ma porte   75
De leurs coups multipliés.
L'air est plein d'un bruit de chaînes,
Et dans les forêts prochaines
Frissonnent tous les grands chênes,
Sous leur vol de feu pliés!   80

De leurs ailes lointaines
Le battement décroît,
Si confus dans les plaines,
Si faible, que l'on croit
Ouïr la sauterelle°   85
Crier d'une voix grêle,
Ou pétiller° la grêle
Sur le plomb d'un vieux toit.

D'étranges syllabes
Nous viennent encor :   90
Ainsi, des Arabes
Quand sonne le cor,
Un chant sur la grève
Par instants s'élève,
Et l'enfant qui rêve   95
Fait des rêves d'or.

Les Djinns funèbres,
Fils du trépas,
Dans les ténèbres
Pressent leurs pas;   100
Leur essaim gronde :
Ainsi, profonde,
Murmure une onde
Qu'on ne voit pas.

Ce bruit vague   105
Qui s'endort,
C'est la vague
Sur le bord;
C'est la plainte
Presque éteinte   110
D'une sainte
Pour un mort.

On doute
La nuit...
J'écoute : —   115
Tout fuit.

Tout passe;
L'espace
Efface
Le bruit.°   120

Extase

J'étais seul près des flots, par une nuit d'étoiles.
Pas un nuage aux cieux, sur les mers pas de
    voiles.
Mes yeux plongeaient plus loin que le monde
    réel.
Et les bois, et les monts, et toute la nature,
Semblaient interroger dans un confus
    murmure   5
    Les flots des mers, les feux du ciel.

Et les étoiles d'or, légions infinies,
A voix haute, à voix basse, avec mille
    harmonies,
Disaient, en inclinant leurs couronnes de feu;
Et les flots bleus, que rien ne gouverne et
    n'arrête,   10
Disaient, en recourbant l'écume de leur crête:
    — C'est le Seigneur, le Seigneur Dieu.

Ce qu'on entend sur la montagne

[*The problem that continually oppressed Hugo was
that of the world's injustice, of unmerited suffering.
In this early philosophical poem he contrasts the high
purpose of Nature with the depravity of man, or
society. Hugo's merit was that he put ideas which
are commonplace into dramatic, memorable form.*]

Avez-vous quelquefois, calme et silencieux,
Monté sur la montagne, en présence des cieux?
Était-ce aux bords du Sund?° aux côtes de
    Bretagne?

85. *sauterelle:* grasshopper. 87. *pétiller:* crackle.

120. Now review to see how Hugo gets his effects. Count
the syllables in the first line of each stanza. Try to recognize
how the prevailing vowel sounds combine with the meaning
to suggest stagnant peace at the beginning and end,
and sonority, noise, and speed in the middle. CE QU'ON
ENTEND SUR LA MONTAGNE. 3. *Sund:* Öresund, strait between
Sweden and Denmark. (There are in fact no mountains
nearby.)

Aviez-vous l'Océan au pied de la montagne?
Et là, penché sur l'onde et sur l'immensité, 5
Calme et silencieux, avez-vous écouté?

Voici ce qu'on entend, du moins un jour qu'en
    rêve
Ma pensée abattit son vol sur une grève,°
Et, du sommet d'un mont plongeant au
    gouffre amer,
Vit d'un côté la terre et de l'autre la mer; 10
J'écoutai, j'entendis, et jamais voix pareille
Ne sortit d'une bouche et n'émut une oreille.

Ce fut d'abord un bruit large, immense, confus,
Plus vague que le vent dans les arbres touffus,
Plein d'accords éclatants, de suaves
    murmures, 15
Doux comme un chant du soir, fort comme un
    choc d'armures
Quand la sourde mêlée étreint les escadrons,
Et souffle, furieuse, aux bouches des clairons.°
C'était une musique ineffable et profonde,
Qui, fluide, oscillait sans cesse autour du monde.
Et dans les vastes cieux, par ces flots rajeunis, 21
Roulait élargissant ses orbes infinis
Jusqu'au fond où son flux s'allait perdre dans
    l'ombre
Avec le temps, l'espace et la forme et le
    nombre.°
Comme une autre atmosphère épars et
    débordé 25
L'hymne éternel couvrait tout le globe inondé.
Le monde enveloppé dans cette symphonie,
Comme il vogue dans l'air, voguait dans
    l'harmonie.

Et pensif, j'écoutais ces harpes de l'éther,
Perdu dans cette voix comme dans une mer. 30

Bientôt je distinguai, confuses et voilées,
Deux voix dans cette voix l'une à l'autre
    mêlées,
De la terre et des mers s'épanchant jusqu'au
    ciel,
Qui chantaient à la fois le chant universel;

Et je les distinguai dans la rumeur profonde, 35
Comme on voit deux courants qui se croisent
    sous l'onde.

L'une venait des mers : chant de gloire!
    hymne heureux!
C'était la voix des flots qui se parlaient entre
    eux,
L'autre, qui s'élevait de la terre où nous
    sommes,
Était triste : c'était le murmure des hommes; 40
Et dans ce grand concert, qui chantait jour et
    nuit,
Chaque onde avait sa voix et chaque homme
    son bruit.°

Or, comme je l'ai dit, l'Océan magnifique
Épandait une voix joyeuse et pacifique,
Chantait comme la harpe aux temples de
    Sion, 45
Et louait la beauté de la création.
Sa clameur, qu'emportaient la brise et la rafale,°
Incessamment vers Dieu montait plus
    triomphale,
Et chacun de ses flots, que Dieu seul peut
    dompter,
Quand l'autre avait fini, se levait pour
    chanter. 50
Comme ce grand lion dont Daniel fut l'hôte,°
L'Océan par moments abaissait sa voix haute,
Et moi je croyais voir, vers le couchant en feu,
Sur sa crinière° d'or passer la main de Dieu.

Cependant, à côté de l'auguste fanfare, 55
L'autre voix, comme un cri de coursier qui
    s'effare,
Comme le gond rouillé° d'une porte d'enfer,
Comme l'archet d'airain sur la lyre de fer,°
Grinçait : et pleurs, et cris, l'injure, l'anathème,
Refus du viatique° et refus du baptême, 60
Et malédiction, et blasphème, et clameur,
Dans le flot tournoyant de l'humaine rumeur,
Passaient, comme le soir on voit dans les vallées
De noirs oiseaux de nuit qui s'en vont par
    volées.

---

8. *grève:* beach. 16–18. Reread these three lines, observing how aptly the sound is fitted to the sense. 24. The four preceding lines are omitted from Professor Albert Schinz's edition of Hugo's poems (*Selected Poems of Victor Hugo,* Boston, Heath, 1908) on the ground that the editor could not make any sense out of them. Your editor lacks the courage of Professor Schinz.

42. Note that the expected, appropriate objects are transposed. 47. *rafale:* squall. 51. *ce grand lion... l'hôte:* See the Book of Daniel 6. 54. *crinière:* mane. 57. *gond rouillé:* rusty hinge. 58. *archet... fer:* brass bow on the iron lyre. (In fact the lyre was not played with a bow but was picked with a plectrum. The *lyre de fer* suggests songs of anger and revolt. Note that the lyre is the instrument of pagan poets, while the harp [line 45] represents Christian inspiration.) 60. *viatique:* last rites of Church.

Qu'était-ce que ce bruit dont mille échos
    vibraient ?   65
Hélas ! c'était la terre et l'homme qui
    pleuraient.

Frères ! de ces deux voix étranges, inouïes,
Sans cesse renaissant, sans cesse évanouies,
Qu'écoute l'Éternel durant l'éternité,
L'une disait : *Nature !* et l'autre : *Humanité !*   70

Alors je méditai ; car mon esprit fidèle,
Hélas ! n'avait jamais déployé plus grande aile,
Dans mon ombre jamais n'avait lui° tant de
    jour ;
Et je rêvai longtemps, contemplant tour à tour,
Après l'abîme obscur que me cachait la lame, 75
L'autre abîme sans fond qui s'ouvrait dans
    mon âme.
Et je me demandai pourquoi l'on est ici,
Quel peut être après tout le but de tout ceci,
Que fait l'âme, lequel vaut mieux d'être ou de
    vivre,
Et pourquoi le Seigneur, qui seul lit à son
    livre,   80
Mêle éternellement dans un fatal hymen
Le chant de la nature au cri du genre humain ?

Lorsque l'enfant paraît

Lorsque l'enfant paraît, le cercle de famille
Applaudit à grands cris. Son doux regard qui
    brille
        Fait briller tous les yeux,
Et les plus tristes fronts, les plus souillés
    peut-être,
Se dérident° soudain à voir l'enfant paraître, 5
        Innocent et joyeux.

Soit que juin ait verdi mon seuil, ou que
    novembre
Fasse autour d'un grand feu vacillant dans la
    chambre
        Les chaises se toucher,
Quand l'enfant vient, la joie arrive et nous
    éclaire.   10
On rit, on se récrie,° on l'appelle, et sa mère
    Tremble à le voir marcher.

Quelquefois nous parlons, en remuant la flamme,
De patrie et de Dieu, des poètes, de l'âme
        Qui s'élève en priant ;   15
L'enfant paraît, adieu le ciel et la patrie
Et les poètes saints !° la grave causerie
        S'arrête en souriant.

La nuit, quand l'homme dort, quand l'esprit
    rêve, à l'heure
Où l'on entend gémir, comme une voix qui
    pleure,   20
        L'onde entre les roseaux,
Si l'aube tout à coup là-bas luit comme un
    phare,
Sa clarté dans les champs éveille une fanfare
        De cloches et d'oiseaux.

Enfant, vous êtes l'aube et mon âme est la plaine
Qui des plus douces fleurs embaume son haleine
        Quand vous la respirez ;
Mon âme est la forêt dont les sombres ramures°
S'emplissent pour vous seul de suaves
    murmures
        Et de rayons dorés.   30

Car vos beaux yeux sont pleins de douceurs
    infinies,
Car vos petites mains joyeuses et bénies,
        N'ont point mal fait encor ;
Jamais vos jeunes pas n'ont touché notre fange,
Tête sacrée ! enfant aux cheveux blonds ! bel
    ange   35
        A l'auréole d'or !

Vous êtes parmi nous la colombe de l'arche.°
Vos pieds tendres et purs n'ont point l'âge où
    l'on marche,
        Vos ailes sont d'azur.
Sans le comprendre encor vous regardez le
    monde.   40
Double virginité ! corps où rien n'est immonde,
    Âme où rien n'est impur !

Il est si beau, l'enfant, avec son doux sourire,
Sa douce bonne foi, sa voix qui veut tout dire,
        Ses pleurs vite apaisés,   45
Laissant errer sa vue étonnée et ravie,
Offrant de toutes parts sa jeune âme à la vie
        Et sa bouche aux baisers !

---

    73. *lui:* from *luire.* LORSQUE L'ENFANT PARAÎT. 5. *Se dérident:* Lose their frown. 11. *se récrie:* cry out, protest.

    17. *saints:* holy (because inspired). 28. *ramures:* branches. 37. *arche:* (Noah's) ark.

Seigneur! préservez-moi, préservez ceux que
    j'aime,
Frères, parents, amis, et mes ennemis même° 50
       Dans le mal triomphants,
De jamais voir, Seigneur, l'été sans fleurs
    vermeilles,
La cage sans oiseaux, la ruche° sans abeilles,
       La maison sans enfants!

L'Enfance

L'enfant chantait; la mère au lit, exténuée,
Agonisait, beau front dans l'ombre se penchant;
La mort au-dessus d'elle errait dans la nuée;
Et j'écoutais ce râle,° et j'entendais ce chant.

L'enfant avait cinq ans, et près de la fenêtre 5
Ses rires et ses jeux faisaient un charmant bruit;
Et la mère, à côté de ce pauvre doux être
Qui chantait tout le jour, toussait toute la nuit.

La mère alla dormir sous les dalles du cloître;
Et le petit enfant se remit à chanter. —   10
La douleur est un fruit; Dieu ne le fait pas
    croître
Sur la branche trop faible encor pour le porter.

Passé

C'était un grand château du temps de Louis
    treize.°
Le couchant rougissait ce palais oublié.
Chaque fenêtre au loin, transformée en
    fournaise,
Avait perdu sa forme et n'était plus que braise.°
Le toit disparaissait dans les rayons noyé.   5

Sous nos yeux s'étendait, gloire antique abattue,
Un de ces parcs dont l'herbe inonde le chemin,
Où dans un coin, de lierre à demi revêtue,
Sur un piédestal gris, l'hiver, morne statue,
Se chauffe avec un feu de marbre sous la
    main.   10

O deuil! le grand bassin° dormait, lac solitaire.
Un Neptune verdâtre y moisissait° dans l'eau.
Les roseaux cachaient l'onde° et l'eau rongeait
    la terre,
Et les arbres mêlaient leur vieux branchage
    austère,
D'où tombaient autrefois des rimes pour
    Boileau.°   15

On voyait par moments errer dans la futaie°
De beaux cerfs qui semblaient regretter les
    chasseurs;
Et, pauvres marbres blancs qu'un vieux tronc
    d'arbre étaie,°
Seules, sous la charmille,° hélas! changée en
    haie,
Soupirer Gabrielle° et Vénus, ces deux sœurs! 20

Les manteaux relevés par la longue rapière,
Hélas! ne passaient plus dans ce jardin sans
    voix.
Les tritons° avaient l'air de fermer la paupière.
Et dans l'ombre, entr'ouvrant ses mâchoires de
    pierre,
Un vieux antre° ennuyé bâillait au fond du
    bois.   25

Et je vous dis alors : — Ce château dans son
    ombre
A contenu l'amour, frais comme en votre cœur,
Et la gloire, et le rire, et les fêtes sans nombre,
Et toute cette joie aujourd'hui le rend sombre,
Comme un vase noircit, rouillé par sa liqueur. 30

Dans cet antre, où la mousse a recouvert la
    dalle,
Venait, les yeux baissés et le sein palpitant,
Ou la belle Caussade ou la jeune Candale,°
Qui, d'un royal amant conquête féodale,
En entrant disait Sire, et Louis en sortant. 35

Alors comme aujourd'hui, pour Candale ou
    Caussade,
La nuée au ciel bleu mêlait son blond duvet,°
Un doux rayon dorait le toit grave et maussade,

---

50. *même:* adverb depending on following phrase. 53. *ruche:* hive. L'ENFANCE. 4. *râle:* rattle (in the throat). PASSÉ. 1. *Louis treize:* reigned 1610–43. 4. *braise:* glowing embers.

11. *bassin:* pool. 12. *moisissait:* was moldering. 13. *onde:* i.e., the water. 15. *rimes pour Boileau:* i.e., Boileau sought inspiration by gazing at these trees. 16. *futaie:* grove. 18. *étaie:* supports. 19. *charmille:* arbor. 20. Gabrielle d'Estrées, favorite of Henri IV, end of the sixteenth century. 23. *tritons:* mythological mermen, often represented in baroque fountains. 25. *antre:* cavern (probably artificial, in baroque style). 33. *Caussade, Candale:* mistresses of Louis XIV. 37. *duvet:* down.

Les vitres flamboyaient sur toute la façade,
Le soleil souriait, la nature rêvait.   40

Alors comme aujourd'hui, deux cœurs unis,
    deux âmes,
Erraient sous ce feuillage où tant d'amour a lui.
Il nommait sa duchesse un ange entre les
    femmes,
Et l'œil plein de rayons et l'œil rempli de
    flammes
S'éblouissaient l'un l'autre, alors comme
    aujourd'hui.   45

Au loin dans le bois vague on entendait des
    rires.
C'étaient d'autres amants, dans leur bonheur
    plongés.
Par moments un silence arrêtait leurs délires.
Tendre, il lui demandait : D'où vient que tu
    soupires ?
Douce, elle répondait : D'où vient que vous°
    songez ?   50

Tous deux, l'ange et le roi, les mains
    entrelacées,
Ils marchaient, fiers, joyeux, foulant le vert
    gazon ;
Ils mêlaient leurs regards, leur souffle, leurs
    pensées…
O temps évanouis ! ô splendeurs éclipsées !
O soleils descendus derrière l'horizon !   55

Oceano nox*

[*Hugo, vacationing on the Norman coast, saw for
the first time a storm on the sea, and reflected on the
heroism and tragedy of sailors' lives.*]

Oh ! combien de marins, combien de capitaines
Qui sont partis joyeux pour des courses
    lointaines,
Dans ce morne horizon se sont évanouis !
Combien ont disparu, dure et triste fortune !
Dans une mer sans fond, par une nuit sans
    lune,   5
Sous l'aveugle océan à jamais enfouis !

Combien de patrons° morts avec leurs
    équipages !
L'ouragan de leur vie° a pris toutes les pages,
Et d'un souffle il a tout dispersé sur les flots !
Nul ne saura leur fin dans l'abîme plongée.   10
Chaque vague en passant d'un butin s'est
    chargée ;
L'une a saisi l'esquif,° l'autre les matelots !

Nul ne sait votre sort, pauvres têtes perdues !
Vous roulez à travers les sombres étendues,
Heurtant de vos fronts morts des écueils
    inconnus.   15
Oh ! que de vieux parents, qui n'avaient plus
    qu'un rêve,
Sont morts en attendant tous les jours sur la
    grève
        Ceux qui ne sont pas revenus !

On s'entretient de vous parfois dans les veillées.
Maint joyeux cercle, assis sur des ancres
    rouillées,   20
Mêle encor quelque temps vos noms d'ombre
    couverts
Aux rires, aux refrains, aux récits d'aventures,
Aux baisers qu'on dérobe à vos belles futures,°
Tandis que vous dormez dans les goémons°
    verts !

On demande : — Où sont-ils ? sont-ils rois
    dans quelque île ?   25
Nous ont-ils délaissés pour un bord plus
    fertile ? —
Puis votre souvenir même est enseveli.
Le corps se perd dans l'eau, le nom dans la
    mémoire.
Le temps, qui sur toute ombre en verse une
    plus noire,
Sur le sombre océan jette le sombre oubli.   30

Bientôt des yeux de tous votre ombre est
    disparue,
L'un n'a-t-il pas sa barque et l'autre sa charrue ?°
Seules, durant ces nuits où l'orage est vainqueur,
Vos veuves aux fronts blancs, lasses de vous
    attendre,
Parlent encor de vous en remuant la cendre   35
        De leur foyer et de leur cœur !

---

50. Notice the forms of address. OCEANO NOX.* *Oceano
nox:* Night on the Ocean.

7. *patrons:* owners, captains. 8. *de leur vie:* depends on
pages. 12. *esquif:* small boat, skiff. 23. *futures:* fiancées. 24.
goémons: seaweed. 32. *charrue:* plow.

Et quand la tombe enfin a fermé leur paupière,
Rien ne sait plus vos noms, pas même une
   humble pierre
Dans l'étroit cimetière où l'écho nous répond,
Pas même un saule° vert qui s'effeuille à
   l'automne,   40
Pas même la chanson naïve et monotone
Que chante un mendiant à l'angle d'un vieux
   pont!

Où sont-ils, les marins sombrés° dans les nuits
   noires?
O flots, que vous avez de lugubres histoires!
Flots profonds redoutés des mères à genoux! 45
Vous vous les racontez en montant les marées,
Et c'est ce qui vous fait ces voix désespérées
Que vous avez le soir quand vous venez vers
   nous!

Tristesse d'Olympio

[*"Olympio" is a name Hugo gave to a kind of
idealization of himself, which enabled him to speak
of himself in the third person. He treats here the
problem which recurs to all reflective men, and particularly to the Romantic poets : the relation of Nature
and man, the contrast of Nature's serene eternal
purpose and man's pitiful brief life, the effort of man
to impose himself on Nature, to make her remember
him. The poem is inspired by a visit Hugo made to
the valley of the Bièvre, near Paris, where he had
loved the actress Juliette Drouet. But his memories
of this idyll are entangled with those of a happy
vacation on the same spot with his wife and family.
Compare this poem with Lamartine's* Le Lac.]

Les champs n'étaient point noirs, les cieux
   n'étaient pas mornes;°
Non, le jour rayonnait dans un azur sans
   bornes
      Sur la terre étendu;
L'air était plein d'encens et les prés de
   verdures,
Quand il revit ces lieux où par tant de
   blessures   5
      Son cœur s'est répandu.

L'automne souriait; les coteaux vers la plaine
Penchaient leurs bois charmants qui
   jaunissaient à peine;
      Le ciel était doré;
Et les oiseaux, tournés vers celui que tout
   nomme,   10
Disant peut-être à Dieu quelque chose de
   l'homme,
      Chantaient leur chant sacré.

Il voulut tout revoir, l'étang près de la source,
La masure° où l'aumône avait vidé leur bourse,
      Le vieux frêne° plié,   15
Les retraites d'amour au fond des bois perdues,
L'arbre où dans les baisers leurs âmes
   confondues
      Avaient tout oublié.

Il chercha le jardin, la maison isolée,
La grille d'où l'œil plonge en une oblique
   allée,   20
      Les vergers en talus.°
Pâle, il marchait. — Au bruit de son pas grave
   et sombre
Il voyait à chaque arbre, hélas! se dresser
   l'ombre
      Des jours qui ne sont plus.

Il entendait frémir dans la forêt qu'il aime   25
Ce doux vent qui, faisant tout vibrer en
   nous-même,
      Y réveille l'amour,
Et, remuant le chêne ou balançant la rose,
Semble l'âme de tout qui° va sur chaque chose
      Se poser tour à tour.   30

Les feuilles qui gisaient dans le bois solitaire,
S'efforçant sous ses pas de s'élever de terre,
      Couraient dans le jardin;
Ainsi, parfois, quand l'âme est triste, nos
   pensées
S'envolent un moment sur leurs ailes
   blessées,   35
      Puis retombent soudain.

Il contempla longtemps les formes magnifiques
Que la nature prend dans les champs
   pacifiques;
      Il rêva jusqu'au soir;

---

40. *saule:* willow. 43. *sombrés:* sunk, engulfed. Tristesse
d'Olympio. 1. The first line sets the mood. Radiant
nature shows no sympathy with the poet's melancholy.

14. *masure:* hovel. 15. *frêne:* ash (tree). 21. *en talus:* sloping.
29. *tout qui:* Notice the difference in meaning from *tout ce qui*.

Tout le jour il erra le long de la ravine,   40
Admirant tour à tour le ciel, face divine,
    Le lac,° divin miroir.

Hélas! se rappelant ses douces aventures,
Regardant, sans entrer, par-dessus les clôtures,°
    Ainsi qu'un paria,   45
Il erra tout le jour. Vers l'heure où la nuit
    tombe,
Il se sentit le cœur triste comme une tombe,
    Alors il s'écria :

— « O douleur! j'ai voulu, moi dont l'âme est
    troublée,
Savoir si l'urne encor conservait la liqueur,   50
Et voir ce qu'avait fait cette heureuse vallée
De tout ce que j'avais laissé là de mon cœur!

« Que peu de temps suffit pour changer toutes
    choses!
Nature au front serein, comme vous oubliez!°
Et comme vous brisez dans vos
    métamorphoses   55
Les fils mystérieux où nos cœurs sont liés!

« Nos chambres de feuillage en halliers° sont
    changées;
L'arbre où fut notre chiffre° est mort ou
    renversé;
Nos roses dans l'enclos ont été ravagées
Par les petits enfants qui sautent le fossé.   60

« Un mur clôt la fontaine où, par l'heure
    échauffée,
Folâtre, elle buvait en descendant des bois;
Elle prenait de l'eau dans la main, douce fée,
Et laissait retomber des perles de ses doigts!

« On a pavé la route âpre et mal aplanie,   65
Où, dans le sable pur se dessinant si bien,
Et de sa petitesse étalant l'ironie,
Son pied charmant semblait rire à côté du mien.

« La borne° du chemin, qui vit des jours sans
    nombre,
Où jadis pour m'entendre elle aimait à
    s'asseoir   70

S'est usée en heurtant, lorsque la route est
    sombre,
Les grands chars gémissants qui reviennent le
    soir.

« La forêt ici manque et là s'est agrandie…
De tout ce qui fut nous presque rien n'est
    vivant;
Et, comme un tas de cendre éteinte et refroidie,
L'amas des souvenirs se disperse à tout vent!

« N'existons-nous donc plus? Avons-nous eu
    notre heure?
Rien ne la rendra-t-il à nos cris superflus?
L'air joue avec la branche au moment où je
    pleure;
Ma maison me regarde et ne me connaît plus.   80

« D'autres vont maintenant passer où nous
    passâmes.
Nous y sommes venus, d'autres vont y venir;
Et le songe qu'avaient ébauché nos deux âmes,
Ils le continueront sans pouvoir le finir!

« Car personne ici-bas ne termine et n'achève;   85
Les pires des humains sont comme les meilleurs.
Nous nous réveillons tous au même endroit du
    rêve.
Tout commence en ce monde et tout finit
    ailleurs.°

« Oui, d'autres à leur tour viendront, couples
    sans tache,
Puiser dans cet asile heureux, calme,
    enchanté,   90
Tout ce que la nature à l'amour qui se cache
Mêle de rêverie et de solennité!

« D'autres auront nos champs, nos sentiers,
    nos retraites;
Ton bois, ma bien-aimée, est à des inconnus.
D'autres femmes viendront, baigneuses
    indiscrètes,   95
Troubler le flot sacré qu'ont touché tes pieds
    nus.

« Quoi donc! c'est vainement qu'ici nous nous
    aimâmes!
Rien ne nous restera de ces coteaux fleuris

---

42. I find no lake in the course of the Bièvre. No doubt
Hugo put it in to invite comparison with Lamartine. 44.
clôtures: fences, walls. 54. *Nature… oubliez:* Here is the
statement of the principal theme. 57. *halliers:* thickets. 58.
chiffre: initials. 69. *borne:* milestone.

88. The theme of death is introduced.

Où nous fondions notre être en y mêlant nos
    flammes!
L'impassible nature a déjà tout repris.°   100

« Oh! dites-moi, ravins, frais ruisseaux,
    treilles° mûres,
Rameaux chargés de nids, grottes, forêts,
    buissons,
Est-ce que vous ferez pour d'autres vos
    murmures?
Est-ce que vous direz à d'autres vos chansons?

« Nous vous comprenions tant! doux, attentifs,
    austères,   105
Tous nos échos s'ouvraient si bien à votre voix!
Et nous prêtions si bien, sans troubler vos
    mystères,
L'oreille aux mots profonds que vous dites
    parfois!

« Répondez, vallon pur, répondez, solitude,
O nature abritée en ce désert si beau,   110
Lorsque nous dormirons tous deux dans
    l'attitude
Que donne aux morts pensifs la forme du
    tombeau;

« Est-ce que vous serez à ce point insensible
De nous savoir couchés morts, avec nos amours,
Et de continuer votre fête paisible,   115
Et de toujours sourire et de chanter toujours?

« Est-ce que, nous sentant errer dans vos
    retraites,
Fantômes reconnus par vos monts et vos bois,
Vous ne nous direz pas de ces choses secrètes
Qu'on dit en revoyant des amis d'autrefois? 120

« Est-ce que vous pourriez, sans tristesse et
    sans plainte,
Voir nos ombres flotter où marchèrent nos pas,
Et la voir m'entraîner, dans une morne étreinte,
Vers quelque source en pleurs qui sanglote
    tout bas?

« Et s'il est quelque part, dans l'ombre où rien
    ne veille,   125
Deux amants sous vos fleurs abritant leurs
    transports,

Ne leur irez-vous pas murmurer à l'oreille:
— Vous qui vivez, donnez une pensée aux
    morts? —

« Dieu nous prête un moment les prés et les
    fontaines,
Les grands bois frissonnants, les rocs
    profonds et sourds,   130
Et les cieux azurés et les lacs et les plaines,
Pour y mettre nos cœurs, nos rêves, nos amours;

« Puis il nous les retire. Il souffle notre flamme.
Il plonge dans la nuit l'antre où nous
    rayonnons;
Et dit à la vallée, où s'imprima notre âme, 135
D'effacer notre trace et d'oublier nos noms.

« Eh bien! oubliez-nous, maison, jardin,
    ombrages;
Herbe, use notre seuil! ronce, cache nos pas!
Chantez, oiseaux! ruisseaux, coulez! croissez,
    feuillages!
Ceux que vous oubliez ne vous oublieront
    pas.°   140

« Car vous êtes pour nous l'ombre de l'amour
    même,
Vous êtes l'oasis qu'on rencontre en chemin!
Vous êtes, ô vallon, la retraite suprême
Où nous avons pleuré, nous tenant par la main!

« Toutes les passions s'éloignent avec l'âge, 145
L'une emportant son masque et l'autre son
    couteau,
Comme un essaim chantant d'histrions° en
    voyage
Dont le groupe décroît derrière le coteau.

« Mais toi, rien ne t'efface, amour! toi qui
    nous charmes!
Toi qui, torche ou flambeau, luis dans notre
    brouillard!   150
Tu nous tiens par la joie, et surtout par les
    larmes;
Jeune homme on te maudit, on t'adore vieillard.

« Dans ces jours où la tête au poids des ans
    s'incline,
Où l'homme, sans projets, sans but, sans visions,

---

100. A key line. Compare and contrast with Lamartine's
Le Lac. 101. *treilles*: vine arbors.

140. Another key line. 147. *histrions*: actors, mountebanks.
(Note the visual character of this elaborate image.)

Sent qu'il n'est déjà plus qu'une tombe en
    ruine   155
Où gisent ses vertus et ses illusions;

« Quand notre âme en rêvant descend dans
    nos entrailles,
Comptant dans notre cœur, qu'enfin la glace
    atteint,
Comme on compte les morts sur un champ de
    batailles,
Chaque douleur tombée et chaque songe éteint,

« Comme quelqu'un qui cherche en tenant
    une lampe,   161
Loin des objets réels, loin du monde rieur,
Elle arrive à pas lents par une obscure rampe
Jusqu'au fond désolé du gouffre intérieur;

« Et là, dans cette nuit qu'aucun rayon n'étoile,
L'âme, en un repli sombre où tout semble finir,
Sent quelque chose encor palpiter sous un
    voile...
C'est toi qui dors dans l'ombre, ô sacré
    souvenir!° »

Nuits de juin

L'été, lorsque le jour a fui, de fleurs couverte,
La plaine verse au loin un parfum enivrant;
Les yeux fermés, l'oreille aux rumeurs
    entr'ouverte,
On ne dort qu'à demi d'un sommeil transparent.

Les astres sont plus purs, l'ombre paraît
    meilleure;   5
Un vague demi-jour teint le dôme éternel;
Et l'aube douce et pâle, en attendant son heure,
Semble toute la nuit errer au bas du ciel.

Il faut que le poète...

Il faut que le poète, épris d'ombre et d'azur,
Esprit doux et splendide, au rayonnement pur,
Qui marche devant tous, éclairant ceux qui
    doutent,
Chanteur mystérieux qu'en tressaillant écoutent

168. The final words point the final lesson.

Les femmes, les songeurs, les sages, les amants, 5
Devienne formidable à de certains moments.
Parfois lorsqu'on se met à rêver sur son livre,
Où tout berce, éblouit, calme, caresse, enivre,
Où l'âme à chaque pas trouve à faire son miel,
Où les coins les plus noirs ont des lueurs du ciel,
Au milieu de cette humble et haute poésie, 11
Dans cette paix sacrée où croît la fleur choisie,
Où l'on entend couler les sources et les pleurs,
Où les strophes, oiseaux peints de mille couleurs,
Volent chantant l'amour, l'espérance et la
    joie,   15
Il faut que par instants on frissonne, et qu'on
    voie
Tout à coup, sombre, grave et terrible au
    passant,
Un vers fauve sortir de l'ombre en rugissant.
Il faut que le poète aux semences fécondes
Soit comme ces forêts vertes, fraîches, profondes,
Pleines de chants, amour du vent et du rayon, 21
Charmantes, où soudain on rencontre un lion.

Quand nous habitions tous ensemble

[*Hugo's eldest daughter, Léopoldine, was married
in February 1843, at the age of nineteen, to Charles
Vacquerie. On September 4 of the same year the
couple were drowned when their sailboat capsized
at Villequier, on the lower Seine. The tragedy stunned
and silenced the poet. But with time his brooding and
grief found expression in a number of fine poems, of
which this one is perhaps the tenderest. It is dated on
the first anniversary of his daughter's death.*]

Quand nous habitions tous ensemble
Sur nos collines d'autrefois,
Où l'eau court, où le buisson tremble,
Dans la maison qui touche aux bois,

Elle avait dix ans, et moi trente; 5
J'étais pour elle l'univers.
Oh! comme l'herbe est odorante
Sous les arbres profonds et verts!

Elle faisait mon sort prospère,
Mon travail léger, mon ciel bleu. 10
Lorsqu'elle me disait : Mon père,
Tout mon cœur s'écriait : Mon Dieu!

A travers mes songes sans nombre,
J'écoutais son parler joyeux,
Et mon front s'éclairait dans l'ombre　15
A la lumière de ses yeux.

Elle avait l'air d'une princesse
Quand je la tenais par la main.
Elle cherchait des fleurs sans cesse
Et des pauvres dans le chemin.　20

Elle donnait comme on dérobe,°
En se cachant aux yeux de tous.
Oh! la belle petite robe
Qu'elle avait, vous rappelez-vous?

Le soir, auprès de ma bougie,
Elle jasait° à petit bruit,
Tandis qu'à la vitre rougie
Heurtaient les papillons de nuit,

Les anges se miraient en elle.
Que son bonjour était charmant!　30
Le ciel mettait dans sa prunelle
Ce regard qui jamais ne ment.

Oh! je l'avais, si jeune encore,
Vue apparaître en mon destin!
C'était l'enfant de mon aurore,　35
Et mon étoile du matin!

Quand la lune claire et sereine
Brillait aux cieux, dans ces beaux mois,
Comme nous allions dans la plaine!
Comme nous courions dans les bois!　40

Puis, vers la lumière isolée
Étoilant le logis obscur,
Nous revenions par la vallée
En tournant le coin du vieux mur;

Nous revenions, cœurs pleins de flamme,　45
En parlant des splendeurs du ciel.
Je composais cette jeune âme
Comme l'abeille fait son miel.

Doux ange aux candides pensées,
Elle était gaie en arrivant...　50
Toutes ces choses sont passées
Comme l'ombre et comme le vent!

QUAND NOUS HABITIONS TOUS ENSEMBLE. 21. *dérobe:* filch.
26. *jasait:* would ramble on.

Demain, dès l'aube

[Dated September 3, 1847]

Demain, dès l'aube, à l'heure où blanchit la
　campagne,
Je partirai. Vois-tu, je sais que tu m'attends.
J'irai par la forêt, j'irai par la montagne,
Je ne puis demeurer loin de toi plus longtemps.

Je marcherai les yeux fixés sur mes pensées,　5
Sans rien voir au dehors, sans entendre aucun
　bruit,
Seul, inconnu, le dos courbé, les mains croisées,
Triste, et le jour pour moi sera comme la nuit.

Je ne regarderai ni l'or du soir qui tombe,
Ni les voiles au loin descendant vers Harfleur,°　10
Et quand j'arriverai, je mettrai sur ta tombe
Un bouquet de houx° vert et de bruyère° en
　fleur.

Souvenir de la nuit du 4

[*This poem and the three following are taken from*
Les Châtiments, *Hugo's collection of satirical in-
vectives against his enemy, Napoleon III. This poem
refers to the "massacre" of December 4, 1851. Following the coup d'état of December 2, Napoleon sought
to impress the "red" Parisians by a show of force.
Thirty thousand soldiers marched down the boule-
vards, firing on the unarmed mob at any show of
opposition, or at none. The number of victims was
never known. It was at least several hundred.*]

L'enfant avait reçu deux balles dans la tête.
Le logis était propre, humble, paisible, honnête.
On voyait un rameau bénit° sur un portrait.
Une vieille grand'mère était là qui pleurait.
Nous le déshabillions en silence. Sa bouche,　5
Pâle, s'ouvrait; la mort noyait son œil farouche;°
Ses bras pendants semblaient demander des
　appuis.
Il avait dans sa poche une toupie en buis.°

DEMAIN, DÈS L'AUBE. 10. Harfleur, seaport on the Seine
estuary. 12. *houx:* holly. 12. *bruyère:* heather. 3. *rameau
bénit:* blessed branch (of boxwood, sacred to the dead. The
inference is that the child's father or mother is dead). 6.
farouche: wild. 8. *toupie en buis:* top of boxwood.

On pouvait mettre un doigt dans les trous de
    ses plaies.
Avez-vous vu saigner la mûre° dans les haies?   10
Son crâne était ouvert comme un bois qui se
    fend.
L'aïeule regarda déshabiller l'enfant,
Disant : « Comme il est blanc! approchez
    donc la lampe.
Dieu! ses pauvres cheveux sont collés sur sa
    tempe!° —
Et quand ce fut fini, le prit sur ses genoux.   15
La nuit était lugubre; on entendait des coups
De fusil dans la rue où l'on en tuait d'autres.
— Il faut ensevelir l'enfant, dirent les nôtres.
Et l'on prit un drap blanc dans l'armoire en
    noyer.°
L'aïeule cependant l'approchait du foyer,   20
Comme pour réchauffer ses membres déjà
    roides.
Hélas! ce que la mort touche de ses mains
    froides
Ne se réchauffe plus aux foyers d'ici-bas!
Elle pencha la tête et lui tira° ses bas,
Et dans ses vieilles mains prit les pieds du
    cadavre.   25
— Est-ce que ce n'est pas une chose qui
    navre!
Cria-t-elle; monsieur, il n'avait pas huit ans!
Ses maîtres, il allait en classe, étaient contents.
Monsieur, quand il fallait que je fisse une lettre,
C'est lui qui l'écrivait. Est-ce qu'on va se
    mettre   30
A tuer les enfants maintenant? Ah! mon Dieu!
On est donc des brigands? Je vous demande
    un peu,
Il jouait ce matin, là, devant la fenêtre!
Dire qu'ils m'ont tué ce pauvre petit être!
Il passait dans la rue, ils ont tiré dessus.   35
Monsieur, il était bon et doux comme un Jésus.
Moi je suis vieille, il est tout simple que je
    parte;
Cela n'aurait rien fait à monsieur Bonaparte
De me tuer au lieu de tuer mon enfant! —
Elle s'interrompit, les sanglots l'étouffant.   40
Puis elle dit, et tous pleuraient près de l'aïeule :
— Que vais-je devenir à présent toute seule?
Expliquez-moi cela, vous autres, aujourd'hui.
Hélas! je n'avais plus de sa mère que lui.

Pourquoi l'a-t-on tué? je veux qu'on me
    l'explique.   45
L'enfant n'a pas crié : Vive la République. »
Nous nous taisons, debout et graves, chapeau
    bas,
Tremblant devant ce deuil qu'on ne console pas.

Vous ne compreniez point, mère, la politique.
Monsieur Napoléon, c'est son nom
    authentique,   50
Est pauvre, et même prince; il aime les palais;
Il lui convient d'avoir des chevaux, des valets,
De l'argent pour son jeu, sa table, son alcôve,°
Ses chasses; par la même occasion, il sauve
La famille, l'église et la société;   55
Il veut avoir Saint-Cloud,° plein de roses l'été,
Où viendront l'adorer les préfets° et les maires;
C'est pour cela qu'il faut que les vieilles
    grand'mères,
De leurs pauvres doigts gris que fait trembler
    le temps,
Cousent dans le linceul° des enfants de sept ans.

Sonnez, sonnez toujours, clairons de la pensée

[*The poet uses the famous story of Joshua* (Josué)
before the walls of Jericho (*Joshua 6*). *Following
the Lord's instructions, Joshua marched daily for six
days round the walls, with seven priests blowing
trumpets* (clairons) *of ram's horns, and the ark of
the covenant following. On the seventh day the procession marched seven times around the city, and at
Joshua's command the people shouted together, and
the wall fell down flat. "And they utterly destroyed
all that was in the city, both man and woman, young
and old, and ox, and sheep, and ass, with the edge
of the sword."*]

Sonnez, sonnez toujours, clairons de la pensée.
Quand Josué rêveur, la tête aux cieux dressée,
Suivi des siens, marchait, et, prophète irrité,
Sonnait de la trompette autour de la cité,
Au premier tour qu'il fit, le roi se mit à rire;   5
Au second tour, riant toujours, il lui fit dire :

---

10. *mûre:* blackberry. 14. *tempe:* temple. 19. *armoire en
noyer:* walnut wardrobe. 24. *tira:* pulled off.

53. *alcôve:* bedroom. (The suggestion is of extramarital
adventures.) 56. *Saint-Cloud:* royal palace and park on the
outskirts of Paris. 57. *préfets:* governors of *départements,*
appointed by the central government. 60. *linceul:* shroud.

« Crois-tu donc renverser ma ville avec du
    vent ? »
A la troisième fois, l'arche° allait en avant,
Puis les trompettes, puis toute l'armée en
    marche,
Et les petits enfants venaient cracher sur
    l'arche,   10
Et, soufflant dans leur trompe,° imitaient le
    clairon ;
Au quatrième tour, bravant les fils d'Aaron,°
Entre les vieux créneaux° tout brunis par la
    rouille,
Les femmes s'asseyaient en filant leur
    quenouille,°
Et se moquaient, jetant des pierres aux
    Hébreux ;   15
A la cinquième fois, sur ces murs ténébreux,
Aveugles et boiteux vinrent, et leurs huées°
Raillaient le noir clairon sonnant sous les nuées ;
A la sixième fois, sur sa tour de granit
Si haute qu'au sommet l'aigle faisait son nid, 20
Si dure que l'éclair l'eût en vain foudroyée,
Le roi revint, riant à gorge déployée,
Et cria : « Ces Hébreux sont bons musiciens ! »
Autour du roi joyeux, riaient tous les anciens
Qui le soir sont assis au temple, et délibèrent...

A la septième fois, les murailles tombèrent.°

Chanson

[*A biting contrast between Napoleon I, whom Hugo
worshipped, and his nephew, Napoleon III.*]

    Sa grandeur éblouit l'histoire.
        Quinze ans, il fut
    Le dieu que traînait la victoire
        Sur un affût ;°
    L'Europe sous sa loi guerrière   5
        Se débattit. —
    Toi, son singe, marche derrière
        Petit, petit.

    Napoléon dans la bataille,
        Grave et serein,   10
    Guidait à travers la mitraille°
        L'aigle d'airain.
    Il entra sur le pont d'Arcole,°
        Il en sortit. —
    Voici de l'or, viens, pille et vole,   15
        Petit, petit.

    Berlin, Vienne, étaient ses maîtresses ;
        Il les forçait,
    Leste,° et prenant les forteresses
        Par le corset ;   20
    Il triompha de cent bastilles
        Qu'il investit. —
    Voici pour toi, voici des filles,°
        Petit, petit.

    Il passait les monts et les plaines,   25
        Tenant en main
    La palme, la foudre et les rênes°
        Du genre humain ;
    Il était ivre de sa gloire
        Qui retentit. —   30
    Voici du sang, accours, viens boire,
        Petit, petit.

    Quand il tomba, lâchant le monde,
        L'immense mer
    Ouvrit à sa chute profonde   35
        Le gouffre amer ;°
    Il y plongea, sinistre archange,
        Et s'engloutit. —
    Toi, tu te noieras dans la fange,
        Petit, petit.

Lux*

[*Excerpt*]

[*This is the first movement of the concluding poem
of* Les Châtiments. *Hugo looks beyond the present
miseries of France to the happy future.*]

SONNEZ, SONNEZ TOUJOURS,... 8. *arche:* ark of the covenant.
11. *trompe:* (children's) trumpet. 12. *fils d'Aaron:* i.e.,
priests. 13. *créneaux:* battlements. 14. *quenouille:* distaff, a
short staff from which flax or wool is spun by hand. 17. *huées:*
jeers. 26. What is the symbolism of the poem? Who is the
king? Joshua? Explain line 7. CHANSON. 4. *affût:* gun
carriage.

11. *mitraille:* grapeshot (antipersonnel artillery shells).
13. *pont d'Arcole:* in a two-day battle with the Austrians
(November 17, 1796) the French gained the strategic bridge
in a final charge led by Napoleon in person. 19. *Leste:* Lightly,
gaily. (Notice the striking, novel metaphor that follows.)
23. *filles:* courtesans. 27. *palme, foudre, rênes:* i.e., the
prizes, the punishments, and the restraints. 36. The reference
is to Napoleon's death at St. Helena. LUX. * *Lux:* Light.

Temps futurs! vision sublime!
Les peuples sont hors de l'abîme.
Le désert morne est traversé.
Après les sables, la pelouse;
Et la terre est comme une épouse,   5
Et l'homme est comme un fiancé!

Dès à présent l'œil qui s'élève
Voit distinctement ce beau rêve
Qui sera le réel un jour;
Car Dieu dénoûra° toute chaîne,   10
Car le passé s'appelle haine
Et l'avenir se nomme amour!

Dès à présent dans nos misères
Germe l'hymen des peuples frères;
Volant sur nos sombres rameaux,   15
Comme un frelon° que l'aube éveille,
Le progrès, ténébreuse abeille,
Fait du bonheur avec nos maux.

Oh! voyez! la nuit se dissipe.
Sur le monde qui s'émancipe,   20
Oubliant Césars et Capets,°
Et sur les nations nubiles,°
S'ouvrent dans l'azur, immobiles,
Les vastes ailes de la paix!

O libre France enfin surgie!   25
O robe blanche après l'orgie!
O triomphe après les douleurs!
Le travail bruit dans les forges,
Le ciel rit, et les rouges-gorges°
Chantent dans l'aubépine° en fleurs!   30

La rouille mord les hallebardes.°
De vos canons, de vos bombardes,
Il ne reste pas un morceau
Qui soit assez grand, capitaines,
Pour qu'on puisse prendre aux
     fontaines   35
De quoi faire boire un oiseau.

Les rancunes sont effacées;
Tous les cœurs, toutes les pensées,
Qu'anime le même dessin
Ne font plus qu'un faisceau° superbe;

Dieu prend pour lier cette gerbe°   41
La vieille corde du tocsin.°

Au fond des cieux un point scintille.
Regardez, il grandit, il brille,
Il approche, énorme et vermeil.
O République universelle,   45
Tu n'es encor que l'étincelle,
Demain tu seras le soleil.

Le Mendiant

Un pauvre homme passait dans le givre° et le
     vent.
Je cognai sur ma vitre; il s'arrêta devant
Ma porte, que j'ouvris d'une façon civile.
Les ânes revenaient du marché de la ville,
Portant les paysans accroupis sur leurs bâts :°   5
C'était le vieux qui vit dans une niche au bas
De la montée, et rêve, attendant, solitaire,
Un rayon du ciel triste, un liard° de la terre,
Tendant les mains pour l'homme et les
     joignant pour Dieu.
Je lui criai : — Venez vous réchauffer un peu.   10
Comment vous nommez-vous? — il me dit : —
     Je me nomme
Le pauvre. — Je lui pris la main. — Entrez,
     brave homme. —
Et je lui fis donner une jatte° de lait.
Le vieillard grelottait de froid; il me parlait,
Et je lui répondais pensif et sans l'entendre.   15
— Vos habits sont mouillés, dis-je, il faut les
     étendre
Devant la cheminée. — Il s'approcha du feu.
Son manteau tout mangé des vers, et jadis bleu,
Étalé largement sur la chaude fournaise,°
Piqué de mille trous par la lueur de braise,   20
Couvrait l'âtre,° et semblait un ciel noir étoilé.
Et, pendant qu'il séchait ce haillon° désolé
D'où ruisselaient la pluie et l'eau des
     fondrières,°
Je songeais que cet homme était plein de
     prières.
Et je regardais, sourd à ce que nous disions,   25
Sa bure° où je voyais des constellations.

---

10. *dénoûra* = *dénouera.* 16. *frelon:* hornet (apparently
used as synonymous with *abeille*). 21. *Césars et Capets:* i.e.,
French emperors and kings (of the line of Hugues Capet,
founder of the monarchy). 22. *nubiles:* ripe for mating.
29. *rouges-gorges:* robins. 30. *aubépine:* hawthorn. 31.
hallebardes: halberds, half-pikes. 40. *faisceau:* bundle.

41. *gerbe:* sheaf. 42. *tocsin:* alarm bell. Le Mendiant. 1.
givre: frost. 5. *bâts:* packsaddles. 8. *liard:* penny (farthing).
13. *jatte:* bowl. 19. *fournaise:* here, open fire. 21. *âtre:* hearth.
22. *haillon:* rag. 23. *fondrières:* mud holes. 26. *bure:*
coarse cloth.

Apparition

Je vis un ange blanc qui passait sur ma tête;
Son vol éblouissant apaisait la tempête,
Et faisait taire au loin la mer pleine de bruit.
— Qu'est-ce que tu viens faire, ange, dans
    cette nuit?
Lui dis-je. — Il répondit : — Je viens prendre
    ton âme. —   5
Et j'eus peur, car je vis que c'était une femme;
Et je lui dis, tremblant et lui tendant le bras :
— Que me restera-t-il? car tu t'envoleras. —
Il ne répondit pas; le ciel que l'ombre assiège
S'éteignait... — Si tu prends mon âme,
    m'écriai-je,   10
Où l'emporteras-tu? montre-moi dans quel
    lieu —
Il se taisait toujours. — O passant du ciel bleu,
Es-tu la mort? lui dis-je, ou bien es-tu la
    vie? —
Et la nuit augmentait sur mon âme ravie,
Et l'ange devint noir, et dit : — Je suis
    l'amour. —   15
Mais son front sombre était plus charmant que
    le jour,
Et je voyais, dans l'ombre où brillaient ses
    prunelles,
Les astres à travers les plumes de ses ailes.

Les Malheureux

[Excerpt]

[Only the concluding passage of a long philosophical poem is given here.]

Aux premiers jours du monde, alors que la
    nuée,
Surprise, contemplait chaque chose créée,
Alors que sur le globe où le mal avait crû,
Flottait une lueur de l'éden disparu,
Quand tout encor semblait être rempli
    d'aurore,   5
Quand sur l'arbre du temps les ans venaient
    d'éclore,
Sur la terre, où la chair avec l'esprit se fond,
Il se faisait le soir un silence profond,
Et le désert, les bois, l'onde aux vaste rivages,

Et les herbes des champs, et les bêtes
    sauvages,   10
Émus, et les rochers, ces ténébreux cachots,
Voyaient, d'un antre obscur couvert d'arbres
    si hauts
Que nos chênes auprès° sembleraient des
    arbustes,
Sortir deux grands vieillards, nus, sinistres,
    augustes.°
C'étaient Ève aux cheveux blanchis, et son
    mari,   15
Le pâle Adam, pensif, par le travail meurtri,
Ayant la vision de Dieu sous sa paupière.
Ils venaient tous les deux s'asseoir sur une
    pierre,
En présence des monts fauves et soucieux,
Et de l'éternité formidable des cieux.   20
Leur œil triste rendait la nature farouche;
Et là, sans qu'il sortît un souffle de leur bouche,
Les mains sur leurs genoux, et se tournant le
    dos,
Accablés comme ceux qui portent des fardeaux,
Sans autre mouvement de vie extérieure   25
Que de baisser plus bas la tête d'heure en
    heure,
Dans une stupeur morne et fatale absorbés,
Froids, livides, hagards, ils regardaient, courbés
Sous l'être° illimité sans figure et sans nombre,
L'un, décroître le jour, et l'autre, grandir
    l'ombre.   30
Et, tandis que montaient les constellations,
Et que la première onde aux premiers alcyons°
Donnait sous l'infini le long baiser nocturne,
Et qu'ainsi que des fleurs tombant à flots d'une
    urne,
Les astres fourmillants emplissaient le ciel
    noir,   35
Ils songeaient, et, rêveurs, sans entendre, sans
    voir,
Sourds aux rumeurs des mers d'où l'ouragan
    s'élance,
Toute la nuit, dans l'ombre, ils pleuraient en
    silence;
Ils pleuraient tous les deux, aïeux du genre
    humain,
Le père sur Abel, la mère sur Caïn.

LES MALHEUREUX. 13. *auprès*: in comparison. 14. Look back over this interminable sentence; observe how the poet, after creating an airy background of edenic beauty, dramatically presents the sinister human figures. 29. *être*: the world's being, existence.

La Conscience

[*This poem and the two following are taken from*
La Légende des siècles (*1859–1883*), *a series of
miniature epics illustrating the history of man, his
rise from brutishness, the development of his conscience,
even his glorious future. The story of Cain is taken
from Genesis 4.*]

Lorsque avec ses enfants vêtus de peaux de
 bêtes,
Échevelé, livide au milieu des tempêtes,
Caïn se fut enfui de devant Jéhovah,
Comme le soir tombait, l'homme sombre arriva
Au bas d'une montagne en une grande plaine; 5
Sa femme fatiguée et ses fils hors d'haleine
Lui dirent : — Couchons-nous sur la terre, et
 dormons. —
Caïn, ne dormant pas, songeait au pied des
 monts.
Ayant levé la tête, au fond des cieux funèbres
Il vit un œil, tout grand ouvert dans les ténèbres,
Et qui le regardait dans l'ombre fixement.   11
— Je suis trop près, dit-il avec un tremblement.
Il réveilla ses fils dormant, sa femme lasse,
Et se remit à fuir sinistre dans l'espace.
Il marcha trente jours, il marcha trente nuits. 15
Il allait, muet, pâle et frémissant aux bruits,
Furtif, sans regarder derrière lui, sans trêve,
Sans repos, sans sommeil. Il atteignit la grève
Des mers dans le pays qui fut depuis Assur.°
— Arrêtons-nous, dit-il, car cet asile est sûr. 20
Restons-y. Nous avons du monde atteint les
 bornes. —
Et, comme il s'asseyait, il vit dans les cieux
 mornes
L'œil à la même place au fond de l'horizon.
Alors il tressaillit en proie au noir frisson.
— Cachez-moi, cria-t-il; et, le doigt sur la
 bouche,   ` 25
Tous ses fils regardaient trembler l'aïeul
 farouche.
Caïn dit à Jabel,° père de ceux qui vont
Sous des tentes de poil dans le désert profond :
— Étends de ce côté la toile de la tente. —
Et l'on développa° la muraille flottante;   30
Et, quand on l'eut fixée avec des poids de
 plomb :

19. *Assur:* Assyria. 27. *Jabel:* "the father of such as dwell
in tents, and of such as have cattle." 30. *développa:* unfolded.

— Vous ne voyez plus rien? dit Tsilla,°
 l'enfant blond,
La fille de ses fils, douce comme l'aurore;
Et Caïn répondit : — Je vois cet œil
 encore! —
Jubal,° père de ceux qui passent dans les
 bourgs   35
Soufflant dans les clairons et frappant des
 tambours,
Cria: — Je saurai bien construire une barrière. —
Il fit un mur de bronze et mit Caïn derrière.
Et Caïn dit : — Cet œil me regarde toujours!
Hénoch° dit : — Il faut faire une enceinte de
 tours   40
Si terrible, que rien ne puisse approcher d'elle.
Bâtissons une ville avec sa citadelle.
Bâtissons une ville, et nous la fermerons. —
Alors Tubalcaïn,° père des forgerons,
Construisit une ville énorme et surhumaine.   45
Pendant qu'il travaillait, ses frères, dans la
 plaine,
Chassaient les fils d'Énos° et les enfants de
 Seth;°
Et l'on crevait les yeux à quiconque passait;
Et, le soir, on lançait des flèches aux étoiles.
Le granit remplaça la tente aux murs de toiles, 50
On lia chaque bloc avec des nœuds de fer,
Et la ville semblait une ville d'enfer;
L'ombre des tours faisait la nuit dans les
 campagnes;
Ils donnèrent aux murs l'épaisseur des
 montagnes;
Sur la porte on grava : « Défense à Dieu
 d'entrer. »   55
Quand ils eurent fini de clore et de murer,
On mit l'aïeul au centre en une tour de pierre.
Et lui restait lugubre et hagard. — O mon père!
L'œil a-t-il disparu? dit en tremblant Tsilla.
Et Caïn répondit : — Non, il est toujours là. 60
Alors il dit : — Je veux habiter sous la terre
Comme dans son sépulcre un homme solitaire;
Rien ne me verra plus, je ne verrai plus rien. —
On fit donc une fosse, et Caïn dit : C'est bien!
Puis il descendit seul sous cette voûte sombre. 65
Quand il se fut assis sur sa chaise dans l'ombre
Et qu'on eut sur son front fermé le souterrain,
L'œil était dans la tombe et regardait Caïn.

32. *Tsilla:* Zillah. 35. *Jubal:* "the father of all such as handle
the harp and organ." 40. *Hénoch:* Enoch, son of Cain. 44.
Tubalcaïn: "an instructor of every artificer in brass and iron."
47. Enos, son of Seth. 47. Seth, late-born son of Adam and
Eve. Notice the extraordinary rhyme.

Booz* endormi

Booz s'était couché de fatigue accablé;
Il avait tout le jour travaillé dans son aire,°
Puis avait fait son lit à sa place ordinaire;
Booz dormait auprès des boisseaux° pleins de blé.

Ce vieillard possédait des champs de blés et
    d'orge,   5
Il était, quoique riche, à la justice enclin;
Il n'avait pas de fange en l'eau de son moulin,
Il n'avait pas d'enfer° dans le feu de sa forge.

Sa barbe était d'argent comme un ruisseau
    d'avril
Sa gerbe n'était point avare ni haineuse;°   10
Quand il voyait passer quelque pauvre
    glaneuse :°
— Laissez tomber exprès des épis,° disait-il.

Cet homme marchait pur loin des sentiers
    obliques,
Vêtu de probité candide et de lin blanc;
Et, toujours du côté des pauvres ruisselant,°   15
Ses sacs de grains semblaient des fontaines
    publiques.

Booz était bon maître et fidèle parent;
Il était généreux, quoiqu'il fût économe;
Les femmes regardaient Booz plus qu'un jeune
    homme,
Car le jeune homme est beau, mais le vieillard
    est grand.   20

Le vieillard, qui revient vers la source première,
Entre aux jours éternels et sort des jours
    changeants;
Et l'on voit de la flamme aux yeux des jeunes
    gens,
Mais dans l'œil du vieillard on voit de la
    lumière.

Donc, Booz dans la nuit dormait parmi les
    siens,   25
Près des meules,° qu'on eût prises pour des
    décombres,°

Les moissonneurs couchés faisaient des groupes
    sombres
Et ceci se passait dans des temps très anciens.

Les tribus d'Israël avaient pour chef un juge;
La terre, où l'homme errait sous la tente,
    inquiet   30
Des empreintes de pieds de géant qu'il voyait,
Était encor mouillée et molle du déluge.

Comme dormait Jacob, comme dormait Judith,
Booz, les yeux fermés, gisait sous la feuillée.°
Or, la porte du ciel s'étant entre-bâillée   35
Au-dessus de sa tête, un songe en descendit.

Et ce songe était tel, que Booz vit un chêne
Qui, sorti de son ventre, allait jusqu'au ciel
    bleu;
Une race y montait comme une longue chaîne;
Un roi chantait en bas, en haut mourait un
    dieu.°   40

Et Booz murmurait avec la voix de l'âme :
« Comment se pourrait-il que de moi ceci vînt?
Le chiffre de mes ans a passé quatre-vingt,
Et je n'ai pas de fils, et je n'ai plus de femme.

« Voilà longtemps que celle avec qui j'ai
    dormi,   45
O Seigneur! a quitté ma couche pour la vôtre;
Et nous sommes encor tout mêlés l'un à l'autre,
Elle à demi vivant et moi mort à demi.

« Une race naîtrait de moi! Comment le croire?
Comment se pourrait-il que j'eusse des enfants?
Quand on est jeune, on a des matins
    triomphants,   51
Le jour sort de la nuit comme d'une victoire;

« Mais, vieux, on tremble ainsi qu'à l'hiver le
    bouleau.°
Je suis veuf, je suis seul, et sur moi le soir
    tombe,
Et je courbe, ô mon Dieu! mon âme vers la
    tombe,   55
Comme un bœuf ayant soif penche son front
    vers l'eau. »

BOOZ ENDORMI. * *Booz:* Boaz (see the Book of Ruth). 2. *aire:* threshing floor. 4. *boisseaux:* bushel baskets. 8. *enfer:* slag. 10. *Sa gerbe... haineuse:* i.e., he was not stingy in binding his sheaves. 11. *glaneuse:* gleaner. 12. *épis:* ears (of wheat). 15. *ruisselant:* refers to *sacs* (line 16). 26. *meules:* haystacks. 26. *décombres:* rubbish.

34. *feuillée:* arbor. 36–40. Reference to the symbolical "tree of Jesse," showing genealogy from Adam and Eve, through Boaz and Ruth, David the psalmist ("un roi chantait en bas") to Jesus. 53. *bouleau:* birch tree.

Ainsi parlait Booz dans le rêve et l'extase,
Tournant vers Dieu ses yeux par le sommeil
   noyés;
Le cèdre ne sent pas une rose à sa base,
Et lui ne sentait pas une femme à ses pieds. 60

Pendant qu'il sommeillait, Ruth, une Moabite,
S'était couchée aux pieds de Booz, le sein nu,
Espérant on ne sait quel rayon inconnu,
Quand viendrait du réveil la lumière subite.

Booz ne savait point qu'une femme était là, 65
Et Ruth ne savait point ce que Dieu voulait
   d'elle,
Un frais parfum sortait des touffes
   d'asphodèle;°
Les souffles de la nuit flottaient sur Galgala.°

L'ombre était nuptiale, auguste et solennelle;
Les anges y volaient sans doute obscurément, 70
Car on voyait passer dans la nuit, par moment,
Quelque chose de bleu qui paraissait une aile.

La respiration de Booz qui dormait
Se mêlait au bruit sourd des ruisseaux sur la
   mousse.
On était dans le mois où la nature est douce, 75
Les collines ayant les lys sur leur sommet.

Ruth songeait et Booz dormait; l'herbe était
   noire;
Les grelots des troupeaux palpitaient
   vaguement;
Une immense bonté tombait du firmament;
C'était l'heure tranquille où les lions vont
   boire. 80

Tout reposait dans Ur° et dans Jérimadeth;°
Les astres émaillaient le ciel profond et sombre;
Le croissant° fin et clair parmi ces fleurs de
   l'ombre
Brillait à l'occident, et Ruth se demandait,

Immobile, ouvrant l'œil à moitié sous ses voiles,
Quel dieu, quel moissonneur de l'éternel été 86
Avait, en s'en allant, négligemment jeté
Cette faucille° d'or dans le champ des étoiles.

---

67. *asphodèle:* asphodel, common white-flowered plant of Mediterranean. 68. *Galgala:* Gilgal, city of Palestine. 81. Ur, city of Babylonia. 81. *Jérimadeth:* apparently an invention of Hugo. 83. *croissant:* crescent moon. 88. *faucille:* sickle.

Après la bataille

[*This is one of the most popular (in two senses) of French poems, since its concision, picturesqueness, melodrama, and impeccable sentiment make it ideal for school memorization.*]

Mon père, ce héros au sourire si doux,
Suivi d'un seul housard° qu'il aimait entre tous
Pour sa grande bravoure et pour sa haute taille,
Parcourait à cheval, le soir d'une bataille,
Le champ couvert de morts sur qui tombait
   la nuit. 5
Il lui sembla dans l'ombre entendre un faible
   bruit.
C'était un Espagnol de l'armée en déroute
Qui se traînait sanglant sur le bord de la route,
Râlant, brisé, livide, et mort plus qu'à moitié,
Et qui disait : — A boire, à boire par pitié! — 10
Mon père, ému, tendit à son housard fidèle
Une gourde° de rhum qui pendait à sa selle,
Et dit : — Tiens, donne à boire à ce pauvre
   blessé. —
Tout à coup, au moment où le housard baissé
Se penchait vers lui, l'homme, une espèce de
   Maure, 15
Saisit un pistolet qu'il étreignait encore,
Et vise au front mon père en criant : Caramba!°
Le coup passa si près que le chapeau tomba
Et que le cheval fit un écart en arrière.
— Donne-lui tout de même à boire, dit mon
   père.

Saison des semailles*

LE SOIR

[*This poem is an excellent example of Hugo's capturing of a quick impression, rendering it with telling, vivid strokes, and enlarging it to a greater meaning. Just what is the larger meaning?*]

C'est le moment crépusculaire.°
J'admire, assis sous un portail,
Ce reste de jour dont s'éclaire
La dernière heure du travail.

APRÈS LA BATAILLE. 2. *housard:* hussar, light cavalryman. 12. *gourde:* canteen. 17. *Caramba!* Spanish exclamation, untranslatable. SAISON DES SEMAILLES. * *semailles:* sowing. 1. *crépusculaire:* crepuscular, of dusk.

Dans les terres, de nuit baignées,   5
Je contemple, ému, les haillons
D'un vieillard qui jette à poignées
La moisson future aux sillons.

Sa haute silhouette noire
Domine les profonds labours.°   10
On sent à quel point il doit croire
A la fuite utile des jours.

Il marche dans la plaine immense,
Va, vient, lance la graine au loin,
Rouvre sa main, et recommence,   15
Et je médite, obscur témoin,

Pendant que, déployant ses voiles,
L'ombre, où se mêle une rumeur,
Semble élargir jusqu'aux étoiles
Le geste auguste du semeur.

A qui la faute?

[*In April 1871, the "red" Commune of Paris
fought with the troops of the Versailles government.
The Bibliothèque Nationale and other public buildings
were fired, as a symbol of opposition to all government.*]

Tu viens d'incendier la Bibliothèque?
                           — Oui.
J'ai mis le feu là.
               — Mais c'est un crime inouï!
Crime commis par toi contre toi-même, infâme!
Mais tu viens de tuer le rayon de ton âme!
C'est ton propre flambeau que tu viens de
    souffler!   5
Ce que ta rage impie et folle ose brûler,
C'est ton bien, ton trésor, ta dot, ton héritage!
Le livre, hostile au maître, est à ton avantage,
Le livre a toujours pris fait et cause° pour toi.
Une bibliothèque est un acte de foi   10
Des générations ténébreuses encore
Qui rendent dans la nuit témoignage à l'aurore.
Quoi! dans ce vénérable amas de vérités,
Dans ces chefs-d'œuvre pleins de foudre et de
    clartés,

Dans ce tombeau des temps devenu répertoire,°
Dans les siècles, dans l'homme antique, dans
    l'histoire,   16
Dans le passé, leçon qu'épelle° l'avenir,
Dans ce qui commença pour ne jamais finir,
Dans les poètes! quoi, dans ce gouffre des
    bibles,
Dans le divin monceau des Eschyles° terribles, 20
Des Homères, des Jobs, debout sur l'horizon,
Dans Molière, Voltaire et Kant,° dans la raison,
Tu jettes, misérable, une torche enflammée!
De tout l'esprit humain tu fais de la fumée!
As-tu donc oublié que ton libérateur,   25
C'est le livre? Le livre est là sur la hauteur;
Il luit; parce qu'il brille et qu'il les illumine,
Il détruit l'échafaud, la guerre, la famine;
Il parle, plus d'esclave et plus de paria.
Ouvre un livre, Platon, Milton, Beccaria;°   30
Lis ces prophètes, Dante, ou Shakespeare, ou
    Corneille;
L'âme immense qu'ils ont en eux, en toi
    s'éveille;
Ébloui, tu te sens le même homme qu'eux tous;
Tu deviens en lisant grave, pensif et doux;
Tu sens dans ton esprit tous ces grands
    hommes croître,   35
Ils t'enseignent ainsi que l'aube éclaire un
    cloître;
A mesure qu'il plonge en ton cœur plus avant,
Leur chaud rayon t'apaise et te fait plus
    vivant;
Ton âme interrogée est prête à leur répondre;
Tu te reconnais bon, puis meilleur; tu sens
    fondre   40
Comme la neige au feu, ton orgueil, tes fureurs,
Le mal, les préjugés, les rois, les empereurs!
Car la science en l'homme arrive la première.
Puis vient la liberté. Toute cette lumière,
C'est à toi, comprends donc, et c'est toi qui
    l'éteins!   45
Les buts rêvés par toi sont par le livre atteints!
Le livre en ta pensée entre, il défait en elle
Les liens que l'erreur à la vérité mêle,
Car toute conscience est un nœud gordien.°
Il est ton médecin, ton guide, ton gardien.   50
Ta haine, il la guérit; ta démence, il te l'ôte.

---

15. *répertoire:* repository (of knowledge). 17. *épelle:* spells
out. 20. *Eschyles:* Aeschyluses, i.e., tragic playwrights. 22.
Kant, German eighteenth-century philosopher. 30. Beccaria,
eighteenth-century Italian reformer. (No doubt listed with
Plato and Milton for the sake of a striking rhyme.)
49. *nœud gordien:* Gordian knot (*i.e.,* inextricable dilemma).

---

10. *labours:* plowed land. A QUI LA FAUTE? 9. *pris fait et
cause:* taken side.

Voilà ce que tu perds, hélas, et par ta faute!
Le livre est ta richesse à toi! c'est le savoir,
Le droit, la vérité, la vertu, le devoir,
Le progrès, la raison dissipant tout délire.   55
Et tu détruis cela, toi!
           — Je ne sais pas lire.°

Jeanne était au pain sec *

[*Jeanne was Victor Hugo's grandchild, whom he
adored and obviously spoiled.*]

Jeanne était au pain sec dans le cabinet noir,
Pour un crime quelconque, et, manquant au
    devoir,
J'allai voir la proscrite en pleine forfaiture,°
Et lui glissai dans l'ombre un pot de confiture
Contraire aux lois. Tous ceux sur qui, dans
    ma cité,   5
Repose le salut de la société,
S'indignèrent, et Jeanne a dit d'une voix
    douce :
— Je ne toucherai plus mon nez avec mon
    pouce :
Je ne me ferai plus griffer par le minet.° —
Mais on s'est récrié :° — Cette enfant vous
    connaît ;   10
Elle sait à quel point vous êtes faible et lâche.
Elle vous voit toujours rire quand on se fâche.
Pas de gouvernement possible. A chaque instant
L'ordre est troublé par vous, le pouvoir se
    détend ;°

Plus de règle. L'enfant n'a plus rien qui
    l'arrête.   15
Vous démolissez tout. — Et j'ai baissé la tête,
Et j'ai dit : — Je n'ai rien à répondre à cela,
J'ai tort. Oui, c'est avec ces indulgences-là
Qu'on a toujours conduit les peuples à leur
    perte.
Qu'on me mette au pain sec. — Vous le
    méritez, certe.°   20
On vous y mettra. — Jeanne alors, dans son
    coin noir,
M'a dit tout bas, levant ses yeux si beaux à
    voir,
Pleins de l'autorité des douces créatures :
— Eh bien, moi, je t'irai porter des confitures.

Le Vieillard chaque jour...

Le vieillard chaque jour dans plus d'ombre
    s'éveille ;
A chaque aube il est mort un peu plus que la
    veille.
        La vie humaine, ce nœud vil,
Se défait lentement, rongé par l'âme ailée ;
Le sombre oiseau lié veut prendre sa volée   5
        Et casse chaque jour un fil.

O front blanc qu'envahit la grande nuit
    tombante,
Meurs! tour à tour ta voix, ta face
    succombante,
        Ton œil où décroît l'horizon
S'éteignent — ce sera mon destin et le vôtre — 10
Comme on voit se fermer le soir l'une après
    l'autre
        Les fenêtres d'une maison.

20. Eye rhyme.

56. Probably a reference to failure of Second Empire to
establish universal popular education. JEANNE ÉTAIT AU
PAIN SEC. * *au pain sec:* i.e., given only dry bread to eat, as
a punishment. 3. *en pleine forfaiture:* contrary to regulations.
9. *griffer par le minet:* scratched by the pussy. 10. *s'est récrié:*
protested. 14. *se détend:* is relaxed, nullified.

6. Musset [1810–1857]

Love is no doubt eternal, but the conventions governing its expression are certainly variable. Henry Dwight Sedgwick, in his delightful biography of Alfred de Musset, avers that his own generation, "in the storm-swept, sun-flecked moods of adolescence" (about 1880), carried *les Nuits* in their pockets and shouted out: "J'aime et je veux pâlir; j'aime et je veux souffrir!" Current adolescents, however storm-swept and sun-flecked, do not yearn to turn pale and to suffer; but they do desire to love greatly, magnificently, even tragically, and they can still find in Musset, the tender poet of love, a companion—and an object-lesson.

Alfred de Musset was born in Paris, in an upper-class family with a long tradition of gentility and culture. His father was a civil servant and an estimable part-time writer. Alfred developed young. He took every prize at school; at seventeen, "the page of Romanticism," he was already a member of Victor Hugo's *Cénacle*. His early literary success dispensed him from practicing a regular trade. He was free to occupy himself with his heart; he fell in love, he said, as he caught cold. He was free also—let us be frank— to indulge his taste for drink. He was an alcoholic at twenty. And his alternations of intoxications and hangovers help to explain his exaltations and despairs, his frayed nerves, his tortured sensibility. His own self-diagnosis is more psychological. He blamed his state of mind on the *mal du siècle*, his own variation of the *mal de René*. He and his mates, sickly offspring of the Napoleonic holocaust, inheritors of its failure and disillusion, were robbed of faith by Voltaire and the *philosophes*. "Frêles roseaux sur un océan d'amertume," they had no hope or expectations, not even enthusiasm for evil. They foundered in dismal boredom, which found its relief in even more dismal debauchery.

But love remained. Musset's decisive experiment in love was his liaison with Aurore Dupin, who wrote under the name of George Sand. There is no space to tell here of their tragi-comic romance. It must suffice that George Sand broke Musset's heart, brought him the supreme disillusionment, ruined his life. (But in justice to her, we must note that he was certainly the first to be unfaithful, that it is no fun to be bound to a drunkard, that she probably saved his life during a terrible illness, and that he was first into print with a novel about his broken heart. Then she wrote one, and Alfred's brother wrote one, and a lady friend wrote one, and the scholars have been writing books and articles ever since. It is probably the best-documented broken heart in history.)

Musset's suffering was real. From it he drew the inspiration for his finest work. But by the time he was thirty he was fatigued, physically and mentally, and during the following years he produced little of value.

Musset has often been called "l'enfant terrible du romantisme"; that is, he was essentially a Romantic, but he mocked and defied the Romantic rules. He was Romantic in his self-concern, and in his taste for violent and excessive characters, for melodrama, for exotic local color. He was un-Romantic in his deliberately negligent style, his irony, his whimsical fancy.

He began with lyric poetry in the Romantic mood. He then developed what he called *spectacles dans un fauteuil*, fanciful plays in verse or prose designed to be read, not acted. They have, however, turned out to be extremely actable.

"Mon verre n'est pas grand, mais je bois dans mon verre," said Musset. His one subject is love, with its joys and agonies. "Doutez de tout au monde, et jamais de l'amour." He treats his subject with a grace and charm and sorrowful wisdom that have made him deeply beloved, especially by the young. Henry James said: "Half the beauty of Musset's writing is the simple suggestion of youthfulness, of something fresh and fair, slim and tremulous, with a tender epidermis."

After La Fontaine, he is the most widely popular of French poets. His plays are presented at the Comédie-Française more often than those of any other writer except Molière, and annually on that historic stage *les Nuits* are solemnly recited. His charm, his wit, his fancy adorn a passionate earnestness that communicates itself to reader and spectator. He teaches a lesson that is universally welcome: "Il faut aimer sans cesse, après avoir aimé."

Chanson

[*This early poem states one of Musset's favorite themes: inconstancy in love destroys happiness and brings wretchedness, but in that very wretchedness dwells the sweetness of memory.*]

J'ai dit à mon cœur, à mon faible cœur :
N'est-ce pas assez d'aimer sa maîtresse ?
Et ne vois-tu pas que changer sans cesse,
C'est perdre en désirs le temps du bonheur ?

Il m'a répondu : Ce n'est point assez,
Ce n'est point assez d'aimer sa maîtresse ;
Et ne vois-tu pas que changer sans cesse
Nous rend doux et chers des plaisirs passés ?

J'ai dit à mon cœur, à mon faible cœur :
N'est-ce point assez de tant de tristesse ?   10
Et ne vois-tu pas que changer sans cesse,
C'est à chaque pas trouver la douleur ?

Il m'a répondu : Ce n'est point assez,
Ce n'est point assez de tant de tristesse ;
Et ne vois-tu pas que changer sans cesse   15
Nous rend doux et chers les chagrins passés ?

Rolla

[*In this, the longest of his poems, Musset tells the story of Rolla, who is taken as the type of the faithless, hopeless young man, a René of 1833. Rolla wastes his substance and his life in debauchery, and after a night of orgy commits suicide. The famous apostrophes to Christ and Voltaire, given here, are digressions in the story.*]

O Christ ! je ne suis pas de ceux que la prière
Dans tes temples muets amène à pas tremblants ;

Je ne suis pas de ceux qui vont à ton Calvaire,
En se frappant le cœur, baiser tes pieds
    sanglants ;
Et je reste debout sous tes sacrés portiques,   5
Quand ton peuple fidèle, autour des noirs
    arceaux,°
Se courbe en murmurant sous le vent des
    cantiques,
Comme au souffle du nord un peuple de roseaux.
Je ne crois pas, ô Christ ! à ta parole sainte :
Je suis venu trop tard dans un monde trop
    vieux.°   10
D'un siècle sans espoir° naît un siècle sans
    crainte ;
Les comètes du nôtre° ont dépeuplé les cieux.
Maintenant le hasard promène au sein des
    ombres
De leurs illusions les mondes réveillés,°
L'esprit des temps passés, errant sur leurs
    décombres,°   15
Jette au gouffre éternel tes anges mutilés.
Les clous du Golgotha° te soutiennent à peine ;
Sous ton divin tombeau le sol s'est dérobé :
Ta gloire est morte, ô Christ ! et sur nos croix
    d'ébène
Ton cadavre céleste en poussière est tombé !   20

Eh bien ! qu'il soit permis d'en baiser la poussière
Au moins crédule enfant de ce siècle sans foi,
Et de pleurer, ô Christ ! sur cette froide terre
Qui vivait de ta mort et qui mourra sans toi !
Oh ! maintenant, mon Dieu, qui lui rendra la
    vie ?   25
Du plus pur de ton sang tu l'avais rajeunie ;
Jésus, ce que tu fis, qui jamais le fera ?
Nous, vieillards nés d'hier, qui nous rajeunira ?

ROLLA. 6. *arceaux:* arches. 9–10. Two much-quoted lines. 11. *siècle sans espoir:* i.e., the eighteenth century. 12. *Les comètes du nôtre:* i.e., the discovery of the universe beyond Biblical cosmology. 14. *De leurs... réveillés:* Construe, Les mondes réveillés de leurs illusions. 15. *décombres:* debris (of illusions). 17. *Golgotha:* "the place of the skull," Calvary.

Nous sommes aussi vieux qu'au jour de ta
    naissance
Nous attendons autant, nous avons plus
    perdu.   30
Plus livide et plus froid, dans son cercueil
    immense
Pour la seconde fois Lazare° est étendu.
Où donc est le Sauveur pour entr'ouvrir nos
    tombes?
Où donc le vieux saint Paul haranguant les
    Romains,
Suspendant tout un peuple à ses haillons divins?
Où donc est le Cénacle?° où donc les
    Catacombes?°   36
Avec qui marche donc l'auréole de feu?°
Sur quels pieds tombez-vous, parfums de
    Madeleine?°
Où donc vibre dans l'air une voix plus
    qu'humaine?
Qui de nous, qui de nous va devenir un Dieu? 40

[Apostrophe to Voltaire]

Dors-tu content, Voltaire, et ton hideux sourire
Voltige-t-il° encor sur tes os décharnés?°
Ton siècle était, dit-on, trop jeune pour te lire;
Le nôtre doit te plaire, et tes hommes sont nés.
Il est tombé sur nous, cet édifice immense   5
Que de tes larges mains tu sapais° nuit et jour.
La Mort devait t'attendre avec impatience,
Pendant quatre-vingts ans que tu lui fis ta cour;
Vous devez vous aimer d'un infernal amour.
Ne quittes-tu jamais la couche nuptiale   10
Où vous vous embrassez dans les vers du
    tombeau,
Pour t'en aller tout seul promener ton front
    pâle
Dans un cloître désert ou dans un vieux
    château?
Que te disent alors tous ces grands corps sans
    vie,
Ces murs silencieux, ces autels désolés,   15
Que pour l'éternité ton souffle a dépeuplés?

32. *Lazare:* Lazarus (representing humanity). 36. *Cénacle:* the room where the Last Supper was celebrated. 36. *Catacombes:* Catacombs, assembly place of early Christians in Rome and burial place of martyrs. 37. *auréole de feu:* i.e., Christ's crown of light at the Resurrection. 38. *parfums de Madeleine:* see John 12 : 3. 2. *Voltige-t-il:* Does it flutter. 2. *décharnés:* fleshless. (The common mental picture of Voltaire is Houdon's gaunt, smiling bust, done in Voltaire's old age—he died at eighty-four.) 6. *sapais:* were sapping, undermining.

Que te disent les croix? que te dit le Messie?
Oh! saigne-t-il encor, quand, pour le déclouer,°
Sur son arbre° tremblant, comme une fleur
    flétrie,
Ton spectre dans la nuit revient le secouer?   20
Crois-tu ta mission dignement accomplie,
Et comme l'Éternel, à la création,
Trouves-tu que c'est bien, et que ton œuvre
    est bon?°

La Nuit de mai

[*The series of four* Nuits *are commonly considered the best of Musset and among the finest poems in French. They are inspired chiefly by the poet's effort to recapture his inspiration after the disastrous affair with George Sand. The poet composed each of them in a single outburst of energy, amid a blaze of candles, with a place set for the Muse at his table. One is to imagine at the beginning the Muse murmuring very softly.*]

LA MUSE

Poète, prends ton luth et me donne un baiser;
La fleur de l'églantier° sent ses bourgeons
    éclore.
Le printemps naît ce soir; les vents vont
    s'embraser,°
Et la bergeronnette,° en attendant l'aurore,
Aux premiers buissons verts commence à se
    poser.   5
Poète, prends ton luth et me donne un baiser.

LE POÈTE

Comme il fait noir dans la vallée!
J'ai cru qu'une forme voilée
Flottait là-bas sur la forêt.
Elle sortait de la prairie;   10
Son pied rasait l'herbe fleurie :
C'est une étrange rêverie;
Elle s'efface et disparaît.

18. *déclouer:* detach, dislodge. 19. *arbre:* the Cross. 23. "And God saw every thing that he had made, and, behold, it was very good." Genesis 1: 31. LA NUIT DE MAI. 2. *églantier:* wild rose. 3. *s'embraser:* turn warm. 4. *bergeronnette:* wagtail, a small bird.

LA MUSE

Poète, prends ton luth; la Nuit, sur la pelouse,°
Balance le zéphyr dans son voile odorant.   15
La rose, vierge encor, se referme jalouse
Sur le frelon nacré° qu'elle enivre en mourant.°
Écoute! tout se tait : songe à ta bien-aimée.
Ce soir, sous les tilleuls,° à la sombre ramée°
Le rayon du couchant laisse un adieu plus
    doux.   20
Ce soir, tout va fleurir : l'immortelle nature
Se remplit de parfums, d'amour et de
    murmure,
Comme le lit joyeux de deux jeunes époux.

LE POÈTE

Pourquoi mon cœur bat-il si vite?
Qu'ai-je donc en moi qui s'agite   25
Dont je me sens épouvanté?
Ne frappe-t-on pas à ma porte?
Pourquoi ma lampe à demi morte
M'éblouit-elle de clarté?
Dieu puissant! tout mon corps frissonne.°
Qui vient? qui m'appelle? — Personne.
Je suis seul; c'est l'heure qui sonne;
O solitude! ô pauvreté!

LA MUSE

Poète, prends ton luth;° le vin de la jeunesse
Fermente cette nuit dans les veines de Dieu. 35
Mon sein est inquiet, la volupté l'oppresse,
Et les vents altérés° m'ont mis la lèvre en feu.
O paresseux enfant! regarde, je suis belle.
Notre premier baiser, ne t'en souviens-tu pas,
Quand je te vis si pâle au toucher de mon
    aile,   40
Et que, les yeux en pleurs, tu tombas dans
    mes bras?
Ah! je t'ai consolé d'une amère souffrance!
Hélas! bien jeune encor, tu te mourais d'amour.
Console-moi ce soir, je me meurs d'espérance;
J'ai besoin de prier pour vivre jusqu'au jour. 45

LE POÈTE

Est-ce toi dont la voix m'appelle,
O ma pauvre Muse! est-ce toi?
O ma fleur! ô mon immortelle!
Seul être pudique et fidèle
Où vive encor l'amour de moi!   50
Oui, te voilà, c'est toi, ma blonde,
C'est toi, ma maîtresse et ma sœur!
Et je sens, dans la nuit profonde,
De ta robe d'or qui m'inonde
Les rayons glisser dans mon cœur.   55

LA MUSE

Poète, prends ton luth; c'est moi, ton
    immortelle,
Qui t'ai vu cette nuit triste et silencieux,
Et qui, comme un oiseau que sa couvée°
    appelle,
Pour pleurer avec toi descends du haut des
    cieux.
Viens, tu souffres, ami. Quelque ennui
    solitaire   60
Te ronge, quelque chose a gémi dans ton cœur;
Quelque amour t'est venu, comme on en voit
    sur terre,
Une ombre de plaisir, un semblant de bonheur.
Viens, chantons devant Dieu; chantons dans
    tes pensées,
Dans tes plaisirs perdus, dans tes peines
    passées;   65
Partons, dans un baiser, pour un monde
    inconnu;
Éveillons au hasard les échos de ta vie,
Parlons-nous de bonheur, de gloire et de folie,
Et que ce soit en rêve, et le premier venu.
Inventons quelque part des lieux où l'on
    oublie;   70
Partons, nous sommes seuls, l'univers est à
    nous.
Voici la verte Écosse et la brune Italie,
Et la Grèce, ma mère,° où le miel est si doux,°
Argos, et Ptéléon, ville des hécatombes;
Et Messa la divine, agréable aux colombes; 75
Et le front chevelu du Pélion changeant;

---

14. *pelouse:* lawn. (The Muse's voice is firmer, stronger.)
17. *frelon nacré:* pearly wood wasp or hornet. 17. *en
mourant:* while [the hornet] dies. (This murderous behavior
of the rose is very surprising.) 19. *tilleuls:* lindens. 19.
ramée: foliage. 30. *frissonne:* shudders. (The "divine
frenzy" traditionally comes thus to poets.) 34. The Muse's voice
becomes clearly audible. 37. *altérés:* athirst.

58. *couvée:* brood. 73. *Grèce, ma mère:* i.e., mother
of the Muses. (The Greek place names that follow are
taken from the *Iliad*, Book II, and are chosen mostly for
their sonority.) 73. *le miel... doux:* Greek honey was famous
in ancient times and still is.

Et le bleu Titarèse, et le golfe d'argent
Qui montre dans ses eaux, où le cygne se mire,
La blanche Oloossone à la blanche Camire.
Dis-moi, quel songe d'or nos chants vont-ils
    bercer?   80
D'où vont venir les pleurs que nous allons
    verser?
Ce matin, quand le jour a frappé ta paupière,
Quel séraphin pensif, courbé sur ton chevet,
Secouait des lilas dans sa robe légère,
Et te contait tout bas les amours qu'il
    rêvait?°   85
Chanterons-nous l'espoir, la tristesse ou la joie?
Tremperons-nous de sang les bataillons d'acier?°
Suspendrons-nous l'amant sur l'échelle de soie?°
Jetterons-nous au vent l'écume du coursier?
Dirons-nous quelle main, dans les lampes sans
    nombre   90
De la maison céleste, allume nuit et jour
L'huile sainte de vie et d'éternel amour?°
Crierons-nous à Tarquin :° « Il est temps,
    voici l'ombre! »
Descendrons-nous cueillir la perle au fond des
    mers?
Mènerons-nous la chèvre aux ébéniers° amers?
Montrerons-nous le ciel à la Mélancolie?°   96
Suivrons-nous le chasseur sur les monts
    escarpés?°
La biche° le regarde; elle pleure et supplie;
Sa bruyère l'attend; ses faons sont nouveau-nés;
Il se baisse, il l'égorge, il jette à la curée°   100
Sur les chiens en sueur son cœur encor vivant.
Peindrons-nous une vierge à la joue
    empourprée,
S'en allant à la messe, un page la suivant,
Et d'un regard distrait, à côté de sa mère,
Sur sa lèvre entr'ouverte oubliant sa prière?   105
Elle écoute en tremblant, dans l'écho du pilier,
Résonner l'éperon d'un hardi cavalier.
Dirons-nous aux héros des vieux temps de la
    France
De monter tout armés aux créneaux de leurs
    tours

Et de ressusciter la naïve romance°   110
Que leur gloire oubliée apprit aux
    troubadours?°
Vêtirons-nous de blanc une molle élégie?
L'homme de Waterloo nous dira-t-il sa vie,
Et ce qu'il a fauché du troupeau des humains
Avant que l'envoyé de la nuit éternelle   115
Vînt sur son tertre° vert l'abattre d'un coup
    d'aile
Et sur son cœur de fer lui croiser les deux
    mains?
Clouerons-nous au poteau° d'une satire altière
Le nom sept fois vendu d'un pâle pamphlétaire,
Qui, poussé par la faim, du fond de son
    oubli,   120
S'en vient, tout grelottant d'envie et
    d'impuissance,
Sur le front du génie insulter l'espérance,
Et mordre le laurier que son souffle a sali?
Prends ton luth! prends ton luth! je ne peux
    plus me taire.
Mon aile me soulève au souffle du printemps. 125
Le vent va m'emporter; je vais quitter la terre.
Une larme de toi! Dieu m'écoute; il est temps.

LE POÈTE

S'il ne te faut, ma sœur chérie,
Qu'un baiser d'une lèvre amie
Et qu'une larme de mes yeux,   130
Je te les donnerai sans peine;
De nos amours qu'il te souvienne,
Si tu remontes dans les cieux.
Je ne chante ni l'espérance,
Ni la gloire, ni le bonheur,   135
Hélas! pas même la souffrance.
La bouche garde le silence
Pour écouter parler le cœur.

LA MUSE

Crois-tu donc que je sois comme le vent
    d'automne,
Qui se nourrit de pleurs jusque sur un
    tombeau,   140

---

85. *les amours qu'il rêvait:* i.e., amorous poetry. 87. *Tremperons-nous... d'acier:* i.e., Shall we sing songs of battle? 88. *Suspendrons-nous... soie:* i.e., poems of Romantic adventure. 90–92. *Dirons-nous... amour?* philosophical poetry (*e.g.,* Dante's *Paradiso*). 93. Tarquin, son of last legendary king of Rome, attacker of Lucretia. The reference is to tragedy. 95. *ébéniers:* ebony trees, laburnums (*i.e.,* Shall we write an eclogue?). 96. *Montrerons-nous... Mélancolie?* i.e., elegiac poetry. (Melancholy is personified in art [*e.g.,* by Dürer] as a figure pointing to the sky.) 97. *escarpés:* steep. 98. *biche:* doe. 100. *curée:* pack.

110. *romance:* ballad. 108–11. *Dirons-nous... troubadours?* i.e., the Romantic retelling of medieval tales. 116 *tertre:* mound, height (of St. Helena). 118. *poteau:* stake. (Reference to satiric poetry, which was often tacked up on posts in public places.)

Et pour qui la douleur n'est qu'une goutte
    d'eau?
O poète! un baiser, c'est moi qui te le donne.
L'herbe que je voulais arracher de ce lieu,
C'est ton oisiveté; ta douleur est à Dieu.°
Quel que soit le souci que ta jeunesse
    endure,   145
Laisse-la s'élargir, cette sainte blesssure
Que les noirs séraphins t'ont faite au fond du
    cœur;
Rien ne nous rend si grands qu'une grande
    douleur.°
Mais, pour° en être atteint, ne crois pas, ô poète,
Que ta voix ici-bas doive rester muette.   150
Les plus désespérés sont les chants les plus
    beaux,
Et j'en sais d'immortels qui sont de purs
    sanglots.°
Lorsque le pélican,° lassé d'un long voyage,
Dans les brouillards du soir retourne à ses
    roseaux,
Ses petits affamés courent sur le rivage   155
En le voyant au loin s'abattre sur les eaux.
Déjà, croyant saisir et partager leur proie,
Ils courent à leur père avec des cris de joie
En secouant leurs becs sur leurs goitres° hideux.
Lui, gagnant à pas lents une roche élevée,   160
De son aile pendante abritant sa couvée,°
Pêcheur mélancolique, il regarde les cieux.
Le sang coule à longs flots de sa poitrine
    ouverte;
En vain il a des mers fouillé la profondeur :
L'Océan était vide et la plage déserte;   165
Pour toute nourriture il apporte son cœur.
Sombre et silencieux, étendu sur la pierre,
Partageant à ses fils ses entrailles de père,
Dans son amour sublime il berce sa douleur,
Et, regardant couler sa sanglante mamelle,°   170
Sur son festin de mort il s'affaisse° et chancelle,
Ivre de volupté, de tendresse et d'horreur.
Mais parfois, au milieu du divin sacrifice,
Fatigué de mourir dans un trop long supplice,

Il craint que ses enfants ne le laissent
    vivant;   175
Alors il se soulève, ouvre son aile au vent,
Et, se frappant le cœur avec un cri sauvage,
Il pousse dans la nuit un si funèbre adieu
Que les oiseaux des mers désertent le rivage,
Et que le voyageur attardé sur la plage,   180
Sentant passer la mort, se recommande à Dieu.
Poète, c'est ainsi que font les grands poètes.
Ils laissent s'égayer ceux qui vivent un temps;°
Mais les festins humains qu'ils servent à leurs
    fêtes
Ressemblent la plupart à ceux des pélicans.   185
Quand ils parlent ainsi d'espérances trompées,
De tristesse et d'oubli, d'amour et de malheur,
Ce n'est pas un concert à dilater° le cœur.
Leurs déclamations sont comme des épées :
Elles tracent dans l'air un cercle éblouissant,   190
Mais il y pend toujours quelque goutte de sang.

LE POÈTE

O Muse! spectre insatiable,
Ne m'en demande pas si long.
L'homme n'écrit rien sur le sable
A l'heure où passe l'aquilon.   195
J'ai vu le temps où ma jeunesse
Sur mes lèvres était sans cesse
Prête à chanter comme un oiseau;
Mais j'ai souffert un dur martyre,
Et le moins que j'en pourrais dire,   200
Si je l'essayais sur ma lyre,
La briserait comme un roseau.

La Nuit de décembre

[*Abridged*]

[*Musset was in fact subject to such hallucinations
as he here describes.*]

LE POÈTE

Du temps que j'étais écolier,
Je restais un soir à veiller
Dans notre salle solitaire.

---

144. A clue line. Musset recognizes that his unproductive-
ness is due to idleness as well as grief and that the poet's
duty is to communicate his grief to other men. 148. A famous
line. 149. *pour:* because. 151–52. A famous couplet (though
Paul Valéry said it was so obscure as to be quite meaningless).
153. The long comparison of the poet with the pelican is very
celebrated. In the Middle Ages the Virgin Mary and Christ
were often symbolized by the pelican, because of the legend
that the bird, lacking food for its young, would tear open its
own breast to feed them. 159. *goitres:* pouches. 161. *couvée:*
brood. 170. *mamelle:* breast. 171. *s'affaisse:* sinks down.

183. *ceux qui vivent un temps:* i.e., those trifling versifiers
who live only a short time. 188. *dilater:* i.e., warm, rejoice.

Devant ma table vint s'asseoir
Un pauvre enfant vêtu de noir,   5
Qui me ressemblait comme un frère.

Son visage était triste et beau :
A la lueur de mon flambeau,
Dans mon livre ouvert il vint lire.
Il pencha son front sur ma main   10
Et resta jusqu'au lendemain,
Pensif, avec un doux sourire.

Comme j'allais avoir quinze ans,
Je marchais un jour, à pas lents,
Dans un bois, sur une bruyère.   15
Au pied d'un arbre vint s'asseoir
Une jeune homme vêtu de noir,
Qui me ressemblait comme un frère.

Je lui demandai mon chemin;
Il tenait un luth d'une main,   20
De l'autre un bouquet d'églantine.°
Il me fit un salut d'ami
Et, se détournant à demi,
Me montra du doigt la colline.°

A l'âge où l'on croit à l'amour,   25
J'étais seul dans ma chambre un
      jour,
Pleurant ma première misère.
Au coin de mon feu vint s'asseoir
Un étranger vêtu de noir,
Qui me ressemblait comme un frère. 30

Il était morne et soucieux;
D'une main il montrait les cieux
Et de l'autre il tenait un glaive.°
De ma peine il semblait souffrir,
Mais il ne poussa qu'un soupir   35
Et s'évanouit comme un rêve.

A l'âge où l'on est libertin,
Pour boire un toast en un festin,
Un jour je soulevai mon verre.
En face de moi vint s'asseoir   40
Un convive vêtu de noir,
Qui me ressemblait comme un frère.

Il secouait sous son manteau
Un haillon de pourpre en lambeau,°
Sur sa tête un myrte° stérile.   45
Son bras maigre cherchait le mien,
Et mon verre, en touchant le sien,
Se brisa dans ma main débile.

Un an après, il était nuit;
J'étais à genoux près du lit
Où venait de mourir mon père.   50
Au chevet du lit vint s'asseoir
Un orphelin vêtu de noir,
Qui me ressemblait comme un frère.

Ses yeux étaient noyés de pleurs;   55
Comme les anges de douleurs,
Il était couronné d'épine;
Son luth à terre était gisant,
Sa pourpre° de couleur de sang
Et son glaive dans sa poitrine.   60

Je m'en suis si bien souvenu
Que je l'ai toujours reconnu
A tous les instants de ma vie.
C'est une étrange vision,
Et cependant, ange ou démon,   65
J'ai vu partout cette ombre amie.

Lorsque plus tard, las de souffrir,
Pour renaître ou pour en finir,
J'ai voulu m'exiler de France;°
Lorsqu'impatient de marcher,   70
J'ai voulu partir, et chercher
Les vestiges d'une espérance;

A Pise, au pied de l'Apennin;
A Cologne, en face du Rhin;
A Nice, au penchant des vallées;   75
A Florence, au fond des palais;
A Brigues,° dans les vieux chalets
Au sein des Alpes désolées;

A Gênes,° sous les citronniers;°
A Vevey,° sous les verts pommiers; 80
Au Havre, devant l'Atlantique;

---

21. *églantine:* wild rose (the customary prize awarded in the *jeux floraux,* poetic competitions, of Toulouse; hence, symbolic of poetic success). 24. *colline:* i.e., Parnassus, the mountain of the Muses. 33. *glaive:* sword (*i.e.,* a weapon for life's struggle).

44. *Un haillon... lambeau:* A tattered purple (or crimson) garment. (Purple was the symbol of honor and eminence.) 45. *myrte:* myrtle, with which poets were crowned. 59. *pourpre* (*fem.*): purple (or dark red) robe. 69. *J'ai... France:* i.e., the Italian journey with George Sand. 77. Brigues, in Switzerland. 79. *Gênes:* Genoa. 79. *citronniers:* lemon trees. 80. Vevey, on the Lake of Geneva.

A Venise, à l'affreux Lido,
Où vient sur l'herbe d'un tombeau°
Mourir la pâle Adriatique;

Partout où, sous ces vastes cieux,   85
J'ai lassé mon cœur et mes yeux,
Saignant d'une éternelle plaie;
Partout où le boiteux Ennui,
Traînant ma fatigue après lui,
M'a promené sur une claie;°   90

Partout où, sans cesse altéré
De la soif d'un monde ignoré,
J'ai suivi l'ombre de mes songes;
Partout où, sans avoir vécu,
J'ai revu ce que j'avais vu,   95
La face humaine et ses mensonges;

Partout où, le long des chemins,
J'ai posé mon front dans mes mains
Et sangloté comme une femme;
Partout où j'ai, comme un mouton   100
Qui laisse sa laine au buisson,
Senti se dénuer° mon âme;

Partout où j'ai voulu dormir,
Partout où j'ai voulu mourir,
Partout où j'ai touché la terre,   105
Sur ma route est venu s'asseoir
Un malheureux vêtu de noir,
Qui me ressemblait comme un frère.

[*In the succeeding 72 lines (omitted here) the poet
describes his present agony at his abandonment by
the beloved.*]

Mais tout à coup j'ai vu dans la nuit sombre
Une forme glisser sans bruit.   110
Sur mon rideau j'ai vu passer une ombre;
Elle vient s'asseoir sur mon lit.
Qui donc es-tu, morne et pâle visage,
Sombre portrait vêtu de noir?
Que me veux-tu, triste oiseau de passage?   115
Est-ce un vain rêve? est-ce ma propre image
Que j'aperçois dans ce miroir?

Qui donc es-tu, spectre de ma jeunesse,
Pèlerin que rien n'a lassé?
Dis-moi pourquoi je te trouve sans cesse   120
Assis dans l'ombre où j'ai passé?
Qui donc es-tu, visiteur solitaire,
Hôte assidu de mes douleurs?
Qu'as-tu donc fait pour me suivre sur terre?
Qui donc es-tu, qui donc es-tu, mon frère,   125
Qui n'apparais qu'au jour des pleurs?

LA VISION

— Ami, notre père est le tien.
Je ne suis ni l'ange gardien,
Ni le mauvais destin des hommes.
Ceux que j'aime, je ne sais pas   130
De quel côté s'en vont leurs pas
Sur ce peu de fange où nous sommes.

Je ne suis ni dieu ni démon,
Et tu m'as nommé par mon nom
Quand tu m'as appelé ton frère;   135
Où tu vas, j'y serai toujours,
Jusques au dernier de tes jours,
Où j'irai m'asseoir sur ta pierre.

Le ciel m'a confié ton cœur.
Quand tu seras dans la douleur,   140
Viens à moi sans inquiétude,
Je te suivrai sur le chemin;
Mais je ne puis toucher ta main;
Ami, je suis la Solitude.

La Nuit d'août

[*Abridged*]

[*In the first 107 lines the Muse reproaches the Poet
for his dissipation, the waste of his gifts. "What
answer," she says, "can you give to my reproach?"*]

LE POÈTE

Puisque l'oiseau des bois voltige et chante encore
Sur la branche où ses œufs sont brisés dans le
    nid;
Puisque la fleur des champs entr'ouverte à
    l'aurore,
Voyant sur la pelouse une autre fleur éclore,
S'incline sans murmure et tombe avec la nuit; 5

83. A lurid episode in the drama of Musset and George
Sand took place in the Jewish cemetery at the Lido. 90.
claie: hurdle, sledge used to transport criminals to execution.
102. *se denuer:* laid bare.

Puisqu'au fond des forêts, sous les toits de
    verdure,
On entend le bois mort craquer dans le sentier,
Et puisqu'en traversant l'immortelle nature
L'homme n'a su trouver de science qui dure,
Que de marcher toujours et toujours oublier; 10

Puisque, jusqu'aux rochers, tout se change en
    poussière,
Puisque tout meurt ce soir pour revivre demain;
Puisque c'est un engrais° que le meurtre et la
    guerre;
Puisque sur une tombe on voit sortir de terre
Le brin d'herbe sacré qui nous donne le pain; 15

O Muse! que m'importe ou la mort ou la vie?
J'aime, et je veux pâlir; j'aime, et je veux
    souffrir;
J'aime, et pour un baiser je donne mon génie;
J'aime, et je veux sentir sur ma joue amaigrie
Ruisseler une source impossible à tarir. 20

J'aime, et je veux chanter la joie et la paresse,
Ma folle expérience et mes soucis d'un jour,
Et je veux raconter et répéter sans cesse
Qu'après avoir juré de vivre sans maîtresse, 24
J'ai fait serment de vivre et de mourir d'amour.

Dépouille° devant tous l'orgueil qui te dévore,
Cœur gonflé d'amertume et qui t'es cru fermé.
Aime, et tu renaîtras; fais-toi fleur pour éclore.
Après avoir souffert, il faut souffrir encore;
Il faut aimer sans cesse, après avoir aimé.°

Chanson de Fortunio

[*From Musset's play* Le Chandelier]

Si vous croyez que je vais dire
    Qui j'ose aimer,
Je ne saurais, pour un empire,
    Vous la nommer.

Nous allons chanter à la ronde, 5
    Si vous voulez,
Que je l'adore et qu'elle est blonde
    Comme les blés.

Je fais ce que sa fantaisie
    Veut m'ordonner, 10
Et je puis, s'il lui faut ma vie,
    La lui donner.

Du mal qu'une amour ignorée
    Nous fait souffrir,
J'en porte l'âme déchirée 15
    Jusqu'à mourir.

Mais j'aime trop pour que je die°
    Qui j'ose aimer,
Et je veux mourir pour ma mie°
    Sans la nommer.

Tristesse

J'ai perdu ma force et ma vie
Et mes amis et ma gaieté;
J'ai perdu jusqu'à la fierté
Qui faisait croire à mon génie.

Quand j'ai connu la vérité 5
J'ai cru que c'était une amie;
Quand je l'ai comprise et sentie,
J'en étais déjà dégoûté.
Et pourtant elle est immortelle,
Et ceux qui se sont passés d'elle 10
Ici-bas ont tout ignoré.

Dieu parle, il faut qu'on lui réponde.
— Le seul bien qui me reste au monde
Est d'avoir quelquefois pleuré.

Souvenir

[*The last of the George Sand cycle, and at the
same time a conscious effort to treat the theme of
Lamartine's* Le Lac *and Hugo's* Tristesse d'Olympio. *The impulse to write the poem came to Musset
on a chance visit to the forest of Fontainebleau,
scene of his bliss.*]

LA NUIT D'AOÛT. 13. *engrais:* manure. 26. *Dépouille:* Cast
off. 29–30. Two famous lines.

CHANSON DE FORTUNIO. 17. *die* = *dise.* 19. *ma mie* (from
Old French *m'amie*): my darling.

J'espérais bien pleurer, mais je croyais souffrir
En osant te revoir, place à jamais sacrée,
O la plus chère tombe° et la plus ignorée
      Où dorme° un souvenir!

Que redoutiez-vous donc de cette solitude,   5
Et pourquoi, mes amis, me preniez-vous la main?
Alors qu'une si douce et si vieille habitude
      Me montrait ce chemin?

Les voilà, ces coteaux, ces bruyères fleuries,
Et ces pas argentins sur le sable muet,   10
Ces sentiers amoureux, remplis de causeries,
      Où son bras m'enlaçait.

Les voilà, ces sapins à la sombre verdure,
Cette gorge° profonde aux nonchalants détours,
Ces sauvages amis, dont l'antique murmure   15
      A bercé mes beaux jours.

Les voilà, ces buissons où toute ma jeunesse,
Comme un essaim d'oiseaux, chante au bruit
    de mes pas.
Lieux charmants, beau désert où passa ma
    maîtresse,
      Ne m'attendiez-vous pas?   20

Ah! laissez-les couler, elles me sont bien chères,
Ces larmes que soulève un cœur encor blessé!
Ne les essuyez pas, laissez sur mes paupières
      Ce voile du passé!

Je ne viens point jeter un regret inutile   25
Dans l'écho de ces bois, témoins de mon
    bonheur.
Fière est cette forêt dans sa beauté tranquille,
      Et fier aussi mon cœur.

Que celui-là se livre à des plaintes amères,
Qui s'agenouille et prie au tombeau d'un ami. 30
Tout respire en ces lieux; les fleurs des
    cimetières
      Ne poussent point ici.

Voyez! la lune monte à travers ces ombrages.
Ton regard tremble encor, belle reine des nuits;
Mais du sombre horizon déjà tu te dégages,   35
      Et tu t'épanouis.

Ainsi de cette terre, humide encor de pluie,
Sortent, sous tes rayons, tous les parfums du
    jour:
Aussi calme, aussi pur, de mon âme attendrie
      Sort mon ancien amour.   40

Que sont-ils devenus, les chagrins de ma vie?
Tout ce qui m'a fait vieux est bien loin
    maintenant:
Et rien qu'en regardant cette vallée amie,
      Je redeviens enfant.

O puissance du temps! ô légères années,   45
Vous emportez nos pleurs, nos cris et nos
    regrets;
Mais la pitié vous prend, et sur nos fleurs fanées
      Vous ne marchez jamais.

Tout mon cœur te bénit, bonté consolatrice!
Je n'aurais jamais cru que l'on pût tant souffrir
D'une telle blessure, et que sa cicatrice   51
      Fût si douce à sentir.

Loin de moi les vains mots, les frivoles pensées,
Des vulgaires douleurs linceul accoutumé,
Que viennent étaler sur leurs amours passées 55
      Ceux qui n'ont point aimé!

Dante, pourquoi dis-tu qu'il n'est pire misère
Qu'un souvenir heureux dans les jours de
    douleur?°
Quel chagrin t'a dicté cette parole amère,
      Cette offense au malheur?   60

En est-il donc moins vrai que la lumière existe,
Et faut-il l'oublier du moment qu'il fait nuit?
Est-ce bien toi, grande âme immortellement
    triste,
      Est-ce toi qui l'as dit?

Non, par ce pur flambeau° dont la splendeur
    m'éclaire,   65
Ce blasphème vanté ne vient pas de ton cœur.
Un souvenir heureux est peut-être sur terre
      Plus vrai que le bonheur.°

57–58. In the *Inferno*, Canto V, Francesca da Rimini exclaims: *Nessun maggior dolore | Che ricordarsi del tempo felice | Nella miseria.* "There is no greater grief than in wretchedness to remember happier days." Cf. Tennyson's *Locksley Hall:* "This is truth the poet sings, / That a sorrow's crown of sorrow is remembering happier things." 65. *flambeau:* i.e. the moon. 67–68. These two lines state Musset's essential theme.

Souvenir. 3. *tombe:* i.e., tomb of his lost love. 4. *dorme:* Notice the force of the subjunctive. 14. *gorge:* the *gorge de Franchard.*

Eh quoi! l'infortuné qui trouve une étincelle
Dans la cendre brûlante où dorment ses
    ennuis,   70
Qui saisit cette flamme et qui fixe sur elle
        Ses regards éblouis;

Dans ce passé perdu quand son âme se noie,
Sur ce miroir brisé lorsqu'il rêve en pleurant,
Tu lui dis qu'il se trompe et que sa faible
    joie   75
        N'est qu'un affreux tourment!

Et c'est à ta Françoise,° à ton ange de gloire,
Que tu pouvais donner ces mots à prononcer,
Elle qui s'interrompt, pour conter son histoire,
        D'un éternel baiser!   80

Qu'est-ce donc, juste Dieu, que la pensée
    humaine,
Et qui pourra jamais aimer la vérité,
S'il n'est joie ou douleur si juste et si certaine
        Dont quelqu'un n'ait douté?

Comment vivez-vous donc, étranges
    créatures?   85
Vous riez, vous chantez, vous marchez à
    grands pas,
Le ciel et sa beauté, le monde et ses souillures
        Ne vous dérangent pas;

Mais, lorsque par hasard le destin vous ramène
Vers quelque monument° d'un amour oublié, 90
Ce caillou vous arrête, et cela vous fait peine
        Qu'il vous heurte le pié.°

Et vous criez alors que la vie est un songe;
Vous vous tordez les bras comme en vous
    réveillant,
Et vous trouvez fâcheux qu'un si joyeux
    mensonge   95
        Ne dure qu'un instant.°

Malheureux! cet instant où votre âme
    engourdie
A secoué les fers qu'elle traîne ici-bas,
Ce fugitif instant fut toute votre vie;
        Ne le regrettez pas!   100

Regrettez la torpeur qui vous cloue à la terre,
Vos agitations dans la fange et le sang,
Vos nuits sans espérance et vos jours sans
    lumière :
        C'est là qu'est le néant!

Mais que vous revient-il de vos froides
    doctrines?   105
Que demandent au ciel ces regrets inconstants
Que vous allez semant sur vos propres ruines,
        A chaque pas du Temps?

Oui, sans doute, tout meurt; ce monde est un
    grand rêve,
Et le peu de bonheur qui nous vient en chemin,
Nous n'avons pas plutôt ce roseau dans la main
        Que le vent nous l'enlève.

Oui, les premiers baisers, oui, les premiers
    serments
Que deux êtres mortels échangèrent sur terre,
Ce fut au pied d'un arbre effeuillé par les vents,
        Sur un roc en poussière.°   116

Ils prirent à témoin de leur joie éphémère
Un ciel toujours voilé qui change à tout moment
Et des astres sans nom que leur propre lumière
        Dévore incessamment.   120

Tout mourait autour d'eux, l'oiseau dans le
    feuillage,
La fleur entre leurs mains, l'insecte sous leurs
    piés,
La source desséchée où vacillait l'image
        De leurs traits oubliés!

Et sur tous ces débris joignant leurs mains
    d'argile,   125
Étourdis des éclairs d'un instant de plaisir,
Ils croyaient échapper à cet être immobile
        Qui regarde mourir!

— Insensés! dit le sage. — Heureux! dit le poète.
Et quels tristes amours as-tu donc dans le
    cœur,   130
Si le bruit du torrent te trouble et t'inquiète,
        Si le vent te fait peur?

---

77. *Françoise:* Francesca da Rimini. 90. *monument:* i.e.,
some place marked with a reminder. 92. *pié = pied* (for the
eye rhyme). 95–96. Cf. Lamartine's *Le Lac.*

113–16. *Meaning*, even the first lovers (Adam and Eve)
saw the world changing and crumbling, yet they called
on Nature's mutability to witness the eternity of their love.

J'ai vu sous le soleil tomber bien d'autres
    choses
Que les feuilles des bois et l'écume des eaux,
Bien d'autres s'en aller que le parfum des roses
       Et le chant des oiseaux.   136

Mes yeux ont contemplé des objets plus
    funèbres
Que Juliette morte au fond de son tombeau,
Plus affreux que le toast à l'ange des ténèbres
       Porté par Roméo.°   140

J'ai vu ma seule amie,° à jamais la plus chère,
Devenue elle-même un sépulcre blanchi,
Une tombe vivante où flottait la poussière
       De notre mort chéri,

De notre pauvre amour, que, dans la nuit
    profonde,   145
Nous avions sur nos cœurs si doucement bercé!
C'était plus qu'une vie, hélas! c'était un monde
       Qui s'était effacé!

Oui, jeune et belle encor, plus belle, osait-on
    dire,
Je l'ai vue, et ses yeux brillaient comme
    autrefois.   150
Ses lèvres s'entr'ouvraient, et c'était un
    sourire,
       Et c'était une voix;

Mais non plus cette voix, non plus ce doux
    langage,
Ces regards adorés dans les miens confondus;
Mon cœur, encor plein d'elle, errait sur son
    visage,   155
       Et ne la trouvait plus.

Et pourtant j'aurais pu marcher alors vers elle,
Entourer de mes bras ce sein vide et glacé,
Et j'aurais pu crier : « Qu'as-tu fait, infidèle,
       Qu'as-tu fait du passé? »   160

Mais non : il me semblait qu'une femme
    inconnue
Avait pris par hasard cette voix et ces yeux;
Et je laissai passer cette froide statue
       En regardant les cieux.

Eh bien! ce fut sans doute une horrible
    misère   165
Que ce riant adieu d'un être inanimé.°
Eh bien! qu'importe encore? O nature! ô ma
    mère!
       En ai-je moins aimé?

La foudre maintenant peut tomber sur ma tête;
Jamais ce souvenir ne peut m'être arraché! 170
Comme le matelot brisé par la tempête,
       Je m'y tiens attaché.

Je ne veux rien savoir, ni si les champs
    fleurissent,
Ni ce qu'il adviendra du simulacre° humain,
Ni si ces vastes cieux éclaireront demain   175
       Ce qu'ils ensevelissent.

Je me dis seulement : « A cette heure, en ce
    lieu,
Un jour, je fus aimé, j'aimais, elle était belle. »
J'enfouis ce trésor dans mon âme immortelle,
       Et je l'emporte à Dieu!

Sur une morte

*[The reference is to the Princess Belgiojoso, a
beautiful bluestocking who seems to have been proof
against Musset's charm. She was by no means dead
when this poem was published.]*

    Elle était belle, si la Nuit°
    Qui dort dans la sombre chapelle
    Où Michel-Ange a fait son lit,
    Immobile peut être belle.

    Elle était bonne, s'il suffit   5
    Qu'en passant la main s'ouvre et donne,
    Sans que Dieu n'ait rien vu, rien dit :
    Si l'or sans pitié fait l'aumône.

    Elle pensait, si le vain bruit
    D'une voix douce et cadencée,   10
    Comme le ruisseau qui gémit,
    Peut faire croire à la pensée.

139–40. *le toast... Roméo:* In fact Romeo toasts Juliet, not
death: "Here's to my love! O true apothecary! / Thy drugs
are quick. Thus with a kiss I die." (Romeo and Juliet, V, 3).
141. *ma seule amie:* i.e., George Sand.

166. *inanimé: here,* soulless. 174. *simulacre:* shadowy
representation. SUR UNE MORTE. 1. *la Nuit:* Michelangelo's
recumbent statue of Night, in Florence.

Elle priait, si deux beaux yeux,
Tantôt s'attachant à la terre,
Tantôt se levant vers les cieux,   15
Peuvent s'appeler la prière.

Elle aurait souri, si la fleur
Qui ne s'est point épanouie,
Pouvait s'ouvrir à la fraîcheur
Du vent qui passe et qui l'oublie.   20

Elle aurait pleuré, si sa main,
Sur son cœur froidement posée,
Eût jamais dans l'argile humain
Senti la céleste rosée.

Elle aurait aimé, si l'orgueil,   25
Pareil à la lampe inutile
Qu'on allume près d'un cercueil,
N'eût veillé sur son cœur stérile.

Elle est morte et n'a point vécu,
Elle faisait semblant de vivre.   30
De ses mains est tombé le livre
Dans lequel elle n'a rien lu.

A M. Victor Hugo

Il faut, dans ce bas monde, aimer beaucoup
  de choses,
Pour savoir, après tout, ce qu'on aime le mieux :
Les bonbons, l'Océan, le jeu, l'azur des cieux,
Les femmes, les chevaux, les lauriers et les roses.

Il faut fouler aux pieds des fleurs à peine
  écloses;   5
Il faut beaucoup pleurer, dire beaucoup d'adieux.
Puis le cœur s'aperçoit qu'il est devenu vieux,
Et l'effet qui s'en va nous découvre les causes.

De ces biens passagers que l'on goûte à demi,
Le meilleur qui nous reste est un ancien ami. 10
On se brouille,° on se fuit. — Qu'un hasard
  nous rassemble,

On s'approche, on sourit, la main touche la main,
Et nous nous souvenons que nous marchions
  ensemble,
Que l'âme est immortelle, et qu'hier c'est
  demain.

A M. VICTOR HUGO. 11. *se brouille:* quarrels.

7-8. Stendhal [1783–1842]

"I have taken a ticket in the lottery, the drawing to be held in 1935," said Stendhal. His ticket has taken one of the big prizes. He is one of those few writers, like Donne, Blake, Melville, Emily Dickinson, who have turned out to be more in key with the spirit of later times than with that of their own.

His real name was Henri Beyle. (His pen name, *Stendhal*, was taken apparently at random, and slightly misspelled, from a German town near Berlin.) He was born in the small Alpine city of Grenoble, in a respectable middle-class family. He was regarded as a "petit monstre"; indeed, his first recollection is of biting a lady who tried to kiss him. His mother died when he was seven; he frankly hated his father. He cultivated an air of ferocity to hide his extreme sensibility. One recognizes that his case is the psychologist's delight.

At seventeen he entered Napoleon's army and served in Italy, a country which he immediately loved better than his own. He had an honorable military career, mostly in the service of supply and in civil affairs, in France, Germany, and Austria. He survived the dreadful retreat from Russia in 1812. From 1814 to 1821 he lived chiefly in Milan, then spent nine years as a journalist in Paris. From 1831 until his death in 1842 he was

French consul in Civitavecchia, a dull little seaport near Rome. He made, however, long stays in Rome and in Paris. He never married.

In person he was fat and unprepossessing, hardly fit for the role of Great Lover, of which he incessantly dreamed. His character was a conflicting medley of skeptical practicality and emotionalism, or sensibility. F. C. Green thus summarizes his dominant traits: "The cult of passion as the only way to happiness; an admiration of energy in any form, which leads him to despise conventional morality as a sign of feebleness; an intense and devouring intellectual curiosity about every aspect of human nature and of human activity; the resolve to penetrate the truth about man and his institutions and thus to achieve a reputation for original genius; the determination to acquire a cosmopolitan outlook; the consciousness that he is an artist but that he must write not for his own contemptible century but for the twentieth."*

Such a character is both *romantic* and *realist*. Stendhal was *romantic* in his cult of passion and sensibility, in his admiration for the genius, the superior man, in his scorn of bourgeois ideology. But notice that he was older than the Romantics and was never an enrolled member of their school. He was *realist* in his skeptical eighteenth-century materialism, in his insistence on the exact rendering of contemporary reality, in his contempt for all pretense and hypocrisy. He is thus commonly termed a *romantic Realist*.

His favorite *subject matter* is the psychological study of the emotional life of the exceptional man. The pursuit of happiness, he said, directs our lives and molds our characters. Stendhal's concern is with our everyday behavior, as it is determined by the search for happiness.

His *style* is the direct opposite of the lyrical, colorful Romantic manner. He hated the flowery *phrase à la Chateaubriand*. He chose a bare, compact, matter-of-fact style, often a succession of brief declarative sentences. (A modern parallel would be Hemingway, another Romantic realist.) While writing *La Chartreuse de Parme* he began every day by reading some sections of Napoleon's law code. He said of style: "Le meilleur est celui qui se fait oublier et laisse voir le plus clairement les pensées qu'il énonce."

His *influence* has been enormous. Especially around 1900, many young men made of *le beylisme* a system of life. Léon Blum describes *le beylisme* as a practical method of attaining happiness.† One accepts, like Stendhal, the scientific theories of the eighteenth century, which presume that our knowledge and character derive solely from our sense experiences. Rejecting religion and morality, which are made for dupes, we gain power over nature and men, we can advisedly make our search for happiness. We need have no concern for the mass of men, bound by their silly conventions. To succeed, we must be Masters, with inflexible will, with perfect independence of mind. Thus we attain our end, which is power, hence happiness. If you protest that this doctrine is heady, dangerous, unwholesome, and wrong, you merely prove that you are not a *beyliste*, you are one of the rabble. And if you remark that the doctrine never worked for Stendhal, you are just being troublesome.

Stendhal's two best books are *La Chartreuse de Parme* and *Le Rouge et le Noir* (1830). The opening chapters of *Le Rouge et le Noir* are given here. *Le Rouge* is the Army, in which, under Napoleon, the opportunist rose to success; *le Noir* is the Church. After the Bourbon restoration of 1814 the reactionary government was defended by the priesthood and a powerful, semi-secret body of pious laymen, the *Congrégation*. A frank liberal or freethinker had no chance in life. To succeed he had to become a hypocrite, accept outwardly the dominant political and religious faith. This is the choice made by Julien Sorel.

Julien is of course an idealized representation of Stendhal himself. He is fundamentally honest, sincere, passionate for his ideals. But he is above all ambitious. He accepts the world as he finds it, plays the hypocrite, lies and cheats, bows to the corrupt society he

* F. C. Green: *Stendhal*. New York, Cambridge University Press, 1939, p. 50.   † Léon Blum: *Stendhal et le beylisme*. Paris, Ollendorff, 1914, pp. 159–82.

despises. Hence Julien is subject to an intolerable spiritual tension, which Stendhal probes with the utmost delicacy.

Not a few young men have recognized in Julien Sorel their own secret selves. We may call him pitiable or despicable, with entire justice. But that does not matter. Julien is true, as only the great creations of literature are true.

LE ROUGE ET LE NOIR

Chronique de 1830

[*Excerpt*]

La vérité, l'âpre vérité
Danton *

I. UNE PETITE VILLE

La petite ville de Verrières° peut passer pour l'une des plus jolies de la Franche-Comté.° Ses maisons blanches avec leurs toits pointus de tuiles rouges s'étendent sur la pente d'une colline, dont des touffes de vigoureux châtaigniers marquent les moindres sinuosités.° Le Doubs° coule à quelques centaines de pieds au-dessous de ses fortifications, bâties jadis par les Espagnols, et maintenant ruinées.

Verrières est abritée du côté du nord par une haute montagne, c'est une des branches du Jura. Les cimes brisées du Verra° se couvrent de neige dès les premiers froids d'octobre. Un torrent, qui se précipite de la montagne, traverse Verrières avant de se jeter dans le Doubs, et donne le mouvement à un grand nombre de scies à bois ;° c'est une industrie fort simple et qui procure un certain bien-être à la majeure partie des habitants plus paysans que bourgeois. Ce ne sont pas cependant les scies à bois qui ont enrichi cette petite ville. C'est à la fabrique des toiles peintes,° dites de Mulhouse,° que l'on doit l'aisance générale qui, depuis la chute de Napoléon, a fait rebâtir les façades de presque toutes les maisons de Verrières.

A peine entre-t-on° dans la ville que l'on est étourdi par le fracas d'une machine bruyante et terrible en apparence. Vingt marteaux pesants, et retombant avec un bruit qui fait trembler le pavé, sont élevés par une roue que l'eau du torrent fait mouvoir. Chacun de ces marteaux fabrique, chaque jour, je ne sais combien de milliers de clous. Ce sont de jeunes filles fraîches et jolies qui présentent aux coups de ces marteaux énormes les petits morceaux de fer qui sont rapidement transformés en clous. Ce travail, si rude en apparence, est un de ceux qui étonnent le plus le voyageur qui pénètre pour la première fois dans les montagnes qui séparent la France de l'Helvétie.° Si, en entrant à Verrières, le voyageur demande à qui appartient cette belle fabrique de clous qui assourdit les gens qui montent la grande rue, on lui répond avec un accent traînard :° *Eh! elle est à M. le maire.*

Pour peu que le voyageur s'arrête quelques instants dans cette grande rue de Verrières, qui va en montant depuis la rive du Doubs jusque vers le sommet de la colline, il y a cent à parier contre un qu'il verra paraître un grand homme à l'air affairé et important.

A son aspect tous les chapeaux se lèvent rapidement. Ses cheveux sont grisonnants, et il est vêtu de gris. Il est chevalier de plusieurs ordres, il a un grand front, un nez aquilin, et au total sa figure ne manque pas d'une certaine régularité : on trouve même, au premier aspect, qu'elle réunit à la dignité du maire de village cette sorte d'agrément qui peut encore se rencontrer avec quarante-huit ou cinquante ans. Mais bientôt le voyageur parisien est choqué d'un certain air de contentement de soi et de suffisance° mêlé à je ne sais quoi de borné et de peu inventif. On sent enfin que le talent de

---

* Danton, extremist revolutionary leader (1759–94). 11. *Verrières:* an imaginary city, bearing much resemblance to Stendhal's native Grenoble, in Dauphiné. 12. Franche-Comté, old province of eastern France, south of Lorraine, west of Switzerland. (It was under Spanish rule until the seventeenth century.) 16. *sinuosités:* windings. 17. Doubs, river rising in Switzerland, flowing mostly southwest, past Besançon, to join the Saône. 22. *Verra:* imaginary mountain. 26. *scies à bois:* sawmills. 32. *toiles peintes:* cotton prints. 32. Mulhouse, industrial city in southern Alsace.

1. Notice the old device of the inquiring visitor, to give order to background description. 15. *Helvétie:* Switzerland. 19. *traînard:* drawling. 38. *suffisance:* complacency, self-importance.

cet homme-là se borne à se faire payer bien exactement ce qu'on lui doit, et à payer lui-même le plus tard possible quand il doit.

Tel est le maire de Verrières, M. de Rênal. Après avoir traversé la rue d'un pas grave, il entre à la mairie et disparaît aux yeux du voyageur. Mais, cent pas plus haut, si celui-ci continue sa promenade, il aperçoit une maison d'assez belle apparence, et, à travers une grille de fer attenante à la maison, des jardins magnifiques. Au delà, c'est une ligne d'horizon formée par les collines de la Bourgogne,° et qui semble faite à souhait° pour le plaisir des yeux. Cette vue fait oublier au voyageur l'atmosphère empestée des petits intérêts d'argent dont il commence à être asphyxié.

On lui apprend que cette maison appartient à M. de Rênal. C'est aux bénéfices° qu'il a faits sur sa grande fabrique de clous que le maire de Verrières doit cette belle habitation en pierres de taille° qu'il achève en ce moment. Sa famille, dit-on, est espagnole, antique, et, à ce qu'on prétend, établie dans le pays bien avant la conquête de Louis XIV.°

Depuis 1815 il rougit d'être industriel :° 1815 l'a fait maire de Verrières. Les murs en terrasse qui soutiennent les diverses parties de ce magnifique jardin qui, d'étage en étage, descend jusqu'au Doubs, sont aussi la récompense de la science de M. de Rênal dans le commerce du fer.

Ne vous attendez point à trouver en France ces jardins pittoresques qui entourent les villes manufacturières de l'Allemagne, Leipsick, Francfort, Nuremberg, etc. En Franche-Comté, plus on bâtit de murs, plus on hérisse° sa propriété de pierres rangées les unes au-dessus des autres, plus on acquiert de droits aux respects de ses voisins. Les jardins de M. de Rênal, remplis de murs, sont encore admirés parce qu'il a acheté, au poids de l'or, certains petits morceaux du terrain qu'ils occupent. Par exemple, cette scie à bois, dont la position singulière sur la rive du Doubs vous a frappé

en entrant à Verrières, et où vous avez remarqué le nom de SOREL, écrit en caractères gigantesques sur une planche qui domine le toit, elle occupait, il y a six ans, l'espace sur lequel on élève en ce moment le mur de la quatrième terrasse des jardins de M. de Rênal.

Malgré sa fierté, M. le maire a dû faire bien des démarches auprès du vieux Sorel, paysan dur et entêté; il a dû lui compter de beaux louis d'or pour obtenir qu'il transportât son usine° ailleurs. Quant au ruisseau *public* qui faisait aller la scie, M. de Rênal, au moyen du crédit dont il jouit à Paris, a obtenu qu'il fût détourné. Cette grâce lui vint après les élections de 182–.°

Il a donné à Sorel quatre arpents° pour un, à cinq cents pas plus bas sur les bords du Doubs. Et, quoique cette position fût beaucoup plus avantageuse pour son commerce de planches de sapin,° le père Sorel, comme on l'appelle depuis qu'il est riche, a eu le secret d'obtenir de l'impatience et de la *manie de propriétaire*, qui animait son voisin, une somme de 6.000 francs.

Il est vrai que cet arrangement a été critiqué par les bonnes têtes de l'endroit. Une fois, c'était un jour de dimanche, il y a quatre ans de cela, M. de Rênal, revenant de l'église en costume de maire, vit de loin le vieux Sorel, entouré de ses trois fils, sourire en le regardant. Ce sourire a porté un jour° fatal dans l'âme de M. le maire, il pense depuis lors qu'il eût pu obtenir l'échange à meilleur marché.

Pour arriver à la considération publique à Verrières, l'essentiel est de ne pas adopter, tout en bâtissant beaucoup de murs, quelque plan apporté d'Italie par ces maçons, qui au printemps traversent les gorges du Jura pour gagner Paris. Une telle innovation° vaudrait à l'imprudent bâtisseur une éternelle réputation de *mauvaise tête*, et il serait à jamais perdu auprès des gens sages et modérés qui distribuent la considération° en Franche-Comté.

Dans le fait, ces gens sages y exercent le plus ennuyeux *despotisme*; c'est à cause de ce vilain mot que le séjour des petites villes est insupportable pour qui a vécu dans cette grande république

---

12. *Bourgogne:* Burgundy, to the west of Franche-Comté. 13. *faite à souhait:* ideally designed. 18. *bénéfices:* profits. 21. *pierres de taille:* freestone, fine-grained building stone. 24. Franche-Comté was annexed to France in 1678. 25. After the fall of Napoleon's Empire, under which industrial achievement was honored, came the Bourbon Restoration, reestablishing the aristocratic values of the Old Régime, the gentleman's scorn of trade and of the tradesman. 36. *hérisse:* makes bristle.

11. *usine:* factory. 15. *Cette grâce… 182–:* i.e., M. de Rênal had notably aided the victorious conservative party. 16. *arpents:* acres. 20. *sapin:* fir. 30. *jour:* here, enlightenment. 38. Stendhal, who esteemed Italian taste more than French taste, would have approved such an innovation. 42. *considération:* public esteem.

qu'on appelle Paris. La tyrannie de l'opinion, et quelle opinion! est aussi *bête* dans les petites villes de France qu'aux États-Unis d'Amérique.°

II. un maire

Heureusement pour la réputation de M. de Rênal comme administrateur, un immense *mur de soutènement*° était nécessaire à la promenade publique qui longe la colline à une centaine de pieds au-dessus du cours du Doubs. Elle doit à cette admirable position une des vues les plus pittoresques de France. Mais, à chaque printemps, les eaux de pluie sillonnaient la promenade, y creusaient des ravins et la rendaient impraticable. Cet inconvénient, senti par tous, mit M. de Rênal dans l'heureuse nécessité d'immortaliser son administration par un mur de vingt pieds de hauteur et de trente ou quarante toises de long.

Le parapet de ce mur pour lequel M. de Rênal a dû faire trois voyages à Paris, car l'avant-dernier ministre de l'Intérieur s'était déclaré l'ennemi mortel de la promenade de Verrières, le parapet de ce mur s'élève maintenant de quatre pieds au-dessus du sol. Et, comme pour braver tous les ministres présents et passés, on le garnit en ce moment avec des dalles° de pierre de taille.

Combien de fois, songeant aux bals de Paris abandonnés la veille, et la poitrine appuyée contre ces grands blocs de pierre d'un beau gris tirant sur le bleu, mes regards ont plongé dans la vallée du Doubs! Au delà, sur la rive gauche, serpentent cinq ou six vallées au fond desquelles l'œil distingue fort bien de petits ruisseaux. Après avoir couru de cascade en cascade on les voit tomber dans le Doubs. Le soleil est fort chaud dans ces montagnes; lorsqu'il brille d'aplomb,° la rêverie du voyageur est abritée sur cette terrasse par de magnifiques. platanes.° Leur croissance rapide et leur belle verdure tirant sur le bleu, ils la doivent à la terre rapportée,° que M. le maire a fait placer derrière son immense mur de soutènement, car, malgré l'opposition du conseil municipal, il a

élargi la promenade de plus de six pieds (quoiqu'il soit ultra° et moi libéral, je l'en loue), c'est pourquoi dans son opinion et dans celle de M. Valenod, l'heureux directeur du dépôt de mendicité° de Verrières, cette terrasse peut soutenir la comparaison avec celle de Saint-Germain-en-Laye.°

Je ne trouve, quant à moi, qu'une chose à reprendre au Cours de la fidélité;° on lit ce nom officiel en quinze ou vingt endroits, sur des plaques de marbre qui ont valu une croix° de plus à M. de Rênal; ce que je reprocherais au Cours de la Fidélité, c'est la manière barbare dont l'autorité fait tailler et tondre jusqu'au vif ces vigoureux platanes. Au lieu de ressembler par leurs têtes basses, rondes et aplaties, à la plus vulgaire des plantes potagères,° ils ne demanderaient pas mieux que d'avoir ces formes magnifiques qu'on leur voit en Angleterre. Mais la volonté de M. le maire est despotique, et deux fois par an tous les arbres appartenant à la commune sont impitoyablement amputés. Les libéraux de l'endroit prétendent, mais ils exagèrent, que la main du jardinier officiel est devenue bien plus sévère depuis que M. le vicaire Maslon a pris l'habitude de s'emparer des produits de la tonte.°

Ce jeune ecclésiastique fut envoyé de Besançon, il y a quelques années, pour surveiller l'abbé Chélan et quelques curés des environs. Un vieux chirurgien-major de l'armée d'Italie° retiré à Verrières, et qui de son vivant était à la fois, suivant M. le maire, jacobin° et bonapartiste, osa bien un jour se plaindre à lui de la mutilation périodique de ces beaux arbres.

—J'aime l'ombre, répondit M. de Rênal avec la nuance de hauteur convenable quand on parle à un chirurgien, membre de la légion d'honneur;° j'aime l'ombre, je fais tailler *mes* arbres pour donner de l'ombre, et je ne conçois pas qu'un arbre soit fait pour autre chose, quand toutefois, comme l'utile noyer, il *ne rapporte pas de revenu.*

Voilà le grand mot qui décide de tout à

---

4. French travelers reported that American democracy had resulted in an appalling dominance of mediocrity. 10. *mur de soutènement:* supporting wall. 30. *dalles:* paving stones. 41. *d'aplomb:* directly down. 42. *platanes:* plane trees. 45. *terre rapportée:* filled-in earth.

2. *ultra:* i.e., *ultra-royaliste*, extreme conservative. 5. *dépôt de mendicité:* government poorhouse. 7. *Saint-Germain-en-Laye:* château near Paris, with a fine view of the city. 9. *Cours de la Fidélité:* type of name given to public places under Restoration. 11. *croix:* honorary order. 17. *plantes potagères:* vegetables. 27. *tonte:* trimming. 31. *armée d'Italie:* Napoleon's army, which conquered Italy in 1796. 33. *jacobin:* member of extreme radical party during Revolution, hence any republican. 39. *légion d'honneur:* military and honorary order founded by Napoleon, hence offensive to monarchists.

Verrières : *rapporter du revenu.* A lui seul il représente la pensée habituelle de plus des trois quarts des habitants.

Rapporter du revenu est la raison qui décide de tout dans cette petite ville qui vous semblait si jolie. L'étranger qui arrive, séduit par la beauté des fraîches et profondes vallées qui l'entourent, s'imagine d'abord que ses habitants sont sensibles au *beau*; ils ne parlent que trop souvent de la beauté de leur pays : on ne peut pas nier qu'ils n'en fassent grand cas; mais c'est parce qu'elle attire quelques étrangers dont l'argent enrichit les aubergistes, ce qui, par le mécanisme de l'octroi,° *rapporte du revenu à la ville.*

C'était par un beau jour d'automne que M. de Rênal se promenait sur le Cours de la Fidélité, donnant le bras à sa femme. Tout en écoutant son mari qui parlait d'un air grave, l'œil de madame de Rênal suivait avec inquiétude les mouvements de trois petits garçons. L'aîné, qui pouvait avoir onze ans, s'approchait trop souvent du parapet et faisait mine d'y monter. Une voix douce prononçait alors le nom d'Adolphe, et l'enfant renonçait à son projet ambitieux. Madame de Rênal paraissait une femme de trente ans, mais encore assez jolie.

— Il pourrait bien s'en repentir, ce beau monsieur de Paris, disait M. de Rênal d'un air offensé, et la joue plus pâle encore qu'à l'ordinaire. Je ne suis pas sans avoir quelques amis au Château°… Mais quoique je veuille vous parler de la province pendant deux cents pages, je n'aurai pas la barbarie de vous faire subir la longueur et les *ménagements savants* d'un dialogue de province.

Ce beau monsieur de Paris, si odieux au maire de Verrières, n'était autre que M. Appert,° qui, deux jours auparavant, avait trouvé le moyen de s'introduire non seulement dans la prison et le dépôt de mendicité de Verrières, mais aussi dans l'hôpital administré gratuitement par le maire et les principaux propriétaires de l'endroit.

— Mais, disait timidement madame de Rênal, quel tort peut vous faire ce monsieur de Paris, puisque vous administrez le bien des pauvres avec la plus scrupuleuse probité?

— Il ne vient que pour *déverser* le blâme, et ensuite il fera insérer des articles dans les journaux du libéralisme.

— Vous ne les lisez jamais, mon ami.

— Mais on nous parle de ces articles jacobins; tout cela nous distrait *et nous empêche de faire le bien.*° Quant à moi je ne pardonnerai jamais au curé.

III. LE BIEN DES PAUVRES

Il faut savoir que le curé de Verrières, vieillard de quatre-vingts ans, mais qui devait à l'air vif de ces montagnes une santé et un caractère de fer, avait le droit de visiter à toute heure la prison, l'hôpital et même le dépôt de mendicité. C'était précisément à six heures du matin que M. Appert, qui de Paris était recommandé au curé, avait eu la sagesse d'arriver dans une petite ville curieuse. Aussitôt il était allé au presbytère.°

En lisant la lettre que lui écrivait M. le marquis de La Mole, pair de France, et le plus riche propriétaire de la province, le curé Chélan resta pensif.

— Je suis vieux et aimé ici, se dit-il enfin à mi-voix, ils n'oseraient! Se tournant tout de suite vers le monsieur de Paris, avec des yeux où, malgré le grand âge, brillait ce feu sacré qui annonce le plaisir de faire une belle action un peu dangereuse :

— Venez avec moi, monsieur, et en présence du geôlier et surtout des surveillants du dépôt de mendicité, veuillez n'émettre aucune opinion sur les choses que nous verrons. M. Appert comprit qu'il avait affaire à un homme de cœur : il suivit le vénérable curé, visita la prison, l'hospice, le dépôt, fit beaucoup de questions, et, malgré d'étranges réponses, ne se permit pas la moindre marque de blâme.

Cette visite dura plusieurs heures. Le curé invita à dîner M. Appert, qui prétendit avoir des lettres à écrire : il ne voulait pas compromettre davantage son généreux compagnon. Vers les trois heures, ces messieurs allèrent achever l'inspection du dépôt de mendicité, et revinrent ensuite à la prison. Là, ils trouvèrent sur la porte le geôlier, espèce de géant de six pieds° de haut et à jambes arquées; sa figure

---

14. *octroi:* customs duties levied on goods entering the city. 32. *Château:* i.e., royal château of Charles X at St-Cloud. 38. *Appert:* philanthropist, penologist, editor of the reforming *Journal des Prisons.*

7. Historique. (*Note de Stendhal.*) 20. *presbytère:* rectory. 48. *pieds:* The French *pied du roi* was 1.05 English feet; hence a *géant de six pieds* stood 6 ft. 3½ in.

ignoble était devenue hideuse par l'effet de la terreur.

— Ah! monsieur, dit-il au curé, dès qu'il l'aperçut, ce monsieur, que je vois là avec vous, n'est-il pas M. Appert?

— Qu'importe? dit le curé.

— C'est que depuis hier j'ai l'ordre le plus précis, et que M. le préfet a envoyé par un gendarme, qui a dû galoper toute la nuit, de ne pas admettre M. Appert dans la prison.

— Je vous déclare, M. Noiroud, dit le curé, que ce voyageur, qui est avec moi, est M. Appert. Reconnaissez-vous que j'ai le droit d'entrer dans la prison à toute heure du jour et de la nuit, et en me faisant accompagner par qui je veux?

— Oui, monsieur le curé, dit le geôlier à voix basse, et baissant la tête comme un bouledogue que fait obéir à regret la crainte du bâton. Seulement, monsieur le curé, j'ai femme et enfants, si je suis dénoncé on me destituera;° je n'ai pour vivre que ma place.

— Je serais aussi bien fâché de perdre la mienne, reprit le bon curé, d'une voix de plus en plus émue.

— Quelle différence! reprit vivement le geôlier; vous, monsieur le curé, on sait que vous avez 800 livres de rente, du bon bien au soleil°...

Tels sont les faits qui, commentés, exagérés de vingt façons différentes, agitaient depuis deux jours toutes les passions haineuses de la petite ville de Verrières. Dans ce moment, ils servaient de texte à la petite discussion que M. de Rênal avait avec sa femme. Le matin, suivi de M. Valenod, directeur du dépôt de mendicité, il était allé chez le curé pour lui témoigner le plus vif mécontentement. M. Chélan n'était protégé par personne; il sentit toute la portée de leurs paroles.

— Eh bien, messieurs! je serai le troisième curé, de quatre-vingts ans d'âge, que l'on destituera dans ce voisinage. Il y a cinquante-six ans que je suis ici; j'ai baptisé presque tous les habitants de la ville, qui n'était qu'un bourg quand j'y arrivai. Je marie tous les jours des jeunes gens, dont jadis j'ai marié les grands-pères. Verrières est ma famille; mais je me suis dit, en voyant l'étranger : « Cet homme venu de Paris, peut être à la vérité un libéral, il n'y

en a que trop; mais quel mal peut-il faire à nos pauvres et à nos prisonniers? »

Les reproches de M. de Rênal, et surtout ceux de M. Valenod, le directeur du dépôt de mendicité, devenant de plus en plus vifs :

— Eh bien, messieurs! faites-moi destituer, s'était écrié le vieux curé, d'une voix tremblante. Je n'en habiterai pas moins le pays. On sait qu'il y a quarante-huit ans, j'ai hérité d'un champ qui rapporte 800 livres. Je vivrai avec ce revenu. Je ne fais point d'économies dans ma place, moi, messieurs, et c'est peut-être pourquoi je ne suis pas si effrayé quand on parle de me la faire perdre.

M. de Rênal vivait fort bien avec sa femme; mais ne sachant que répondre à cette idée, qu'elle lui répétait timidement : « Quel mal ce monsieur de Paris peut-il faire aux prisonniers? » il était sur le point de se fâcher tout à fait quand elle jeta un cri. Le second de ses fils venait de monter sur le parapet du mur de la terrasse, et y courait, quoique ce mur fût élevé de plus de vingt pieds sur la vigne qui est de l'autre côté. La crainte d'effrayer son fils et de le faire tomber empêchait madame de Rênal de lui adresser la parole. Enfin l'enfant, qui riait de sa prouesse, ayant regardé sa mère, vit sa pâleur, sauta sur la promenade et accourut à elle. Il fut bien grondé.

Ce petit événement changea le cours de la conversation.

— Je veux absolument prendre chez moi Sorel, le fils du scieur de planches, dit M. de Rênal; il surveillera les enfants qui commencent à devenir trop diables pour nous. C'est un jeune prêtre, ou autant vaut,° bon latiniste, et qui fera faire des progrès aux enfants; car il a un caractère ferme, dit le curé. Je lui donnerai 300 francs et la nourriture. J'avais quelques doutes sur sa moralité; car il était le benjamin° de ce vieux chirurgien, membre de la légion d'honneur, qui, sous prétexte qu'il était leur cousin, était venu se mettre en pension chez les Sorel. Cet homme pouvait fort bien n'être au fond qu'un agent secret des libéraux; il disait que l'air de nos montagnes faisait du bien à son asthme; mais c'est ce qui n'est pas prouvé. Il avait fait toutes les campagnes de *Buonaparté*° en

20. *destituera:* will discharge. 28. *bien au soleil:* landed property.

36. *autant vaut:* practically the same thing. 40. *benjamin:* favorite. 48. *Buonaparté:* Adversaries of Napoleon pronounced his name contemptuously in the Italian form.

Italie, et même avait, dit-on, signé *non* pour l'empire° dans le temps. Ce libéral montrait° le latin au fils Sorel, et lui a laissé cette quantité de livres qu'il avait apportés avec lui. Aussi n'aurais-je jamais songé à mettre le fils du charpentier auprès de nos enfants; mais le curé, justement la veille de la scène qui vient de nous brouiller à jamais, m'a dit que ce Sorel étudie la théologie depuis trois ans, avec le projet d'entrer au séminaire; il n'est donc pas libéral, et il est latiniste.

Cet arrangement convient de plus d'une façon, continua M. de Rênal, en regardant sa femme d'un air diplomatique; le Valenod est tout fier des deux beaux normands° qu'il vient d'acheter pour sa calèche.° Mais il n'a pas de précepteur pour ses enfants.

— Il pourrait bien nous enlever celui-ci.

— Tu approuves donc mon projet? dit M. de Rênal, remerciant sa femme, par un sourire, de l'excellente idée qu'elle venait d'avoir. Allons, voilà qui est décidé.

— Ah, bon Dieu! mon cher ami, comme tu prends vite un parti!

— C'est que j'ai du caractère, moi, et le curé l'a bien vu. Ne dissimulons rien, nous sommes environnés de libéraux ici. Tous ces marchands de toile me portent envie, j'en ai la certitude; deux ou trois deviennent des richards; eh bien! j'aime assez qu'ils voient passer les enfants de M. de Rênal, allant à la promenade sous la conduite de *leur précepteur.* Cela imposera. Mon grand-père nous racontait souvent que, dans sa jeunesse, il avait eu un précepteur. C'est cent écus° qu'il m'en pourra coûter, mais ceci doit être classé comme une dépense nécessaire pour soutenir notre rang.

Cette résolution subite laissa madame de Rênal toute pensive. C'était une femme grande, bien faite, qui avait été la beauté du pays, comme on dit dans ces montagnes. Elle avait un certain air de simplicité, et de la jeunesse dans la démarche; aux yeux d'un Parisien, cette grâce naïve, pleine d'innocence et de vivacité, serait même allée jusqu'à rappeler des idées de douce volupté. Si elle eût appris ce genre de succès, madame de Rênal en eût été bien honteuse. Ni la coquetterie, ni l'affectation n'avaient jamais approché de ce cœur. M. Valenod, le riche directeur du dépôt, passait pour lui avoir fait la cour, mais sans succès, ce qui avait jeté un éclat singulier sur sa vertu; car ce M. Valenod, grand jeune homme, taillé en force, avec un visage coloré et de gros favoris° noirs, était un de ces êtres grossiers, effrontés et bruyants, qu'en province on appelle de beaux hommes.

Madame de Rênal, fort timide et d'un caractère en apparence fort inégal,° était surtout choquée du mouvement continuel et des éclats de voix de M. Valenod. L'éloignement qu'elle avait pour ce qu'à Verrières on appelle de la joie, lui avait valu la réputation d'être très fière de sa naissance. Elle n'y songeait pas, mais avait été fort contente de voir les habitants de la ville venir moins chez elle. Nous ne dissimulerons pas qu'elle passait pour sotte aux yeux de *leurs* dames, parce que, sans nulle politique° à l'égard de son mari, elle laissait échapper les plus belles occasions de se faire acheter de beaux chapeaux de Paris ou de Besançon. Pourvu qu'on la laissât seule errer dans son beau jardin, elle ne se plaignait jamais.

C'était une âme naïve qui jamais ne s'était élevée même jusqu'à juger son mari, et à s'avouer qu'il l'ennuyait. Elle supposait, sans se le dire, qu'entre mari et femme il n'y avait pas de plus douces relations. Elle aimait surtout M. de Rênal quand il lui parlait de ses projets sur leurs enfants, dont il destinait l'un à l'épée, le second à la magistrature, et le troisième à l'Église. En somme, elle trouvait M. de Rênal beaucoup moins ennuyeux que tous les hommes de sa connaissance.

Ce jugement conjugal était raisonnable. Le maire de Verrières devait une réputation d'esprit et surtout de bon ton à une demi-douzaine de plaisanteries dont il avait hérité d'un oncle. Le vieux capitaine de Rênal servait avant la Révolution dans le régiment d'infanterie de M. le duc d'Orléans,° et, quand il allait à Paris, était admis dans les salons du prince. Il y avait vu madame de Montesson,° la fameuse

---

2. In a plebiscite in 1804, on the question whether Napoleon, First Consul, should become Emperor, the staunch republicans voted "No." 2. *montrait:* used to teach. 15. *normands:* Norman horses. 16. *calèche:* light open carriage. 35. *cent écus:* 300 francs.

8. *favoris:* side whiskers. 14. *inégal:* changeable. 23. *politique:* i.e., cunning. 45. *duc d'Orléans:* cousin of Louis XVI. 47. *madame de Montesson:* literary lady, morganatic wife of the Duc d'Orléans.

madame de Genlis,° M. Ducrest,° l'inventeur du Palais-Royal. Ces personnages ne reparaissaient que trop souvent dans les anecdotes de M. de Rênal. Mais peu à peu ce souvenir de choses aussi délicates à raconter était devenu un travail pour lui, et, depuis quelque temps, il ne répétait que dans les grandes occasions ses anecdotes relatives à la maison d'Orléans. Comme il était d'ailleurs fort poli, excepté lorsqu'on parlait d'argent, il passait, avec raison, pour le personnage le plus aristocratique de Verrières.

IV. UN PÈRE ET UN FILS

— Ma femme a réellement beaucoup de tête! se disait, le lendemain à six heures du matin, le maire de Verrières, en descendant à la scie du père Sorel. Quoique je le lui aie dit, pour conserver la supériorité qui m'appartient, je n'avais pas songé que si je ne prends pas ce petit abbé Sorel, qui, dit-on, sait le latin comme un ange, le directeur du dépôt, cette âme sans repos, pourrait bien avoir la même idée que moi et me l'enlever. Avec quel ton de suffisance il parlerait du précepteur de ses enfants!... Ce précepteur, une fois à moi, portera-t-il la soutane?°

M. de Rênal était absorbé dans ce doute, lorsqu'il vit de loin un paysan, homme de près de six pieds, qui, dès le petit jour, semblait fort occupé à mesurer des pièces de bois déposées le long du Doubs, sur le chemin de halage.° Le paysan n'eut pas l'air fort satisfait de voir approcher M. le maire; car ses pièces de bois obstruaient le chemin, et étaient déposées là en contravention.°

Le père Sorel, car c'était lui, fut très surpris et encore plus content de la singulère proposition que M. de Rênal lui faisait pour son fils Julien. Il ne l'en écouta pas moins avec cet air de tristesse mécontente et de désintérêt dont sait si bien se revêtir la finesse des habitants de ces montagnes. Esclaves du temps de la domination espagnole, ils conservent encore ce trait de la physionomie du fellah° de l'Égypte.

La réponse de Sorel ne fut d'abord que la longue récitation de toutes les formules de respect qu'il savait par cœur. Pendant qu'il répétait ces vaines paroles, avec un sourire 5 gauche qui augmentait l'air de fausseté et presque de friponnerie naturel à sa physionomie, l'esprit actif du vieux paysan cherchait à découvrir quelle raison pouvait porter un homme aussi considérable à prendre chez lui 10 son vaurien de fils. Il était fort mécontent de Julien, et c'était pour lui que M. de Rênal lui offrait le gage inespéré de 300 francs par an, avec la nourriture et même l'habillement. Cette dernière prétention,° que le père Sorel avait eu 15 le génie de mettre en avant subitement, avait été accordée de même par M. de Rênal.

Cette demande frappa le maire. Puisque Sorel n'est pas ravi et comblé de ma proposition, comme naturellement il devrait l'être, il est 20 clair, se dit-il, qu'on lui a fait des offres d'un autre côté; et de qui peuvent-elles venir, si ce n'est du Valenod? Ce fut en vain que M. de Rênal pressa Sorel de conclure sur-le-champ : l'astuce° du vieux paysan s'y refusa opiniâtre-25 ment; il voulait, disait-il, consulter son fils, comme si, en province, un père riche consultait un fils qui n'a rien, autrement que pour la forme.

Une scie à eau se compose d'un hangar au 30 bord d'un ruisseau. Le toit est soutenu par une charpente° qui porte sur quatre gros piliers en bois. A huit ou dix pieds d'élévation, au milieu du hangar, on voit une scie qui monte et descend, tandis qu'un mécanisme fort simple 35 pousse contre cette scie une pièce de bois. C'est une roue mise en mouvement par le ruisseau qui fait aller ce double mécanisme, celui de la scie qui monte et descend, et celui qui pousse doucement la pièce de bois vers la scie, qui la 40 débite° en planches.

En approchant de son usine, le père Sorel appela Julien de sa voix de stentor; personne ne répondit. Il ne vit que ses fils aînés, espèce de géants qui, armés de lourdes haches, équarris-45 saient° les troncs de sapin, qu'ils allaient porter à la scie. Tout occupés à suivre exactement la marque noire tracée sur la pièce de bois, chaque coup de leur hache en séparait des

1. *madame de Genlis:* writer, governess of the Duc d'Orléans' children. 1. *M. Ducrest:* brother of Mme de Genlis; he transformed the Paris palace of the Duc d'Orléans into a public promenade, with shops, cafés, etc. (See Diderot's *Neveu de Rameau.*) 28. *soutane:* cassock, long clerical gown. 33. *chemin de halage:* towpath. 37. *en contravention:* contrary to regulations. 46. *fellah:* peasant.

14. *prétention:* claim. 24. *astuce:* astuteness, craftiness. 31. *charpente:* frame. 40. *débite:* cuts up. 45. *équarrissaient:* were squaring, trimming.

copeaux° énormes. Ils n'entendirent pas la voix de leur père. Celui-ci se dirigea vers le hangar; en y entrant, il chercha vainement Julien à la place qu'il aurait dû occuper, à côté de la scie. Il l'aperçut à cinq ou six pieds plus haut, à cheval sur l'une des pièces de la toiture.° Au lieu de surveiller attentivement l'action de tout le mécanisme, Julien lisait. Rien n'était plus antipathique au vieux Sorel; il eût peut-être pardonné à Julien sa taille mince, peu propre aux travaux de force, et si différente de celle de ses aînés; mais cette manie de lecture lui était odieuse : il ne savait pas lire lui-même.

Ce fut en vain qu'il appela Julien deux ou trois fois. L'attention que le jeune homme donnait à son livre, bien plus que le bruit de la scie, l'empêcha d'entendre la terrible voix de son père. Enfin, malgré son âge, celui-ci sauta lestement sur l'arbre soumis à l'action de la scie, et de là sur la poutre° transversale qui soutenait le toit. Un coup violent fit voler dans le ruisseau le livre que tenait Julien; un second coup aussi violent, donné sur la tête, en forme de calotte,° lui fit perdre l'équilibre. Il allait tomber à douze ou quinze pieds plus bas, au milieu des leviers de la machine en action, qui l'eussent brisé, mais son père le retint de la main gauche, comme il tombait :

— Eh bien, paresseux! tu liras donc toujours tes maudits livres, pendant que tu es de garde à la scie? Lis-les le soir, quand tu vas perdre ton temps chez le curé, à la bonne heure.

Julien, quoique étourdi par la force du coup et tout sanglant, se rapprocha de son poste officiel, à côté de la scie. Il avait les larmes aux yeux, moins à cause de la douleur physique que pour la perte de son livre qu'il adorait.

— Descends, animal, que je te parle.

Le bruit de la machine empêcha encore Julien d'entendre cet ordre. Son père, qui était descendu, ne voulant pas se donner la peine de remonter sur le mécanisme, alla chercher une longue perche° pour abattre des noix, et l'en frappa sur l'épaule. A peine Julien fut-il à terre, que le vieux Sorel, le chassant rudement devant lui, le poussa vers la maison. Dieu sait ce qu'il va me faire! se disait le jeune homme. En passant, il regarda tristement le ruisseau où était tombé son livre; c'était celui de tous qu'il affectionnait le plus, le *Mémorial de Sainte-Hélène.*°

Il avait les joues pourpres et les yeux baissés. C'était un petit jeune homme de dix-huit à dix-neuf ans, faible en apparence, avec des traits irréguliers, mais délicats, et un nez aquilin. De grands yeux noirs, qui, dans les moments tranquilles, annonçaient de la réflexion et du feu, étaient animés en cet instant de l'expression de la haine la plus féroce. Des cheveux châtain foncé, plantés fort bas, lui donnaient un petit front, et, dans les moments de colère, un air méchant. Parmi les innombrables variétés de la physionomie humaine, il n'en est peut-être point qui se soit distinguée par une spécialité plus saisissante. Une taille svelte et bien prise annonçait plus de légèreté que de vigueur. Dès sa première jeunesse, son air extrêmement pensif et sa grande pâleur avaient donné l'idée à son père qu'il ne vivrait pas, ou qu'il vivrait pour être une charge à sa famille. Objet des mépris de tous à la maison, il haïssait ses frères et son père; dans les jeux du dimanche, sur la place publique, il était toujours battu.

Il n'y avait pas un an que sa jolie figure commençait à lui donner quelques voix amies parmi les jeunes filles. Méprisé de tout le monde, comme un être faible, Julien avait adoré ce vieux chirurgien-major· qui un jour osa parler au maire au sujet des platanes.

Ce chirurgien payait quelquefois au père Sorel la journée de son fils, et lui enseignait le latin et l'histoire, c'est-à-dire ce qu'il savait d'histoire, la campagne de 1796 en Italie. En mourant, il lui avait légué sa croix de la légion d'honneur, les arrérages° de sa demi-solde° et trente ou quarante volumes, dont le plus précieux venait de faire le saut dans *le ruisseau public,* détourné par le crédit de M. le maire.

A peine entré dans la maison, Julien se sentit l'épaule arrêtée par la puissante main de son père; il tremblait, s'attendant à quelques coups.

— Réponds-moi sans mentir, lui cria aux oreilles la voix dure du vieux paysan, tandis que sa main le retournait comme la main d'un

---

1. *copeaux:* chips. 6. *à cheval... toiture:* astride one of the roof beams. 20. *poutre:* beam. 23. *calotte:* blow on the head. (Throughout this passage we may see Stendhal taking vengeance on his hated father.) 43. *perche:* pole.

4. *Mémorial de Sainte-Hélène:* journal of conversations with Napoleon by his secretary on St. Helena. 39. *arrérages:* arrears. 39. *demi-solde:* half-pay (pension).

enfant retourne un soldat de plomb. Les grands yeux noirs et remplis de larmes de Julien se trouvèrent en face des petits yeux gris et méchants du vieux charpentier, qui avait l'air de vouloir lire jusqu'au fond de son âme.

V. UNE NÉGOCIATION

— Réponds-moi sans mentir, si tu le peux, chien de *lisard*;° d'où connais-tu madame de Rênal, quand lui as-tu parlé?

— Je ne lui ai jamais parlé, répondit Julien, je n'ai jamais vu cette dame qu'à l'église.

— Mais tu l'auras regardée, vilain effronté?

— Jamais! Vous savez qu'à l'église je ne vois que Dieu, ajouta Julien, avec un petit air hypocrite, tout propre, selon lui, à éloigner le retour des taloches.°

— Il y a pourtant quelque chose là-dessous, répliqua le paysan malin, et il se tut un instant ; mais je ne saurai rien de toi, maudit hypocrite. Au fait, je vais être délivré de toi, et ma scie n'en ira que mieux. Tu as gagné M. le curé ou tout autre, qui t'a procuré une belle place. Va faire ton paquet, et je te mènerai chez M. de Rênal, où tu seras précepteur des enfants.

— Qu'aurai-je pour cela?

— La nourriture, l'habillement et trois cents francs de gages.

— Je ne veux pas être domestique.

— Animal, qui te parle d'être domestique, est-ce que je voudrais que mon fils fût domestique?

— Mais, avec qui mangerai-je?

Cette demande déconcerta le vieux Sorel, il sentit qu'en parlant il pourrait commettre quelque imprudence; il s'emporta contre Julien, qu'il accabla d'injures, en l'accusant de gourmandise, et le quitta pour aller consulter ses autres fils.

Julien les vit bientôt après, chacun appuyé sur sa hache et tenant conseil. Après les avoir longtemps regardés, Julien, voyant qu'il ne pouvait rien deviner, alla se placer de l'autre côte de la scie, pour éviter d'être surpris. Il voulait penser à cette annonce imprévue qui changeait son sort, mais il se sentit incapable de prudence; son imagination était tout entière à se figurer ce qu'il verrait dans la belle maison de M. de Rênal.

— Il faut renoncer à tout cela, se dit-il, plutôt que de se laisser réduire à manger avec les domestiques. Mon père voudra m'y forcer; plutôt mourir. J'ai quinze francs huit sous d'économies, je me sauve cette nuit; en deux jours, par des chemins de traverse° où je ne crains nul gendarme, je suis à Besançon; là, je m'engage comme soldat, et, s'il le faut, je passe en Suisse. Mais alors plus d'avancement, plus d'ambition pour moi, plus de ce bel état de prêtre qui mène à tout.°

Cette horreur pour manger avec les domestiques n'était pas naturelle à Julien, il eût fait pour arriver à la fortune des choses bien autrement° pénibles. Il puisait cette répugnance dans les *Confessions* de Rousseau. C'était le seul livre à l'aide duquel son imagination se figurât le monde. Le recueil des bulletins de la grande-armée et le *Mémorial de Sainte-Hélène* complétaient son coran.° Il se serait fait tuer pour ces trois ouvrages. Jamais il ne crut en aucun autre. D'après un mot du vieux chirurgien-major, il regardait tous les autres livres du monde comme menteurs, et écrits par des fourbes° pour avoir de l'avancement.

Avec une âme de feu, Julien avait une de ces mémoires étonnantes si souvent unies à la sottise. Pour gagner le vieux curé Chélan, duquel il voyait bien que dépendait son sort à venir, il avait appris par cœur tout le Nouveau Testament en latin; il savait aussi le livre *du Pape* de M. de Maistre,° et croyait à l'un aussi peu qu'à l'autre.

Comme par un accord mutuel. Sorel et son fils évitèrent de se parler ce jour-là. Sur la brune,° Julien alla prendre sa leçon de théologie chez le curé, mais il ne jugea pas prudent de lui rien dire de l'étrange proposition qu'on avait faite à son père. Peut-être est-ce un piège, se disait-il, il faut faire semblant de l'avoir oublié.

Le lendemain de bonne heure, M. de Rênal fit appeler le vieux Sorel, qui, après s'être fait attendre une heure ou deux, finit par arriver, en faisant dès la porte cent excuses, entremêlées d'autant de révérences. A force de parcourir toutes sortes d'objections, Sorel comprit que

---

6. *chemins de traverse:* side roads. 11. Here enters the theme of the priesthood, by which way only, says Stendhal, could the ambitious, low-born youth rise to power under the Restoration. 15. *bien autrement:* much more. 20. *coran:* Koran. 24. *fourbes:* rascals, swindlers. 32. *livre… Maistre:* vigorous defense of Pope's spiritual and temporal power by Joseph de Maistre (1819). 36. *sur la brune:* at dusk.

9. *lisard:* bookworm. (Notice the contemptuous termination *-ard*.) 17. *taloches:* blows.

son fils mangerait avec le maître et la maîtresse de la maison, et les jours où il y aurait du monde, seul dans une chambre à part avec les enfants. Toujours plus disposé à incidenter° à mesure qu'il distinguait un véritable empressement chez M. le maire, et d'ailleurs rempli de défiance et d'étonnement, Sorel demanda à voir la chambre où coucherait son fils. C'était une grande pièce meublée fort proprement, mais dans laquelle on était déjà occupé à transporter les lits des trois enfants.

Cette circonstance fut un trait de lumière pour le vieux paysan; il demanda aussitôt avec assurance à voir l'habit que l'on donnerait à son fils. M. de Rênal ouvrit son bureau et prit cent francs.

— Avec cet argent, votre fils ira chez M. Durand, le drapier, et lèvera° un habit noir complet.

— Et quand même je le retirerais de chez vous, dit le paysan, qui avait tout à coup oublié ses formes révérencieuses, cet habit noir lui restera?

— Sans doute.

— Oh bien! dit Sorel d'un ton de voix traînard, il ne reste donc plus qu'à nous mettre d'accord sur une seule chose, l'argent que vous lui donnerez.

— Comment! s'écria M. de Rênal indigné, nous sommes d'accord depuis hier : je donne trois cents francs; je crois que c'est beaucoup, et peut-être trop.

— C'était votre offre, je ne le nie point, dit le vieux Sorel, parlant encore plus lentement; et, par un effort de génie qui n'étonnera que ceux qui ne connaissent pas les paysans francs-comtois, il ajouta, en regardant fixement M. de Rênal : *Nous trouvons mieux ailleurs.*

A ces mots la figure du maire fut bouleversée. Il revint cependant à lui, et, après une conversation savante de deux grandes heures, où pas un mot ne fut dit au hasard, la finesse du paysan l'emporta sur la finesse de l'homme riche, qui n'en a pas besoin pour vivre. Tous les nombreux articles qui devaient régler la nouvelle existence de Julien se trouvèrent arrêtés; non seulement ses appointements° furent réglés à quatre cents francs, mais on dut les payer d'avance, le premier de chaque mois.

— Eh bien! je lui remettrai trente-cinq francs, dit M. de Rênal.

— Pour faire la somme ronde, un homme riche et généreux comme monsieur notre maire, dit le paysan d'une voix *câline,*° ira bien jusqu'à trente-six francs.

— Soit, dit M. de Rênal, mais finissons-en.

Pour le coup, la colère lui donnait le ton de la fermeté. Le paysan vit qu'il fallait cesser de marcher en avant. Alors, à son tour, M. de Rênal fit des progrès. Jamais il ne voulut remettre le premier mois de trente-six francs au vieux Sorel, fort empressé de le recevoir pour son fils. M. de Rênal vint à penser qu'il serait obligé de raconter à sa femme le rôle qu'il avait joué dans toute cette négociation.

— Rendez-moi les cent francs que je vous ai remis, dit-il avec humeur. M. Durand me doit quelque chose. J'irai avec votre fils faire la levée du drap noir.

Après cet acte de vigueur, Sorel rentra prudemment dans ses formules respectueuses; elles prirent un bon quart d'heure. A la fin, voyant qu'il n'y avait décidément plus rien à gagner, il se retira. Sa dernière révérence finit par ces mots :

— Je vais envoyer mon fils au château.

C'était ainsi que les administrés de M. le maire appelaient sa maison quand ils voulaient lui plaire.

De retour à son usine, ce fut en vain que Sorel chercha son fils. Se méfiant de ce qui pouvait arriver, Julien était sorti au milieu de la nuit. Il avait voulu mettre en sûreté ses livres et sa croix de la légion d'honneur. Il avait transporté le tout chez un jeune marchand de bois, son ami, nommé Fouqué, qui habitait dans la haute montagne qui domine Verrières.

Quand il reparut : — Dieu sait, maudit paresseux, lui dit son père, si tu auras jamais assez d'honneur pour me payer le prix de ta nourriture, que j'avance depuis tant d'années! Prends tes guenilles,° et va-t'en chez M. le maire.

Julien, étonné de n'être pas battu, se hâta de partir. Mais à peine hors de la vue de son terrible père, il ralentit le pas. Il jugea qu'il serait utile à son hypocrisie d'aller faire une station à l'église.

---

4. *incidenter:* make difficulties. 18. *lèvera:* will have cut. 47. *appointements:* salary.

5. *câline:* cajoling. 43. *guenilles:* rags.

Ce mot° vous surprend? Avant d'arriver à cet horrible mot, l'âme du jeune paysan avait eu bien du chemin à parcourir.

Dès sa première enfance, la vue de certains dragons du 6ᵐᵉ,° aux longs manteaux blancs, et la tête couverte de casques aux longs crins noirs,° qui revenaient d'Italie, et que Julien vit attacher leurs chevaux à la fenêtre grillée de la maison de son père, le rendit fou de l'état militaire. Plus tard il écoutait avec transport les récits des batailles du pont de Lodi, d'Arcole, de Rivoli, que lui faisait le vieux chirurgien-major. Il remarqua les regards enflammés que le vieillard jetait sur sa croix.

Mais lorsque Julien avait quatorze ans, on commença à bâtir à Verrières une église, que l'on peut appeler magnifique pour une aussi petite ville. Il y avait surtout quatre colonnes de marbre dont la vue frappa Julien; elles devinrent célèbres dans le pays, par la haine mortelle qu'elles suscitèrent entre le juge de paix et le jeune vicaire, envoyé de Besançon, qui passait pour être l'espion de la congrégation.° Le juge de paix fut sur le point de perdre sa place, du moins telle était l'opinion commune. N'avait-il pas osé avoir un différend avec un prêtre qui, presque tous les quinze jours, allait à Besançon où il voyait, disait-on, monseigneur l'évêque?

Sur ces entrefaites, le juge de paix, père d'une nombreuse famille, rendit plusieurs sentences qui semblèrent injustes; toutes furent portées contre ceux des habitants qui lisaient le *Constitutionnel.*° Le bon parti° triompha. Il ne s'agissait, il est vrai, que de sommes de trois ou de cinq francs; mais une de ces petites amendes dut être payée par un cloutier,° parrain de Julien. Dans sa colère, cet homme s'écriait: «Quel changement! et dire que, depuis plus de vingt ans, le juge de paix passait pour un si honnête homme!» Le chirurgien-major, ami de Julien, était mort.

Tout à coup Julien cessa de parler de Napoléon; il annonça le projet de se faire prêtre, et on le vit constamment, dans la scie de son père, occupé à apprendre par cœur une bible latine que le curé lui avait prêtée. Ce bon vieillard, émerveillé de ses progrès, passait des soirées entières à lui enseigner la théologie. Julien ne faisait paraître devant lui que des sentiments pieux. Qui eût pu deviner que cette figure de jeune fille, si pâle et si douce, cachait la résolution inébranlable de s'exposer à mille morts plutôt que de ne pas faire fortune!

Pour Julien, faire fortune, c'était d'abord sortir de Verrières; il abhorrait sa patrie. Tout ce qu'il y voyait glaçait son imagination.

Dès sa première enfance, il avait eu des moments d'exaltation. Alors il songeait avec délices qu'un jour il serait présenté aux jolies femmes de Paris, il saurait attirer leur attention par quelque action d'éclat. Pourquoi ne serait-il pas aimé de l'une d'elles, comme Bonaparte, pauvre encore, avait été aimé de la brillante madame de Beauharnais?° Depuis bien des années, Julien ne passait peut-être pas une heure de sa vie sans se dire que Bonaparte, lieutenant obscur et sans fortune, s'était fait le maître du monde avec son épée. Cette idée le consolait de ses malheurs qu'il croyait grands, et redoublait sa joie quand il en avait.

La construction de l'église et les sentences du juge de paix l'éclairèrent tout à coup; une idée qui lui vint le rendit comme fou pendant quelques semaines, et enfin s'empara de lui avec la toute-puissance de la première idée qu'une âme passionnée croit avoir inventée.

«Quand Bonaparte fit parler de lui, la France avait peur d'être envahie; le mérite militaire était nécessaire et à la mode. Aujourd'hui, on voit des prêtres de quarante ans avoir cent mille francs d'appointements, c'est-à-dire trois fois autant que les fameux généraux de division de Napoléon. Il leur faut des gens qui les secondent. Voilà ce juge de paix, si bonne tête, si honnête homme, jusqu'ici, si vieux, qui se déshonore par crainte de déplaire à un jeune vicaire de trente ans. Il faut être prêtre.»

Une fois, au milieu de sa nouvelle piété — il y avait déjà deux ans que Julien étudiait la théologie — il fut trahi par une irruption soudaine du feu qui dévorait son âme. Ce fut chez M. Chélan, à un dîner de prêtres auquel le bon curé l'avait présenté comme un prodige

1. *Ce mot:* i.e., *hypocrisie.* 5. *dragons du 6ᵐᵉ:* dragoons of 6th Regiment, in which Stendhal had served. 7. *casques... noirs:* helmets with long, black horsehair plumes. 23. *Congrégation de la Sainte-Vierge,* powerful society of laymen, supporting Church and monarchy. 34. *Constitutionnel:* liberal newspaper. 34. *Le bon parti:* i.e., the conservatives. 37. *cloutier:* nail maker.

19. Joséphine de Beauharnais (1762–1814) married, when a widow, Napoleon in 1796. She became Empress in 1804, and was repudiated by Napoleon in 1809, for childlessness.

d'instruction; il lui arriva de louer Napoléon avec fureur. Il se lia le bras droit contre la poitrine, prétendit s'être disloqué le bras en remuant un tronc de sapin, et le porta pendant deux mois dans cette position gênante. Après cette peine afflictive,° il se pardonna. Voilà le jeune homme de dix-neuf ans, mais faible en apparence, et à qui l'on en eût tout au plus donné dix-sept, qui, portant un petit paquet sous le bras, entrait dans la magnifique église de Verrières.

Il la trouva sombre et solitaire. A l'occasion d'une fête, toutes les croisées° de l'édifice avaient été couvertes d'étoffe cramoisie.° Il en résultait, aux rayons du soleil, un effet de lumière éblouissant, du caractère le plus imposant et le plus religieux. Julien tressaillit. Seul, dans l'église, il s'établit dans le banc qui avait la plus belle apparence. Il portait les armes de M. de Rênal.

Sur le prie-Dieu, Julien remarqua un morceau de papier imprimé, étalé là comme pour être lu. Il y porta les yeux et vit :

Détails de l'exécution et des derniers moments de Louis Jenrel, exécuté à Besançon, le...

Le papier était déchiré. Au revers, on lisait les deux premiers mots d'une ligne, c'étaient : *Le premier pas.*

— Qui a pu mettre ce papier là, dit Julien? Pauvre malheureux, ajouta-t-il avec un soupir, son nom finit comme le mien... et il froissa le papier.

En sortant, Julien crut voir du sang près du bénitier, c'était de l'eau bénite qu'on avait répandue : le reflet des rideaux rouges qui couvraient les fenêtres la faisait paraître du sang.°

Enfin, Julien eut honte de sa terreur secrète.

— Serais-je un lâche! se dit-il, *aux armes!*

Ce mot si souvent répété dans les récits de batailles du vieux chirurgien était héroïque pour Julien. Il se leva et marcha rapidement vers la maison de M. de Rênal.

Malgré ces belles résolutions, dès qu'il l'aperçut à vingt pas de lui, il fut saisi d'une invincible timidité. La grille de fer était ouverte, elle lui semblait magnifique, il fallait entrer là-dedans.

Julien n'était pas la seule personne dont le cœur fût troublé par son arrivée dans cette maison. L'extrême timidité de madame de Rênal était déconcertée par l'idée de cet étranger, qui, d'après ses fonctions, allait se trouver constamment entre elle et ses enfants. Elle était accoutumée à avoir ses fils couchés dans sa chambre. Le matin, bien des larmes avaient coulé quand elle avait vu transporter leurs petits lits dans l'appartement destiné au précepteur. Ce fut en vain qu'elle demanda à son mari que le lit de Stanislas-Xavier, le plus jeune, fût reporté dans sa chambre.

La délicatesse de femme était poussée à un point excessif chez madame de Rênal. Elle se faisait l'image la plus désagréable d'un être grossier et mal peigné, chargé de gronder ses enfants, uniquement parce qu'il savait le latin, un language barbare pour lequel on fouetterait ses fils.

VI. l'ennui

Avec la vivacité et la grâce qui lui étaient naturelles quand elle était loin des regards des hommes, madame de Rênal sortait par la porte-fenêtre du salon qui donnait sur le jardin, quand elle aperçut près de la porte d'entrée la figure d'un jeune paysan presque encore enfant, extrêmement pâle et qui venait de pleurer. Il était en chemise bien blanche, et avait sous le bras une veste° fort propre de ratine° violette.

Le teint de ce petit paysan était si blanc, ses yeux si doux, que l'esprit un peu romanesque de madame de Rênal eut d'abord l'idée que ce pouvait être une jeune fille déguisée, qui venait demander quelque grâce à M. le maire. Elle eut pitié de cette pauvre créature, arrêtée à la porte d'entrée, et qui évidemment n'osait pas lever la main jusqu'à la sonnette. Madame de Rênal s'approcha, distraite un instant de l'amer chagrin que lui donnait l'arrivée du précepteur. Julien, tourné vers la porte, ne la voyait pas s'avancer. Il tressaillit quand une voix douce dit tout près de son oreille :

— Que voulez-vous ici, mon enfant?

Julien se tourna vivement, et, frappé du regard si rempli de grâce de madame de Rênal,

---

6. *peine afflictive:* severe legal punishment. 13. *croisées:* large church windows. 14. *cramoisie:* crimson. 37. This symbolic forecast of Julien's fate is a Romantic device.

33. *veste:* short coat. 33. *ratine:* frieze, coarse wool.

il oublia une partie de sa timidité. Bientôt, étonné de sa beauté, il oublia tout, même ce qu'il venait faire. Madame de Rênal avait répété sa question.

— Je viens pour être précepteur, madame, lui dit-il enfin, tout honteux de ses larmes qu'il essuyait de son mieux.

Madame de Rênal resta interdite, ils étaient fort près l'un de l'autre à se regarder. Julien n'avait jamais vu un être aussi bien vêtu et surtout une femme avec un teint si éblouissant, lui parler d'un air doux. Madame de Rênal regardait les grosses larmes qui s'étaient arrêtées sur les joues si pâles d'abord et maintenant si roses de ce jeune paysan. Bientôt elle se mit à rire, avec toute la gaieté folle d'une jeune fille, elle se moquait d'elle-même et ne pouvait se figurer tout son bonheur. Quoi, c'était là ce précepteur qu'elle s'était figuré comme un prêtre sale et mal vêtu, qui viendrait gronder et fouetter ses enfants!

— Quoi, monsieur, lui dit-elle enfin, vous savez le latin?

Ce mot de monsieur étonna si fort Julien qu'il réfléchit un instant.

— Oui, madame, dit-il timidement.

Madame de Rênal était si heureuse, qu'elle osa dire à Julien :

— Vous ne gronderez pas trop ces pauvres enfants?

— Moi, les gronder, dit Julien étonné, et pourquoi?

— N'est-ce pas, monsieur, ajouta-t-elle après un petit silence et d'une voix dont chaque instant augmentait l'émotion, vous serez bon pour eux, vous me le promettez?

S'entendre appeler de nouveau monsieur, bien sérieusement, et par une dame si bien vêtue, était au-dessus de toutes les prévisions de Julien : dans tous les châteaux en Espagne de sa jeunesse, il s'était dit qu'aucune dame comme il faut ne daignerait lui parler que quand il aurait un bel uniforme. Madame de Rênal, de son côté, était complètement trompée par la beauté du teint, les grands yeux noirs de Julien et ses jolis cheveux qui frisaient plus qu'à l'ordinaire, parce que pour se rafraîchir il venait de plonger la tête dans le bassin de la fontaine publique. A sa grande joie, elle trouvait l'air timide d'une jeune fille à ce fatal précepteur, dont elle avait tant redouté pour ses enfants la

dureté et l'air rébarbatif.° Pour l'âme si paisible de madame de Rênal, le contraste de ses craintes et de ce qu'elle voyait fut un grand événement. Enfin elle revint de sa surprise. Elle fut étonnée de se trouver ainsi à la porte de sa maison avec ce jeune homme presque en chemise et si près de lui.

— Entrons, monsieur, lui dit-elle d'un air assez embarrassé.

De sa vie une sensation purement agréable n'avait aussi profondément ému madame de Rênal, jamais une apparition aussi gracieuse n'avait succédé à des craintes plus inquiétantes. Ainsi ces jolis enfants, si soignés par elle, ne tomberaient pas dans les mains d'un prêtre sale et grognon.° A peine entrée sous le vestibule, elle se retourna vers Julien, qui la suivait timidement. Son air étonné, à l'aspect d'une maison si belle, était une grâce de plus aux yeux de madame de Rênal. Elle ne pouvait en croire ses yeux, il lui semblait surtout que le précepteur devait avoir un habit noir.

— Mais, est-il vrai, monsieur, lui dit-elle en s'arrêtant encore, et craignant mortellement de se tromper, tant sa croyance la rendait heureuse, vous savez le latin?

Ces mots choquèrent l'orgueil de Julien et dissipèrent le charme dans lequel il vivait depuis un quart d'heure.

— Oui, madame, lui dit-il en cherchant à prendre un air froid; je sais le latin aussi bien que M. le curé, et même quelquefois il a la bonté de dire mieux que lui.

Madame de Rênal trouva que Julien avait l'air fort méchant ; il s'était arrêté à deux pas d'elle. Elle s'approcha et lui dit à mi-voix :

— N'est-ce pas, les premiers jours, vous ne donnerez pas le fouet à mes enfants, même quand ils ne sauraient pas leurs leçons?

Ce ton si doux et presque suppliant d'une si belle dame fit tout à coup oublier à Julien ce qu'il devait à sa réputation de latiniste. La figure de madame de Rênal était près de la sienne, il sentit le parfum des vêtements d'été d'une femme, chose si étonnante pour un pauvre paysan. Julien rougit extrêmement et dit avec un soupir et d'une voix défaillante :

— Ne craignez rien, madame, je vous obéirai en tout.

1. *rébarbatif:* forbidding. 16. *grognon:* grumbling.

Ce fut en ce moment seulement, quand son inquiétude pour ses enfants fut tout à fait dissipée, que madame de Rênal fut frappée de l'extrême beauté de Julien. La forme presque féminine de ses traits et son air d'embarras ne semblèrent point ridicules à une femme extrêmement timide elle-même. L'air mâle que l'on trouve communément nécessaire à la beauté d'un homme lui eût fait peur.

— Quel âge avez-vous, monsieur? dit-elle à Julien.

— Bientôt dix-neuf ans.

— Mon fils aîné a onze ans, reprit madame de Rênal tout à fait rassurée, ce sera presque un camarade pour vous, vous lui parlerez raison. Une fois son père a voulu le battre, l'enfant a été malade pendant toute une semaine, et cependant c'etait un bien petit coup.

— Quelle différence avec moi, pensa Julien. Hier encore, mon père m'a battu. Que ces gens riches sont heureux!

Madame de Rênal en était déjà à saisir les moindres nuances de ce qui se passait dans l'âme du précepteur; elle prit ce mouvement de tristesse pour de la timidité et voulut l'encourager.

— Quel est votre nom, monsieur? lui dit-elle avec un accent et une grâce dont Julien sentit tout le charme, sans pouvoir s'en rendre compte.

— On m'appelle Julien Sorel, madame; je tremble en entrant pour la première fois de ma vie dans une maison étrangère, j'ai besoin de votre protection et que vous me pardonniez bien des choses les premiers jours. Je n'ai jamais été au collège, j'étais trop pauvre; je n'ai jamais parlé à d'autres hommes que mon cousin le chirurgien-major, membre de la légion d'honneur, et M. le curé Chélan. Il vous rendra bon témoignage de moi. Mes frères m'ont toujours battu, ne les croyez pas s'ils vous disent du mal de moi; pardonnez mes fautes, madame, je n'aurai jamais mauvaise intention.

Julien se rassurait pendant ce long discours; il examinait madame de Rênal. Tel est l'effet de la grâce parfaite, quand elle est naturelle au caractère, et que surtout la personne qu'elle décore ne songe pas à avoir de la grâce; Julien, qui se connaissait fort bien en beauté féminine, eût juré dans cet instant qu'elle n'avait que vingt ans. Il eut sur-le-champ l'idée hardie de lui baiser la main. Bientôt il eut peur de son idée; un instant après il se dit : « Il y aurait de la lâcheté à moi de ne pas exécuter une action qui peut m'être utile, et diminuer le mépris que cette belle dame a probablement pour un pauvre ouvrier à peine arraché à la scie. » Peut-être Julien fut-il un peu encouragé par ce mot de joli garçon, que depuis six mois il entendait répéter le dimanche par quelques jeunes filles. Pendant ces débats intérieurs, madame de Rênal lui adressait deux ou trois mots d'instruction sur la façon de débuter avec les enfants. La violence que se faisait Julien le rendit de nouveau fort pàle; il dit, d'un air contraint :

— Jamais, madame, je ne battrai vos enfants; je le jure devant Dieu.

Et en disant ces mots, il osa prendre la main de madame de Rênal et la porter à ses lèvres. Elle fut étonnée de ce geste, et par réflexion choquée. Comme il faisait très chaud, son bras était tout à fait nu sous son châle, et le mouvement de Julien, en portant la main à ses lèvres, l'avait entièrement découvert. Au bout de quelques instants, elle se gronda elle-même; il lui sembla qu'elle n'avait pas été assez rapidement indignée.

M. de Rênal, qui avait entendu parler, sortit de son cabinet; du même air majestueux et paterne qu'il prenait lorsqu'il faisait des mariages à la mairie, il dit à Julien :

— Il est essentiel que je vous parle avant que les enfants ne vous voient.

Il fit entrer Julien dans une chambre et retint sa femme qui voulait les laisser seuls. La porte fermée, M. de Rênal s'assit avec gravité.

— M. le curé m'a dit que vous étiez un bon sujet, tout le monde vous traitera ici avec honneur, et si je suis content, j'aiderai à vous faire par la suite un petit établissement. Je veux que vous ne voyiez plus ni parent ni amis, leur ton ne peut convenir à mes enfants. Voici trente-six francs pour le premier mois; mais j'exige votre parole de ne pas donner un sou de cet argent à votre père.

M. de Rênal était piqué contre le vieillard, qui, dans cette affaire, avait été plus fin que lui.

— Maintenant, *monsieur*, car d'après mes ordres tout le monde ici va vous appeler monsieur, et vous sentirez l'avantage d'entrer dans une maison de gens comme il faut; maintenant, monsieur, il n'est pas convenable que les enfants vous voient en veste. Les domestiques l'ont-ils vu ? dit M. de Rênal à sa femme.

— Non, mon ami, répondit-elle d'un air profondément pensif.

— Tant mieux. Mettez ceci, dit-il au jeune homme surpris, en lui donnant une redingote° à lui. Allons maintenant chez M. Durand, le marchand de drap.

Plus d'une heure après, quand M. de Rênal rentra avec le nouveau précepteur tout habillé de noir, il retrouva sa femme assise à la même place. Elle se sentit tranquillisée par la présence de Julien; en l'examinant elle oubliait d'en avoir peur. Julien ne songeait point à elle; malgré toute sa méfiance du destin et des hommes, son âme dans ce moment n'était que celle d'un enfant, il lui semblait avoir vécu des années depuis l'instant où, trois heures auparavant, il etait tremblant dans l'église. Il remarqua l'air glacé de madame de Rênal ; il comprit qu'elle était en colère de ce qu'il avait osé lui baiser la main. Mais le sentiment d'orgueil que lui donnait le contact d'habits si différents de ceux qu'il avait coutume de porter le mettait tellement hors de lui-même, et il avait tant d'envie de cacher sa joie, que tous ses mouvements avaient quelque chose de brusque et de fou. Madame de Rênal le contemplait avec des yeux étonnés.

— De la gravité, monsieur, lui dit M. de Rênal, si vous voulez être respecté de mes enfants et de mes gens.

— Monsieur, répondit Julien, je suis gêné dans ces nouveaux habits; moi, pauvre paysan, je n'ai jamais porté que des vestes; j'irai, si vous le permettez, me renfermer dans ma chambre.

— Que te semble de cette nouvelle acquisition ? dit M. de Rênal à sa femme.

Par un mouvement presque instinctif, et dont certainement elle ne se rendit pas compte, madame de Rênal déguisa la vérité à son mari.

— Je ne suis point aussi enchantée que vous de ce petit paysan, vos prévenances° en feront un impertinent que vous serez obligé de renvoyer avant un mois.

— Eh bien! nous le renverrons, ce sera une centaine de francs qu'il m'en pourra coûter, et Verrières sera accoutumée à voir un précepteur aux enfants de M. de Rênal. Ce but

n'eût point été rempli si j'eusse laissé à Julien l'accoutrement d'un ouvrier. En le renvoyant, je retiendrai, bien entendu, l'habit noir complet que je viens de lever chez le drapier. Il ne lui restera que ce que je viens de trouver tout fait chez le tailleur, et dont je l'ai couvert.

L'heure que Julien passa dans sa chambre parut un instant à madame de Rênal. Les enfants, auxquels l'on avait annoncé le nouveau précepteur, accablaient leur mère de questions. Enfin Julien parut. C'était un autre homme. C'eût été mal parler que de dire qu'il était grave; c'était la gravité incarnée. Il fut présenté aux enfants, et leur parla d'un air qui étonna M. de Rênal lui-même.

— Je suis ici, messieurs, leur dit-il en finissant son allocution, pour vous apprendre le latin. Vous savez ce que c'est que de réciter une leçon. Voici la sainte Bible, dit-il en leur montrant un petit volume in-32,° relié en noir. C'est particulièrement l'histoire de Notre-Seigneur Jésus-Christ, c'est la partie qu'on appelle le Nouveau Testament. Je vous ferai souvent réciter des leçons, faites-moi réciter la mienne.

Adolphe, l'aîné des enfants, avait pris le livre.

— Ouvrez-le au hasard, continua Julien, et dites-moi le premier mot d'un alinéa.° Je réciterai par cœur le livre sacré, règle de notre conduite à tous, jusqu'à ce que vous m'arrêtiez.

Adolphe ouvrit le livre, lut un mot, et Julien récita toute la page avec la même facilité que s'il eût parlé français. M. de Rênal regardait sa femme d'un air de triomphe. Les enfants, voyant l'étonnement de leurs parents, ouvraient de grands yeux. Un domestique vint à la porte du salon, Julien continua de parler latin. Le domestique resta d'abord immobile, et ensuite disparut. Bientôt la femme de chambre de madame et la cuisinière arrivèrent près de la porte; alors Adolphe avait déjà ouvert le livre en huit endroits, et Julien récitait toujours avec la même facilité.

— Ah, mon Dieu! le joli petit prêtre, dit tout haut la cuisinière, bonne fille fort dévote.

L'amour-propre de M. de Rênal était inquiet; loin de songer à examiner le précepteur, il était tout occupé à chercher dans sa mémoire quelques mots latins; enfin, il put dire un vers

---

6. *redingote:* frock coat, formal day dress of bourgeoisie. 43. *prévenances:* kindnesses.

20. *in-32:* composed of sheets folded with 32 leaves to the sheet, with pages about 3 by 4½ inches. 27. *alinéa:* paragraph.

d'Horace. Julien ne savait de latin que sa bible. Il répondit en fronçant le sourcil :

— Le saint ministère auquel je me destine m'a défendu de lire un poète aussi profane.

M. de Rênal cita un assez grand nombre de prétendus vers d'Horace. Il expliqua à ses enfants ce que c'était qu'Horace; mais les enfants, frappés d'admiration, ne faisaient guère attention à ce qu'il disait. Ils regardaient Julien.

Les domestiques étant toujours à la porte, Julien crut devoir prolonger l'épreuve :

— Il faut, dit-il au plus jeune des enfants, que M. Stanislas-Xavier m'indique aussi un passage du livre saint.

Le petit Stanislas, tout fier, lut tant bien que mal le premier mot d'un alinéa, et Julien dit toute la page. Pour que rien ne manquât au triomphe de M. de Rênal, comme Julien récitait, entrèrent M. Valenod, le possesseur des beaux chevaux normands, et M. Charcot de Maugiron, sous-préfet de l'arrondissement.° Cette scène valut à Julien le titre de monsieur; les domestiques eux-mêmes n'osèrent pas le lui refuser.

Le soir, tout Verrières afflua chez M. de Rênal pour voir la merveille. Julien répondait à tous d'un air sombre qui tenait à distance. Sa gloire s'étendit si rapidement dans la ville, que peu de jours après M. de Rênal, craignant qu'on ne le lui enlevât, lui proposa de signer un engagement de deux ans.

— Non, monsieur, répondit froidement Julien, si vous vouliez me renvoyer je serais obligé de sortir. Un engagement qui me lie sans vous obliger à rien n'est point égal, je le refuse.

Julien sut si bien faire que, moins d'un mois après son arrivée dans la maison, M. de Rênal lui-même le respectait. Le curé étant brouillé avec MM. de Rênal et Valenod, personne ne put trahir l'ancienne passion de Julien pour Napoléon; il n'en parlait qu'avec horreur.

VII. LES AFFINITÉS ÉLECTIVES*

Les enfants l'adoraient, lui ne les aimait point; sa pensée était ailleurs. Tout ce que ces marmots° pouvaient faire ne l'impatientait jamais. Froid, juste, impassible, et cependant aimé, parce que son arrivée avait en quelque sorte chassé l'ennui de la maison, il fut un bon précepteur. Pour lui, il n'éprouvait que haine et horreur pour la haute société où il était admis, à la vérité au bas bout de la table, ce qui explique peut-être la haine et l'horreur. Il y eut certains dîners d'apparat,° où il put à grand'peine contenir sa haine pour tout ce qui l'environnait. Un jour de la Saint-Louis° entre autres, M. Valenod tenait le dé° chez M. de Rênal, Julien fut sur le point de se trahir; il se sauva dans le jardin, sous prétexte de voir les enfants. « Quels éloges de la probité ! s'écria-t-il; on dirait que c'est la seule vertu; et cependant quelle considération, quel respect bas pour un homme qui évidemment a doublé et triplé sa fortune, depuis qu'il administre le bien des pauvres ! Je parierais qu'il gagne même sur les fonds destinés aux enfants trouvés,° à ces pauvres dont la misère est encore plus sacrée que celle des autres ! Ah ! monstres ! monstres ! Et moi aussi, je suis une sorte d'enfant trouvé, haï de mon père, de mes frères, de toute ma famille. »

Quelques jours avant la Saint-Louis, Julien, se promenant seul et disant son bréviaire dans un petit bois, qu'on appelle le Belvédère, et qui domine le cours de la Fidélité, avait cherché en vain à éviter ses deux frères, qu'il voyait venir de loin par un sentier solitaire. La jalousie de ces ouvriers grossiers avait été tellement provoquée par le bel habit noir, par l'air extrêmement propre de leur frère, par le mépris sincère qu'il avait pour eux, qu'ils l'avaient battu au point de le laisser évanoui et tout sanglant. Madame de Rênal, se promenant avec M. Valenod et le sous-préfet, arriva par hasard dans le petit bois; elle vit Julien étendu sur la terre et le crut mort. Son saisissement fut tel, qu'il donna de la jalousie à M. Valenod.

Il prenait l'alarme trop tôt. Julien trouvait madame de Rênal fort belle, mais il la haïssait à cause de sa beauté; c'était le premier écueil qui avait failli arrêter sa fortune. Il lui parlait le moins possible, afin de faire oublier le transport qui, le premier jour, l'avait porté à lui baiser la main.

Élisa, la femme de chambre de madame de Rênal, n'avait pas manqué de devenir amoureuse du jeune précepteur; elle en parlait souvent

---

22. *arrondissement:* administrative district, supervised by a *sous-préfet;* subdivision of *département,* governed by a *préfet.*
* Translation of *Die Wahlverwandtschaften,* a novel by Goethe (1809). 46. *marmots:* urchins.

6. *d'apparat:* formal, pretentious. 8. *la Saint-Louis:* August 25. 9. *tenait le dé:* was holding the floor. 18. *enfants trouvés:* foundlings.

à sa maîtresse. L'amour de mademoiselle Élisa avait valu à Julien la haine d'un des valets. Un jour, il entendit cet homme qui disait à Élisa : « Vous ne voulez plus me parler depuis que ce précepteur crasseux° est entré dans la maison. » Julien ne méritait pas cette injure; mais, par instinct de joli garçon, il redoubla de soins pour sa personne. La haine de M. Valenod redoubla aussi. Il dit publiquement que tant de coquetterie ne convenait pas à un jeune abbé. A la soutane près,° c'était le costume que portait Julien.

Madame de Rênal remarqua qu'il parlait plus souvent que de coutume à mademoiselle Élisa; elle apprit que ces entretiens étaient causés par la pénurie de la très petite garde-robe de Julien. Il avait si peu de linge, qu'il était obligé de le faire laver fort souvent hors de la maison, et c'est pour ces petits soins qu'Élisa lui était utile. Cette extrême pauvreté, qu'elle ne soupçonnait pas, toucha madame de Rênal; elle eut envie de lui faire des cadeaux, mais elle n'osa pas; cette résistance intérieure fut le premier sentiment pénible que lui causa Julien. Jusque-là le nom de Julien et le sentiment d'une joie pure et tout intellectuelle était synonymes pour elle. Tourmentée par l'idée de la pauvreté de Julien, madame de Rênal parla à son mari de lui faire un cadeau de linge :

— Quelle duperie! répondit-il. Quoi! faire des cadeaux à un homme dont nous sommes parfaitement contents, et qui nous sert bien? Ce serait dans le cas où il se négligerait qu'il faudrait stimuler son zèle.

Madame de Rênal fut humiliée de cette manière de voir; elle ne l'eût pas remarquée avant l'arrivée de Julien. Elle ne voyait jamais l'extrême propreté de la mise,° d'ailleurs fort simple, du jeune abbé, sans se dire : « Ce pauvre garçon, comment peut-il faire? »

Peu à peu, elle eut pitié de tout ce qui manquait à Julien, au lieu d'en être choquée.

Madame de Rênal était une de ces femmes de province que l'on peut très bien prendre pour des sottes pendant les quinze premiers jours qu'on les voit. Elle n'avait aucune expérience de la vie, et ne se souciait pas de parler. Douée d'une âme délicate et dédaigneuse, cet instinct de bonheur naturel à tous les êtres faisait que, la plupart du temps, elle ne donnait aucune attention aux actions des personnages grossiers au milieu desquels le hasard l'avait jetée.

On l'eût remarquée pour le naturel et la vivacité d'esprit, si elle eût reçu la moindre éducation. Mais en sa qualité d'héritière, elle avait été élevée chez des religieuses adoratrices passionnées du *Sacré-Cœur de Jésus*, et animées d'une haine violente pour les Français ennemis des Jésuites. Madame de Rênal s'était trouvée assez de sens pour oublier bientôt, comme absurde, tout ce qu'elle avait appris au couvent; mais elle ne mit rien à la place, et finit par ne rien savoir. Les flatteries précoces dont elle avait été l'objet, en sa qualité d'héritière d'une grande fortune, et un penchant décidé à la dévotion passionnée, lui avaient donné une manière de vivre tout intérieure. Avec l'apparence de la condescendance° la plus parfaite, et d'une abnégation de volonté, que les maris de Verrières citaient en exemple à leurs femmes, et qui faisait l'orgueil de M. de Rênal, la conduite habituelle de son âme était en effet le résultat de l'humeur la plus altière.° Telle princesse, citée à cause de son orgueil, prête infiniment plus d'attention à ce que ses gentilshommes font autour d'elle, que cette femme si douce, si modeste en apparence, n'en donnait à tout ce que disait ou faisait son mari. Jusqu'à l'arrivée de Julien, elle n'avait réellement eu d'attention que pour ses enfants. Leurs petites maladies, leurs douleurs, leurs petites joies, occupaient toute la sensibilité de cette âme qui, de la vie, n'avait adoré que Dieu, quand elle était au *Sacré-Cœur* de Besançon.

Sans qu'elle daignât le dire à personne, un accès de fièvre d'un de ses fils la mettait presque dans le même état que si l'enfant eût été mort. Un éclat de rire grossier, un haussement d'épaules, accompagné de quelque maxime triviale sur la folie des femmes, avaient constamment accueilli les confidences de ce genre de chagrins, que le besoin d'épanchement l'avait portée à faire à son mari, dans les premières années de leur mariage. Ces sortes de plaisanteries, quand surtout elles portaient sur les maladies de ses enfants, retournaient le poignard dans le cœur de madame de Rênal. Voilà ce qu'elle trouva au lieu des flatteries

---

5. *crasseux:* filthy. 11. *A la soutane près:* Except for the cassock. 38. *mise:* dress.

19. *condescendance:* graciousness. 24. *altière:* haughty.

empressées et mielleuses du couvent jésuitique où elle avait passé sa jeunesse. Son éducation fut faite par la douleur. Trop fière pour parler de ce genre de chagrins, même à son amie madame Derville, elle se figura que tous les hommes étaient comme son mari, M. Valenod et le sous-préfet Charcot de Maugiron. La grossièreté, et la plus brutale insensibilité à tout ce qui n'était pas intérêt d'argent, de préséance° ou de croix,° la haine aveugle pour tout raisonnement qui les contrariait, lui parurent des choses naturelles à ce sexe, comme porter des bottes et un chapeau de feutre.°

Après de longues années, madame de Rênal n'était pas encore accoutumée à ces gens à argent au milieu desquels il fallait vivre.

De là le succès du petit paysan Julien. Elle trouva des jouissances douces, et toutes brillantes du charme de la nouveauté dans la sympathie de cette âme noble et fière. Madame de Rênal lui eut bientôt pardonné° son ignorance extrême qui était une grâce de plus, et la rudesse de ses façons qu'elle parvint à corriger. Elle trouva qu'il valait la peine de l'écouter, même quand on parlait des choses les plus communes, même quand il s'agissait d'un pauvre chien écrasé, comme il traversait la rue, par la charrette d'un paysan allant au trot. Le spectacle de cette douleur donnait son gros rire à son mari, tandis qu'elle voyait se contracter les beaux sourcils noirs et si bien arqués de Julien. La générosité, la noblesse d'âme, l'humanité lui semblèrent peu à peu n'exister que chez ce jeune abbé. Elle eut pour lui seul toute la sympathie et même l'admiration que ces vertus excitent chez les âmes bien nées.

A Paris, la position de Julien envers madame de Rênal eût été bien vite simplifiée; mais à Paris, l'amour est fils des romans. Le jeune précepteur et sa timide maîtresse auraient retrouvé dans trois ou quatre romans, et jusque dans les couplets du Gymnase,° l'éclaircissement de leur position. Les romans leur auraient tracé le rôle à jouer, montré le modèle à imiter; et ce modèle, tôt ou tard, et quoique sans nul plaisir, et peut-être en rechignant,° la vanité eût forcé Julien à le suivre.

Dans une petite ville de l'Aveyron° ou des Pyrénées, le moindre incident eût été rendu décisif par le feu du climat. Sous nos cieux plus sombres, un jeune homme pauvre, et qui n'est qu'ambitieux parce que la délicatesse de son cœur lui fait un besoin de quelques-unes des jouissances que donne l'argent, voit tous les jours une femme de trente ans sincèrement sage, occupée de ses enfants, et qui ne prend nullement dans les romans des exemples de conduite. Tout va lentement, tout se fait peu à peu dans les provinces, il y a plus de naturel.

Souvent, en songeant à la pauvreté du jeune précepteur, madame de Rênal était attendrie jusqu'aux larmes. Julien la surprit, un jour, pleurant tout à fait.

— Eh! madame, vous serait-il arrivé quelque malheur!

— Non, mon ami, lui répondit-elle; appelez les enfants, allons nous promener.

Elle prit son bras et s'appuya d'une façon qui parut singulière à Julien. C'était pour la première fois qu'elle l'avait appelé mon ami.

Vers la fin de la promenade, Julien remarqua qu'elle rougissait beaucoup. Elle ralentit le pas.

— On vous aura raconté, dit-elle sans le regarder, que je suis l'unique héritière d'une tante fort riche qui habite Besançon. Elle me comble de présents... Mes fils font des progrès... si étonnants... que je voudrais vous prier d'accepter un petit présent comme marque de ma reconnaissance. Il ne s'agit que de quelques louis pour vous faire du linge. Mais... ajouta-t-elle en rougissant encore plus, et elle cessa de parler.

— Quoi, madame? dit Julien.

— Il serait inutile, continua-t-elle en baissant la tête, de parler de ceci à mon mari.

— Je suis petit, madame, mais je ne suis pas bas, reprit Julien en s'arrêtant, les yeux brillants de colère, et se relevant de toute sa hauteur, c'est à quoi vous n'avez pas assez réfléchi. Je serais moins qu'un valet si je me mettais dans le cas de cacher à M. de Rênal quoi que ce soit de relatif *à mon argent.*

Madame de Rênal était atterrée.

— M. le maire, continua Julien, m'a remis cinq fois trente-six francs depuis que j'habite sa maison; je suis prêt à montrer mon livre de

---

9. *préséance:* precedence. 9. *croix:* honorific awards. 13. *feutre:* felt. 21. *eut pardonné:* an unusual use of the passé antérieur. (See a grammar.) 42. *Gymnase:* theater specializing in light musical plays. 46. *en rechignant:* protesting, reluctantly.

1. Aveyron, department of southern France.

dépenses à M. de Rênal et à qui que ce soit, même à M. Valenod qui me hait.

A la suite de cette sortie, madame de Rênal était restée pâle et tremblante, et la promenade se termina sans que ni l'un ni l'autre pût trouver un prétexte pour renouer le dialogue. L'amour pour madame de Rênal devint de plus en plus impossible dans le cœur orgueilleux de Julien; quant à elle, elle le respecta, elle l'admira; elle en avait été grondée. Sous prétexte de réparer 10 l'humiliation involontaire qu'elle lui avait causée, elle se permit les soins les plus tendres. La nouveauté de ces manières fit pendant huit jours le bonheur de madame de Rênal. Leur effet fut d'apaiser en partie la colère de Julien; 15 il était loin d'y voir rien qui pût ressembler à un goût personnel.

— Voilà, se disait-il, comme sont ces gens riches, ils humilient, et croient ensuite pouvoir tout réparer par quelques singeries!° 20

Le cœur de madame de Rênal était trop plein, et encore trop innocent, pour que, malgré ses résolutions à cet égard, elle ne racontât pas à son mari, l'offre qu'elle avait faire à Julien, et la façon dont elle avait été repoussée. 25

— Comment, reprit M. de Rênal vivement piqué, avez-vous pu tolérer un refus de la part d'un *domestique*?

Et comme madame de Rênal se récriait° sur ce mot :

— Je parle, madame, comme feu M. le prince de Condé. présentant ses chambellans à sa nouvelle épouse : « *Tous ces gens-là*, lui dit-il, *sont nos domestiques*. » Je vous ai lu ce passage des Mémoires de Besenval,° essentiel pour les 35 préséances. Tout ce qui n'est pas gentilhomme qui vit chez vous et reçoit un salaire, est votre domestique. Je vais dire deux mots à ce monsieur Julien, et lui donner cent francs.

— Ah! mon ami, dit madame de Rênal 40 tremblante, que ce ne soit pas du moins devant les domestiques!

— Oui, ils pourraient être jaloux, et avec raison, dit son mari en s'éloignant et pensant à la quotité° de la somme. 45

Madame de Rênal tomba sur une chaise, presque évanouie de douleur : « Il va humilier Julien, et par ma faute! » Elle eut horreur de son mari, et se cacha la figure avec les mains. Elle se promit bien de ne jamais faire de confidences.

Lorsqu'elle revit Julien, elle était toute tremblante, sa poitrine était tellement contractée qu'elle ne put parvenir à prononcer la moindre 5 parole. Dans son embarras elle lui prit les mains qu'elle serra.

— Eh bien! mon ami, lui dit-elle enfin, êtes-vous content de mon mari?

— Comment ne le serais-je pas? répondit 10 Julien avec un sourire amer; il m'a donné cent francs.

Madame de Rênal le regarda comme incertaine.

— Donnez-moi le bras, dit-elle enfin avec un 15 accent de courage que Julien ne lui avait jamais vu.

Elle osa aller jusque chez le libraire de Verrières, malgré son affreuse réputation de libéralisme. Là, elle choisit pour dix louis 20 de livres qu'elle donna à ses fils. Mais ces livres étaient ceux qu'elle savait que Julien désirait. Elle exigea que là, dans la boutique du libraire, chacun des enfants écrivît son nom sur les livres qui lui étaient échus en partage.° Pendant 25 que madame de Rênal était heureuse de la sorte de réparation qu'elle avait l'audace de faire à Julien, celui-ci était étonné de la quantité de livres qu'il apercevait chez le libraire. Jamais il n'avait osé entrer en un lieu aussi 30 profane; son cœur palpitait. Loin de songer à deviner ce qui se passait dans le cœur de madame de Rênal, il rêvait profondément au moyen qu'il y aurait, pour un jeune étudiant en théo- logie, de se procurer quelques-uns de ces livres. 35 Enfin il eut l'idée qu'il serait possible avec de l'adresse de persuader à M. de Rênal qu'il fallait donner pour sujet de thème à ses fils l'histoire des gentilshommes célèbres nés dans la province. Après un mois de soins, Julien vit réussir cette 40 idée, et à un tel point que, quelque temps après, il osa hasarder, en parlant à M. de Rênal, la mention d'une action bien autrement pénible pour le noble maire; il s'agissait de contribuer à la fortune d'un libéral, en prenant 45 un abonnement° chez le libraire. M. de Rênal convenait bien qu'il était sage de donner à son fils aîné l'idée *de visu*° de plusieurs ouvrages

---

20. *singeries:* monkey tricks. 29. *se récriait:* was making objections. 35. *Besenval:* eighteenth-century courtier and memoir writer. 45. *quotité:* amount.

25. *lui étaient échus en partage:* had fallen to his lot. 46. *abonnement:* subscription. 48. *de visu:* by sight.

qu'il entendrait mentionner dans la conversation, lorsqu'il serait à l'École militaire; mais Julien voyait M. le maire s'obstiner à ne pas aller plus loin. Il soupçonnait une raison secrète, mais ne pouvait la deviner.

—Je pensais, monsieur, lui dit-il un jour, qu'il y aurait une haute inconvenance à ce que le nom d'un bon gentilhomme tel qu'un Rênal parût sur le sale registre du libraire.

Le front de M. de Rênal s'éclaircit.

—Ce serait aussi une bien mauvaise note, continua Julien, d'un ton plus humble, pour un pauvre étudiant en théologie, si l'on pouvait un jour découvrir que son nom a été sur le registre d'un libraire loueur de livres. Les libéraux pourraient m'accuser d'avoir demandé les livres les plus infâmes; qui sait même s'ils n'iraient pas jusqu'à écrire après mon nom les titres de ces livres pervers.

Mais Julien s'éloignait de la trace. Il voyait la physionomie du maire reprendre l'expression de l'embarras et de l'humeur. Julien se tut. « Je tiens mon homme, » se dit-il.

Quelques jours après, l'aîné des enfants interrogeant Julien sur un livre annoncé dans la Quotidienne,° en présence de M. de Rênal:

—Pour éviter tout sujet de triomphe au parti jacobin, dit le jeune précepteur, et cependant me donner les moyens de répondre à M. Adolphe, on pourrait faire prendre un abonnement chez le libraire par le dernier de vos gens.°

—Voilà une idée qui n'est pas mal, dit M. de Rênal, évidemment fort joyeux.

—Toutefois il faudrait spécifier, dit Julien de cet air grave et presque malheureux qui va si bien à de certaines gens, quand ils voient le succès des affaires qu'ils ont le plus longtemps désirées, il faudrait spécifier que le domestique ne pourra prendre aucun roman. Une fois dans la maison, ces livres dangereux pourraient corrompre les filles de madame, et le domestique° lui-même.

—Vous oubliez les pamphlets politiques, ajouta M. de Rênal, d'un air hautain. Il voulait cacher l'admiration que lui donnait le savant mezzo-termine° inventé par le précepteur de ses enfants.

La vie de Julien se composait ainsi d'une suite

de petites négociations; et leur succès l'occupait beaucoup plus que le sentiment de préférence marquée qu'il n'eût tenu qu'à lui de lire dans le cœur de madame de Rênal.

La position morale où il avait été toute sa vie se renouvelait chez M. le maire de Verrières. Là, comme à la scierie de son père, il méprisait profondément les gens avec qui il vivait, et en était haï. Il voyait chaque jour dans les récits faits par le sous-préfet, par M. Valenod, par les autres amis de la maison, à l'occasion de choses qui venaient de se passer sous leurs yeux, combien leurs idées ressemblaient peu à la réalité. Une action lui semblait-elle admirable, c'était celle-là précisément qui attirait le blâme des gens qui l'environnaient. Sa réplique intérieure était toujours : « Quels monstres ou quels sots! » Le plaisant,° avec tant d'orgueil, c'est que souvent il ne comprenait absolument rien à ce dont on parlait.

De la vie, il n'avait parlé avec sincérité qu'au vieux chirurgien-major; le peu d'idées qu'il avait étaient relatives aux campagnes de Bonaparte en Italie, ou à la chirurgie. Son jeune courage se plaisait au récit circonstancié des opérations les plus douloureuses; il se disait : « Je n'aurais pas sourcillé. »°

La première fois que madame de Rênal essaya avec lui une conversation étrangère à l'éducation des enfants, il se mit à parler d'opérations chirurgicales; elle pâlit et le pria de cesser.

Julien ne savait rien au delà. Ainsi, passant sa vie avec madame de Rênal, le silence le plus singulier s'établissait entre eux dès qu'ils étaient seuls. Dans le salon, quelle que fût l'humilité de son maintien, elle trouvait dans ses yeux un air de supériorité intellectuelle envers tout ce qui venait chez elle. Se trouvait-elle seule un instant avec lui, elle le voyait visiblement embarrassé. Elle en était inquiète, car son instinct de femme lui faisait comprendre que cet embarras n'était nullement tendre.

D'après je ne sais quelle idée prise dans quelque récit de la bonne société, telle que l'avait vue le vieux chirurgien-major, dès qu'on se taisait dans un lieu où il se trouvait avec une femme, Julien se sentait humilié, comme si ce silence eût été son tort particulier. Cette sensation était cent fois plus pénible dans le tête-à-tête.

---

26. *la Quotidienne:* conservative newspaper. 31. *gens:* servants. 41. *domestique:* domestic staff. 46. *mezzo-termine:* mid-term (which conciliates opposites).

18. *Le plaisant:* The funny thing. 27. *sourcillé:* winced.

Son imagination remplie des notions les plus exagérées, les plus espagnoles,° sur ce qu'un homme doit dire, quand il est seul avec une femme, ne lui offrait dans son trouble que des idées inadmissibles. Son âme était dans les nues, et cependant il ne pouvait sortir du silence le plus humiliant. Ainsi son air sévère, pendant ses longues promenades avec madame de Rênal et les enfants, était augmenté par les souffrances les plus cruelles. Il se méprisait horriblement. Si par malheur il se forçait à parler, il lui arrivait de dire les choses les plus ridicules. Pour comble de misère, il voyait et s'exagérait son absurdité; mais ce qu'il ne voyait pas, c'était l'expression de ses yeux; ils étaient si beaux et annonçaient une âme si ardente, que, semblables aux bons acteurs, ils donnaient quelquefois un sens charmant à ce qui n'en avait pas. Madame de Rênal remarqua que, seul avec elle, il n'arrivait jamais à dire quelque chose de bien que lorsque, distrait par quelque événement imprévu, il ne songeait pas à bien tourner un compliment. Comme les amis de la maison ne la gâtaient pas en lui présentant des idées nouvelles et brillantes, elle jouissait avec délices des éclairs d'esprit de Julien.

Depuis la chute de Napoléon, toute apparence de galanterie est sévèrement bannie des mœurs de la province. On a peur d'être destitué. Les fripons cherchent un appui dans la congrégation; et l'hypocrisie a fait les plus beaux progrès même dans les classes libérales. L'ennui redouble. Il ne reste d'autre plaisir que la lecture et l'agriculture.

Madame de Rênal, riche héritière d'une tante dévote, mariée à seize ans à un bon gentilhomme, n'avait de sa vie éprouvé ni vu rien qui ressemblât le moins du monde à l'amour. Ce n'était guère que son confesseur, le bon curé Chélan, qui lui avait parlé de l'amour, à propos des poursuites de M. Valenod, et il lui en avait fait une image si dégoûtante, que ce mot ne lui représentait que l'idée du libertinage le plus abject. Elle regardait comme une exception, ou même comme tout à fait hors de nature, l'amour tel qu'elle l'avait trouvé dans le très petit nombre de romans que le hasard avait mis sous ses yeux. Grâce à cette ignorance, madame de Rênal, parfaitement heureuse, occupée sans cesse de Julien, était loin de se faire le plus petit reproche.

VIII. PETITS ÉVÉNEMENTS

L'angélique douceur que madame de Rênal devait à son caractère et à son bonheur actuel n'était un peu altérée que quand elle venait à songer à sa femme de chambre Élisa. Cette fille fit un héritage, alla se confesser au curé Chélan et lui avoua le projet d'épouser Julien. Le curé eut une véritable joie du bonheur de son ami; mais sa surprise fut extrême quand Julien lui dit d'un air résolu que l'offre de mademoiselle Élisa ne pouvait lui convenir.

— Prenez garde, mon enfant, à ce qui se passe dans votre cœur, dit le curé, fronçant le sourcil; je vous félicite de votre vocation, si c'est à elle seule que vous devez le mépris d'une fortune plus que suffisante. Il y a cinquante-six ans sonnés° que je suis curé de Verrières, et cependant, suivant toute apparence, je vais être destitué. Ceci m'afflige, et toutefois j'ai huit cents livres de rente. Je vous fais part de ce détail afin que vous ne vous fassiez pas d'illusions sur ce qui vous attend dans l'état de prêtre. Si vous songez à faire la cour aux hommes qui ont la puissance, votre perte éternelle est assurée. Vous pourrez faire fortune, mais il faudra nuire aux misérables, flatter le sous-préfet, le maire, l'homme considéré, et servir ses passions : cette conduite, qui dans le monde s'appelle savoir-vivre, peut, pour un laïque, n'être pas absolument incompatible avec le salut; mais, dans notre état, il faut opter;° il s'agit de faire fortune dans ce monde ou dans l'autre, il n'y a pas de milieu.° Allez, mon cher ami, réfléchissez, et revenez dans trois jours me rendre une réponse définitive. J'entrevois avec peine, au fond de votre caractère, une ardeur sombre qui ne m'annonce pas la modération et la parfaite abnégation des avantages terrestres nécessaires à un prêtre; j'augure bien de votre esprit; mais, permettez-moi de vous le dire, ajouta le bon curé, les larmes aux yeux, dans l'état de prêtre, je tremblerai pour votre salut.

Julien avait honte de son émotion; pour la première fois de sa vie, il se voyait aimé; il

---

2. *espagnoles:* i.e., extravagant. (Stendhal admired and cultivated a "Castilian" sense of honor.)

22. *sonnés:* and more (*lit.*, rung out). 36. *opter:* choose. 38. *milieu: here,* middle ground.

pleurait avec délices, et alla cacher ses larmes dans les grands bois au-dessus de Verrières.

— Pourquoi l'état où je me trouve? se dit-il enfin; je sens que je donnerais cent fois ma vie pour ce bon curé Chélan, et cependant il vient de me prouver que je ne suis qu'un sot. C'est lui surtout qu'il m'importe de tromper, et il me devine. Cette ardeur secrète dont il me parle, c'est mon projet de faire fortune. Il me croit indigne d'être prêtre, et cela précisément quand je me figurais que le sacrifice de cinquante louis de rente allait lui donner la plus haute idée de ma piété et de ma vocation. A l'avenir, continua Julien, je ne compterai que sur les parties de mon caractère que j'aurai éprouvées. Qui m'eût dit que je trouverais du plaisir à répandre des larmes! que j'aimerais celui qui me prouve que je ne suis qu'un sot!

Trois jours après, Julien avait trouvé le prétexte dont il eût dû se munir dès le premier jour; ce prétexte était une calomnie, mais qu'importe? Il avoua au curé, avec beaucoup d'hésitation, qu'une raison qu'il ne pouvait lui expliquer, parce qu'elle nuirait à un tiers, l'avait détourné tout d'abord de l'union projetée. C'était accuser la conduite d'Élisa. M. Chélan trouva dans ses manières un certain feu tout mondain, bien différent de celui qui eût dû animer un jeune lévite.°

— Mon ami, lui dit-il encore, soyez un bon bourgeois de campagne, estimable et instruit, plutôt qu'un prêtre sans vocation.

Julien répondit à ces nouvelles remontrances, fort bien, quant aux paroles: il trouvait les mots qu'eût employés un jeune séminariste fervent; mais le ton dont il les prononçait, mais le feu mal caché qui éclatait dans ses yeux alarmaient M. Chélan.

Il ne faut pas trop mal augurer de Julien; il inventait correctement les paroles d'une hypocrisie cauteleuse° et prudente. Ce n'est pas mal à son âge. Quant au ton et aux gestes, il vivait avec les campagnards; il avait été privé de la vue des grands modèles. Par la suite, à peine lui eut-il été donné d'approcher de ces messieurs, qu'il fut admirable pour les gestes comme pour les paroles.

Madame de Rênal fut étonnée que la nouvelle fortune de sa femme de chambre ne rendît pas cette fille plus heureuse; elle la voyait aller sans cesse chez le curé, et en revenir les larmes aux yeux; enfin Élisa lui parla de son mariage.

Madame de Rênal se crut malade; une sorte de fièvre l'empêchait de trouver le sommeil; elle ne vivait que lorsqu'elle avait sous les yeux sa femme de chambre ou Julien. Elle ne pouvait penser qu'à eux et au bonheur qu'ils trouveraient dans leur ménage. La pauvreté de cette petite maison, où l'on devrait vivre avec cinquante louis de rente, se peignait à elle sous des couleurs ravissantes. Julien pourrait très bien se faire avocat à Bray, la sous-préfecture à deux lieues de Verrières; dans ce cas elle le verrait quelquefois.

Madame de Rênal crut sincèrement qu'elle allait devenir folle; elle le dit à son mari, et enfin tomba malade. Le soir même, comme sa femme de chambre la servait, elle remarqua que cette fille pleurait. Elle abhorrait Élisa dans ce moment, et venait de la brusquer;° elle lui en demanda pardon. Les larmes d'Élisa redoublèrent; elle dit que si sa maîtresse le lui permettait, elle lui conterait tout son malheur.

— Dites, répondit madame de Rênal.

— Eh bien, madame, il me refuse; des méchants lui auront dit du mal de moi, il les croit.

— Qui vous refuse? dit madame de Rênal respirant à peine.

— Eh qui, madame, si ce n'est M. Julien? répliqua la femme de chambre en sanglotant. M. le curé n'a pu vaincre sa résistance; car M. le curé trouve qu'il ne doit pas refuser une honnête fille, sous prétexte qu'elle a été femme de chambre. Après tout, le père de M. Julien n'est autre chose qu'un charpentier; lui-même comment gagnait-il sa vie avant d'être chez madame?

Madame de Rênal n'écoutait plus; l'excès du bonheur lui avait presque ôté l'usage de la raison. Elle se fit répéter plusieurs fois l'assurance que Julien avait refusé d'une façon positive, et qui ne permettait plus de revenir à une résolution plus sage.

— Je veux tenter un dernier effort, dit-elle à sa femme de chambre, je parlerai à M. Julien.

Le lendemain après le déjeuner, madame de Rênal se donna la délicieuse volupté de plaider la cause de sa rivale, et de voir la main et la

---

29. *lévite:* priest. 41. *cauteleuse:* cunning.

21. *brusquer:* speak sharply.

fortune d'Élisa refusées constamment pendant une heure.

Peu à peu Julien sortit de ses réponses compassées,° et finit par répondre avec esprit aux sages représentations de madame de Rênal. Elle ne put résister au torrent de bonheur qui inondait son âme après tant de jours de désespoir. Elle se trouva mal tout à fait. Quand elle fut remise et bien établie dans sa chambre, elle renvoya tout le monde. Elle était profondément étonnée.

— Aurais-je de l'amour pour Julien? se dit-elle enfin.

Cette découverte, qui dans tout autre moment l'aurait plongée dans les remords et dans une agitation profonde, ne fut pour elle qu'un spectacle singulier, mais comme indifférent. Son âme, épuisée par tout ce qu'elle venait d'éprouver, n'avait plus de sensibilité au service des passions.

Madame de Rênal voulut travailler, et tomba dans un profond sommeil; quand elle se réveilla, elle ne s'effraya pas autant qu'elle l'aurait dû. Elle était trop heureuse pour pouvoir prendre en mal quelque chose. Naïve et innocente, jamais cette bonne provinciale n'avait torturé son âme pour tâcher d'en arracher un peu de sensibilité à quelque nouvelle nuance de sentiment ou de malheur. Entièrement absorbée avant l'arrivée de Julien par cette masse de travail qui, loin de Paris, est le lot d'une bonne mère de famille, madame de Rênal pensait aux passions, comme nous pensons à la loterie : duperie certaine et bonheur cherché par des fous.

La cloche du dîner sonna; madame de Rênal rougit beaucoup quand elle entendit la voix de Julien, qui amenait les enfants. Un peu adroite depuis qu'elle aimait, pour expliquer sa rougeur, elle se plaignit d'un affreux mal de tête.

— Voilà comme sont toutes les femmes, lui répondit M. de Rênal, avec un gros rire. Il y a toujours quelque chose à raccommoder à ces machines-là!

Quoique accoutumée à ce genre d'esprit, ce ton de voix choqua madame de Rênal. Pour se distraire, elle regarda la physionomie de Julien; il eût été l'homme le plus laid, que cet instant il lui eût plu.

4. *compassées:* stiff, formal.

Attentif à copier les habitudes des gens de cour, dès les premiers beaux jours du printemps, M. de Rênal s'établit à Vergy; c'est le village rendu célèbre par l'aventure tragique de Gabrielle.° A quelques centaines de pas des ruines si pittoresques de l'ancienne église gothique, M. de Rênal possède un vieux château avec ses quatre tours, et un jardin dessiné comme celui des Tuileries,° avec force bordures de buis° et allées de marronniers taillés deux fois par an. Un champ voisin, planté de pommiers, servait de promenade. Huit ou dix noyers magnifiques étaient au bout du verger; leur feuillage immense s'élevait peut-être à quatre-vingts pieds de hauteur.

— Chacun de ces maudits noyers, disait M. de Rênal quand sa femme les admirait, me coûte la récolte° d'un demi-arpent, le blé ne peut venir sous leur ombre.

La vue de la campagne sembla nouvelle à madame de Rênal; son admiration allait jusqu'aux transports. Le sentiment dont elle était animée lui donnait de l'esprit et de la résolution. Dès le surlendemain de l'arrivée à Vergy, M. de Rênal étant retourné à la ville pour les affaires de la mairie, madame de Rênal prit des ouvriers à ses frais. Julien lui avait donné l'idée d'un petit chemin sablé, qui circulerait dans le verger et sous les grands noyers, et permettrait aux enfants de se promener dès le matin, sans que leurs souliers fussent mouillés par la rosée.° Cette idée fut mise à exécution moins de vingt-quatre heures après avoir été conçue. Madame de Rênal passa toute la journée gaiement avec Julien à diriger les ouvriers.

Lorsque le maire de Verrières revint de la ville, il fut bien surpris de trouver l'allée faite. Son arrivée surprit aussi madame de Rênal; elle avait oublié son existence. Pendant deux mois, il parla avec humeur de la hardiesse qu'on avait eue de faire, sans le consulter, une *réparation* aussi importante, mais madame de Rênal l'avait exécutée à ses frais, ce qui le consolait un peu.

Elle passait ses journées à courir avec ses enfants dans le verger, et à faire la chasse aux

5. According to medieval legend, Gabrielle de Vergy's lover, on his deathbed, consigned to her his heart. Her husband, forewarned, arranged that she should eat it. When enlightened, she starved herself to death. 9. *Tuileries:* royal palace in the heart of Paris, burned in 1871. (The gardens, in typical French formal style, remain.) 10. *bordures de buis:* box hedges. 18. *récolte:* crops, yield. 31. *rosée:* dew.

papillons. On avait construit de grands capuchons de gaze claire,° avec lesquels on prenait les pauvres *lépidoptères*. C'est le nom barbare que Julien apprenait à madame de Rênal. Car elle avait fait venir de Besançon le bel ouvrage de M. Godart;° et Julien lui racontait les mœurs singulières de ces pauvres bêtes.

On les piquait sans pitié avec des épingles dans un grand cadre de carton arrangé aussi par Julien.

Il y eut enfin entre madame de Rênal et Julien un sujet de conversation, il ne fut plus exposé à l'affreux supplice que lui donnaient les moments de silence.

Ils se parlaient sans cesse, et avec un intérêt extrême, quoique toujours de choses fort innocentes. Cette vie active, occupée et gaie, était du goût de tout le monde, excepté de mademoiselle Élisa, qui se trouvait excédée° de travail. « Jamais dans le carnaval, disait-elle, quand il y a bal à Verrières, madame ne s'est donné tant de soins pour sa toilette; elle change de robes deux ou trois fois par jour. »

Comme notre intention est de ne flatter personne, nous ne nierons point que madame de Rênal, qui avait une peau superbe, ne se fît arranger des robes qui laissaient les bras et la poitrine fort découverts. Elle était très bien faite, et cette manière de se mettre lui allait à ravir.

— Jamais vous *n'avez été si jeune*, madame, lui disaient ses amis de Verrières qui venaient dîner à Vergy. (C'est une façon de parler du pays.)

Une chose singulière, qui trouvera peu de croyance parmi nous, c'était sans intention directe que madame de Rênal se livrait à tant de soins. Elle y trouvait du plaisir; et, sans y songer autrement, tout le temps qu'elle ne passait pas à la chasse aux papillons avec les enfants et Julien, elle travaillait avec Élisa à bâtir des robes. Sa seule course à Verrières fut causée par l'envie d'acheter de nouvelles robes d'été qu'on venait d'apporter de Mulhouse.

Elle ramena à Vergy une jeune femme de ses parentes. Depuis son mariage, madame de Rênal s'était liée insensiblement avec madame Derville qui autrefois avait été sa compagne au *Sacré-Cœur*.

Madame Derville riait beaucoup de ce qu'elle appelait les idées folles de sa cousine : « Seule, jamais je n'y penserais, » disait-elle. Ces idées imprévues qu'on eût appelées saillies° à Paris, madame de Rênal en avait honte comme d'une sottise, quand elle était avec mari; mais la présence de madame Derville lui donnait du courage. Elle lui disait d'abord ses pensées d'une voix timide; quand ces dames étaient longtemps seules, l'esprit de madame de Rênal s'animait, et une longue matinée solitaire passait comme un instant et laissait les deux amies fort gaies. A ce voyage la raisonnable madame Derville trouva sa cousine beaucoup moins gaie et beaucoup plus heureuse.

Julien, de son côté, avait vécu en véritable enfant depuis son séjour à la campagne, aussi heureux de courir à la suite des papillons que ses élèves. Après tant de contrainte et de politique habile, seul, loin des regards des hommes, et, par instinct, ne craignant point madame de Rênal, il se livrait au plaisir d'exister, si vif à cet âge, et au milieu des plus belles montagnes du monde.

Des l'arrivée de madame Derville, il sembla à Julien qu'elle était son amie; il se hâta de lui montrer le point de vue que l'on a de l'extrémité de la nouvelle allée sous les grands noyers; dans le fait, il est égal, si ce n'est supérieur à ce que la Suisse et les lacs d'Italie peuvent offrir de plus admirable. Si l'on monte la côte rapide qui commence à quelques pas de là, on arrive bientôt à de grands précipices bordés par des bois de chênes, qui s'avancent presque jusque sur la rivière. C'est sur les sommets de ces rochers coupés à pic,° que Julien, heureux, libre, et même quelque chose de plus, roi de la maison, conduisait les deux amies et jouissait de leur admiration pour ces aspects sublimes.

— C'est pour moi comme de la musique de Mozart, disait madame Derville.

La jalousie de ses frères, la présence d'un père despote et rempli d'humeur avaient gâté aux yeux de Julien les campagnes des environs de Verrières. A Vergy, il ne trouvait point de ces souvenirs amers; pour la première fois de sa vie, il ne voyait point d'ennemi. Quand M. de Rênal était à la ville, ce qui arrivait souvent, il osait lire; bientôt, au lieu de lire la nuit, et

2. *capuchons de gaze claire:* light-colored gauze nets. 6. *Godart:* naturalist, author of *Mémoire sur plusieurs espèces de lépidoptères*. 19. *excédée:* worn out.

4. *saillies:* sallies, witty outbursts. 36. *à pic:* precipitously.

encore en ayant soin de cacher sa lampe au fond d'un vase à fleurs renversé, il put se livrer au sommeil; le jour, dans l'intervalle des leçons des enfants, il venait dans ces rochers avec le livre, unique règle de sa conduite et objet de ses transports. Il y trouvait à la fois bonheur, extase et consolation dans les moments de découragement.

Certaines choses que Napoléon dit des femmes, plusieurs discussions sur le mérite des romans à la mode sous son règne lui donnèrent alors, pour la première fois, quelques idées que tout autre jeune homme de son âge aurait eues depuis longtemps.

Les grandes chaleurs arrivèrent. On prit l'habitude de passer les soirées sous un immense tilleul° à quelques pas de la maison. L'obscurité y était profonde. Un soir, Julien parlait avec action, il jouissait avec délices du plaisir de bien parler et à des femmes jeunes; en gesticulant, il toucha la main de madame de Rênal qui était appuyée sur le dos d'une de ces chaises de bois peint que l'on place dans les jardins.

Cette main se retira bien vite; mais Julien pensa qu'il était de son *devoir* d'obtenir que l'on ne retirât pas cette main quand il la touchait. L'idée d'un devoir à accomplir, et d'un ridicule ou plutôt d'un sentiment d'infériorité à encourir si l'on n'y parvenait pas, éloigna sur-le-champ tout plaisir de son cœur.

IX. UNE SOIRÉE A LA CAMPAGNE

Ses regards, le lendemain, quand il revit madame de Rênal, étaient singuliers; il l'observait comme un ennemi avec lequel il va falloir se battre. Ces regards, si différents de ceux de la veille, firent perdre la tête à madame de Rênal : elle avait été bonne pour lui et il paraissait fâché. Elle ne pouvait détacher ses regards des siens.

La présence de madame Derville permettait à Julien de moins parler et de s'occuper davantage de ce qu'il avait dans la tête. Son unique affaire, toute cette journée, fut de se fortifier par la lecture du livre inspiré qui retrempait son âme.

Il abrégea beaucoup les leçons des enfants, et ensuite, quand la présence de madame de Rênal vint le rappeler tout à fait aux soins de sa gloire, il décida qu'il fallait absolument qu'elle permît ce soir-là que sa main restât dans la sienne.

Le soleil en baissant, et rapprochant le moment décisif, fit battre le cœur de Julien d'une façon singulière. La nuit vint. Il observa, avec une joie qui lui ôta un poids immense de dessus la poitrine, qu'elle serait fort obscure. Le ciel chargé de gros nuages, promenés par un vent très chaud, semblait annoncer une tempête.° Les deux amies se promenèrent fort tard. Tout ce qu'elles faisaient ce soir-là semblait singulier à Julien. Elles jouissaient de ce temps, qui pour certaines âmes délicates, semble augmenter le plaisir d'aimer.

On s'assit enfin, madame de Rênal à côté de Julien, et madame Derville près de son amie. Préoccupé de ce qu'il allait tenter, Julien ne trouvait rien à dire. La conversation languissait.

— Serais-je aussi tremblant et malheureux au premier duel qui me viendra ? se dit Julien, car il avait trop de méfiance et de lui et des autres, pour ne pas voir l'état de son âme.

Dans sa mortelle angoisse, tous les dangers lui eussent semblé préférables. Que de fois ne désira-t-il pas voir survenir à madame de Rênal quelque affaire qui l'obligeât de rentrer à la maison et de quitter le jardin! La violence que Julien était obligé de se faire était trop forte pour que sa voix ne fût pas profondément altérée; bientôt la voix de madame de Rênal devint tremblante aussi, mais Julien ne s'en aperçut point. L'affreux combat que le devoir livrait à la timidité était trop pénible pour qu'il fût en état de rien observer hors lui-même. Neuf heures trois quarts venaient de sonner à l'horloge du château, sans qu'il eût encore rien osé. Julien, indigné de sa lâcheté, se dit : « Au moment précis où dix heures sonneront, j'exécuterai ce que, pendant toute la journée, je me suis promis de faire ce soir, ou je monterai chez moi me brûler la cervelle. »°

Après un dernier moment d'attente et d'anxiété, pendant lequel l'excès de l'émotion mettait Julien comme hors de lui, dix heures sonnèrent à l'horloge qui était au-dessus de sa tête. Chaque coup de cette cloche fatale retentissait dans sa poitrine, et y causait comme un mouvement physique.

17. *tilleul:* linden tree.

10. Notice the sympathy of the weather—a Romantic touch. 42. *me brûler la cervelle:* blow my brains out.

Enfin, comme le dernier coup de dix heures retentissait encore, il étendit la main et prit celle de madame de Rênal, qui la retira aussitôt. Julien, sans trop savoir ce qu'il faisait, la saisit de nouveau. Quoique bien ému lui-même, il fut frappé de la froideur glaciale de la main qu'il prenait; il la serrait avec une force convulsive; on fit un dernier effort pour la lui ôter, mais enfin cette main lui resta.

Son âme fut inondée de bonheur, non qu'il aimât madame de Rênal, mais un affreux supplice venait de cesser. Pour que madame Derville ne s'aperçût de rien, il se crut obligé de parler; sa voix alors était éclatante et forte. Celle de madame de Rênal, au contraire, trahissait tant d'émotion, que son amie la crut malade et lui proposa de rentrer. Julien sentit le danger : « Si madame de Rênal rentre au salon, je vais retomber dans la position affreuse où j'ai passé la journée. J'ai tenu cette main trop peu de temps pour que cela compte comme un avantage qui m'est acquis. »

Au moment où madame Derville renouvelait la proposition de rentrer au salon, Julien serra fortement la main qu'on lui abandonnait.

Madame de Rênal, qui se levait déjà, se rassit, en disant, d'une voix mourante :

— Je me sens, à la vérité, un peu malade, mais le grand air me fait du bien.

Ces mots confirmèrent le bonheur de Julien, qui, dans ce moment, était extrême : il parla, il oublia de feindre, il parut l'homme le plus aimable aux deux amies qui l'écoutaient. Cependant il y avait encore un peu de manque de courage dans cette éloquence qui lui arrivait tout à coup. Il craignait mortellement que madame Derville, fatiguée du vent qui commençait à s'élever et qui précédait la tempête, ne voulût rentrer seule au salon. Alors il serait resté en tête à tête avec madame de Rênal. Il avait eu presque par hasard le courage aveugle qui suffit pour agir; mais il sentait qu'il était hors de sa puissance de dire le mot le plus simple à madame de Rênal. Quelque légers que fussent ses reproches, il allait être battu, et l'avantage qu'il venait d'obtenir anéanti.

Heureusement pour lui, ce soir-là, ses discours touchants et emphatiques° trouvèrent grâce devant madame Derville, qui très souvent le trouvait gauche comme un enfant, et peu amusant. Pour madame de Rênal, la main dans celle de Julien, elle ne pensait à rien; elle se laissait vivre. Les heures qu'on passa sous ce grand tilleul, que la tradition du pays dit planté par Charles le Téméraire,° furent pour elle une époque de bonheur. Elle écoutait avec délices les gémissements du vent dans l'épais feuillage du tilleul, et le bruit de quelques gouttes rares qui commençaient à tomber sur les feuilles les plus basses. Julien ne remarqua pas une circonstance qui l'eût bien rassuré; madame de Rênal, qui avait été obligée de lui ôter sa main, parce qu'elle se leva pour aider sa cousine à relever un vase de fleurs que le vent venait de renverser à leurs pieds, fut à peine assise de nouveau, qu'elle lui rendit sa main presque sans difficulté, et comme si déjà c'eût été entre eux une chose convenue.

Minuit était sonné depuis longtemps; il fallut enfin quitter le jardin : on se sépara. Madame de Rênal, transportée du bonheur d'aimer, était tellement ignorante, qu'elle ne se faisait presque aucun reproche. Le bonheur lui ôtait le sommeil. Un sommeil de plomb s'empara de Julien, mortellement fatigué des combats que toute la journée la timidité et l'orgueil s'étaient livrés dans son cœur.

Le lendemain on le réveilla à cinq heures; et, ce qui eût été cruel pour madame de Rênal si elle l'eût su, à peine lui donna-t-il une pensée. Il avait fait *son devoir*, et *un devoir héroïque*. Rempli de bonheur par ce sentiment, il s'enferma à clef dans sa chambre, et se livra avec un plaisir tout nouveau à la lecture des exploits de son héros.

Quand la cloche du déjeuner se fit entendre, il avait oublié, en lisant les bulletins de la Grande Armée, tous ses avantages de la veille. Il se dit, d'un ton léger, en descendant au salon : « Il faut dire à cette femme que je l'aime. »

---

2. *emphatiques:* excessive, bombastic. 9. *Charles le Téméraire:* Duke of Burgundy, fifteenth century.

9-10. Balzac [1799-1850]

Honoré de Balzac was one of the great creative minds of literary history. Says André Maurois: "L'œuvre de Shakespeare, celle de Balzac, celle de Tolstoï, voilà les trois monuments titanesques élevés 'par l'humanité à l'humanité.' Voilà les trois écrivains qui ont été capables de peindre toutes les passions, de s'incarner en des êtres de toute condition, de tout âge, de tout sexe, et enfin, de créer un monde."* And W. Somerset Maugham calls him one of the four greatest novelists the world has seen (with Tolstoi, Dostoevski, and Dickens).

The mark of his mind, like that of Hugo, was vigor and abundance. And, like Hugo, he was of peasant stock, with the earth-born strength converted to intellectual service. He invented a world peopled by more than 2,000 named characters, each as real to him as the figures of the actual world. (On his deathbed he called for Dr. Bianchon, who lived only in his novels.) He wrote an average of 2,000 pages a year for nineteen years. (When composing, he would rise between midnight and 2 A.M. and work till evening, sustaining himself on a concentrated coffee of his own brewing.) Physically, he was overpowering. Even his appetite was colossal. "Il mangeait d'une façon terrible, comme un porc," said the artist Gavarni. We may well believe it. The menu exists of a dinner in which he consumed, with the feeble assistance of his publisher, 100 oysters, twelve chops, a duck, two partridges, a sole, and twelve pears. No doubt the publisher paid.

His father had risen, during the social upheaval of the Revolution, to be business manager of the Tours hospital. There Honoré Balzac was born. (He added the snobbish "de" in later years and discovered, or invented, a family coat of arms.) He had a good education, though he was apparently too much of a dreamer to do well in classes. The family moved to Paris, and Honoré was apprenticed in the offices of an *avoué* and a *notaire*, who handled legal and financial affairs. Though he was bored by the routine (his fellow clerks nicknamed him *l'Éléphant*, for his size and sloth), he learned a great deal about law and business and the secret money dramas of great families. He broke away, lived in abject poverty among the abject poor, and wrote a poetic tragedy about Cromwell, said to be very bad. But he learned about the life of the Paris proletariat. Then he wrote at least ten cheap adventure novels, under assumed names. Such practice gives a writer ease, fluency, the habit of invention, though it may also encourage dreadful diffuseness and sloppiness. To make money, he started a publishing enterprise. Since he could not pay the printer, he bought the print shop, on credit. The print shop was not a success. Balzac could not pay the type founder; so he bought the type foundry. And when the type foundry failed, he found himself, at twenty-nine, without a penny and with 100,000 francs of debt. Thus he learned about business.

He was always in love with a succession of remarkable women, topped by the Duchesse d'Abrantès, whose title was merely Napoleonic, and the Duchesse de Castries, one of the old nobility. From them he learned about two levels of noble life. He carried on a long courtship of the Polish Comtesse Hanska and finally married her, only a few months before his death in 1850. Thus he learned all about love.

He grouped the most important of his novels and stories under the heading of *La Comédie humaine*. These deal with Parisian and provincial life, under every aspect: social,

---

* André Maurois: "Un Destin exemplaire," *Les Nouvelles Littéraires*. May 19, 1949.

political, ecclesiastical, and military. Innumerable characters, representative or exceptional, are presented. Their behavior is examined with sure psychology and a somewhat less sure philosophy. Some of these characters, such as le Père Goriot, Eugénie Grandet, Eugène de Rastignac, and Vautrin, continue to live in readers' minds in the niche that life reserves for the great creations of great imaginations.

He insisted that his purpose was *scientific*, that he was classifying human beings into species, according to profession and habitat. But these analogies with the animal world are hardly tenable.

He was the first eminent French writer to give a just place in his work to the *power of money*. He describes financial affairs in extreme detail, with evident delight. The motive of gain vies forever with the motive of love.

The *art* of Balzac is admired by all writers. "He is the master of us all," said Henry James. No novelist has better given an impression of reality by means of exact, factual description. He is often called the greatest portraitist in French literature. His *style*, to be sure, is hasty, negligent, diffuse. But its very richness and flow give it a character of its own, individual and inimitable.

We classify him, like Stendhal, as a *Romantic realist*. He was *Romantic* in his preaching of individualism, in his taste for excessive characters, driven by passion, whether for worldly success, money, or love's reward. He was Romantic in his imaginative exuberance, in his liking for melodrama and emotional violence. He was *realist* in his concrete, detailed rendering of backgrounds; in his emphasis on food, money, business; in the motivation of his characters by self-interest; in his insistence on the importance of trades, professions, and of all daily life in the shaping of character.

La Femme abandonnée (1832), a long short story, or *novella*, has been chosen as an example of Balzac's work. It well exemplifies his method. It is *Romantic* in its theme, in the motivation of its chief characters, in its praise of *l'amour fatal*, in its melodramatic dénouement. It is *realist* in its descriptions of provincial life, in its recognition of the money motive, in its detached, impersonal attitude.

The story expresses very clearly the Romantic view of love and marriage. Marriage is a complex union of family, financial, civil, social interests; its first purpose is to produce children who will carry on the family name and prestige. But love is something else. Love is a union of two hearts, unique, predestined, superior to all society's regulations. Since a great love dispenses with marriage's sanctions and guarantees, the obligations of a free union are much more severe than those of marriage. Infidelity in marriage is a social lapse; infidelity in a free union is a spiritual crime. This is the story of a spiritual crime.

LA FEMME ABANDONNÉE

En 1822, au commencement du printemps, les médecins de Paris envoyèrent en basse Normandie un jeune homme qui relevait alors d'une maladie inflammatoire causée par quelque excès d'étude, ou de vie peut-être. Sa convalescence exigeait un repos complet, une nourriture douce, un air froid et l'absence total de sensations extrêmes. Les grasses campagnes du Bessin° et l'existence pâle de la province

parurent donc propices à son rétablissement. Il vint à Bayeux,° jolie ville située à deux lieues de la mer, chez une de ses cousines, qui l'accueillit avec cette cordialité particulière aux gens habitués à vivre dans la retraite, et pour lesquels l'arrivée d'un parent ou d'un ami devient un bonheur.

A quelques usages près,° toutes les petites villes se ressemblent. Or, après plusieurs soirées passées chez sa cousine, madame de Sainte-Sévère, ou chez les personnes qui composaient sa compagnie, ce jeune Parisien, nommé M. le

11. Bessin, rich agricultural region of Normandy, bordering English Channel and adjoining beaches where Allied troops disembarked in June, 1944.

2. Bayeux, small, ancient city of Bessin. 8. *A quelques usages près:* Except for some local customs.

baron Gaston de Nueil, eut bientôt connu les gens que cette société exclusive regardait comme étant toute la ville. Gaston de Nueil vit en eux le personnel immuable que les observateurs retrouvent dans les nombreuses capitales de ces anciens États qui formaient la France d'autrefois.

C'était d'abord la famille dont la noblesse, inconnue à cinquante lieues plus loin, passe, dans le département, pour incontestable et de la plus haute antiquité. Cette espèce de *famille royale* au petit pied° effleure° par ses alliances, sans que personne s'en doute, les Navarreins, les Grand-lieu, touche aux Cadignan, et s'accroche aux Blamont-Chauvry.° Le chef de cette race illustre est toujours un chasseur déterminé. Homme sans manières, il accable tout le monde de sa supériorité nominale;° tolère le sous-préfet, comme il souffre l'impôt; n'admet aucune des puissances nouvelles créées par le XIXᵉ siècle, et fait observer, comme une monstruosité politique, que le premier ministre n'est pas gentilhomme. Sa femme a le ton tranchant,° parle haut, a eu des adorateurs, mais fait régulièrement ses pâques;° elle élève mal ses filles et pense qu'elles seront toujours assez riches de leur nom. La femme et le mari n'ont aucune idée du luxe actuel : ils gardent les livrées de théâtre,° tiennent aux anciennes formes pour l'argenterie, les meubles, les voitures, comme pour les mœurs et le langage. Ce vieux faste s'allie d'ailleurs assez bien avec l'économie des provinces. Enfin, c'est les gentilshommes d'autrefois, moins° les lods et ventes,° moins la meute° et les habits galonnés;° tous pleins d'honneur entre eux, tous dévoués à des princes qu'ils ne voient qu'à distance. Cette maison historique *incognito* conserve l'originalité d'une antique tapisserie de haute lisse.° Dans la famille végète infaillible-ment un oncle ou un frère, lieutenant général, cordon rouge,° homme de cour, qui est allé en Hanovre avec le maréchal de Richelieu,° et que

vous retrouvez là comme le feuillet égaré° d'un vieux pamphlet du temps de Louis XV.

A cette famille fossile s'oppose une famille plus riche, mais de noblesse moins ancienne. Le mari et la femme vont passer deux mois d'hiver à Paris, ils en rapportent le ton fugitif et les passions éphémères. Madame est élégante, mais un peu guindée° et toujours en retard avec les modes. Cependant, elle se moque de l'ignorance affectée par ses voisins; son argenterie est moderne; elle a des grooms, des nègres,° un valet de chambre. Son fils aîné a tilbury,° ne fait rien, il a un majorat;° le cadet est auditeur° au conseil d'État. Le père, fort au fait des intrigues du ministère, raconte des anecdotes sur Louis XVIII et sur madame du Cayla;° il place dans le *cinq pour cent*,° évite la conversation sur les cidres, mais tombe encore parfois dans la manie de rectifier le chiffre des fortunes départe-mentales; il est membre du conseil général,° se fait habiller à Paris, et porte la croix de la Légion d'honneur. Enfin ce gentilhomme a compris la Restauration, et bat monnaie à la Chambre;° mais son royalisme est moins pur que celui de la famille avec laquelle il rivalise. Il reçoit la *Gazette* et les *Débats*. L'autre famille ne lit que la *Quotidienne*.

Monseigneur l'évêque, ancien vicaire général, flotte entre ces deux puissances qui lui rendent les honneurs dus à la religion, mais en lui faisant sentir parfois la morale que le bon La Fontaine a mise à la fin de *l'Âne chargé de reliques*.° Le bonhomme est roturier.°

Puis viennent les astres secondaires, les gentilshommes qui jouissent de dix à douze mille livres de rente, et qui ont été capitaines de vaisseau, ou capitaines de cavalerie, ou rien du tout. A cheval par les chemins, ils tiennent le milieu entre le curé portant les sacrements et le contrôleur des contributions° en tournée.° Presque tous ont été dans les pages° ou dans les mousquetaires, et achèvent paisiblement leurs

---

11. *au petit pied:* in miniature. 11. *effleure:* grazes, touches distantly. 14. *Navarreins... Blamont-Chauvry:* some of Balzac's noble *dramatis personae,* appearing in other works. 17. *nominale:* i.e., because of his noble name. 22. *tranchant:* cutting. 24. *fait ses pâques:* takes Easter Com-munion. 28. *ils gardent... théâtre:* i.e., they dress their servants in showy, outmoded livery. 33. *moins:* minus, not counting. 33. *lods et ventes:* ancient feudal rights. 33. *meute:* pack of hounds. 34. *galonnés:* gold-laced. 38. *de haute lisse:* high-warp (woven with a vertical chain, in antiquated style). 40. *cordon rouge:* member of the Order of St. Louis, abolished after the French Revolution. 41. *qui est allé... Richelieu:* i.e., who had fought under maréchal Richelieu in a campaign in Hanover, Germany (1757–58) during the Seven Years' War.

1. *égaré:* stray. 8. *guindée:* stilted, affected. 11. *nègres:* i.e., colored page boys. 12. *tilbury:* dogcart, light carriage. 13. *majorat:* entailed property. 13. *auditeur:* minor func-tionary. 16. *madame du Cayla:* mistress of Louis XVIII. 17. *il place... cent:* he invests in 5% government bonds. 20. *conseil général:* elective administrative body of a département. 24. *bat monnaie à la Chambre:* i.e., gets in on some good deals through attendance at the Legislature. 32. "D'un magistrat ignorant / C'est la robe qu'on salue." 33. *roturier:* commoner. 40. *contrôleur des contributions:* tax collector. 40. *en tournée:* making his rounds. 41. *les pages: le corps des pages,* aristocratic training school.

jours dans une *faisance-valoir*,° plus occupés d'une coupe de bois ou de leur cidre que de la monarchie. Cependant, ils parlent de la Charte° et des libéraux entre deux *rubbers* de whist ou pendant une partie de trictrac,° après avoir calculé des dots et arrangé des mariages en rapport avec les généalogies qu'ils savent par cœur. Leurs femmes font les fières et prennent les airs de la cour dans leurs cabriolets d'osier;° elles croient être parées quand elles sont affublées° d'un châle° et d'un bonnet; elles achètent annuellement deux chapeaux, mais après de mûres délibérations, et se les font apporter de Paris par occasion;° elles sont généralement vertueuses et bavardes.

Autour de ces éléments principaux de la gent° aristocratique se groupent deux ou trois vieilles filles de qualité qui ont résolu le problème de l'immobilisation de la créature humaine. Elles semblent être scellées dans les maisons où vous les voyez : leurs figures, leurs toilettes font partie de l'immeuble,° de la ville, de la province; elles en sont la tradition, la mémoire, l'esprit. Toutes ont quelque chose de roide et de monumental; elles savent sourire ou hocher la tête à propos, et, de temps en temps, disent des mots qui passent pour spirituels.

Quelques riches bourgeois se sont glissés dans ce petit faubourg Saint-Germain,° grâce à leurs opinions aristocratiques ou à leurs fortunes. Mais, en dépit de leurs quarante ans, là chacun dit d'eux : « Ce petit *un tel* pense bien! » et l'on en fait des députés. Généralement ils sont protégés par les vieilles filles, mais on en cause.

Enfin, deux ou trois ecclésiastiques sont reçus dans cette société d'élite, pour leur étole,° ou parce qu'ils ont de l'esprit, et que° ces nobles personnes, s'ennuyant entre elles, introduisent l'élément bourgeois dans leurs salons comme un boulanger met de la levûre° dans sa pâte.

La somme d'intelligence amassée dans toutes ces têtes se compose d'une certaine quantité d'idées anciennes auxquelles se mêlent quelques pensées nouvelles qui se brassent° en commun

tous les soirs. Semblables à l'eau d'une petite anse,° les phrases qui représentent ces idées ont leur flux et reflux quotidien, leur remous° perpétuel, exactement pareil : qui en entend aujourd'hui le vide retentissement l'entendra demain, dans un an, toujours. Leurs arrêts° immuablement portés sur les choses d'ici-bas forment une science traditionnelle à laquelle il n'est au pouvoir de personne d'ajouter une goutte d'esprit. La vie de ces routinières personnes gravite dans une sphère d'habitudes aussi incommutables que le sont leurs opinions religieuses, politiques, morales et littéraires.

Un étranger est-il admis dans ce cénacle, chacun lui dira, non sans une sorte d'ironie : « Vous ne trouverez pas ici le brillant de votre monde parisien! » et chacun condamnera l'existence de ses voisins en cherchant à faire croire qu'il est une exception dans cette société qu'il a tenté sans succès de rénover. Mais, si, par malheur, l'étranger fortifie par quelque remarque l'opinion que ces gens ont mutuellement d'eux-mêmes, il passe aussitôt pour un homme méchant, sans foi ni loi, pour un Parisien corrompu, *comme le sont en général tous les Parisiens.*°

Quand Gaston de Nueil apparut dans ce petit monde, où l'étiquette était parfaitement observée, où chaque chose de la vie s'harmonisait, où tout se trouvait mis à jour, où les valeurs nobiliaires et territoriales étaient cotées° comme le sont les fonds° de la Bourse à la dernière page des journaux, il avait été pesé d'avance dans les balances infaillibles de l'opinion bayeusaine.° Déjà sa cousine madame de Sainte-Sévère avait dit le chiffre de sa fortune, celui de ses espérances, exhibé son arbre généalogique, vanté ses connaissances, sa politesse et sa modestie. Il reçut l'accueil auquel il devait strictement prétendre, fut accepté comme un bon gentilhomme, sans façon,° parce qu'il n'avait que vingt-trois ans; mais certaines jeunes personnes et quelques mères lui firent les yeux doux. Il possédait dix-huit mille livres de rente dans la vallée d'Auge,° et son père devait, tôt ou tard, lui laisser le

1. *faisance-valoir:* exploitation of landed property. 3. *Charte:* Constitution granted by Louis XVIII in 1814. 5. *trictrac:* backgammon. 9. *cabriolets d'osier:* carriages with wickerwork body. 11. *affublées:* rigged out. 11. *châle:* shawl. 14. *par occasion:* when the opportunity occurs. 16. *gent:* tribe, race. 22. *immeuble:* building. 29. *faubourg Saint-Germain:* aristocratic quarter of Paris. 36. *étole:* stole, priestly vestment. 37. *que = parce que.* 40. *levûre:* yeast. 44. *se brassent:* are brewed.

2. *anse:* (tidal) bay. 3. *remous:* eddying. 6. *arrêts:* judgments. 26. According to his usual method, Balzac has painstakingly established his background before presenting his characters. Compare this with the practice of present story writers. 31. *cotées:* quoted. 32. *fonds:* stocks and bonds. 34. *bayeusaine = de Bayeux.* 41. *sans façon:* unpretentious. 44. *vallée d'Auge:* about 40 miles east of Bayeux, near the Seine.

château de Manerville avec toutes ses dépendances. Quant à son instruction, à son avenir politique, à sa valeur personnelle, à ses talents, il n'en fut seulement pas question. Ses terres étaient bonnes et les fermages° bien assurés; d'excellentes plantations y avaient été faites; les réparations et les impôts étaient à la charge des fermiers; les pommiers avaient trente-huit ans; enfin son père était en marché pour acheter deux cents arpents de bois contigus à son parc, qu'il voulait entourer de murs : aucune espérance ministérielle, aucune célébrité humaine ne pouvait lutter contre de tels avantages. Soit malice, soit calcul, madame de Sainte-Sévère n'avait pas parlé du frère aîné de Gaston, et Gaston n'en dit pas un mot. Mais ce frère était poitrinaire° et paraissait devoir être bientôt enseveli, pleuré, oublié. Gaston de Nueil commença par s'amuser de ces personnages; il en dessina, pour ainsi dire, les figures sur son album dans la sapide° vérité de leurs physionomies anguleuses, crochues, ridées, dans la plaisante originalité de leurs costumes et de leurs tics; il se délecta des *normanismes* de leur idiome, du fruste° de leurs idées et de leurs caractères. Mais, après avoir épousé pendant un moment cette existence semblable à celle des écureuils° occupés à tourner dans leur cage, il sentit l'absence des oppositions dans une vie arrêtée d'avance, comme celle des religieux au fond des cloîtres, et tomba dans une crise qui n'est encore ni l'ennui ni le dégoût, mais qui en comporte presque tous les effets. Après les légères souffrances de cette transition, s'accomplit pour l'individu le phénomène de sa transplantation dans un terrain qui lui est contraire, où il doit s'atrophier et mener une vie rachitique.° En effet, si rien ne le tire de ce monde, il en adopte insensiblement les usages, et se fait à son vide qui le gagne et l'annule.° Déjà les poumons de Gaston s'habituaient à cette atmosphère. Prêt à reconnaître une sorte de bonheur végétal dans ces journées passées sans soins et sans idées, il commençait à perdre le souvenir de ce mouvement de sève, de cette fructification constante des esprits qu'il avait si ardemment épousée dans la sphère parisienne, et allait se pétrifier parmi

ces pétrifications, y demeurer pour toujours, comme les compagnons d'Ulysse,° content de sa grasse enveloppe. Un soir, Gaston de Nueil se trouvait assis entre une vieille dame et l'un des vicaires généraux du diocèse, dans un salon à boiseries peintes en gris, carrelé° en grands carreaux de terre° blancs, décoré de quelques portraits de famille, garni de quatre tables de jeu autour desquelles seize personnes babillaient en jouant au whist. Là, ne pensant à rien, mais digérant un de ces dîners exquis, l'avenir de la journée en province,° il se surprit à justifier les usages du pays. Il concevait pourquoi ces gens-là continuaient à se servir des cartes de la veille, à les battre° sur des tapis usés, et comment ils arrivaient à ne plus s'habiller ni pour eux-mêmes ni pour les autres. Il devinait je ne sais quelle philosophie dans le mouvement uniforme de cette vie circulaire, dans le calme de ces habitudes logiques et dans l'ignorance des choses élégantes. Enfin il comprenait presque l'inutilité du luxe. La ville de Paris, avec ses passions, ses orages et ses plaisirs, n'était déjà plus dans son esprit que comme un souvenir d'enfance. Il admirait de bonne foi les mains rouges, l'air modeste et craintif d'une jeune personne dont, à la première vue, la figure lui avait paru niaise, les manières sans grâce, l'ensemble repoussant et la mine souverainement ridicule. C'était fait de lui. Venu de la province à Paris, il allait retomber de l'existence inflammatoire de Paris dans la froide vie de province, sans° une phrase qui frappa son oreille et lui apporta soudain une émotion semblable à celle que lui aurait causée quelque motif original parmi les accompagnements d'un opéra ennuyeux.

— N'êtes-vous pas allé voir hier madame de Beauséant?° dit une vieille femme au chef de la maison princière du pays.

— J'y suis allé ce matin, répondit-il. Je l'ai trouvée bien triste et si souffrante, que je n'ai pas pu la décider à venir dîner demain avec nous.

— Avec madame de Champignelles? s'écria

2. In the *Odyssey*, the companions of Ulysses were drugged into contentment and transformed into swine on Circe's island. 6. *carrelé:* floored (with tile). 7. *carreaux de terre:* earthenware tiles. 12. *l'avenir… province:* i.e., the eagerly desired future of every provincial day. 15. *battre:* shuffle. 33. *sans:* were it not for. 39. *madame de Beauséant:* presented in *Le Père Goriot* as the queen of Parisian society.

5. *fermages:* farm rentals. 17. *poitrinaire:* consumptive. 21. *sapide:* savory. 25. *fruste:* crudeness. 27. *écureuils:* squirrels. 37. *rachitique:* rickety, unhealthy. 40. *annule:* ruins.

la douairière° en manifestant une sorte de surprise.

— Avec ma femme, dit tranquillement le gentilhomme. Madame de Beauséant n'est-elle pas de la maison de Bourgogne?° Par les femmes, il est vrai; mais enfin ce nom-là blanchit tout. Ma femme aime beaucoup la vicomtesse, et la pauvre dame est depuis si longtemps seule, que...

En disant ces derniers mots, le marquis de Champignelles regarda d'un air calme et froid les personnes qui l'écoutaient en l'examinant; mais il fut presque impossible de deviner s'il faisait une concession au malheur ou à la noblesse de madame de Beauséant, s'il était flatté de la recevoir, ou s'il voulait forcer par orgueil les gentilshommes du pays et leurs femmes à la voir.°

Toutes les dames parurent se consulter en se jetant le même coup d'œil; et alors, le silence le plus profond ayant tout à coup régné dans le salon, leur attitude fut prise comme un indice d'improbation.°

— Cette madame de Beauséant est-elle par hasard celle dont l'aventure avec M. d'Ajuda-Pinto° a fait tant de bruit? demanda Gaston à la personne près de laquelle il était.

— Parfaitement la même, lui répondit-on. Elle est venue habiter Courcelles après le mariage du marquis d'Ajuda; personne ici ne la reçoit. Elle a, d'ailleurs, beaucoup trop d'esprit pour ne pas avoir senti la fausseté de sa position : aussi n'a-t-elle cherché à voir personne. M. de Champignelles et quelques hommes se sont présentés chez elle, mais elle n'a reçu que M. de Champignelles, à cause peut-être de leur parenté : ils sont alliés par les Beauséant. Le marquis de Beauséant le père a épousé une Champignelles de la branche aînée. Quoique la vicomtesse de Beauséant passe pour descendre de la maison de Bourgogne, vous comprenez que nous ne pouvions pas admettre ici une femme séparée de son mari. C'est de vieilles idées auxquelles nous avons encore la bêtise de tenir. La vicomtesse a eu d'autant plus

de tort dans ses escapades, que M. de Beauséant est un galant homme, un homme de cour : il aurait très bien entendu raison. Mais sa femme est une tête folle...

M. de Nueil, tout en entendant la voix de son interlocutrice, ne l'écoutait plus. Il était absorbé par mille fantaisies. Existe-t-il d'autre mot pour exprimer les attraits d'une aventure au moment où elle sourit à l'imagination, au moment où l'âme conçoit de vagues espérances, pressent° d'inexplicables félicités, des craintes, des événements, sans que rien encore alimente ni fixe les caprices de ce mirage? L'esprit voltige alors, enfante des projets impossibles et donne en germe les bonheurs d'une passion. Mais peut-être le germe de la passion la contient-il entièrement, comme une graine contient une belle fleur avec ses parfums et ses riches couleurs. M. de Nueil ignorait que madame de Beauséant se fût réfugiée en Normandie après un éclat que la plupart des femmes envient et condamnent, surtout lorsque les séductions de la jeunesse et de la beauté justifient presque la faute qui l'a causé. Il existe un prestige inconcevable dans toute espèce de célébrité, à quelque titre qu'elle soit due. Il semble que, pour les femmes comme jadis pour les familles, la gloire d'un crime en efface la honte. De même que telle maison s'enorgueillit de ses têtes tranchées,° une jolie, une jeune femme devient plus attrayante par la fatale renommée d'un amour malheureux ou d'une affreuse trahison. Plus elle est à plaindre, plus elle excite de sympathies. Nous ne sommes impitoyables que pour les choses, pour les sentiments et les aventures vulgaires. En attirant les regards, nous paraissons grands. Ne faut-il pas, en effet, s'élever au-dessus des autres pour en être vu? Or, la foule éprouve involontairement un sentiment de respect pour tout ce qui s'est grandi, sans trop demander compte des moyens. En ce moment, Gaston de Nueil se sentait poussé vers madame de Beauséant par la secrète influence de ces raisons, ou peut-être par la curiosité, par le besoin de mettre un intérêt dans sa vie actuelle, enfin par cette foule de motifs impossibles à dire, et que le mot de *fatalité* sert souvent à exprimer. La vicomtesse de Beauséant avait surgi devant lui tout à coup, accompagnée d'une foule d'images gracieuses :

---

1. *douairière:* dowager, elderly lady of rank. 5. *maison de Bourgogne:* one of the great princely families of France. 18. The marquis has invited Mme de Beauséant to dine, whether from pity or respect for rank or to force his fellow gentry to receive her. She is evidently *déclassée.* 23. *improbation:* disapproval. 26. *d'Ajuda-Pinto:* In *Le Père Goriot* we learn that Mme de Beauséant, unhappy in marriage, had taken M. d'Ajuda-Pinto as a lover.

11. *pressent* (from *pressentir*): feels in advance, forecasts. 29. *têtes tranchées:* i.e., executed noble rebels.

elle était un monde nouveau; près d'elle sans doute il y avait à craindre, à espérer, à combattre, à vaincre. Elle devait contraster avec les personnes que Gaston voyait dans ce salon mesquin; enfin c'était une femme, et il n'avait point encore rencontré de femme dans ce monde froid où les calculs remplaçaient les sentiments, où la politesse n'était plus que des devoirs, et où les idées les plus simples avaient quelque chose de trop blessant pour être acceptées ou émises. Madame de Beauséant réveillait en son âme le souvenir de ses rêves de jeune homme et ses plus vivaces passions, un moment endormies. Gaston de Nueil devint distrait pendant le reste de la soirée. Il pensait au moyen de s'introduire chez madame de Beauséant, et certes il n'en existait guère. Elle passait pour être éminemment spirituelle. Mais, si les personnes d'esprit peuvent se laisser séduire par les choses originales ou fines, elles sont exigeantes, savent tout deviner; auprès d'elles, il y a donc autant de chances pour se perdre que pour réussir dans la difficile entreprise de plaire. Puis la vicomtesse devait joindre à l'orgueil de sa situation la dignité que son nom lui commandait. La solitude profonde dans laquelle elle vivait semblait être la moindre des barrières élevées entre elle et le monde. Il était donc presque impossible à un inconnu, de quelque bonne famille qu'il fût, de se faire admettre chez elle. Cependant, le lendemain matin, M. de Nueil dirigea sa promenade vers le pavillon de Courcelles, et fit plusieurs fois le tour de l'enclos qui en dépendait. Dupé par les illusions auxquelles il est si naturel de croire à son âge, il regardait à travers les brèches ou par-dessus les murs, restait en contemplation devant les persiennes° fermées ou examinait celles qui étaient ouvertes. Il espérait un hasard romanesque, il en combinait° les effets sans s'apercevoir de leur impossibilité, pour s'introduire auprès de l'inconnue. Il se promena pendant plusieurs matinées fort infructueusement; mais, à chaque promenade, cette femme placée en dehors du monde, victime de l'amour, ensevelie dans la solitude, grandissait dans sa pensée et se logeait dans son âme. Aussi le cœur de Gaston battait-il d'espérance et de joie si par hasard, en longeant les murs de Courcelles, il venait à entendre le pas pesant de quelque jardinier.

Il pensait bien à écrire à madame de Beauséant; mais que dire à une femme que l'on n'a pas vue et qui ne nous connaît pas? D'ailleurs, Gaston se défiait de lui-même; puis, semblable aux jeunes gens encore pleins d'illusions, il craignait plus que la mort les terribles dédains du silence, et frissonnait en songeant à toutes les chances que pouvait avoir sa première prose amoureuse d'être jetée au feu. Il était en proie à mille idées contraires qui se combattaient. Mais enfin, à force d'enfanter des chimères, de composer des romans et de se creuser la cervelle, il trouva l'un de ces heureux stratagèmes qui finissent par se rencontrer dans le grand nombre de ceux que l'on rêve, et qui révèlent à la femme la plus innocente l'étendue de la passion avec laquelle un homme s'est occupé d'elle. Souvent, les bizarreries sociales créent autant d'obstacles réels entre une femme et son amant que les poètes orientaux en ont mis dans les délicieuses fictions de leurs contes, et leurs images les plus fantastiques sont rarement exagérées. Aussi, dans la nature comme dans le monde des fées, la femme doit-elle toujours appartenir à celui qui sait arriver à elle et la délivrer de la situation où elle languit. Le plus pauvre des calenders,° tombant amoureux de la fille d'un calife,° n'en était certes pas séparé par une distance plus grande que celle qui se trouvait entre Gaston et madame de Beauséant. La vicomtesse vivait dans une ignorance absolue des circonvallations° tracées autour d'elle par M. de Nueil, dont l'amour s'accroissait de toute la grandeur des obstacles à franchir, et qui donnaient à sa maîtresse improvisée les attraits que possède toute chose lointaine.

Un jour, se fiant à son inspiration, il espéra tout de l'amour qui devait jaillir de ses yeux. Croyant la parole plus éloquente que ne l'est la lettre la plus passionnée, et spéculant aussi sur la curiosité naturelle à la femme, il alla chez M. de Champignelles en se proposant de l'employer à la réussite de son entreprise. Il dit au gentilhomme qu'il avait à s'acquitter

---

38. *persiennes:* Venetian blinds. 40. *combinait:* i.e., was imagining.

30. *calenders:* mendicant dervishes (in the *Arabian Nights*). 31. *calife:* caliph (ruler in Mohammedan countries). 35. *circonvallations:* encircling siege works.

d'une commission importante et délicate auprès de madame de Beauséant; mais, ne sachant point si elle lisait les lettres d'une écriture inconnue ou si elle accorderait sa confiance à un étranger, il le priait de demander à la vicomtesse, lors de sa première visite, si elle daignerait le recevoir. Tout en invitant le marquis à garder le secret en cas de refus, il l'engagea fort spirituellement à ne point taire à madame de Beauséant les raisons qui pouvaient le faire admettre chez elle. N'était-il pas homme d'honneur, loyal et incapable de se prêter à une chose de mauvais goût ou même malséante! Le hautain gentilhomme, dont les petites vanités avaient été flattées, fut complètement dupé par cette diplomatie de l'amour qui prête à un jeune homme l'aplomb et la haute dissimulation d'un vieil ambassadeur. Il essaya bien de pénétrer les secrets de Gaston ; mais celui-ci, fort embarrassé de les lui dire, opposa des phrases normandes° aux adroites interrogations de M. de Champignelles, qui, en chevalier français, le complimenta sur sa discrétion.

Aussitôt le marquis courut à Courcelles avec cet empressement que les gens d'un certain âge mettent à rendre service aux jolies femmes. Dans la situation où se trouvait la vicomtesse de Beauséant, un message de cette espèce était de nature à l'intriguer. Aussi, quoiqu'elle ne vît, en consultant ses souvenirs, aucune raison qui pût amener chez elle M. de Nueil, n'aperçut-elle aucun inconvénient à le recevoir, après toutefois s'être prudemment enquise° de sa position dans le monde. Elle avait cependant commencé par refuser; puis elle avait discuté ce point de convenance° avec M. de Champignelles, en l'interrogeant pour tâcher de deviner s'il savait le motif de cette visite; puis elle était revenue° sur son refus. La discussion et la discrétion forcée du marquis avaient irrité sa curiosité.

M. de Champignelles, ne voulant point paraître ridicule, prétendait, en homme instruit mais discret, que la vicomtesse devait parfaitement connaître l'objet de cette visite, quoiqu'elle le cherchât de bien bonne foi sans le

trouver. Madame de Beauséant créait des liaisons entre Gaston et des gens qu'il ne connaissait pas, se perdait dans d'absurdes suppositions, et se demandait à elle-même si elle avait jamais vu M. de Nueil. La lettre d'amour la plus vraie ou la plus habile n'eût certes pas produit autant d'effet que cette espèce d'énigme sans mot° de laquelle madame de Beauséant fut occupée à plusieurs reprises.

Quand Gaston apprit qu'il pouvait voir la vicomtesse, il fut tout à la fois dans le ravissement d'obtenir si promptement un bonheur ardemment souhaité et singulièrement embarrassé de donner un dénoûment à sa ruse.

— Bah! *la* voir, répétait-il en s'habillant, la voir, c'est tout!

Puis il espérait, en franchissant la porte de Courcelles, rencontrer un expédient pour dénouer le nœud gordien qu'il avait serré lui-même. Gaston était du nombre de ceux qui, croyant à la toute-puissance de la nécessité, vont toujours; et, au dernier moment, arrivés en face du danger, ils s'en inspirent et trouvent des forces pour le vaincre. Il mit un soin particulier à sa toilette. Il s'imaginait, comme les jeunes gens, que d'une boucle° bien ou mal placée dépendait son succès, ignorant qu'au jeune âge tout est charme et attrait. D'ailleurs, les femmes de choix qui ressemblent à madame de Beauséant ne se laissent séduire que par les grâces de l'esprit et par la supériorité du caractère. Un grand caractère flatte leur vanité, leur promet une grande passion et paraît devoir admettre les exigences de leur cœur. L'esprit les amuse, répond aux finesses de leur nature, et elles se croient comprises. Or, que veulent toutes les femmes, si ce n'est d'être amusées, comprises ou adorées? Mais il faut avoir bien réfléchi sur les choses de la vie pour deviner la haute coquetterie que comportent la négligence du costume et la réserve de l'esprit dans une première entrevue. Quand nous devenons assez rusés pour être d'habiles politiques, nous sommes trop vieux pour profiter de notre expérience. Tandis que Gaston se défiait assez de son esprit pour emprunter des séductions à son vêtement, madame de Beauséant elle-même mettait instinctivement de la recherche dans sa toilette et se disait en arrangeant sa coiffure :

---

21. *normandes:* noncommittal (in the manner of Norman peasants). 34. *enquise:* from *enquérir.* 37. *convenance:* propriety. 40. *était revenue:* had gone back on.

7. *mot:* here, answer. 26. *boucle:* lock of hair.

— Je ne veux cependant pas être à faire peur.

M. de Nueil avait dans l'esprit, dans sa personne et dans les manières, cette tournure naïvement originale qui donne une sorte de saveur aux gestes et aux idées ordinaires, permet de tout dire et fait tout passer. Il était instruit, pénétrant, d'une physionomie heureuse et mobile comme son âme impressible. Il y avait de la passion, de la tendresse dans ses yeux vifs; et son cœur, essentiellement bon, ne les démentait pas. La résolution qu'il prit en entrant à Courcelles fut donc en harmonie avec la nature de son caractère franc et de son imagination ardente. Malgré l'intrépidité de l'amour, il ne put cependant se défendre d'une violente palpitation quand, après avoir traversé une grande cour dessinée en jardin anglais, il arriva dans une salle où un valet de chambre, lui ayant demandé son nom, disparut et revint pour l'introduire.

— M. le baron de Nueil.

Gaston entra lentement, mais d'assez bonne grâce, chose plus difficile encore dans un salon où il n'y a qu'une femme que dans celui où il y en a vingt. A l'angle de la cheminée, où, malgré la saison, brillait un grand foyer,° et sur laquelle se trouvaient deux candélabres allumés jetant de molles lumières, il aperçut une jeune femme assise dans cette moderne bergère° à dossier° très élevé, dont le siège bas lui permettait de donner à sa tête des poses variées pleines de grâce et d'élégance, de l'incliner, de la pencher, de la redresser languissamment, comme si c'était un fardeau pesant : puis de plier ses pieds, de les montrer ou de les rentrer sous les longs plis d'une robe noire. La vicomtesse voulut placer sur une petite table ronde le livre qu'elle lisait; mais, ayant en même temps tourné la tête vers M. de Nueil, le livre, mal posé, tomba dans l'intervalle qui séparait la table de la bergère. Sans paraître surprise de cet incident, elle se rehaussa, et s'inclina pour répondre au salut du jeune homme, mais d'une manière imperceptible et presque sans se lever de son siège, où son corps resta plongé. Elle se courba pour s'avancer, remua vivement le feu; puis elle se baissa, ramassa un gant qu'elle mit avec négligence à sa main gauche, en cherchant l'autre par un regard promptement réprimé;

car de sa main droite, main blanche, presque transparente, sans bagues, fluette,° à doigts effilés° et dont les ongles roses formaient un ovale parfait, elle montra une chaise comme pour dire à Gaston de s'asseoir.° Quand son hôte inconnu fut assis, elle tourna la tête vers lui par un mouvement interrogeant et coquet dont la finesse ne saurait se peindre; il appartenait à ces intentions bienveillantes, à ces gestes gracieux, quoique précis, que donnent l'éducation première et l'habitude constante des choses de bon goût. Ces mouvements multipliés se succédèrent rapidement en un instant, sans saccades° ni brusquerie, et charmèrent Gaston par ce mélange de soin et d'abandon qu'une jolie femme ajoute aux manières aristocratiques de la haute compagnie. Madame de Beauséant contrastait trop vivement avec les automates parmi lesquels il vivait depuis deux mois d'exil au fond de la Normandie, pour ne pas lui personnifier la poésie de ses rêves; aussi ne pouvait-il en comparer les perfections à aucune de celles qu'il avait jadis admirées. Devant cette femme et dans ce salon meublé comme l'est un salon du faubourg Saint-Germain, plein de ces riens si riches qui traînent sur les tables, en apercevant des livres et des fleurs, il se retrouva dans Paris. Il foulait un vrai tapis de Paris, revoyait le type distingué, les formes frêles de la Parisienne, sa grâce exquise, et sa négligence° des effets cherchés qui nuisent tant aux femmes de province.

Madame la vicomtesse de Beauséant était blonde, blanche comme une blonde, et avait les yeux bruns. Elle présentait noblement son front, un front d'ange déchu° qui s'enorgueillit de sa faute et ne veut point de pardon. Ses cheveux, abondants et tressés en hauteur au-dessus de deux bandeaux qui décrivaient sur ce front de larges courbes, ajoutaient encore à la majesté de sa tête. L'imagination retrouvait, dans les spirales de cette chevelure dorée, la couronne ducale de Bourgogne; et, dans les yeux brillants de cette grande dame, tout le courage de sa maison; le courage d'une femme forte seulement pour repousser le mépris ou l'audace, mais pleine de tendresse pour les sentiments

26. *foyer:* hearth fire. 29. *bergère:* easy chair. 29. *dossier:* back.

2. *fluette:* slender. 3. *effilés:* tapering. 5. This entire passage is a good example of Balzac's *realism* in the reporting of action. 13. *saccades:* jerks. 30. *négligence:* neglect, unconcern for. 36. *déchu:* fallen.

doux. Les contours de sa petite tête, admirablement posée sur un long col blanc; les traits de sa figure fine, ses lèvres déliées° et sa physionomie mobile gardaient une expression de prudence exquise, une teinte d'ironie affectée qui ressemblait à de la ruse et à de l'impertinence. Il était difficile de ne pas lui pardonner ces deux péchés féminins en pensant à ses malheurs, à la passion qui avait failli lui coûter la vie, et qu'attestaient soit les rides qui, par le moindre mouvement, sillonnaient son front, soit la douloureuse éloquence de ses beaux yeux souvent levés vers le ciel. N'était-ce pas un spectacle imposant, et encore agrandi par la pensée, de voir dans un immense salon silencieux cette femme séparée du monde entier, et qui, depuis trois ans, demeurait au fond d'une petite vallée, loin de la ville, seule avec les souvenirs d'une jeunesse brillante, heureuse, passionnée, jadis remplie par des fêtes, par de constants hommages, mais maintenant livrée aux horreurs du néant? Le sourire de cette femme annonçait une haute conscience de sa valeur. N'étant ni mère ni épouse, repoussée par le monde, privée du seul cœur qui pût faire battre le sien sans honte, ne tirant d'aucun sentiment les secours nécessaires à son âme chancelante, elle devait prendre sa force sur elle-même, vivre de sa propre vie, et n'avoir d'autre espérance que celle de la femme abandonnée : attendre la mort, en hâter la lenteur malgré les beaux jours qui lui restaient encore. Se sentir destinée au bonheur, et périr sans le recevoir, sans le donner!... une femme! Quelles douleurs! M. de Nueil fit ces réflexions avec la rapidité de l'éclair, et se trouva bien honteux de son personnage en présence de la plus grande poésie dont puisse s'envelopper une femme. Séduit par le triple éclat de la beauté, du malheur et de la noblesse, il demeura presque béant, songeur, admirant la vicomtesse, mais ne trouvant rien à lui dire.

Madame de Beauséant, à qui cette surprise ne déplut sans doute point, lui tendit la main par un geste doux mais impératif; puis, rappelant un sourire sur ses lèvres pâlies, comme pour obéir encore aux grâces de son sexe, elle lui dit :

— M. de Champignelles m'a prévenue, monsieur, du message dont vous vous êtes si complaisamment chargé pour moi. Serait-ce de la part de...?

En entendant cette terrible phrase, Gaston comprit encore mieux le ridicule de sa situation, le mauvais goût, la déloyauté de son procédé envers une femme et si noble et si malheureuse. Il rougit. Son regard, empreint de mille pensées, se troubla; mais tout à coup, avec cette force que de jeunes cœurs savent puiser dans le sentiment de leurs fautes, il se rassura; puis, interrompant madame de Beauséant, non sans faire un geste plein de soumission, il lui répondit d'une voix émue :

— Madame, je ne mérite pas le bonheur de vous voir; je vous ai indignement trompée. Le sentiment auquel j'ai obéi, si grand qu'il puisse être, ne saurait faire excuser le misérable subterfuge qui m'a servi pour arriver jusqu'à vous. Mais, madame, si vous aviez la bonté de me permettre de vous dire...

La vicomtesse lança sur M. de Nueil un coup d'œil plein de hauteur et de mépris, leva la main pour saisir le cordon de sa sonnette, sonna; le valet de chambre vint; elle lui dit, en regardant le jeune homme avec dignité :

— Jacques, éclairez monsieur.°

Elle se leva fière, salua Gaston, et se baissa pour ramasser le livre tombé. Ses mouvements furent aussi secs, aussi froids que ceux par lesquels elle l'accueillit avaient été mollement élégants et gracieux. M. de Nueil s'était levé, mais il restait debout. Madame de Beauséant lui jeta de nouveau un regard comme pour lui dire : « Eh bien, vous ne sortez pas? »

Ce regard fut empreint d'une moquerie si perçante, que Gaston devint pâle comme un homme près de défaillir. Quelques larmes roulèrent dans ses yeux; mais il les retint, les sécha dans les feux de la honte et du désespoir, regarda madame de Beauséant avec une sorte d'orgueil qui exprimait tout ensemble et de la résignation et une certaine conscience de sa valeur : la vicomtesse avait le droit de le punir, mais le devait-elle? Puis il sortit. En traversant l'antichambre, la perspicacité de son esprit et son intelligence aiguisée par la passion lui firent comprendre tout le danger de sa situation.

— Si je quitte cette maison, se dit-il, je n'y pourrai jamais rentrer; je serai toujours un sot pour la vicomtesse. Il est impossible à une femme, et elle est femme! de ne pas deviner l'amour qu'elle inspire; elle ressent peut-être

---

3. *déliées:* fine, delicate.

24. *éclairez monsieur:* light the gentleman to the door.

un regret vague et involontaire de m'avoir si brusquement congédié, mais elle ne doit pas, elle ne peut pas révoquer son arrêt : c'est à moi de la comprendre.

A cette réflexion, Gaston s'arrête sur le perron, laisse échapper une exclamation, se retourne vivement et dit :

— J'ai oublié quelque chose!°

Et il revint vers le salon, suivi du valet de chambre, qui, plein de respect pour un baron et pour les droits sacrés de la propriété, fut complètement abusé par le ton naïf avec lequel cette phrase fut dite. Gaston entra doucement sans être annoncé. Quand la vicomtesse, pensant peut-être que l'intrus était son valet de chambre, leva la tête, elle trouva devant elle M. de Nueil.

— Jacques m'a éclairé,° dit-il en souriant.

Son sourire, empreint d'une grâce à demi triste, ôtait à ce mot tout ce qu'il avait de plaisant,° et l'accent avec lequel il était prononcé devait aller à l'âme.

Madame de Beauséant fut désarmée.

— Eh bien, asseyez-vous, dit-elle.

Gaston s'empara de la chaise par un mouvement avide. Ses yeux, animés par la félicité, jetèrent un éclat si vif, que la comtesse ne put soutenir ce jeune regard, baissa les yeux sur son livre et savoura le plaisir toujours nouveau d'être pour un homme le principe de son bonheur, sentiment impérissable chez la femme. Puis madame de Beauséant avait été devinée. La femme est si reconnaissante de rencontrer un homme au fait des caprices si logiques de son cœur, qui comprenne les allures en apparence contradictoires de son esprit, les fugitives pudeurs de ses sensations tantôt timides, tantôt hardies, étonnant mélange de coquetterie et de naïveté!

— Madame, s'écria doucement Gaston, vous connaissez ma faute, mais vous ignorez mes crimes. Si vous saviez avec quel bonheur j'ai…

— Ah! prenez garde, dit-elle en levant un de ses doigts d'un air mystérieux à la hauteur de son nez, qu'elle effleura; puis, de l'autre main, elle fit un geste pour prendre le cordon de la sonnette.

Ce joli mouvement, cette gracieuse menace provoquèrent sans doute une triste pensée, un souvenir de sa vie heureuse, du temps où elle pouvait être tout charme et toute gentillesse, où le bonheur justifiait les caprices de son esprit comme il donnait un attrait de plus aux moindres mouvements de sa personne. Elle amassa° les rides de son front entre ses deux sourcils : son visage, si doucement éclairé par les bougies, prit une sombre expression; elle regarda M. de Nueil avec une gravité dénuée de froideur, et lui dit en femme profondément pénétrée par le sens de ses paroles :

— Tout ceci est bien ridicule! Un temps a été, monsieur, où j'avais le droit d'être follement gaie, où j'aurais pu rire avec vous et vous recevoir sans crainte : mais, aujourd'hui, ma vie est bien changée, je ne suis plus maîtresse de mes actions, et suis forcée d'y réfléchir. A quel sentiment dois-je votre visite? Est-ce curiosité? Je paye alors bien cher un fragile instant de bonheur. Aimeriez-vous déjà *passionnément* une femme infailliblement calomniée et que vous n'avez jamais vue? Vos sentiments seraient donc fondés sur la mésestime, sur une faute à laquelle le hasard a donné de la célébrité.

Elle jeta son livre sur la table avec dépit.

— Eh quoi! reprit-elle après avoir lancé un regard terrible sur Gaston, parce que j'ai été faible, le monde veut donc que je le sois toujours? Cela est affreux, dégradant. Venez-vous chez moi pour me plaindre? Vous êtes bien jeune pour sympathiser avec des peines de cœur. Sachez-le bien, monsieur, je préfère le mépris à la pitié; je ne veux subir la compassion de personne.

Il y eut un moment de silence.

— Eh bien, vous voyez, monsieur, reprit-elle en levant la tête vers lui d'un air triste et doux, quel que soit le sentiment qui vous ait porté à vous jeter étourdiment° dans ma retraite, vous me blessez. Vous êtes trop jeune pour être tout à fait dénué de bonté, vous sentirez donc l'inconvenance de votre démarche : je vous la pardonne, et vous en parle maintenant sans amertume. Vous ne reviendrez plus ici, n'est-ce pas? Je vous prie quand je pourrais ordonner. Si vous me faisiez une nouvelle visite, il ne serait ni en votre pouvoir ni au mien d'empêcher toute

8. On this climactic passage André Maurois based a brilliant story: *Par la faute de M. de Balzac* (in *Mêïpe*). 17. *Jacques m'a éclairé:* a double meaning: "Jacques has lit me to the door," and "Jacques has enlightened me." 20. *plaisant:* amusing.

8. *amassa:* concentrated. 41. *étourdiment:* thoughtlessly.

la ville de croire que vous devenez mon amant,
et vous ajouteriez à mes chagrins un chagrin
bien grand. Ce n'est pas votre volonté, je pense.

Elle se tut en le regardant avec une dignité
vraie qui le rendit confus.

— J'ai eu tort, madame, répondit-il d'un ton
pénétré; mais l'ardeur, l'irréflexion, un vif besoin
de bonheur sont à mon âge des qualités° et des
défauts. Maintenant, reprit-il, je comprends que
je n'aurais pas dû chercher à vous voir, et
cependant mon désir était bien naturel…

Il tâcha de raconter avec plus de sentiment
que d'esprit les souffrances auxquelles l'avait
condamné son exil nécessaire. Il peignit l'état
d'un jeune homme dont les feux brûlaient sans
aliment, en faisant penser qu'il était digne
d'être aimé tendrement, et néanmoins n'avait
jamais connu les délices d'un amour inspiré par
une femme jeune, belle, pleine de goût, de
délicatesse. Il expliqua son manque de convenance sans vouloir le justifier. Il flatta madame
de Beauséant en lui prouvant qu'elle réalisait
pour lui le type de la maîtresse incessamment
mais vainement appelée par la plupart des
jeunes gens. Puis, en parlant de ses promenades
matinales autour de Courcelles, et des idées
vagabondes qui le saisissaient à l'aspect du
pavillon où il s'était enfin introduit, il excita
cette indéfinissable indulgence que la femme
trouve dans son cœur pour les folies qu'elle
inspire. Il fit entendre une voix passionnée dans
cette froide solitude, où il apportait les chaudes
inspirations du jeune âge et les charmes d'esprit
qui décèlent° une éducation soignée. Madame
de Beauséant était privée depuis trop longtemps
des émotions que donnent les sentiments vrais
finement exprimés pour ne pas en sentir vivement les délices. Elle ne put s'empêcher de
regarder la figure expressive de M. de Nueil, et
d'admirer en lui cette belle confiance de l'âme
qui n'a encore été ni déchirée par les cruels
enseignements de la vie du monde, ni dévorée
par les perpétuels calculs de l'ambition ou de
la vanité. Gaston était le jeune homme dans
sa fleur, et se produisait en homme de caractère
qui méconnaît encore ses hautes destinées.
Ainsi tous deux faisaient à l'insu l'un de l'autre
les réflexions les plus dangereuses pour leur
repos, et tâchaient de se les cacher. M. de Nueil

reconnaissait dans la vicomtesse une de ces
femmes si rares, toujours victimes de leur propre
perfection et de leur inextinguible tendresse,
dont la beauté gracieuse est le moindre charme
quand elles ont une fois permis l'accès de leur
âme, où les sentiments sont infinis, où tout est
bon, où l'instinct du beau s'unit aux expressions
les plus variées de l'amour pour purifier les
voluptés et les rendre presque saintes : admirable
secret de la femme, présent exquis si rarement
accordé par la nature. De son côté, la vicomtesse,
en écoutant l'accent vrai avec lequel Gaston lui
parlait des malheurs de sa jeunesse, devinait les
souffrances imposées par la timidité aux grands
enfants de vingt-cinq ans lorsque l'étude les a
garantis de la corruption et du contact des gens
du monde, dont l'expérience raisonneuse corrode
les belles qualités du jeune âge. Elle trouvait en
lui le rêve de toutes les femmes, un homme chez
lequel n'existaient encore ni cet égoïsme de
famille et de fortune, ni ce sentiment personnel
qui finissent par tuer, dans leur premier élan,
le dévouement, l'honneur, l'abnégation, l'estime
de soi-même, fleurs d'âme sitôt fanées qui
d'abord enrichissent la vie d'émotions délicates,
quoique fortes, et ravivent en l'homme la
probité du cœur. Une fois lancés dans les vastes
espaces du sentiment, ils arrivèrent très loin en
théorie, sondèrent l'un et l'autre la profondeur
de leurs âmes, s'informèrent de la vérité de
leurs expressions. Cet examen, involontaire chez
Gaston, était prémédité chez madame de
Beauséant. Usant de sa finesse naturelle ou
acquise, elle exprimait, sans se nuire à elle-
même, des opinions contraires aux siennes pour
connaître celles de M. de Nueil. Elle fut si
spirituelle, si gracieuse, elle fut si bien elle-même
avec un jeune homme qui ne réveillait point sa
défiance, en croyant ne plus le revoir, que
Gaston s'écria naïvement à un mot délicieux dit
par elle-même :

— Eh! madame, comment un homme a-t-il
pu vous abandonner?°

La vicomtesse resta muette. Gaston rougit, il
pensait l'avoir offensée. Mais cette femme était
surprise par le premier plaisir profond et vrai
qu'elle ressentait depuis le jour de son malheur.
Le roué le plus habile n'eût pas fait à force
d'art le progrès que M. de Nueil dut à ce cri

---

8. *qualités*: good qualities. 34. *décèlent*: reveal.

43. The theme of the story is stated; it will reappear.

parti du cœur. Ce jugement arraché à la candeur d'un homme jeune la rendait innocente à ses yeux, condamnait le monde, accusait celui qui l'avait quittée, et justifiait la solitude où elle était venue languir. L'absolution mondaine, les touchantes sympathies, l'estime sociale, tant souhaitées, si cruellement refusées, enfin ses plus secrets désirs étaient accomplis par cette exclamation qu'embellissaient encore les plus douces flatteries du cœur et cette admiration toujours avidement savourée par les femmes. Elle était donc entendue et comprise. M. de Nueil lui donnait tout naturellement l'occasion de se grandir de sa chute. Elle regarda la pendule.

— Oh! madame, s'écria Gaston, ne me punissez pas de mon étourderie.° Si vous ne m'accordez qu'une soirée, daignez ne pas l'abréger encore.

Elle sourit du compliment.

— Mais, dit-elle, puisque nous ne devons plus nous revoir, qu'importe un moment de plus ou de moins? Si je vous plaisais, ce serait un malheur.

— Un malheur tout venu,° répondit-il tristement.

— Ne me dites pas cela, reprit-elle gravement. Dans toute autre position, je vous recevrais avec plaisir. Je vais vous parler sans détour, vous comprendrez pourquoi je ne veux pas, pourquoi je ne dois pas vous revoir. Je vous crois l'âme trop grande pour ne pas sentir que, si j'étais seulement soupçonnée d'une seconde faute, je deviendrais, pour tout le monde, une femme méprisable et vulgaire, je ressemblerais aux autres femmes. Une vie pure et sans tache donnera donc du relief à mon caractère. Je suis trop fière pour ne pas essayer de demeurer au milieu de la société comme un être à part, victime des lois par mon mariage, victime des hommes par mon amour. Si je ne restais pas fidèle à ma position, je mériterais tout le blâme qui m'accable et perdrais ma propre estime. Je n'ai pas eu la haute vertu sociale d'appartenir à un homme que je n'aimais pas. J'ai brisé, malgré les lois, les liens du mariage : c'était un tort, un crime, ce sera tout ce que vous voudrez; mais, pour moi, cet état équivalait à la mort.

J'ai voulu vivre. Si j'eusse été mère, peut-être aurais-je trouvé des forces pour supporter le supplice d'un mariage imposé par les convenances. A dix-huit ans, nous ne savons guère, pauvres jeunes filles, ce que l'on nous fait faire. J'ai violé les lois du monde, le monde m'a punie; nous étions justes l'un et l'autre. J'ai cherché le bonheur. N'est-ce pas une loi de notre nature que d'être heureuses? J'étais jeune, j'étais belle… J'ai cru rencontrer un être aussi aimant qu'il paraissait passionné. J'ai été bien aimée pendant un moment!…

Elle fit une pause.

— Je pensais, reprit-elle, qu'un homme ne devait jamais abandonner une femme dans la situation où je me trouvais. J'ai été quittée, j'aurai déplu. Oui, j'ai manqué sans doute à quelque loi de nature : j'aurai été trop aimante, trop dévouée ou trop exigeante, je ne sais. Le malheur m'a éclairée. Après avoir été longtemps l'accusatrice, je me suis résignée à être la seule criminelle. J'ai donc absous à mes dépens celui de qui je croyais avoir à me plaindre. Je n'ai pas été assez adroite pour le conserver : la destinée m'a fortement punie de ma maladresse. Je ne sais qu'aimer : le moyen de penser à soi quand on aime? J'ai donc été l'esclave quand j'aurais dû me faire tyran. Ceux qui me connaîtront pourront me condamner, mais ils m'estimeront. Mes souffrances m'ont appris à ne plus m'exposer à l'abandon. Je ne comprends pas comment j'existe encore, après avoir subi les douleurs des huit premiers jours qui ont suivi cette crise, la plus affreuse dans la vie d'une femme. Il faut avoir vécu pendant trois ans seule pour avoir acquis la force de parler comme je le fais en ce moment de cette douleur. L'agonie se termine ordinairement par la mort, eh bien, monsieur, c'était une agonie sans le tombeau pour dénoûment. Oh! j'ai bien souffert!

La vicomtesse leva ses beaux yeux vers la corniche,° à laquelle sans doute elle confia tout ce que ne devait pas entendre un inconnu. Une corniche est bien la plus douce, la plus soumise, la plus complaisante confidente que les femmes puissent trouver dans les occasions où elles n'osent regarder leur interlocuteur. La corniche d'un boudoir est une institution. N'est-ce pas

17. *étourderie:* thoughtless blunder. 25. *tout venu:* which has already arrived.

43. *corniche:* cornice, ornamental moulding near ceiling.

un confessionnal, moins le prêtre? En ce moment, madame de Beauséant était éloquente et
belle; il faudrait dire coquette, si ce mot
n'était pas trop fort. En se rendant justice, en
mettant entre elle et l'amour les plus hautes
barrières, elle aiguillonnait° tous les sentiments
de l'homme : et, plus elle élevait le but, mieux
elle l'offrait aux regards. Enfin elle abaissa ses
yeux sur Gaston, après leur avoir fait perdre
l'expression trop attachante que leur avait com- 10
muniquée le souvenir de ses peines.

— Avouez que je dois rester froide et solitaire?
lui dit-elle d'un ton calme.

M. de Nueil se sentait une violente envie de
tomber aux pieds de cette femme, alors sublime 15
de raison et de folie, il craignit de lui paraître
ridicule; il réprima donc et son exaltation et ses
pensées; il éprouvait à la fois et la crainte de ne
point réussir à les bien exprimer, et la peur de
quelque terrible refus ou d'une moquerie dont 20
l'appréhension glace les âmes les plus ardentes.
La réaction des sentiments qu'il refoulait° au
moment où ils s'élançaient de son cœur lui causa
cette douleur profonde que connaissent les gens
timides et les ambitieux, souvent forcés de 25
dévorer leurs désirs. Cependant, il ne put
s'empêcher de rompre le silence pour dire d'une
voix tremblante :

— Permettez-moi, madame, de me livrer à
une des plus grandes émotions de ma vie, en vous 30
avouant ce que vous me faites éprouver. Vous
m'agrandissez le cœur! je sens en moi le désir
d'occuper ma vie à vous faire oublier vos
chagrins, à vous aimer pour tous ceux qui vous
ont haïe ou blessée.° Mais c'est une effusion de 35
cœur bien soudaine, qu'aujourd'hui rien ne
justifie et que je devrais...

— Assez, monsieur, dit madame de Beauséant. Nous sommes allés trop loin l'un et l'autre.
J'ai voulu dépouiller de toute dureté le refus qui 40
m'est imposé, vous en expliquer les tristes
raisons, et non m'attirer des hommages. La
coquetterie ne va bien qu'à la femme heureuse.
Croyez-moi, restons étrangers l'un à l'autre.
Plus tard, vous saurez qu'il ne faut point former 45
de liens quand ils doivent nécessairement se
briser un jour.

Elle soupira légèrement, et son front se

plissa pour reprendre aussitôt la pureté de sa
forme.

— Quelles souffrances pour une femme,
reprit-elle, de ne pouvoir suivre l'homme qu'elle
aime dans toutes les phases de sa vie! Puis ce 5
profond chagrin ne doit-il pas horriblement
retentir dans le cœur de cet homme, si elle en
est bien aimée? N'est-ce pas un double malheur?

Il y eut un moment de silence, après lequel
elle dit en souriant et en se levant pour faire lever 10
son hôte :

— Vous ne vous doutiez pas en venant à
Courcelles d'y entendre un sermon?

Gaston se trouvait en ce moment plus loin de
cette femme extraordinaire qu'à l'instant où il 15
l'avait abordée. Attribuant le charme de cette
heure délicieuse à la coquetterie d'une maîtresse
de maison jalouse de déployer son esprit, il salua
froidement la vicomtesse, et sortit désespéré.
Chemin faisant, le baron cherchait à surprendre 20
le vrai caractère de cette créature souple et dure
comme un ressort; mais il lui avait vu prendre
tant de nuances, qu'il lui fut impossible d'asseoir
sur elle un jugement vrai. Puis les intonations de
sa voix lui retentissaient aux oreilles, et le 25
souvenir prêtait tant de charme aux gestes, aux
airs de tête, au jeu des yeux, qu'il s'éprit
davantage à cet examen. Pour lui, la beauté de
la vicomtesse reluisait encore dans les ténèbres,
les impressions qu'il en avait reçues se réveil- 30
laient, attirées l'une par l'autre, pour de
nouveau le séduire en lui révélant des grâces de
femme et d'esprit inaperçues d'abord. Il tomba
dans une de ces méditations vagabondes pendant
lesquelles les pensées les plus lucides se com- 35
battent, se brisent les unes contre les autres, et
jettent l'âme dans un court accès de folie. Il
faut être jeune pour révéler et pour comprendre
les secrets de ces sortes de dithyrambes,° où le
cœur, assailli par les idées les plus justes et les 40
plus folles, cède à la dernière qui le frappe, à une
pensée d'espérance ou de désespoir, au gré d'une
puissance inconnue. A l'âge de vingt-trois ans,
l'homme est presque toujours dominé par un
sentiment de modestie : les timidités, les troubles 45
de la jeune fille l'agitent, il a peur de mal exprimer son amour, il ne voit que des difficultés et s'en
effraye, il tremble de ne pas plaire, il serait hardi
s'il n'aimait pas tant; plus il sent le prix du
bonheur, moins il croit que sa maîtresse puisse le

---

6. *aiguillonnait:* was spurring on. 22. *refoulait:* was sup-
pressing. 35. This declaration of love after the first half
hour of acquaintance is Romantic behavior.

39. *dithyrambes:* ecstatic lyrics.

lui facilement accorder; d'ailleurs, peut-être se livre-t-il trop entièrement à son plaisir, et craint-il de n'en point donner; lorsque, par malheur, son idole est imposante, il l'adore en secret et de loin; s'il n'est pas deviné, son amour expire. Souvent, cette passion hâtive, morte dans un jeune cœur, y reste brillante d'illusions. Quel homme n'a pas plusieurs de ces vierges souvenirs qui, plus tard, se réveillent, toujours plus gracieux, et apportent l'image d'un bonheur parfait? souvenirs semblables à ces enfants perdus à la fleur de l'âge, et dont les parents n'ont connu que les sourires. M. de Nueil revint donc de Courcelles en proie à un sentiment gros de résolutions extrêmes. Madame de Beauséant était déjà devenue pour lui la condition de son existence : il aimait mieux mourir que de vivre sans elle. Encore assez jeune pour ressentir ces cruelles fascinations que la femme parfaite exerce sur les âmes neuves et passionnées, il dut passer une de ces nuits orageuses pendant lesquelles les jeunes gens vont du bonheur au suicide, du suicide au bonheur, dévorent toute une vie heureuse et s'endorment impuissants. Nuits fatales, où le plus grand malheur qui puisse arriver est de se réveiller philosophe. Trop véritablement amoureux pour dormir, M. de Nueil se leva, se mit à écrire des lettres dont aucune ne le satisfit, et les brûla toutes.

Le lendemain, il alla faire le tour du petit enclos de Courcelles, mais à la nuit tombante, car il avait peur d'être aperçu par la vicomtesse. Le sentiment auquel il obéissait alors appartient à une nature d'âme si mystérieuse, qu'il faut être encore jeune homme, ou se trouver dans une situation semblable, pour en comprendre les muettes félicités et les bizarreries; toutes choses qui feraient hausser les épaules aux gens assez heureux pour toujours voir le *positif* de la vie. Après des hésitations cruelles, Gaston écrivit à madame de Beauséant la lettre suivante, qui peut passer pour un modèle de la phraséologie particulière aux amoureux, et se comparer aux dessins faits en cachette par les enfants pour la fête de leurs parents; présents détestables pour tout le monde, excepté pour ceux qui les reçoivent :

« Madame,

« Vous exercez un si grand empire sur mon cœur, sur mon âme et ma personne, qu'au-jourd'hui ma destinée dépend entièrement de vous. Ne jetez pas ma lettre au feu. Soyez assez bienveillante pour la lire. Peut-être me pardon-nerez-vous cette première phrase en vous apercevant que ce n'est pas une déclaration vulgaire ni intéressée, mais l'expression d'un fait naturel. Peut-être serez-vous touchée par la modestie de mes prières, par la résignation que m'inspire le sentiment de mon infériorité, par l'influence de votre détermination sur ma vie. A mon âge, madame, je ne sais qu'aimer, j'ignore entièrement et ce qui peut plaire à une femme et ce qui la séduit; mais je me sens au cœur, pour elle, d'enivrantes adorations. Je suis irrésistiblement attiré vers vous par le plaisir immense que vous me faites éprouver, et pense à vous avec tout l'égoïsme qui nous entraîne, là où, pour nous, est la chaleur vitale. Je ne me crois pas digne de vous. Non, il me semble impossible à moi, jeune, ignorant, timide, de vous apporter la millième partie du bonheur que j'aspirais en vous entendant, en vous voyant. Vous êtes pour moi la seule femme qu'il y ait dans le monde. Ne concevant point la vie sans vous, j'ai pris la résolution de quitter la France et d'aller jouer° mon existence jusqu'à ce que je la perde dans quelque entre-prise impossible, aux Indes, en Afrique, je ne sais où. Ne faut-il pas que je combatte un amour sans bornes par quelque chose d'infini? Mais, si vous voulez me laisser l'espoir, non pas d'être à vous, mais d'obtenir votre amitié, je reste. Permettez-moi de passer près de vous, rarement même, si vous l'exigez, quelques heures sem-blables à celles que j'ai surprises. Ce frêle bonheur, dont les vives jouissances peuvent m'être interdites à la moindre parole trop ardente, suffira pour me faire endurer les bouillonnements de mon sang. Ai-je trop présumé de votre générosité en vous suppliant de souffrir un commerce où tout est profit pour moi seulement? Vous saurez bien faire voir à ce monde, auquel vous sacrifiez tant, que je ne vous suis rien. Vous êtes si spirituelle et si fière! Qu'avez-vous à craindre? Maintenant, je voudrais pouvoir vous ouvrir mon cœur, afin de vous persuader que mon humble demande ne cache aucune arrière-pensée. Je ne vous aurais pas dit que mon amour était sans bornes en vous priant de m'accorder de l'amitié, si

26. *jouer:* gamble with.

j'avais l'espoir de vous faire partager le sentiment profond enseveli dans mon âme. Non, je serai près de vous ce que vous voudrez que je sois, pourvu que j'y sois. Si vous me refusez, et vous le pouvez, je ne murmurerai point, je partirai. Si plus tard une femme autre que vous entre pour quelque chose dans ma vie, vous aurez eu raison; mais, si je meurs fidèle à mon amour, vous concevrez quelque regret peut-être! L'espoir de vous causer un regret adoucira mes angoisses, et sera toute la vengeance de mon cœur méconnu... »

Il faut n'avoir ignoré aucun des excellents malheurs du jeune âge, il faut avoir grimpé sur toutes les chimères aux doubles ailes blanches qui offrent leur croupe féminine à de brûlantes imaginations, pour comprendre le supplice auquel Gaston de Nueil fut en proie quand il supposa son premier *ultimatum* entre les mains de madame de Beauséant. Il voyait la vicomtesse froide, rieuse et plaisantant de l'amour comme les êtres qui n'y croient plus. Il aurait voulu reprendre sa lettre, il la trouvait absurde, il lui venait dans l'esprit mille et une idées infiniment meilleures, ou qui eussent été plus touchantes que ses roides phrases, ses maudites phrases alambiquées,° sophistiquées,° prétentieuses, mais heureusement assez mal ponctuées et fort bien écrites de travers. Il essayait de ne pas penser, de ne pas sentir; mais il pensait, il sentait et souffrait. S'il avait eu trente ans, il se serait enivré; mais ce jeune homme encore naïf ne connaissait ni les ressources de l'opium, ni les expédients de l'extrême civilisation. Il n'avait pas là, près de lui, un de ces bons amis de Paris, qui savent si bien vous dire : *Pæte, non dolet!*° en vous tendant une bouteille de vin de Champagne, ou vous entraînent à une orgie pour vous adoucir les douleurs de l'incertitude. Excellents amis, toujours ruinés lorsque vous êtes riche, toujours aux eaux° quand vous les cherchez, ayant toujours perdu leur dernier louis au jeu quand vous leur en demandez un, mais ayant toujours un mauvais cheval à vous vendre; au demeurant, les meilleurs enfants de la terre, et toujours prêts à s'embarquer avec vous pour descendre une de ces pentes rapides sur lesquelles se dépensent le temps, l'âme et la vie!

Enfin M. de Nueil reçut des mains de Jacques une lettre ayant un cachet de cire parfumée aux armes de Bourgogne, écrite sur un petit papier vélin,° et qui sentait la jolie femme.

Il courut aussitôt s'enfermer pour lire et relire *sa* lettre.

« Vous me punissez bien sévèrement, monsieur, et de la bonne grâce que j'ai mise à vous sauver la rudesse d'un refus, et de la séduction que l'esprit exerce toujours sur moi. J'ai eu confiance en la noblesse du jeune âge, et vous m'avez trompée. Cependant, je vous ai parlé sinon à cœur ouvert, ce qui eût été parfaitement ridicule, du moins avec franchise, et vous ai dit ma situation, afin de faire concevoir ma froideur à une âme jeune. Plus vous m'avez intéressée, plus vive a été la peine que vous m'avez causée. Je suis naturellement tendre et bonne; mais les circonstances me rendent mauvaise. Une autre femme eût brûlé votre lettre sans la lire; moi, je l'ai lue, et j'y réponds. Mes raisonnements vous prouveront que, si je ne suis pas insensible à l'expression d'un sentiment que j'ai fait naître, même involontairement, je suis loin de le partager, et ma conduite vous démontrera bien mieux encore la sincérité de mon âme. Puis j'ai voulu, pour votre bien, employer l'espèce d'autorité que vous me donnez sur votre vie, et désire l'exercer une seule fois pour faire tomber le voile qui vous couvre les yeux.

« J'ai bientôt trente ans, monsieur, et vous en avez vingt-deux à peine. Vous ignorez vous-même ce que seront vos pensées quand vous arriverez à mon âge. Les serments que vous jurez si facilement aujourd'hui pourront alors vous paraître bien lourds. Aujourd'hui, je veux bien le croire, vous me donneriez sans regret votre vie entière, vous sauriez mourir même pour un plaisir éphémère; mais, à trente ans, l'expérience vous ôterait la force de me faire chaque jour des sacrifices, et, moi, je serais profondément humiliée de les accepter. Un jour, tout vous commandera, la nature elle-même vous ordonnera de me quitter; je vous l'ai dit, je préfère la mort à l'abandon. Vous le voyez, le malheur m'a appris à calculer. Je raisonne, je n'ai point de passion. Vous me forcez à vous dire

28. *alambiquées:* fine-spun, oversubtle. 28. *sophistiquées:* artificially reasoned. 37. *Pæte, non dolet:* Paetus, it does not hurt. (See a classical dictionary, *s.v.* Paetus.) 42. *aux eaux:* at watering places, resorts.

6. *vélin:* vellum-finished.

que je ne vous aime point, que je ne dois, ne peux ni ne veux vous aimer. J'ai passé le moment de la vie où les femmes cèdent à des mouvements de cœur irréfléchis, et ne saurais plus être la maîtresse que vous quêtez. Mes consolations, monsieur, viennent de Dieu, non des hommes. D'ailleurs, je lis trop clairement dans les cœurs à la triste lumière de l'amour trompé, pour accepter l'amitié que vous demandez, que vous offrez. Vous êtes la dupe de votre cœur, et vous espérez bien plus en ma faiblesse qu'en votre force. Tout cela est un effet d'instinct. Je vous pardonne cette ruse d'enfant, vous n'en êtes pas encore complice. Je vous ordonne, au nom de cet amour passager, au nom de votre vie, au nom de ma tranquillité, de rester dans votre pays, de ne pas y manquer une vie honorable et belle pour une illusion qui s'éteindra nécessairement. Plus tard, lorsque vous aurez, en accomplissant votre véritable destinée, développé tous les sentiments qui attendent l'homme, vous apprécierez ma réponse, que vous accusez peut-être en ce moment de sécheresse. Vous retrouverez alors avec plaisir une vieille femme dont l'amitié vous sera certainement douce et précieuse : elle n'aura été soumise ni aux vicissitudes de la passion, ni aux désenchantements de la vie; enfin de nobles idées, des idées religieuses la conserveront pure et sainte. Adieu, monsieur : obéissez-moi en pensant que vos succès jetteront quelque plaisir dans ma solitude, et ne songez à moi que comme on songe aux absents. »

Après avoir lu cette lettre, Gaston de Nueil écrivit ces mots :

« Madame, si je cessais de vous aimer en acceptant les chances que vous m'offrez d'être un homme ordinaire, je mériterais bien mon sort, avouez-le! Non, je ne vous obéirai pas, et je vous jure une fidélité qui ne se déliera que par la mort. Oh! prenez ma vie, à moins cependant que vous ne craigniez de mettre un remords dans la vôtre... »

Quand le domestique de M. de Nueil revint de Courcelles, son maître lui dit :

— A qui as-tu remis mon billet?

— A madame la vicomtesse elle-même; elle était en voiture, et partait...

— Pour venir en ville?

— Monsieur, je ne le pense pas. La berline° de madame la vicomtesse était attelée avec des chevaux de poste.

— Ah! elle s'en va, dit le baron.

— Oui, monsieur, répondit le valet de chambre.

Aussitôt Gaston fit ses préparatifs pour suivre madame de Beauséant, et elle le mena jusqu'à Genève sans se savoir accompagnée par lui. Entre les mille réflexions qui l'assaillirent pendant ce voyage, celle-ci : « Pourquoi s'en est-elle allée? » l'occupa plus spécialement. Ce mot fut le texte d'une multitude de suppositions, parmi lesquelles il choisit naturellement la plus flatteuse, et que voici : « Si la vicomtesse veut m'aimer, il n'y a pas de doute qu'en femme d'esprit elle ne préfère la Suisse où personne ne nous connaît, à la France où elle rencontrerait des censeurs. »

Certains hommes passionnés n'aimeraient pas une femme assez habile pour choisir son terrain, c'est des raffinés. D'ailleurs, rien ne prouve que la supposition de Gaston fût vraie.

La vicomtesse prit une petite maison sur le lac. Quand elle y fut installée, Gaston s'y présenta par une belle soirée, à la nuit tombante. Jacques, valet de chambre essentiellement aristocratique, ne s'étonna point de voir M. de Nueil, et l'annonça en valet habitué à tout comprendre. En entendant ce nom, en voyant le jeune homme, madame de Beauséant laissa tomber le livre qu'elle tenait; sa surprise donna le temps à Gaston d'arriver à elle, et de lui dire d'une voix qui lui parut délicieuse :

— Avec quel plaisir je prenais les chevaux qui vous avaient menée!

Être si bien obéie dans ses vœux secrets! Où est la femme qui n'eût pas cédé à un tel bonheur? Une Italienne, une des ces divines créatures dont l'âme est à l'antipode de celle des Parisiennes, et que, de ce côté des Alpes, on trouverait profondément immorale, disait en lisant les romans français : « Je ne vois pas pourquoi ces pauvres amoureux passent autant de temps à arranger ce qui doit être l'affaire d'une matinée. » Pourquoi le narrateur ne pourrait-il pas, à l'exemple de cette bonne Italienne, ne pas trop faire languir ses auditeurs ni son sujet? Il y aurait bien quelques scènes de

1. *berline:* large traveling coach.

coquetterie charmantes à dessiner, doux retards que madame de Beauséant voulait apporter au bonheur de Gaston pour tomber avec grâce comme les vierges de L'antiquité ; peut-être aussi pour jouir des voluptés chastes d'un premier amour, et le faire arriver à sa plus haute expression de force et de puissance. M. de Nueil était encore dans l'âge où un homme est la dupe de ces caprices, de ces jeux qui affriandent° tant les femmes, et qu'elles prolongent, soit pour bien stipuler leurs conditions, soit pour jouir plus longtemps de leur pouvoir, dont la prochaine diminution est instinctivement devinée par elles. Mais ces petits protocoles° de boudoir, moins nombreux que ceux de la conférence de Londres,° tiennent trop peu de place dans l'histoire d'une passion vraie pour être mentionnés.

Madame de Beauséant et M. de Nueil demeurèrent pendant trois années dans la villa située sur le lac de Genève que la vicomtesse avait louée. Ils y restèrent seuls, sans voir personne, sans faire parler d'eux, se promenant en bateau, se levant tard, enfin heureux comme nous rêvons tous de l'être. Cette petite maison était simple, à persiennes vertes, entourée de larges balcons ornés de tentes,° une véritable maison d'amants, maison à canapés blancs, à tapis muets, à tentures° fraîches, où tout reluisait de joie. A chaque fenêtre, le lac apparaissait sous des aspects différents ; dans le lointain, les montagnes et leurs fantaisies nuageuses, colorées, fugitives ; au-dessus d'eux un beau ciel ; puis, devant eux, une longue nappe d'eau capricieuse, changeante ! Les choses semblaient rêver pour eux, et tout leur souriait.

Des intérêts graves rappelèrent M. de Nueil en France : son frère et son père étaient morts ; il fallut quitter Genève. Les deux amants achetèrent cette maison, ils auraient voulu briser les montagnes et faire enfuir l'eau du lac en ouvrant une soupape,° afin de tout emporter avec eux. Madame de Beauséant suivit M. de Nueil. Elle réalisa sa fortune, acheta, près de Manerville, une propriété considérable qui joignait les terres de Gaston, et où ils demeurèrent

ensemble. M. de Nueil abandonna très gracieusement à sa mère l'usufruit° des domaines de Manerville, en retour de la liberté qu'elle lui laissa de vivre garçon. La terre de madame de Beauséant était située près d'une petite ville, dans une des plus jolies positions de la vallée d'Auge. Là, les deux amants mirent entre eux et le monde des barrières que ni les idées sociales ni les personnes ne pouvaient franchir, et retrouvèrent leurs bonnes journées de la Suisse. Pendant neuf années° entières, ils goûtèrent un bonheur qu'il est inutile de décrire ; le dénoûment de cette histoire en fera sans doute deviner les délices à ceux dont l'âme peut comprendre, dans l'infini de leurs modes, la poésie et la prière.

Cependant, M. le marquis de Beauséant (son père et son frère aîné étaient morts), le mari de madame de Beauséant, jouissait d'une parfaite santé. Rien ne nous aide mieux à vivre que la certitude de faire le bonheur d'autrui par notre mort. M. de Beauséant était un de ces gens ironiques et entêtés qui, semblables à des rentiers viagers,° trouvent un plaisir de plus que n'en ont les autres à se lever bien portants chaque matin. Galant homme du reste, un peu méthodique, cérémonieux, et calculateur capable de déclarer son amour à une femme aussi tranquillement qu'un laquais dit : « Madame est servie. »

Cette petite notice biographique sur le marquis de Beauséant a pour objet de faire comprendre l'impossibilité dans laquelle était la marquise d'épouser M. de Nueil.

Or, après ces neuf années de bonheur, le plus doux bail° qu'une femme ait jamais pu signer, M. de Nueil et madame de Beauséant se trouvèrent dans une situation tout aussi naturelle et tout aussi fausse que celle où ils étaient restés depuis le commencement de cette aventure ; crise fatale néanmoins, de laquelle il est impossible de donner une idée, mais dont les termes peuvent être posés avec une exactitude mathématique.

Madame la comtesse de Nueil, mère de Gaston, n'avaient jamais voulu voir madame de Beauséant. C'était une personne roide et vertueuse, qui avait très légalement accompli

---

10. *affriandent:* allure. 14. *protocoles:* diplomatic formalities. 16. Numerous important diplomatic conferences were held in London, including one in 1830 on Belgian affairs. 27. *tentes: here,* awnings. 29. *tentures:* wall hangings, or wallpaper. 43. *soupape:* valve.

2. *usufruit:* revenue. 11. *neuf années:* i.e., including the three years in Switzerland. 24. *rentiers viagers:* holders of annuities. 36. *bail:* lease, contract.

le bonheur de M. de Nueil le père. Madame de Beauséant comprit que cette honorable douairière devait être son ennemie, et tenterait d'arracher Gaston à sa vie immorale et antireligieuse. La marquise aurait bien voulu vendre sa terre et retourner à Genève. Mais c'eût été se défier de M. de Nueil, elle en était incapable. D'ailleurs, il avait précisément pris beaucoup de goût pour la terre de Valleroy, où il faisait force° plantations, force mouvements de terrains. N'était-ce pas l'arracher à une espèce de bonheur mécanique que les femmes souhaitent toujours à leurs maris et même à leurs amants? Il était arrivé dans le pays une demoiselle de la Rodière, âgée de vingt-deux ans et riche de quarante mille livres de rente. Gaston rencontrait cette héritière à Manerville toutes les fois que son devoir l'y conduisait. Ces personnages étant ainsi placés comme les chiffres d'une proportion arithmétique, la lettre suivante, écrite et remise un matin à Gaston, expliquera maintenant l'affreux problème que, depuis un mois, madame Beauséant tâchait de résoudre:

« Mon ange aimé, t'écrire quand nous vivons cœur à cœur, quand rien ne nous sépare, quand nos caresses nous servent si souvent de langage et que les paroles sont aussi des caresses, n'est-ce pas un contre-sens?° Eh bien, non, mon amour. Il est de certaines choses qu'une femme ne peut dire en présence de son amant; la seule pensée de ces choses lui ôte la voix, lui fait refluer tout son sang vers le cœur; elle est sans force et sans esprit. Être ainsi près de toi me fait souffrir; et souvent j'y suis ainsi. Je sens que mon cœur doit être tout vérité pour toi, ne te déguiser aucune de ses pensées, même les plus fugitives; et j'aime trop ce doux laisser aller° qui me sied si bien, pour rester plus longtemps gênée, contrainte. Aussi vais-je te confier mon angoisse: oui, c'est une angoisse. Écoute-moi! ne fais pas ce petit *Ta ta ta…* par lequel tu me fais taire avec une impertinence que j'aime, parce que de toi tout me plaît. Cher époux du ciel, laisse-moi te dire que tu as effacé tout souvenir des douleurs sous le poids desquelles jadis ma vie allait succomber. Je n'ai connu l'amour que par toi. Il a fallu la candeur de ta belle jeunesse, la

pureté de ta grande âme pour satisfaire aux exigences d'un cœur de femme exigeante. Ami, j'ai bien souvent palpité de joie en pensant que, durant ces neuf années, si rapides et si longues, ma jalousie n'a jamais été éveillée. J'ai eu toutes les fleurs de ton âme, toutes tes pensées. Il n'y a pas eu le plus léger nuage dans notre ciel, nous n'avons pas su ce qu'était un sacrifice, nous avons toujours obéi aux inspirations de nos cœurs. J'ai joui d'un bonheur sans bornes pour une femme. Les larmes qui mouillent cette page te diront-elles bien toute ma reconnaissance? J'aurais voulu l'avoir écrite à genoux. Eh bien, cette félicité m'a fait connaître un supplice plus affreux que ne l'était celui de l'abandon. Cher, le cœur d'une femme a des replis bien profonds: j'ai ignoré moi-même jusqu'aujourd'hui l'étendue du mien, comme j'ignorais l'étendue de l'amour. Les misères les plus grandes qui puissent nous accabler sont encore légères à porter en comparaison de la seule idée du malheur de celui que nous aimons. Et, si nous le causions, ce malheur, n'est-ce pas à en mourir?… Telle est la pensée qui m'oppresse. Mais elle entraîne après elle une autre beaucoup plus pesante; celle-là dégrade la gloire de l'amour, elle le tue, elle en fait une humiliation qui ternit à jamais la vie. Tu as trente ans et j'en ai quarante. Combien de terreurs cette différence d'âge n'inspire-t-elle pas à une femme aimante? Tu peux avoir d'abord involontairement, puis sérieusement senti les sacrifices que tu m'as faits, en renonçant à tout au monde pour moi. Tu as pensé peut-être à ta destinée sociale, à ce mariage qui doit augmenter nécessairement ta fortune, te permettre d'avouer ton bonheur, tes enfants, de transmettre tes biens, de reparaître dans le monde et d'y occuper ta place avec honneur. Mais tu auras réprimé ces pensées, heureux de me sacrifier, sans que je le sache, une héritière, une fortune et un bel avenir. Dans ta générosité de jeune homme, tu auras voulu rester fidèle aux serments qui ne nous lient qu'à la face de Dieu. Mes douleurs passées te seront apparues, et j'aurai été protégée par le malheur d'où tu m'as tirée. Devoir ton amour à ta pitié! cette pensée m'est plus horrible encore que la crainte de te faire manquer ta vie. Ceux qui savent poignarder leurs maîtresses sont bien charitables quand ils les tuent heureuses, innocentes, et dans la gloire de leurs illusions…

---

10. *force:* many. 29. *contre-sens:* contradiction in terms.
38. *laisser aller:* unconstrained.

Oui, la mort est préférable aux deux pensées qui, depuis quelques jours, attristent secrètement mes heures. Hier, quand tu m'as demandé si doucement : « Qu'as-tu ? » ta voix m'a fait frissonner. J'ai cru que, selon ton habitude, tu lisais dans mon âme, et j'attendais tes confidences, imaginant avoir eu de justes pressentiments en devinant les calculs de ta raison. Je me suis alors souvenue de quelques attentions qui te sont habituelles, mais où j'ai cru apercevoir cette sorte d'affectation par laquelle les hommes trahissent une loyauté pénible à porter. En ce moment, j'ai payé bien cher mon bonheur, j'ai senti que la nature nous vend toujours les trésors de l'amour. En effet, le sort ne nous a-t-il pas séparés ? Tu te seras dit : « Tôt ou tard, je dois quitter la pauvre Claire, pourquoi ne pas m'en séparer à temps ? » Cette phrase était écrite au fond de ton regard. Je t'ai quitté pour aller pleurer loin de toi. Te dérober des larmes ! voilà les premières que le chagrin m'ait fait verser depuis dix ans, et je suis trop fière pour te les montrer ; mais je ne t'ai point accusé. Oui, tu as raison, je ne dois point avoir l'égoïsme d'assujettir ta vie brillante et longue à la mienne bientôt usée... Mais si je me trompais ?... si j'avais pris une de tes mélancolies d'amour pour une pensée de raison ?... Ah ! mon ange, ne me laisse pas dans l'incertitude, punis ta jalouse femme ; mais rends-lui la conscience de son amour et du tien : toute la femme est dans ce sentiment, qui sanctifie tout. Depuis l'arrivée de ta mère, et depuis que tu as vu chez elle mademoiselle de la Rodière, je suis en proie à des doutes qui nous déshonorent. Fais-moi souffrir, mais ne me trompe pas : je veux tout savoir, et ce que ta mère te dit et ce que tu penses ! Si tu as hésité entre quelque chose et moi, je te rends ta liberté... Je te cacherai ma destinée, je saurai ne pas pleurer devant toi ; seulement, je ne veux plus te revoir... Oh ! je m'arrête, mon cœur se brise...

« Je suis restée morne et stupide pendant quelques instants. Ami, je ne me trouve point de fierté contre toi, tu es si bon, si franc ! tu ne saurais ni me blesser, ni me tromper ; mais tu me diras la vérité, quelque cruelle qu'elle puisse être. Veux-tu que j'encourage tes aveux ? Eh bien, cœur à moi, je serai consolée par une pensée de femme. N'aurai-je pas possédé de toi l'être jeune et pudique, tout grâce, tout beauté, tout délicatesse, un Gaston que nulle femme ne peut plus connaître et de qui j'ai délicieusement joui... ? Non, tu n'aimeras plus comme tu m'as aimée, comme tu m'aimes ; non, je ne saurais avoir de rivale. Mes souvenirs seront sans amertume en pensant à notre amour, qui fait toute ma pensée. N'est-il pas hors de ton pouvoir d'enchanter désormais une femme par les agaceries enfantines, par les jeunes gentillesses d'un cœur jeune, par ces coquetteries d'âme, ces grâces du corps et ces rapides ententes de volupté, enfin par l'adorable cortège qui suit l'amour adolescent ? Ah ! tu es un homme maintenant, tu obéiras à ta destinée en calculant tout. Tu auras des soins, des inquiétudes, des ambitions, des soucis qui *la* priveront de ce sourire constant et inaltérable par lequel tes lèvres étaient toujours embellies pour moi. Ta voix, pour moi toujours si douce, sera parfois chagrine. Tes yeux, sans cesse illuminés d'un éclat céleste en me voyant, terniront souvent pour *elle*. Puis, comme il est impossible de t'aimer comme je t'aime, cette femme ne te plaira jamais autant que je t'ai plu. Elle n'aura pas ce soin perpétuel que j'ai eu de moi-même et cette étude continuelle de ton bonheur dont jamais l'intelligence ne m'a manqué. Oui, l'homme, le cœur, l'âme que j'aurai connus n'existeront plus ; je les ensevelirai dans mon souvenir pour en jouir encore, et vivre heureuse de cette belle vie passée, mais inconnue à tout ce qui n'est pas nous.

« Mon cher trésor, si cependant tu n'as pas conçu la plus légère idée de liberté, si mon amour ne te pèse pas, si mes craintes sont chimériques, si je suis toujours pour toi ton Ève, la seule femme qu'il y ait dans le monde, cette lettre lue, viens ! Ah ! je t'aimerai dans un instant plus que je ne t'ai aimé, je crois, pendant ces neuf années. Après avoir subi le supplice inutile de ces soupçons dont je m'accuse, chaque jour ajouté à notre amour, oui, un seul jour, sera toute une vie de bonheur. Ainsi, parle ! sois franc : ne me trompe pas, ce serait un crime. Dis ! veux-tu ta liberté ? As-tu réfléchi à ta vie d'homme ? As-tu un regret ? Moi, te causer un regret ! j'en mourrais. Je te l'ai dit : j'ai assez d'amour pour préférer ton bonheur au mien, ta vie à la mienne. Quitte, si tu le peux, la riche mémoire de nos neuf années de bonheur pour n'en pas être influencé dans ta décision ;

mais parle! je te suis soumise comme à Dieu, à ce seul consolateur qui me reste si tu m'abandonnes. »

Quand madame de Beauséant sut la lettre entre les mains de M. de Nueil, elle tomba dans un abattement si profond, et dans une méditation si engourdissante,° par la trop grande abondance de ses pensées, qu'elle resta comme endormie. Certes, elle souffrit de ces douleurs dont l'intensité n'a pas toujours été proportionnée aux forces de la femme, et que les femmes seules connaissent. Pendant que la malheureuse marquise attendait son sort, M. de Nueil était, en lisant sa lettre, fort *embarrassé*, selon l'expression employée par les jeunes gens dans ces sortes de crises. Il avait alors presque cédé aux instigations de sa mère et aux attraits de mademoiselle de la Rodière, jeune personne assez insignifiante, droite comme un peuplier, blanche et rose, muette à demi, suivant le programme prescrit à toutes les jeunes filles à marier; mais ses quarante mille livres de rente en fonds de terre parlaient suffisamment pour elle. Madame de Nueil, aidée par sa sincère affection de mère, cherchait à embaucher° son fils pour la vertu. Elle lui faisait observer ce qu'il y avait pour lui de flatteur à être préféré par mademoiselle de la Rodière, lorsque tant de riches partis° lui étaient proposés; il était bien temps de songer à son sort, une si belle occasion ne se retrouverait plus; il aurait un jour quatre-vingt mille livres de rente en biens-fonds;° la fortune consolait de tout; si madame de Beauséant l'aimait pour lui elle devait être la première à l'engager à se marier; enfin cette bonne mère n'oubliait aucun des moyens d'action par lesquels une femme peut influer sur la raison d'un homme. Aussi avait-elle amené son fils à chanceler. La lettre de madame de Beauséant arriva dans un moment où l'amour de Gaston luttait contre toutes les séductions d'une vie arrangée convenablement et conforme aux idées du monde; mais cette lettre décida le combat. Il résolut de quitter la marquise et de se marier.

— Il faut être homme dans la vie! se dit-il.

Puis il soupçonna les douleurs que sa résolution causerait à sa maîtresse. Sa vanité d'homme

autant que sa conscience d'amant les lui grandissant encore, il fut pris d'une sincère pitié. Il ressentit tout d'un coup cet immense malheur, et crut nécessaire, charitable d'amortir cette mortelle blessure. Il espéra pouvoir amener madame de Beauséant à un état calme, et se faire ordonner par elle ce cruel mariage, en l'accoutumant par degrés à l'idée d'une séparation nécessaire, en laissant toujours entre eux mademoiselle de la Rodière comme un fantôme, et en la lui sacrifiant d'abord pour se la faire imposer plus tard. Il allait, pour réussir dans cette compatissante entreprise, jusqu'à compter sur la noblesse, la fierté de la marquise, et sur les belles qualités de son âme. Il lui répondit alors afin d'endormir ses soupçons. Répondre! Pour une femme qui joignait à l'intuition de l'amour vrai les perceptions les plus délicates de l'esprit féminin, la lettre était un arrêt.° Aussi, quand Jacques entra, qu'il s'avança vers madame de Beauséant pour lui remettre un papier plié triangulairement, la pauvre femme tressaillit-elle comme une hirondelle prise. Un froid inconnu tomba de sa tête à ses pieds, en l'enveloppant d'un linceul de glace. S'il n'accourait pas à ses genoux, s'il n'y venait pas pleurant, pâle, amoureux, tout était dit. Cependant, il y a tant d'espérances dans le cœur des femmes qui aiment! il faut bien des coups de poignard pour les tuer, elles aiment et saignent jusqu'au dernier.

— Madame a-t-elle besoin de quelque chose? demanda Jacques d'une voix douce en se retirant.

— Non, dit-elle.

— Pauvre homme! pensa-t-elle en essuyant une larme, il me devine, lui, un valet!

Elle lut: *Ma bien-aimée, tu te crées des chimères...* En apercevant ces mots, un voile épais se répandit sur les yeux de la marquise. La voix secrète de son cœur lui criait: « Il ment. » Puis, sa vue embrassant toute la première page avec cette espèce d'avidité lucide que communique la passion, elle avait lu en bas ces mots « *Rien n'est arrêté...* » Tournant la page avec une vivacité convulsive, elle vit distinctement l'esprit qui avait dicté les phrases entortillées° de cette lettre où elle ne retrouva plus les jets impétueux

---

8. *engourdissante:* numbing. 26. *embaucher:* recruit. 29. *partis:* marriageable persons, matches. 33. *biens-fonds:* real estate.

20. *arrêt:* judgment, condemnation. 47. *entortillées:* involved.

de l'amour; elle la froissa, la déchira, la roula, la mordit, la jeta dans le feu et s'écria :

— Oh! l'infâme! il m'a possédée ne m'aimant plus!

Puis, à demi morte, elle alla tomber sur son canapé. 5

M. de Nueil sortit après avoir écrit sa lettre. Quand il revint, il trouva Jacques sur le seuil de la porte, et Jacques lui remit une lettre en lui disant :

— Madame la marquise n'est plus au château. 10

M. de Nueil, étonné, brisa l'enveloppe et lut :

« Madame, si je cessais de vous aimer en 15 acceptant les chances que vous m'offrez d'être un homme ordinaire, je mériterais bien mon sort, avouez-le! Non, je ne vous obéirai pas, et je vous jure une fidélité qui ne se déliera que par la mort. Oh! prenez ma vie, à moins cependant 20 que vous ne craigniez de mettre un remords dans la vôtre...

C'était le billet qu'il avait écrit à la marquise au moment où elle partait pour Genève. 25 Au-dessous, Claire de Bourgogne avait ajouté : *Monsieur, vous êtes libre.*

M. de Nueil retourna chez sa mère, à Manerville. Vingt jours après, il épousa made-moiselle Stéphanie de la Rodière. 30

Si cette histoire d'une vérité vulgaire se terminait là, ce serait presque une mystification.° Presque tous les hommes n'en ont-ils pas une plus intéressante à se raconter? Mais la célébrité du dénoûment, malheureusement vrai; mais 35 tout ce qu'il pourra faire naître de souvenirs au cœur de ceux qui ont connu les célestes délices d'une passion infinie, et l'ont brisée eux-mêmes ou perdue par quelque fatalité cruelle, mettront peut-être ce récit à l'abri des critiques. 40

Madame la marquise de Beauséant n'avait point quitté son château de Valleroy lors de sa séparation avec M. de Nueil. Par une multitude de raisons qu'il faut laisser ensevelies dans le cœur des femmes, et d'ailleurs chacune d'elles 45 devinera celles qui lui seront propres, Claire continua d'y demeurer après le mariage de M. de Nueil. Elle vécut dans une retraite si profonde que ses gens — sa femme de chambre et Jacques exceptés — ne la virent point. Elle exigeait un

silence absolu chez elle, et ne sortait de son appartement que pour aller à la chapelle de Valleroy, où un prêtre du voisinage venait lui dire la messe tous les matins.

Quelques jours après son mariage, le comte 5 de Nueil tomba dans une espèce d'apathie conjugale, qui pouvait faire supposer le bon-heur tout aussi bien que le malheur.

Sa mère disait à tout le monde :

— Mon fils est parfaitement heureux. 10

Madame Gaston de Nueil, semblable à beaucoup de jeunes femmes, était un peu terne, douce, patiente; elle devint enceinte après un mois de mariage. Tout cela se trouvait conforme aux idées reçues. M. de Nueil était très bien pour 15 elle; seulement, il fut, deux mois après avoir quitté la marquise, extrêmement rêveur et pensif. Mais il avait toujours été sérieux, disait sa mère.

Après sept mois de ce bonheur tiède, il arriva quelques événements légers en apparence, mais 20 qui comportent trop de larges développements de pensées et accusent de trop grands troubles d'âme, pour n'être pas rapportés simplement, et abandonnés au caprice des interprétations de chaque esprit. Un jour, pendant lequel M. de 25 Nueil avait chassé sur les terres de Manerville et de Valleroy, il revint par le parc de madame de Beauséant, fit demander Jacques, l'attendit; et, quand le valet de chambre fut venu :

— La marquise aime-t-elle toujours le gibier? 30 lui demanda-t-il.

Sur la réponse affirmative de Jacques, Gaston lui offrit une somme assez forte, accom-pagnée de raisonnements très spécieux, afin d'obtenir de lui le léger service de réserver pour 35 la marquise le produit de sa chasse. Il parut fort peu important à Jacques que sa maîtresse man-geât une perdrix tuée par son garde ou par M. de Nueil, puisque celui-ci désirait que la marquise ne sût pas l'origine du gibier. 40

— Il a été tué sur ses terres, dit le comte.

Jacques se prêta pendant plusieurs jours à cette innocente tromperie. M. de Nueil partait dès le matin pour la chasse, et ne revenait chez lui que pour dîner, n'ayant jamais rien tué. Une 45 semaine entière se passa ainsi. Gaston s'enhardit assez pour écrire une longue lettre à la marquise et pour la lui faire parvenir. Cette lettre lui fut renvoyée sans avoir été ouverte. Il était presque nuit quand le valet de chambre de la marquise la lui rapporta. Soudain le comte s'élança hors

---

32. *mystification:* hoax.

du salon, où il paraissait écouter un caprice d'Hérold° écorché° sur le piano par sa femme, et courut chez la marquise avec la rapidité d'un homme qui vole à un rendez-vous. Il sauta dans le parc par une brèche qui lui était connue, marcha lentement à travers les allées en s'arrêtant par moments comme pour essayer de réprimer les sonores palpitations de son cœur; puis, arrivé près du château, il en écouta les bruits sourds, et présuma que tous les gens étaient à table. Il alla jusqu'à l'appartement de madame de Beauséant. La marquise ne quittait jamais sa chambre à coucher ; M. de Nueil put en atteindre la porte sans avoir fait le moindre bruit. Là, il vit, à la lueur de deux bougies, la marquise maigre et pâle, assise dans un grand fauteuil, le front incliné, les mains pendantes, les yeux arrêtés sur un objet qu'elle paraissait ne point voir. C'était la douleur dans son expression la plus complète. Il y avait dans cette attitude une vague espérance, mais on ne savait si Claire de Bourgogne regardait vers la tombe ou dans le passé. Peut-être les larmes de M. de Nueil brillèrent-elles dans les ténèbres, peut-être sa respiration eut-elle un léger retentissement, peut-être lui échappa-t-il un tressaillement involontaire, ou peut-être sa présence était-elle impossible sans le phénomène d'intus-susception° dont l'habitude est à la fois la gloire, le bonheur et la preuve du véritable amour. Madame de Beauséant tourna lentement son visage vers la porte et vit son ancien amant. M. de Nueil fit alors quelques pas.

— Si vous avancez, monsieur, s'écria la marquise en pâlissant, je me jette par cette fenêtre!

Elle sauta sur l'espagnolette,° l'ouvrit et se tint un pied sur l'appui extérieur de la croisée,° la main au balcon et la tête tournée vers Gaston.

— Sortez! sortez! cria-t-elle, ou je me précipite.

A ce cri terrible, M. de Nueil, entendant les gens en émoi, se sauva comme un malfaiteur.

Revenu chez lui, Gaston écrivit une lettre très courte, et chargea son valet de chambre de la porter à madame de Beauséant, en lui recommandant de faire savoir à la marquise qu'il s'agissait de vie ou de mort pour lui. Le messager parti, M. de Nueil rentra dans le salon et y trouva sa femme, qui continuait de déchirer le caprice. Il s'assit en attendant la réponse. Une heure après, le caprice fini, les deux époux étaient l'un devant l'autre, silencieux, chacun d'un côté de la cheminée, lorsque le valet de chambre revint de Valleroy et remit à son maître la lettre, qui n'avait pas été ouverte. M. de Nueil passa dans un boudoir attenant au salon, où il avait mis son fusil en revenant de la chasse, et se tua.

Ce prompt et fatal dénoûment, si contraire à toutes les habitudes de la jeune France, est naturel.

Les gens qui ont bien observé, ou délicieusement éprouvé les phénomènes auxquels l'union parfaite de deux êtres donne lieu, comprendront parfaitement ce suicide. Une femme ne se forme pas, ne se ploie pas en un jour aux caprices de la passion. La volupté, comme une fleur rare, demande les soins de la culture la plus ingénieuse; le temps, l'accord des âmes, peuvent seuls en révéler toutes les ressources, faire naître ces plaisirs tendres, délicats, pour lesquels nous sommes imbus de mille superstitions et que nous croyons inhérents à la personne dont le cœur nous les prodigue. Cette admirable entente, cette croyance religieuse, et la certitude féconde de ressentir un bonheur particulier ou excessif près de la personne aimée, sont en partie le secret des attachements durables et des longues passions. Près d'une femme qui possède le génie de son sexe, l'amour n'est jamais une habitude : son adorable tendresse sait revêtir des formes si variées, elle est si spirituelle et si aimante tout ensemble, elle met tant d'artifices dans sa nature ou de naturel dans ses artifices, qu'elle se rend aussi puissante par le souvenir qu'elle l'est par sa présence. Auprès d'elle, toutes les femmes pâlissent. Il faut avoir eu la crainte de perdre un amour si vaste, si brillant, ou l'avoir perdu, pour en connaître tout le prix. Mais, si, l'ayant connu, un homme s'en est privé pour tomber dans quelque mariage froid; si la femme avec laquelle il a espéré rencontrer les mêmes félicités lui prouve, par quelques-uns de ces faits ensevelis dans les ténèbres de la vie conjugale, qu'elles ne renaîtront plus pour lui; s'il a encore sur les lèvres le goût d'un amour

2. *Hérold:* French composer (1791–1833). 2. *écorché:* mangled. 29. *intussusception:* involuntary awareness. 37. *espagnolette:* handle (of a French window). 38. *croisée:* casement-type window, extending to floor, or near it.

céleste, et qu'il ait blessé mortellement sa véritable épouse au profit d'une chimère sociale, alors il faut mourir ou avoir cette philosophie matérielle, égoïste, froide, qui fait horreur aux âmes passionnées.

Quant à madame de Beauséant, elle ne crut sans doute pas que le désespoir de son ami allât jusqu'au suicide, après l'avoir largement abreuvé d'amour pendant neuf années. Peut-être pensait-elle avoir seule à souffrir. Elle était

d'ailleurs bien en droit de se refuser au plus avilissant partage qui existe, et qu'une épouse peut subir par de hautes raisons sociales, mais qu'une maîtresse doit avoir en haine, parce que 5 dans la pureté de son amour en réside toute la justification.°

6. Do the final moralizing paragraphs (which a modern editor would immediately eliminate) serve a useful purpose? 10 Notice how the story's theme is stated in the final phrase.

11. Mérimée [1803-1870]

Prosper Mérimée's father was a cultivated, well-to-do Parisian painter and professor of art; his mother was also a painter, celebrated for her child portraits. Thus young Prosper accepted as a matter of course the idea that art is life's aim, and thus he had access to groups where art is long and fiercely discussed. He frequented the young Romantics, without ever committing himself too deeply. His first publication was a volume of violent Romantic dramas (1825), which he attributed to Clara Gazul, a Spanish poetess of his invention. He used for a frontispiece a portrait of himself wrapped in a Spanish mantilla. Two years later he produced another hoax, *La Guzla* (anagram of *Gazul*), which was supposed to be a learned translation of folk songs gathered in the Balkans. The hoax befooled even Slavic scholars; Pushkin, in good faith, translated *La Guzla* into Russian.

Hoaxes have their value. They not only show the gullibility of the expert, they reveal the hoaxer. He is a brilliant technician, superior and scornful, who puts cleverness above conviction.

Before Mérimée was thirty he wrote a few remarkable short stories, of which *Tamango* is an example. Of his other (scanty) works of fiction we need notice only *Colomba* (1840) and *Carmen* (1845), so well known to American readers and opera goers.

In 1834 he was appointed *inspecteur général des monuments historiques*. At that time many noble medieval churches and other buildings were falling to ruin, for the average Frenchman preserved the eighteenth century's contempt for the Gothic. To Mérimée's vigorous, enlightened labors we owe the restoration of Carcassonne and the preservation of such monuments as the church of Vézelay and the amphitheaters of Arles and Orange.

A successful man, Senator of France, intimate with Napoleon III and the Empress Eugénie, Mérimée had every material reward in life. His interests were rich and varied. He was archaeologist, art critic, historian, philologist. He translated Russian authors into French, and revealed their greatness to the West. But in all his intellectual labors he kept something of the air of the elegant amateur, the brilliant dilettante, the gentleman who condescends to art. His friends blamed his noble calm, called him unfeeling, passionless. But the publication of his correspondence makes clear that his impassiveness was a mask for an over-keen sensibility.

In his literary work he progressed from a brief early Romanticism to a *realism* entirely his own. He was much affected by the eighteenth-century writers, especially Voltaire. He chose to be impassive, factual, sober. He tells tales of passionate drama coldly—unconscious, it would seem, both of the drama and of the moral misdemeanors of the characters. He does not praise, condemn, or judge. A little later Flaubert took as his motto: *nul lyrisme, pas de réflexions, la personnalité de l'auteur absente*. Mérimée's work fulfills this prescription better even than does that of Flaubert himself.

Nevertheless, Mérimée is not a thoroughgoing *realist* in the restricted sense of the term. He retains the *Romantic* taste for melodramatic action, for virile, dominating, primitive characters, both male and female, for exotic scenes, for the supernatural. He has a curious morbid liking for bloodshed and cruelty. We call him therefore a *Romantic realist*, like Stendhal and Balzac.

His *style* is simple, direct, apparently effortless, unpremeditated, in fact extremely artful. Says Faguet: "Il a si peu de manière, qu'on dirait qu'il n'a pas de style. C'est ce qu'il faut: le meilleur style pour lui est celui dont on ne s'aperçoit pas. C'est du moins, assurément, le plus difficile à atteindre. Cet art qui déguise l'art demande une clarté si absolue, une propriété infaillible d'expression, un tour constamment aisé et constamment varié, une précision sans raideur et une concision facile, qui ne se démentent et qui ne se trahissent jamais. Mérimée a eu ces qualités au plus haut degré."*

His *influence* has been very great. He created the short story as we know it today. One of his stories could appear in a modern magazine without giving any sense of strangeness, of being dated. It would fulfill the famous rules of Edgar Allan Poe: it can be read in a single sitting; it creates a single effect in the reader's mind; it contains no useless word, none which does not contribute to the advancement of the action, the development of character, or the establishment of *tone*; it makes an impression of finality.

Tamango was published in 1829. It deals with the illegal slave trade, a subject then much in the news. There are some curious parallels between Tamango's story and the case of the *Amistad*, in 1839. The slaves on the *Amistad* mutinied, murdered the captain, tried to sail to Africa, but landed in Connecticut. The question whether the ship and the Negroes should be returned to their Spanish owners reached the Supreme Court, inflamed American public opinion and is counted one of the events leading to our Civil War.†

---

* Émile Faguet: *Dix-neuvième siècle*. Paris, Lecène et Oudin, 1887, p. 344. † See William A. Owens: *Slave Mutiny*. New York, J. Day, 1953; and indeed my own article, *Cinque: the Noble Mutineer*, in *The New Yorker*, December 20, 1941.

TAMANGO

Le capitaine Ledoux° était un bon marin. Il avait commencé par être simple matelot, puis il devint aide-timonier.° Au combat de Trafalgar,° il eut la main gauche fracassée par un éclat de bois;° il fut amputé, et congédié ensuite avec de bons certificats. Le repos ne lui convenait guère, et, l'occasion de se rembarquer se présentant, il servit, en qualité de second lieutenant à bord d'un corsaire.° L'argent qu'il retira de quelques prises lui permit d'acheter des livres et d'étudier la théorie de la navigation, dont il connaissait déjà parfaitement la pratique. Avec le temps, il devint capitaine d'un lougre° corsaire de trois canons et de soixante hommes d'équipage, et les caboteurs° de Jersey conservent encore le souvenir de ses exploits. La paix° le désola : il avait amassé pendant la guerre une petite fortune, qu'il espérait augmenter aux dépens des Anglais. Force lui fut° d'offrir ses services à de pacifiques négociants; et, comme il était connu pour un homme de résolution et d'expérience, on lui confia facilement un navire. Quand la traite des nègres° fut défendue, et que, pour s'y livrer, il fallut non seulement tromper la vigilance des douaniers

---

3. *Ledoux:* The name is ironically chosen. 5. *aide-timonier:* relief steersman. 5. Trafalgar, Spanish cape near Gibraltar; scene of a decisive naval battle (1805), wherein Nelson defeated combined French and Spanish fleets. 7. *éclat de bois:* piece of wood. 11. *corsaire:* privateer, commissioned to prey on enemy shipping.

2. *lougre:* lugger, small ship. 4. *caboteurs:* coasting vessels. 6. *paix:* i.e., at the abdication of Napoleon, 1814. 8. *Force lui fut:* He was obliged. (Mérimée's style has a touch of archaism.) 12. *traite des nègres:* slave trade (finally abolished in all French possessions in 1818).

français, ce qui n'était pas très difficile, mais encore, et c'était le plus hasardeux, échapper aux croiseurs anglais, le capitaine Ledoux devint un homme précieux pour les trafiquants de bois d'ébène.°

Bien différent de la plupart des marins qui ont langui longtemps comme lui dans les postes subalternes, il n'avait point cette horreur profonde des innovations, et cet esprit de routine qu'ils apportent trop souvent dans les grades supérieurs. Le capitaine Ledoux, au contraire, avait été le premier à recommander à son armateur° l'usage des caisses en fer, destinées à contenir et conserver l'eau.° A son bord,° les menottes° et les chaînes, dont les bâtiments négriers° ont provision, étaient fabriquées d'après un système nouveau, et soigneusement vernies pour les préserver de la rouille.° Mais ce qui lui fit le plus d'honneur parmi les marchands d'esclaves, ce fut la construction, qu'il dirigea lui-même, d'un brick° destiné à la traite, fin voilier,° étroit, long comme un bâtiment de guerre, et cependant capable de contenir un très grand nombre de noirs. Il le nomma l'Espérance.° Il voulut que les entreponts,° étroits et rentrés,° n'eussent que trois pieds quatre pouces de haut, prétendant que cette dimension permettait aux esclaves de taille raisonnable d'être commodément assis; et quel besoin ont-ils de se lever?

— Arrivés aux colonies, disait Ledoux, ils ne resteront que trop sur leurs pieds!

Les noirs, le dos appuyé aux bordages° du navire, et disposés sur deux lignes parallèles, laissaient entre leurs pieds un espace vide, qui, dans tous les autres négriers, ne sert qu'à la circulation. Ledoux imagina de placer dans cet intervalle d'autres nègres, couchés perpendiculairement aux premiers. De la sorte son navire contenait une dizaine de nègres de plus qu'un autre du même tonnage. A la rigueur, on aurait pu en placer davantage; mais il faut avoir de l'humanité, et laisser à un nègre au moins cinq pieds en longueur et deux en largeur pour s'ébattre,° pendant une traversée de six semaines et

plus : « Car enfin, disait Ledoux à son armateur pour justifier cette mesure libérale, les nègres, après tout, sont des hommes comme les blancs. »

L'Espérance partit de Nantes° un vendredi, comme le remarquèrent depuis des gens superstitieux. Les inspecteurs qui visitèrent scrupuleusement le brick ne découvrirent pas six grandes caisses remplies de chaînes, de menottes, et de ces fers que l'on nomme, je ne sais pourquoi, barres de justice. Ils ne furent point étonnés non plus de l'énorme provision d'eau que devait porter l'Espérance, qui, d'après ses papiers, n'allait qu'au Sénégal° pour y faire le commerce de bois et d'ivoire. La traversée n'est pas longue, il est vrai, mais enfin le trop de précautions ne peut nuire. Si l'on était surpris par un calme, que deviendrait-on sans eau?

L'Espérance partit donc un vendredi, bien gréée° et bien équipée de tout. Ledoux aurait voulu peut-être des mâts un peu plus solides; cependant, tant qu'il commanda le bâtiment, il n'eut point à s'en plaindre. Sa traversée fut heureuse et rapide jusqu'à la côte d'Afrique. Il mouilla° dans la rivière de Joale° (je crois) dans un moment où les croiseurs anglais ne surveillaient point cette partie de la côte. Des courtiers° du pays vinrent aussitôt à bord. Le moment était on ne peut plus favorable; Tamango, guerrier fameux et vendeur d'hommes, venait de conduire à la côte une grande quantité d'esclaves, et il s'en défaisait à bon marché, en homme qui se sent la force et les moyens d'approvisionner promptement la place,° aussitôt que les objets de son commerce y deviennent rares.

Le capitaine Ledoux se fit descendre sur le rivage, et fit sa visite à Tamango. Il le trouva dans une case° en paille qu'on lui avait élevée à la hâte, accompagné de ses deux femmes et de quelques sous-marchands et conducteurs d'esclaves. Tamango s'était paré pour recevoir le capitaine blanc. Il était vêtu d'un vieil habit d'uniforme bleu, ayant encore les galons de caporal; mais sur chaque épaule pendaient deux épaulettes d'or attachées au même bouton, et ballottant,° l'une par devant, l'autre par

5. bois d'ébène: euphemism for slaves, "black ivory." 13. armateur: shipowner. 14. Iron containers (instead of barrels) would impart a foul taste to the water. 14. A son bord: Aboard his ship. 15. menottes: handcuffs. 16. batiments négriers: slave ships. 18. rouille: rust. 21. brick: brig. 22. fin voilier: fast sailer. 25. Notice the ironic name. 26. entreponts: 'tween decks. 26. rentrés: curving inwards. 33. bordages: planking, sheathing of ship's sides. 45. s'ébattre: move around.

4. Nantes, seaport in western France. 13. Senegal, country in west Africa. 19. gréée: rigged. 24. mouilla: anchored. 24. Joale: Joal, village on the Senegal coast; no river. 27. courtiers: traders. 33. d'approvisionner... la place: i.e., to replenish his supplies. 38. case: hut. 46. ballottant: dangling.

derrière. Comme il n'avait pas de chemise, et que l'habit était un peu court pour un homme de sa taille, on remarquait entre les revers° blancs de l'habit et son caleçon de toile de Guinée° une bande considérable de peau noire qui ressemblait à une large ceinture. Un grand sabre de cavalerie était suspendu à son côté au moyen d'une corde, et il tenait à la main un beau fusil à deux coups, de fabrique anglaise. Ainsi équipé, le guerrier africain croyait sur- 10 passer en élégance le petit-maître° le plus accompli de Paris ou de Londres.

Le capitaine Ledoux le considéra quelque temps en silence, tandis que Tamango, se redressant à la manière d'un grenadier qui passe 15 à la revue devant un général étranger, jouissait de l'impression qu'il croyait produire sur le blanc. Ledoux, après l'avoir examiné en con- naisseur, se tourna vers son second,° et lui dit :

— Voilà un gaillard que je vendrais au moins 20 mille écus, rendu sain et sans avaries° à la Martinique.°

On s'assit, et un matelot qui savait un peu la langue yolofe° servit d'interprète. Les premiers compliments de politesse échangés, un mousse° 25 apporta un panier de bouteilles d'eau-de-vie; on but, et le capitaine, pour mettre Tamango en belle humeur, lui fit présent d'une jolie poire à poudre° en cuivre, ornée du portrait de Napoléon en relief. Le présent accepté avec la 30 reconnaissance convenable, on sortit de la case, on s'assit à l'ombre en face des bouteilles d'eau-de-vie, et Tamango donna le signal de faire venir les esclaves qu'il avait à vendre.

Ils parurent sur une longue file, le corps 35 courbé par la fatigue et la frayeur, chacun ayant le cou pris dans une fourche longue de plus de six pieds, dont les deux pointes étaient réunies vers la nuque par une barre de bois. Quand il faut se mettre en marche, un des conducteurs 40 prend sur son épaule le manche° de la fourche du premier esclave; celui-ci se charge de la fourche de l'homme qui le suit immédiatement; le second porte la fourche du troisième esclave, et ainsi des autres. S'agit-il de faire halte, le chef 45 de file° enfonce en terre le bout pointu du

manche de sa fourche, et toute la colonne s'arrête. On juge facilement qu'il ne faut pas penser à s'échapper à la course, quand on porte attaché à son cou un gros bâton de six pieds de longueur.

A chaque esclave mâle ou femelle qui passait devant lui, le capitaine haussait les épaules, trouvait les hommes chétifs,° les femmes trop vieilles ou trop jeunes, et se plaignait de l'abâtardissement° de la race noire.

— Tout dégénère, disait-il; autrefois c'était bien différent. Les femmes avaient cinq pieds six pouces de haut, et quatre hommes auraient tourné seuls le cabestan° d'une frégate,° pour lever la maîtresse ancre.°

Cependant, tout en critiquant, il faisait un premier choix des noirs les plus robustes et les plus beaux. Ceux-là, il pouvait les payer au prix ordinaire; mais, pour le reste, il demandait une forte diminution. Tamango, de son côté, défendait ses intérêts, vantait sa marchandise, parlait de la rareté des hommes et des périls de la traite. Il conclut en demandant un prix, je ne sais lequel, pour les esclaves que le capitaine blanc voulait charger à son bord.

Aussitôt que l'interprète eut traduit en français la proposition de Tamango, Ledoux manqua de tomber à la renverse, de surprise et d'indignation; puis, murmurant quelques jure- ments affreux, il se leva comme pour rompre tout marché avec un homme aussi déraisonnable. Alors Tamango le retint; il parvint avec peine à le faire rasseoir. Une nouvelle bouteille fut débouchée, et la discussion recommença. Ce fut le tour du noir à trouver folles et extrava- gantes les propositions du blanc. On cria, on disputa longtemps, on but prodigieusement d'eau-de-vie; mais l'eau-de-vie produisait un effet bien différent sur les deux parties contrac- tantes. Plus le Français buvait, plus il réduisait ses offres; plus l'Africain buvait, plus il cédait de ses prétentions. De la sorte, à la fin du panier, on tomba d'accord. De mauvaises cotonnades,° de la poudre, des pierres à feu,° trois barriques° d'eau-de-vie, cinquante fusils mal raccommodés furent donnés en échange de cent soixante

---

3. *revers:* facings. 5. *caleçon... Guinée:* i.e., cotton trousers. 11. *petit-maître:* dandy. 19. *second:* mate. 21. *avaries:* injuries. 22. Martinique, French island in the West Indies. 24. *yolofe:* Senegambian dialect. 25. *mousse:* cabin boy. 29. *poire à poudre:* powder flask. 41. *manche:* handle. 46. *chef de file:* leader.

8. *chétifs:* puny. 10. *abâtardissement:* degeneration. 14. *cabestan:* capstan, windlass for raising anchor. 14. *frégate:* frigate, large warship. 15. *maîtresse ancre:* main anchor. 43. *cotonnades:* cotton goods. 44. *pierres à feu:* flints. 44. *barriques:* kegs.

esclaves. Le capitaine, pour ratifier le traité, frappa dans la main du noir plus qu'à moitié ivre, et aussitôt les esclaves furent remis aux matelots français, qui se hâtèrent de leur ôter leurs fourches de bois pour leur donner des carcans° et des menottes en fer; ce qui montre bien la supériorité de la civilisation européenne.

Restait encore une trentaine d'esclaves: c'étaient des enfants, des vieillards, des femmes infirmes. Le navire était plein.

Tamango, qui ne savait que faire de ce rebut,° offrit au capitaine de les lui vendre pour une bouteille d'eau-de-vie la pièce. L'offre était séduisante. Ledoux se souvint qu'à la représentation des *Vêpres Siciliennes*° à Nantes il avait vu bon nombre de gens gros et gras entrer dans un parterre° déjà plein, et parvenir cependant à s'y asseoir, en vertu de la compressibilité des corps humains. Il prit les vingt plus sveltes des trente esclaves.

Alors Tamango ne demanda plus qu'un verre d'eau-de-vie pour chacun des dix restants. Ledoux réfléchit que les enfants ne payent et n'occupent que demi-place dans les voitures publiques. Il prit donc trois enfants; mais il déclara qu'il ne voulait plus se charger d'un seul noir. Tamango, voyant qu'il lui restait encore sept esclaves sur les bras, saisit son fusil et coucha en joue° une femme qui venait la première: c'était la mère des trois enfants.

— Achète, dit-il au blanc, ou je la tue; un petit verre d'eau-de-vie ou je tire.

— Et que diable veux-tu que j'en fasse? répondit Ledoux.

Tamango fit feu, et l'esclave tomba morte à terre.

— Allons, à un autre! s'écria Tamango en visant un vieillard tout cassé: un verre d'eau-de-vie, ou bien…

Une de ses femmes lui détourna le bras, et le coup partit au hasard. Elle venait de reconnaître dans le vieillard que son mari allait tuer un *guiriot* ou magicien, qui lui avait prédit qu'elle serait reine.

Tamango, que l'eau-de-vie avait rendu furieux, ne se posséda plus en voyant qu'on s'opposait à ses volontés. Il frappa rudement sa femme de la crosse° de son fusil; puis se tournant vers Ledoux:

— Tiens, dit-il, je te donne cette femme.

Elle était jolie. Ledoux la regarda en souriant, puis il la prit par la main:

— Je trouverai bien où la mettre, dit-il.

L'interprète était un homme humain.° Il donna une tabatière° de carton° à Tamango, et lui demanda les six esclaves restants. Il les délivra de leurs fourches, et leur permit de s'en aller où bon leur semblerait. Aussitôt ils se sauvèrent, qui deçà, qui delà, fort embarrassés° de retourner dans leur pays à deux cents lieues de la côte.

Cependant le capitaine dit adieu à Tamango et s'occupa de faire au plus vite embarquer sa cargaison. Il n'était pas prudent de rester longtemps en rivière; les croiseurs pouvaient reparaître, et il voulait appareiller° le lendemain. Pour Tamango, il se coucha sur l'herbe, à l'ombre, et dormit pour cuver° son eau-de-vie.

Quand il se réveilla, le vaisseau était déjà sous voiles et descendait la rivière. Tamango, la tête encore embarrassée de la débauche de la veille, demanda sa femme Ayché. On lui répondit qu'elle avait eu le malheur de lui déplaire, et qu'il l'avait donnée en présent au capitaine blanc, lequel l'avait emmenée à son bord. A cette nouvelle, Tamango stupéfait se frappa la tête, puis il prit son fusil, et, comme la rivière faisait plusieurs détours avant de se décharger dans la mer, il courut, par le chemin le plus direct, à une petite anse,° éloignée de l'embouchure° d'une demi-lieue. Là, il espérait trouver un canot avec lequel il pourrait rejoindre le brick, dont les sinuosités de la rivière devaient retarder la marche. Il ne se trompait pas: en effet, il eut le temps de se jeter dans un canot et de joindre le négrier.

Ledoux fut surpris de le voir, mais encore plus de l'entendre redemander sa femme.

— Bien donné ne se reprend plus, répondit-il.

Et il lui tourna le dos.

Le noir insista, offrant de rendre une partie des objets qu'il avait reçus en échange des esclaves. Le capitaine se mit à rire; dit qu'Ayché était une très bonne femme, et qu'il voulait la garder. Alors le pauvre Tamango versa un

---

5. *carcans:* iron collars. 12. *rebut:* trash. 15. *Vêpres Siciliennes:* popular tragedy by Casimir Delavigne (1819). 17. *parterre:* pit (cheap seats in the theater). 29. *coucha en joue:* aimed at.

1. *crosse:* butt. 7. *humain:* humane. 8. *tabatière:* snuffbox. 8. *carton:* cardboard. 12. *embarrassés:* at a loss how to. 19. *appareiller:* set sail. 21. *cuver:* sleep off. 33. *anse:* cove. 34. *embouchure:* mouth.

torrent de larmes, et poussa des cris de douleur aussi aigus que ceux d'un malheureux qui subit une opération chirurgicale. Tantôt il se roulait sur le pont° en appelant sa chère Ayché; tantôt il se frappait la tête contre les planches, comme pour se tuer. Toujours impassible, le capitaine, en lui montrant le rivage, lui faisait signe qu'il était temps pour lui de s'en aller; mais Tamango persistait. Il offrait jusqu'à ses épaulettes d'or, son fusil et son sabre. Tout fut inutile.

Pendant ce débat, le lieutenant de *l'Espérance* dit au capitaine:

— Il nous est mort cette nuit trois esclaves, nous avons de la place. Pourquoi ne prendrions-nous pas ce vigoureux coquin, qui vaut mieux à lui seul que les trois morts?

Ledoux fit réflexion que Tamango se vendrait bien mille écus; que ce voyage, qui s'annonçait comme très profitable pour lui, serait probablement son dernier; qu'enfin sa fortune étant faite, et lui renonçant au commerce d'esclaves, peu lui importait de laisser à la côte de Guinée une bonne ou une mauvaise réputation. D'ailleurs, le rivage était désert, et le guerrier africain entièrement à sa merci. Il ne s'agissait plus que de lui enlever ses armes; car il eût été dangereux de mettre la main sur lui pendant qu'il les avait encore en sa possession. Ledoux lui demanda donc son fusil, comme pour l'examiner et s'assurer s'il valait bien autant que la belle Ayché. En faisant jouer les ressorts, il eut soin de laisser tomber la poudre de l'amorce.° Le lieutenant de son côté maniait le sabre; et Tamango se trouvant ainsi désarmé, deux vigoureux matelots se jetèrent sur lui, le renversèrent sur le dos, et se mirent en devoir de le garrotter.° La résistance du noir fut héroïque. Revenu de sa première surprise, et malgré le désavantage de sa position, il lutta longtemps contre les deux matelots. Grâce à sa force prodigieuse, il parvint à se relever. D'un coup de poing, il terrassa l'homme qui le tenait au collet; il laissa un morceau de son habit entre les mains de l'autre matelot, et s'élança comme un furieux sur le lieutenant pour lui arracher son sabre. Celui-ci l'en frappa à la tête, et lui fit une blessure large, mais peu profonde. Tamango

tomba une seconde fois. Aussitôt on lui lia fortement les pieds et les mains. Tandis qu'il se défendait, il poussait des cris de rage, et s'agitait comme un sanglier pris dans des toiles;° mais, lorsqu'il vit que toute résistance était inutile, il ferma les yeux et ne fit plus aucun mouvement. Sa respiration forte et précipitée prouvait seule qu'il était encore vivant.

— Parbleu! s'écria le capitaine Ledoux, les noirs qu'il a vendus vont rire de bon cœur en le voyant esclave à son tour. C'est pour le coup° qu'ils verront bien qu'il y a une Providence.

Cependant le pauvre Tamango perdait tout son sang. Le charitable interprète qui, la veille, avait sauvé la vie à six esclaves, s'approcha de lui, banda sa blessure et lui adressa quelques paroles de consolation. Ce qu'il put lui dire, je l'ignore. Le noir restait immobile, ainsi qu'un cadavre. Il fallut que deux matelots le portassent comme un paquet dans l'entre-pont, à la place qui lui était destinée. Pendant deux jours, il ne voulut ni boire ni manger; à peine lui vit-on ouvrir les yeux. Ses compagnons de captivité, autrefois ses prisonniers, le virent paraître au milieu d'eux avec un étonnement stupide. Telle était la crainte qu'il leur inspirait encore, que pas un seul n'osa insulter à la misère de celui qui avait causé la leur.

Favorisé par un bon vent de terre, le vaisseau s'éloignait rapidement de la côte d'Afrique. Déjà sans inquiétude au sujet de la croisière anglaise, le capitaine ne pensait plus qu'aux énormes bénéfices qui l'attendaient dans les colonies vers lesquelles il se dirigeait. Son bois d'ébène se maintenait sans avaries. Point de maladies contagieuses. Douze nègres seulement, et des plus faibles, étaient morts de chaleur: c'était bagatelle. Afin que sa cargaison humaine souffrît le moins possible des fatigues de la traversée, il avait l'attention de faire monter tous les jours ses esclaves sur le pont. Tour à tour un tiers de ces malheureux avait une heure pour faire sa provision d'air de toute la journée. Une partie de l'équipage les surveillait armée jusqu'aux dents, de peur de révolte; d'ailleurs, on avait soin de ne jamais ôter entièrement leurs fers. Quelquefois un matelot qui savait jouer du violon les régalait d'un concert. Il était alors

---

4. *pont:* deck. 33. *amorce:* percussion cap. 38. *se mirent… garrotter:* set about binding him.

4. *sanglier… toiles:* wild boar caught in nets. 11. *pour le coup:* this time.

curieux de voir toutes ces figures noires se tourner vers le musicien, perdre par degrés leur expression de désespoir stupide, rire d'un gros rire et battre des mains quand leurs chaînes le leur permettaient. — L'exercice est nécessaire à la santé; aussi l'une des salutaires pratiques du capitaine Ledoux, c'était de faire souvent danser ses esclaves, comme on fait piaffer° des chevaux embarqués pour une longue traversée.

— Allons, mes enfants, dansez, amusez-vous, disait le capitaine d'une voix de tonnerre, en faisant claquer un énorme fouet de poste.

Et aussitôt les pauvres noirs sautaient et dansaient.

Quelque temps la blessure de Tamango le retint sous les écoutilles.° Il parut enfin sur le pont; et d'abord, relevant la tête avec fierté au milieu de la foule craintive des esclaves, il jeta un coup d'œil triste, mais calme, sur l'immense étendue d'eau qui environnait le navire, puis il se coucha, ou plutôt se laissa tomber sur les planches du tillac,° sans prendre même le soin d'arranger ses fers de manière qu'ils lui fussent moins incommodes. Ledoux, assis au gaillard d'arrière,° fumait tranquillement sa pipe. Près de lui, Ayché, sans fers, vêtue d'une robe élégante de cotonnade bleue, les pieds chaussés de jolies pantoufles de maroquin, portant à la main un plateau chargé de liqueurs, se tenait prête à lui verser à boire. Un noir, qui détestait Tamango, lui fit signe de regarder de ce côté. Tamango tourna la tête, l'aperçut, poussa un cri; et, se levant avec impétuosité, courut vers le gaillard d'arrière avant que les matelots de garde eussent pu s'opposer à une infraction aussi énorme de toute discipline navale.

— Ayché! cria-t-il d'une voix foudroyante, et Ayché poussa un cri de terreur; crois-tu que dans le pays des blancs il n'y ait point de MAMA-JUMBO?

Déjà des matelots accouraient le bâton levé; mais Tamango, les bras croisés, et comme insensible, retournait tranquillement à sa place, tandis qu'Ayché, fondant en larmes, semblait pétrifiée par ces mystérieuses paroles.

L'interprète expliqua ce qu'était ce terrible Mama-Jumbo, dont le nom seul produisait tant d'horreur.

— C'est le Croquemitaine° des nègres, dit-il.

Quand un mari a peur que sa femme ne fasse ce que font bien des femmes en France comme en Afrique, il la menace du Mama-Jumbo. Moi, qui vous parle, j'ai vu le Mama-Jumbo, et j'ai compris la ruse; mais les noirs..., comme c'est° simple, cela ne comprend rien. — Figurez-vous qu'un soir, pendant que les femmes s'amusaient à danser, à faire un *folgar*, comme ils disent dans leur jargon, voilà que, d'un petit bois bien touffu et bien sombre, on entend une musique étrange, sans que l'on vît personne pour la faire; tous les musiciens étaient cachés dans le bois. Il y avait des flûtes de roseau, des tambourins de bois, des *balafos*, et des guitares faites avec des moitiés de calebasses.° Tout cela jouait un air à porter le diable en terre. Les femmes n'ont pas plus tôt entendu cet air-là, qu'elles se mettent à trembler; elles veulent se sauver, mais les maris les retiennent : elles savaient bien ce qui leur pendait à l'oreille.° Tout à coup sort du bois une grande figure blanche, haute comme notre mât de perroquet,° avec une tête grosse comme un boisseau,° des yeux larges comme des écubiers,° et une gueule comme celle du diable, avec du feu dedans. Cela marchait lentement, lentement; et cela n'alla pas plus loin qu'à demi-encâblure° du bois. Les femmes criaient :

— Voilà Mama-Jumbo!

Elles braillaient° comme des vendeuses d'huîtres. Alors les maris leur disaient :

— Allons, coquines, dites-nous si vous avez été sages; si vous mentez, Mama-Jumbo est là pour vous manger toutes crues. Il y en avait qui étaient assez simples pour avouer, et alors les maris les battaient comme plâtre.

— Et qu'était-ce donc que cette figure blanche, ce Mama-Jumbo? demanda le capitaine.

— Eh bien, c'était un farceur affublé d'un grand drap blanc, portant, au lieu de la tête, une citrouille° creusée et garnie d'une chandelle allumée au bout d'un grand bâton. Cela n'est pas plus malin,° et il ne faut pas de grands frais d'esprit pour attraper les noirs. Avec tout cela, c'est une bonne invention que le Mama-Jumbo, et je voudrais que ma femme y crût.

8. *piaffer:* prance. 16. *écoutilles:* hatches. 22. *tillac:* deck. 25. *gaillard d'arrière:* quarter-deck (officers' quarters in the stern). 48. *Croquemitaine:* Bogeyman.

5. *c'est:* they are. (The singular conveys a hint of contempt.) 15. *calebasses:* calabashes, gourds. 20. *ce qui... oreille:* what was going to happen to them. 22. *mât de perroquet:* topgallant mast (above the topmast). 23. *boisseau:* bushel basket. 23. *écubiers:* hawseholes. 27. *demi-encâblure:* half a cable's length (about 100 yards). 29. *braillaient:* were bawling. 40. *citrouille:* pumpkin. 42. *Cela... malin:* It's no trickier than that (*i.e.*, that's all there is to it).

— Pour la mienne, dit Ledoux, si elle n'a pas peur de Mama-Jumbo, elle a peur de Martin-Bâton;° et elle sait de reste comment je l'arrangerais si elle me jouait quelque tour. Nous ne sommes pas endurants dans la famille des Ledoux, et, quoique je n'aie qu'un poignet, il manie encore assez bien une garcette.° Quant à votre drôle là-bas, qui parle du Mama-Jumbo, dites-lui qu'il se tienne bien et qu'il ne fasse pas peur à la petite mère que voici, ou je lui ferai si bien ratisser l'échine,° que son cuir,° de noir, deviendra rouge comme un rosbif cru.

A ces mots, le capitaine descendit dans sa chambre, fit venir Ayché et tâcha de la consoler : mais ni les caresses, ni les coups mêmes, car on perd patience à la fin, ne purent rendre traitable° la belle négresse; des flots de larmes coulaient de ses yeux. Le capitaine remonta sur le pont, de mauvaise humeur, et querella l'officier de quart° sur la manœuvre qu'il commandait dans le moment.

La nuit, lorsque presque tout l'équipage dormait d'un profond sommeil, les hommes de garde entendirent d'abord un chant grave, solennel, lugubre, qui partait de l'entrepont, puis un cri de femme horiblement aigu. Aussitôt après, la grosse voix de Ledoux jurant et menaçant, et le bruit de son terrible fouet, retentirent dans tout le bâtiment. Un instant après, tout rentra dans le silence. Le lendemain, Tamango parut sur le pont la figure meurtrie, mais l'air aussi fier, aussi résolu qu'auparavant.

A peine Ayché l'eut-elle aperçu, que, quittant le gaillard d'arrière où elle était assise auprès du capitaine. elle courut avec rapidité vers Tamango, s'agenouilla devant lui, et lui dit avec un accent de désespoir concentré :

— Pardonne-moi, Tamango, pardonne-moi !

Tamango la regarda fixement pendant une minute : puis, remarquant que l'interprète était éloigné :

— Une lime !° dit-il.

Et il se coucha sur le tillac en tournant le dos à Ayché. Le capitaine la réprimanda vertement,° lui donna même quelques soufflets, et lui défendit de parler à son ex-mari; mais il était loin de soupçonner le sens des courtes paroles qu'ils avaient échangées, et il ne fit aucune question à ce sujet.

Cependant Tamango, renfermé avec les autres esclaves, les exhortait jour et nuit à tenter un effort généreux pour recouvrer leur liberté. Il leur parlait du petit nombre des blancs, et leur faisait remarquer la négligence toujours croissante de leurs gardiens; puis, sans s'expliquer nettement, il disait qu'il saurait les ramener dans leur pays, vantait son savoir dans les sciences occultes, dont les noirs sont fort entichés,° et menaçait de la vengeance du diable ceux qui se refuseraient de l'aider dans son entreprise. Dans ses harangues, il ne se servait que du dialecte des Peules, qu'entendaient la plupart des esclaves, mais que l'interprète ne comprenait pas. La réputation de l'orateur, l'habitude qu'avaient les esclaves de le craindre et de lui obéir, vinrent merveilleusement au secours de son éloquence, et les noirs le pressèrent de fixer un jour pour leur délivrance, bien avant que lui-même se crût en état de l'effectuer. Il répondait vaguement aux conjurés que le temps n'était pas encore venu, et que le diable, qui lui apparaissait en songe, ne l'avait pas encore averti, mais qu'ils eussent à se tenir prêts au premier signal. Cependant il ne négligeait aucune occasion de faire des expériences sur la vigilance de ses gardiens. Une fois, un matelot, laissant son fusil appuyé contre les plats-bords,° s'amusait à regarder une troupe de poissons volants qui suivaient le vaisseau; Tamango prit le fusil et se mit à le manier, imitant avec des gestes grotesques les mouvements qu'il avait vu faire à des matelots qui faisaient l'exercice.° On lui retira le fusil au bout d'un instant; mais il avait appris qu'il pourrait toucher une arme sans éveiller immédiatement le soupçon; et, quand le temps viendrait de s'en servir, bien hardi celui qui voudrait la lui arracher des mains.

Un jour, Ayché lui jeta un biscuit en lui faisant un signe que lui seul comprit. Le biscuit contenait une petite lime : c'était de cet instrument que dépendait la réussite du complot. D'abord Tamango se garda bien de montrer la lime à ses compagnons; mais, lorsque la nuit fut venue, il se mit à murmurer des paroles inintelligibles qu'il accompagnait de gestes bizarres.

---

3. *Martin-Bâton:* i.e., a beating. 7. *garcette:* cat-o'-nine-tails. 11. *ratisser l'échine:* whip (*lit.*, rake the spine). 11. *cuir:* hide. 17. *traitable:* docile. 20. *officier de quart:* officer of the watch. 42. *lime:* file. 44. *vertement:* sharply.

12. *entichés:* infatuated. 31. *plats-bords:* gunwales, top of ship's frame. 36. *faisaient l'exercice:* were drilling.

Par degrés, il s'anima jusqu'à pousser des cris. A entendre les intonations variées de sa voix, on eût dit qu'il était engagé dans une conversation animée avec une personne invisible. Tous les esclaves tremblaient, ne doutant pas que le diable ne fût en ce moment même au milieu d'eux. Tamango mit fin à cette scène en poussant un cri de joie.

— Camarades, s'écria-t-il, l'esprit que j'avais conjuré vient enfin de m'accorder ce qu'il m'avait promis, et je tiens dans mes mains l'instrument de notre délivrance. Maintenant il ne vous faut plus qu'un peu de courage pour vous faire libres.

Il fit toucher la lime à ses voisins, et la fourbe,° toute grossière qu'elle était, trouva créance auprès d'hommes encore plus grossiers.

Après une longue attente vint le grand jour de vengeance et de liberté. Les conjurés, liés entre eux par un serment solennel, avaient arrêté leur plan après une mûre délibération. Les plus déterminés, ayant Tamango à leur tête, lorsqu'ils monteraient à leur tour sur le pont, devaient s'emparer des armes de leurs gardiens; quelques autres iraient à la chambre du capitaine pour y prendre les fusils qui s'y trouvaient. Ceux qui seraient parvenus à limer leurs fers devaient commencer l'attaque; mais, malgré le travail opiniâtre de plusieurs nuits, le plus grand nombre des esclaves était encore incapable de prendre une part énergique à l'action. Aussi trois noirs robustes avaient la charge de tuer l'homme qui portait dans sa poche la clef des fers, et d'aller aussitôt délivrer leurs compagnons enchaînés.

Ce jour-là, le capitaine Ledoux était d'une humeur charmante; contre sa coutume, il fit grâce à un mousse qui avait mérité le fouet. Il complimenta l'officier de quart sur sa manœuvre, déclara à l'équipage qu'il était content, et lui annonça qu'à la Martinique, où ils arriveraient dans peu, chaque homme recevrait une gratification.° Tous les matelots, entretenant de si agréables idées, faisaient déjà dans leur tête l'emploi de cette gratification. Ils pensaient à l'eau-de-vie et aux femmes de couleur de la Martinique, lorsqu'on fit monter sur le pont Tamango et les autres conjurés.

Ils avaient eu soin de limer leurs fers de manière qu'ils ne parussent pas être coupés, et

que le moindre effort suffît cependant pour les rompre. D'ailleurs, ils les faisaient si bien résonner, qu'à les entendre on eût dit qu'ils en portaient un double poids. Après avoir humé° l'air quelque temps, ils se prirent tous par la main et se mirent à danser pendant que Tamango entonnait le chant guerrier de sa famille, qu'il chantait autrefois avant d'aller au combat. Quand la danse eut duré quelque temps, Tamango, comme épuisé de fatigue, se coucha tout de son long aux pieds d'un matelot qui s'appuyait nonchalamment contre les platsbords du navire; tous les conjurés en firent autant. De la sorte, chaque matelot était entouré de plusieurs noirs.

Tout à coup Tamango, qui venait doucement de rompre ses fers, pousse un grand cri, qui devait servir de signal, tire violemment par les jambes le matelot qui se trouvait près de lui, le culbute,° et, lui mettant le pied sur le ventre, lui arrache son fusil, et s'en sert pour tuer l'officier de quart. En même temps, chaque matelot de garde est assailli, désarmé et aussitôt égorgé. De toutes parts, un cri de guerre s'élève. Le contremaître,° qui avait la clef des fers, succombe un des premiers. Alors une foule de noirs inondent le tillac. Ceux qui ne peuvent trouver d'armes saisissent les barres du cabestan ou les rames° de la chaloupe.° Dès ce moment, l'équipage européen fut perdu. Cependant quelques matelots firent tête sur le gaillard d'arrière; mais ils manquaient d'armes et de résolution. Ledoux était encore vivant et n'avait rien perdu de son courage. S'apercevant que Tamango était l'âme de la conjuration, il espéra que, s'il pouvait le tuer, il aurait bon marché de ses complices. Il s'élança donc à sa rencontre le sabre à la main en l'appelant à grands cris. Aussitôt Tamango se précipita sur lui. Il tenait un fusil par le bout du canon et s'en servait comme d'une massue.° Les deux chefs se joignirent sur un des passavants,° ce passage étroit qui communique du gaillard d'avant° à l'arrière. Tamango frappa le premier. Par un léger mouvement de corps, le blanc évita le coup. La crosse, tombant avec force sur les planches, se brisa, et le contre-coup fut si violent, que le fusil échappa des mains de Tamango. Il était

15. *fourbe:* deception, trick. 43. *gratification:* bonus.

4. *humé:* drunk in. 20. *culbute:* knocks down. 25. *contremaître:* boatswain. 28. *rames:* oars. 29. *chaloupe:* ship's boat. 41. *massue:* club. 42. *passavants:* fore-and-aft gangways. 43. *gaillard d'avant:* forecastle.

sans défense, et Ledoux, avec un sourire de joie diabolique, levait le bras et allait le percer; mais Tamango était aussi agile que les panthères de son pays. Il s'élança dans les bras de son adversaire, et lui saisit la main dont il tenait son sabre. L'un s'efforce de retenir son arme, l'autre de l'arracher. Dans cette lutte furieuse, ils tombent tous les deux; mais l'Africain avait le dessous. Alors, sans se décourager, Tamango, étreignant son adversaire de toute sa force, le mordit à la gorge avec tant de violence, que le sang jaillit comme sous la dent d'un lion. Le sabre échappa de la main défaillante du capitaine. Tamango s'en saisit; puis, se relevant, la bouche sanglante, et poussant un cri de triomphe, il perça de coups redoublés son ennemi déjà demi-mort.

La victoire n'était plus douteuse. Le peu de matelots qui restaient essayèrent d'implorer la pitié des révoltés; mais tous, jusqu'à l'interprète, qui ne leur avait jamais fait de mal, furent impitoyablement massacrés. Le lieutenant mourut avec gloire. Il s'était retiré à l'arrière, auprès d'un de ces petits canons qui tournent sur un pivot, et que l'on charge de mitraille.° De la main gauche, il dirigea la pièce, et, de la droite, armé d'un sabre, il se défendit si bien qu'il attira autour de lui une foule de noirs. Alors, pressant la détente° du canon, il fit au milieu de cette masse serrée une large rue pavée de morts et de mourants. Un instant après il fut mis en pièces.

Lorsque le cadavre du dernier blanc, déchiqueté° et coupé en morceaux, eut été jeté à la mer, les noirs, rassasiés° de vengeance, levèrent les yeux vers les voiles du navire, qui, toujours enflées par un vent frais, semblaient obéir encore à leurs oppresseurs et mener les vainqueurs, malgré leur triomphe, dans la terre de l'esclavage.

— Rien n'est donc fait, pensèrent-ils avec tristesse; et ce grand fétiche des blancs voudrat-il nous ramener dans notre pays, nous qui avons versé le sang de ses maîtres?

Quelques-uns dirent que Tamango saurait le faire obéir. Aussitôt on appelle Tamango à grands cris.

Il ne se pressait pas de se montrer. On le trouva dans la chambre de poupe,° debout, une main appuyée sur le sabre sanglant du capitaine; l'autre, il la tendait d'un air distrait à sa femme Ayché, qui la baisait à genoux devant lui. La joie d'avoir vaincu ne diminuait pas une sombre inquiétude qui se trahissait dans toute sa contenance. Moins grossier que les autres, il sentait mieux la difficulté de sa position.

Il parut enfin sur le tillac, affectant un calme qu'il n'éprouvait pas. Pressé par cent voix confuses de diriger la course du vaisseau, il s'approcha du gouvernail° à pas lents, comme pour retarder un peu le moment qui allait, pour lui-même et pour les autres, décider de l'étendue de son pouvoir.

Dans tout le vaisseau, il n'y avait pas un noir, si stupide qu'il fût, qui n'eût remarqué l'influence qu'une certaine roue et la boîte placée en face exerçaient sur les mouvements du navire; mais, dans ce mécanisme, il y avait toujours pour eux un grand mystère. Tamango examina la boussole° pendant longtemps en remuant les lèvres, comme s'il lisait les caractères qu'il y voyait tracés; puis il portait la main à son front, et prenait l'attitude pensive d'un homme qui fait un calcul de tête. Tous les noirs l'entouraient, la bouche béante, les yeux démesurément ouverts, suivant avec anxiété le moindre de ses gestes. Enfin, avec ce mélange de crainte et de confiance que l'ignorance donne, il imprima un violent mouvement à la roue du gouvernail.

Comme un généreux coursier qui se cabre° sous l'éperon d'un cavalier imprudent, le beau brick *l'Espérance* bondit sur la vague à cette manœuvre inouïe. On eût dit qu'indigné il voulait s'engloutir avec son pilote ignorant. Le rapport nécessaire entre la direction des voiles et celle du gouvernail étant brusquement rompu, le vaisseau s'inclina avec tant de violence, qu'on eût dit qu'il allait s'abîmer. Ses longues vergues° plongèrent dans la mer. Plusieurs hommes furent renversés; quelques-uns tombèrent par-dessus le bord. Bientôt le vaisseau se leva fièrement contre la lame,° comme pour lutter encore une fois avec la destruction. Le vent redoubla d'efforts, et tout d'un coup, avec un bruit horrible, tombèrent les deux mâts, cassés à

---

25. *mitraille:* grape shot, spraying bullets. 29. *détente:* trigger. 34. *déchiqueté:* mangled. 35. *rassasiés:* sated.

1. *chambre de poupe:* stern cabin. 12. *gouvernail:* helm, steering wheel. 22. *boussole:* compass. 32. *se cabre:* rears. 40. *vergues:* yards. 44. *lame:* waves.

quelques pieds du pont, couvrant le tillac de débris et comme d'un lourd filet de cordages.

Les nègres épouvantés fuyaient sous les écoutilles en poussant des cris de terreur; mais, comme le vent ne trouvait plus de prise, le vaisseau se leva et se laissa doucement ballotter° par les flots. Alors les plus hardis des noirs remontèrent sur le tillac et le débarrassèrent des débris qui l'obstruaient. Tamango restait immobile, le coude appuyé sur l'habitacle° et se cachant le visage sur son bras replié. Ayché était auprès de lui, mais n'osait lui adresser la parole. Peu à peu les noirs s'approchèrent; un murmure s'éleva, qui bientôt se changea en un orage de reproches et d'injures.

— Perfide! imposteur! s'écriaient-ils, c'est toi qui as causé tous nos maux, c'est toi qui nous as vendus aux blancs, c'est toi qui nous as contraints de nous révolter contre eux. Tu nous avais vanté ton savoir, tu nous avais promis de nous ramener dans notre pays. Nous t'avons cru, insensés que nous étions! et voilà que nous avons manqué de périr tous parce que tu as offensé le fétiche des blancs.

Tamango releva fièrement la tête, et les noirs qui l'entouraient reculèrent intimidés. Il ramassa deux fusils, fit signe à sa femme de le suivre, traversa la foule, qui s'ouvrit devant lui, et se dirigea vers l'avant du vaisseau. Là, il se fit comme un rempart avec des tonneaux vides et des planches; puis il s'assit au milieu de cette espèce de retranchement, d'où sortaient menaçantes les baïonnettes de ses deux fusils. On le laissa tranquille. Parmi les révoltés, les uns pleuraient; d'autres, levant les mains au ciel, invoquaient leurs fétiches et ceux des blancs; ceux-ci, à genoux devant la boussole, dont ils admiraient le mouvement continuel, la suppliaient de les ramener dans leur pays; ceux-là se couchaient sur le tillac dans un morne abattement.° Au milieu de ces désespérés, qu'on se représente des femmes et des enfants hurlant d'effroi, et une vingtaine de blessés implorant des secours que personne ne pensait à leur donner.

Tout à coup un nègre paraît sur le tillac : son visage est radieux. Il annonce qu'il vient de découvrir l'endroit où les blancs gardent leur eau-de-vie; sa joie et sa contenance prouvent assez qu'il vient d'en faire l'essai. Cette nouvelle

suspend un instant les cris de ces malheureux. Ils courent à la cambuse° et se gorgent de liqueur. Une heure après, on les eût vus sauter et rire sur le pont, se livrant à toutes les extravagances de l'ivresse la plus brutale. Leurs danses et leurs chants étaient accompagnés des gémissements et des sanglots des blessés. Ainsi se passa le reste du jour et toute la nuit.

Le matin, au réveil, nouveau désespoir. Pendant la nuit, un grand nombre de blessés étaient morts. Le vaisseau flottait entouré de cadavres. La mer était grosse et le ciel brumeux. On tint conseil. Quelques apprentis dans l'art magique, qui n'avaient point osé parler de leur savoir-faire devant Tamango, offrirent tour à tour leurs services. On essaya plusieurs conjurations puissantes. A chaque tentative inutile, le découragement augmentait. Enfin on reparla de Tamango, qui n'était pas encore sorti de son retranchement. Après tout, c'était le plus savant d'entre eux, et lui seul pouvait les tirer de la situation horrible où il les avait placés. Un vieillard s'approcha de lui, porteur de propositions de paix. Il le pria de venir donner son avis; mais Tamango, inflexible comme Coriolan,° fut sourd à ses prières. La nuit, au milieu du désordre, il avait fait sa provision de biscuits et de chair salée. Il paraissait déterminé à vivre seul dans sa retraite.

L'eau-de-vie restait. Au moins elle fait oublier et la mer, et l'esclavage, et la mort prochaine. On dort, on rêve de l'Afrique, on voit des forêts de gommiers,° des cases couvertes en paille, des baobabs° dont l'ombre couvre tout un village. L'orgie de la veille recommença. De la sorte se passèrent plusieurs jours. Crier, pleurer, s'arracher les cheveux, puis s'enivrer et dormir, telle était leur vie. Plusieurs moururent à force de boire; quelques-uns se jetèrent à la mer, ou se poignardèrent.

Un matin, Tamango sortit de son fort et s'avança jusqu'auprès du tronçon° du grand mât.

— Esclaves, dit-il, l'Esprit m'est apparu en songe et m'a révélé les moyens de vous tirer d'ici pour vous ramener dans votre pays. Votre

---

2. *cambuse:* steward's stores. 26. Coriolanus, Roman general, fifth century B.C. Exiled by Rome, he led an army against her and was long inflexible, until swayed by the tears of his mother, wife, and children. (See Shakespeare's *Coriolanus.*) 33. *gommiers:* gum trees. 34. *baobabs:* "monkey-bread trees." 42. *tronçon:* stump.

---

6. *ballotter:* rock. 10. *habitacle:* binnacle. 41. *abattement:* discouragement.

ingratitude mériterait que je vous abandonnasse; mais j'ai pitié de ces femmes et de ces enfants qui crient. Je vous pardonne : écoutez-moi.

Tous les noirs baissèrent la tête avec respect et se serrèrent autour de lui.

— Les blancs, poursuivit Tamango, connaissent seuls les paroles puissantes qui font remuer ces grandes maisons de bois; mais nous pouvons diriger à notre gré ces barques légères qui ressemblent à celles de notre pays.

Il montrait la chaloupe et les autres embarcations° du brick.

— Remplissons-les de vivres, montons dedans, et ramons dans la direction du vent; mon maître et le vôtre le fera souffler vers notre pays. 15

On le crut. Jamais projet ne fut plus insensé. Ignorant l'usage de la boussole, et sous un ciel inconnu, il ne pouvait qu'errer à l'aventure. D'après ses idées, il s'imaginait qu'en ramant tout droit devant lui il trouverait à la fin 20 quelque terre habitée par les noirs, car les noirs possèdent la terre, et les blancs vivent sur leurs vaisseaux. C'est ce qu'il avait entendu dire à sa mère.

Tout fut bientôt prêt pour l'embarquement; 25 mais la chaloupe avec un canot° seulement se trouva en état de servir. C'etait trop peu pour contenir environ quatre-vingts nègres encore vivants. Il fallut abandonner tous les blessés et les malades. La plupart demandèrent qu'on les 30 tuât avant de se séparer d'eux.

Les deux embarcations, mises à flot avec des peines infinies et chargées outre mesure, quittèrent le vaisseau par une mer clapoteuse,° qui menaçait à chaque instant de les engloutir. Le 35 canot s'éloigna le premier. Tamango avec Ayché avait pris place dans la chaloupe, qui, beaucoup plus lourde et plus chargée, demeurait considérablement en arrière. On entendait encore les cris plaintifs de quelques malheureux 40 abandonnés à bord du brick, quand une vague assez forte prit la chaloupe en travers et l'emplit d'eau. En moins d'une minute, elle coula. Le canot vit leur désastre, et ses rameurs doublèrent d'efforts, de peur d'avoir à recueillir quelques 45 naufragés. Presque tous ceux qui montaient la chaloupe furent noyés. Une douzaine seulement put regagner le vaisseau. De ce nombre étaient Tamango et Ayché. Quand le soleil se coucha,

ils virent disparaître le canot derrière l'horizon; mais ce qu'il devint, on l'ignore.

Pourquoi fatiguerais-je le lecteur par la description dégoûtante des tortures de la faim? Vingt personnes environ sur un espace étroit, 5 tantôt ballottées par une mer orageuse, tantôt brûlées par un soleil ardent, se disputent tous les jours les faibles restes de leurs provisions. Chaque morceau de biscuit coûte un combat, et le faible meurt, non parce que le fort le tue, mais parce 10 qu'il le laisse mourir. Au bout de quelques jours, il ne resta plus de vivant à bord du brick *l'Espérance* que Tamango et Ayché.

Une nuit, la mer était agitée, le vent soufflait avec violence, et l'obscurité était si grande, que 15 de la poupe on ne pouvait voir la proue du navire. Ayché était couchée sur un matelas dans la chambre du capitaine, et Tamango était assis à ses pieds. Tous les deux gardaient le silence depuis longtemps. 20

— Tamango, s'écria enfin Ayché, tout ce que tu souffres tu le souffres à cause de moi...

— Je ne souffre pas, répondit-il brusquement. Et il jeta sur le matelas, à côté de sa femme, la moitié d'un biscuit qui lui restait.

— Garde-le pour toi, dit-elle en repoussant doucement le biscuit; je n'ai plus faim. D'ailleurs, pourquoi manger? Mon heure n'est-elle pas venue? 30

Tamango se leva sans répondre, monta en chancelant sur le tillac et s'assit au pied d'un mât rompu. La tête penchée sur sa poitrine, il sifflait l'air de sa famille. Tout à coup un grand cri se fit entendre au-dessus du bruit du vent de 35 la mer; une lumière parut. Il entendit d'autres cris, et un gros vaisseau noir glissa rapidement auprès du sien; si près, que les vergues passèrent au-dessus de sa tête. Il ne vit que deux figures éclairées par une lanterne suspendue à un mât. 40 Ces gens poussèrent encore un cri, et aussitôt leur navire, emporté par le vent, disparut dans l'obscurité. Sans doute les hommes de garde avaient aperçu le vaisseau naufragé; mais le gros temps° empêchait de virer de bord.° Un 45 instant après, Tamango vit la flamme d'un canon et entendit le bruit de l'explosion;° puis il vit la flamme d'un autre canon, mais il

---

12. *embarcations:* small boats. 26. *canot:* small boat. 34. *clapoteuse:* choppy.

45. *gros temps:* heavy weather, high seas. 45. *virer de bord:* change course. 47. The other ship, having perceived a derelict in the fairway, was trying to sink it.

n'entendit aucun bruit; puis il ne vit plus rien. Le lendemain, pas une voile ne paraissait à l'horizon. Tamango se recoucha sur son matelas et ferma les yeux. Sa femme Ayché était morte cette nuit-là.

Je ne sais combien de temps après une frégate anglaise, *la Bellone*, aperçut un bâtiment démâté et en apparence abandonné de son équipage. Une chaloupe, l'ayant abordé, y trouva une négresse morte et un nègre si décharné et si maigre, qu'il ressemblait à une momie. Il était sans connaissance, mais il avait encore un souffle de vie. Le chirurgien s'en empara, lui donna des soins, et quand *la Bellone* aborda à Kingston,° Tamango était en parfaite santé. On lui demanda son histoire. Il dit ce qu'il en savait. Les planteurs de l'île voulurent qu'on le pendît comme un nègre rebelle; mais

16. Kingston, capital of Jamaica.

le gouverneur, qui était un homme humain, s'intéressa à lui, trouvant son cas justifiable, puisque, après tout, il n'avait fait qu'user du droit légitime de défense; et puis ceux qu'il avait 5 tués n'étaient que des Français. On le traita comme on traite les nègres pris à bord d'un vaisseau négrier que l'on confisque. On lui donna la liberté, c'est-à-dire qu'on le fit travailler pour le gouvernement; mais il avait 10 six sous par jour et la nourriture. C'était un fort bel homme. Le colonel du 75e le vit et le prit pour en faire un cymbalier° dans la musique de son régiment. Il apprit un peu d'anglais; mais il ne parlait guère. En revanche, il buvait avec 15 excès du rhum et du tafia.° — Il mourut à l'hôpital d'une inflammation de poitrine.°

12. *cymbalier:* cymbal player. 15. *tafia:* a coarse drink distilled from molasses. 16. *inflammation de poitrine:* pneumonia. (Notice the deliberate anticlimax of the conclusion. What is the author's purpose?)

The Late Nineteenth Century

1850	1875	1900

1850+. Realist painters
1851. Coup d'État of Louis Napoléon
1852–70. Second Empire; Napoléon III
1854–56. Crimean War
1860+. Impressionist painters
1861. Italy a kingdom
1870–71. Franco-Prussian War
1871. Commune
1871. Third Republic, until 1940 ⟶

HISTORY

Post-Impressionist painters 1885+

Dreyfus Case 1894–1906

1851–70. Ste-Beuve: *Lundis*
1853. Hugo: *Châtiments*
1857. Flaubert: *Mme Bovary*
1857. Baudelaire: *Fleurs du mal*
1862. Hugo: *Les Misérables*
1862. Renan: *Vie de Jésus*
1863. Taine: *Littérature anglaise*
1865. Goncourt: *Germinie Lacerteux*
1866. *Parnasse contemporain*
1869. Baudelaire: *Poèmes en prose*
1869. Daudet: *Lettres de mon moulin*
1873. Rimbaud: *Saison en enfer*
1874. Verlaine: *Romances sans paroles*
1875. Mallarmé: *L'Après-midi d'un faune*
1877. Zola: *L'Assommoir*
1877. Flaubert: *Trois contes*
(*Soirées de Médan*) 1880. Maupassant: *Boule de suif*
1880–1900. Symbolist school
1881. France: *Crime de Sylvestre Bonnard*
1885. Zola: *Germinal*
1887. Mallarmé: *Poésies*
1888. Verlaine: *Sagesse*

FRENCH LITERATURE

Maupassant: *Pierre et Jean* 1888
France: *Procurateur de Judée* 1892
Valéry: *Soirée avec M. Teste* 1896
Gide: *Nourritures terrestres* 1897
Rostand: *Cyrano de Bergerac* 1897

1850. Tennyson: *In Memoriam*
1851. Melville: *Moby Dick*
1854. Thoreau: *Walden*
1855. Whitman: *Leaves of Grass*
1859. Darwin: *Origin of Species*
1864–69. Tolstoy: *War and Peace*
1865. Swinburne: *Atalanta in Calydon*
1866. Dostoevsky: *Crime and Punishment*
1866. Ibsen: *Brand*
1867. Marx: *Das Kapital*
1869. Arnold: *Culture and Anarchy*
1878. Hardy: *Return of the Native*
Nietzsche: *Also sprach Zarathustra* 1883
Verga: *Cavalleria Rusticana* 1884
Kipling: *Plain Tales from the Hills* 1887
R. Darío: *Azul* 1888
Yeats: *Wanderings of Oisin* 1889
Wilde: *Picture of Dorian Gray* 1890

OTHER LITERATURES

Crane: *Red Badge of Courage* 1895
Conrad: *Almayer's Folly* 1895
Housman: *Shropshire Lad* 1896
Norris: *McTeague* 1899

The Late Nineteenth Century

The early nineteenth century, with its stagecoaches, crinolines, Romantic poets, and swooning maidens, seems to us a strange, distant world. The late nineteenth century has a familiar look; we recognize it as our own. Modern states took form; the West discovered the Far East, and the East discovered the West; social problems and conflicts arose that are still with us; pure science found principles which we accept, such as the doctrine of evolution and that of bacterial activity; applied science, with electricity, the internal combustion engine, steel-and-concrete construction, gave us the background and routines of modern life; our cities took their present shapes, with houses in which many of us grew up; and some of us were born.

And in intellectual life, in philosophy, psychology, sociology, art, music, and letters, the grand lines of modern thought were laid down.

In our proper field, French literature was composed of *acceptances* and *rejections*. The *accepters* devoted themselves to reporting and interpreting the life they saw about them. They did so, in general, with the materialist and positivist bias of their times. This is the current of *realism* and *naturalism*. The *rejecters* refused the prevailing philosophies and bourgeois values; they sought new and deeper realities in their own spirits. This is the current represented by Baudelaire, Rimbaud, and the Symbolists. The examination of these contentions will be deferred until we come to their chief representatives.

12. Sainte-Beuve [1804–1869]

Charles-Augustin Sainte-Beuve was the first great professional literary critic, the first to devote himself methodically to the *appreciation* of literature (as opposed to the *aesthetic* theorizing of Aristotle, Boileau, Lessing, etc.).

He studied medicine in Paris and became familiar with scientific thought and practice. However, he found literature more interesting than medicine, wrote newspaper reviews, became a close friend of Hugo and the young Romantics. His *Tableau de la poésie au seizième siècle* (1828) revealed the forgotten merits of Ronsard and the Pléiade to the French and especially to the Romantic authors. He wrote poetry of peculiar interest and consequence to later writers, and a novel, *Volupté*, of rare psychological finesse. But his imagination was not robust enough to make of him a successful creative writer. He resigned himself to criticism, and found therein his great opportunity for development. For many years he contributed regular weekly articles, *Les Causeries du lundi*, to a leading Paris newspaper. These and other collections of literary studies make the bulk of his work. His most pretentious book is his *Histoire de Port-Royal*, a mighty historical and psychological examination of the seventeenth-century Jansenist group which included Pascal and Racine.

Sainte-Beuve was equipped for criticism by a phenomenal memory, by exquisite taste, by enormous reading, and by an understanding sympathy with every form of creative effort.

(But certain jealousies and rancors were revealed only after his death.) He was an engaging and delightful person. I cannot omit one anecdote. "Papa Beuve," as his friends called him, was challenged to a duel by a M. Dubois, who could not brook criticism. It was raining dismally. Sainte-Beuve held an umbrella in one hand as he fired his pistol with the other. "I am willing to die," he said, "but not to catch a nasty cold."

"A naturalist of minds," he called himself. He sought to place his subjects in their social and political backgrounds, to define the influences that made them write what they wrote. His method, then, is *psychological* and *biographical*. He explains the work by the author and then tries to explain the author. His portraits of minds are infinitely subtle. They constitute a type that belongs to creative as well as to critical literature.

This kind of literary-historical criticism had a great vogue and still has. It inspires probably most of the activity of literary researchers today. And yet many objections are made to it by critics of criticism. Sainte-Beuve's method is a system rather than a theory of criticism. He takes for granted the value of the work of art and seeks to determine the conditions that produced it. He concentrates his attention on the artist; and too often the artist is more interesting than his art. The explanation of literature as the product of recognizable conditions works better with commonplace art than with great art, which seems to transcend known conditions. And anyway, say modern critics, a work of art exists by itself and must be its own justification; we should study the work, not the artist. The explanations that you can find by examining, for instance, an artist's love life are not the real explanations; they leave the mystery untouched.

Nevertheless, Sainte-Beuve remains the master of the *genre* he developed, that of the literary portrait. Often the modern scholar, seeking information on some past writer, particularly on some minor French writer of the classic period, turns to Sainte-Beuve. He discovers that no one else has so sensitively penetrated his author's spirit and has summed him up in such conclusive phrases. This is certainly some vindication of Sainte-Beuve's method.

The selection chosen is a long digression in a pair of articles on Chateaubriand which appeared in 1862. These are included in the *Nouveaux lundis*, Volume III.

LA MÉTHODE CRITIQUE

...Et il me prend, à cette occasion, l'idée d'exposer une fois pour toutes quelques-uns des principes, quelques-unes des habitudes de méthode qui me dirigent dans cette étude, déjà si ancienne, que je fais des personnages littéraires. J'ai souvent entendu reprocher à la critique moderne, à la mienne en particulier, de n'avoir point de théorie, d'être tout historique, tout individuelle. Ceux qui me traitent avec le plus de faveur ont bien voulu dire que j'étais un assez bon juge, mais qui n'avait pas de Code. J'ai une méthode pourtant, et quoiqu'elle n'ait point préexisté et ne se soit point produite d'abord à l'état de théorie, elle s'est formée chez moi de la pratique même, et une longue suite d'applications n'a fait que la confirmer à mes yeux.

Eh bien! c'est cette méthode ou plutôt cette

pratique qui m'a été de bonne heure comme naturelle et que j'ai instinctivement trouvée dès mes premiers essais de critique, que je n'ai cessé de suivre et de varier selon les sujets durant des 5 années; dont je n'ai jamais songé, d'ailleurs, à faire un secret ni une découverte; qui se rapporte sans doute par quelques points à la méthode de M. Taine,° mais qui en diffère à d'autres égards; qui a été constamment méconnue dans mes 10 écrits par des contradicteurs qui me traitaient comme le plus sceptique et le plus indécis des critiques et en simple amuseur; que jamais ni les Génin° ni les Rigault, ° ni aucun de ceux qui me faisaient l'honneur de me sacrifier à M. Ville- 15 main° et aux autres maîtres antérieurs n'ont

8. Hippolyte Taine (1828–93) developed a deterministic theory of literary criticism, explaining an author's work as the inevitable product of *la race, le milieu, et le moment.* 13. *Génin, Rigault:* two minor critics, contemporaries of Sainte-Beuve and hostile to him. 15. Villemain, a contemporary academic critic, was more systematic and doctrinaire than Sainte-Beuve.

daigné soupçonner, c'est cet ensemble d'observations et de directions positives que je vais tâcher d'indiquer brièvement. Il vient un moment dans la vie où il faut éviter autant que possible aux autres l'embarras de tâtonner° à notre sujet, et où c'est l'heure ou jamais de se développer tout entier...°

La littérature, la production littéraire, n'est point pour moi distincte ou du moins séparable du reste de l'homme et de l'organisation; je puis goûter une œuvre, mais il m'est difficile de la juger indépendamment de la connaissance de l'homme même; et je dirais volontiers : *tel arbre, tel fruit*. L'étude littéraire me mène ainsi tout naturellement à l'étude morale.°

Avec les Anciens, on n'a pas les moyens suffisants d'observation. Revenir à l'homme, l'œuvre à la main, est impossible dans la plupart des cas avec les véritables Anciens, avec ceux dont nous n'avons la statue qu'à demi brisée. On est donc réduit à commenter l'œuvre, à l'admirer, à rêver l'auteur et le poète à travers. On peut refaire ainsi des figures de poètes ou de philosophes, des bustes de Platon, de Sophocle ou de Virgile, avec un sentiment d'idéal élevé; c'est tout ce que permet l'état des connaissances incomplètes, la disette° des sources et le manque de moyens d'information et de retour. Un grand fleuve, et non guéable° dans la plupart des cas, nous sépare des grands hommes de l'Antiquité. Saluons-les d'un rivage à l'autre.

Avec les modernes, c'est tout différent; et la critique, qui règle sa méthode sur les moyens, a ici d'autres devoirs. Connaître et bien connaître un homme de plus, surtout si cet homme est un individu marquant et célèbre, c'est une grande chose et qui ne saurait être à dédaigner.

L'observation morale des caractères en est encore au détail, aux éléments, à la description des individus et tout au plus de quelques espèces : Théophraste° et La Bruyère° ne vont pas au delà. Un jour viendra, que je crois avoir

entrevu dans le cours de mes observations, un jour où la science sera constituée, où les grandes familles d'esprits et leurs principales divisions seront déterminées et connues. Alors le principal caractère d'un esprit étant donné, on pourra en déduire plusieurs autres.° Pour l'homme, sans doute, on ne pourra jamais faire exactement comme pour les animaux ou pour les plantes; l'homme moral est plus complexe; il a ce qu'on nomme *liberté* et qui, dans tous les cas, suppose une grande mobilité de combinaisons possibles.° Quoi qu'il en soit, on arrivera avec le temps, j'imagine, à constituer plus largement la science du moraliste; elle en est aujourd'hui au point où la botanique en était avant Jussieu,° et l'anatomie comparée avant Cuvier,° à l'état, pour ainsi dire, anecdotique. Nous faisons pour notre compte de simples monographies, nous amassons des observations de détail; mais j'entrevois des liens, des rapports, et un esprit plus étendu, plus lumineux, et resté fin dans le détail, pourra découvrir un jour les grandes divisions naturelles qui répondent aux familles d'esprit.°

Mais même, quand la science des esprits serait organisée comme on peut de loin le concevoir, elle serait toujours si délicate et si mobile qu'elle n'existerait que pour ceux qui ont une vocation naturelle et un talent d'observer : ce serait toujours un *art* qui demanderait un artiste habile, comme la médecine exige le tact° médical dans celui qui l'exerce, comme la philosophie devrait exiger le tact philosophique chez ceux qui se prétendent philosophes, comme la poésie ne veut être touchée que par un poète.°

6. "Il y a dans les caractères une certaine nécessité, certains rapports qui font que tel trait principal entraîne tels traits secondaires." Goethe: *Conversations d'Eckermann.* (Note de Sainte-Beuve.) This idea, implicit in French classical literary theory, was formulated by Taine as *la faculté maîtresse*, the characteristic, dominating trait of a man, from which everything could be logically deduced. 12. "On trouve de tout dans ce monde, et la variété des combinaisons est inépuisable." Grimm: *Correspondance littéraire.* (Note de Sainte-Beuve.) Grimm was a mid-eighteenth-century journalist. 16. Antoine-Laurent de Jussieu (1748–1836), originator of the modern method of plant classification. 17. Georges Cuvier (1769–1832), creator of the science of comparative anatomy. 24. A century has passed since this was written, but the *esprit lumineux* has not appeared to sort minds into natural divisions —unless it be C. G. Jung. 32. *tact:* delicate sense of touch. 36. Sainte-Beuve here admits that his observer must possess a peculiar, undefined *critical faculty.* Is this scientific? Does it not invalidate his whole argument? Albert Schinz (*Nineteenth Century French Readings*, New York, Holt, 1934, Vol. II, p. 19 *n*) makes an apt comparison with Pascal's distinction between the *esprit géométrique* and the *esprit de finesse.*

5. *tâtonner:* grope, fumble. 7. Remember that this essay was written in 1862, when Sainte-Beuve was fifty-eight. 15. *morale:* intellectual and behavioral. 27. *disette:* scarcity, famine. 29. *guéable:* fordable. 42. *Théophraste:* Theophrastus, Greek philosopher, fourth century B.C.; author of *Characters*, which La Bruyère took as his model. 42. *La Bruyère:* (See Vol. I, p. 269.) Sainte-Beuve looks to the future development of psychology, which will classify personality as the zoologist classifies species. Has psychology fulfilled Sainte-Beuve's expectation?

Je suppose donc quelqu'un qui ait ce genre de talent et de facilité pour entendre les groupes, les familles littéraires (puisqu'il s'agit dans ce moment de littérature); qui les distingue presque à première vue; qui en saisisse l'esprit et la vie; dont ce soit véritablement la vocation; quelqu'un de propre à être un bon naturaliste dans ce champ si vaste des esprits.

S'agit-il d'étudier un homme supérieur ou simplement distingué par ses productions, un écrivain dont on a lu les ouvrages et qui vaille la peine d'un examen approfondi? Comment s'y prendre, si l'on veut ne rien omettre d'important et d'essentiel à son sujet, si l'on veut sortir des jugements de l'ancienne rhétorique, être le moins dupe possible des phrases, des mots, des beaux sentiments convenus, et atteindre au vrai comme dans une étude naturelle?°

Il est très utile d'abord de commencer par le commencement, et, quand on en a les moyens, de prendre l'écrivain supérieur ou distingué dans son pays natal, dans sa race. Si l'on connaissait bien la race physiologiquement, les ascendants et ancêtres, on aurait un grand jour sur la qualité secrète et essentielle des esprits; mais le plus souvent cette racine profonde reste obscure et se dérobe. Dans le cas où elle ne se dérobe pas tout entière, on gagne beaucoup à l'observer.

On reconnaît, on retrouve à coup sûr l'homme supérieur, au moins en partie, dans ses parents, dans sa mère surtout, cette parenté la plus directe et la plus certaine; dans ses sœurs aussi, dans ses frères, dans ses enfants mêmes. Il s'y rencontre des linéaments essentiels qui sont souvent masqués, pour° être trop condensés ou trop joints ensemble, dans le grand individu; le fond se retrouve, chez les autres de son sang, plus à nu et à l'état simple : la nature toute seule a fait les frais de° l'analyse. Cela est très délicat et demanderait à être éclairci par des noms propres, par quantité de faits particuliers; j'en indiquerai quelques-uns.

Prenez les sœurs par exemple. Ce Chateaubriand dont nous parlions avait une sœur qui avait *de l'imagination*, disait-il lui-même, *sur un fonds de bêtise*, ce qui devait approcher de l'extravagance pure; — une autre, au contraire, divine (Lucile, l'*Amélie* de *René*), qui

avait la sensibilité exquise, une sorte d'imagination tendre, mélancolique, sans rien de ce qui la corrigeait ou la distrayait chez lui : elle mourut folle et se tua. Les éléments qu'il unissait et associait, au moins dans son talent, et qui gardaient une sorte d'équilibre, étaient distinctement et disproportionnément répartis entre elles.

Je n'ai point connu les sœurs de M. de Lamartine, mais je me suis toujours souvenu d'un mot échappé à M. Royer-Collard° qui les avait connues, et qui parlait d'elles dans leur première jeunesse comme de quelque chose de charmant et de mélodieux, comme d'un nid de rossignols. La sœur de Balzac, Mme Surville, dont la ressemblance physique avec son frère saute aux yeux, est faite en même temps pour donner à ceux qui, comme moi, ont le tort peut-être de n'admirer qu'incomplètement le célèbre romancier, une idée plus avantageuse qui les éclaire, les rassure et les ramène. La sœur de Beaumarchais,° Julie, que M. de Loménie° nous a fait connaître, représente bien son frère par son tour de gaieté et de raillerie, son humeur libre et piquante, son irrésistible esprit de saillie;° elle le poussait jusqu'à l'extrême limite de la décence, quand elle n'allait pas au delà; cette aimable et gaillarde fille mourut presque la chanson à la bouche : c'était bien la sœur de Figaro, le même jet et la même sève.

De même pour les frères. Despréaux° le satirique avait un frère aîné, satirique également, mais un peu plat, un peu vulgaire; un autre frère chanoine,° très gai, plein de riposte;° riche en belle humeur, mais un peu grotesque, un peu trop chargé et trop enluminé; la nature avait combiné en Despréaux les traits de l'un et de l'autre, mais avec finesse, avec distinction, et avait aspergé° le tout d'un sel digne d'Horace. A ceux pourtant qui voudraient douter de la fertilité et du naturel du fonds chez Despréaux, qui voudraient nier sa verve de source et ne voir en lui que la culture, il n'est pas inutile d'avoir à montrer les alentours évidents et le voisinage de la race.

Mme de Sévigné,° je l'ai dit plus d'une fois,

---

18. *naturelle:* i.e., of nature, scientific. 35. *pour:* because. 39. *a fait les frais de:* paid for, provided the means for.

10. *Royer-Collard:* philosopher and statesman (1763–1845). 21. *Beaumarchais:* famous writer, financier, and adventurer (1732–99). (See Vol. I, p. 451.) 21. *Loménie:* critic and biographer (1815–78), author of *Beaumarchais et son temps.* 25. *esprit de saillie:* ready wit. 30. *Despréaux:* Nicolas Boileau-Despréaux. (See Vol. I, p. 240.) 33. *chanoine:* canon, priest attached to cathedral. 33. *riposte:* witty retorts. 38. *aspergé:* sprinkled. 45. *Mme de Sévigné:* See Vol. I, p. 285.

semble s'être dédoublée dans ses deux enfants; le chevalier léger, étourdi,° ayant la grâce, et Mme de Grignan, intelligente, mais un peu froide, ayant pris pour elle la raison. Leur mère avait tout; on ne lui conteste pas la grâce, mais à ceux qui voudraient lui refuser le sérieux et la raison, il n'est pas mal d'avoir à montrer Mme de Grignan, c'est-à-dire la raison toute seule sur le grand pied° et dans toute sa pompe. Avec ce qu'on trouve dans les écrits, cela aide et cela guide.

Et n'est-ce pas ainsi, de nos jours, que certaines filles de poètes, morts il y a des années déjà, m'ont aidé à mieux comprendre et à mieux me représenter le poète leur père? Par moments je croyais revoir en elles l'enthousiasme, la chaleur d'âme, quelques-unes des qualités paternelles premières à l'état pur et intègre, et, pour ainsi dire, conservées dans de la vertu.

C'est assez indiquer ma pensée, et je n'abuserai pas. Quand on s'est bien édifié autant qu'on le peut sur les origines, sur la parenté immédiate et prochaine d'un écrivain éminent, un point essentiel est à déterminer, après le chapitre de ses études et de son éducation; c'est le premier milieu, le premier groupe d'amis et de contemporains dans lequel il s'est trouvé au moment où son talent a éclaté, a pris corps et est devenu adulte. Le talent, en effet, en demeure marqué, et quoi qu'il fasse ensuite, il s'en ressent° toujours.

Entendons-nous sur ce mot de *groupe* qu'il m'arrive d'employer volontiers. Je définis le groupe, non pas l'assemblage fortuit et artificiel de gens d'esprit qui se concertent dans un but, mais l'association naturelle et comme spontanée de jeunes esprits et de jeunes talents, non pas précisément semblables et de la même famille, mais de la même *volée*° et du même printemps, éclos sous le même astre, et qui se sentent nés, avec des variétés de goût et de vocation, pour une œuvre commune. Ainsi la petite société de Boileau, Racine, La Fontaine et Molière vers 1664, à l'ouverture du grand siècle : voilà le groupe par excellence, — tous génies!° Ainsi, en 1802, à l'ouverture du XIXe siècle, la réunion de Chateaubriand, Fontanes,°

Joubert°... Ce groupe-là, à s'en tenir à la qualité des esprits, n'était pas trop chétif non plus ni à mépriser. Ainsi encore, pour ne pas nous borner à nos seuls exemples domestiques, ainsi à Gœttingue,° en 1770, le groupe de jeunes étudiants et de jeunes poètes qui publient l'*Almanach des Muses*, Bürger, Voss, Hœlty, Stolberg, etc.; ainsi, en 1800, à Édimbourg, le cercle critique dont Jeffrey° est le chef, et d'où sort la célèbre Revue à laquelle il préside. A propos d'une de ces associations dont faisait partie Thomas Moore° dans sa jeunesse, à l'université de Dublin, un critique judicieux a dit : « Toutes les fois qu'une association de jeunes gens est animée d'un généreux souffle et se sent appelée aux grandes vocations, c'est par des associations particulières qu'elle s'excite et se féconde. Le professeur, dans sa chaire, ne distribue guère que la science morte; l'esprit vivant, celui qui va constituer la vie intellectuelle d'un peuple et d'une époque, il est plutôt dans ces jeunes enthousiastes qui se réunissent pour échanger leurs découvertes, leurs pressentiments, leurs espérances.° »

Je laisse les applications à faire en ce qui est de notre temps. On connaît de reste° le cercle critique du *Globe*° vers 1827, le groupe tout poétique de la *Muse française*° en 1824, le *Cénacle*° en 1828. Aucun des talents, jeunes alors, qui ont séjourné et vécu dans l'un de ces groupes, n'y a passé impunément. Je dis donc que, pour bien connaître un talent, il convient de déterminer le premier centre poétique ou critique au sein duquel il s'est formé, le groupe naturel littéraire auquel il appartient, et de l'y rapporter exactement. C'est sa vraie date originelle.

Les très grands individus se passent de groupe : ils font centre eux-mêmes, et l'on se rassemble autour d'eux. Mais c'est le groupe, l'association, l'alliance et l'échange actif des idées, une émulation perpétuelle en vue de ses égaux et de ses pairs, qui donne à l'homme de

1. *Joubert:* moralist (1754–1824), author of *Pensées.* 5. *Goettingue:* Göttingen, small university city in west-central Germany. 8. Francis Jeffrey (1773–1850), editor of *Edinburgh Review.* Sir Walter Scott was a member of this group. 12. Thomas Moore (1779–1852), Irish poet, now remembered chiefly for his *Irish Melodies.* 24. Further illustrating these true words of Sainte-Beuve, can you give examples of similar American literary groups? 26. *de reste:* well enough. 27. *Globe:* literary, political, scientific journal. (Sainte-Beuve himself was a contributor.) 28. *Muse française:* organ of young Romantics: Hugo, Vigny, and others. 28. *Cénacle:* Hugo's group, which included Sainte-Beuve, Vigny, Musset, etc.

2. *étourdi:* scatter-brained. 9. *sur le grand pied:* on a large scale. 30. *s'en ressent:* feels the effects of it. 39. *volée:* flight. 46. Recent investigation has ruined the legend that these four were constant close friends. 47. *Fontanes:* poet and scholar (1757–1821).

talent toute sa *mise en dehors*,° tout son développement et toute sa valeur. Il y a des talents qui participent de plusieurs groupes à la fois et qui ne cessent de voyager à travers des milieux successifs, en se perfectionnant, en se transformant ou en se déformant. Il importe alors de noter, jusque dans ces variations et ces conversions lentes ou brusques, le ressort caché et toujours le même, le mobile° persistant.

Chaque ouvrage d'un auteur, vu, examiné de 10 la sorte, à son point, après qu'on l'a replacé dans son cadre et entouré de toutes les circonstances qui l'ont vu naître, acquiert tout son sens, — son sens historique, son sens littéraire, — reprend son degré juste d'originalité, de nouveauté 15 ou d'imitation, et l'on ne court pas risque, en le jugeant, d'inventer des beautés à faux et d'admirer à côté, comme cela est inévitable quand on s'en tient à la pure rhétorique.°

Sous ce nom de rhétorique, qui n'implique 20 pas dans ma pensée une défaveur absolue, je suis bien loin de blâmer d'ailleurs et d'exclure les jugements du goût, les impressions immédiates et vives; je ne renonce pas à Quintilien,° je le circonscris.° Être en histoire littéraire et en 25 critique un disciple de Bacon,° me paraît le besoin du temps et une excellente condition première pour juger et goûter ensuite avec plus de sûreté.

Une très large part appartiendra toujours à 30 la critique de première lecture et de première vue, à la critique mondaine, aux formes démonstratives, académiques. Qu'on ne s'alarme pas trop de cette ardeur de connaître à fond et de pénétrer; il y a lieu et moment pour l'em 35 ployer, et aussi pour la suspendre. On n'ira pas appliquer les procédés du laboratoire dans les solennités° et devant tous les publics. Les académies, les chaires oratoires° sont plutôt destinées à montrer la société et la littérature 40 par les côtés spécieux° et par l'*endroit*;° il n'est pas indispensable ni peut-être même très utile

que ceux qui ont pour fonction de déployer et de faire valoir éloquemment les belles tentures et les tapisseries, les regardent et les connaissent trop par le dessous et par l'*envers* : cela les 5 gênerait.

L'analyse pourtant a son genre d'émotion aussi et pourrait revendiquer° sa poésie, sinon son éloquence. Qui n'a connu un talent que tard et ne l'a apprécié que dans son plein ou dans ses 10 œuvres dernières; qui ne l'a vu jeune, à son premier moment d'éclat et d'essor,° ne s'en fera jamais une parfaite et naturelle idée, la seule vivante. Vauvenargues,° voulant exprimer le charme qu'a pour le talent un premier succès et 15 un début heureux dans la jeunesse, a dit avec bien de la grâce : « Les feux de l'aurore ne sont pas si doux que les premiers regards de la gloire. » De même pour le critique qui étudie un talent, il n'est rien de tel que de le surprendre 20 dans son premier feu, dans son premier jet, de le respirer à son heure matinale, dans sa fleur d'âme et de jeunesse. Le portrait vu dans sa première épreuve° a pour l'amateur et pour l'homme de goût un prix que rien dans la 25 suite ne peut rendre. Je ne sais pas de jouissance plus douce pour le critique que de comprendre et de décrire un talent jeune, dans sa fraîcheur, dans ce qu'il a de franc et de primitif, avant tout ce qui pourra s'y mêler d'acquis et peut-être de 30 fabriqué.

Heure première et féconde de laquelle tout date! moment ineffable! C'est entre les hommes du même âge et de la même heure, ou à peu près, que le talent volontiers se choisit pour le 35 reste de sa carrière ou pour la plus longue moitié, ses compagnons, ses témoins, ses émules, ses rivaux aussi et ses adversaires. On se fait chacun son vis-à-vis et son point de mire.° Il y a de ces rivalités, de ces défis et de ces *piques*, entre 40 égaux ou presque égaux, qui durent toute la vie. Mais fussions-nous un peu primés,° ne désirons jamais qu'un homme de notre génération tombe et disparaisse, même quand ce serait un rival et quand il passerait pour un 45 ennemi : car si nous avons une vraie valeur, c'est encore lui qui, au besoin et à l'occasion, avertira les nouvelles générations ignorantes et les

1. *mise en dehors:* externalization. 9. *mobile:* motive. 19. *rhétorique:* i.e., a judgment based solely on literary form. 24. *Quintilien:* Quintilian, Roman rhetorician, first century A.D.; he opposed the formalization of literature, insisted on freedom of inspiration. 25. "La connaissance des esprits est le charme de la critique; le maintien des bonnes règles n'en est que le métier et la dernière utilité." Joubert (*Note de Sainte-Beuve*). 26. Francis Bacon (1561–1626), one of the first proponents of the experimental scientific method. 38. *solennités:* i.e., public tributes, memorial functions, etc. 39. *chaires oratoires:* professorships of eloquence existed at the Sorbonne and no doubt elsewhere. 41. *spécieux:* fair seeming. 41. *par l'endroit:* right side up.

7. *revendiquer:* lay claim to. 11. *essor:* first flight, soaring. 13. *Vauvenargues:* moralist and maxim writer (1715–47). 23. *épreuve:* proof (as of an engraving). 38. *On se fait... mire:* Each one chooses his opposite and his target. 41. *primés:* surpassed.

jeunes insolents qu'ils ont affaire en nous à un vieil athlète qu'on ne saurait mépriser et qu'il ne faut point traiter à la légère; son amour-propre à lui-même y est intéressé : il s'est mesuré avec nous dans le bon temps, il nous a connus dans nos meilleurs jours. Je revêtirai ma pensée de noms illustres. C'est encore Cicéron qui rend le plus noble hommage à Hortensius.° Un mot d'Eschine° est resté le plus bel éloge de Démosthène. Et le héros grec Diomède,° parlant d'Énée dans Virgile, et voulant donner de lui une haute idée : « Croyez-en, dit-il, celui qui s'est mesuré avec lui ! »°

Rien ne juge un esprit pour la portée et le degré d'élévation, comme de voir quel antagoniste et quel rival il s'est choisi de bonne heure. L'un est la mesure de l'autre. Calpé° est égal à Abyla.°

Il n'importe pas seulement de bien saisir un talent au moment du coup d'essai et du premier éclat, quand il apparaît tout formé et plus qu'adolescent, quand il se fait adulte; il est un second temps non moins décisif à noter, si l'on veut l'embrasser dans son ensemble : c'est le moment où il se gâte, où il se corrompt, où il déchoit,° où il dévie.° Prenez les moins choquants, les plus doux que vous voudrez, la chose arrive à presque tous. Je supprime les exemples; mais il est, dans la plupart des vies littéraires qui nous sont soumises, un tel moment où la maturité qu'on espérait est manquée, ou bien, si elle est atteinte, est dépassée, et où l'excès même de la qualité devient le défaut; où les uns se roidissent et se dessèchent, les autres se lâchent et s'abandonnent, les autres s'endurcissent, s'alourdissent, quelques-uns s'aigrissent; où le sourire devient une ride. Après le premier moment où le talent dans sa floraison brillante s'est fait homme et jeune homme éclatant et superbe, il faut bien marquer ce second et triste moment où il se déforme et se fait autre en vieillissant.

Une des façons laudatives très ordinaires à notre temps est de dire à quelqu'un qui vieillit : « Jamais votre talent n'a été plus jeune. » Ne

les écoutez pas trop, ces flatteurs; il vient toujours un moment où l'âge qu'on a au dedans se trahit au dehors. Cependant il est, à cet égard, il faut le reconnaître, de grandes diversités entre les talents et selon les genres. En poésie, au théâtre, en tout comme à la guerre, les uns n'ont qu'un jour, une heure brillante, une victoire qui reste attachée à leur nom et à quoi le reste ne répond pas : c'est comme Augereau,° qui aurait mieux fait de mourir le soir de Castiglione. D'autres ont bien des succès qui se varient et se renouvellent avec les saisons. Quinze ans d'ordinaire font une carrière;° il est donné à quelques-uns de la doubler, d'en recommencer ou même d'en remplir une seconde. Il est des genres modérés auxquels la vieillesse est surtout propre, les mémoires, les souvenirs, la critique, une poésie qui côtoie° la prose; si la vieillesse est sage, elle s'y tiendra. Sans prendre trop à la lettre le précepte, Solve senescentem°... sans mettre précisément son cheval à l'écurie, ce qu'elle ne doit faire que le plus tard possible, elle le mènera doucement par la bride à la descente : cela ne laisse pas d'avoir très bon air encore. On a vu par exception des esprits, des talents, longtemps incomplets ou épars, paraître valoir mieux dans leur vieillesse et n'avoir jamais été plus à leur avantage : ainsi cet aimable Voltaire suisse, Bonstetten,° ainsi ce quart d'homme de génie Ducis.° Ces exemples ne font pas loi.

On ne saurait s'y prendre de trop de façons et par trop de bouts pour connaître un homme, c'est-à-dire autre chose qu'un pur esprit. Tant qu'on ne s'est pas adressé sur un auteur un certain nombre de questions et qu'on n'y a pas répondu, ne fût-ce que pour soi seul et tout bas, on n'est pas sûr de le tenir tout entier, quand même ces questions sembleraient le plus étrangères à la nature de ses écrits : — Que pensait-il en religion? — Comment était-il affecté du spectacle de la nature? — Comment

8. Hortensius, Roman orator (114–50 B.C.), Cicero's rival. 9. Eschine: Aeschines, Athenian orator (389–314 B.C.), rival of the greater orator, Demosthenes. 10. Diomedes, a hero of the Trojan War, appearing in Homer's *Iliad* and in Vergil's *Aeneid*. 13. See the *Aeneid*, Bk. XI, 283: *experto credite...* 17. *Calpé, Abyla:* classic names for mountains on either side of the Strait of Gibraltar, "pillars of Hercules." 26. *déchoit:* is failing, slipping downward. 26. *dévie:* goes astray.

9. *Augereau:* Napoleonic marshal (1757–1816), created duc de Castiglione for his service in that battle (1796); involved in scandals connected with looting. 13. *Quinze ans... carrière:* Is this statement true? (In the literary world I fear it is; but literary men are often painfully surprised to discover its truth.) 18. *côtoie:* borders on. 21. *Solve senescentem...:* "Give rest in time to that old horse, for fear / At last he founder 'mid the general jeer." Horace: *Epistles* I, 1, 8 (Conington translation). 29. *Bonstetten:* scholar and essayist (1745–1832). 30. *Ducis:* writer of poetic tragedies, translator of Shakespeare (1733–1816). (Sainte-Beuve might have cited Voltaire himself.)

se comportait-il sur l'article° des femmes? sur l'article de l'argent? — Était-il riche, était-il pauvre? — Quel était son régime, quelle était sa manière journalière de vivre? etc. — Enfin, quel était son vice ou son faible? Tout homme en a un. Aucune des réponses à ces questions n'est indifférente pour juger l'auteur d'un livre et le livre lui-même, si ce livre n'est pas un traité de géométrie pure, si c'est surtout un ouvrage littéraire, c'est-à-dire où il entre de tout.

Très souvent un auteur, en écrivant, se jette dans l'excès ou dans l'affectation opposée à son vice, à son penchant secret, pour le dissimuler et le couvrir; mais c'en est encore là un effet sensible et reconnaissable, quoique indirect et masqué. Il est trop aisé de prendre le contre-pied en toute chose; on ne fait que retourner° son défaut. Rien ne ressemble à un creux comme une bouffissure.°

Quoi de plus ordinaire en public que la profession et l'affiche° de tous les sentiments nobles, généreux, élevés, désintéressés, chrétiens, philanthropiques? Est-ce à dire que je vais prendre au pied de la lettre et louer pour leur générosité, comme je vois qu'on le fait tous les jours, les plumes de cygne° ou les langues dorées qui me prodiguent et me versent ces merveilles morales et sonores? J'écoute, et je ne suis pas ému. Je ne sais quel faste ou quelle froideur m'avertit; la sincérité ne se fait pas sentir. Ils ont des talents royaux, j'en conviens; mais là-dessous, au lieu de ces âmes pleines et entières comme les voudrait Montaigne, est-ce ma faute si j'entends raisonner des âmes vaines? — Vous le savez bien, vous qui, en écrivant, dites poliment le contraire; et quand nous causons d'eux entre nous, vous en pensez tout comme moi.

On n'évite pas certains mots dans une définition exacte des esprits et des talents; on peut tourner autour, vouloir éluder, périphraser, les mots qu'on chassait et qui nomment reviennent toujours. Tel, quoi qu'il fasse d'excellent ou de spécieux en divers genres, est et restera toujours un rhéteur.° Tel, quoi qu'il veuille conquérir ou peindre, gardera toujours de la chaire,° de l'école et du professeur. Tel autre, poète, historien, orateur, quelque forme brillante ou enchantée qu'il revête, ne sera jamais que ce que la nature l'a fait en le créant, un improvisateur de génie. Ces appellations vraies et nécessaires, ces qualifications décisives ne sont cependant pas toujours si aisées à trouver, et bien souvent elles ne se présentent d'elles-mêmes qu'à un moment plus ou moins avancé de l'étude. Chateaubriand s'est défini un jour à mes yeux° « un épicurien qui avait l'imagination catholique, » et je ne crois pas m'être trompé. Tâchons de trouver ce nom caractéristique d'un chacun et qu'il porte gravé moitié au front, moitié au dedans du cœur, mais ne nous hâtons pas de le lui donner.

De même qu'on peut changer d'opinion bien des fois dans sa vie, mais qu'on garde son caractère, de même on peut changer de genre sans modifier essentiellement sa manière. La plupart des talents n'ont qu'un seul et même procédé qu'ils ne font que transposer, en changeant de sujet et même de genre. Les esprits supérieurs ont plutôt un cachet qui se marque à un coin;° chez les autres, c'est tout un moule° qui s'applique indifféremment et se répète.

On peut jusqu'à un certain point étudier les talents dans leur postérité morale, dans leurs disciples et leurs admirateurs naturels. C'est un dernier moyen d'observation facile et commode. Les affinités se déclarent librement ou se trahissent. Le génie est un roi qui crée son peuple. Appliquez cela à Lamartine, à Hugo, à Michelet,° à Balzac, à Musset. Les admirateurs enthousiastes sont un peu des complices : ils s'adorent eux-mêmes, qualités et défauts, dans leur grand représentant. Dis-moi qui t'admire et qui t'aime, et je te dirai qui tu es. Mais il importe de discerner pour chaque auteur célèbre son vrai public naturel, et de séparer ce noyau original qui porte la marque du maître, d'avec le public banal et la foule des admirateurs vulgaires qui vont répétant ce que dit le voisin.

Les disciples qui imitent le genre et le goût de leur modèle en écrivant sont très curieux à suivre et des plus propres, à leur tour, à jeter sur lui de la lumière. Le disciple, d'ordinaire, charge° ou parodie le maître sans s'en douter : dans les

---

1. *sur l'article de:* respecting. 18. *retourner:* reverse. 20. *bouffissure:* swelling. 22. *affiche:* display. 27. *plumes de cygne:* swan's feathers (*i.e.*, poets). 45. *rhéteur:* formal, empty talker. 46. *chaire:* pulpit.

8. *Chateaubriand... yeux:* i.e., One day I hit upon thi description of Chateaubriand. 22. *un cachet... coin:* i.e., a seal which serves as a hallmark. 23. *moule:* mold, brand 32. *Michelet:* important historian (1798–1874), loosely classed as a Romantic. 46. *charge:* exaggerates.

écoles élégantes,° il l'affaiblit; dans les écoles pittoresques et crues, il le force, il l'accuse° à l'excès et l'exagère : c'est un miroir grossissant. Il y a des jours, quand le disciple est chaud et sincère, où l'on s'y tromperait vraiment, et l'on serait tenté de s'écrier, en parodiant l'épigramme antique : « O Chateaubriand! O Salvandy!° lequel des deux a imité l'autre? » Changez les noms, et mettez-en de plus modernes, si vous le voulez : l'épigramme est éternelle.

Quand le maître se néglige et quand le disciple se soigne et s'endimanche, ils se ressemblent; les jours où Chateaubriand fait mal, et où Marchangy° fait de son mieux, ils ont un faux air l'un de l'autre; d'un peu loin, par derrière, et au clair de lune, c'est à s'y méprendre.

Tous les disciples ne sont pas nécessairement des copies et des contre-façons; tous ne sont pas compromettants : il y en a, au contraire, qui rassurent et qui semblent faits tout exprès pour cautionner° le maître. N'est-ce pas ainsi que M. Littré° a élucidé et perfectionné Auguste Comte?° Je connais, même dans la pure littérature, des admirateurs et des disciples de tel ou tel talent hasardeux qui m'avertissent à son sujet, et qui m'apprennent à respecter celui que, sans eux, j'aurais peut-être traité plus à la légère.

S'il est juste de juger un talent par ses amis et ses clients naturels, il n'est pas moins légitime de le juger et *contre*-juger (car c'est bien une contre-épreuve en effet) par les ennemis qu'il soulève et qu'il s'attire sans le vouloir, par ses contraires et ses antipathiques, par ceux qui ne le peuvent instinctivement souffrir. Rien ne sert mieux à marquer les limites d'un talent, à circonscrire sa sphère et son domaine, que de savoir les points justes où la révolte contre lui commence. Cela même, dans le détail, devient piquant à observer; on se déteste quelquefois toute sa vie dans les lettres sans s'être jamais vus. L'antagonisme des familles d'esprits achève ainsi de se dessiner. Que voulez-vous? c'est dans le sang, dans le tempérament, dans les premiers partis pris° qui souvent ne dépendaient pas de vous.

Quand ce n'est pas de la basse envie, ce sont des haines de race. Comment voulez-vous obliger Boileau à goûter Quinault;° et Fontenelle° à estimer grandement Boileau? et Joseph de Maistre° ou Montalembert° à aimer Voltaire?

C'est assez longuement parler pour aujourd'hui de la méthode naturelle en littérature. Elle trouve son application à peu près complète dans l'étude de Chateaubriand. On peut, en effet, répondre avec certitude à presque toutes les questions qu'on se pose sur son compte. On connaît ses origines bretonnes, sa famille, sa race; on le suit dans les divers groupes littéraires qu'il a traversés dès sa jeunesse, dans ce monde du xviiie siècle qu'il n'a fait que côtoyer et reconnaître en 89,° et plus tard dans son cercle intime de 1802, où il s'est épanoui avec toute sa fleur. Les sympathies et les antipathies, de tout temps si vives, qu'il devait susciter, se prononcent et font cercle dès ce moment autour de lui. On le retrouve, ardent écrivain de guerre, dans les factions politiques en 1815 et au delà, puis au premier rang du parti libéral quand il y eut porté sa tente, sa vengeance et ses pavillons.° Il est de ceux qui ont eu non pas une, mais au moins deux carrières. Jeune ou vieux, il n'a cessé de se peindre, et, ce qui vaut mieux, de se montrer, de se laisser voir, et, en posant solennellement d'un côté, de se livrer nonchalamment de l'autre, à son insu et avec une sorte de distraction. Si, après toutes ces facilités d'observation auxquelles il prête plus que personne, on pouvait craindre de s'être formé de lui comme homme et comme caractère une idée trop mêlée de restrictions et trop sévère, on devrait être rassuré aujourd'hui qu'il nous est bien prouvé que ses amis les plus intimes et les plus indulgents n'ont pas pensé de lui dans l'intimité autrement que nous, dans notre coin, nous n'étions arrivé à le concevoir, d'après nos observations ou nos conjectures.

Son *Éloge* reste à faire, un Éloge littéraire, éloquent, élevé, brillant comme lui-même, animé d'un rayon qui lui a manqué depuis sa tombe, mais un Éloge qui, pour être juste et solide, devra pourtant supposer *en dessous* ce qui est dorénavant acquis et démontré.

---

1. *élégantes:* i.e., prizing conventional graces. 2. *accuse: here,* accentuates. 7. *Salvandy:* statesman and historian (1795–1856). The reference is to a remark made to Menander, Greek writer of comedies: "O Menander! O life! Which of you has imitated the other?" 14. *Marchangy:* minor writer (1782–1826), author of *La Gaule poétique.* 21. *cautionner:* guarantee, give legal surety for. 22. *Littré:* great lexicographer and positivist philosopher (1801–81). 23. *Comte:* Auguste Comte (1798–1857), founder of positivism, a philosophy based on scientific pretensions. 44. *partis pris:* prejudices.

3. *Quinault:* poet and dramatic author (1635–88). 4. *Fontenelle:* See Vol. I, p. 300. 5. *Joseph de Maistre:* reactionary writer on politics and religion (1754–1821). 5. *Montalembert:* statesman and writer (1810–70), defender of liberal Catholicism. 16. *89* = 1789, outbreak of the French Revolution. 24. *pavillons:* banners.

13-14. Realism

Every serious artist is a Realist, I suppose, since he tries to state a recognized reality, even though it be interior and spiritual. He supports his recognition of reality by his observation of the external world. Thus we cannot say that *Realism*, in its larger sense, ever began or has ever stopped.

But for the purposes of French literary history we give the name *Réalisme* to an aesthetic doctrine which was formulated in the mid-nineteenth century. The chief exemplar of *Réalisme* is Flaubert. His predecessors are the *romantic Realists:* Stendhal, Balzac, and Mérimée; his successors are most of the writers of fiction, down to our own times.

Réalisme, in the restricted sense, took shape mostly under the Second Empire (1852–1870). The circumstances were propitious. The enthusiasms of the Republic and the Napoleonic period had died; the passions of the Romantics had taken on the grotesque look of most spent passions. France was rich; business boomed; the bourgeoisie was in control, imposing its ideals of order, prosperity, respectability, conformity. (But under this fair surface the discontented workers were in ferment; socialism, anarchy, the doctrine of class war were spreading.) The popular philosophies, like Comte's *positivism*, reposed on science and the tangible, provable fact, and dismissed metaphysics, mysticism, the dream, God, and such nonmeasurable concepts. These were the great days of common sense.

Thus the mood of the Second Empire was favorable to Realism. But the matter is not so simple. Literature is not always a representation of life; indeed, it is a protest against life as often as a picture of it. Realism was both representation and protest. The average man of the Second Empire did not welcome Realism. The average man clings to the valuations he has learned in youth and hates the artistic novelties that appear during his middle and elder years. Thus we have a time lag in popular appreciation. The bourgeois expected flattery for their achievements, but the Realists' picture of bourgeois life was far from flattering. And thus the Realists, who seem to us accurate portrayers of the Second Empire, were denounced by the Second Empire. Flaubert's *Madame Bovary* was enjoined by the courts as immoral, a libel on life, a travesty of literature. The prosecution in Flaubert's trial alleged that the purpose of literature is to lead readers toward the beautiful and the good.

No, said Flaubert. The purpose of literature is to report on life as exactly as possible, with no concern for morality. This is part of the doctrine of *Art for Art's Sake*.

Let us now attempt a *definition of Realism*, as it was conceived by Flaubert. Realism is the reproduction of normal, typical life in the form of fictions possessing universal validity. Its *method* is the rigorous, exact observation of human behavior against the physical backgrounds of contemporary life. Its *artistic code* is objectivity, the apparent suppression of the writer's personality. Its *form* eschews the exaggerated, the poetic, the decorative, but it is nonetheless artistic, in its insistence on the *mot juste*, or exact word, and in its carefully constructed prose harmony.

GUSTAVE FLAUBERT [1821–1880]

Gustave Flaubert's father was chief surgeon and resident physician in the Rouen hospital. Gustave grew up in familiarity with the sight and smell of sickness and death. His first recollection was of climbing to the barred windows of the dissecting room to look at the corpses. This early curiosity about grim reality may be taken as symbolic.

He was sent to Paris to study law, which he found the height of absurdity. At twenty-two he had a nervous attack and gave up any attempt to earn a living. Fortunately, he was well-to-do. He lived thenceforth at the family property of Croisset, on the Seine below Rouen. Except for some travels and amorous adventures, his life was merely the record of his writing and reading. He speaks of "ma pauvre vie si plate et si tranquille, où les phrases sont des aventures." Pursuing in agony the perfect phrase, gouging out his successive books (in Henry James's perfect phrase), he became an example of literary consecration. His valet was instructed to speak to him only once a week, and then to say: "Monsieur, c'est dimanche." (So the story goes, at least.)

In his character two tendencies were in opposition. Excessively emotional, he inclined naturally toward wild, lyric imaginations—Romanticism, in short. But his profound pessimistic scorn of humanity made him mock all human folly, especially his own lyric impulses. The world is God's joke, he said; he was trying to see the world from God's point of view, which is obviously that of amused contempt.

This inward war of poetic fancy and mockery, of acid and alkali, produced a number of works, very curious and interesting, but somehow disappointing, perverse. The conflict produced, however, one of the world's great literary masterpieces, *Madame Bovary* (1857).

He had said: "Ce qui me semble beau, ce que je voudrais faire, c'est un livre sur rien, un livre sans attache extérieure, qui se tiendrait de lui-même par la force interne de son style, comme la terre sans être sur terre se tient en l'air." He did not quite dare to write a book about nothing, but in *Madame Bovary* he approached his ideal. His subject is an actual incident in the life of a country doctor, a mean, pitiable story of adultery and suicide. The background is a dreary, rain-sodden Norman village. The characters are all stupid or contemptible, or both. They are moved, not by reason, but by a kind of automatism; they respond to stimuli with reactions necessitated by their background, class, education. Madame Bovary herself, essentially stupid, is a woman who retreats from reality into tawdry dreams—a mild schizophrenic, we might say. Does this sound like a dreadful book? It is not; it is fascinating, because it is true, and truth is fascinating—and rare.

Flaubert's other books—*Salammbô, L'Éducation sentimentale, La Tentation de Sainte-Antoine, Bouvard et Pécuchet*—have their violent partisans, who insist that one or another is the great book, superior to *Madame Bovary*. But we shall abide by the judgment of the large majority.

Flaubert was a great *artist*. He rejected completely the belief in inspiration and insisted on *observation* and *documentation*. Of course writers have always observed and documented, but Flaubert's pursuit of accuracy carried him to fantastic lengths. The next stage is *selection*. While Balzac would devote six pages to the complete description of a room, Flaubert sought the one or two perfect details that would render the spirit of the room. The next necessity is *style*. The style, adapted to the *tone* required, must be "as rhythmical as verse, as precise as the language of science." Style is at bottom physiological; it corresponds to a man's breathing and heartbeat. Hence one's words must be tested by declamation. Every word of *Madame Bovary* was bellowed in the grove of Croisset.

It seems a pity not to give you a selection from *Madame Bovary* to read. But it seems more of a pity to give you only a snippet. You should read the whole book, if you have not already done so. I have chosen instead *Un Cœur simple*, which is complete in itself.

Un Cœur simple (1877) is based on Flaubert's memories of his great-aunt and an old servant of some friends. It was written with his usual laboriousness, at the rate of about two pages a week. (Since a parrot is an important character in the story, Flaubert kept a stuffed parrot on his writing desk.) The subject is a small one, as small a one as possible. He said in a letter to a friend: "C'est tout bonnement le récit d'une vie obscure, celle d'une pauvre fille de campagne, dévote mais mystique, dévouée sans exaltation et tendre comme du pain frais. Elle aime successivement un homme, les enfants de sa maîtresse, un neveu, un vieillard qu'elle soigne, puis son perroquet, et en mourant à son tour elle confond le perroquet avec le Saint-Esprit. Cela n'est nullement ironique, comme vous le supposez, mais, au contraire, très sérieux et très triste."

It is very serious, very sad. It is the need of love, the need of illusion. It is the frustration of our needs by circumstance. It is growing old and dying. That is what Flaubert meant by "choosing a small subject."

Un Cœur simple

I

Pendant un demi-siècle, les bourgeoises de Pont-l'Évêque° envièrent° à Mme Aubain sa servante Félicité.°

Pour cent francs par an, elle faisait la cuisine et le ménage, cousait, lavait, repassait,° savait brider un cheval, engraisser les volailles, battre° le beurre, et resta fidèle à sa maîtresse, — qui cependant n'était pas une personne agréable.

Elle° avait épousé un beau garçon sans fortune, mort au commencement de 1809, en lui laissant deux enfants très jeunes avec une quantité de dettes. Alors elle vendit ses immeubles,° sauf la ferme de Toucques et la ferme de Geffosses, dont les rentes montaient à 5.000 francs tout au plus, et elle quitta sa maison de Saint-Melaine° pour en habiter une autre moins dispendieuse,° ayant appartenu à ses ancêtres et placée derrière les halles.

Cette maison, revêtue d'ardoises,° se trouvait entre un passage et une ruelle aboutissant à la rivière.° Elle avait intérieurement des différences de niveau qui faisaient trébucher.° Un vestibule étroit séparait la cuisine de la *salle*° où Mme Aubain se tenait tout le long du jour, assise près de la croisée° dans un fauteuil de paille. Contre le lambris,° peint en blanc, s'alignaient huit chaises d'acajou.° Un vieux piano supportait, sous un baromètre, un tas pyramidal de boîtes et de cartons. Deux bergères° de tapisserie flanquaient la cheminée en marbre jaune et de style Louis XV. La pendule, au milieu, représentait un temple de Vesta,° — et tout l'appartement sentait un peu le moisi,° car le plancher était plus bas que le jardin.

Au premier étage, il y avait d'abord la chambre de « Madame », très grande, tendue° d'un papier à fleurs pâles, et contenant le portrait de « Monsieur » en costume de muscadin.° Elle communiquait avec une chambre plus petite, où l'on voyait deux couchettes d'enfants, sans matelas. Puis venait le salon, toujours fermé, et rempli de meubles recouverts d'un drap. Ensuite un corridor menait à un cabinet

7. *Pont-l'Évêque:* small town in Normandy, about 15 miles southwest of the mouth of the Seine. (This is the region where Balzac laid the final scenes of *La Femme abandonnée*.) 7. *envièrent:* Notice the force of the *passé simple* and observe the use of tenses in the following paragraph. 8. *Félicité:* name ironically chosen. 10. *repassait:* did the ironing. 11. *battre: here,* churn. 14. *Elle = Mme Aubain:* This ambiguity in reference to an antecedent seems an error on the part of a stylist. But when Flaubert was taxed with this confusion of sense, he is said to have answered: "Tant pis pour le sens, le rythme avant tout!" (One of his principles was to avoid the repetition of a distinctive word in a page's length.) 18. *immeubles:* landed property. 21. *Saint-Melaine:* outlying quarter of Pont-l'Évêque. 22. *dispendieuse:* expensive (in upkeep).

1. *revêtue d'ardoises:* slate-roofed. 3. *la rivière:* i.e., the Toucques. 4. *trébucher:* stumble. 5. *salle:* living room. (A provincial use of the word, hence italicized.) 7. *croisée:* window. 8. *lambris:* wainscoting. 9. *acajou:* mahogany. 12. *bergères:* easy chairs. 15. *temple de Vesta:* famous temple in Rome, circular, surrounded by columns. 16. *sentait le moisi:* smelled moldy. 19. *tendue:* papered. 22. *muscadin:* dandy (of 1793).

d'étude; des livres et des paperasses° garnis-
saient les rayons d'une bibliothèque° entourant
de ses trois côtés un large bureau de bois noir.
Les deux panneaux en retour° disparaissaient
sous des dessins à la plume, des paysages à la
gouache° et des gravures d'Audran,° souvenirs
d'un temps meilleur et d'un luxe évanoui. Une
lucarne° au second étage éclairait la chambre de
Félicité, ayant vue sur les prairies.

Elle se levait dès l'aube, pour ne pas manquer
la messe, et travaillait jusqu'au soir sans interruption; puis, le dîner étant fini, la vaisselle en
ordre et la porte bien close, elle enfouissait la
bûche° sous les cendres et s'endormait devant
l'âtre,° son rosaire à la main. Personne, dans les
marchandages, ne montrait plus d'entêtement.
Quant à la propreté, le poli de ses casseroles
faisait le désespoir des autres servantes. Économe,
elle mangeait avec lenteur, et recueillait du
doigt sur la table les miettes de son pain, — un
pain de douze livres,° cuit exprès pour elle, et
qui durait vingt jours.

En toute saison elle portait un mouchoir
d'indienne° fixé dans le dos par une épingle, un
bonnet lui cachant les cheveux, des bas gris, un
jupon rouge, et par-dessus sa camisole° un tablier
à bavette,° comme les infirmières d'hôpital.

Son visage était maigre et sa voix aiguë. A
vingt-cinq ans, on lui en donnait quarante.
Dès la cinquantaine, elle ne marqua plus aucun
âge; — et, toujours silencieuse, la taille droite
et les gestes mesurés, semblait une femme en
bois, fonctionnant d'une manière automatique.

II

Elle avait eu, comme une autre, son histoire
d'amour.

Son père, un maçon, s'était tué en tombant
d'un échafaudage.° Puis sa mère mourut, ses
sœurs se dispersèrent, un fermier la recueillit,
et l'employa toute petite à garder les vaches
dans la campagne. Elle grelottait sous des
haillons, buvait à plat ventre l'eau des mares,° à

propos de rien était battue, et finalement fut
chassée pour un vol de trente sols,° qu'elle
n'avait pas commis. Elle entra dans une autre
ferme, y devint fille de basse-cour,° et, comme
elle plaisait aux patrons, ses camarades la
jalousaient.

Un soir du mois d'août (elle avait alors dix-
huit ans), ils l'entraînèrent à l'assemblée° de
Colleville.° Tout de suite elle fut étourdie, stupé-
faite par le tapage° des ménétriers,° les lumières
dans les arbres, la bigarrure° des costumes, les
dentelles, les croix d'or, cette masse de monde
sautant à la fois. Elle se tenait à l'écart modeste-
ment, quand un jeune homme d'apparence
cossue,° et qui fumait sa pipe les deux coudes
sur le timon° d'un banneau,° vint l'inviter à la
danse. Il lui paya du cidre, du café, de la
galette,° un foulard,° et, s'imaginant qu'elle le
devinait,° offrit de la reconduire. Au bord d'un
champ d'avoine, il la renversa brutalement.
Elle eut peur et se mit à crier. Il s'éloigna.

Un autre soir, sur la route de Beaumont, elle
voulut dépasser un grand chariot de foin qui
avançait lentement, et en frôlant les roues elle
reconnut Théodore.

Il l'aborda d'un air tranquille, disant qu'il
fallait tout pardonner, puisque c'était « la faute
de la boisson. »

Elle ne sut que répondre et avait envie de
s'enfuir.

Aussitôt il parla des récoltes et des notables de
la commune, car son père avait abandonné
Colleville pour la ferme des Écots, de sorte que
maintenant ils se trouvaient voisins. — « Ah! »
dit-elle. Il ajouta qu'on désirait l'établir.° Du
reste, il n'était pas pressé, et attendait une femme
à son goût. Elle baissa la tête. Alors il lui demanda si elle pensait au mariage. Elle reprit, en
souriant, que c'était mal de se moquer. — « Mais
non, je vous jure! » et du bras gauche il lui
entoura la taille; elle marchait soutenue par son
étreinte; ils se ralentirent. Le vent était mou,
les étoiles brillaient, l'énorme charretée° de foin
oscillait devant eux; et les quatre chevaux, en
traînant leurs pas, soulevaient de la poussière.
Puis, sans commandement, ils tournèrent à

1. *paperasses:* legal papers. 2. *rayons d'une bibliothèque:*
shelves of a bookcase. 4. *en retour:* at the corner. 6. *gouache:*
a kind of water color. 6. *Audran:* probably Gérard Audran
(1640–1703). 8. *lucarne:* dormer window. (If this were your
work, your English teacher would tell you to make a new
paragraph of this sentence, which introduces a new subject.
Does Flaubert gain anything by disregarding such excellent
advice?) 14. *bûche:* log. 15. *âtre:* hearth. 21. *livres:* pounds.
24. *indienne:* printed calico. 26. *camisole:* blouse. 27. *tablier
à bavette:* apron with a bib. 39. *échafaudage:* scaffolding.
43. *mares:* ponds.

2. *sols = sous.* 4. *fille de basse-cour:* poultry tender, farm
girl. 8. *assemblée:* fair. 9. *Colleville:* small village near Pont-
l'Évêque. 10. *tapage:* din. 10. *ménétriers:* fiddlers. 11. *bigarrure:*
motley colors. 15. *cossue:* rich. 16. *timon:* pole. 16. *banneau:*
two-wheeled cart. 18. *galette:* cake. 18. *foulard:* scarf. 19. *le
devinait:* guessed his purpose. 35. *l'établir:* set him up, get
him married. 43. *charretée:* cartload.

droite. Il l'embrassa encore une fois. Elle disparut dans l'ombre.

Théodore, la semaine suivante, en° obtint des rendez-vous.

Ils se rencontraient au fond des cours, derrière un mur, sous un arbre isolé. Elle n'était pas innocente à la manière des demoiselles, — les animaux l'avaient instruite; — mais la raison et l'instinct de l'honneur l'empêchèrent de faillir. Cette résistance exaspéra l'amour de Théodore, si bien que pour le satisfaire (ou naïvement peut-être) il proposa de l'épouser. Elle hésitait à le croire. Il fit de grands serments.

Bientôt il avoua quelque chose de fâcheux : ses parents, l'année dernière, lui avaient acheté un homme;° mais d'un jour à l'autre on pourrait le reprendre; l'idée de servir l'effrayait. Cette couardise fut pour Félicité une preuve de tendresse; la sienne en redoubla. Elle s'échappait la nuit, et, parvenue au rendez-vous, Théodore la torturait avec ses inquiétudes et ses instances.°

Enfin, il annonça qu'il irait lui-même à la Préfecture prendre des informations, et les apporterait dimanche prochain, entre onze heures et minuit.

Le moment arrivé, elle courut vers l'amoureux.

A sa place, elle trouva un de ses amis.

Il lui apprit qu'elle ne devait plus le revoir. Pour se garantir de la conscription, Théodore avait épousé une vieille femme très riche, Mme Lehoussais, de Toucques.

Ce fut un chagrin désordonné. Elle se jeta par terre, poussa des cris, appela le bon Dieu et gémit toute seule dans la campagne jusqu'au soleil levant. Puis elle revint à la ferme, déclara son intention d'en partir; et, au bout du mois, ayant reçu ses comptes, elle enferma tout son petit bagage dans un mouchoir, et se rendit à Pont-l'Évêque.

Devant l'auberge, elle questionna une bourgeoise en capeline° de veuve, et qui précisément cherchait une cuisinière. La jeune fille ne savait pas grand'chose, mais paraissait avoir tant de bonne volonté et si peu d'exigences, que Mme Aubain finit par dire :

« — Soit, je vous accepte! »

Félicité, un quart d'heure après, était installée chez elle.

D'abord elle y vécut dans une sorte de tremblement que lui causaient « le genre° de la maison » et le souvenir de « Monsieur », planant sur tout! Paul et Virginie, l'un âgé de sept ans, l'autre de quatre à peine, lui semblaient formés d'une matière précieuse; elle les portait sur son dos comme un cheval, et Mme Aubain lui défendit de les baiser à chaque minute, ce qui la mortifia. Cependant elle se trouvait heureuse. La douceur du milieu avait fondu sa tristesse.

Tous les jeudis, des habitués venaient faire une partie de boston.° Félicité préparait d'avance les cartes et les chaufferettes.° Ils arrivaient à huit heures bien juste, et se retiraient avant le coup de onze.

Chaque lundi matin, le brocanteur° qui logeait sous l'allée étalait par terre ses ferrailles.° Puis la ville se remplissait d'un bourdonnement de voix, où se mêlaient des hennissements° de chevaux, des bêlements d'agneaux, des grognements de cochons, avec le bruit sec des carrioles° dans la rue. Vers midi, au plus fort du marché, on voyait paraître sur le seuil un vieux paysan de haute taille, la casquette en arrière, le nez crochu,° et qui était Robelin, le fermier de Geffosses. Peu de temps après, — c'était Liébard, le fermier de Toucques, petit, rouge, obèse, portant une veste grise et des houseaux° armés d'éperons.

Tous deux offraient à leur propriétaire des poules ou des fromages. Félicité invariablement déjouait leurs astuces;° et ils s'en allaient pleins de considération pour elle.

A des époques indéterminées, Mme Aubain recevait la visite du marquis de Gremanville, un de ses oncles, ruiné par la crapule° et qui vivait à Falaise° sur le dernier lopin° de ses terres. Il se présentait toujours à l'heure du déjeuner, avec un affreux caniche° dont les pattes salissaient tous les meubles. Malgré ses efforts pour paraître gentilhomme jusqu'à soulever son chapeau chaque fois qu'il disait : « Feu mon père »,

---

4. *genre:* style. 15. *boston:* a kind of whist (card game). 16. *chaufferettes:* foot warmers. 19. *brocanteur:* secondhand dealer. 20. *ferrailles:* old iron. 22. *hennissements:* whinnying. 24. *carrioles:* two-wheeled carts. 28. *crochu:* hooked. 31. *houseaux:* leggings. 35. *déjouait leurs astuces:* foiled their attempted sharp practices. 39. *crapule:* debauchery, drink. 40. *Falaise:* small Norman city, 30 miles west of Pont-l'Évêque. 40. *lopin:* patch. 42. *caniche:* poodle.

---

3. *en = d'elle.* 17. *homme:* i.e., a substitute for army service. 23. *instances:* urgings. 44. *capeline:* hooded cape.

l'habitude l'entraînant, il se versait à boire coup sur coup, et lâchait des gaillardises.° Félicité le poussait dehors poliment : « Vous en avez assez, Monsieur de Gremanville! A une autre fois! » Et elle refermait la porte.

Elle l'ouvrait avec plaisir devant M. Bourais, ancien avoué.° Sa cravate blanche et sa calvitie,° le jabot° de sa chemise, son ample redingote brune, sa façon de priser° en arrondissant le bras, tout son individu lui produisait ce trouble où nous jette le spectacle des hommes extra-ordinaires.

Comme il gérait° les propriétés de « Madame », il s'enfermait avec elle pendant des heures dans le cabinet de « Monsieur », et craignait toujours de se compromettre, respectait infiniment la magistrature, avait des prétentions au latin.°

Pour instruire les enfants d'une manière agréable, il leur fit cadeau d'une géographie en estampes.° Elles représentaient différentes scènes du monde, des anthropophages° coiffés de plumes, un singe enlevant une demoiselle, des Bédouins dans le désert, une baleine° qu'on harponnait, etc.

Paul donna l'explication de ces gravures à Félicité. Ce fut même toute son éducation littéraire.

Celle des enfants était faite par Guyot, un pauvre diable employé à la Mairie, fameux pour sa belle main,° et qui repassait° son canif sur sa botte.

Quand le temps était clair, on s'en allait de bonne heure à la ferme de Geffosses.

La cour est en pente, la maison dans le milieu; et la mer, au loin, apparaît comme une tache grise.

Félicité retirait de son cabas° des tranches de viande froide, et on déjeunait dans un appartement faisant suite à la laiterie. Il était le seul reste d'une habitation de plaisance, maintenant disparue. Le papier de la muraille en lambeaux° tremblait aux courants d'air. Mme Aubain penchait son front, accablée de souvenirs; les enfants n'osaient plus parler. « Mais jouez donc! » disait-elle; ils décampaient.

Paul montait dans la grange, attrapait des oiseaux, faisait des ricochets° sur la mare, ou tapait avec un bâton les grosses futailles° qui résonnaient comme des tambours.

Virginie donnait à manger aux lapins, se précipitait pour cueillir des bluets,° et la rapidité de ses jambes découvrait ses petits pantalons brodés.

Un soir d'automne, on s'en retourna par les herbages.°

La lune à son premier quartier éclairait une partie du ciel, et un brouillard flottait comme une écharpe sur les sinuosités de la Toucques. Des bœufs, étendus au milieu du gazon, regardaient tranquillement ces quatre personnes passer. Dans la troisième pâture quelques-uns se levèrent, puis se mirent en rond devant elles.

— « Ne craignez rien! » dit Félicité; et, murmurant une sorte de complainte,° elle flatta sur l'échine° celui qui se trouvait le plus près; il fit volte-face, les autres l'imitèrent. Mais, quand l'herbage suivant fut traversé, un beuglement° formidable s'éleva. C'était un taureau, que cachait le brouillard. Il avança vers les deux femmes. Mme Aubain allait courir. — « Non! non! moins vite! » Elles pressaient le pas cependant, et entendaient par derrière un souffle sonore qui se rapprochait. Des sabots,° comme des marteaux, battaient l'herbe de la prairie; voilà qu'il galopait maintenant! Félicité se retourna et elle arrachait à deux mains des plaques de terre qu'elle lui jetait dans les yeux. Il baissait le mufle,° secouait les cornes et tremblait de fureur en beuglant horriblement. Mme Aubain, au bout de l'herbage avec ses deux petits, cherchait éperdue comment franchir le haut bord. Félicité reculait toujours devant le taureau, et continuellement lançait des mottes de gazon° qui l'aveuglaient, tandis qu'elle criait : — « Dépêchez-vous! dépêchez-vous! »

Mme Aubain descendit le fossé, poussa Virginie, Paul ensuite, tomba plusieurs fois en tâchant de gravir le talus,° et à force de courage y parvint.

Le taureau avait acculé° Félicité contre une

2. *gaillardises:* risqué jokes. 7. *avoué:* lawyer. 7. *calvitie:* baldness. 8. *jabot:* ruffle. 9. *priser:* take snuff. 13. *gérait:* managed. 16–18. Notice how these three details classify a personality. 21. *estampes:* engraved pictures. 22. *anthropophages:* cannibals. 24. *baleine:* whale. 31. *main:* handwriting. 31. *repassait:* sharpened. 38. *cabas:* basket. 43. *lambeaux:* tatters.

2. *faisait des ricochets:* skipped stones. 3. *futailles:* casks. 6. *bluets:* cornflowers. 10. *herbages:* pastures. 19. *complainte:* old song. 20. *flatta sur l'échine:* stroked the back of. 22. *beuglement:* bellow. 28. *sabots:* hooves. 33. *mufle:* muzzle, nose. 39. *mottes de gazon:* clods of turf. 44. *gravir le talus:* climb the slope. 46. *acculé:* backed up.

claire-voie;° sa bave° lui rejaillissait à la figure, une seconde de plus, il l'éventrait.° Elle eut le temps de se couler entre deux barreaux, et la grosse bête, toute surprise, s'arrêta.

Cet événement, pendant bien des années, fut un sujet de conversation à Pont-l'Évêque. Félicité n'en tira aucun orgueil, ne se doutant même pas qu'elle eût rien fait d'héroïque.

Virginie l'occupait exclusivement; — car elle eut, à la suite de son effroi, une affection nerveuse, et M. Poupart, le docteur, conseilla les bains de mer de Trouville.°

Dans ce temps-là, ils n'étaient pas fréquentés. Mme Aubain prit des renseignements, consulta Bourais, fit des préparatifs comme pour un long voyage.

Ses colis partirent la veille, dans la charrette de Liébard. Le lendemain, il amena deux chevaux dont l'un avait une selle de femme, munie d'un dossier de velours; et sur la croupe du second un manteau roulé formait une manière de siège. Mme Aubain y monta, derrière lui. Félicité se chargea de Virginie, et Paul enfourcha l'âne de M. Lechaptois, prêté sous la condition d'en avoir grand soin.

La route était si mauvaise que ses huit kilomètres exigèrent deux heures. Les chevaux enfonçaient jusqu'aux paturons° dans la boue, et faisaient pour en sortir de brusques mouvements de hanches; ou bien ils butaient° contre les ornières;° d'autres fois, il leur fallait sauter. La jument° de Liébard, à de certains endroits, s'arrêtait tout à coup. Il attendait patiemment qu'elle se remît en marche; et il parlait des personnes dont les propriétés bordaient la route, ajoutant à leur histoire des réflexions morales. Ainsi, au milieu de Toucques, comme on passait sous des fenêtres entourées de capucines,° il dit, avec un haussement d'épaules: — « En voilà une Mme Lehoussais, qui au lieu de prendre un jeune homme... » Félicité n'entendit pas le reste; les chevaux trottaient, l'âne galopait; tous enfilèrent un sentier, une barrière tourna, deux garçons parurent, et l'on descendit devant le purin,° sur le seuil même de la porte.

La mère Liébard, en apercevant sa maîtresse, prodigua les démonstrations de joie. Elle lui servit un déjeuner où il y avait un aloyau,° des tripes, du boudin,° une fricassée de poulet, du cidre mousseux,° une tarte aux compotes° et des prunes à l'eau-de-vie, accompagnant le tout de politesses à Madame qui paraissait en meilleure santé, à Mademoiselle devenue « magnifique », à M. Paul singulièrement « forci »,° sans oublier leurs grands-parents défunts que les Liébard avaient connus, étant au service de la famille depuis plusieurs générations. La ferme avait, comme eux, un caractère d'ancienneté. Les poutrelles° du plafond étaient vermoulues,° les murailles noires de fumée, les carreaux° gris de poussière. Un dressoir en chêne supportait toutes sortes d'ustensiles, des brocs,° des assiettes, des écuelles d'étain,° des pièges à loup, des forces° pour les moutons; une seringue énorme fit rire les enfants. Pas un arbre des trois cours qui n'eût des champignons° à sa base, ou dans ses rameaux une touffe de gui.° Le vent en avait jeté bas plusieurs. Ils avaient repris par le milieu;° et tous fléchissaient sous la quantité de leurs pommes. Les toits de paille,° pareils à du velours brun et inégaux d'épaisseur, résistaient aux plux fortes bourrasques.° Cependant la charreterie° tombait en ruines. Mme Aubain dit qu'elle aviserait,° et commanda de reharnacher les bêtes.

On fut encore une demi-heure avant d'atteindre Trouville. La petite caravane mit pied à terre pour passer les *Écores*; c'était une falaise° surplombant des bateaux; et trois minutes plus tard, au bout du quai, on entra dans la cour de l'*Agneau d'or*, chez la mère David.

Virginie, dès les premiers jours, se sentit moins faible, résultat du changement d'air et de l'action des bains. Elle les prenait en chemise, à défaut d'un costume; et sa bonne la rhabillait dans une cabane de douanier° qui servait aux baigneurs.

L'après-midi, on s'en allait avec l'âne au delà des Roches-Noires, du côte d'Hennequeville. Le

---

1. *claire voie:* open fence. 1. *bave:* froth, slaver. 2. *l'éventrait = l'aurait éventrée.* 12. *Trouville:* famous summer resort on the Norman coast. 28. *paturons:* hocks. 30. *butaient:* stumbled. 31. *ornières:* ruts. 32. *jument:* mare. 39. *capucines:* nasturtiums. 45. *purin:* liquid manure.

2. *aloyau:* sirloin. 3. *boudin:* a kind of sausage. 4. *miousseux:* sparkling. 4. *compotes:* preserved fruit. 8. *forci:* got hefty. 13. *poutrelles:* beams. 13. *vermoulues:* worm-eaten. 14. *carreaux:* windowpanes. 16. *brocs:* jugs. 17. *écuelles d'étain:* pewter bowls. 17. *forces:* shears. 20. *champignons:* mushrooms. 21. *touffe de gui:* tuft of mistletoe. 23. *Ils avaient... milieu:* i.e., the trees had put out suckers from the trunk. 24. *toits de paille:* thatched roofs. 26. *bourrasques:* gusts of wind. 27. *charreterie:* carriage house. 28. *aviserait:* would think about it (making repairs). 32. *falaise:* cliff. 40. *douanier:* customs officer.

sentier, d'abord, montait entre des terrains vallonnés comme la pelouse° d'un parc, puis arrivait sur un plateau où alternaient des pâturages et des champs en labour.° A la lisière du chemin, dans le fouillis des ronces,° des houx° se dressaient; çà et là, un grand arbre mort faisait sur l'air bleu des zigzags avec ses branches.

Presque toujours on se reposait dans un pré, ayant Deauville° à gauche, le Havre à droite et en face la pleine mer. Elle était brillante de soleil, lisse comme un miroir, tellement douce qu'on entendait à peine son murmure; des moineaux° cachés pépiaient,° et la voûte immense du ciel recouvrait tout cela. Mme Aubain, assise, travaillait à son ouvrage de couture; Virginie, près d'elle, tressait des joncs;° Félicité sarclait des fleurs de lavande;° Paul, qui s'ennuyait, voulait partir.

D'autres fois, ayant passé la Toucques en bateau, ils cherchaient des coquilles.° La marée° basse laissait à découvert des oursins,° des godefiches,° des méduses;° et les enfants couraient, pour saisir des flocons d'écume que le vent emportait. Les flots endormis, en tombant sur le sable, se déroulaient le long de la grève;° elle s'étendait à perte de vue, mais du côté de la terre avait pour limite les dunes la séparant du *Marais*, large prairie en forme d'hippodrome. Quand ils revenaient par là, Trouville, au fond sur la pente du coteau, à chaque pas grandissait, et avec toutes ses maisons inégales semblait s'épanouir dans un désordre gai.

Les jours qu'il faisait trop chaud, ils ne sortaient pas de leur chambre. L'éblouissante clarté du dehors plaquait des barres de lumière entre les lames des jalousies.° Aucun bruit dans le village. En bas, sur le trottoir, personne. Ce silence épandu augmentait la tranquillité des choses. Au loin, les marteaux des calfats tamponnaient des carènes,° et une brise lourde apportait la senteur du goudron.°

Le principal divertissement était le retour des barques. Dès qu'elles avaient dépassé les balises,° elles commençaient à louvoyer.° Leurs voiles descendaient aux deux tiers° des mâts; et, la misaine° gonflée comme un ballon, elles avançaient, glissaient dans le clapotement° des vagues, jusqu'au milieu du port, où l'ancre tout à coup tombait. Ensuite le bateau se plaçait contre le quai. Les matelots jetaient par-dessus le bordage° des poissons palpitants; une file de charrettes les attendait, et des femmes en bonnet de coton s'élançaient pour prendre les corbeilles et embrasser leurs hommes.

Une d'elles, un jour, aborda Félicité, qui peu de temps après entra dans la chambre, toute joyeuse. Elle avait retrouvé une sœur; et Nastasie Barette, femme Leroux, apparut, tenant un nourrisson° à sa poitrine, de la main droite un autre enfant, et à sa gauche un petit mousse,° les poings sur les hanches et le béret sur l'oreille.

Au bout d'un quart d'heure, Mme Aubain la congédia.

On les rencontrait toujours aux abords de la cuisine, ou dans les promenades que l'on faisait. Le mari ne se montrait pas.

Félicité se prit d'affection pour eux. Elle leur acheta une couverture, des chemises, un fourneau;° évidemment ils l'exploitaient. Cette faiblesse agaçait Mme Aubain, qui d'ailleurs n'aimait pas les familiarités du neveu, — car il tutoyait son fils; — et, comme Virginie toussait et que la saison n'était plus bonne, elle revint à Pont-l'Évêque.

M. Bourais l'éclaira sur le choix d'un collège. Celui de Caen° passait pour le meilleur. Paul y fut envoyé, et fit bravement ses adieux, satisfait d'aller vivre dans une maison où il aurait des camarades.

Mme Aubain se résigna à l'éloignement de son fils, parce qu'il était indispensable. Virginie y songea de moins en moins. Félicité regrettait son tapage. Mais une occupation vint la distraire; à partir de Noël, elle mena tous les jours la petite fille au catéchisme.

---

2. *pelouse:* lawn. 4. *en labour:* plowed. 5. *fouillis des ronces:* thicket of brambles. 6. *houx:* holly trees. 10. *Deauville:* now famous summer resort, adjoining Trouville. 13. *moineaux:* sparrows. 14. *pépiaient:* were chirping. 17. *tressait des joncs:* would plait reeds. 18. *sarclait... lavande:* would cull lavender flowers. 21. *coquilles:* shells. 22. *marée:* tide. 22. *oursins, godefiches, méduses:* sea urchins, starfish, jellyfish. 26. *grève:* beach. 37. *lames des jalousies:* slats of the Venetian blinds. 41. *les marteaux... carènes:* the calkers' hammers were plugging the seams of boats' hulls. 42. *goudron:* tar.

2. *balises:* buoys. 3. *louvoyer:* tack. 4. *aux deux tiers:* two-thirds of the way down. 5. *misaine:* foresail. 6. *clapotement:* slapping. 10. *bordage:* gunwale. 18. *nourrisson:* small child. 19. *mousse:* sailor boy. 29. *fourneau:* stove. 36. Caen, chief city of the département of Calvados.

III

Quand elle avait fait à la porte une génu-flexion, elle s'avançait sous la haute nef° entre la double ligne des chaises, ouvrait le banc de Mme Aubain, s'asseyait, et promenait ses yeux autour d'elle.

Les garçons à droite, les filles à gauche, emplissaient les stalles du chœur; le curé se tenait debout près du lutrin;° sur un vitrail de l'abside,° le Saint-Esprit dominait la Vierge; un autre la montrait à genoux devant l'Enfant Jésus, et, derrière le tabernacle,° un groupe en bois représentait Saint-Michel terrassant° le dragon.

Le prêtre fit d'abord un abrégé de l'Histoire-Sainte. Elle croyait voir le paradis, le déluge, la tour de Babel, des villes tout en flammes, des peuples qui mouraient, des idoles renversées; et elle garda de cet éblouissement le respect du Très-Haut et la crainte de sa colère. Puis, elle pleura en écoutant la Passion. Pour-quoi l'avaient-ils crucifié, lui qui chérissait les enfants, nourrissait les foules, guérissait les aveugles, et avait voulu, par douceur, naître au milieu des pauvres, sur le fumier d'une étable? Les semailles, les moissons, les pressoirs, toutes ces choses familières dont parle l'Évangile, se trouvaient dans sa vie; le passage de Dieu les avait sanctifiées; et elle aima plus tendrement les agneaux par amour de l'Agneau, les colombes à cause du Saint-Esprit.°

Elle avait peine à imaginer sa personne; car il n'était pas seulement oiseau, mais encore un feu, et d'autres fois un souffle. C'est peut-être sa lumière qui voltige la nuit aux bords des marécages,° son haleine qui pousse les nuées, sa voix qui rend les cloches harmonieuses; et elle demeurait dans une adoration, jouissant de la fraîcheur des murs et de la tranquillité de l'église.

Quant aux dogmes, elle n'y comprenait rien, ne tâcha même pas de comprendre. Le curé discourait, les enfants récitaient, elle finissait par s'endormir; et se réveillait tout à coup, quand ils faisaient en s'en allant claquer leurs sabots sur les dalles.

Ce fut de cette manière, à force de l'entendre, qu'elle apprit le catéchisme, son éducation religieuse ayant été négligée dans sa jeunesse; et dès lors elle imita toutes les pratiques de Virginie, jeûnait comme elle, se confessait avec elle. A la Fête-Dieu,° elles firent ensemble un reposoir.°

La première communion la tourmentait d'avance. Elle s'agita pour les souliers, pour le chapelet, pour le livre, pour les gants. Avec quel tremblement elle aida sa mère à l'habiller!

Pendant toute la messe, elle éprouva une angoisse, M. Bourais lui cachait un côté du chœur; mais juste en face, le troupeau des vierges portant des couronnes blanches par-dessus leurs voiles abaissés formait comme un champ de neige; et elle reconnaissait de loin la chère petite à son cou plus mignon et son atti-tude recueillie. La cloche tinta. Les têtes se courbèrent; il y eut un silence. Aux éclats de l'orgue, les chantres et la foule entonnèrent l'*Agnus Dei*; puis le défilé des garçons commença; et, après eux, les filles se levèrent. Pas à pas, et les mains jointes, elles allaient vers l'autel tout illuminé, s'agenouillaient sur la première mar-che, recevaient l'hostie successivement, et dans le même ordre revenaient à leurs prie-Dieu. Quand ce fut le tour de Virginie, Félicité se pencha pour la voir; et, avec l'imagination que donnent les vraies tendresses, il lui sembla qu'elle était elle-même cette enfant; sa figure devenait la sienne, sa robe l'habillait, son cœur lui battait dans la poitrïne; au moment d'ouvrir la bouche, en fermant les paupières, elle manqua s'éva-nouir.

Le lendemain, de bonne heure, elle se présenta dans la sacristie, pour que M. le curé lui donnât la communion. Elle la reçut dévote-ment, mais n'y goûta pas les mêmes délices.

Mme Aubain voulait faire de sa fille une personne accomplie; et, comme Guyot ne pou-vait lui montrer° ni l'anglais ni la musique, elle résolut de la mettre en pension chez les Ursu-lines de Honfleur.°

L'enfant n'objecta rien. Félicité soupirait, trouvant Madame insensible. Puis elle songea que sa maîtresse, peut-être, avait raison. Ces choses dépassaient sa compétence.

Enfin, un jour, une vieille tapissière° s'arrêta

---

3. *nef:* nave (main body of a church). 9. *lutrin:* lectern, reading stand. 10. *vitrail de l'abside:* stained-glass window of the apse (altar end of a church). 12. *tabernacle:* receptacle for Sacred Host, above or behind altar. 13. *terrassant:* striking down. 30. The Holy Ghost is symbolized by a dove. (See, e.g., Luke 3 : 22.) 35. *marécages:* marshes.

4. *Fête-Dieu:* Corpus Christi, the Thursday after Trinity Sunday, falls commonly in early June, and is celebrated in France on the following Sunday. 5. *reposoir:* street altar. 40. *montrer:* teach. 42. *Honfleur:* nearby town, at the mouth of the Seine. 47. *tapissière:* large open carriage.

devant la porte; et il en descendit une religieuse qui venait chercher Mademoiselle. Félicité monta les bagages sur l'impériale,° fit des recommandations au cocher, et plaça dans le coffre° six pots de confitures et une douzaine de poires, avec un bouquet de violettes.

Virginie, au dernier moment, fut prise d'un grand sanglot; elle embrassait sa mère qui la baisait au front en répétant : — «Allons! du courage! du courage!» Le marchepied° se releva, la voiture partit.

Alors Mme Aubain eut une défaillance;° et le soir tous ses amis, le ménage Lormeau, Mme Lechaptois, ces° demoiselles Rochefeuille, M. de Houppeville et Bourais se présentèrent pour la consoler.

La privation de sa fille lui fut d'abord très douloureuse. Mais trois fois la semaine elle en recevait une lettre, les autres jours lui écrivait, se promenait dans son jardin, lisait un peu, et de cette façon comblait le vide des heures.

Le matin, par habitude, Félicité entrait dans la chambre de Virginie, et regardait les murailles. Elle s'ennuyait de n'avoir plus à peigner ses cheveux, à lui lacer ses bottines, à la border° dans son lit, — et de ne plus voir continuellement sa gentille figure, de ne plus la tenir par la main quand elles sortaient ensemble. Dans son désœuvrement, elle essaya de faire de la dentelle. Ses doigts trop lourds cassaient les fils; elle n'entendait à rien,° avait perdu le sommeil, suivant son mot, était «minée».°

Pour «se dissiper», elle demanda la permission de recevoir son neveu Victor.

Il arrivait le dimanche après la messe, les joues roses, la poitrine nue, et sentant l'odeur de la campagne qu'il avait traversée. Tout de suite, elle dressait son couvert. Ils déjeunaient l'un en face de l'autre; et, mangeant elle-même le moins possible pour épargner la dépense, elle le bourrait° tellement de nourriture qu'il finissait par s'endormir. Au premier coup des vêpres, elle le réveillait, brossait son pantalon, nouait sa cravate, et se rendait à l'église, appuyée sur son bras dans un orgueil maternel.

Ses parents le chargeaient toujours d'en tirer quelque chose, soit un paquet de cassonade,° du savon, de l'eau-de-vie, parfois même de l'argent. Il apportait ses nippes° à raccommoder; et elle acceptait cette besogne, heureuse d'une occasion qui le forçait à revenir.

Au mois d'août, son père l'emmena au cabotage.°

C'était l'époque des vacances. L'arrivée des enfants la consola. Mais Paul devenait capricieux, et Virginie n'avait plus l'âge d'être tutoyée, ce qui mettait une gêne, une barrière entre elles.

Victor alla successivement à Morlaix, à Dunkerque et à Brighton; au retour de chaque voyage, il lui offrait un cadeau. La première fois, ce fut une boîte en coquilles; la seconde, une tasse à café; la troisième, un grand bonhomme en pain d'épices. Il embellissait,° avait la taille bien prise,° un peu de moustache, de bons yeux francs, et un petit chapeau de cuir, placé en arrière comme un pilote. Il l'amusait en lui racontant des histoires mêlées de termes marins.

Un lundi, 14 juillet 1819 (elle n'oublia pas la date), Victor annonça qu'il était engagé au long cours, et, dans la nuit du surlendemain, par le paquebot° de Honfleur, irait rejoindre sa goélette,° qui devait démarrer° du Havre prochainement. Il serait, peut-être, deux ans parti.

La perspective d'une telle absence désola Félicité; et pour lui dire encore adieu, le mercredi soir, après le dîner de Madame, elle chaussa des galoches,° et avala les quatre lieues qui séparent Pont-l'Évêque de Honfleur.

Quand elle fut devant le Calvaire, au lieu de prendre à gauche, elle prit à droite, se perdit dans des chantiers,° revint sur ses pas; des gens qu'elle accosta l'engagèrent à se hâter. Elle fit le tour du bassin rempli de navires, se heurtait contre des amarres;° puis le terrain s'abaissa, des lumières s'entre-croisèrent, et elle se crut folle, en apercevant des chevaux dans le ciel.

Au bord du quai, d'autres hennissaient, effrayés par la mer. Un palan° qui les enlevait les descendait dans un bateau, où des voyageurs se bousculaient entre les barriques de cidre, les paniers de fromage, les sacs de grain; on entendait chanter des poules, le capitaine jurait; et

3. *impériale:* roof. 5. *coffre:* trunk (of carriage). 10. *marchepied:* step. 12. *défaillance:* fainting fit. 14. *ces:* Flaubert italicizes *ces* to quote popular usage, which suggests that these ladies were highly regarded. 25. *border:* tuck in. 31. *n'entendait à rien:* took no interest in anything. 32. *minée:* tuckered out. 41. *bourrait:* stuffed.

1. *cassonade:* brown sugar. 3. *nippes:* clothes. 8. *cabotage:* coasting trade. 17. *embellissait:* was becoming good-looking. 18. *la taille bien prise:* a good build. 25. *paquebot:* passenger steamer. 26. *goélette:* schooner. 26. *démarrer:* cast off, sail. 31. *galoches:* clogs, wood-soled overshoes. 35. *chantiers:* docks. 38. *amarres:* mooring ropes. 42. *palan:* hoisting tackle.

un mousse restait accoudé sur le bossoir,° indifférent à tout cela. Félicité, qui ne l'avait pas reconnu, criait : « Victor! » il leva la tête; elle s'élançait, quand on retira l'échelle tout à coup.

Le paquebot, que des femmes halaient° en chantant, sortit du port. Sa membrure° craquait, les vagues pesantes fouettaient sa proue. La voile avait tourné, on ne vit plus personne; — et, sur la mer argentée par la lune, il faisait une tache noire qui pâlissait toujours, s'enfonça, disparut.

Félicité, en passant près du Calvaire, voulut recommander à Dieu ce qu'elle chérissait le plus; et elle pria pendant longtemps, debout, la face baignée de pleurs, les yeux vers les nuages. La ville dormait, des douaniers se promenaient; et de l'eau tombait sans discontinuer par les trous de l'écluse,° avec un bruit de torrent. Deux heures sonnèrent.

Le parloir° n'ouvrirait pas avant le jour. Un retard, bien sûr, contrarierait Madame; et, malgré son désir d'embrasser l'autre enfant, elle s'en retourna. Les filles de l'auberge s'éveillaient, comme elle entrait dans Pont-l'Évêque.

Le pauvre gamin durant des mois allait donc rouler sur les flots! Ses précédents voyages ne l'avaient pas effrayée. De l'Angleterre et de la Bretagne, on revenait; mais l'Amérique, les Colonies, les Iles, cela était perdu dans une région incertaine, à l'autre bout du monde.

Dès lors, Félicité pensa exclusivement à son neveu. Les jours de soleil, elle se tourmentait de la soif; quand il faisait de l'orage, craignait pour lui la foudre. En écoutant le vent qui grondait dans la cheminée et emportait les ardoises, elle le voyait battu par cette même tempête, au sommet d'un mât fracassé, tout le corps en arrière, sous une nappe d'écume; ou bien, — souvenirs de la géographie en estampes, — il était mangé par les sauvages, pris dans un bois par des singes, se mourait le long d'une plage déserte. Et jamais elle ne parlait de ses inquiétudes.

Mme Aubain en avait d'autres sur sa fille.

Les bonnes sœurs trouvaient qu'elle était affectueuse, mais délicate. La moindre émotion l'énervait. Il fallut abandonner le piano.

Sa mère exigeait du couvent une correspondance réglée. Un matin que le facteur° n'était pas venu, elle s'impatienta; et elle marchait dans la salle, de son fauteuil à la fenêtre. C'était vraiment extraordinaire! depuis quatre jours, pas de nouvelles!

Pour qu'elle se consolât par son exemple, Félicité lui dit :

— « Moi, madame, voilà six mois que je n'en ai reçu!... »

— « De qui donc?... »

La servante répliqua doucement :

— « Mais... de mon neveu! »

— « Ah! votre neveu! » Et, haussant les épaules, Mme Aubain reprit sa promenade, ce qui voulait dire : « Je n'y pensais pas!... Au surplus, je m'en moque! un mousse, un gueux, belle affaire!... tandis que ma fille... Songez donc!... »

Félicité, bien que nourrie dans la rudesse, fut indignée contre Madame, puis oublia.

Il lui paraissait tout simple de perdre la tête à l'occasion de la petite.

Les deux enfants avaient une importance égale; un lien de son cœur les unissait, et leurs destinées devaient être la même.

Le pharmacien lui apprit que le bateau de Victor était arrivé à la Havane. Il avait lu ce renseignement dans une gazette.

A cause des cigares, elle imaginait la Havane un pays où l'on ne fait pas autre chose que de fumer, et Victor circulait parmi des nègres dans un nuage de tabac. Pouvait-on « en cas de besoin » s'en retourner par terre? A quelle distance était-ce de Pont-l'Évêque? Pour le savoir, elle interrogea M. Bourais.

Il atteignit son atlas, puis commença des explications sur les longitudes; et il avait un beau sourire de cuistre° devant l'ahurissement° de Félicité. Enfin, avec son porte-crayon, il indiqua dans les découpures° d'une tache ovale un point noir, imperceptible, en ajoutant : « Voici. » Elle se pencha sur la carte; ce réseau de lignes coloriées fatiguait sa vue, sans lui rien apprendre; et Bourais, l'invitant à dire ce qui l'embarrassait, elle le pria de lui montrer la maison où demeurait Victor. Bourais leva les bras, il éternua, rit énormément, une candeur

---

1. *bossoir:* cathead (anchor support). 6. *halaient:* were hauling. 7. *membrure:* framework. 19. *écluse:* lock gate. 21. *parloir:* parlor (of the convent).

2. *facteur:* postman. 39. *cuistre:* pedant. 39. *ahurissement:* bewilderment. 41. *découpures:* indentations.

pareille excitait sa joie; et Félicité n'en comprenait pas le motif, — elle qui s'attendait peut-être à voir jusqu'au portrait de son neveu, tant son intelligence était bornée!

Ce fut quinze jours après que Liébard, à l'heure du marché, comme d'habitude, entra dans la cuisine, et lui remit une lettre qu'envoyait son beau-frère. Ne sachant lire aucun des deux, elle eut recours à sa maîtresse.

Mme Aubain, qui comptait les mailles d'un tricot,° le posa près d'elle, décacheta° la lettre, tressaillit, et, d'une voix basse, avec un regard profond :

— « C'est un malheur... qu'on vous annonce. Votre neveu... »

Il était mort. On n'en disait pas davantage.

Félicité tomba sur une chaise, en s'appuyant la tête à la cloison,° et ferma ses paupières, qui devinrent roses tout à coup. Puis, le front baissé, les mains pendantes, l'œil fixe, elle répétait par intervalles :

— « Pauvre petit gars!° pauvre petit gars! »

Liébard la considérait en exhalant des soupirs. Mme Aubain tremblait un peu.

Elle lui proposa d'aller voir sa sœur, à Trouville.

Félicité répondit, par un geste, qu'elle n'en avait pas besoin.

Il y eut un silence. Le bonhomme Liébard jugea convenable de se retirer.

Alors elle dit :

— « Ça ne leur fait rien, à eux! »

Sa tête retomba; et machinalement elle soulevait, de temps à autre, les longues aiguilles sur la table à ouvrage.

Des femmes passèrent dans la cour avec un bard° d'où dégouttelait° du linge.

En les apercevant par les carreaux, elle se rappela sa lessive;° l'ayant coulée° la veille, il fallait aujourd'hui la rincer; et elle sortit de l'appartement.

Sa planche° et son tonneau° étaient au bord de la Toucques. Elle jeta sur la berge° un tas de chemises, retroussa ses manches, prit son battoir;° et les coups forts qu'elle donnait s'entendaient dans les autres jardins à côté. Les prairies étaient vides, le vent agitait la rivière; au fond, de grandes herbes s'y penchaient, comme des chevelures de cadavres flottant dans l'eau. Elle retenait sa douleur, jusqu'au soir fut très brave; mais, dans sa chambre, elle s'y abandonna, à plat ventre sur son matelas, le visage dans l'oreiller, et les deux poings contre les tempes.

Beaucoup plus tard, par le capitaine de Victor lui-même, elle connut les circonstances de sa fin. On l'avait trop saigné à l'hôpital, pour la fièvre jaune. Quatre médecins le tenaient à la fois. Il était mort immédiatement, et le chef avait dit :

— « Bon! encore un! »

Ses parents l'avaient toujours traité avec barbarie. Elle aima mieux ne pas les revoir; et ils ne firent aucune avance, par oubli, ou endurcissement de misérables.

Virginie s'affaiblissait.

Des oppressions, de la toux, une fièvre continuelle et des marbrures aux pommettes° décelaient° quelque affection profonde. M. Poupart avait conseillé un séjour en Provence. Mme Aubain s'y décida, et eût tout de suite repris sa fille à la maison, sans le climat de Pont-l'Évêque.

Elle fit un arrangement avec un loueur de voitures, qui la menait au couvent chaque mardi. Il y a dans le jardin une terrasse d'où l'on découvre la Seine. Virginie s'y promenait à son bras, sur les feuilles de pampre° tombées. Quelquefois le soleil traversant les nuages la forçait à cligner ses paupières, pendant qu'elle regardait les voiles au loin et tout l'horizon, depuis le château de Tancarville jusqu'aux phares du Havre. Ensuite on se reposait sous la tonnelle.° Sa mère s'était procuré un petit fût° d'excellent vin de Malaga; et, riant à l'idée d'être grise,° elle en buvait deux doigts, pas davantage.

Ses forces reparurent. L'automne s'écoula doucement. Félicité rassurait Mme Aubain. Mais, un soir qu'elle avait été aux environs faire une course, elle rencontra devant la porte le cabriolet de M. Poupart; et il était dans le vestibule. Mme Aubain nouait° son chapeau.

---

11. *mailles d'un tricot*: stitches of a piece of knitting. 11. *décacheta*: unsealed. 18. *cloison*: interior wall. 22. *gars* = *garçon*. 37. *bard*: wheel-barrow. 37. *dégouttelait*: was dripping. 39. *lessive*: washing. 39. *coulée*: bleached. 42. *planche*: washboard. 42. *tonneau*: washtub. 43. *berge*: bank. 45. *battoir*: paddle (for beating laundry).

22. *marbrures aux pommettes*: discolorations on the check-bones. 23. *décelaient*: indicated. 32. *pampre*: vine branch. 38. *tonnelle*: arbor. 38. *fût*: cask. 40. *grise*: tipsy. 47. *nouait*: was tying on.

— « Donnez-moi ma chaufferette, ma bourse, mes gants; plus vite donc! »

Virginie avait une fluxion de poitrine;° c'était peut-être désespéré.

— « Pas encore! » dit le médecin; et tous deux montèrent dans la voiture, sous des flocons de neige qui tourbillonnaient. La nuit allait venir. Il faisait très froid.

Félicité se précipita dans l'église, pour allumer un cierge. Puis elle courut après le cabriolet, qu'elle rejoignit une heure plus tard, sauta légèrement par derrière, où elle se tenait aux torsades,° quand une réflexion lui vint : « La cour n'était pas fermée! si des voleurs s'introduisaient? » Et elle descendit.

Le lendemain, dès l'aube, elle se présenta chez le docteur. Il était rentré, et reparti à la campagne. Puis elle resta dans l'auberge, croyant que des inconnus apporteraient une lettre. Enfin, au petit jour, elle prit la diligence de Lisieux.°

Le couvent se trouvait au fond d'une ruelle escarpée.° Vers le milieu, elle entendit des sons étranges, un glas de mort.° «C'est pour d'autres, » pensa-t-elle; et Félicité tira violemment le marteau.°

Au bout de plusieurs minutes, des savates° se traînèrent, la porte s'entre-bâilla, et une religieuse parut.

La bonne sœur avec un air de componction dit qu' « elle venait de passer ». En même temps, le glas de Saint-Léonard redoublait.

Félicité parvint au second étage.

Dès le seuil de la chambre, elle aperçut Virginie étalée sur le dos, les mains jointes, la bouche ouverte, et la tête en arrière sous une croix noire s'inclinant vers elle, entre les rideaux immobiles, moins pâles que sa figure. Mme Aubain, au pied de la couche qu'elle tenait dans ses bras, poussait des hoquets° d'agonie. La supérieure était debout, à droite. Trois chandeliers sur la commode faisaient des taches rouges, et le brouillard blanchissait les fenêtres. Des religieuses emportèrent Mme Aubain.

Pendant deux nuits, Félicité ne quitta pas la morte. Elle répétait les mêmes prières, jetait de l'eau bénite sur les draps, revenait s'asseoir, et la contemplait. A la fin de la première veille, elle remarqua que la figure avait jauni, les lèvres bleuirent, le nez se pinçait, les yeux s'enfonçaient.° Elle les baisa plusieurs fois; et n'eût pas éprouvé un immense étonnement si Virginie les eût rouverts; pour de pareilles âmes le surnaturel est tout simple. Elle fit sa toilette, l'enveloppa de son linceul, la descendit dans sa bière, lui posa une couronne, étala ses cheveux. Ils étaient blonds, et extraordinaires de longueur à son âge. Félicité en coupa une grosse mèche, dont elle glissa la moitié dans sa poitrine, résolue à ne jamais s'en dessaisir.°

Le corps fut ramené à Pont-l'Évêque, suivant les intentions° de Mme Aubain, qui suivit le corbillard° dans une voiture fermée.

Après la messe, il fallut encore trois quarts d'heure pour atteindre le cimetière. Paul marchait en tête et sanglotait. M. Bourais était derrière, ensuite les principaux habitants, les femmes, couvertes de mantes° noires, et Félicité. Elle songeait à son neveu, et, n'ayant pu lui rendre ces honneurs, avait un surcroît° de tristesse, comme si on l'eût enterré avec l'autre.

Le désespoir de Mme Aubain fut illimité.

D'abord elle se révolta contre Dieu, le trouvant injuste de lui avoir pris sa fille, — elle qui n'avait jamais fait de mal, et dont la conscience était si pure! Mais non! elle aurait dû l'emporter dans le Midi. D'autres docteurs l'auraient sauvée! Elle s'accusait, voulait la rejoindre, criait en détresse au milieu de ses rêves. Un, surtout, l'obsédait. Son mari, costumé comme un matelot, revenait d'un long voyage, et lui disait en pleurant qu'il avait reçu l'ordre d'emmener Virginie. Alors ils se concertaient pour découvrir une cachette quelque part.

Une fois, elle rentra du jardin, bouleversée. Tout à l'heure (elle montrait l'endroit) le père et la fille lui étaient apparus l'un auprès de l'autre, et ils ne faisaient rien; ils la regardaient.

Pendant plusieurs mois, elle resta dans sa chambre, inerte. Félicité la sermonnait doucement; il fallait se conserver pour son fils, et pour l'autre, en souvenir « d'elle ».

— « Elle? » reprenait Mme Aubain, comme

3. *fluxion de poitrine:* inflammation of the lungs, pneumonia. 13. *torsades:* twisted cords (supporting tailboard). 21. *la diligence de Lisieux:* the Lisieux omnibus (from Lisieux, a small city 10 miles south of Pont-l'Évêque, to Honfleur). 23. *escarpée:* steep. 24. *glas de mort:* death knell (tolling of the church bell). 26. *marteau:* door knocker. 27. *savates:* slippers. 40. *hoquets:* hiccups.

5. Notice the surprising (of course, deliberate) use of tenses in this sentence. 14. *s'en dessaisir:* part with it. 16. *intentions:* wishes. 17. *corbillard:* hearse. 22. *mantes:* cloaks. 24. *surcroît:* supplement, increase.

se réveillant. « Ah! oui!... oui!... Vous ne l'oubliez pas! » Allusion au cimetière, qu'on lui avait scrupuleusement défendu.

Félicité tous les jours s'y rendait.

A quatre heures précises, elle passait au bord des maisons, montait la côte, ouvrait la barrière, et arrivait devant la tombe de Virginie. C'était une petite colonne de marbre rose, avec une dalle dans le bas, et des chaînes autour enfermant un jardinet. Les plates-bandes° disparaissaient sous une couverture de fleurs. Elle arrosait leurs feuilles, renouvelait le sable, se mettait à genoux pour mieux labourer la terre. Mme Aubain, quand elle put y venir, en éprouva un soulagement, une espèce de consolation.

Puis des années s'écoulèrent, toutes pareilles et sans autres épisodes que le retour des grandes fêtes: Pâques, l'Assomption,° la Toussaint.° Des événements intérieurs faisaient une date, où l'on se reportait plus tard. Ainsi, en 1825, deux vitriers° badigeonnèrent° le vestibule; en 1827, une portion du toit, tombant dans la cour, faillit tuer un homme. L'été de 1828, ce fut à Madame d'offrir le pain bénit;° Bourais, vers cette époque, s'absenta mystérieusement; et les anciennes connaissances peu à peu s'en allèrent: Guyot, Liébard, Mme Lechaptois, Robelin, l'oncle Gremanville, paralysé depuis longtemps.

Une nuit, le conducteur de la malle-poste° annonça dans Pont-l'Évêque la Révolution de Juillet.° Un sous-préfet nouveau, peu de jours après, fut nommé: le baron de Larsonnière, ex-consul en Amérique, et qui avait chez lui, outre sa femme, sa belle-sœur avec trois demoiselles, assez grandes déjà. On les apercevait sur leur gazon, habillées de blouses flottantes; elles possédaient un nègre et un perroquet. Mme Aubain eut leur visite, et ne manqua pas de la rendre. Du plus loin qu'elles paraissaient, Félicité accourait pour la prévenir. Mais une chose était seule capable de l'émouvoir, les lettres de son fils.

Il ne pouvait suivre aucune carrière, étant absorbé dans les estaminets.° Elle lui payait ses dettes, il en refaisait d'autres; et les soupirs que poussait Mme Aubain, en tricotant près de la fenêtre, arrivaient à Félicité, qui tournait son rouet° dans la cuisine.

Elles se promenaient ensemble le long de l'espalier,° et causaient toujours de Virginie, se demandant si telle chose lui aurait plu, en telle occasion ce qu'elle eût dit probablement.

Toutes ses petites affaires occupaient un placard° dans la chambre à deux lits. Mme Aubain les inspectait le moins souvent possible. Un jour d'été, elle se résigna; et des papillons° s'envolèrent de l'armoire.

Ses robes étaient en ligne sous une planche où il y avait trois poupées, des cerceaux,° un ménage,° la cuvette° qui lui servait. Elles retirèrent également les jupons, les bas, les mouchoirs, et les étendirent sur les deux couches, avant de les replier. Le soleil éclairait ces pauvres objets, en faisait voir les taches, et des plis formées par les mouvements du corps. L'air était chaud et bleu, un merle gazouillait,° tout semblait vivre dans une douceur profonde. Elles retrouvèrent un petit chapeau de peluche,° à longs poils, couleur marron; mais il était tout mangé de vermine. Félicité le réclama pour elle-même. Leurs yeux se fixèrent l'une sur l'autre, s'emplirent de larmes; enfin la maîtresse ouvrit ses bras, la servante s'y jeta; et elles s'étreignirent satisfaisant leur douleur dans un baiser qui les égalisait.

C'était la première fois de leur vie, Mme Aubain n'étant pas d'une nature expansive. Félicité lui en fut reconnaissante comme d'un bienfait, et désormais la chérit avec un dévouement bestial° et une vénération religieuse.

La bonté de son cœur se développa.

Quand elle entendait dans la rue les tambours d'un régiment en marche, elle se mettait devant la porte avec une cruche de cidre, et offrait à boire aux soldats. Elle soigna des cholériques.° Elle protégeait les Polonais;° et même il y en eut un qui déclarait la vouloir épouser. Mais ils se fâchèrent; car un matin, en rentrant de

---

10. *plates-bandes:* grass borders. 19. *Assomption:* Assumption of the Virgin Mary into heaven, August 15. 19. *Toussaint:* All Saints' Day, November 1. 22. *vitriers:* glaziers (and decorators). 22. *badigeonnèrent:* painted. 25. *pain bénit:* holy bread (not the wafer of the Host), distributed by a choirboy at Mass, and supplied by well-to-do parishioners in turn. 30. *conducteur de la malle-poste:* stagecoach driver. 32. *Révolution de Juillet:* Revolution of 1830, which dislodged Charles X and enthroned Louis-Philippe.

1. *estaminets:* saloons. 5. *rouet:* spinning wheel. 7. *espalier:* fruit trees trained against sunny wall. 11. *placard:* closet. 13. *papillons:* i.e., moths. 16. *cerceaux:* hoops. 17. *ménage:* doll's house. 17. *cuvette:* washbasin. 23. *gazouillait:* was twittering. 25. *peluche:* plush. 37. *bestial:* animal-like. 42. *cholériques:* victims of cholera. 43. Many Poles had taken refuge in France after their unsuccessful revolt against Russia in 1831.

l'angélus,° elle le trouva dans sa cuisine, où il s'était introduit, et accommodé une vinaigrette° qu'il mangeait tranquillement.

Après les Polonais, ce fut le père Colmiche, un vieillard passant pour avoir fait des horreurs en 93.° Il vivait au bord de la rivière, dans les décombres° d'une porcherie. Les gamins le regardaient par les fentes du mur, et lui jetaient des cailloux qui tombaient sur son grabat,° où il gisait, continuellement secoué par un catarrhe, avec des cheveux très longs, les paupières enflammées, et au bras une tumeur plus grosse que sa tête. Elle lui procura du linge, tâcha de nettoyer son bouge,° rêvait à l'établir dans le fournil,° sans qu'il gênât Madame. Quand le cancer eut crevé, elle le pansa tous les jours, quelquefois lui apportait de la galette, le plaçait au soleil sur une botte de paille; et le pauvre vieux, en bavant et en tremblant, la remerciait de sa voix éteinte, craignait de la perdre, allongeait les mains dès qu'il la voyait s'éloigner. Il mourut; elle fit dire une messe pour le repos de son âme.

Ce jour-là, il lui advint un grand bonheur: au moment du dîner, le nègre de Mme de Larsonnière se présenta, tenant le perroquet dans sa cage, avec le bâton, la chaîne et le cadenas.° Un billet de la baronne annonçait à Mme Aubain que, son mari étant élevé à une préfecture, ils partaient le soir; et elle la priait d'accepter cet oiseau, comme un souvenir, et en témoignage de ses respects.

Il occupait depuis longtemps l'imagination de Félicité, car il venait d'Amérique; et ce mot lui rappelait Victor, si bien qu'elle s'en informait auprès du nègre. Une fois même elle avait dit: — « C'est Madame qui serait heureuse de l'avoir! »

Le nègre avait redit le propos à sa maîtresse, qui, ne pouvant l'emmener, s'en débarrassait de cette façon.

IV

Il s'appelait Loulou. Son corps était vert, le bout de ses ailes rose, son front bleu, et sa gorge dorée.

Mais il avait la fatigante manie de mordre son bâton, s'arrachait les plumes, éparpillait° ses ordures, répandait l'eau de sa baignoire; Mme Aubain, qu'il ennuyait, le donna pour toujours à Félicité.

Elle entreprit de l'instruire; bientôt il répéta: « Charmant garçon! Serviteur, monsieur! Je vous salue, Marie! » Il était placé auprès de la porte, et plusieurs s'étonnaient qu'il ne répondît pas au nom de Jacquot, puisque tous les perroquets s'appellent Jacquot. On le comparait à une dinde,° à une bûche:° autant de coups de poignard pour Félicité! Étrange obstination de Loulou, ne parlant plus du moment qu'on le regardait!

Néanmoins il recherchait la compagnie; car le dimanche, pendant que ces demoiselles Rochefeuille, monsieur de Houppeville et de nouveaux habitués: Onfroy l'apothicaire, monsieur Varin et le capitaine Mathieu, faisaient leur partie de cartes, il cognait les vitres avec ses ailes, et se démenait si furieusement qu'il était impossible de s'entendre.

La figure de Bourais, sans doute, lui paraissait très drôle. Dès qu'il l'apercevait, il commençait à rire, à rire de toutes ses forces. Les éclats de sa voix bondissaient dans la cour, l'écho les répétait, les voisins se mettaient à leurs fenêtres, riaient aussi; et, pour n'être pas vu du perroquet, M. Bourais se coulait le long du mur, en dissimulant son profil avec son chapeau, atteignait la rivière, puis entrait par la porte du jardin; et les regards qu'il envoyait à l'oiseau manquaient de tendresse.

Loulou avait reçu du garçon boucher une chiquenaude,° s'étant permis d'enfoncer la tête dans sa corbeille; et depuis lors il tâchait toujours de le pincer à travers sa chemise. Fabu menaçait de lui tordre le cou, bien qu'il ne fût pas cruel, malgré le tatouage de ses bras et ses gros favoris.° Au contraire! il avait plutôt du penchant pour le perroquet, jusqu'à vouloir, par humeur joviale, lui apprendre des jurons.° Félicité, que ces manières effrayaient, le plaça dans la cuisine. Sa chaînette fut retirée, et il circulait par la maison.

Quand il descendait l'escalier, il appuyait sur

---

1. *angélus:* church service. 2. *accommodé une vinaigrette:* had fixed himself a meat dish with vinegar sauce. 6. *93* = 1793, year of the Reign of Terror. 7. *décombres:* ruins. 9. *grabat:* pallet. 14. *bouge:* hovel. 15. *fournil:* bakehouse. 27. *cadenas:* padlock.

2. *éparpillait:* scattered. 12. *dinde:* simpleton (*lit.,* turkey hen). 12. *bûche:* log; blockhead. 36. *chiquenaude:* fillip, snap of finger. 41. *favoris:* side whiskers. 43. *jurons:* oaths.

les marches la courbe de son bec, levait la patte droite, puis la gauche; et elle avait peur qu'une telle gymnastique ne lui causât des étourdissements.° Il devint malade, ne pouvait plus parler ni manger. C'était sous sa langue une épaisseur, comme en ont les poules quelquefois. Elle le guérit, en arrachant cette pellicule° avec ses ongles. M. Paul, un jour, eut l'imprudence de lui souffler aux narines la fumée d'un cigare; une autre fois que Mme Lormeau l'agaçait du bout de son ombrelle, il en happa la virole;° enfin, il se perdit.

Elle l'avait posé sur l'herbe pour le rafraîchir, s'absenta une minute; et, quand elle revint, plus de perroquet! D'abord elle le chercha dans les buissons, au bord de l'eau et sur les toits, sans écouter sa maîtresse qui lui criait : — « Prenez donc garde! vous êtes folle! » Ensuite elle inspecta tous les jardins de Pont-l'Évêque; et elle arrêtait les passants. — « Vous n'auriez pas vu, quelquefois, par hasard, mon perroquet? » A ceux qui ne connaissaient pas le perroquet, elle en faisait la description. Tout à coup, elle crut distinguer derrière les moulins, au bas de la côte, une chose verte qui voltigeait. Mais au haut de la côte, rien! Un porte-balle° lui affirma qu'il l'avait rencontré tout à l'heure, à Saint-Melaine, dans la boutique de la mère Simon. Elle y courut. On ne savait pas ce qu'elle voulait dire. Enfin elle rentra, épuisée, les savates en lambeaux, la mort dans l'âme; et, assise au milieu du banc, près de Madame, elle racontait toutes ses démarches, quand un poids léger lui tomba sur l'épaule, Loulou! Que diable avait-il fait? Peut-être qu'il s'était promené aux environs!

Elle eut du mal à s'en remettre, ou plutôt ne s'en remit jamais.

Par suite d'un refroidissement, il lui vint une angine;° peu de temps après, un mal d'oreilles. Trois ans plus tard, elle était sourde; et elle parlait très haut, même à l'église. Bien que ses péchés auraient pu sans déshonneur pour elle, ni inconvénient pour le monde, se répandre à tous les coins du diocèse, M. le curé jugea convenable de ne plus recevoir sa confession que dans la sacristie.

Des bourdonnements° illusoires achevaient de la troubler. Souvent sa maîtresse lui disait : — « Mon Dieu! comme vous êtes bête! » elle répliquait : — « Oui, Madame », en cherchant quelque chose autour d'elle.

Le petit cercle de ses idées se rétrécit encore, et le carillon des cloches, le mugissement des bœufs, n'existaient plus. Tous les êtres fonctionnaient avec le silence des fantômes. Un seul bruit arrivait maintenant à ses oreilles, la voix du perroquet.

Comme pour la distraire, il reproduisait le tictac du tournebroche,° l'appel aigu d'un vendeur de poisson, la scie du menuisier° qui logeait en face; et, aux coups de la sonnette, imitait Mme Aubain, — Félicité! la porte! la porte! »

Ils avaient des dialogues, lui, débitant à satiété les trois phrases de son répertoire, et elle, y répondant par des mots sans plus de suite. mais où son cœur s'épanchait. Loulou, dans son isolement, était presque un fils, un amoureux. Il escaladait ses doigts, mordillait ses lèvres, se cramponnait à son fichu;° et, comme elle penchait son front en branlant la tête à la manière des nourrices, les grandes ailes du bonnet et les ailes de l'oiseau frémissaient ensemble.

Quand des nuages s'amoncelaient et que le tonnerre grondait, il poussait des cris, se rappelant peut-être les ondées° de ses forêts natales. Le ruissellement de l'eau excitait son délire; il voletait, éperdu, montait au plafond, renversait tout, et par la fenêtre allait barboter° dans le jardin; mais revenait vite sur un des chenets,° et, sautillant pour sécher ses plumes, montrait tantôt sa queue, tantôt son bec.

Un matin du terrible hiver de 1837, qu'elle l'avait mis devant la cheminée, à cause du froid, elle le trouva mort, au milieu de sa cage, la tête en bas, et les ongles dans les fils de fer. Une congestion° l'avait tué, sans doute? Elle crut à un empoisonnement par le persil;° et, malgré l'absence de toutes preuves, ses soupçons portèrent sur Fabu.

Elle pleura tellement que sa maîtresse lui dit : — « Eh bien! faites-le empailler! »°

---

4. *étourdissements:* dizzy spells. 7. *pellicule:* film, growth. 11. *virole:* ferule, tip. 26. *porte-balle:* peddler. 40. *angine:* sore throat.

1. *bourdonnements:* buzzings. 13. *tournebroche:* turnspit (mechanical roasting device). 14. *scie du menuisier:* saw of the cabinetmaker. 24. *fichu:* neckerchief. 30. *ondées:* downpours. 33. *barboter:* splash about. 34. *chenets:* andirons. 41. *congestion:* stroke. 42. *persil:* parsley. 46. *empailler:* stuff.

Elle demanda conseil au pharmacien, qui avait toujours été bon pour le perroquet.

Il écrivit au Havre. Un certain Fellacher se chargea de cette besogne. Mais, comme la diligence égarait° parfois les colis,° elle résolut de le porter elle-même jusqu'à Honfleur.

Les pommiers sans feuilles se succédaient aux bords de la route. De la glace couvrait les fossés. Des chiens aboyaient autour des fermes; et les mains sous son mantelet, avec ses petits sabots noirs et son cabas, elle marchait prestement, sur le milieu du pavé.

Elle traversa la forêt, dépassa le Haut-Chêne, atteignit Saint-Gatien.

Derrière elle, dans un nuage de poussière et emportée par la descente, une malle-poste au grand galop se précipitait comme une trombe.° En voyant cette femme qui ne se dérangeait pas, le conducteur se dressa par-dessus la capote,° et le postillon° criait aussi, pendant que ses quatre chevaux qu'il ne pouvait retenir accéléraient leur train; les deux premiers la frôlaient; d'une secousse de ses guides,° il les jeta dans le débord,° mais furieux releva le bras, et à pleine volée,° avec son grand fouet, lui cingla° du ventre au chignon° un tel coup qu'elle tomba sur le dos.

Son premier geste, quand elle reprit connaissance, fut d'ouvrir son panier. Loulou n'avait rien, heureusement. Elle sentit une brûlure à la joue droite; ses mains qu'elle y porta étaient rouges. Le sang coulait.

Elle s'assit sur un mètre° de cailloux, se tamponna° le visage avec son mouchoir, puis elle mangea une croûte de pain, mise dans son panier par précaution, et se consolait de sa blessure en regardant l'oiseau.

Arrivée au sommet d'Ecquemauville, elle aperçut les lumières de Honfleur qui scintillaient dans la nuit comme une quantité d'étoiles; la mer, plus loin, s'étalait confusément. Alors une faiblesse l'arrêta; et la misère de son enfance, la déception du premier amour, le départ de son neveu, la mort de Virginie, comme les flots d'une marée, revinrent à la fois, et, lui montant à la gorge, l'étouffaient.

Puis elle voulut parler au capitaine du bateau; et, sans dire ce qu'elle envoyait, lui fit des recommandations.

Fellacher garda longtemps le perroquet. Il le promettait toujours pour la semaine prochaine; au bout de six mois, il annonça le départ d'une caisse; et il n'en fut plus question.° C'était à croire que jamais Loulou ne reviendrait. « Ils me l'auront volé! » pensait-elle.

Enfin il arriva, — et splendide, droit sur une branche d'arbre, qui se vissait° dans un socle° d'acajou, une patte en l'air, la tête oblique, et mordant une noix, que l'empailleur par amour du grandiose avait dorée.

Elle l'enferma dans sa chambre.

Cet endroit, où elle admettait peu de monde, avait l'air tout à la fois d'une chapelle et d'un bazar, tant il contenait d'objets religieux et de choses hétéroclites.°

Une grande armoire gênait pour ouvrir la porte. En face de la fenêtre surplombant le jardin, un œil de bœuf° regardait la cour; une table, près du lit de sangle,° supportait un pot à l'eau, deux peignes, et un cube de savon bleu dans une assiette ébréchée.° On voyait contre les murs : des chapelets, des médailles, plusieurs bonnes Vierges, un bénitier° en noix de coco; sur la commode,° couverte d'un drap comme un autel, la boîte en coquillages que lui avait donnée Victor; puis un arrosoir° et un ballon, des cahiers d'écriture, la géographie en estampes, une paire de bottines; et au clou du miroir, accroché par ses rubans, le petit chapeau de peluche! Félicité poussait même ce genre de respect si loin, qu'elle conservait une des redingotes de Monsieur. Toutes les vieilleries dont ne voulait plus Mme Aubain, elle les prenait pour sa chambre. C'est ainsi qu'il y avait des fleurs artificielles au bord de la commode, et le portrait du comte d'Artois° dans l'enfoncement de la lucarne.°

Au moyen d'une planchette, Loulou fut établi sur un corps de cheminée° qui avançait dans l'appartement. Chaque matin, en s'éveillant, elle l'apercevait à la clarté de l'aube, et se

---

6. *il n'en fut plus question:* nothing more was heard about it. 10. *se vissait:* was screwed. 10. *socle:* base. 18. *hétéroclites:* variegated. 21. *œil de bœuf:* small round window. 22. *lit de sangle:* folding cot. 24. *ébréchée:* nicked. 26. *bénitier:* holy water container. 27. *commode:* bureau. 29. *arrosoir:* watering pot. 39. *comte d'Artois:* brother of Louis XVI and Louis XVIII; King of France, as Charles X, 1824–30. 40. *enfoncement de la lucarne:* recess formed by a dormer window. 42. *corps de cheminée:* chimney breast, mantelpiece.

---

5. *égarait:* lost. 5. *colis:* parcels. 17. *trombe:* whirlwind. 19. *capote:* hood. 20. *postillon:* postillion, rider of lead horse. 23. *guides:* reins. 24. *débord:* side of road. 25. *à pleine volée:* at full speed. 25. *cingla:* lashed. 26. *chignon:* coil of hair. 33. *mètre:* pile (marking boundary). 34. *se tamponna:* patted.

rappelait alors les jours disparus, et d'insignifiantes actions jusqu'en leurs moindres détails, sans douleur, pleine de tranquillité.

Ne communiquant avec personne, elle vivait dans une torpeur de somnambule. Les processions de la Fête-Dieu la ranimaient. Elle allait quêter chez les voisines des flambeaux et des paillassons.° afin d'embellir le reposoir que l'on dressait dans la rue.

A l'église, elle contemplait toujours le Saint-Esprit, et observa qu'il avait quelque chose du perroquet. Sa ressemblance lui parut encore plus manifeste sur une image d'Épinal,° représentant le baptême de Notre-Seigneur. Avec ses ailes de pourpre et son corps d'émeraude, c'était vraiment le portrait de Loulou.

L'ayant acheté, elle le suspendit à la place du comte d'Artois, — de sorte que, du même coup d'œil, elle les voyait ensemble. Ils s'associèrent dans sa pensée, le perroquet se trouvant sanctifié par ce rapport avec le Saint-Esprit, qui devenait plus vivant à ses yeux et intelligible. Le Père, pour s'énoncer,° n'avait pu choisir une colombe, puisque ces bêtes-là n'ont pas de voix, mais plutôt un des ancêtres de Loulou. Et Félicité priait en regardant l'image, mais de temps à autre se tournait un peu vers l'oiseau.

Elle eut envie de se mettre dans les demoiselles de la Vierge.° Mme Aubain l'en dissuada.

Un événement considérable surgit : le mariage de Paul.

Après avoir été d'abord clerc de notaire, puis dans le commerce, dans la douane, dans les contributions,° et même avoir commencé des démarches pour les eaux et forêts, à trente-six ans, tout à coup, par une inspiration du ciel, il avait découvert sa voie : l'enregistrement !° et y montrait de si hautes facultés qu'un vérificateur° lui avait offert sa fille, en lui promettant sa protection.

Paul, devenu sérieux, l'amena chez sa mère.

Elle dénigra° les usages de Pont-l'Évêque, fit la princesse, blessa Félicité. Mme Aubain, à son départ, sentit un allègement.

La semaine suivante, on apprit la mort de M. Bourais, en basse Bretagne, dans une auberge. La rumeur d'un suicide se confirma; des doutes s'élevèrent sur sa probité. Mme Aubain étudia ses comptes, et ne tarda pas à connaître la kyrielle° de ses noirceurs : détournements d'arrérages,° ventes de bois dissimulées, fausses quittances,° etc. De plus, il avait un enfant naturel, et « des relations avec une personne de Dozulé°. »

Ces turpitudes l'affligèrent beaucoup. Au mois de mars 1853, elle fut prise d'une douleur dans la poitrine; sa langue paraissait couverte de fumée, les sangsues° ne calmèrent pas l'oppression; et le neuvième soir elle expira, ayant juste soixante-douze ans.

On la croyait moins vieille, à cause de ses cheveux bruns, dont les bandeaux entouraient sa figure blême, marquée de petite vérole. Peu d'amis la regrettèrent, ses façons étant d'une hauteur qui éloignait.

Félicité la pleura, comme on ne pleure pas les maîtres. Que Madame mourût avant elle, cela troublait ses idées, lui semblait contraire à l'ordre des choses, inadmissible et monstrueux.

Dix jours après (le temps d'accourir de Besançon), les héritiers survinrent. La bru° fouilla les tiroirs, choisit des meubles, vendit les autres, puis ils regagnèrent l'enregistrement.

Le fauteuil de Madame, son guéridon,° sa chaufferette, les huit chaises, étaient partis! La place des gravures se dessinait en carrés jaunes au milieu des cloisons. Ils avaient emporté les deux couchettes, avec leurs matelas, et dans le placard on ne voyait plus rien de toutes les affaires de Virginie! Félicité remonta les étages, ivre de tristesse.

Le lendemain il y avait sur la porte une affiche; l'apothicaire lui cria dans l'oreille que la maison était à vendre.

Elle chancela, et fut obligée de s'asseoir.

Ce qui la désolait principalement, c'était d'abandonner sa chambre, — si commode pour le pauvre Loulou. En l'enveloppant d'un regard d'angoisse, elle implorait le Saint-Esprit, et contracta l'habitude idolâtre de dire ses oraisons agenouillée devant le perroquet. Quelquefois, le

---

8. *paillassons:* straw mats. 13. *image d'Épinal:* cheap, gaudy popular picture. 23. *s'énoncer:* declare himself. 29. *demoiselles de la Vierge:* association of unmarried women for parish work. 34. *contributions:* tax collections. 37. *enregistrement:* record office for transfers of property, deeds, etc. (county clerk's office). 38. *vérificateur:* inspector. 42. *dénigra:* spoke ill of.

6. *kyrielle:* long string. 7. *détournements d'arrérages:* embezzlements of arrears. 8. *quittances:* receipts. 10. *Dozulé:* town 12 miles from Pont-l'Évêque. 14. *sangsues:* leeches. 27. *bru:* daughter-in-law. 30. *guéridon:* small table.

soleil entrant par la lucarne frappait son œil de verre, et en faisait jaillir un grand rayon lumineux qui la mettait en extase.

Elle avait une rente° de trois cent quatre-vingts francs, léguée par sa maîtresse. Le jardin lui fournissait des légumes. Quant aux habits, elle possédait de quoi se vêtir jusqu'à la fin de ses jours, et épargnait l'éclairage en se couchant dès le crépuscule.

Elle ne sortait guère, afin d'éviter la boutique du brocanteur, où s'étalaient quelques-uns des anciens meubles. Depuis son étourdissement, elle traînait une jambe; et, ses forces diminuant, la mère Simon, ruinée dans l'épicerie, venait tous les matins fendre son bois et pomper de l'eau.

Ses yeux s'affaiblirent. Les persiennes n'ouvraient plus. Bien des années se passèrent. Et la maison ne se louait pas, et ne se vendait pas.

Dans la crainte qu'on ne la renvoyât, Félicité ne demandait aucune réparation. Les lattes° du toit pourrissaient; pendant tout un hiver son traversin° fut mouillé. Après Pâques, elle cracha du sang.

Alors la mère Simon eut recours à un docteur. Félicité voulut savoir ce qu'elle avait. Mais, trop sourde pour entendre, un seul mot lui parvint : « Pneumonie. » Il lui était connu, et elle répliqua doucement : — « Ah! comme Madame », trouvant naturel de suivre sa maîtresse.

Le moment des reposoirs approchait.

Le premier était toujours au bas de la côte, le second devant la poste, le troisième vers le milieu de la rue. Il y eut des rivalités à propos de celui-là; et les paroissiennes choisirent finalement la cour de Mme Aubain.

Les oppressions et la fièvre augmentaient. Félicité se chagrinait de ne rien faire pour le reposoir. Au moins, si elle avait pu y mettre quelque chose! Alors elle songea au perroquet. Ce n'était pas convenable, objectèrent les voisines. Mais le curé accorda cette permission; elle en fut tellement heureuse qu'elle le pria d'accepter, quand elle serait morte, Loulou, sa seule richesse.

Du mardi au samedi, veille de la Fête-Dieu, elle toussa plus fréquemment. Le soir son visage était grippé, ses lèvres se collaient à ses gencives,° des vomissements parurent; et le lendemain, au petit jour, se sentant très bas, elle fit appeler un prêtre.

Trois bonnes femmes l'entouraient pendant l'extrême-onction.° Puis elle déclara qu'elle avait besoin de parler à Fabu.

Il arriva en toilette des dimanches, mal à son aise dans cette atmosphère lugubre.

— « Pardonnez-moi, » dit-elle avec un effort pour étendre le bras, « je croyais que c'était vous qui l'aviez tué! »

Que signifiaient des potins° pareils? L'avoir soupçonné d'un meurtre, un homme comme lui! et il s'indignait, allait faire du tapage.° — « Elle n'a plus sa tête, vous voyez bien! »

Félicité de temps à autre parlait à des ombres. Les bonnes femmes s'éloignèrent. La Simonne° déjeuna.

Un peu plus tard, elle prit Loulou, et, l'approchant de Félicité :

— « Allons! dites-lui adieu! »

Bien qu'il ne fût pas un cadavre, les vers le dévoraient; une de ses ailes était cassée, l'étoupe° lui sortait du ventre. Mais, aveugle à présent, elle le baisa au front, et le gardait contre sa joue. La Simonne le reprit, pour le mettre sur le reposoir.

V

Les herbages envoyaient l'odeur de l'été; des mouches bourdonnaient; le soleil faisait luire la rivière, chauffait les ardoises. La mère Simon, revenue dans la chambre, s'endormait doucement.

Des coups de cloche la réveillèrent; on sortait des vêpres. Le délire de Félicité tomba. En songeant à la procession, elle la voyait, comme si elle l'eût suivie.

Tous les enfants des écoles, les chantres et les pompiers° marchaient sur les trottoirs, tandis qu'au milieu de la rue, s'avançaient première-ment : le suisse° armé de sa hallebarde,° le bedeau° avec une grande croix, l'instituteur surveillant les gamins, la religieuse inquiète de ses petites filles; trois des plus mignonnes, frisées comme des anges, jetaient dans l'air des pétales de roses; le diacre,° les bras écartés,

4. *extrême-onction:* last rites. 11. *potins:* slanders, gossip. 13. *tapage:* here, a scene. 17. *La Simonne = La mère Simon.* 23. *étoupe:* stuffing. 39. *pompiers:* firemen. 41. *suisse:* sexton. 41. *hallebarde:* halbert, medieval pike (symbol of sexton's authority). 42. *bedeau:* beadle, parish officer. 46. *diacre:* deacon.

4. *rente:* annual income. 21. *lattes:* laths. 22. *traversin:* bolster. 47. *gencives:* gums.

modérait la musique; et deux encenseurs° se
retournaient à chaque pas vers le Saint-Sacre-
ment, que portait, sous un dais° de velours
ponceau° tenu par quatre fabriciens,° M. le
curé, dans sa belle chasuble. Un flot de monde se
poussait derrière, entre les nappes blanches
couvrant le mur des maisons; et l'on arriva au
bas de la côte.

Une sueur froide mouillait les tempes de
Félicité. La Simonne l'épongeait avec un linge,
en se disant qu'un jour il lui faudrait passer par
là.

Le murmure de la foule grossit, fut un moment
très fort, s'éloigna.

Une fusillade° ébranla les carreaux. C'était les
postillons saluant l'ostensoir.° Félicité roula ses
prunelles, et elle dit, le moins bas qu'elle put :
— « Est-il bien? » tourmentée du perroquet.

Son agonie commença. Un râle,° de plus en
plus précipité, lui soulevait les côtes.° Des
bouillons° d'écume venaient aux coins de sa
bouche, et tout son corps tremblait.

Bientôt, on distingua le ronflement des
ophicléides,° les voix claires des enfants, la voix
profonde des hommes. Tout se taisait par
intervalles, et le battement des pas, que des
fleurs amortissaient,° faisait le bruit d'un
troupeau sur du gazon.

Le clergé parut dans la cour. La Simonne
grimpa sur une chaise pour atteindre à l'œil-de-
bœuf, et de cette manière dominait le reposoir.

Des guirlandes vertes pendaient sur l'autel,
orné d'un falbala en point d'Angleterre.° Il y
avait au milieu un petit cadre enfermant des
reliques, deux orangers dans les angles, et, tout le
long, des flambeaux d'argent et des vases en
porcelaine, d'où s'élançaient des tournesols,° des
lis,° des pivoines,° des digitales,° des touffes
d'hortensias.° Ce monceau de couleurs éclatantes descendait obliquement, du premier étage
jusqu'au tapis, se prolongeant sur les pavés; et
des choses rares tiraient les yeux. Un sucrier de
vermeil° avait une couronne de violettes, des
pendeloques en pierres d'Alençon° brillaient sur
de la mousse, deux écrans° chinois montraient
leurs paysages. Loulou, caché sous des roses, ne
laissait voir que son front bleu, pareil à une
plaque de lapis.°

Les fabriciens, les chantres, les enfants se
rangèrent sur les trois côtés de la cour. Le
prêtre gravit lentement les marches, et posa sur
la dentelle son grand soleil d'or° qui rayonnait.
Tous s'agenouillèrent. Il se fit un grand silence.
Et les encensoirs, allant à pleine volée, glissaient
sur leurs chaînettes.

Une vapeur d'azur monta dans la chambre de
Félicité. Elle avança les narines, en la humant
avec une sensualité mystique; puis ferma les
paupières. Ses lèvres souriaient. Les mouvements
de son cœur se ralentirent un à un, plus vagues
chaque fois, plus doux, comme une fontaine
s'épuise, comme un écho disparaît; et, quand
elle exhala son dernier souffle, elle crut voir, dans
les cieux entr'ouverts, un perroquet gigantesque,
planant au-dessus de sa tête.

1. *encenseurs:* boys swinging censers (incense burners).
3. *dais:* canopy. 4. *ponceau:* crimson. 4. *fabriciens:* vestrymen.
15. *fusillade:* presumably a ceremonial whip-cracking.
16. *ostensoir:* monstrance, shrine containing the Host. 19.
râle: rattle, forced breathing. 20. *côtes:* ribs. 21. *bouillons:*
bubbles. 24. *ophicléides:* bass horns. 27. *amortissaient:*
deadened. (Flowers carpeted the path of the Host.)

1. *falbala en point d'Angleterre:* flounce of English needlepoint lace. 5–7. *trournesols, lis, pivoines, digitales, hortensias:*
sunflowers, lilies, peonies, foxgloves, hydrangeas. 11. *vermeil:*
silver gilt. 12. *pendeloques en pierre d'Alençon:* pendants of
quartz crystals. 13. *écrans:* screens. 16. *lapis:* lapis lazuli, blue
precious stone. 20. *soleil d'or:* i.e., monstrance.

15. Naturalism

Naturalism is another of those annoying words that have too many meanings and too many interpretations.* A scientific Naturalist is a student of animal and plant life. The literary Naturalists adopted the word to indicate that they studied the human species scientifically. We shall define literary Naturalism as a continuation and exaggeration of Realism, with pretensions to scientific exactness. Its characteristics are (1) scientism; (2) special concern with the lower and lowest classes, who are simpler, more animal-like, more instinctive, less rational, than the upper classes; and (3) an emphasis, often an overemphasis, on the ugly, the brutal, the revolting—whether to the nostrils or the refined sensibility.

The first self-aware Naturalists were the brothers Goncourt, whose *Germinie Lacerteux* (1865) was by themselves termed *la clinique de l'amour*. But the chief representative of Naturalism is Zola.

ÉMILE ZOLA [1840–1902]

Émile Zola's father, an Italian engineer, died when the boy was seven. He grew up in genteel poverty in Aix-en-Provence, envying and hating the bourgeoisie whose life was arranged and easy. He had some hard years in Paris, trying to be a poet, succeeding in being a good journalist. He was fascinated by science, though he had no scientific training. He read Darwin's *Origin of Species* (1859) and Claude Bernard's *Introduction à la médecine expérimentale* (1865), which said that the scientific physician should set up experiments in human disease for purpose of study. He was especially interested in the new theories of heredity, which asserted that a man's character is determined by his inherited genes.

On the analogy of *la médecine expérimentale*, he proposed to write *le roman expérimental*. Each novel would be a case history, a provoked experiment, an example of scientific determinism. The adventures of his characters would show the modifications of the human organism induced by the influences of environment on heredity.

The analogy is clearly false. A writer's imaginations, however well documented, cannot have the validity of controlled experiments under laboratory conditions. But Zola's method did produce works of art of great interest and value.

His important books are grouped in a series called *Les Rougon-Macquart* (1871–1893). This is the history of a family—the legitimate branch, the Rougons, the illegitimate branch, the Macquarts—in the nineteenth century. The Rougons are tainted with hysteria and mental troubles, the Macquarts with alcoholism. We follow the sad story of the offspring, through four generations. Each novel is set in a different milieu, such as a Paris slum, a mining village, a department store, even the political world. Zola gives a collective life and spirit to a mass phenomenon. He builds up his backgrounds with abundant realistic detail and conveys the atmosphere of each social group. The characters, sometimes vigorous actors, more often victims, are boldly sketched. But the individual is likely to be submerged in the movement of the crowd, humanity *en masse*. The effective impulses of the crowd, like those of the individual, are usually mean, selfish, lustful, and cruel.

---

* Some historians of French literature call the period following Romanticism that of Naturalism. But more commonly, this whole literary manifestation is termed Realism, with Naturalism a subhead under it.

Are his ugly pictures of French life, of human life, true? Many outraged critics said no. They said: "Monsieur Zola, we do not recognize the world you describe. You are falsifying."

Zola replied: "You live in a dream. You don't know what is going on. I have documentary evidence for every act of savagery and degeneracy in my books."

Critics: "Maybe so. But you are presenting the exceptional as the typical. Your details may be exact, but your total picture is false."

Zola: "Not at all. Just live for a week in a Paris slum, or a mining village, or among exploited farm laborers. Or read the Kinsey reports on the sex behavior of the American male and female, which unfortunately will not appear for seventy years. Like most nice people, you refuse to believe unpleasant facts. And I put in all the ugliness, because ugliness is in life."

Critics: "But this is not art! Art is selection! Art should show the ideal in man's life and spirit! Don't you want to show the ideal?"

Zola: "No."

But in fact Zola did want to show the ideal in man. He had a kind of conversion, which coincided curiously with a change of diet. (Whole books have been written on the theme of Zola Fat and Zola Thin; thus his own theories of the physical determination of spiritual phenomena are vindicated.) He wrote a series of novels expressing his faith in human progress. Unfortunately, these novels are not very good. He showed his courageous love of justice by coming to the defense (in 1898) of Captain Dreyfus, convicted on perjured evidence of selling military secrets to Germany. For his protests, Zola was sentenced to a year's imprisonment. But eventually he won his cause.

He died grotesquely, gassed by a leaky stove. (He slept with his windows shut.)

His *style*, though often loose and hasty, is powerful. He excels in rendering the spirit of *things*, of natural phenomena, of institutions, of an evil wine shop, of a locomotive. He proved, as did his disciple Theodore Dreiser in America, that a style may have every technical fault and still be a good medium for imposing an impression.

His *influence* was very great. He created the proletarian novel (although Marxist critics have never liked his picture of the vicious workingman). He is "largely responsible for George Moore and Arnold Bennett in England, Frank Norris and Dreiser in America, Heinrich Mann in Germany, Jules Romains in France."* To these names we may add James T. Farrell, Erskine Caldwell, John Steinbeck, Upton Sinclair, and a great many others.

The famous novels, such as *L'Assommoir* (1877) and *Germinal* (1885), do not well lend themselves to excerpting. *L'Inondation* (1880) is a good example of his work. It deals with an actual flood of the Garonne river, which devastated the region of Toulouse in June, 1875. The flood itself is the chief character; it dwarfs the human beings who struggle against it. Man's will is impotent. Human life is precarious and unimportant. But humanity as a whole survives, for humanity is a force in nature, just as the river is a force.

* Angus Wilson: *Émile Zola*, London, Secker and Warburg, 1952, p. 25.

L'Inondation

I

Je m'appelle Louis Roubieu. J'ai soixante-dix ans, et je suis né au village de Saint-Jory°, à quelques lieues de Toulouse, en amont de la Garonne.° Pendant quatorze ans, je me suis battu avec la terre, pour manger du pain. Enfin, l'aisance est venue, et le mois dernier, 5 j'étais encore le plus riche fermier de la commune.

Notre maison semblait bénie. Le bonheur y

5. *Saint-Jory:* evidently a fictitious name. (There is a Saint-Jory below Toulouse which does not fit the story's requirements.)

1. *en amont de la Garonne:* up the Garonne (important river, rising in the Pyrenees, flowing north to Toulouse, northwest to Bordeaux and the Atlantic).

poussait; le soleil était notre frère, et je ne me souviens pas d'une récolte mauvaise. Nous étions près d'une douzaine à la ferme, dans ce bonheur. Il y avait moi, encore gaillard,° menant les enfants au travail; puis, mon cadet Pierre, un vieux garçon, un ancien sergent; puis, ma sœur Agathe, qui s'était retirée chez nous après la mort de son mari, une maîtresse femme, énorme et gaie, dont les rires s'entendaient à l'autre bout du village. Ensuite venait toute la nichée :° mon fils Jacques, sa femme Rose, et leurs trois filles, Aimée, Véronique et Marie; la première mariée à Cyprien Bouisson, un grand gaillard, dont elle avait deux petits, l'un de deux ans, l'autre de dix mois; la seconde, fiancée d'hier, et qui devait épouser Gaspard Rabuteau; la troisième, enfin, une vraie demoiselle, si blanche, si blonde, qu'elle avait l'air d'être née à la ville. Ça faisait dix, en comptant tout le monde.° J'étais grand-père et arrière-grand-père. Quand nous étions à table, j'avais ma sœur Agathe à ma droite, mon frère Pierre à ma gauche; les enfants fermaient le cercle, par rang d'âges, une file où les têtes se rapetissaient° jusqu'au bambin° de dix mois qui mangeait déjà sa soupe comme un homme. Allez, on entendait les cuillers dans les assiettes! La nichée mangeait dur. Et quelle belle gaieté, entre deux coups de dents! Je me sentais de l'orgueil et de la joie dans les veines, lorsque les petits tendaient les mains vers moi, en criant :

— Grand-père, donne-nous donc du pain!... Un gros morceau, hein! grand-père!

Les bonnes journées! Notre ferme en travail chantait par toutes ses fenêtres. Pierre, le soir, inventait des jeux, racontait des histoires de son régiment. Tante Agathe, le dimanche, faisait des galettes pour nos filles. Puis, c'étaient des cantiques que savait Marie, des cantiques qu'elle filait avec une voix d'enfant de chœur : elle ressemblait à une sainte, ses cheveux blonds tombant dans son cou, ses mains nouées sur son tablier. Je m'étais décidé à élever la maison d'un étage, lorsque Aimée avait épousé Cyprien; et je disais en riant qu'il faudrait l'élever d'un autre, après le mariage de Véronique et de Gaspard; si bien que la maison aurait fini par toucher le ciel, si l'on avait continué, à chaque ménage nouveau. Nous ne voulions pas nous quitter. Nous aurions plutôt bâti une ville, derrière la ferme, dans notre enclos. Quand les familles sont d'accord, il est si bon de vivre et de mourir où l'on a grandi!

Le mois de mai a été magnifique, cette année. Depuis longtemps, les récoltes ne s'étaient annoncées aussi belles. Ce jour-là, justement, j'avais fait une tournée avec mon fils Jacques. Nous étions partis vers trois heures. Nos prairies, au bord de la Garonne, s'étendaient, d'un vert encore tendre; l'herbe avait bien trois pieds de haut, et une oseraie,° plantée l'année dernière, donnait déjà des pousses° d'un mètre. De là, nous avions visité nos blés et nos vignes, des champs achetés un par un, à mesure que la fortune venait : les blés poussaient dru,° les vignes, en pleine fleur, promettaient une vendange superbe. Et Jacques riait de son bon rire, en me tapant sur l'épaule.

— Eh bien? père, nous ne manquerons plus de pain ni de vin. Vous avez donc rencontré le bon Dieu, pour qu'il fasse maintenant pleuvoir de l'argent sur vos terres?

Souvent, nous plaisantions entre nous de la misère passée. Jacques avait raison, je devais avoir gagné là-haut l'amitié de quelque saint ou du bon Dieu lui-même, car toutes les chances dans le pays étaient pour nous. Quand il grêlait, la grêle s'arrêtait juste au bord de nos champs. Si les vignes des voisins tombaient malades, il y avait autour des nôtres comme un mur de protection. Et cela finissait par me paraître juste. Ne faisant de mal à personne, je pensais que ce bonheur m'était dû.°

En rentrant, nous avions traversé les terres que nous possédions de l'autre côté du village. Des plantations de mûriers° y prenaient à merveille. Il y avait aussi des amandiers° en plein rapport.° Nous causions joyeusement, nous bâtissions des projets. Quand nous aurions l'argent nécessaire, nous achèterions certains terrains qui devaient relier nos pièces les unes aux autres et nous faire les propriétaires de tout un coin de la commune. Les récoltes de l'année, si elles tenaient leurs promesses, allaient nous permettre de réaliser ce rêve.

Comme nous approchions de la maison, Rose, de loin, nous adressa de grands gestes, en criant :

4. *gaillard:* hearty. 11. *nichée:* brood. 20. But not counting himself. 24. *se rapetissaient:* dwindled. 25. *bambin:* baby.

12. *oseraie:* plantation of willows for use in wickerwork; osiery. 13. *pousses:* shoots. 16. *dru:* vigorously. 34. Is this a recollection of the Book of Job? 37. *mûriers:* mulberry trees. 38. *amandiers:* almond trees. 39. *rapport:* yield, bearing.

— Arrivez donc!

C'était une de nos vaches qui venait d'avoir un veau. Cela mettait tout le monde en l'air. Tante Agathe roulait sa masse énorme. Les filles regardaient le petit. Et la naissance de cette bête semblait comme une bénédiction de plus. Nous avions dû récemment agrandir les étables, où se trouvaient près de cent têtes de bétail, des vaches, des moutons surtout, sans compter les chevaux.

— Allons, bonne journée! m'écriai-je. Nous boirons ce soir une bouteille de vin cuit.°

Cependant, Rose nous prit à l'écart et nous annonça que Gaspard, le fiancé de Véronique, était venu pour s'entendre sur le jour de la noce. Elle l'avait retenu à dîner. Gaspard, le fils aîné d'un fermier de Moranges, était un grand garçon de vingt ans, connu de tout le pays pour sa force prodigieuse; dans une fête, à Toulouse, il avait vaincu Martial, le Lion du Midi. Avec cela, bon enfant, un cœur d'or, trop timide même, et qui rougissait quand Véronique le regardait tranquillement en face.

Je priai Rose de l'appeler. Il restait au fond de la cour, à aider nos servantes, qui étendaient le linge de la lessive du trimestre.° Quand il fut entré dans la salle à manger, où nous nous tenions, Jacques se tourna vers moi, en disant:

— Parlez, mon père.

— Eh bien? dis-je, tu viens donc, mon garçon, pour que nous fixions le grand jour?

— Oui, c'est cela, père Roubieu, répondit-il, les joues très rouges.

— Il ne faut pas rougir, mon garçon, continuai-je. Ce sera, si tu veux, pour la Sainte-Félicité, le 10 juillet. Nous sommes le 23 juin, ça ne fait pas vingt jours à attendre... Ma pauvre défunte femme s'appelait Félicité, et ça vous portera bonheur... Hein! est-ce entendu?

— Oui, c'est cela, le jour de la Sainte-Félicité, père Roubieu.

Et il nous allongea dans la main, à Jacques et à moi, une tape° qui aurait assommé un bœuf. Puis, il embrassa Rose, en l'appelant sa mère. Ce grand garçon, aux poings terribles, aimait Véronique à en perdre le boire et le manger. Il nous avoua qu'il aurait fait une maladie, si nous la lui avions refusée.

12. *vin cuit:* "cooked wine," like vermouth, fortified with alcohol and mixed with aromatic herbs. 26. *lessive du trimestre:* three months' washing. 43. *tape:* here, a slapping handshake.

— Maintenant, repris-je, tu restes à dîner, n'est-ce pas?... Alors, à la soupe tout le monde! J'ai une faim du tonnerre de Dieu, moi!

Ce soir-là, nous fûmes onze à table. On avait mis Gaspard près de Véronique, et il restait à la regarder, oubliant son assiette, si ému de la sentir à lui, qu'il avait par moments de grosses larmes au bord des yeux. Cyprien et Aimée, mariés depuis trois ans seulement, souriaient. Jacques et Rose, qui avaient déjà vingt-cinq ans de ménage, demeuraient plus graves; et, pourtant, à la dérobée°, ils échangeaient des regards, humides de leur vieille tendresse. Quant à moi, je croyais revivre dans ces deux amoureux, dont le bonheur mettait, à notre table, un coin de paradis. Quelle bonne soupe nous mangeâmes, ce soir-là! Tante Agathe, ayant toujours le mot pour rire, risqua des plaisanteries. Alors, ce brave Pierre voulut raconter ses amours avec une demoiselle de Lyon. Heureusement, on était au dessert, et tout le monde parlait à la fois. J'avais monté de la cave deux bouteilles de vin cuit. On trinqua° à la bonne chance de Gaspard et de Véronique; cela se dit ainsi chez nous: la bonne chance, c'est de ne jamais se battre, d'avoir beaucoup d'enfants et d'amasser des sacs d'écus. Puis, on chanta. Gaspard savait des chansons d'amour en patois. Enfin, on demanda un cantique à Marie: elle s'était mise debout, elle avait une voix de flageolet, très fine, et qui vous chatouillait° les oreilles.

Pourtant, j'étais allé devant la fenêtre. Comme Gaspard venait m'y rejoindre, je lui dis:

— Il n'y a rien de nouveau, par chez vous?

— Non, répondit-il. On parle des grandes pluies de ces jours derniers, on prétend que ça pourrait bien amener des malheurs.

En effet, les jours précédents, il avait plu pendant soixante heures, sans discontinuer. La Garonne était très grosse depuis la veille; mais nous avions confiance en elle; et, tant qu'elle ne débordait pas, nous ne pouvions la croire mauvaise voisine. Elle nous rendait de si bons services! elle avait une nappe d'eau si large et si douce! Puis, les paysans ne quittent pas aisément leur trou, même quand le toit est près de crouler.

12. *à la dérobée:* on the sly. 23. *trinqua:* clinked glasses, toasted. 32. *chatouillait:* tickled, charmed.

— Bah! m'écriai-je en haussant les épaules, il n'y aura rien. Tous les ans, c'est la même chose : la rivière fait le gros dos,° comme si elle était furieuse, et elle s'apaise en une nuit, elle rentre chez elle, plus innocente qu'un agneau. Tu verras, mon garçon; ce sera encore pour rire, cette fois… Tiens, regarde donc le beau temps!

Et, de la main, je lui montrais le ciel. Il était sept heures, le soleil se couchait. Ah! que de bleu! Le ciel n'était que du bleu, une nappe bleue immense, d'une pureté profonde, où le soleil couchant volait comme une poussière d'or. Il tombait de là-haut une joie lente, qui gagnait tout l'horizon. Jamais je n'avais vu le village s'assoupir dans une paix si douce. Sur les tuiles, une teinte rose se mourait. J'entendais le rire d'une voisine, puis des voix d'enfants au tournant de la route, devant chez nous. Plus loin, montaient, adoucis par la distance, des bruits de troupeaux rentrant à l'étable. La grosse voix de la Garonne ronflait, continue; mais elle me semblait la voix même du silence, tant j'étais habitué à son grondement. Peu à peu, le ciel blanchissait, le village s'endormait davantage. C'était le soir d'un beau jour, et je pensais que tout notre bonheur, les grandes récoltes, la maison heureuse, les fiançailles de Véronique, pleuvant de là-haut, nous arrivaient dans la pureté même de la lumière. Une bénédiction s'élargissait sur nous, avec l'adieu du soir.

Cependant, j'étais revenu au milieu de la pièce. Nos filles bavardaient. Nous les écoutions en souriant, lorsque, tout à coup, dans la grande sérénité de la campagne, un cri terrible retentit, un cri de détresse et de mort :

— La Garonne! la Garonne!

II

Nous nous précipitâmes dans la cour.

Saint-Jory se trouve au fond d'un pli de terrain, en contre-bas° de la Garonne, à cinq cents mètres environ. Des rideaux de hauts peupliers, qui coupent les prairies, cachent la rivière complètement.

Nous n'apercevions rien. Et toujours le cri retentissait :

— La Garonne! la Garonne!

Brusquement, du large chemin, devant nous,

débouchèrent deux hommes et trois femmes; une d'elles tenait un enfant entre les bras. C'étaient eux qui criaient, affolés, galopant à toutes jambes sur la terre dure. Ils se tournaient parfois, ils regardaient derrière eux, le visage terrifié, comme si une bande de loups les eût poursuivis.

— Eh bien? qu'ont-ils donc? demanda Cyprien. Est-ce que vous distinguez quelque chose, grand-père?

— Non, non, dis-je. Les feuillages ne bougent même pas.

En effet, la ligne basse de l'horizon, paisible, dormait. Mais je parlais encore, lorsqu'une exclamation nous échappa. Derrière les fuyards, entre les troncs des peupliers, au milieu des grandes touffes d'herbe, nous venions de voir apparaître comme une meute de bêtes grises, tachées de jaune, qui se ruaient. De toutes parts, elles pointaient à la fois, des vagues poussant des vagues, une débandade° de masses d'eau moutonnant° sans fin, secouant des baves° blanches, ébranlant le sol du galop sourd de leur foule.

A notre tour, nous jetâmes le cri désespéré :

— La Garonne! la Garonne!

Sur le chemin, les deux hommes et les trois femmes couraient toujours. Ils entendaient le terrible galop gagner le leur. Maintenant, les vagues arrivaient en une seule ligne, roulantes, s'écroulant avec le tonnerre d'un bataillon qui charge. Sous leur premier choc, elles avaient cassé trois peupliers, dont les hauts feuillages s'abattirent et disparurent. Une cabane de planches fut engloutie; un mur creva; des charrettes dételées° s'en allèrent, pareilles à des brins de paille. Mais les eaux semblaient surtout poursuivre les fuyards. Au coude de la route, très en pente à cet endroit, elles tombèrent brusquement en une nappe immense et leur coupèrent toute retraite. Ils couraient encore cependant, éclaboussant° la mare à grandes enjambées, ne criant plus, fous de terreur. Les eaux les prenaient aux genoux. Une vague énorme se jeta sur la femme qui portait l'enfant. Tout s'engouffra.

— Vite! vite! criai-je. Il faut rentrer… La maison est solide. Nous ne craignons rien.

---

3. *fait le gros dos:* arches its back (like an angry cat). 42. *en contre-bas:* below the level.

21. *débandade:* rout, stampede. 22. *moutonnant:* breaking in foam. 22. *baves:* froth. 36. *dételées:* unyoked (*i.e.*, without their draft animals). 42. *éclaboussant:* splashing through.

Par prudence, nous nous réfugiâmes tout de suite au second étage. On fit passer les filles les premières. Je m'entêtais à ne monter que le dernier. La maison était bâtie sur un tertre, au-dessus de la route. L'eau envahissait la cour, doucement, avec un petit bruit. Nous n'étions pas très effrayés.

— Bah! disait Jacques pour rassurer son monde, ce ne sera rien… Vous vous rappelez, mon père, en 55, l'eau est comme ça venue dans la cour. Il y en a eu un pied; puis, elle s'en est allée.

— C'est fâcheux pour les récoltes tout de même, murmura Cyprien, à demi-voix.

— Non, non, ce ne sera rien, repris-je à mon tour, en voyant les grands yeux suppliants de nos filles.

Aimée avait couché ses deux enfants dans son lit. Elle se tenait au chevet,° assise, en compagnie de Véronique et de Marie. Tante Agathe parlait de faire chauffer du vin qu'elle avait monté, pour nous donner du courage à tous. Jacques et Rose, à la même fenêtre, regardaient. J'étais devant l'autre fenêtre, avec mon frère, Cyprien et Gaspard.

— Montez donc! criai-je à nos deux servantes qui pataugeaient° au milieu de la cour. Ne restez pas à vous mouiller les jambes.

— Mais les bêtes? dirent-elles. Elles ont peur, elles se tuent dans l'étable.

— Non, non, montez… Tout à l'heure. Nous verrons.

Le sauvetage du bétail était impossible, si le désastre devait grandir. Je croyais inutile d'épouvanter nos gens. Alors, je m'efforçai de montrer une grande liberté d'esprit. Accoudé à la fenêtre, je causais, j'indiquais les progrès de l'inondation. La rivière, après s'être ruée à l'assaut du village, le possédait jusque dans ses plus étroites ruelles. Ce n'était plus une charge de vagues galopantes, mais un étouffement lent et invincible. Le creux, au fond duquel Saint-Jory est bâti, se changeait en lac. Dans notre cour, l'eau atteignit bientôt un mètre. Je la voyais monter; mais j'affirmais qu'elle restait stationnaire, j'allais même jusqu'à prétendre qu'elle baissait.

— Te voilà forcé de coucher ici, mon garçon, dis-je en me tournant vers Gaspard. A moins que les chemins ne soient libres dans quelques heures… C'est bien possible.

Il me regarda, sans répondre, la figure toute pâle; et je vis ensuite son regard se fixer sur Véronique avec une angoisse inexprimable.

Il était huit heures et demie. Au dehors, il faisait jour encore, un jour blanc, d'une tristesse profonde sous le ciel pâle. Les servantes, avant de monter, avaient eu la bonne idée d'aller prendre deux lampes. Je les fis allumer, pensant que leur lumière égaierait un peu la chambre déjà sombre, où nous nous étions réfugiés. Tante Agathe, qui avait roulé une table au milieu de la pièce, voulait organiser une partie de cartes. La digne femme, dont les yeux cherchaient par moments les miens, songeait surtout à distraire les enfants. Sa belle humeur gardait une vaillance superbe; et elle riait pour combattre l'épouvante qu'elle sentait grandir autour d'elle. La partie eut lieu. Tante Agathe plaça de force à la table Aimée, Véronique et Marie. Elle leur mit les cartes dans les mains, joua elle-même d'un air de passion, battant,° coupant, distribuant le jeu,° avec une telle abondance de paroles, qu'elle étouffait presque le bruit des eaux. Mais nos filles ne pouvaient s'étourdir; elles demeuraient toutes blanches, les mains fiévreuses, l'oreille tendue. A chaque instant, la partie s'arrêtait. Une d'elles se tournait, me demandait à demi-voix:

— Grand-père, ça monte toujours?

L'eau montait avec une rapidité effrayante. Je plaisantais, je répondais:

—Non, non, jouez tranquillement. Il n'y a pas de danger.

Jamais je n'avais eu le cœur serré par une telle angoisse. Tous les hommes s'étaient placés devant les fenêtres, pour le terrifiant spectacle. Nous tâchions de sourire, tournés vers l'intérieur de la chambre, en face des lampes paisibles, dont le rond de clarté tombait sur la table, avec une douceur de veillée.° Je me rappelais nos soirées d'hiver, lorsque nous nous réunissions autour de cette table. C'était le même intérieur endormi, plein d'une bonne chaleur d'affection. Et, tandis que la paix était là, j'écoutais derrière mon dos le rugissement de la rivière lâchée, qui montait toujours.

---

19. *chevet:* head of a bed. 27. *pataugeaient:* were paddling about.

23. *battant:* shuffling. 24. *distribuant le jeu:* dealing. 42. *veillée:* social evening.

— Louis, me dit mon frère Pierre, l'eau est à trois pieds de la fenêtre. Il faudrait aviser.°

Je le fis taire, en lui serrant le bras. Mais il n'était plus possible de cacher le péril. Dans nos étables, les bêtes se tuaient. Il y eut tout d'un coup des bêlements, des beuglements de troupeaux affolés; et les chevaux poussaient ces cris rauques, qu'on entend de si loin, lorsqu'ils sont en danger de mort.

— Mon Dieu! mon Dieu! dit Aimée, qui se mit debout, les poings aux tempes, secouée d'un grand frisson.

Toutes s'étaient levées, et on ne put les empêcher de courir aux fenêtres. Elles y restèrent, droites, muettes, avec leurs cheveux soulevés par le vent de la peur. Le crépuscule était venu. Une clarté louche° flottait au-dessus de la nappe limoneuse.° Le ciel pâle avait l'air d'un drap blanc jeté sur la terre. Au loin, des fumées traînaient. Tout se brouillait, c'était une fin de jour épouvantée s'éteignant dans une nuit de mort. Et pas un bruit humain, rien que le ronflement de cette mer élargie à l'infini, rien que les beuglements et les hennissements des bêtes!

— Mon Dieu! mon Dieu! répétaient à demi-voix les femmes, comme si elles avaient craint de parler tout haut.

Un craquement terrible leur coupa la parole. Les bêtes furieuses venaient d'enfoncer les portes des étables. Elles passèrent dans les flots jaunes, roulées, emportées par le courant. Les moutons étaient charriés° comme des feuilles mortes, en bandes, tournoyant au milieu des remous.° Les vaches et les chevaux luttaient, marchaient, puis perdaient pied. Notre grand cheval gris surtout ne voulait pas mourir; il se cabrait,° tendait le cou, soufflait avec un bruit de forge; mais les eaux acharnées le prirent à la croupe, et nous le vîmes, abattu, s'abandonner.

Alors, nous poussâmes nos premiers cris. Cela nous vint à la gorge, malgré nous. Nous avions besoin de crier. Les mains tendues vers toutes ces chères bêtes qui s'en allaient, nous nous lamentions, sans nous entendre les uns les autres, jetant au dehors les pleurs et les sanglots que nous avions contenus jusque-là. Ah! c'était bien la ruine! les récoltes perdues, le bétail noyé, la fortune changée en quelques heures! Die[u] n'était pas juste; nous ne lui avions rien fait, e[t] il nous reprenait tout. Je montrai le poing à l'horizon. Je parlai de notre promenade d[e] l'après-midi, de ces prairies, de ces blés, de ce[s] vignes, que nous avions trouvés si pleins d[e] promesses. Tout cela mentait donc? Le bonheu[r] mentait. Le soleil mentait, quand il se couchai[t] si doux et si calme, au milieu de la grand[e] sérénité du soir.

L'eau montait toujours. Pierre, qui la surveil-lait, me cria:

— Louis, méfions-nous, l'eau touche à l[a] fenêtre.

Cet avertissement nous tira de notre crise d[e] désespoir. Je revins à moi, je dis en haussant le[s] épaules:

— L'argent n'est rien. Tant que nous seron[s] tous là, il n'y aura pas de regret à avoir... O[n] en sera quitte pour se remettre au travail.

— Oui, oui, vous avez raison, mon père, repri[t] Jacques fiévreusement. Et nous ne couron[s] aucun danger, les murs sont bons... Nous allon[s] monter sur le toit.

Il ne nous restait que ce refuge. L'eau, qu[i] avait gravi l'escalier marche à marche, avec u[n] clapotement° obstiné, entrait déjà par la porte. On se précipita vers le grenier, ne se lâchan[t] pas d'une enjambée,° par ce besoin qu'on a[,] dans le péril, de se sentir les uns contre les autres. Cyprien avait disparu. Je l'appelai, et je le vis revenir des pièces voisines, la face boule-versée. Alors, comme je m'apercevais également de l'absence de nos deux servantes et que je voulais les attendre, il me regarda étrangement, il me dit tout bas:

— Mortes. Le coin du hangar,° sous leur chambre, vient de s'écrouler.

Les pauvres filles devaient être allées chercher leurs économies, dans leurs malles. Il me raconta, toujours à demi-voix, qu'elles s'étaient servies d'une échelle, jetée en manière de pont, pour gagner le bâtiment voisin. Je lui recom-mandai de ne rien dire. Un grand froid avait passé sur ma nuque. C'était la mort qui entrait dans la maison.

Quand nous montâmes à notre tour, nous ne songeâmes pas même à éteindre les lampes. Les

---

2. *aviser:* take counsel, make plans. 17. *louche:* squinting, ominous. 18. *limoneuse:* muddy. 33. *charriés:* carried along. 34. *remous:* eddies. 37. *se cabrait:* was rearing.

27. *clapotement:* lapping, slapping sound. 29. *enjambée:* step. 37. *hangar:* carriage shed.

:artes restèrent étalées sur la table. Il y avait
léjà un pied d'eau dans la chambre.

III

Le toit, heureusement, était vaste et de pente 5
louce. On y montait par une fenêtre à tabatière,° au-dessus de laquelle se trouvait une sorte
le plate-forme. Ce fut là que tout notre monde
se réfugia. Les femmes s'étaient assises. Les
hommes allaient tenter des reconnaissances sur 10
es tuiles, jusqu'aux grandes cheminées, qui se
dressaient aux deux bouts de la toiture. Moi,
appuyé à la lucarne par où nous étions sortis,
j'interrogeais les quatre points de l'horizon.

— Des secours ne peuvent manquer d'arriver, 15
disais-je bravement. Les gens de Saintin ont des
barques. Ils vont passer par ici... Tenez! là-bas,
n'est-ce pas une lanterne sur l'eau?

Mais personne ne me répondait. Pierre, sans
trop savoir ce qu'il faisait, avait allumé sa pipe, 20
et il fumait si rudement, qu'à chaque bouffée°
il crachait des bouts de tuyau.° Jacques et
Cyprien regardaient au loin, la face morne;
tandis que Gaspard, serrant les poings, continuait de tourner sur le toit, comme s'il eût 25
cherché une issue. A nos pieds, les femmes en
tas, muettes, grelottantes, se cachaient la face
pour ne plus voir. Pourtant, Rose leva la tête,
jeta un coup d'œil autour d'elle, en demandant:

— Et les servantes, où sont-elles? pourquoi ne 30
montent-elles pas?

J'évitai de répondre. Elle m'interrogea alors
directement, les yeux sur les miens.

— Où donc sont les servantes?

Je me détournai, ne pouvant mentir. Et je 35
sentis ce froid de la mort, qui m'avait déjà
effleuré, passer sur nos femmes et sur nos chères
filles. Elles avaient compris. Marie se leva toute
droite, eut un gros soupir, puis s'abattit, prise
d'une crise de larmes. Aimée tenait serrés dans 40
ses jupes ses deux enfants, qu'elle cachait comme
pour les défendre. Véronique, la face entre les
mains, ne bougeait plus. Tante Agathe elle-
même, toute pâle, faisait de grands signes de
croix, en balbutiant des *Pater* et des *Ave*. 45

Cependant, autour de nous, le spectacle
devenait d'une grandeur souveraine. La nuit,
tombée complètement, gardait une limpidité de
nuit d'été. C'était un ciel sans lune, mais un ciel

criblé d'étoiles, d'un bleu si pur qu'il emplissait
l'espace d'une lumière bleue. Il semblait que le
crépuscule se continuait, tant l'horizon restait
clair. Et la nappe immense s'élargissait encore
sous cette douceur du ciel, toute blanche,
comme lumineuse elle-même d'une clarté
propre, d'une phosphorescence qui allumait de
petites flammes à la crête de chaque flot. On ne
distinguait plus la terre, la plaine devait être
envahie. Par moments, j'oubliais le danger. Un
soir, du côté de Marseille, j'avais aperçu ainsi
la mer, j'étais resté devant elle béant d'admiration.

— L'eau monte, l'eau monte, répétait mon
frère Pierre, en cassant toujours entre ses dents
le tuyau de sa pipe, qu'il avait laissé s'éteindre.

L'eau n'était plus qu'à un mètre du toit. Elle
perdait sa tranquillité de nappe dormante. Des
courants s'établissaient. A une certaine hauteur,
nous cessions d'être protégés par le pli de terrain,
qui se trouve en avant du village. Alors, en
moins d'une heure, l'eau devint menaçante,
jaune, se ruant sur la maison, charriant des
épaves,° tonneaux défoncés, pièces de bois,
paquets d'herbes. Au loin, il y avait maintenant
des assauts contre des murs, dont nous entendions les chocs retentissants. Des peupliers
tombaient avec un craquement de mort, des
maisons s'écroulaient, pareilles à des charretées°
de cailloux vidées au bord d'un chemin.

Jacques, déchiré par les sanglots des femmes,
répétait:

— Nous ne pouvons demeurer ici. Il faut
tenter quelque chose... Mon père, je vous en
supplie, tentons quelque chose.

Je balbutiais, je disais après lui:

— Oui, oui, tentons quelque chose.

Et nous ne savions quoi. Gaspard offrait de
prendre Véronique sur son dos, de l'emporter à
la nage. Pierre parlait d'un radeau.° C'était fou.
Cyprien dit enfin:

— Si nous pouvions seulement atteindre
l'église.

Au-dessus des eaux, l'église restait debout,
avec son petit clocher carré. Nous en étions
séparés par sept maisons. Notre ferme, la
première du village, s'adossait à un bâtiment
plus haut, qui lui-même était appuyé au bâtiment voisin. Peut-être, par les toits, pourrait-on

---

7. *fenêtre à tabatière:* hinged skylight. 21. *bouffée:* puff.
22. *tuyau:* pipestem (apparently a clay pipe).

24. *épaves:* wreckage. 29. *charretées:* catloads. 40. *radeau:*
raft.

en effet gagner le presbytère,° d'où il était aisé
d'entrer dans l'église. Beaucoup de monde déjà
devait s'y être réfugié; car les toitures voisines
se trouvaient vides, et nous entendions des voix
qui venaient sûrement du clocher. Mais que de
danger pour arriver jusque-là!

— C'est impossible, dit Pierre. La maison
des Raimbeau est trop haute. Il faudrait des
échelles.

— Je vais toujours voir, reprit Cyprien. Je reviendrai, si la route est impraticable. Autrement,
nous nous en irions tous, nous porterions les
filles.

Je le laissai aller. Il avait raison. On devait
tenter l'impossible. Il venait, à l'aide d'un
crampon° de fer, fixé dans une cheminée, de
monter sur la maison voisine, lorsque sa femme
Aimée, en levant la tête, vit qu'il n'était plus là.
Elle cria :

— Où est-il? Je ne veux pas qu'il me quitte.
Nous sommes ensemble, nous mourrons ensemble.

Quand elle l'aperçut en haut de la maison,
elle courut sur les tuiles, sans lâcher ses enfants.
Et elle disait :

— Cyprien, attends-moi. Je vais avec toi, je
veux mourir avec toi.

Elle s'entêta. Lui, penché, la suppliait, en lui
affirmant qu'il reviendrait, que c'était pour
notre salut à tous. Mais, d'un air égaré, elle
hochait la tête, elle répétait :

— Je vais avec toi, je vais avec toi. Qu'est-ce
que ça te fait? je vais avec toi.

Il dut prendre les enfants. Puis, il l'aida à
monter. Nous pûmes les suivre° sur la crête de la
maison. Ils marchaient lentement. Elle avait
repris dans ses bras les enfants qui pleuraient,
et lui, à chaque pas, se retournait, la soutenait.

— Mets-la en sûreté, reviens tout de suite!
criai-je.

Je l'aperçus qui agitait la main, mais le
grondement des eaux m'empêcha d'entendre sa
réponse. Bientôt, nous ne les vîmes plus. Ils
étaient descendus sur l'autre maison, plus basse
que la première. Au bout de cinq minutes, ils
reparurent sur la troisième, dont le toit devait
être très en pente, car ils se traînaient à genoux
le long du faîte. Une épouvante soudaine me

saisit. Je me mis à crier, les mains aux lèvres, de
toutes mes forces :

— Revenez! revenez!

Et tous, Pierre, Jacques, Gaspard, leur
criaient aussi de revenir. Nos voix les arrêtèrent
une minute. Mais ils continuèrent ensuite
d'avancer. Maintenant, ils se trouvaient au
coude formé par la rue, en face de la maison
Raimbeau, une haute bâtisse° dont le toit
dépassait celui des maisons voisines de trois
mètres au moins. Un instant, ils hésitèrent.
Puis, Cyprien monta le long d'un tuyau de
cheminée,° avec une agilité de chat. Aimée, qui
avait dû consentir à l'attendre, restait debout au
milieu des tuiles. Nous la distinguions nettement,
serrant ses enfants contre sa poitrine, toute noire
sur le ciel clair, comme grandie. Et c'est alors
que l'épouvantable malheur commença.

La maison des Raimbeau, destinée d'abord à
une exploitation industrielle, était très légèrement bâtie. En outre, elle recevait en pleine
façade le courant de la rue. Je croyais la voir
trembler sous les attaques de l'eau; et, la gorge
serrée, je suivais Cyprien, qui traversait le toit.
Tout à coup, un grondement se fit entendre. La
lune se levait, une lune ronde, libre dans le ciel,
et dont la face jaune éclairait le lac immense
d'une lueur vive de lampe. Pas un détail de la
catastrophe ne fut perdu pour nous. C'était la
maison des Raimbeau qui venait de s'écrouler.
Nous avions jeté un cri de terreur, en voyant
Cyprien disparaître. Dans l'écroulement, nous
ne distinguions qu'une tempête, un rejaillisse-
ment° de vagues sous les débris de la toiture.
Puis, le calme se fit, la nappe reprit son niveau,
avec le trou noir de la maison engloutie,
hérissant° hors de l'eau la carcasse de ses
planchers fendus. Il y avait là un amas de
poutres enchevêtrées,° une charpente° de cathédrale à demi détruite. Et, entre ces poutres,
il me sembla voir un corps remuer, quelque
chose de vivant tenter des efforts surhumains.

— Il vit! criai-je. Ah! Dieu soit loué, il vit!...
Là, au-dessus de cette nappe blanche que la
lune éclaire!

Un rire nerveux nous secouait. Nous tapions
dans nos mains de joie, comme sauvés nous-
mêmes.

---

1. *presbytère:* rectory. 16. *crampon:* climbing iron, spike.
35. *suivre:* here, watch their progress.

9. *bâtisse:* building. 13. *tuyau de cheminée:* chimney. 34.
rejaillissement: upward gushing. 37. *hérissant:* thrusting. 39.
amas de poutres enchevêtrées: mass of jumbled beams. 39.
charpente: framework.

— Il va remonter, disait Pierre.

— Oui, oui, tenez! expliquait Gaspard, le voilà qui tâche de saisir la poutre, à gauche.

Mais nos rires cessèrent. Nous n'échangeâmes plus un mot, la gorge serrée par l'anxiété. Nous venions de comprendre la terrible situation où était Cyprien. Dans la chute de la maison, ses pieds se trouvaient pris entre deux poutres; et il demeurait pendu, sans pouvoir se dégager, la tête en bas, à quelques centimètres de l'eau. Ce fut une agonie effroyable. Sur le toit de la maison voisine, Aimée était toujours debout, avec ses deux enfants. Un tremblement convulsif la secouait. Elle assistait à la mort de son mari, elle ne quittait pas du regard le malheureux, sous elle, à quelques mètres d'elle. Et elle poussait un hurlement continu, un hurlement de chien, fou d'horreur.

— Nous ne pouvons le laisser mourir ainsi, dit Jacques éperdu. Il faut aller là-bas.

— On pourrait peut-être encore descendre le long des poutres, fit remarquer Pierre. On le dégagerait.

Et ils se dirigeaient vers les toits voisins, lorsque la deuxième maison s'écroula à son tour. La route se trouvait coupée. Alors, un froid nous glaça. Nous nous étions pris les mains, machinalement; nous nous les serrions à les broyer,° sans pouvoir détacher nos regards de l'affreux spectacle.

Cyprien avait d'abord tâché de se raidir. Avec une force extraordinaire, il s'était écarté de l'eau, il maintenait son corps dans une position oblique. Mais la fatigue le brisait. Il lutta pourtant, voulut se rattraper aux poutres, lança les mains autour de lui, pour voir s'il ne rencontrerait rien où s'accrocher. Puis, acceptant la mort, il retomba, il pendit de nouveau, inerte. La mort fut lente à venir. Ses cheveux trempaient à peine dans l'eau, qui montait avec patience. Il devait en sentir la fraîcheur au sommet du crâne. Une première vague lui mouilla le front. D'autres fermèrent les yeux. Lentement, nous vîmes la tête disparaître.

Les femmes, à nos pieds, avaient enfoncé leur visage entre leurs mains jointes. Nous-mêmes, nous tombâmes à genoux, les bras tendus, pleurant, balbutiant des supplications. Sur la toiture, Aimée toujours debout, avec ses enfants serrés contre elle, hurlait plus fort dans la nuit.

28. *à les broyer:* enough to crush them.

IV

J'ignore combien de temps nous restâmes dans la stupeur de cette crise. Quand je revins à moi, l'eau avait grandi encore. Maintenant, elle atteignait les tuiles; le toit n'était plus qu'une île étroite, émergeant de la nappe immense. A droite, à gauche, les maisons avaient dû s'écrouler. La mer s'étendait.

— Nous marchons, murmurait Rose qui se cramponnait aux tuiles.

Et nous avions tous, en effet, une sensation de roulis,° comme si la toiture emportée se fût changée en radeau. Le grand ruissellement° semblait nous charrier. Puis, quand nous regardions le clocher de l'église, immobile en face de nous, ce vertige cessait; nous nous retrouvions à la même place, dans la houle° des vagues.

L'eau, alors, commença l'assaut. Jusque-là, le courant avait suivi la rue; mais les décombres° qui la barraient à présent, le faisaient refluer. Ce fut une attaque en règle. Dès qu'une épave, une poutre, passait à la portée du courant, il la prenait, la balançait, puis la précipitait contre la maison comme un bélier.° Et il ne la lâchait plus, il la retirait en arrière, pour la lancer de nouveau, en battait les murs à coups redoublés, régulièrement. Bientôt, dix, douze poutres nous attaquèrent ainsi à la fois, de tous les côtés. L'eau rugissait. Des crachements d'écume mouillaient nos pieds. Nous entendions le gémissement sourd de la maison pleine d'eau, sonore, avec ses cloisons° qui craquaient déjà. Par moments, à certaines attaques plus rudes, lorsque les poutres tapaient d'aplomb,° nous pensions que c'était fini, que les murailles s'ouvraient et nous livraient à la rivière, par leurs brèches béantes.

Gaspard s'était risqué au bord même du toit. Il parvint à saisir une poutre, la tira de ses gros bras de lutteur.°

— Il faut nous défendre, criait-il.

Jacques, de son côté, s'efforçait d'arrêter au passage une longue perche.° Pierre l'aida. Je maudissais l'âge, qui me laissait sans force, aussi faible qu'un enfant. Mais la défense s'organisait, un duel, trois hommes contre un fleuve. Gaspard, tenant sa poutre en arrêt, attendait les pièces de bois dont le courant

12. *roulis:* rolling, rocking. 13. *ruissellement:* streaming. 17. *houle:* surge. 19. *décombres:* ruins. 24. *bélier:* battering ram. 32. *cloisons:* partitions. 34. *tapaient d'aplomb:* were hitting straight on. 40. *lutteur:* wrestler. 43. *perche:* pole.

faisait des béliers; et, rudement, il les arrêtait, à une courte distance des murs. Parfois, le choc était si violent qu'il tombait. A côté de lui, Jacques et Pierre manœuvraient la longue perche, de façon à écarter également les épaves. Pendant près d'une heure, cette lutte inutile dura. Peu à peu, ils perdaient la tête, jurant, tapant, insultant l'eau. Gaspard la sabrait,° comme s'il se fût pris corps à corps avec elle, la trouait de coups de pointe ainsi qu'une poitrine. Et l'eau gardait sa tranquille obstination, sans une blessure, invincible. Alors, Jacques et Pierre s'abandonnèrent sur le toit, exténués;° tandis que Gaspard, dans un dernier élan, se laissait arracher par le courant sa poutre, qui, à son tour, nous battit en brèche. Le combat était impossible.

Marie et Véronique s'étaient jetées dans les bras l'une de l'autre. Elles répétaient, d'une voix déchirée, toujours la même phrase, une phrase d'épouvante que j'entends encore sans cesse à mes oreilles :

— Je ne veux pas mourir!… Je ne veux pas mourir!

Rose les entourait de ses bras. Elle cherchait à les consoler, à les rassurer; et elle-même, toute grelottante, levait sa face et criait malgré elle :

— Je ne veux pas mourir!

Seule, tante Agathe ne disait rien. Elle ne priait plus, ne faisait plus le signe de la croix. Hébétée,° elle promenait ses regards, et tâchait encore de sourire, quand elle rencontrait mes yeux.

L'eau battait les tuiles, maintenant. Aucun secours n'était à espérer. Nous entendions toujours des voix, du côté de l'église; deux lanternes, un moment, avaient passé au loin; et le silence de nouveau s'élargissait, la nappe jaune étalait son immensité nue. Les gens de Saintin, qui possédaient des barques, devaient avoir été surpris avant nous.

Gaspard, cependant, continuait à rôder sur le toit. Tout d'un coup, il nous appela. Et il disait :

— Attention!… Aidez-moi. Tenez-moi ferme.

Il avait repris une perche, il guettait une épave, énorme, noire, dont la masse nageait doucement vers la maison. C'était une large toiture de hangar, faite de planches solides, que les eaux avaient arrachée tout entière, et qui flottait, pareille à un radeau. Quand cette toiture fut à sa portée, il l'arrêta avec sa perche; et, comme il se sentait emporté, il nous criait° de l'aider. Nous l'avions saisi par la taille,° nous le tenions ferme. Puis, dès que l'épave entra dans le courant, elle vint d'elle-même aborder contre notre toit, si rudement même, que nous eûmes peur un instant de la voir voler en éclats.

Gaspard avait hardiment sauté sur ce radeau que le hasard nous envoyait. Il le parcourait en tous sens,° pour s'assurer de sa solidité, pendant que Pierre et Jacques le maintenaient au bord du toit; et il riait, il disait joyeusement :

— Grand-père, nous voilà sauvés… Ne pleurez plus, les femmes!… Un vrai bateau. Tenez! mes pieds sont à sec. Et il nous portera bien tous. Nous allons être comme chez nous, là-dessus!

Pourtant, il crut devoir le consolider. Il saisit les poutres qui flottaient, les lia avec des cordes, que Pierre avait emportées à tout hasard, en quittant les chambres du bas. Il tomba même dans l'eau; mais, au cri qui nous échappa, il répondit par de nouveaux rires. L'eau le connaissait,° il faisait une lieue de Garonne à la nage. Remonté sur le toit, il se secoua, en s'écriant :

— Voyons, embarquez, ne perdons pas de temps.

Les femmes s'étaient mises à genoux. Gaspard dut porter Véronique et Marie au milieu du radeau, où il les fit asseoir. Rose et tante Agathe glissèrent d'elles-mêmes sur les tuiles et allèrent se placer auprès des jeunes filles. A ce moment, je regardai du côté de l'église. Aimée était toujours là. Elle s'adossait maintenant contre une cheminée, et elle tenait ses enfants en l'air, au bout des bras, ayant déjà de l'eau jusqu'à la ceinture.

— Ne vous affligez pas, grand-père, me dit Gaspard. Nous allons la prendre en passant, je vous le promets.

Pierre et Jacques étaient montés sur le radeau. J'y sautai à mon tour. Il penchait un peu d'un côté, mais il était réellement assez solide pour nous porter tous. Enfin, Gaspard quitta le toit le dernier, en nous disant de prendre des perches, qu'il avait préparées et qui devaient nous

9. *sabrait:* was slashing. 14. *exténués:* exhausted. 31. *Hébétée:* Dazed.

5. *taille:* waist. 12. *sens:* directions. 26. *l'eau le connaissait:* he was at home in the water.

servir de rames. Lui-même en tenait une très longue, dont il se servait avec une grande habileté. Nous nous laissions commander par lui. Sur un ordre qu'il nous donna, nous appuyâmes tous° nos perches contre les tuiles pour nous éloigner. Mais il semblait que le radeau fût collé au toit. Malgré tous nos efforts, nous ne pouvions l'en détacher. A chaque nouvel essai, le courant nous ramenait vers la maison, violemment. Et c'était là une manœuvre des plus dangereuses, car le choc menaçait chaque fois de briser les planches sur lesquelles nous nous trouvions.

Alors, de nouveau, nous eûmes le sentiment de notre impuissance. Nous nous étions crus sauvés, et nous appartenions toujours à la rivière. Même, je regrettais que les femmes ne fussent plus sur le toit; car, à chaque minute, je les voyais° précipitées, entraînées dans l'eau furieuse. Mais, quand je parlai de regagner notre refuge, tous crièrent :

— Non, non, essayons encore. Plutôt mourir ici !

Gaspard ne riait plus. Nous renouvelions nos efforts, pesant sur les perches avec un redoublement d'énergie. Pierre eut enfin l'idée de remonter la pente des tuiles et de nous tirer vers la gauche, à l'aide d'une corde; il put ainsi nous mener en dehors du courant; puis, quand il eut de nouveau sauté sur le radeau, quelques coups de perche nous permirent de gagner le large. Mais Gaspard se rappela la promesse qu'il m'avait faite d'aller recueillir notre pauvre Aimée, dont le hurlement plaintif ne cessait pas. Pour cela, il fallait traverser la rue, où régnait ce terrible courant, contre lequel nous venions de lutter. Il me consulta du regard. J'étais bouleversé, jamais un pareil combat ne s'était livré en moi. Nous allions exposer huit existences. Et pourtant, si j'hésitai un instant, je n'eus pas la force de résister à l'appel lugubre.

— Oui, oui, dis-je à Gaspard. C'est impossible, nous ne pouvons nous en aller sans elle.

Il baissa la tête, sans une parole, et se mit, avec sa perche, à se servir de tous les murs restés debout. Nous longions la maison voisine, nous passions par-dessus nos étables. Mais, dès que nous débouchâmes dans la rue, un cri nous échappa. Le courant, qui nous avait ressaisis,

nous emportait de nouveau, nous ramenait contre notre maison. Ce fut un vertige de quelques secondes. Nous étions roulés comme une feuille, si rapidement, que notre cri s'acheva dans le choc épouvantable du radeau sur les tuiles. Il y eut un déchirement, les planches déclouées° tourbillonnèrent, nous fûmes tous précipités. J'ignore ce qui se passa alors. Je me souviens qu'en tombant je vis tante Agathe à plat sur l'eau, soutenue par ses jupes; et elle s'enfonçait, la tête en arrière, sans se débattre.

Une vive douleur me fit ouvrir les yeux. C'était Pierre qui me tirait par les cheveux, le long des tuiles. Je restai couché, stupide, regardant. Pierre venait de replonger. Et, dans l'étourdissement où je me trouvais, je fus surpris d'apercevoir tout d'un coup Gaspard, à la place où mon frère avait disparu : le jeune homme portait Véronique dans ses bras. Quand il l'eut déposée près de moi, il se jeta de nouveau, il retira Marie, la face d'une blancheur de cire, si raide et si immobile, que je la crus morte. Puis, il se jeta encore. Mais, cette fois, il chercha inutilement. Pierre l'avait rejoint. Tous deux se parlaient, se donnaient des indications que je n'entendais pas. Comme ils remontaient sur le toit, épuisés :

— Et tante Agathe! criai-je, et Jacques! et Rose!

Ils secouèrent la tête. De grosses larmes roulaient dans leurs yeux. Aux quelques mots qu'ils me dirent, je compris que Jacques avait eu la tête fracassée par le heurt° d'une poutre. Rose s'était cramponnée au cadavre de son mari, qui l'avait emportée. Tante Agathe n'avait pas reparu. Nous pensâmes que son corps, poussé par le courant, était entré dans la maison, au-dessous de nous, par une fenêtre ouverte.

Et, me soulevant, je regardai vers la toiture où Aimée se cramponnait quelques minutes auparavant. Mais l'eau montait toujours. Aimée ne hurlait plus. J'aperçus seulement ses deux bras raidis, qu'elle levait pour tenir ses enfants hors de l'eau. Puis, tout s'abîma, la nappe se referma, sous la lueur dormante de la lune.

V

Nous n'étions plus que cinq sur le toit. L'eau nous laissait à peine une étroite bande libre, le

---

5. *tous:* does not modify *perches.* 19. *voyais:* i.e., in imagination.

7. *déclouées:* forced apart (*lit.,* unnailed). 33. *heurt:* blow.

long du faîtage.° Une des cheminées venait d'être emportée. Il nous fallut soulever Véronique et Marie évanouies, les tenir presque debout, pour que le flot ne leur mouillât pas les jambes. Elles reprirent enfin connaissance, et notre angoisse s'accrut, à les voir trempées, frissonnantes, crier de nouveau qu'elles ne voulaient pas mourir. Nous les rassurions comme on rassure les enfants, en leur disant qu'elles ne mourraient pas, que nous empécherions bien la mort de les prendre. Mais elles ne nous croyaient plus, elles savaient bien qu'elles allaient mourir. Et, chaque fois que ce mot « mourir » tombait comme un glas,° leurs dents claquaient, une angoisse les jetait au cou l'une de l'autre.

C'était la fin. Le village détruit ne montrait plus, autour de nous, que quelques pans de murailles. Seule, l'église dressait son clocher intact, d'où venaient toujours des voix, un murmure de gens à l'abri. Au loin, ronflait la coulée° énorme des eaux. Nous n'entendions même plus ces éboulements° de maisons, pareils à des charrettes de cailloux brusquement déchargées. C'était un abandon, un naufrage en plein océan, à mille lieues des terres.

Un instant, nous crûmes surprendre à gauche un bruit de rames. On aurait dit un battement, doux, cadencé, de plus en plus net. Ah! quelle musique d'espoir, et comme nous nous dressâmes tous pour interroger l'espace! Nous retenions notre haleine. Et nous n'apercevions rien. La nappe jaune s'étendait, tachée d'ombres noires; mais aucune de ces ombres, cimes d'arbres, restes de murs écroulés, ne bougeait. Des épaves, des herbes, des tonneaux vides, nous causèrent des fausses joies; nous agitions nos mouchoirs, jusqu'à ce que, notre erreur reconnue, nous retombions dans l'anxiété qui frappait toujours nos oreilles de ce bruit, sans que nous pussions découvrir d'où il venait.

— Ah! je la vois, cria Gaspard, brusquement. Tenez! là-bas, une grande barque!

Et il nous désignait, le bras tendu, un point éloigné. Moi, je ne voyais rien; Pierre, non plus. Mais Gaspard s'entêtait. C'était bien une barque. Les coups de rames nous arrivaient plus distincts. Alors, nous finîmes aussi par l'apercevoir. Elle filait lentement, ayant l'air de tourner

autour de nous, sans approcher. Je me souviens qu'à ce moment nous fûmes comme fous. Nous levions les bras avec fureur, nous poussions des cris, à nous briser la gorge. Et nous insultions la barque, nous la traitions de° lâche. Elle, toujours noire et muette, tournait plus lentement. Était-ce réellement une barque? je l'ignore encore. Quand nous crûmes la voir disparaître, elle emporta notre dernière espérance.

Désormais, à chaque seconde, nous nous attendions à être engloutis, dans la chute de la maison. Elle se trouvait minée, elle n'était sans doute portée que par quelque gros mur, qui allait l'entraîner tout entière, en s'écroulant. Mais ce dont je tremblais surtout, c'était de sentir la toiture fléchir sous notre poids. La maison aurait peut-être tenu toute la nuit; seulement, les tuiles s'affaissaient,° battues et trouées par les poutres. Nous nous étions réfugiés vers la gauche, sur des chevrons° solides encore. Puis, ces chevrons eux-mêmes parurent faiblir. Certainement, ils s'enfonceraient, si nous restions tous les cinq entassés sur un si petit espace.

Depuis quelques minutes, mon frère Pierre avait remis sa pipe à ses lèvres, d'un geste machinal. Il tordait sa moustache de vieux soldat, les sourcils froncés, grognant de sourdes paroles. Ce danger croissant qui l'entourait et contre lequel son courage ne pouvait rien, commençait à l'impatienter fortement. Il avait craché deux ou trois fois dans l'eau, d'un air de colère méprisante. Puis, comme nous enfoncions toujours, il se décida, il descendit à toiture.

— Pierre! Pierre! criai-je, ayant peur de comprendre.

Il se retourna et me dit tranquillement :

— Adieu, Louis… Vois-tu, c'est trop long pour moi. Ça vous fera de la place.

Et, après avoir jeté sa pipe la première, il se précipita lui-même, en ajoutant :

— Bonsoir, j'en ai assez!

Il ne reparut pas. Il était nageur médiocre. D'ailleurs, il s'abandonna sans doute, le cœur crevé par notre ruine et par la mort de tous les nôtres, ne voulant pas leur survivre.

Deux heures du matin sonnèrent à l'église. La

---

1. *faîtage:* ridge structure, crest of roof. 14. *glas:* death knell. 22. *coulée:* flow. 23. *éboulements:* collapses, cavings in.

5. *nous la traitions de:* we called it. 19. *s'affaissaient:* were yielding. 21. *chevrons:* rafters.

nuit allait finir, cette horrible nuit déjà si pleine d'agonies et de larmes. Peu à peu, sous nos pieds, l'espace encore sec se rétrécissait;° c'était un murmure d'eau courante, de petits flots caressants qui jouaient et se poussaient. De nouveau, le courant avait changé; les épaves passaient à droite du village, flottant avec lenteur, comme si les eaux, près d'atteindre leur plus haut niveau, se fussent reposées, lasses et paresseuses.

Gaspard, brusquement, retira ses souliers et sa veste. Depuis un instant, je le voyais joindre les mains, s'écraser les doigts. Et, comme je l'interrogeais:

— Écoutez, grand-père, dit-il, je meurs, à attendre. Je ne puis rester... Laissez-moi faire, je la sauverai.

Il parlait de Véronique. Je voulus combattre son idée. Jamais il n'aurait la force de porter la jeune fille jusqu'à l'église. Mais lui, s'entêtait.

— Si! si! j'ai de bons bras, je me sens fort... Vous allez voir!

Et il ajoutait qu'il préférait tenter ce sauvetage tout de suite, qu'il devenait faible comme un enfant, à écouter ainsi la maison s'émietter° sous nos pieds.

— Je l'aime, je la sauverai, répétait-il.

Je demeurai silencieux, j'attirai Marie contre ma poitrine. Alors, il crut que je lui reprochais son égoïsme d'amoureux, il balbutia:

— Je reviendrai prendre Marie, je vous le jure. Je trouverai bien un bateau, j'organiserai un secours quelconque... Ayez confiance, grand-père.

Il ne conserva que son pantalon. Et, à demi-voix, rapidement, il adressait des recommandations à Véronique: elle ne se débattrait° pas, elle s'abandonnerait sans un mouvement, elle n'aurait pas peur surtout. La jeune fille, à chaque phrase, répondait oui, d'un air égaré. Enfin, après avoir fait un signe de croix, bien qu'il ne fût guère dévot d'habitude, il se laissa glisser sur le toit, en tenant Véronique par une corde qu'il lui avait nouée sous les bras. Elle poussa un grand cri, battit l'eau de ses membres, puis, suffoquée, s'évanouit.

— J'aime mieux ça, me cria Gaspard. Maintenant, je réponds d'elle.

On s'imagine avec quelle angoisse je les suivis des yeux. Sur l'eau blanche, je distinguais les moindres mouvements de Gaspard. Il soutenait la jeune fille, à l'aide de la corde, qu'il avait enroulée autour de son propre cou; et il la portait ainsi, à demi jetée sur son épaule droite. Ce poids écrasant l'enfonçait par moments; pourtant, il avançait, nageant avec une force surhumaine. Je ne doutais plus, il avait déjà parcouru un tiers de la distance, lorsqu'il heurta à quelque mur caché sous l'eau. Le choc fut terrible. Tout deux disparurent. Puis, je le vis reparaître seul; la corde devait s'être rompue. Il plongea à deux reprises. Enfin, il revint, il ramenait Véronique, qu'il reprit sur son dos. Mais il n'avait plus de corde pour la tenir, elle l'écrasait davantage. Cependant, il avançait toujours. Un tremblement me secouait, à mesure qu'ils approchaient de l'église. Tout à coup, je voulus crier, j'apercevais des poutres qui arrivaient de biais.° Ma bouche resta grande ouverte: un nouveau choc les avait séparés, les eaux se refermèrent.

A partir de ce moment, je demeurai stupide. Je n'avais plus qu'un instinct de bête veillant à sa conservation. Quand l'eau avançait, je reculais. Dans cette stupeur, j'entendis longtemps un rire, sans m'expliquer qui riait ainsi près de moi. Le jour se levait, une grande aurore blanche. Il faisait bon, très frais et très calme, comme au bord d'un étang dont la nappe s'éveille avant le lever du soleil. Mais le rire sonnait toujours; et, en me tournant, je trouvai Marie, debout dans ses vêtements mouillés. C'était elle qui riait.

Ah! la pauvre chère créature, comme elle était douce et jolie, à cette heure matinale! Je la vis se baisser, prendre dans le creux de sa main un peu d'eau, dont elle se lava la figure. Puis, elle tordit ses beaux cheveux blonds, elle les noua derrière sa tête. Sans doute, elle faisait sa toilette, elle semblait se croire dans sa petite chambre, le dimanche, lorsque la cloche sonnait gaiement. Et elle continuait à rire, de son rire enfantin, les yeux clairs, la face heureuse.

Moi, je me mis à rire comme elle, gagné par sa folie. La terreur l'avait rendue folle, et c'était une grâce du ciel, tant elle paraissait ravie de la pureté de cette aube printanière.

Je la laissais se hâter,° ne comprenant pas, hochant la tête tendrement. Elle se faisait

---

3. *se rétrécissait:* was growing smaller. 24. *s'émietter:* crumble. 36. *se débattrait:* would struggle.

19. *de biais:* obliquely. 48. *se hâter:* perhaps a printer's error for *se laver,* or she was "hurrying" to Mass.

toujours belle. Puis, quand elle se crut prête à partir, elle chanta un de ses cantiques de sa fine voix de cristal. Mais, bientôt, elle s'interrompit, elle cria, comme si elle avait répondu à une voix qui l'appelait et qu'elle entendait seule :

— J'y vais! j'y vais!

Elle reprit son cantique, elle descendit la pente du toit, elle entra dans l'eau, qui la recouvrit doucement, sans secousse. Je n'avais pas cessé de sourire. Je regardais d'un air heureux la place où elle venait de disparaître.

Ensuite, je ne me souviens plus. J'étais tout seul sur le toit. L'eau avait encore monté. Une cheminée restait debout, et je crois que je m'y cramponnais de toutes mes forces, comme un animal qui ne veut pas mourir. Ensuite, rien, rien, un trou noir, le néant.

VI

Pourquoi suis-je encore là? On m'a dit que les gens de Saintin étaient venus vers six heures, avec des barques, et qu'ils m'avaient trouvé couché sur une cheminée, évanoui. Les eaux ont eu la cruauté de ne pas m'emporter après tous les miens, pendant que je ne sentais plus mon malheur.

C'est moi, le vieux, qui me suis entêté à vivre. Tous les autres sont partis, les enfants au maillot,° les filles à marier, les jeunes ménages, les vieux ménages. Et moi, je vis ainsi qu'une herbe mauvaise, rude et séchée, enracinée aux cailloux! Si j'avais du courage, je ferais comme Pierre, je dirais : « J'en ai assez, bonsoir! » et je me jetterais dans la Garonne, pour m'en aller par le chemin que tous ont suivi. Je n'ai plus un enfant, ma maison est détruite, mes champs sont ravagés. Oh! le soir, quand nous étions tous à table, les vieux au milieu, les plus jeunes à la file, et que cette gaieté m'entourait et me tenait chaud! Oh! les grands jours de la moisson et de la vendange, quand nous étions tous au travail, et que nous rentrions gonflés de l'orgueil de notre richesse! Oh! les beaux enfants et les belles vignes, les belles filles et les beaux blés, la joie de ma vieillesse, la vivante récompense de ma vie entière! Puisque tout cela est mort, mon Dieu! pourquoi voulez-vous que je vive?

29. *maillot:* swaddling clothes.

Il n'y a pas de consolation. Je ne veux pas de secours. Je donnerai mes champs aux gens du village qui ont encore leurs enfants. Eux, trouveront le courage de débarrasser la terre des épaves et de la cultiver de nouveau. Quand on n'a plus d'enfants, un coin suffit pour mourir.

J'ai eu une seule envie, une dernière envie. J'aurais voulu retrouver les corps des miens afin de les faire enterrer dans notre cimetière, sous une dalle où je serais allé les rejoindre. On racontait qu'on avait repêché, à Toulouse, une quantité de cadavres emportés par le fleuve. Je me suis décidé à tenter le voyage.

Quel épouvantable désastre! Près de deux mille maisons écroulées; sept cents morts; tous les ponts emportés; un quartier rasé, noyé sous la boue; des drames atroces; vingt mille misérables demi-nus et crevant la faim;° la ville empestée par les cadavres, terrifiée par la crainte du typhus; le deuil partout, les rues pleines de convois funèbres, les aumônes impuissantes à panser les plaies.° Mais je marchais sans rien voir, au milieu de ces ruines. J'avais mes ruines, j'avais mes morts, qui m'écrasaient.

On me dit qu'en effet beaucoup de corps avaient pu être repêchés. Ils étaient déjà ensevelis, en longues files, dans un coin du cimetière. Seulement, on avait eu le soin de photographier les inconnus. Et c'est parmi ces portraits lamentables que j'ai trouvé ceux de Gaspard et de Véronique. Les deux fiancés étaient demeurés liés l'un à l'autre, par une étreinte passionnée, échangeant dans la mort leur baiser de noces. Ils se serraient encore si puissamment, les bras raidis, la bouche collée sur la bouche, qu'il aurait fallu leur casser les membres pour les séparer. Aussi les avait-on photographiés ensemble, et ils dormaient ensemble sous la terre.

Je n'ai plus qu'eux, cette image affreuse, ces deux beaux enfants gonflés par l'eau, défigurés, gardant encore sur leurs faces livides l'héroïsme de leur tendresse. Je les regarde, et je pleure.

19. *crevant la faim:* dying of hunger. 23. *panser les plaies:* staunch the wounds.

16. Daudet [1840–1897]

Alphonse Daudet is often classed as a Naturalist. The classification is convenient but inexact, for he accepted only a part of the new school's doctrines. Let us call him an *independent with naturalistic leanings*.

Daudet was born in the old city of Nîmes, in southern France. His father was a silk manufacturer, who passed from success to failure during Alphonse's youth. There were hard years of strain and shabby-genteel poverty, which ceased to be even genteel. To escape harsh reality, the boy created a dream world peopled by his fantasies. (The day-dreaming habit, however dangerous to the solid citizen, is excellent exercise for the writer.) At eighteen he migrated to Paris, found a job on a newspaper, and published a volume of poetry. He wrote plays, without much success. Ill health forced him to spend several winters in the sunny Midi, Corsica, and Algeria; from his experiences he drew material for some of his best work. He was deeply influenced by Dickens and by his friends Zola, Flaubert, the Goncourt brothers. In 1874 a novel, *Fromont jeune et Risler aîné*, made a great hit. Thenceforth he was one of France's most popular novelists, as he remains today for the large public. He died in 1897, after twelve years of suffering from a spinal disease, courageously borne.

His character—genial, whimsical, warm, and good—communicates itself in his work. He had the exuberant imagination often called typical of the French southerner. He was both poet and realistic observer; he blends playful high spirits with kindly sentiment. It was characteristic of him to say that when he stopped writing he wanted to set himself up as a *marchand de bonheur*.

Daudet was *naturalistic* in his *study of contemporary social problems* at all levels of society, and in his *insistence on exact documentation*. He always carried a notebook, to record over-heard conversations, descriptions of people and things, happy phrases. But he did not accept the deterministic philosophy of Naturalism, or its pessimism, or even its objectivity, for the personality of Daudet shines through all his work. Notice that his two most popular books, the *Lettres de mon moulin* (1866–1869) and *Tartarin de Tarascon* (1872) were written before he fell under the Naturalistic spell. And notice further that the selections you are about to read actually antedate the stories from Flaubert and Zola that you have just read.

When, in 1866, Daudet sought health and sunshine in the south, he stayed at a farm-house near Arles, the old capital of Provence. He spent many idle hours in an abandoned windmill, which may still be visited. For literary purposes he alleged that he had bought the mill, and that from it he wrote his Letters, charming, fanciful tales, which have delighted readers the world over.

The *style* of the *Lettres de mon moulin*, you will notice from *Les Vieux*, is conversational; the printed words seem to vaporize into speech. One hears the author telling his stories. Daudet was in fact a notable raconteur, and liked to try out his tales orally a dozen times before setting them down. (One may compare his method with that of Flaubert, shouting his *Madame Bovary* in the glades of Croisset. Flaubert was alone, listening to the harmonies and cadences, the vowels and consonants, of his written words; Daudet was in company, testing the effects of his spoken words by his hearers' responses.) Of its sort, his style is excellent. The critic Faguet describes it as "fait de syntaxes brisées, d'alliances de mots inattendues et charmantes, et même, quelquefois, de ces impropriétés suggestives qui violentent l'attention . . . Nul style à la fois si *rapide* et si peu *coulant*."*

* Quoted by Kohler, Guisan et Pidoux: *Histoire de la littérature française*. Lausanne, Payot, 1949, Vol. III, p. 602.

LES VIEUX

— Une lettre, père Azan?

— Oui, monsieur... ça vient de Paris.

Il était tout fier que ça vînt de Paris, ce brave père Azan... Pas moi. Quelque chose me disait que cette parisienne de la rue Jean-Jacques,° tombant sur ma table à l'improviste° et de si grand matin, allait me faire perdre toute ma journée. Je ne me trompais pas, voyez plutôt :

« Il faut que tu me rendes un service, mon ami. Tu vas fermer ton moulin pour un jour et t'en aller tout de suite à Eyguières... Eyguières est un gros bourg à trois ou quatre lieues de chez toi, — une promenade. En arrivant, tu demanderas le couvent des Orphelines. La première maison après le couvent est une maison basse à volets° gris avec un jardinet derrière. Tu entreras sans frapper, — la porte est toujours ouverte, — et, en entrant, tu crieras bien fort : « Bonjour, braves gens! Je suis l'ami de Maurice... » Alors tu verras deux petits vieux, oh! mais vieux, vieux, archivieux,° te tendre les bras du fond de leurs grands fauteuils, et tu les embrasseras de ma part, avec tout ton cœur, comme s'ils étaient à toi. Puis vous causerez; ils te parleront de moi, rien que de moi; ils te raconteront mille folies que tu écouteras sans rire... Tu ne riras pas, hein?... Ce sont mes grands-parents, deux êtres dont je suis toute la vie et qui ne m'ont pas vu depuis dix ans... Dix ans, c'est long! Mais que veux-tu, moi, Paris me tient; eux, c'est le grand âge... Ils sont si vieux, s'ils venaient me voir, ils se casseraient en route... Heureusement, tu es là-bas, mon cher meunier, et, en t'embrassant, les pauvres gens croiront m'embrasser un peu moi-même... Je leur ai si souvent parlé de nous et de cette bonne amitié dont... »

Le diable soit de l'amitié! Justement, ce matin-là, il faisait un temps admirable, mais qui ne valait rien pour courir les routes : trop de mistral° et trop de soleil, une journée de Provence. Quand cette maudite lettre arriva,

j'avais déjà choisi mon *cagnard* (abri) entre deux roches, et je rêvais de rester là tout le jour, comme un lézard, à boire de la lumière, en écoutant chanter les pins... Enfin, que voulez-vous faire? Je fermai le moulin en maugréant,° je mis la clef sous la chatière.° Mon bâton, ma pipe, et me voilà parti.

J'arrivai à Eyguières vers deux heures. Le village était désert, tout le monde aux champs. Dans les ormes° du cours,° blancs de poussière, les cigales chantaient comme en pleine Crau.° Il y avait bien sur la place de la mairie un âne qui prenait le soleil, un vol de pigeons sur la fontaine de l'église; mais personne pour m'indiquer l'orphelinat. Par bonheur, une vieille fée m'apparut tout à coup, accroupie et filant dans l'encoignure de sa porte; je lui dis ce que je cherchais; et comme cette fée était très puissante, elle n'eut qu'à lever sa quenouille :° aussitôt le couvent des Orphelines se dressa devant moi comme par magie... C'était une grande maison maussade° et noire, toute fière de montrer au-dessus de son portail en ogive° une vieille croix de grès° rouge avec un peu de latin autour. A côté de cette maison, j'en aperçus une autre plus petite. Des volets gris, le jardin derrière... Je la reconnus tout de suite et j'entrai sans frapper.

Je reverrai toute ma vie ce long corridor frais et calme, la muraille peinte en rose, le jardinet qui tremblait au fond à travers un store° de couleur claire, et sur tous les panneaux° des fleurs et des violons fanés. Il me semblait que j'arrivais chez quelque vieux bailli° du temps de Sedaine°... Au bout du couloir, sur la gauche, par une porte entr'ouverte on entendait le tic tac d'une grosse horloge et une voix d'enfant, mais d'enfant à l'école, qui lisait en s'arrêtant à chaque syllabe : A... LORS... SAINT... I... RÉ... NÉE°... S'É... CRI... A... JE... SUIS... LE... FRO... MENT°... DU... SEIGNEUR... IL... FAUT... QUE... JE... SOIS... MOU... LU°... PAR... LA... DENT... DE... CES... A... NI...

---

5. *en maugréant:* grumbling. 6. *chatière:* cathole in a door. 10. *ormes:* elms. 10. *cours:* tree-lined avenue or square. 11. *Crau:* stony, treeless plain of southern Provence. 19. *quenouille:* distaff (stick holding unspun flax). 22. *maussade:* sullen. 23. *en ogive:* with a pointed (Gothic) arch. 24. *grès:* sandstone. 33. *store:* window shade. 33. *panneaux:* panels (painted). 34. *bailli:* prerevolutionary country magistrate. 35. Sedaine (1719–97), dramatist who portrayed scenes of country life. 40. *Saint Irénée:* Irenaeus, Bishop of Lyon, martyred about A.D. 200. 41. *froment:* wheat, grain. 42. *moulu:* ground.

---

8. *parisienne... Jean-Jacques:* Paris letter from the central post office (on the rue Jean-Jacques Rousseau). 9. *à l'improviste:* unexpectedly. 20. *volets:* shutters. 25. *archivieux:* superold (*facetious*). 46. *mistral:* strong north wind, prevalent in southern France.

MAUX… Je m'approchai doucement de cette porte et je regardai.

Dans le calme et le demi-jour d'une petite chambre, un bon vieux à pommettes° roses, ridé jusqu'au bout des doigts, dormait au fond d'un fauteuil, la bouche ouverte, les mains sur ses genoux. A ses pieds, une fillette habillée de bleu — grande pèlerine° et petit béguin,° le costume des orphelines — lisait la Vie de saint Irénée dans un livre plus gros qu'elle…

Cette lecture miraculeuse avait opéré sur toute la maison. Le vieux dormait dans son fauteuil, les mouches au plafond, les canaris dans leur cage, là-bas, sur la fenêtre. La grosse horloge ronflait, tic tac, tic tac. Il n'y avait d'éveillé dans toute la chambre qu'une grande bande de lumière qui tombait droite et blanche entre les volets clos, pleine d'étincelles vivantes et de valses microscopiques… Au milieu de l'assoupissement° général, l'enfant continuait sa lecture d'un air grave : AUS… SI… TÔT… DEUX… LIONS… SE… PRÉ… CI… PI… TÈ… RENT… SUR… LUI… ET… LE… DÉ… VO… RÈ… RENT… C'est à ce moment que j'entrai… Les lions de saint Irénée se précipitant dans la chambre n'y auraient pas produit plus de stupeur que moi, un vrai coup de théâtre!° La petite pousse un cri, le gros livre tombe, les canaris, les mouches se réveillent, la pendule sonne, le vieux se dresse en sursaut, tout effaré, et moi-même, un peu troublé, je m'arrête sur le seuil en criant bien fort :

— Bonjour, braves gens, je suis l'ami de Maurice.

Oh! alors, si vous l'aviez vu, le pauvre vieux, si vous l'aviez vu venir vers moi les bras tendus, m'embrasser, me serrer les mains, courir égaré dans la chambre en faisant :

— Mon Dieu! mon Dieu!…

Toutes les rides de son visage riaient. Il était rouge. Il bégayait :°

— Ah! monsieur… ah! monsieur…

Puis il allait vers le fond en appelant :

— Mamette!

Une porte qui s'ouvre, un trot de souris dans le couloir… C'était Mamette. Rien de joli comme cette petite vieille avec son bonnet à coque,° sa robe carmélite,° et son mouchoir brodé qu'elle tenait à la main pour me faire honneur, à l'ancienne mode… Chose attendrissante! ils se ressemblaient. Avec un tour° et des coques° jaunes, il aurait pu s'appeler Mamette, lui aussi. Seulement la vraie Mamette avait dû beaucoup pleurer dans sa vie, et elle était encore plus ridée que l'autre. Comme l'autre aussi, elle avait près d'elle un enfant de l'orphelinat, petite garde en pèlerine bleue, qui ne la quittait jamais; et de voir ces vieillards protégés par ces orphelines, c'était ce qu'on peut imaginer de plus touchant.

En entrant, Mamette avait commencé par me faire une grande révérence, mais d'un mot le vieux lui coupa sa révérence en deux :

— C'est l'ami de Maurice…

Aussitôt la voilà qui tremble, qui pleure, perd son mouchoir, qui devient rouge, toute rouge, encore plus rouge que lui… Ces vieux! ça n'a qu'une goutte de sang dans les veines, et à la moindre émotion elle leur saute au visage…

— Vite, vite, une chaise… dit la vieille à la petite.

— Ouvre les volets… crie le vieux à la sienne.

Et, me prenant chacun par une main, ils m'emmènent en trottinant jusqu'à la fenêtre qu'on a ouverte toute grande pour mieux me voir. On approche les fauteuils, je m'installe entre les deux sur un pliant,° les petites bleues° derrière nous, et l'interrogatoire commence :

« Comment va-t-il? Qu'est-ce qu'il fait? Pourquoi ne vient-il pas? Est-ce qu'il est content?… »

Et patati! et patata!° Comme cela pendant des heures.

Moi, je répondais de mon mieux à toutes leurs questions, donnant sur mon ami les détails que je savais, inventant effrontément ceux que je ne savais pas, me gardant surtout d'avouer que je n'avais jamais remarqué si ses fenêtres fermaient bien ou de quelle couleur était le papier de sa chambre.

— Le papier de sa chambre!… Il est bleu, madame, bleu clair, avec des guirlandes…

— Vraiment? faisait la pauvre vieille attendrie; et elle ajoutait en se tournant vers son mari :

---

4. *pommettes:* cheekbones. 8. *pèlerine:* cape. 8. *béguin:* close-fitting cap. 20. *assoupissement:* drowsiness. 27. *coup de théâtre:* sensational dramatic moment. 41. *bégayait:* kept stammering.

1. *bonnet à coque:* frilled cap. 1. *carmélite:* light brown (color of the habit of Carmelite nuns). 4. *tour:* switch. 5. *coques:* puffs (of curled hair above the ears). 30. *pliant:* folding chair. 30. *les petites bleues:* the little girls in blue. 35. *Et patati! et patata!* Gabble, gabble, gabble!

— C'est un si brave enfant!

— Oh! oui, c'est un brave enfant! reprenait l'autre avec enthousiasme.

Et, tout le temps que je parlais, c'étaient entre eux des hochements de tête, de petits rires fins, des clignements° d'yeux, des airs entendus,° ou bien encore le vieux qui se rapprochait pour me dire :

— Parlez plus fort... Elle a l'oreille un peu dure.

Et elle de son côté :

— Un peu plus haut, je vous prie!... Il n'entend pas très bien...

Alors j'élevais la voix; et tous deux me remerciaient d'un sourire; et dans ces sourires fanés qui se penchaient vers moi, cherchant jusqu'au fond de mes yeux l'image de leur Maurice, moi j'étais tout ému de la retrouver, cette image, vague, voilée, presque insaisissable, comme si je voyais mon ami me sourire, très loin, dans un brouillard.

Tout à coup, le vieux se dresse sur son fauteuil :

— Mais j'y pense, Mamette..., il n'a peut-être pas déjeuné!

Et Mamette, effarée, les bras au ciel :

— Pas déjeuné!... Grand Dieu!

Je croyais qu'il s'agissait encore de Maurice, et j'allais répondre que ce brave enfant n'attendait jamais plus tard que midi pour se mettre à table. Mais non, c'était bien de moi qu'on parlait; et il faut voir quel branle-bas° quand j'avouai que j'étais encore à jeun.°

— Vite le couvert, petites bleues! La table au milieu de la chambre, la nappe du dimanche, les assiettes à fleurs. Et ne rions pas tant, s'il vous plaît, et dépêchons-nous...

Je crois bien, qu'elles se dépêchaient. A peine le temps de casser trois assiettes, le déjeuner se trouva servi.

— Un bon petit déjeuner! me disait Mamette en me conduisant à table, seulement vous serez tout seul... Nous autres, nous avons déjà mangé ce matin...

Ces pauvres vieux! à quelque heure qu'on les prenne, ils ont toujours mangé le matin.

Le bon petit déjeuner de Mamette, c'était deux doigts de lait, des dattes et une *barquette,*

quelque chose comme un échaudé;° de quoi la nourrir elle et ses canaris au moins pendant huit jours... Et dire qu'à moi seul je vins à bout de toutes ces provisions!... Aussi quelle indignation autour de la table! Comme les petites bleues chuchotaient en se poussant du coude, et là-bas, au fond de leur cage, comme les canaris avaient l'air de se dire : « Oh! ce monsieur qui mange toute la *barquette!* »

Je la mangeai toute, en effet, et presque sans m'en apercevoir, occupé que j'étais à regarder autour de moi dans cette chambre claire et paisible où flottait comme une odeur de choses anciennes... Il y avait surtout deux petits lits dont je ne pouvais pas détacher mes yeux. Ces lits, presque deux berceaux, je me les figurais le matin, au petit jour, quand ils sont encore enfouis sous leurs grands rideaux à franges.° Trois heures sonnent. C'est l'heure où tous les vieux se réveillent :

— Tu dors, Mamette?

— Non, mon ami.

— N'est-ce pas que Maurice est un brave enfant?

— Oh! oui, c'est un brave enfant.

Et j'imaginais comme cela toute une causerie, rien que pour avoir vu ces deux petits lits de vieux, dressés l'un à côté de l'autre...

Pendant ce temps, un drame terrible se passait à l'autre bout de la chambre, devant l'armoire. Il s'agissait d'atteindre là-haut, sur le dernier rayon, certain bocal° de cerises à l'eau-de-vie qui attendait Maurice depuis dix ans et dont on voulait me faire l'ouverture. Malgré les supplications de Mamette, le vieux avait tenu à aller chercher ses cerises lui-même; et, monté sur une chaise au grand effroi de sa femme, il essayait d'arriver là-haut... Vous voyez le tableau d'ici, le vieux qui tremble et qui se hisse,° les petites bleues cramponnées à sa chaise, Mamette derrière lui haletante,° les bras tendus, et sur tout cela un léger parfum de bergamote° qui s'exhale de l'armoire ouverte et des grandes piles de linge roux°... C'était charmant.

Enfin, après bien des efforts, on parvint à le tirer de l'armoire, ce fameux bocal, et avec lui une vieille timbale° d'argent toute bosselée,° la

---

6. *clignements:* winks. 6. *airs entendus:* knowing airs. 33. *branle-bas:* hurly-burly. 34. *à jeun:* fasting.

1. *échaudé:* dumpling. 18. *franges:* fringes. 32. *bocal:* glass jar. 40. *hisse:* hoists. 42. *haletante:* panting. 43. *bergamote:* bergamot, a kind of orange used for scent. 45. *roux:* unbleached. 48. *timbale:* mug. 48. *bosselée:* dented.

timbale de Maurice quand il était petit. On me la remplit de cerises jusqu'au bord, Maurice les aimait tant, les cerises! Et, tout en me servant, le vieux me disait à l'oreille d'un air de gourmandise :

— Vous êtes bien heureux, vous, de pouvoir en manger!... C'est ma femme qui les a faites... Vous allez goûter quelque chose de bon.

Hélas! sa femme les avait faites, mais elle avait oublié de les sucrer. Que voulez-vous? on devient distrait en vieillissant. Elles étaient atroces, vos cerises, ma pauvre Mamette... Mais cela ne m'empêcha pas de les manger jusqu'au bout, sans sourciller.

Le repas terminé, je me levai pour prendre congé de mes hôtes. Ils auraient bien voulu me garder encore un peu pour causer du brave enfant, mais le jour baissait, le moulin était loin, il fallait partir.

Le vieux s'était levé en même temps que moi.

— Mamette, mon habit!... Je veux le conduire jusqu'à la place.

Bien sûr qu'au fond d'elle-même Mamette trouvait qu'il faisait déjà un peu frais pour me conduire jusqu'à la place; mais elle n'en laissa rien paraître. Seulement, pendant qu'elle l'aidait à passer les manches de son habit, un bel habit tabac d'Espagne° à boutons de nacre,° j'entendais la chère créature qui lui disait doucement :

— Tu ne rentreras pas trop tard, n'est-ce pas? Et lui, d'un petit air malin :

— Hé! Hé!... je ne sais pas... peut-être.

Là-dessus, ils se regardaient en riant, et les petites bleues riaient de les voir rire, et dans leur coin les canaris riaient aussi à leur manière. Entre nous, je crois que l'odeur des cerises les avait tous un peu grisés.°

...La nuit tombait quand nous sortîmes, le grand-père et moi. La petite bleue nous suivait de loin pour le ramener; mais lui ne la voyait pas, et il était tout fier de marcher à mon bras, comme un homme. Mamette, rayonnante, voyait cela du pas de sa porte, et elle avait en nous regardant de jolis hochements de tête qui semblaient dire : « Tout de même, mon pauvre homme!... il marche encore. »

29. *tabac d'Espagne:* snuff-colored. 30. *nacre:* mother-of-pearl. 39. *grisés:* intoxicated.

LES DEUX AUBERGES

C'était en revenant de Nîmes, une après-midi de juillet. Il faisait une chaleur accablante. A perte de vue, la route blanche, embrasée,° poudroyait° entre les jardins d'oliviers et de petits chênes, sous un grand soleil d'argent mat° qui remplissait tout le ciel. Pas une tache d'ombre, pas un souffle de vent. Rien que la vibration de l'air chaud et le cri strident des cigales, musique folle, assourdissante, à temps pressés, qui semble la sonorité même de cette immense vibration lumineuse... Je marchais en plein désert depuis deux heures, quand tout à coup, devant moi, un groupe de maisons blanches se dégagea de la poussière de la route. C'était ce qu'on appelle le relais° de Saint-Vincent : cinq ou six *mas,*° de longues granges à toiture rouge, un abreuvoir° sans eau dans un bouquet de figuiers maigres, et, tout au bout du pays,° deux grandes auberges qui se regardent face à face de chaque côté du chemin.

Le voisinage de ces auberges avait quelque chose de saisissant. D'un côté, un grand bâtiment neuf, plein de vie, d'animation, toutes les portes ouvertes, la diligence arrêtée devant, les chevaux fumants qu'on dételait,° les voyageurs descendus buvant à la hâte sur la route dans l'ombre courte des murs; la cour encombrée de mulets, de charrettes; des rouliers° couchés sous les hangars en attendant *la fraîche.*° A l'intérieur, des cris, des jurons, des coups de poing sur les tables, le choc des verres, le fracas des billards, les bouchons° de limonade qui sautaient, et, dominant tout ce tumulte, une voix joyeuse, éclatante, qui chantait à faire trembler les vitres :

La belle Margoton
Tant matin s'est levée,
A pris son broc d'argent,
A l'eau s'en est allée...

...L'auberge d'en face, au contraire, était silencieuse et comme abandonnée. De l'herbe sous le portail, des volets cassés, sur la porte un rameau de petit houx tout rouillé° qui pendait

5. *embrasée:* red hot. 6. *poudroyait:* lay deep in dust. 7. *mat:* dull. 17. *relais:* relay, stage stop. 18. *mas:* farmhouse (*Provençal*). 19. *abreuvoir:* watering trough. 21. *pays:* village. 27. *on dételait:* were being unhitched. 30. *rouliers:* carters. 31. *la fraîche:* the cool of the day. 34. *bouchons:* corks. 46. *rameau... rouillé:* branch of rust-colored holly (sign of a tavern).

comme un vieux panache,° les marches du seuil calées° avec des pierres de la route… Tout cela si pauvre, si pitoyable, que c'était une charité vraiment de s'arrêter là boire un coup.

En entrant, je trouvai une longue salle déserte et morne, que le jour éblouissant de trois grandes fenêtres sans rideaux fait plus morne et plus déserte encore. Quelques tables boiteuses° où traînaient des verres ternis par la poussière, un billard crevé qui tendait ses quatre blouses° comme des sébiles,° un divan jaune, un vieux comptoir dormaient là dans une chaleur malsaine et lourde. Et des mouches! des mouches! jamais je n'en avais tant vu : sur le plafond, collées aux vitres, dans les verres, par grappes°… Quand j'ouvris la porte, ce fut un bourdonnement, un frémissement d'ailes comme si j'entrais dans une ruche.°

Au fond de la salle, dans l'embrasure d'une croisée,° il y avait une femme debout contre la vitre, très occupée à regarder dehors. Je l'appelai deux fois :

— Hé! l'hôtesse!

Elle se retourna lentement, et me laissa voir une pauvre figure de paysanne, ridée, crevassée, couleur de terre, encadrée dans de longues barbes° de dentelle rousse° comme en portent les vieilles de chez nous. Pourtant ce n'était pas une vieille femme; mais les larmes l'avaient toute fanée.

— Qu'est-ce que vous voulez? me demanda-t-elle en essuyant ses yeux.

— M'asseoir un moment et boire quelque chose.

Elle me regarda très étonnée, sans bouger de sa place, comme si elle ne comprenait pas.

— Ce n'est donc pas une auberge ici?

La femme soupira :

— Si… c'est une auberge, si vous voulez… Mais pourquoi n'allez-vous pas en face comme les autres ? C'est bien plus gai…

— C'est trop gai pour moi… J'aime mieux rester chez vous.

Et, sans attendre sa réponse, je m'installai devant une table.

Quand elle fut bien sûre que je parlais sérieusement, l'hôtesse se mit à aller et venir d'un air très affairé, ouvrant des tiroirs, remuant des bouteilles, essuyant des verres, dérangeant les mouches… On sentait que ce voyageur à servir était tout un événement. Par moments, la malheureuse s'arrêtait, et se prenait la tête comme si elle désespérait d'en venir à bout.

Puis elle passait dans la pièce du fond; je l'entendais remuer de grosses clefs, tourmenter des serrures, fouiller dans la huche au pain,° souffler, épousseter,° laver des assiettes. De temps en temps, un gros soupir, un sanglot mal étouffé…

Après un quart d'heure de ce manège,° j'eus devant moi une assiettée de *passerilles* (raisins secs), un vieux pain de Beaucaire° aussi dur que du grès, et une bouteille de piquette.°

— Vous êtes servi, dit l'étrange créature, et elle retourna bien vite prendre sa place devant la fenêtre.

Tout en buvant, j'essayai de la faire causer.

— Il ne vous vient pas souvent du monde, n'est-ce pas, ma pauvre femme?

— Oh! non, monsieur, jamais personne… Quand nous étions seuls dans le pays, c'était différent : nous avions le relais, des repas de chasse pendant le temps des macreuses,° des voitures toute l'année… Mais depuis que les voisins sont venus s'établir, nous avons tout perdu… Le monde aime mieux aller en face. Chez nous, on trouve que c'est trop triste… Le fait est que la maison n'est pas bien agréable. Je ne suis pas belle, j'ai les fièvres, mes deux petites sont mortes… Là-bas, au contraire, on rit tout le temps. C'est une Arlésienne° qui tient l'auberge, une belle femme avec des dentelles et trois tours de chaîne d'or au cou. Le conducteur, qui est son amant, lui amène la diligence. Avec ça, un tas d'enjôleuses° pour chambrières… Aussi, il lui en vient de la pratique!° Elle a toute la jeunesse de Bezouces, de Redessan, de Jonquières. Les rouliers font un détour pour passer par chez elle… Moi, je reste ici tout le jour, sans personne, à me consumer.

Elle disait cela d'une voix distraite, indifférente, le front toujours appuyé contre la vitre.

---

1. *panache:* plume. 2. *calées:* propped up. 9. *boiteuses:* limping, unsteady. 11. *blouses:* pockets. 12. *sébiles:* begging bowls. 16. *grappes:* bunches. 19. *ruche:* beehive. 21. *embrasure d'une croisée:* window recess. 28. *barbes:* bands (hanging from a headdress). 28. *rousse:* unbleached.

11. *huche au pain:* bread bin. 12. *épousseter:* dust. 15. *manège:* maneuvering. 17. Beaucaire, small city on the Rhône. 18. *piquette:* sour wine. 28. *macreuses:* black divers (ducks). 36. *Arlésienne:* woman of Arles. 40. *enjôleuses:* teasing girls. 42. *pratique:* custom.

Il y avait évidemment dans l'auberge d'en face quelque chose qui la préoccupait.

Tout à coup, de l'autre côté de la rue, il se fit un grand mouvement. La diligence s'ébranlait dans la poussière. On entendait des coups de fouet, les fanfares du postillon, les filles accourues sur la porte qui criaient :

— Adiousias!°... adiousias! et, par là-dessus,° la formidable voix de tantôt reprenant de plus belle :

> *A pris son broc d'argent,*
> *A l'eau s'en est allée ;*
> *De là n'a vu venir*
> *Trois chevaliers d'armée...*

...A cette voix, l'hôtesse frissonna de tout son corps, et, se tournant vers moi :

— Entendez-vous? me dit-elle tout bas, c'est mon mari... N'est-ce pas qu'il chante bien?

Je la regardai, stupéfait.

— Comment? votre mari!... Il va donc là-bas, lui aussi?

Alors elle, d'un air navré, mais avec une grande douceur :

— Qu'est-ce que vous voulez, monsieur? Les hommes sont comme ça, ils n'aiment pas voir pleurer; et moi je pleure toujours depuis la mort des petites... Puis, c'est triste cette grande baraque où il n'y a jamais personne... Alors, quand il s'ennuie trop, mon pauvre José va boire en face et, comme il a une belle voix, l'Arlésienne le fait chanter. Chut!... le voilà qui recommence.

Et, tremblante, les mains en avant, avec de grosses larmes qui la faisaient encore plus laide, elle était là comme en extase devant la fenêtre à écouter son José chanter pour l'Arlésienne :

> *Le premier lui a dit :*
> *« Bonjour, belle Mignonne! »*

L'ÉLIXIR DU RÉVÉREND
PÈRE GAUCHER

— Buvez ceci, mon voisin; vous m'en direz des nouvelles.

Et, goutte à goutte, avec le soin minutieux d'un lapidaire° comptant des perles, le curé de Graveson me versa deux doigts d'une liqueur verte, dorée, chaude, étincelante, exquise... J'en eus l'estomac tout ensoleillé.

— C'est l'élixir du Père Gaucher, la joie et la santé de notre Provence, me fit le brave homme d'un air triomphant; on le fabrique au couvent des Prémontrés,° à deux lieues de votre moulin... N'est-ce pas que cela vaut bien toutes les chartreuses° du monde?... Et si vous saviez comme elle est amusante, l'histoire de cet élixir!...

Écoutez plutôt...

Alors, tout naïvement, sans y entendre malice,° dans cette salle à manger de presbytère, si candide et si calme avec son Chemin de la croix en petits tableaux et ses jolis rideaux clairs empesés° comme des surplis,° l'abbé me commença une historiette légèrement sceptique et irrévérencieuse, à la façon d'un conte d'Érasme° ou de d'Assoucy :°

— Il y a vingt ans, les Prémontrés, ou plutôt les Pères blancs, comme les appellent nos Provençaux, étaient tombés dans une grande misère. Si vous aviez vu leur maison de ce temps-là, elle vous aurait fait peine.

Le grand mur, la tour Pacôme° s'en allaient en morceaux. Tout autour du cloître rempli d'herbes, les colonnettes se fendaient, les saints de pierre croulaient dans leurs niches. Pas un vitrail debout, pas une porte qui tînt. Dans les préaux,° dans les chapelles, le vent du Rhône soufflait comme en Camargue,° éteignant les cierges, cassant le plomb des vitrages, chassant l'eau des bénitiers. Mais le plus triste de tout, c'était le clocher du couvent, silencieux comme un pigeonnier vide; et les Pères, faute d'argent pour s'acheter une cloche, obligés de sonner matines avec des cliquettes° de bois d'amandier!°...

Pauvres Pères blancs! Je les vois encore, à la

---

1. *lapidaire:* jeweler. 8. *Prémontrés:* Premonstratensians, or White Canons (a teaching order, not properly monastic). 10. *chartreuses:* liqueurs made by Carthusian monks. 15. *sans y entendre malice:* without evil intent. 18. *empesés:* starched. 18. *surplis:* surplices (white clerical vestments). 20. Erasmus, Dutch philospher and satirist of Reformation period (1467–1536). Reference probably is to his *Praise of Folly.* 21. Charles d'Assoucy (1605–77) writer of burlesque verse. 28. *tour Pacôme:* tower dedicated to St. Pachomius, fourth century, founder of monasteries. 33. *préaux:* court-yards. 34. Camargue, island at the mouth of the Rhône. 40. *cliquettes:* clappers. 41. *amandier:* almond tree.

8. *Adiousias = Adieu* (Provençal). 8. *par là-dessus:* into the bargain.

procession de la Fête-Dieu, défilant tristement
dans leurs capes rapiécées,° pâles, maigres,
nourris de *citres*° et de *pastèques*,° et derrière eux
monseigneur l'abbé, qui venait, la tête basse,
tout honteux de montrer au soleil sa crosse° 5
dédorée et sa mitre de laine blanche mangée des
vers. Les dames de la confrérie° en pleuraient de
pitié dans les rangs et les gros porte-bannière°
ricanaient entre eux tout bas en se montrant les
pauvres moines : 10

— Les étourneaux° vont maigres quand ils
vont en troupe.

Le fait est que les infortunés Pères blancs en
étaient arrivés eux-mêmes à se demander s'ils
ne feraient pas mieux de prendre leur vol à 15
travers le monde et de chercher pâture chacun
de son côté.

Or, un jour que cette grave question se
débattait dans le chapitre, on vint annoncer au
prieur que le frère Gaucher demandait à être 20
entendu au conseil. Vous saurez, pour votre
gouverne, que ce frère Gaucher était le bouvier°
du couvent ; c'est-à-dire qu'il passait ses journées
à rouler d'arcade en arcade dans le cloître, en
poussant devant lui deux vaches étiques° qui 25
cherchaient l'herbe aux fentes des pavés.
Nourri jusqu'à douze ans par une vieille folle
du pays des Baux,° qu'on appelait tante Bégon,
recueilli, depuis, chez les moines, le malheureux bouvier n'avait jamais pu rien appren- 30
dre qu'à conduire ses bêtes et à réciter son
Pater noster ; encore le disait-il en provençal, car
il avait la cervelle dure et l'esprit comme une
dague de plomb. Fervent chrétien, du reste,
quoiqu'un peu visionnaire, à l'aise sous le 35
cilice° et se donnant la discipline° avec une
conviction robuste, et des bras !...

Quand on le vit entrer dans la salle du
chapitre, simple et balourd,° saluant l'assemblée,
la jambe en arrière, prieur, chanoines, argen- 40
tier,° tout le monde se mit à rire. C'était
toujours l'effet que produisait, quand elle
arrivait quelque part, cette bonne face grison-
nante avec sa barbe de chèvre et ses yeux un
peu fous ; aussi le frère Gaucher ne s'en émut pas. 45

— Mes révérends, fit-il d'un ton bonasse° en
tortillant° son chapelet de noyaux d'olives, on a
bien raison de dire que ce sont les tonneaux
vides qui chantent le mieux. Figurez-vous qu'à
force de creuser ma pauvre tête° déjà si creuse, 5
je crois que j'ai trouvé le moyen de nous tirer
tous de peine.

« Voici comment. Vous savez bien tante
Bégon, cette brave femme qui me gardait
quand j'étais petit. (Dieu ait son âme, la vieille 10
coquine ! elle chantait de bien vilaines chansons
après boire), je vous dirai donc, mes révérends
pères, que tante Bégon, de son vivant, se connaissait aux herbes de montagnes autant et
mieux qu'un vieux merle de Corse. Voire,° 15
elle avait composé, sur la fin de ses jours, un
élixir incomparable en mélangeant cinq ou six
espèces de simples° que nous allions cueillir
ensemble dans les Alpilles.° Il y a belles années
de cela ;° mais je pense qu'avec l'aide de saint 20
Augustin° et la permission de notre père abbé,
je pourrais — en cherchant bien — retrouver
la composition de ce mystérieux élixir. Nous
n'aurions plus alors qu'à le mettre en bouteilles,
et à le vendre un peu cher, ce qui permettrait à la 25
communauté de s'enrichir doucettement, comme
ont fait nos frères de la Trappe° et de la Grande°...»

Il n'eut pas le temps de finir. Le prieur s'était
levé pour lui sauter au cou. Les chanoines lui
prenaient les mains. L'argentier, encore plus 30
ému que tous les autres, lui baisait avec respect
le bord tout effrangé de sa cucule°... Puis
chacun revint à sa chaire pour délibérer ; et,
séance tenante,° le chapitre décida qu'on
confierait les vaches au frère Thrasybule, pour 35
que le frère Gaucher pût se donner tout entier à
la confection de son élixir.

Comment le bon frère parvint-il à retrouver
la recette de tante Bégon ? au prix de quels 40
efforts ? au prix de quelles veilles ?° L'histoire ne
le dit pas. Seulement, ce qui est sûr, c'est qu'au
bout de six mois l'élixir des Pères blancs était

---

2. *rapiécées:* patched. 3. *citres:* melons. 3. *pastèques:* water-
melons. 5. *crosse:* crook, crozier. 7. *confrérie:* confraternity,
parish organization. 8. *porte-bannière:* banner bearers (in
church processions). 11. *étourneaux:* starlings. 22. *bouvier:*
cowherd. 25. *étiques:* sickly, scrawny. 28. *des Baux:* from
Les Baux, ancient ruined town near Arles. 36. *cilice:* hair-
shirt. 36. *se donnant la discipline:* flagellating himself. 39.
balourd: awkward. 41. *argentier:* treasurer.

1. *bonasse:* amiably simple. 2. *tortillant:* twisting. 5. *creuser
ma pauvre tête:* rack my poor brains (play on sense of *creux,*
hollow). 15. *Voire:* Indeed. 18. *simples:* simples, herbs. 19.
Alpilles: foothills of the Alps. 20. *Il y a... cela:* That was
many long years ago. 21. The Premonstratensians followed
the rule of St. Augustine (345–430). 27. *la Trappe:* head-
quarters of the Trappists, a rigorous monastic order which
made a cordial called *Trappistine.* 27. *la Grande:* i.e. Grande
Chartreuse. 32. *cucule:* cowl, hood. 34. *séance tenante:* on the
spot. 41. *veilles:* vigils.

déjà très populaire. Dans tout le Comtat,° dans tout le pays d'Arles, pas un *mas*, pas une grange qui n'eût au fond de sa *dépense*,° entre les bouteilles de vin cuit et les jarres d'olives à la picholine,° un petit flacon de terre brune cacheté° aux armes de Provence, avec un moine en extase sur une étiquette° d'argent. Grâce à la vogue de son élixir, la maison des Prémontrés s'enrichit très rapidement. On releva la tour Pacôme. Le prieur eut une mitre neuve, l'église de jolis vitraux ouvragés;° et, dans la fine dentelle du clocher, toute une compagnie de cloches et de clochettes vint s'abattre, un beau matin de Pâques, tintant et carillonnant à la grande volée.°

Quant au frère Gaucher, ce pauvre frère lai dont les rusticités égayaient tant le chapitre, il n'en fut plus question dans le couvent. On ne connut plus désormais que le Révérend Père Gaucher, homme de tête et de grand savoir, qui vivait complètement isolé des occupations si menues et si multiples du cloître, et s'enfermait tout le jour dans sa distillerie, pendant que trente moines battaient la montagne pour lui chercher des herbes odorantes... Cette distillerie, où personne, pas même le prieur, n'avait le droit de pénétrer, était une ancienne chapelle abandonnée, tout au bout du jardin des chanoines. La simplicité des bons Pères en avait fait quelque chose de mystérieux et de formidable; et si, par aventure, un moinillon° hardi et curieux, s'accrochant aux vignes grimpantes, arrivait jusqu'à la rosace° du portail, il en dégringolait° bien vite, effaré d'avoir vu le Père Gaucher, avec sa barbe de nécromant,° penché sur ses fourneaux, le pèse-liqueur° à la main; puis, tout autour, des cornues° de grès rose, des alambics° gigantesques, des serpentins° de cristal, tout un encombrement° bizarre qui flamboyait ensorcelé dans la lueur rouge des vitraux...

Au jour tombant, quand sonnait le dernier angélus, la porte de ce lieu de mystère s'ouvrait discrètement, et le révérend se rendait à l'église pour l'office° du soir. Il fallait voir quel accueil quand il traversait le monastère! Les frères faisaient la haie° sur son passage. On disait :

— Chut!... il a le secret!...

L'argentier le suivait et lui parlait la tête basse... Au milieu de ces adulations, le Père s'en allait en s'épongeant le front, son tricorne° aux larges bords posé en arrière comme une auréole, regardant autour de lui d'un air de complaisance les grandes cours plantées d'orangers, les toits bleus où tournaient des girouettes° neuves, et, dans le cloître éclatant de blancheur — entre les colonnettes élégantes et fleuries, — les chanoines habillés de frais qui défilaient deux par deux avec des mines reposées.

— C'est à moi qu'ils doivent tout cela! se disait le révérend en lui-même; et chaque fois cette pensée lui faisait monter des bouffées d'orgueil.

Le pauvre homme en fut bien puni. Vous allez voir...

Figurez-vous qu'un soir, pendant l'office, il arriva à l'église dans une agitation extraordinaire : rouge, essoufflé, le capuchon° de travers, et si troublé qu'en prenant de l'eau bénite il y trempa ses manches jusqu'au coude. On crut d'abord que c'était l'émotion d'arriver en retard; mais quand on le vit faire de grandes révérences à l'orgue° et aux tribunes° au lieu de saluer le maître-autel, traverser l'église en coup de vent, errer dans le chœur pendant cinq minutes, pour chercher sa stalle, puis, une fois assis, s'incliner de droite et de gauche en souriant d'un air béat,° un murmure d'étonnement courut dans les trois nefs.° On chuchotait de bréviaire à bréviaire :

— Qu'à donc notre Père Gaucher?... Qu'à donc notre Père Gaucher?

Par deux fois le prieur, impatienté, fit tomber sa crosse sur les dalles pour commander le silence... Là-bas, au fond du chœur, les psaumes allaient toujours; mais les réponses manquaient d'entrain...

Tout à coup, au beau milieu de l'*Ave verum*,°

1. *Comtat-Venaissin:* region around Avignon. 3. *dépense:* pantry. 5. *à la picholine:* green, prepared in brine. 6. *cacheté:* sealed. 7. *étiquette:* label. 11. *ouvragés:* figured. 15. *à la grande volée:* in full peal. (According to tradition, church bells fly to Rome on Good Friday to be blessed and return on Easter morning.) 31. *moinillon:* little monk, monkling. 33. *rosace:* rose window. 34. *dégringolait:* would slip down. 35. *nécromant:* necromancer, magician. 36. *pèse-liqueur:* alcoholometer. 37. *cornues:* retorts. 38. *alambics:* alembics, stills. 38. *serpentins:* worms, coils, 39. *encombrement:* jumble.

2. *office:* service. 4. *faisaient la haie:* would line up. 8. *tricorne:* three-cornered hat. 12. *girouettes:* weather vanes. 26. *capuchon:* hood. 31. *orgue:* organ. 31. *tribunes:* galleries. 36. *béat:* blissful. 37. *trois nefs:* i.e., the nave and transepts. 46. *Ave verum:* Hail, true body (hymn attributed to St. Augustine).

voilà mon Père Gaucher qui se renverse dans sa stalle et entonne d'une voix éclatante :

> *Dans Paris, il y a un Père blanc,*
> *Patatin, patatan, tarabin, taraban…*

Consternation générale. Tout le monde se lève. On crie :

— Emportez-le… il est possédé !

Les chanoines se signent.° La crosse de Monseigneur se démène°… Mais le Père Gaucher ne voit rien, n'écoute rien ; et deux moines vigoureux sont obligés de l'entraîner par la petite porte du chœur, se débattant comme un exorcisé° et continuant de plus belle ses *patatin* et ses *taraban*.

Le lendemain, au petit jour, le malheureux était à genoux, dans l'oratoire° du prieur, et faisait sa *coulpe*° avec un ruisseau de larmes :

— C'est l'élixir, Monseigneur, c'est l'élixir qui m'a surpris, disait-il en se frappant la poitrine.

Et de le voir si marri,° si repentant, le bon prieur en était tout ému lui-même.

— Allons, allons, Père Gaucher, calmez-vous, tout cela séchera comme la rosée au soleil… Après tout, le scandale n'a pas été aussi grand que vous pensez. Il y a bien eu la chanson qui était un peu… hum ! hum !… Enfin il faut espérer que les novices ne l'auront pas entendue… A présent, voyons, dites-moi bien comment la chose vous est arrivée… C'est en essayant l'élixir, n'est-ce pas ? Vous aurez eu la main trop lourde… Oui, oui, je comprends… C'est comme le frère Schwartz,° l'inventeur de la poudre : vous avez été victime de votre invention… Et dites-moi, mon brave ami, est-il bien nécessaire que vous l'essayiez sur vous-même, ce terrible élixir ?

— Malheureusement, oui, Monseigneur… l'éprouvette° me donne bien la force et le degré de l'alcool ; mais pour le fini, le velouté,° je ne me fie guère qu'à ma langue…

— Ah ! très bien… Mais écoutez encore un peu que je vous dise… Quand vous goûtez ainsi l'élixir par nécessité, est-ce que cela vous semble bon ? Y prenez-vous du plaisir ?…

— Hélas ! oui, Monseigneur, fit le malheureux Père en devenant tout rouge… Voilà deux soirs que je lui trouve un bouquet, un arôme !… C'est pour sûr le démon qui m'a joué ce vilain tour… Aussi je suis bien décidé désormais à ne plus me servir que de l'éprouvette. Tant pis si la liqueur n'est pas assez fine, si elle ne fait pas assez la perle°…

— Gardez-vous-en bien, interrompit le prieur avec vivacité. Il ne faut pas s'exposer à mécontenter la clientèle… Tout ce que vous avez à faire, maintenant que vous voilà prévenu, c'est de vous tenir sur vos gardes… Voyons, qu'est-ce qu'il vous faut pour vous rendre compte ?… Quinze ou vingt gouttes, n'est-ce pas ?… mettons vingt gouttes… Le diable sera bien fin s'il vous attrape avec vingt gouttes… D'ailleurs, pour prévenir tout accident, je vous dispense dorénavant de venir à l'église. Vous direz l'office du soir dans la distillerie… Et maintenant, allez en paix, mon Révérend, et surtout… comptez bien vos gouttes.

Hélas ! le pauvre Révérend eut beau compter ses gouttes… le démon le tenait et ne le lâcha plus.

C'est la distillerie qui entendit de singuliers offices !

Le jour, encore, tout allait bien. Le Père était assez calme. Il préparait ses réchauds,° ses alambics, triait soigneusement ses herbes, toutes herbes de Provence, fines, grises, dentelées,° brûlées de parfums et de soleil… Mais, le soir, quand les simples étaient infusés et que l'élixir tiédissait dans de grandes bassines° de cuivre rouge, le martyre du pauvre homme commençait.

— … Dix-sept… dix-huit… dix-neuf… vingt !…

Les gouttes tombaient du chalumeau° dans le gobelet de vermeil. Ces vingt-là, le Père les avalait d'un trait, presque sans plaisir. Il n'y avait que la vingt et unième qui lui faisait envie. Oh ! cette vingt et unième goutte !… Alors, pour échapper à la tentation, il allait s'agenouiller tout au bout du laboratoire et s'abîmait dans ses patenôtres.° Mais de la

---

9. *se signent:* cross themselves. 10. *se démène:* tosses about. 13. *se débattant… exorcisé:* struggling like an exorcised person (madman whose devil is cast out by church ceremony). 17. *oratoire:* oratory, private chapel. 18. *coulpe:* confession. 22. *marri:* grief-stricken. 34. Schwartz, fourteenth-century Benedictine monk, alleged inventor of gunpowder. 40. *éprouvette:* test tube. 41. *fini, velouté:* delicacy, smoothness.

8. *ne fait… perle:* doesn't bead properly. 30. *réchauds:* stoves. 32. *dentelées:* serrated, lacy. 35. *bassines:* preserving pans. 40. *chalumeau:* burette, measuring tube. 47. *patenôtres:* paternosters, prayers.

liqueur encore chaude il montait une petite fumée toute chargée d'aromates, qui venait rôder autour de lui et, bon gré mal gré, le ramenait vers les bassines... La liqueur était d'un beau vert doré... Penché dessus, les narines ouvertes, le Père la remuait tout doucement avec son chalumeau et, dans les petites paillettes° étincelantes que roulait le flot d'émeraude, il lui semblait voir les yeux de tante Bégon qui riaient et pétillaient° en le regardant...

« Allons, encore une goutte! »

Et, de goutte en goutte, l'infortuné finissait par avoir son gobelet plein jusqu'au bord. Alors, à bout de forces, il se laissait tomber dans un grand fauteuil, et, le corps abandonné, la paupière à demi close, il dégustait° son péché par petits coups, en se disant tout bas avec un remords délicieux :

— Ah! je me damne... je me damne...

Le plus terrible, c'est qu'au fond de cet élixir diabolique il retrouvait, par je ne sais quel sortilège,° toutes les vilaines chansons de tante Bégon : *Ce sont trois petites commères,° qui parlent de faire un banquet...,* ou *Bergerette° de maître André s'en va-t-au bois seulette...* et toujours la fameuse des Pères blancs : *Patatin, patatan.*

Pensez quelle confusion, le lendemain, quand ses voisins de cellule lui faisaient d'un air malin :

— Eh! eh! Père Gaucher, vous aviez des cigales en tête,° hier soir en vous couchant.

Alors c'étaient des larmes, des désespoirs, et le jeûne, et le cilice, et la discipline. Mais rien ne pouvait contre le démon de l'élixir; et tous les soirs, à la même heure, la possession recommençait.

Pendant ce temps, les commandes° pleuvaient à l'abbaye que c'était une bénédiction. Il en venait de Nîmes, d'Aix, d'Avignon, de Marseille... De jour en jour, le couvent prenait un petit air de manufacture. Il y avait des frères étiqueteurs,° d'autres pour les écritures, d'autres pour le camionnage;° le service de Dieu y perdait bien par-ci par-là quelques coups de cloches; mais les pauvres gens du pays n'y perdaient rien, je vous en réponds...

Et donc, un beau dimanche matin, pendant que l'argentier lisait en plein chapitre son inventaire de fin d'année et que les bons chanoines l'écoutaient, les yeux brillants et le sourire aux lèvres, voilà le Père Gaucher qui se précipite au milieu de la conférence en criant :

— C'est fini... Je n'en fais plus... Rendez-moi mes vaches.

— Qu'est-ce qu'il y a donc, Père Gaucher? demanda le prieur, qui se doutait bien un peu de ce qu'il y avait.

— Ce qu'il y a, Monseigneur?... Il y a que je suis en train de me préparer une belle éternité de flammes et de coups de fourche°... Il y a que je bois, que je bois comme un misérable...

— Mais je vous avais dit de compter vos gouttes.

— Ah! bien oui, compter mes gouttes! c'est par gobelets qu'il faudrait compter maintenant... Oui, mes Révérends, j'en suis là. Trois fioles° par soirée... Vous comprenez bien que cela ne peut pas durer... Aussi, faites faire l'élixir par qui vous voudrez... Que le feu de Dieu me brûle si je m'en mêle encore!

C'est le chapitre qui ne riait plus.

— Mais, malheureux, vous nous ruinez! criait l'argentier en agitant son grand-livre.°

— Préférez-vous que je me damne?

Pour lors, le prieur se leva.

— Mes Révérends, dit-il en étendant sa belle main blanche où luisait l'anneau pastoral, il y a moyen de tout arranger... C'est le soir, n'est-ce pas, mon cher fils, que le démon vous tente?...

— Oui, monsieur le prieur, régulièrement tous les soirs... Aussi, maintenant, quand je vois arriver la nuit, j'en ai, sauf votre respect, des sueurs qui me prennent, comme l'âne de Capitou quand il voyait venir le bât.°

— Eh bien! rassurez-vous... Dorénavant, tous les soirs, à l'office, nous réciterons à votre intention l'oraison de saint Augustin, à laquelle l'indulgence plénière° est attachée... Avec cela, quoi qu'il arrive, vous êtes à couvert... C'est l'absolution pendant le péché!

— Oh! bien alors, merci, monsieur le prieur!

---

7. *paillettes:* coruscations, sparkling irregularities. 10. *pétillaient:* crackled, flashed. 16. *dégustait:* sipped, savored. 22. *sortilège:* magic spell. 23. *commères:* cronies, gossips. 24. *Bergerette:* Little shepherdess. 31. *vous aviez... tête:* you were very gay. 38. *commandes:* orders (commercial). 43. *étiqueteurs:* labelers. 44. *camionnage:* carting, delivery.

16. *fourche:* pitchfork. 23. *fioles:* small bottles. 29. *grand-livre:* ledger. 40. *l'âne... bât:* the chapter's donkey, which would run away when he saw the packsaddle coming (*Provençal proverb*). 44. *plénière:* plenary, complete.

Et sans en demander davantage, le Père Gaucher retourna à ses alambics, aussi léger qu'une alouette.

Effectivement,° à partir de ce moment-là, tous les soirs, à la fin des complies,° l'officiant ne manquait jamais de dire : 5

— Prions pour notre pauvre Père Gaucher, qui sacrifie son âme aux intérêts de la communauté... *Oremus, Domine...*°

Et pendant que sur toutes ces capuches 10 blanches, prosternées dans l'ombre des nefs, l'oraison courait en frémissant comme une petite bise° sur la neige, là-bas, tout au bout du couvent, derrière le vitrage° enflammé de la distillerie, on entendait le Père Gaucher qui chantait à tue-tête :

> *Dans Paris, il y a un Père blanc,*
> *Patatin, patatan, tarabin, taraban;*
> *Dans Paris, il y a un Père blanc*
> *Qui fait danser des moinettes,*°
> *Trin, trin, trin, dans un jardin,*
> *Qui fait danser des...*

...Ici le bon curé s'arrêta, plein d'épouvante :
— Miséricorde! si mes paroissiens m'entendaient!

4. *Effectivement:* In fact. 5. *complies:* complines, evening service. 9. *Oremus, Domine:* Let us pray. O Lord, 13. *bise:* cold north wind.

1. *vitrage:* windows. 8. *moinettes:* little nuns.

17. Maupassant [1850–1893]

Guy de Maupassant admired Zola and profited much from his teachings. Thus he was presented as a Naturalist. However, as he accepted only a part of Zola's doctrines, it seems best to classify him as a *Realist with naturalistic tendencies.*

Maupassant was born near Dieppe, in Normandy. His family was upper-class, financially at ease. He fought in the Franco-Prussian War and then held some minor clerical posts in the Ministry of the Navy and other government offices. For seven years (1873–1880) he wrote poetry and received regular criticism and advice from Gustave Flaubert, a family friend. Flaubert was immensely proud of his protégé, and Maupassant gave full credit to Flaubert (not Zola) for his artistic principles and technique.

Maupassant found his true vocation as a storyteller. He wrote furiously, turning out in eleven years six novels and over three hundred short stories. He gained great popularity with the large public, as well as fame and wealth. (He is the only celebrated French author, I think, who owned a yacht.) But in spite of his athlete's frame, his physical and mental vigor, he was mined by a secret disease. He knew that he was going mad. We may recognize the approach of insanity in his work. The crisis came in 1891. He attempted suicide and was confined, strait-jacketed, in an asylum until his death from paresis two years later, at the age of only forty-three.

Beneath his surface gaiety lay a profound pessimism, inspired, we may be sure, by the knowledge of his own doom, by his conviction of failure as a man. His pessimism, however, had its rational and philosophical bases. He was influenced by Schopenhauer's philosophy, by the prevailing scientific materialism of his time and of his Naturalist friends, by disbelief in religion and indeed in any purpose in life, by contempt for man's stupidity, egotism, and futility. His view of the world was a moral and intellectual nihilism.

Of his work we prize chiefly today one or two novels; his short stories, cruel and comic, of Norman peasant life; and his pictures of the commonplace Parisian petty bourgeois.

He set forth his theory of fiction in the preface to *Pierre et Jean* (1888). He says that the writer should show the transitions of a human situation. His choice of details will impose a sense of truth and will make a picture of life more complete and significant than life itself. The realist becomes then an illusionist. He does not analyze; he reveals the psychology of his characters solely by their behavior. His style must be exact. He must use *le mot juste*, the inevitable word. He must describe a coachman in a cab-rank in such a way that he cannot be confused with any other coachman on earth.

Maupassant's *narrative art* exemplifies his theories. He is simple, natural, objective. He always has a story to tell; he moves from one fixed point to another. (To be sure, he often descends to the mere anecdote; and he abuses the surprise ending, as did his disciple, O. Henry.) He defines his characters by their externals and behavior; he does not interpret, explain, or make moral judgments. He understands; he does not sympathize. "Il est le grand peintre de la grimace humaine," said Anatole France. His *style* is compact, staccato, understated, artistic in its apparent absence of art. And there is something more, something beyond definition—the mysterious power of the storyteller, who seizes and holds us without our knowing why, without even his knowing how.

His *reputation* and *influence* have been greater outside of France than in his own country. Not many years ago, Professor Artine Artinian queried a number of eminent literary men about Maupassant.* Most of the foreigners lauded him to the skies; most of the French were a little contemptuous of his facility and success. (None of the French authors had yachts.)

His influence has been particularly great on the popular short story. He took the formula bequeathed by Mérimée, tightened and abbreviated it, and handed it on to innumerable followers. Said John Galsworthy, who spoke with authority of the art of fiction: "In Maupassant we reach, as it were, the apex of the shaped story, the high mark of fiction which knows exactly what it is about, and has for aim, through the objective method, revelation of the strange depths and shallows of human nature."†

En famille appeared in 1881, in Maupassant's first collection. As you read it, see if you can apply Maupassant's principles, as stated above, in the structure, development, attitude, and style of the story.

* Reported in "Que pensez-vous de Maupassant?" *Les Nouvelles Littéraires*. Paris, August 3, 1950. † John Galsworthy: *Candelabra*. New York, Charles Scribner's Sons, 1933, p. 141.

EN FAMILLE

Le tramway° de Neuilly° venait de passer la porte Maillot° et il filait maintenant tout le long de la grande avenue qui aboutit à la Seine. La petite machine, attelée à son wagon, cornait° pour écarter les obstacles, crachait sa vapeur, haletait° comme une personne essoufflée° qui court : et ses pistons faisaient un bruit précipité de jambes de fer en mouvement. La lourde chaleur d'une fin de journée d'été tombait sur la route d'où s'élevait, bien qu'aucune brise ne soufflât, une poussière blanche, crayeuse,° opaque, suffocante et chaude, qui se collait sur la peau moite, emplissait les yeux, entrait dans les poumons.

Des gens venaient sur leurs portes, cherchant de l'air.

Les glaces de la voiture étaient baissées, et tous les rideaux flottaient, agités par la course rapide. Quelques personnes seulement occupaient l'intérieur (car on préférait, par ces jours chauds, l'impériale° ou les plates-formes). C'étaient de grosses dames aux toilettes farces,° de ces bourgeoises de banlieue qui remplacent la distinction dont elles manquent par une

3. *tramway:* streetcar (powered by small steam locomotive in Maupassant's time). 3. Neuilly, western suburb, immediately adjoining Paris. 4. *porte Maillot:* western entry to Paris. (The Avenue des Champs-Élysées, prolonged, becomes the Avenue de Neuilly.) 6. *cornait:* kept blowing its horn. 8. *haletait:* kept panting. 8. *essoufflée:* out of breath.

1. *crayeuse:* chalky. 11. *impériale:* upper deck. 12. *farces:* ridiculous.

dignité intempestive;° des messieurs las du bureau, la figure jaunie, la taille tournée, une épaule un peu remontée par les longs travaux courbés sur les tables. Leurs faces inquiètes et tristes disaient encore les soucis domestiques, les incessants besoins d'argent, les anciennes espérances définitivement déçues; car tous appartenaient à cette armée de pauvres diables râpés° qui végètent économiquement dans une chétive maison de plâtre, avec une plate-bande pour jardin, au milieu de cette campagne à dépotoirs° qui borde Paris.

Tout près de la portière, un homme petit et gros, la figure bouffie,° le ventre tombant entre ses jambes ouvertes, tout habillé de noir et décoré,° causait avec un grand maigre d'aspect débraillé,° vêtu de coutil° blanc très sale et coiffé d'un vieux panama. Le premier parlait lentement, avec des hésitations qui le faisaient parfois paraître bègue;° c'était M. Caravan, commis° principal au ministère de la marine. L'autre, ancien officier de santé° à bord d'un bâtiment de commerce,° avait fini par s'établir au rond-point de Courbevoie° où il appliquait sur la misérable population de ce lieu les vagues connaissances médicales qui lui restaient après une vie aventureuse. Il se nommait Chenet et se faisait appeler docteur. Des rumeurs couraient sur sa moralité.

M. Caravan avait toujours mené l'existence normale des bureaucrates. Depuis trente ans, il venait invariablement à son bureau, chaque matin, par la même route, rencontrant à la même heure, aux mêmes endroits, les mêmes figures d'hommes allant à leurs affaires; et il s'en retournait, chaque soir, par le même chemin, où il retrouvait encore les mêmes visages qu'il avait vu vieillir.

Tous les jours, après avoir acheté sa feuille d'un sou° à l'encoignure° du faubourg Saint-Honoré,° il allait chercher ses deux petits pains, puis il entrait au ministère à la façon d'un coupable qui se constitue prisonnier; et il

gagnait son bureau vivement, le cœur plein d'inquiétude, dans l'attente éternelle d'une réprimande pour quelque négligence qu'il aurait pu commettre.

Rien n'était jamais venu modifier l'ordre monotone de son existence; car aucun événement ne le touchait en dehors des affaires du bureau, des avancements et des gratifications.° Soit qu'il fût au ministère, soit qu'il fût dans sa famille (car il avait épousé, sans dot, la fille d'un collègue), il ne parlait jamais que du service. Jamais son esprit atrophié par la besogne abêtissante et quotidienne n'avait plus d'autres pensées, d'autres espoirs, d'autres rêves, que ceux relatifs à son ministère. Mais une amertume gâtait toujours ses satisfactions d'employé: l'accès des commissaires de marine,° des ferblantiers° comme on disait à cause de leurs galons° d'argent, aux emplois de sous-chefs et de chefs; et chaque soir, en dînant, il argumentait fortement devant sa femme, qui partageait ses haines, pour prouver qu'il est inique° à tous égards de donner des places à Paris aux gens destinés à la navigation.

Il était vieux, maintenant, n'ayant point senti passer sa vie, car le collège, sans transition, avait été continué par le bureau, et les pions,° devant qui il tremblait autrefois, étaient aujourd'hui remplacés par les chefs, qu'il redoutait effroyablement. Le seuil de ces despotes en chambre le faisait frémir des pieds à la tête; et de cette continuelle épouvante il gardait une manière gauche de se présenter, une attitude humble et une sorte de bégaiement° nerveux.

Il ne connaissait pas plus Paris que ne le peut connaître un aveugle conduit par son chien, chaque jour, sous la même porte; et s'il lisait dans son journal d'un sou les événements et les scandales, il les percevait comme des contes fantaisistes inventés à plaisir pour distraire les petits employés. Homme d'ordre, réactionnaire sans parti déterminé, mais ennemi des « nouveautés, » il passait° les faits politiques, que sa feuille, du reste, défigurait toujours pour les besoins payés d'une cause; et quand il remontait tous les soirs l'avenue des Champs-Élysées,

1. *intempestive:* untimely. 8. *râpés:* threadbare. 11. *à dépotoirs:* abounding in dumping grounds. 14. *bouffie:* puffy. 16. *décoré:* wearing the ribbon of a decoration, as the Legion of Honor. 17. *débraillé:* untidy, bedraggled. 17. *coutil:* drill, cotton cloth. 20. *bègue:* a stammerer. 21. *commis:* clerk. 22. *officier de santé:* medical officer, not a full-fledged M.D. 23. *bâtiment de commerce:* merchant vessel. 24. Courbevoie, suburban town west of Neuilly. 40. *feuille d'un sou:* penny paper. 40. *encoignure:* corner. 41. *faubourg Saint-Honoré:* region near the place de la Concorde, where the *ministère de la marine* is situated.

8. *gratifications:* bonuses. 17. *commissaires de marine:* ship's pursers. 18. *ferblantiers:* tinsmiths. 19. *galons:* stripes, insignia. 23. *inique:* iniquitous, evil. 27. *pions:* school proctors. 34. *bégaiement:* stuttering. 44. *passait:* skipped.

il considérait la foule houleuse° des promeneurs et le flot roulant des équipages à la façon d'un voyageur dépaysé qui traverserait des contrées lointaines.

Ayant complété, cette année même, ses trente années de service obligatoire, on lui avait remis, au 1ᵉʳ janvier, la croix de la Légion d'honneur, qui récompense, dans ces administrations militarisées, la longue et misérable servitude — (on dit : *loyaux services*) — de ces tristes forçats rivés au carton° vert. Cette dignité inattendue, lui donnant de sa capacité une idée haute et nouvelle, avait en tout changé ses mœurs. Il avait dès lors supprimé les pantalons de couleur et les vestons de fantaisie,° porté des culottes noires et de longues redingotes où son *ruban*, très large, faisait mieux; et, rasé tous les matins, écurant° ses ongles avec plus de soin, changeant de linge° tous les deux jours par un légitime sentiment de convenances et de respect pour l'*Ordre* national dont il faisait partie, il était devenu, du jour au lendemain, un autre Caravan, rincé,° majestueux et condescendant.

Chez lui, il disait « ma croix » à tout propos. Un tel orgueil lui était venu, qu'il ne pouvait plus même souffrir à la boutonnière° des autres aucun ruban d'aucune sorte. Il s'exaspérait surtout à la vue des ordres étrangers — « qu'on ne devrait pas laisser porter en France »; et il en voulait particulièrement au docteur Chenet qu'il retrouvait tous les soirs au tramway, orné d'une décoration quelconque, blanche, bleue, orange ou verte.

La conversation des deux hommes, depuis l'Arc de Triomphe jusqu'à Neuilly, était, du reste, toujours la même; et, ce jour-là comme les précédents, ils s'occupèrent d'abord de différents abus locaux qui les choquaient l'un et l'autre, le maire de Neuilly en prenant à son aise. Puis, comme il arrive infailliblement en compagnie d'un médecin, Caravan aborda le chapitre des maladies, espérant de cette façon glaner quelques petits conseils gratuits, ou même une consulation, en s'y prenant bien, sans laisser voir la ficelle.° Sa mère, du reste, l'inquiétait depuis quelque temps. Elle avait des syncopes° fréquentes et prolongées; et, bien que vieille de quatre-vingt-dix ans, elle ne consentait point à se soigner.

Son grand âge attendrissait Caravan, qui répétait sans cesse au *docteur* Chenet : — « En voyez-vous souvent arriver là? » Et il se frottait les mains avec bonheur, non qu'il tînt peut-être beaucoup à voir la bonne femme s'éterniser sur terre, mais parce que la longue durée de la vie maternelle était comme une promesse pour lui-même.

Il continua : — « Oh! dans ma famille, on va loin; ainsi, moi, je suis sûr qu'à moins d'accident je mourrai très vieux. » L'officier de santé jeta sur lui un regard de pitié; il considéra une seconde la figure rougeaude de son voisin, son cou graisseux,° son bedon° tombant entre deux jambes flasques° et grasses, toute sa rondeur apoplectique de vieil employé ramolli;° et, relevant d'un coup de main le panama grisâtre qui lui couvrait le chef, il répondit en ricanant :° « Pas si sûr que ça, mon bon, votre mère est une astèque° et vous n'êtes qu'un plein-de-soupe. » Caravan, troublé, se tut.

Mais le tramway arrivait à la station. Les deux compagnons descendirent, et M. Chenet offrit le vermout au café du Globe, en face, où l'un et l'autre avaient leurs habitudes. Le patron, un ami, leur allongea deux doigts qu'ils serrèrent par-dessus les bouteilles du comptoir; et ils allèrent rejoindre trois amateurs de dominos, attablés là depuis midi. Des paroles cordiales furent échangées, avec le « Quoi de neuf? » inévitable. Ensuite les joueurs se remirent à leur partie; puis on leur souhaita le bonsoir. Ils tendirent leurs mains sans lever la tête; et chacun rentra dîner.

Caravan habitait, auprès du rond-point de Courbevoie, une petite maison à deux étages dont le rez-de-chaussée était occupé par un coiffeur.

Deux chambres, une salle à manger et une cuisine où des sièges recollés° erraient de pièce en pièce selon les besoins, formaient tout l'appartement, que Mme Caravan passait son temps à nettoyer, tandis que sa fille Marie-Louise, âgée de douze ans, et son fils Philippe-Auguste, âgé de neuf, galopinaient° dans les

---

1. *houleuse:* surging. 11. *forçats... carton:* convicts chained to the cardboard folders (files). 15. *vestons de fantaisie:* coats with a pattern. 18. *écurant:* cleaning. 19. *linge:* i.e., shirt. 23. *rincé:* well rinsed. 26. *boutonnière:* buttonhole (of a lapel). 45. *sans... ficelle:* without giving oneself away.

1. *syncopes:* fainting spells. 17. *graisseux:* fatty. 17. *bedon:* belly. 18. *flasques:* flabby. 19. *ramolli:* gone soft. 21. *ricanant:* sneering. 23. *astèque:* skinny. 43. *recollés:* glued together. 47. *galopinaient:* were playing around. (The pretentious names of French monarchs given the children help to characterize the parents.)

ruisseaux° de l'avenue, avec tous les polissons° du quartier.

Au-dessus de lui, Caravan avait installé sa mère, dont l'avarice était célèbre aux environs et dont la maigreur faisait dire que le *Bon Dieu* avait appliqué sur elle-même ses propres principes de parcimonie. Toujours de mauvaise humeur, elle ne passait point un jour sans querelles et sans colères furieuses. Elle apostrophait de sa fenêtre les voisins sur leurs portes, les marchandes des quatre-saisons,° les balayeurs et les gamins qui, pour se venger, la suivaient de loin, quand elle sortait, en criant : — « A la chie-en-lit ! »°

Une petite bonne normande, incroyablement étourdie,° faisait le ménage et couchait au second près de la vieille, dans la crainte d'un accident.

Lorsque Caravan rentra chez lui, sa femme, atteinte d'une maladie chronique de nettoyage, faisait reluire avec un morceau de flanelle l'acajou des chaises éparses dans la solitude des pièces. Elle portait toujours des gants de fil, ornait sa tête d'un bonnet à rubans multicolores sans cesse chaviré° sur une oreille, et répétait, chaque fois qu'on la surprenait cirant, brossant, astiquant° ou lessivant :° — « Je ne suis pas riche, chez moi tout est simple, mais la propreté c'est mon luxe, et celui-ci en vaut bien un autre. »

Douée d'un sens pratique opiniâtre, elle était en tout le guide de son mari. Chaque soir, à table, et puis dans leur lit, ils causaient longuement des affaires du bureau, et, bien qu'elle eût vingt ans de moins que lui, il se confiait à elle comme à un directeur de conscience, et suivait en tout ses conseils.

Elle n'avait jamais été jolie ; elle était laide maintenant, de petite taille et maigrelette. L'inhabileté de sa vêture° avait toujours fait disparaître ses faibles attributs féminins qui auraient dû saillir avec art sous un habillage bien entendu. Ses jupes semblaient sans cesse tournées d'un côté ;° et elle se grattait souvent, n'importe où, avec indifférence du public, par une sorte de manie qui touchait au tic.° Le seul

ornement qu'elle se permît consistait en une profusion de rubans de soie entremêlés sur les bonnets prétentieux qu'elle avait coutume de porter chez elle.

Aussitôt qu'elle aperçut son mari, elle se leva, et, l'embrassant sur ses favoris :° — « As-tu pensé à Potin,° mon ami ? » (C'était pour une commission qu'il avait promis de faire.) Mais il tomba atterré sur un siège ; il venait encore d'oublier pour la quatrième fois : — « C'est une fatalité, disait-il, c'est une fatalité ; j'ai beau y penser toute la journée, quand le soir vient, j'oublie toujours. » Mais comme il semblait désolé, elle le consola : — « Tu y songeras demain, voilà tout. Rien de neuf au ministère ? »

— Si, une grande nouvelle : encore un ferblantier nommé sous-chef.

Elle devint très sérieuse :

— A quel bureau ?

— Au bureau des achats extérieurs.

Elle se fâchait :

— A la place de Ramon alors, juste celle que je voulais pour toi ; et lui, Ramon ? à la retraite ?°

Il balbutia : — « A la retraite. » Elle devint rageuse, le bonnet parti sur l'épaule :

— C'est fini, vois-tu, cette boîte-là, rien à faire là-dedans maintenant. Et comment s'appelle-t-il, ton commissaire ?

— Bonassot.

Elle prit l'Annuaire de la marine, qu'elle avait toujours sous la main, et chercha : « Bonassot. — Toulon. — Né en 1851. — Élève-commissaire en 1871, Sous-commissaire en 1875. »

— A-t-il navigué, celui-là ?

A cette question, Caravan se rasséréna. Une gaieté lui vint qui secouait son ventre : — « Comme Balin, juste comme Balin, son chef. » Et il ajouta, dans un rire plus fort, une vieille plaisanterie que tout le ministère trouvait délicieuse : — « Il ne faudrait pas les envoyer par eau inspecter la station navale du Point-du-Jour,° ils seraient malades sur les bateaux-mouches.° »

Mais elle restait grave comme si elle n'avait pas entendu, puis elle murmura en se grattant lentement le menton : « Si seulement on avait

---

1. *ruisseaux:* gutters. 1. *polissons:* ragamuffins. 11. *marchandes des quatre-saisons:* pushcart vendors. 14. *A la chie-en-lit:* Crazy Jane! (a euphemism). 16. *étourdie:* stupid. 25. *chaviré:* capsized. 27. *astiquant:* polishing. 27. *lessivant:* doing the laundry. 40. *vêture:* costuming. 44. *tournées d'un côté:* twisted. 46. *touchait au tic:* was close to being a spasmodic affliction.

6. *favoris:* side whiskers. 7. *Potin:* famous grocery store. 23. *à la retraite:* retired. 43. *Point-du-Jour:* depot on the Seine, just outside Paris. 44. *bateaux-mouches:* river steamers.

un député° dans sa manche?° Quand la Chambre saura tout ce qui se passe là-dedans, le ministre sautera° du coup... »

Des cris éclatèrent dans l'escalier, coupant sa phrase. Marie-Louise et Philippe-Auguste, qui revenaient du ruisseau, se flanquaient, de marche en marche, des gifles° et des coups de pieds. Leur mère s'élança, furieuse, et, les prenant chacun par un bras, elle les jeta dans l'appartement en les secouant avec vigueur.

Sitôt qu'ils aperçurent leur père, ils se précipitèrent sur lui, et il les embrassa tendrement, longtemps; puis, s'asseyant, les prit sur ses genoux et fit la causette° avec eux.

Philippe-Auguste était un vilain mioche,° dépeigné, sale des pieds à la tête, avec une figure de crétin. Marie-Louise ressemblait à sa mère déjà, parlait comme elle, répétant ses paroles, l'imitant même en ses gestes. Elle dit aussi : — « Quoi de neuf au ministère? » Il lui répondit gaiement : — « Ton ami Ramon, qui vient dîner ici tous les mois, va nous quitter, fifille. Il y a un nouveau sous-chef à sa place. » Elle leva les yeux sur son père, et, avec une commisération d'enfant précoce : — « Encore un qui t'a passé sur le dos, alors. »

Il finit de rire et ne répondit pas; puis, pour faire diversion, s'adressant à sa femme qui nettoyait maintenant les vitres : — « La maman va bien, là-haut? »

Mme Caravan cessa de frotter, se retourna, redressa son bonnet tout à fait parti dans le dos, et, la lèvre tremblante : — « Ah! oui, parlons-en de ta mère! Elle m'en a fait une jolie! Figure-toi que tantôt Mme Lebaudin, la femme du coiffeur, est montée pour m'emprunter un paquet d'amidon,° et comme j'étais sortie, ta mère l'a chassée en la traitant de « mendiante. » Aussi je l'ai arrangée,° la vieille. Elle a fait semblant de ne pas entendre comme toujours quand on lui dit ses vérités, mais elle n'est pas plus sourde que moi, vois-tu; c'est de la frime,° tout ça; et la preuve, c'est qu'elle est remontée dans sa chambre, aussitôt, sans dire un mot. »

Caravan, confus, se taisait, quand la petite bonne se précipita pour annoncer le dîner.

Alors, afin de prévenir sa mère, il prit un manche à balai toujours caché dans un coin et frappa trois coups au plafond. Puis on passa dans la salle, et Mme Caravan la jeune servit le potage, en attendant la vieille. Elle ne venait pas, et la soupe refroidissait. Alors on se mit à manger tout doucement; puis, quand les assiettes furent vides, on attendit encore. Mme Caravan, furieuse, s'en prenait à° son mari : — « Elle le fait exprès, sais-tu. Aussi tu la soutiens toujours. » Lui, fort perplexe, pris entre les deux, envoya Marie-Louise chercher grand'maman, et il demeura immobile, les yeux baissés, tandis que sa femme tapait rageusement le pied de son verre avec le bout de son couteau.

Soudain la porte s'ouvrit, et l'enfant seule réapparut tout essoufflée et fort pâle; elle dit très vite : — « Grand'maman est tombée par terre. »

Caravan, d'un bond, fut debout, et, jetant sa serviette sur la table, il s'élança dans l'escalier, où son pas lourd et précipité retentit, pendant que sa femme, croyant à une ruse méchante de sa belle-mère, s'en venait° plus doucement en haussant avec mépris les épaules.

La vieille gisait tout de son long sur la face au milieu de la chambre, et, lorsque son fils l'eut retournée, elle apparut, immobile et sèche, avec sa peau jaunie, plissée, tannée, ses yeux clos, ses dents serrées et tout son corps maigre raidi.

Caravan, à genoux près d'elle, gémissait : — « Ma pauvre mère, ma pauvre mère! » Mais l'autre Mme Caravan, après l'avoir considérée un instant, déclara : — « Bah! elle a encore une syncope, voilà tout; c'est pour nous empêcher de dîner, sois-en sûr. »

On porta le corps sur le lit, on le déshabilla complètement; et tous, Caravan, sa femme, la bonne, se mirent à le frictionner. Malgré leurs efforts, elle ne reprit pas connaissance. Alors on envoya Rosalie chercher le docteur Chenet. Il habitait sur le quai, vers Suresnes. C'était loin, l'attente fut longue. Enfin il arriva, et, après avoir considéré, palpé, ausculté° la vieille femme, il prononça : — « C'est la fin. »

Caravan s'abattit sur le corps, secoué par des sanglots précipités : et il baisait convulsivement la figure rigide de sa mère en pleurant avec tant d'abondance que de grosses larmes tombaient

---

1. *député:* member of the Chambre des Députés. 1. *dans sa manche:* i.e., friendly. 3. *sautera:* will blow up, lose office. 7. *se flanquaient... gifles:* were landing, from step to step, blows on each other. 14. *fit la causette:* had a little chat. 15. *mioche:* brat. 37. *amidon:* starch. 39. *arrangée:* bawled out. 42. *c'est de la frime:* that's all eyewash.

9. *s'en prenait à:* laid the blame on. 24. *s'en venait:* followed along. 44. *ausculté:* auscultated, listened to the heart.

comme des gouttes d'eau sur le visage de la morte.

Mme Caravan la jeune eut une crise convenable de chagrin, et, debout derrière son mari, elle poussait de faibles gémissements en se frottant les yeux avec obstination.

Caravan, la face bouffie, ses maigres cheveux en désordre, très laid dans sa douleur vraie, se redressa soudain : — « Mais... êtes-vous sûr, docteur... êtes-vous bien sûr ?... » L'officier de santé s'approcha rapidement, et maniant le cadavre avec une dextérité professionnelle, comme un négociant qui ferait valoir sa marchandise : — « Tenez, mon bon, regardez l'œil.» Il releva la paupière, et le regard de la vieille femme réapparut sous son doigt, nullement changé, avec la pupille un peu plus large peut-être. Caravan reçut un coup dans le cœur, et une épouvante lui traversa les os.

M. Chenet prit le bras crispé, força les doigts pour les ouvrir, et, l'air furieux comme en face d'un contradicteur : — « Mais regardez-moi cette main, je ne m'y trompe jamais, soyez tranquille. »

Caravan retomba vautré° sur le lit, beuglant° presque ; tandis que sa femme, pleurnichant° toujours, faisait les choses nécessaires. Elle approcha la table de nuit sur laquelle elle étendit une serviette, posa dessus quatre bougies qu'elle alluma, prit un rameau de buis° accroché derrière la glace de la cheminée et le posa entre les bougies dans une assiette qu'elle emplit d'eau claire, n'ayant point d'eau bénite. Mais, après une réflexion rapide, elle jeta dans cette eau une pincée de sel, s'imaginant sans doute exécuter là une sorte de consécration.

Lorsqu'elle eut terminé la figuration° qui doit accompagner la Mort, elle resta debout, immobile. Alors l'officier de santé, qui l'avait aidée à disposer les objets, lui dit tout bas : — « Il faut emmener Caravan. » Elle fit un signe d'assentiment, et s'approchant de son mari qui sanglotait, toujours à genoux, elle le souleva par un bras, pendant que M. Chenet le prenait par l'autre.

On l'assit d'abord sur une chaise, et sa femme, le baisant au front, le sermonna. L'officier de santé appuyait ses raisonnements, conseillant la fermeté, le courage, la résignation, tout ce qu'on ne peut garder dans ces malheurs foudroyants.° Puis tous deux le prirent de nouveau sous les bras et l'emmenèrent.

Il larmoyait comme un gros enfant, avec des hoquets° convulsifs, avachi,° les bras pendants, les jambes molles ; et il descendit l'escalier sans savoir ce qu'il faisait, remuant les pieds machinalement.

On le déposa dans le fauteuil qu'il occupait toujours à table, devant son assiette presque vide où sa cuiller encore trempait dans un reste de soupe. Et il resta là, sans un mouvement, l'œil fixé sur son verre, tellement hébété° qu'il demeurait même sans pensée.

Mme Caravan, dans un coin, causait avec le docteur, s'informait des formalités, demandait tous les renseignements pratiques. A la fin, M. Chenet, qui paraissait attendre quelque chose, prit son chapeau et, déclarant qu'il n'avait pas dîné, fit un salut pour sortir. Elle s'écria :

— Comment, vous n'avez pas dîné ? Mais restez, docteur, restez donc ! On va vous servir ce que nous avons ; car vous comprenez que nous, nous ne mangerons pas grand'chose.

Il refusa, s'excusant ; elle insistait :

— Comment donc, mais restez. Dans des moments pareils, on est heureux d'avoir des amis près de soi ; et puis, vous déciderez peut-être mon mari à se réconforter un peu : il a tant besoin de prendre des forces.

Le docteur s'inclina, et, déposant son chapeau sur un meuble : — « En ce cas, j'accepte, madame. »

Elle donna des ordres à Rosalie affolée, puis elle-même se mit à table, « pour faire semblant de manger, disait-elle, et tenir compagnie au docteur. »

On reprit du potage froid. M. Chenet en redemanda. Puis apparut un plat de gras-double lyonnaise° qui répandit un parfum d'oignon, et dont Mme Caravan se décida à goûter. — « Il est excellent », dit le docteur. Elle sourit : — « N'est-ce pas ? » Puis se tournant vers son mari : — « Prends-en donc un peu, mon pauvre Alfred, seulement pour te mettre quelque chose dans l'estomac, songe que tu vas passer la nuit ! »°

---

25. *vautré:* spread out. 25. *beuglant:* bellowing. 26. *pleurnichant:* sniffling. 30. *rameau de buis:* sprig of boxwood. 37. *figuration:* performance.

2. *foudroyants:* blasting, crushing. 6. *hoquets:* hiccups. 6. *avachi:* overcome. 14. *hébété:* drugged. 41. *gras-double lyonnaise:* tripe and onions. 48. *passer la nuit:* i.e., keep vigil.

Il tendit son assiette docilement, comme il aurait été se mettre au lit si on le lui eût commandé, obéissant à tout sans résistance et sans réflexion. Et il mangea.

Le docteur, se servant lui-même, puisa trois fois dans le plat, tandis que Mme Caravan, de temps en temps, piquait un gros morceau au bout de sa fourchette et l'avalait avec une sorte d'inattention étudiée.

Quand parut un saladier° plein de macaroni, le docteur murmura : — « Bigre !° voilà une bonne chose. » Et Mme Caravan, cette fois, servit tout le monde. Elle remplit même les soucoupes° où barbotaient° les enfants, qui, laissés libres, buvaient du vin pur et s'attaquaient déjà, sous la table, à coups de pied.

M. Chenet rappela l'amour de Rossini° pour ce mets° italien ; puis tout à coup : — « Tiens ! mais ça rime ; on pourrait commencer une pièce de vers :

> *Le maëstro Rossini*
> *Aimait le macaroni… »*

On ne l'écoutait point. Mme Caravan, devenue soudain réfléchie, songeait à toutes les conséquences probables de l'événement ; tandis que son mari roulait des boulettes de pain qu'il déposait ensuite sur la nappe, et qu'il regardait fixement d'un air idiot. Comme une soif ardente lui dévorait la gorge, il portait sans cesse à sa bouche son verre tout rempli de vin ; et sa raison, culbutée° déjà par la secousse et le chagrin, devenait flottante, lui paraissait danser dans l'étourdissement subit de la digestion commencée et pénible.

Le docteur, du reste, buvait comme un trou, se grisait visiblement ; et Mme Caravan elle-même, subissant la réaction qui suit tout ébranlement° nerveux, s'agitait, troublée aussi, bien qu'elle ne prît que de l'eau, et se sentait la tête un peu brouillée.

M. Chenet s'était mis à raconter des histoires de décès qui lui paraissaient drôles. Car dans cette banlieue parisienne, remplie d'une population de province, on retrouve cette indifférence du paysan pour le mort, fût-il son père ou sa mère, cet irrespect, cette férocité inconsciente si communs dans les campagnes, et si rares à Paris. Il disait : — « Tenez, la semaine dernière rue de Puteaux, on m'appelle, j'accours ; je trouve le malade trépassé, et, auprès du lit, la famille qui finissait tranquillement une bouteille d'anisette° achetée la veille pour satisfaire un caprice du moribond. »

Mais Mme Caravan n'écoutait pas, songeant toujours à l'héritage ; et Caravan, le cerveau vidé, ne comprenait rien.

On servit le café, qu'on avait fait très fort pour se soutenir le moral. Chaque tasse, arrosée de cognac, fit monter aux joues une rougeur subite, mêla les dernières idées de ces esprits vacillants déjà.

Puis le *docteur*, s'emparant soudain de la bouteille d'eau-de-vie, versa la *rincette*° à tout le monde. Et, sans parler, engourdis° dans la chaleur douce de la digestion, saisis malgré eux par ce bien-être animal que donne l'alcool après dîner, ils se gargarisaient° lentement avec le cognac sucré qui formait un sirop jaunâtre au fond des tasses.

Les enfants s'étaient endormis et Rosalie les coucha.

Alors Caravan, obéissant machinalement au besoin de s'étourdir° qui pousse tous les malheureux, reprit plusieurs fois de l'eau-de-vie ; et son œil hébété luisait.

Le *docteur* enfin se leva pour partir ; et s'emparant du bras de son ami :

— Allons, venez avec moi, dit-il ; un peu d'air vous fera du bien ; quand on a des ennuis, il ne faut pas s'immobiliser.

L'autre obéit docilement, mit son chapeau, prit sa canne, sortit ; et tous deux, se tenant par le bras, descendirent vers la Seine sous les claires étoiles.

Des souffles embaumés flottaient dans la nuit chaude, car tous les jardins des environs étaient à cette saison pleins de fleurs, dont les parfums, endormis pendant le jour, semblaient s'éveiller à l'approche du soir et s'exhalaient, mêlés aux brises légères qui passaient dans l'ombre.

L'avenue large était déserte et silencieuse avec ses deux rangs de becs de gaz° allongés jusqu'à l'Arc de Triomphe. Mais là-bas Paris

---

10. *saladier:* bowl, serving dish. 11. *Bigre!* By gad! 14. *soucoupes:* saucers. 14. *barbotaient:* were poking around. 17. Rossini, nineteenth-century Italian composer of operas. 18. *mets:* dish. 33. *culbutée:* upset. 40. *ébranlement:* disturbance, shock.

7. *anisette:* cordial flavored with aniseed. 18. *rincette:* nip of spirits. 19. *engourdis:* torpid. 22. *se gargarisaient:* gargled, rolled around in the mouth. 28. *s'étourdir:* benumb oneself. 47. *becs de gaz:* gas street lights.

bruissait° dans une buée° rouge. C'était une sorte de roulement continu auquel paraissait répondre parfois au loin, dans la plaine, le sifflet d'un train accourant à toute vapeur, ou bien fuyant, à travers la province, vers l'Océan.

L'air du dehors, frappant les deux hommes au visage, les surprit d'abord, ébranla l'équilibre du docteur, et accentua chez Caravan les vertiges qui l'envahissaient depuis le dîner. Il allait comme dans un songe, l'esprit engourdi, paralysé, sans chagrin vibrant, saisi par une sorte d'engourdissement moral qui l'empêchait de souffrir, éprouvant même un allègement qu'augmentaient les exhalaisons tièdes épandues dans la nuit.

Quand ils furent au pont, ils tournèrent à droite, et la rivière leur jeta à la face un souffle frais. Elle coulait, mélancolique et tranquille, devant un rideau de hauts peupliers; et des étoiles semblaient nager sur l'eau, remuées par le courant. Une brume fine et blanchâtre qui flottait sur la berge de l'autre côté apportait aux poumons une senteur humide; et Caravan s'arrêta brusquement, frappé par cette odeur de fleuve qui remuait dans son cœur des souvenirs très vieux.

Et il revit soudain sa mère, autrefois, dans son enfance à lui, courbée à genoux devant leur porte, là-bas, en Picardie,° et lavant au mince cours d'eau qui traversait le jardin le linge en tas à côté d'elle. Il entendait son battoir dans le silence tranquille de la campagne, sa voix qui criait : — « Alfred, apporte-moi du savon. » Et il sentait cette même odeur d'eau qui coule, cette même brume envolée des terres ruisselantes, cette buée marécageuse dont la saveur était restée en lui, inoubliable, et qu'il retrouvait justement ce soir-là même où sa mère venait de mourir.

Il s'arrêta, raidi dans une reprise de désespoir fougueux.° Ce fut comme un éclat de lumière illuminant d'un seul coup toute l'étendue de son malheur; et la rencontre de ce souffle errant le jeta dans l'abîme noir des douleurs irrémédiables. Il sentit son cœur déchiré par cette séparation sans fin. Sa vie était coupée au milieu; et sa jeunesse entière disparaissait engloutie dans cette mort. Tout l'*autrefois* était fini; tous les

souvenirs d'adolescence s'évanouissaient; personne ne pourrait plus lui parler des choses anciennes, des gens qu'il avait connus jadis, de son pays, de lui-même, de l'intimité de sa vie passée; c'était une partie de son être qui avait fini d'exister; à l'autre de mourir maintenant.

Et le défilé des évocations commença. Il revoyait « la maman » plus jeune, vêtue de robes usées sur elle, portées si longtemps qu'elles semblaient inséparables de sa personne; il la retrouvait dans mille circonstances oubliées : avec des physionomies effacées, ses gestes, ses intonations, ses habitudes, ses manies, ses colères, les plis de sa figure, les mouvements de ses doigts maigres, toutes ses attitudes familières qu'elle n'aurait plus.

Et, se cramponnant° au docteur, il poussa des gémissements. Ses jambes flasques tremblaient; toute sa grosse personne était secouée par les sanglots, et il balbutiait : — « Ma mère, ma pauvre mère, ma pauvre mère!... »

Mais son compagnon, toujours ivre, et qui rêvait de finir la soirée en des lieux qu'il fréquentait secrètement, impatienté par cette crise aiguë de chagrin, le fit asseoir sur l'herbe de la rive, et presque aussitôt le quitta sous prétexte de voir un malade.

Caravan pleura longtemps; puis, quand il fut à bout de larmes, il éprouva de nouveau un soulagement, un repos, une tranquillité subite.

La lune s'était levée; elle baignait l'horizon de sa lumière placide. Les grands peupliers se dressaient avec des reflets d'argent, et le brouillard, sur la plaine, semblait de la neige flottante; le fleuve, où ne nageaient plus les étoiles, mais qui paraissait couvert de nacre,° coulait toujours, ridé par des frissons brillants. L'air était doux, la brise odorante. Une mollesse passait dans le sommeil de la terre, et Caravan buvait cette douceur de la nuit; il respirait longuement, croyait sentir pénétrer jusqu'à l'extrémité de ses membranes une fraîcheur, un calme, une consolation surhumaine.

Il résistait toutefois à ce bien-être envahissant, se répétait : — « Ma mère, ma pauvre mère, » s'excitant à pleurer par une sorte de conscience d'honnête homme; mais il ne le pouvait plus; et aucune tristesse même ne l'étreignait aux

---

1. *bruissait:* was murmuring, rumbling. 1. *buée:* vapor.
29. *Picardie:* Picardy, province of northeastern France.
41. *fougueux:* impetuous.

17. *se cramponnant:* clutching. 36. *nacre:* mother-of-pearl.

pensées qui, tout à l'heure encore, l'avaient fait si fort sangloter.

Alors il se leva pour rentrer, revenant à petits pas, enveloppé dans la calme indifférence de la nature sereine, et le cœur apaisé malgré lui.

Quand il atteignit le pont, il aperçut le fanal° du dernier tramway prêt à partir et, par derrière, les fenêtres éclairées du café du Globe.

Alors un besoin lui vint de raconter la catastrophe à quelqu'un, d'exciter la commisération, de se rendre intéressant. Il prit une physionomie lamentable, poussa la porte de l'établissement, et s'avança vers le comptoir où le patron trônait toujours. Il comptait sur un effet, tout le monde allait se lever, venir à lui, la main tendue : — « Tiens, qu'avez-vous ? » Mais personne ne remarqua la désolation de son visage. Alors il s'accouda sur le comptoir et, serrant son front dans ses mains, il murmura : « Mon Dieu, mon Dieu ! »

Le patron le considéra : — « Vous êtes malade, monsieur Caravan ? » — Il répondit : — « Non, mon pauvre ami ; mais ma mère vient de mourir. » L'autre lâcha un « Ah ! » distrait ; et comme un consommateur au fond de l'établissement criait : — « Un bock,° s'il vous plaît ! » il répondit aussitôt d'une voix terrible : — « Voilà, boum !… on y va », et s'élança pour servir, laissant Caravan stupéfait.

Sur la même table qu'avant dîner, absorbés et immobiles, les trois amateurs de dominos jouaient encore. Caravan s'approcha d'eux, en quête de commisération. Comme aucun ne paraissait le voir, il se décida à parler : — « Depuis tantôt, leur dit-il, il m'est arrivé un grand malheur. »

Ils levèrent un peu la tête tous les trois en même temps, mais en gardant l'œil fixe sur le jeu° qu'ils tenaient en main. — « Tiens, quoi donc ? » — « Ma mère vient de mourir. » Un d'eux murmura : — « Ah ! diable » avec cet air faussement navré que prennent les indifférents. Un autre, ne trouvant rien à dire, fit entendre, en hochant le front, une sorte de sifflement triste. Le troisième se remit au jeu comme s'il eût pensé : — « Ce n'est que ça. »

Caravan attendait un de ces mots qu'on dit « venus du cœur. » Se voyant ainsi reçu, il s'éloigna, indigné de leur placidité devant la douleur d'un ami, bien que cette douleur, en ce moment même, fût tellement engourdie qu'il ne la sentait plus guère.

Et il sortit.

Sa femme l'attendait en chemise de nuit, assise sur une chaise basse auprès de la fenêtre ouverte, et pensant toujours à l'héritage.

— Déshabille-toi, dit-elle : nous allons causer quand nous serons au lit.

Il leva la tête, et, montrant le plafond de l'œil : — « Mais… là-haut… il n'y a personne. » — « Pardon, Rosalie est auprès d'elle, tu iras la remplacer à trois heures du matin, quand tu auras fait un somme.° »

Il resta néanmoins en caleçon° afin d'être prêt à tout événement, noua un foulard° autour de son crâne, puis rejoignit sa femme qui venait de se glisser dans les draps.

Ils demeurèrent quelque temps assis côte à côte. Elle songeait.

Sa coiffure, même à cette heure, était agrémentée d'un nœud rose et penchée un peu sur une oreille, comme par suite d'une invincible habitude de tous les bonnets qu'elle portait.

Soudain, tournant la tête vers lui : — « Sais-tu si ta mère a fait un testament ? » dit-elle. Il hésita : — « Je… je… ne crois pas… Non, sans doute, elle n'en a pas fait. » Mme Caravan regarda son mari dans les yeux, et, d'une voix basse et rageuse : — « C'est une indignité, vois-tu ; car enfin voilà dix ans que nous nous décarcassons° à la soigner, que nous la logeons, que nous la nourrissons ! Ce n'est pas ta sœur qui en aurait fait autant pour elle, ni moi non plus si j'avais su comment j'en serais récompensée ! Oui, c'est une honte pour sa mémoire ! Tu me diras qu'elle payait pension : c'est vrai ; mais les soins de ses enfants, ce n'est pas avec de l'argent qu'on les paie : on les reconnaît par testament après la mort. Voilà comment se conduisent les gens honorables. Alors, moi j'en ai été pour ma peine et pour mes tracas !° Ah ! c'est du propre ! c'est du propre ! »

Caravan, éperdu, répétait : — « Ma chérie, ma chérie, je t'en prie, je t'en supplie. »

A la longue, elle se calma, et revenant au ton

---

6. *fanal:* headlight. 26. *bock:* beer. 39. *jeu: here,* handful of dominoes.

14. *somme:* nap. 15. *en caleçon:* in his underclothes. 16. *foulard:* scarf. 33. *nous nous décarcassons:* we have been wearing ourselves to the bone. 44. *j'en ai… tracas:* all my trouble and worry have gone for nothing.

de chaque jour, elle reprit : — « Demain matin, il faudra prévenir ta sœur. »

Il eut un sursaut : « C'est vrai, je n'y avais pas pensé; dès le jour j'enverrai une dépêche.° » Mais elle l'arrêta, en femme qui a tout prévu. « Non, envoie-la seulement de dix à onze, afin que nous ayons le temps de nous retourner avant son arrivée. De Charenton° ici elle en a pour deux heures au plus. Nous dirons que tu as perdu la tête. En prévenant dans la matinée, on ne se mettra pas dans la commise!° »

Mais Caravan se frappa le front, avec l'intonation timide qu'il prenait toujours en parlant de son chef dont la pensée même le faisait trembler : — « Il faut aussi prévenir au ministère, » dit-il. Elle répondit : — « Pourquoi prévenir? Dans des occasions comme ça, on est toujours excusable d'avoir oublié. Ne préviens pas, crois-moi; ton chef ne pourra rien dire et tu le mettras dans un rude embarras. » — « Oh! ça, oui, dit-il, et dans une fameuse colère quand il ne me verra point venir. Oui, tu as raison, c'est une riche idée. Quand je lui annoncerai que ma mère est morte, il sera bien forcé de se taire. »

Et l'employé, ravi de la farce, se frottait les mains en songeant à la tête° de son chef, tandis qu'au-dessus de lui le corps de la vieille gisait à côté de la bonne endormie.

Mme Caravan devenait soucieuse, comme obsédée par une préoccupation difficile à dire. Enfin elle se décida : — « Ta mère t'avait bien donné sa pendule, n'est-ce pas, la jeune fille au bilboquet?° » Il chercha dans sa mémoire et répondit : — « Oui, oui; elle m'a dit (mais il y a longtemps de cela, c'est quand elle est venue ici), elle m'a dit : Ce sera pour toi, la pendule, si tu prends bien soin de moi. »

Mme Caravan tranquillisée se rasséréna : — « Alors, vois-tu, il faut aller la chercher, parce que, si nous laissons venir ta sœur, elle nous empêchera de la prendre. » Il hésitait : — « Tu crois?... » Elle se fâcha : — « Certainement que je le crois; une fois ici, ni vu ni connu :° c'est à nous. C'est comme pour la commode° de sa chambre, celle qui a un marbre : elle me l'a donnée, à moi, un jour qu'elle était de bonne humeur. Nous la descendrons en même temps. » Caravan semblait incrédule. — « Mais, ma chère, c'est une grande responsabilité! » Elle se tourna vers lui, furieuse : « Ah! vraiment! Tu ne changeras donc jamais? Tu laisserais tes enfants mourir de faim, toi, plutôt que de faire un mouvement. Du moment qu'elle me l'a donnée, cette commode, c'est à nous, n'est-ce pas? Et si ta sœur n'est pas contente, elle me le dira, à moi! Je m'en moque bien de ta sœur. Allons, lève-toi, que nous apportions tout de suite ce que ta mère nous a donné. »

Tremblant et vaincu, il sortit du lit, et, comme il passait° sa culotte, elle l'en empêcha : — « Ce n'est pas la peine de t'habiller, va, garde ton caleçon, ça suffit; j'irai bien comme ça, moi. »

Et tous deux, en toilette de nuit, partirent, montèrent l'escalier sans bruit, ouvrirent la porte avec précaution et entrèrent dans la chambre où les quatre bougies allumées autour de l'assiette au buis bénit semblaient seules garder la vieille en son repos rigide; car Rosalie, étendue dans son fauteuil, les jambes allongées, les mains croisées sur sa jupe, la tête tombée de côté, immobile aussi et la bouche ouverte, dormait en ronflant un peu.

Caravan prit la pendule. C'était un de ces objets grotesques comme en produisit beaucoup l'art impérial.° Une jeune fille en bronze doré, la tête ornée de fleurs diverses, tenait à la main un bilboquet dont la boule servait de balancier.° — « Donne-moi ça, lui dit sa femme, et prends le marbre de la commode. »

Il obéit en soufflant et il percha le marbre sur son épaule avec un effort considérable.

Alors le couple partit. Caravan se baissa sous la porte, se mit à descendre en tremblant l'escalier, tandis que sa femme, marchant à reculons,° l'éclairait d'une main, ayant la pendule sous l'autre bras.

Lorsqu'ils furent chez eux, elle poussa un grand soupir. — « Le plus gros est fait, dit-elle; allons chercher le reste. »

Mais les tiroirs du meuble étaient tout pleins des hardes° de la vieille. Il fallait bien cacher cela quelque part.

Mme Caravan eut une idée : — « Va donc

4. *dépêche:* telegram. 8. Charenton, suburb southeast of Paris. 11. *on ne se… commise:* you won't commit yourself to anything. 26. *tête:* face. 33. *jeune fille au bilboquet:* i.e., with a cast metal decoration portraying a girl playing a game with cup and ball. 43. *ni vu ni connu:* what you don't see won't hurt you. 44. *commode:* dresser, bureau.

14. *passait:* was putting on. 30. *impérial:* of Napoleon's empire (1804–14). 32. *balancier:* pendulum. 40. *à reculons:* backward. 46. *hardes:* clothing.

prendre le coffre à bois en sapin qui est dans le vestibule; il ne vaut pas quarante sous, on peut bien le mettre ici. » Et quand le coffre fut arrivé, on commença le transport.

Ils enlevaient, l'un après l'autre, les manchettes, les collerettes, les chemises, les bonnets, toutes les pauvres nippes° de la bonne femme étendue là, derrière eux, et les disposaient méthodiquement dans le coffre à bois de façon à tromper Mme Braux, l'autre enfant de la défunte, qui viendrait le lendemain.

Quand ce fut fini, on descendit d'abord les tiroirs, puis le corps du meuble en le tenant chacun par un bout; et tous deux cherchèrent pendant longtemps à quel endroit il ferait le mieux. On se décida pour la chambre, en face du lit, entre les deux fenêtres.

Une fois la commode en place, Mme Caravan l'emplit de son propre linge. La pendule occupa la cheminée de la salle; et le couple considéra l'effet obtenu. Ils en furent aussitôt enchantés : « Ça fait très bien, » dit-elle. Il répondit : — « Oui, très bien. » Alors ils se couchèrent. Elle souffla la bougie; et tout le monde bientôt dormit aux deux étages de la maison.

Il était déjà grand jour lorsque Caravan rouvrit les yeux. Il avait l'esprit confus à son réveil, et il ne se rappela l'événement qu'au bout de quelques minutes. Ce souvenir lui donna un grand coup dans la poitrine; et il sauta du lit, très ému de nouveau, prêt à pleurer.

Il monta bien vite à la chambre au-dessus, où Rosalie dormait encore, dans la même posture que la veille, n'ayant fait qu'un somme de toute la nuit. Il la renvoya à son ouvrage, remplaça les bougies consumées, puis il considéra sa mère en roulant dans son cerveau ces apparences de pensées profondes, ces banalités religieuses et philosophiques qui hantent les intelligences moyennes en face de la mort.

Mais comme sa femme l'appelait, il descendit. Elle avait dressé une liste des choses à faire dans la matinée, et elle lui remit cette nomenclature dont il fut épouvanté.

Il lut : 1° Faire la déclaration à la mairie;
2° Demander le médecin des morts;
3° Commander le cercueil;°
4° Passer à l'église;
5° Aux pompes funèbres;°

6° A l'imprimerie pour les lettres;
7° Chez le notaire;
8° Au télégraphe pour avertir la famille.
Plus une multitude de petites commissions.
Alors il prit son chapeau et s'éloigna.

Or, la nouvelle s'étant répandue, les voisines commençaient à arriver et demandaient à voir la morte.

Chez le coiffeur, au rez-de-chaussée, une scène avait même eu lieu à ce sujet entre la femme et le mari pendant qu'il rasait un client.

La femme, tout en tricotant un bas, murmura : — « Encore une de moins, et une avare, celle-là, comme il n'y en avait pas beaucoup. Je ne l'aimais guère, c'est vrai; il faudra tout de même que j'aille la voir. »

Le mari grogna, tout en savonnant le menton du patient : — « En voilà, des fantaisies! Il n'y a que les femmes pour ça. Ce n'est pas assez de vous embêter° pendant la vie, elles ne peuvent seulement pas vous laisser tranquille après la mort. » — Mais son épouse, sans se déconcerter, reprit : — « C'est plus fort que moi; faut que j'y aille. Ça me tient depuis ce matin. Si je ne la voyais pas, il me semble que j'y penserais toute ma vie. Mais quand je l'aurai bien regardée pour prendre° sa figure, je serai satisfaite après. »

L'homme au rasoir haussa les épaules et confia au monsieur dont il grattait la joue : — « Je vous demande un peu quelles idées ça vous a, ces sacrées femelles! Ce n'est pas moi qui m'amuserais à voir un mort! » — Mais sa femme l'avait entendu, et elle répondit sans se troubler : — « C'est comme ça, c'est comme ça. » — Puis, posant son tricot sur le comptoir, elle monta au premier étage.

Deux voisines étaient déjà venues et causaient de l'accident avec Mme Caravan, qui racontait les détails.

On se dirigea vers la chambre mortuaire. Les quatre femmes entrèrent à pas de loup,° aspergèrent° le drap l'une après l'autre avec l'eau salée, s'agenouillèrent, firent le signe de la croix en marmottant° une prière, puis, s'étant relevées, les yeux agrandis, la bouche entr'-ouverte, considérèrent longuement le cadavre, pendant que la belle-fille de la morte, un mouchoir sur la figure, simulait un hoquet désespéré.

7. *nippes*: garments. 47. *cercueil*: coffin. 49. *pompes funèbres*: undertaker.

20. *embêter*: annoy. 27. *prendre*: fix in mind. 41. *à pas de loup*: softly, gingerly. 42. *aspergèrent*: sprinkled. 44. *marmottant*: muttering.

Quand elle se retourna pour sortir, elle aperçut, debout près de la porte, Marie-Louise et Philippe-Auguste, tous deux en chemise, qui regardaient curieusement. Alors, oubliant son chagrin de commande,° elle se précipita sur eux, la main levée, en criant d'une voix rageuse : — « Voulez-vous bien filer,° bougres de polissons!°»

Étant remontée dix minutes plus tard avec une fournée° d'autres voisines, après avoir de nouveau secoué le buis sur la belle-mère, prié, larmoyé, accompli tous ses devoirs, elle retrouva ses deux enfants revenus ensemble derrière elle. Elle les talocha° encore par conscience;° mais la fois suivante, elle n'y prit plus garde; et, à chaque retour de visiteurs, les deux mioches suivaient toujours, s'agenouillant aussi dans un coin et répétant invariablement tout ce qu'ils voyaient faire à leur mère.

Au commencement de l'après-midi, la foule des curieuses diminua. Bientôt il ne vint plus personne. Mme Caravan, rentrée chez elle, s'occupait à tout préparer pour la cérémonie funèbre; et la morte resta solitaire.

La fenêtre de la chambre était ouverte. Une chaleur torride entrait avec des bouffées de poussière; les flammes des quatre bougies s'agitaient auprès du corps immobile; et sur le drap, sur la face aux yeux fermés, sur les deux mains allongées, des petites mouches grimpaient, allaient, venaient, se promenaient sans cesse, visitaient la vieille, attendant leur heure prochaine.

Mais Marie-Louise et Philippe-Auguste étaient repartis vagabonder dans l'avenue. Ils furent bientôt entourés de camarades, de petites filles surtout, plus éveillées, flairant plus vite tous les mystères de la vie. Et elles interrogeaient comme les grandes personnes. — « Ta grand'maman est morte ? » — « Oui, hier au soir. » — « Comment c'est, un mort ? » — Et Marie-Louise expliquait, racontait les bougies, le buis, la figure. Alors une grande curiosité s'éveilla chez tous les enfants; et ils demandèrent aussi à monter chez la trépassée.

Aussitôt, Marie-Louise organisa un premier voyage, cinq filles et deux garçons; les plus grands, les plus hardis. Elle les força à retirer leurs souliers pour ne point être découverts; la troupe se faufila° dans la maison et monta lestement comme une armée de souris.

Une fois dans la chambre, la fillette, imitant sa mère, régla le cérémonial. Elle guida solennellement ses camarades, s'agenouilla, fit le signe de la croix, remua les lèvres, se releva, aspergea le lit, et pendant que les enfants, en un tas serré, s'approchaient, effrayés, curieux et ravis, pour contempler le visage et les mains, elle se mit soudain à simuler des sanglots en se cachant les yeux dans son petit mouchoir. Puis, consolée brusquement en songeant à ceux qui attendaient devant la porte, elle entraîna, en courant, tout son monde pour ramener bientôt un autre groupe, puis un troisième, car tous les galopins° du pays, jusqu'aux petits mendiants en loques,° accouraient à ce plaisir nouveau; et elle recommençait chaque fois les simagrées° maternelles avec une perfection absolue.

A la longue, elle se fatigua. Un autre jeu entraîna les enfants au loin; et la vieille grand'mère demeura seule, oubliée tout à fait, par tout le monde.

L'ombre emplit la chambre, et sur sa figure sèche et ridée la flamme remuante des lumières faisait danser des clartés.

Vers huit heures, Caravan monta, ferma la fenêtre et renouvela les bougies. Il entrait maintenant d'une façon tranquille, accoutumé déjà à considérer le cadavre comme s'il était là depuis des mois. Il constata même qu'aucune décomposition n'apparaissait encore, et il en fit la remarque à sa femme au moment où ils se mettaient à table pour dîner. Elle répondit : — « Tiens, elle est en bois; elle se conserverait un an. »

On mangea le potage sans prononcer une parole. Les enfants, laissés libres tout le jour, exténués° de fatigue, sommeillaient sur leurs chaises et tout le monde restait silencieux.

Soudain la clarté de la lampe baissa.

Mme Caravan aussitôt remonta la clef;° mais l'appareil rendit un son creux, un bruit de gorge prolongé, et la lumière s'éteignit. On avait oublié d'acheter de l'huile! Aller chez l'épicier retarderait le dîner, on chercha des bougies; mais il n'y en avait plus d'autres que celles allumées en haut sur la table de nuit.

5. *chagrin de commande:* forced sorrow. 7. *filer:* get out. 7. *bougres de polissons:* dirty little rascals. 9. *fournée:* swarm. 13. *talocha:* slapped. 13. *par conscience:* conscientiously.

1. *se faufila:* slipped. 16. *galopins:* urchins. 17. *loques:* rags. 18. *simagrées:* performances. 39. *exténués:* worn out. 42. *remonta la clef:* turned the wheel (controlling wick).

Mme Caravan, prompte en ses décisions, envoya bien vite Marie-Louise en prendre deux; et l'on attendait dans l'obscurité.

On entendait distinctement les pas de la fillette qui montait l'escalier. Il y eut ensuite un silence de quelques secondes; puis l'enfant redescendit précipitamment. Elle ouvrit la porte, effarée, plus émue encore que la veille en annonçant la catastrophe, et elle murmura, suffoquant : « Oh! papa, grand'maman s'ha- 10 bille! »

Caravan se dressa avec un tel sursaut que sa chaise alla rouler contre le mur. Il balbutia : — « Tu dis?... Qu'est-ce que tu dis là?... »

Mais Marie-Louise, étranglée par l'émotion, 15 répéta : — « Grand'... grand'... grand'- maman s'habille... elle va descendre. »

Il s'élança dans l'escalier follement, suivi de sa femme abasourdie :° mais devant la porte du second il s'arrêta, secoué par l'épouvante, 20 n'osant pas entrer. Qu'allait-il voir? — Mme Caravan, plus hardie, tourna la serrure et pénétra dans la chambre.

La pièce semblait devenue plus sombre; et, au milieu, une grande forme maigre remuait. 25 Elle était debout, la vieille; et en s'éveillant du sommeil léthargique, avant même que la connaissance lui fût en plein revenue, se tour- nant de côté et se soulevant sur un coude, elle avait soufflé trois des bougies qui brûlaient près 30 du lit mortuaire. Puis, reprenant des forces, elle s'était levée pour chercher ses hardes. Sa commode partie l'avait troublée d'abord, mais peu à peu elle avait retrouvé ses affaires tout au fond du coffre à bois et s'était tranquillement 35 habillée. Ayant ensuite vidé l'assiette remplie d'eau, replacé le buis derrière la glace et remis les chaises à leur place, elle était prête à des- cendre, quand apparurent devant elle son fils et sa belle-fille. 40

Caravan se précipita, lui saisit les mains, l'embrassa, les larmes aux yeux; tandis que sa femme, derrière lui, répétait d'un air hypo- crite : — « Quel bonheur, oh! quel bonheur! »

Mais la vieille, sans s'attendrir, sans même 45 avoir l'air de comprendre, raide comme une statue, et l'œil glacé, demanda seulement : — « Le dîner est-il bientôt prêt? » — Il balbutia, perdant la tête : — « Mais oui, maman, nous t'attendions. » — Et avec un empressement 50

inaccoutumé, il prit son bras, pendant que Mme Caravan la jeune saisissait la bougie, les éclai- rait, descendant l'escalier devant eux, à reculons et marche à marche, comme elle avait fait, la nuit même, devant son mari qui portait le 5 marbre.

En arrivant au premier étage, elle faillit se heurter contre des gens qui montaient. C'était la famille de Charenton, Mme Braux suivie de son époux. 10

La femme, grande, grosse, avec un ventre d'hydropique° qui rejetait le torse en arrière, ouvrait des yeux effarés, prête à fuir. Le mari, un cordonnier° socialiste, petit homme poilu jusqu'- au nez, tout pareil à un singe, murmura sans 15 s'émouvoir : — « Eh bien, quoi? Elle ressus- cite! »

Aussitôt que Mme Caravan les eut reconnus, elle leur fit des signes désespérés; puis, tout haut : — « Tiens! comment!... vous voilà! 20 Quelle bonne surprise! »

Mais Mme Braux, abasourdie, ne comprenait pas; elle répondit à demi-voix : — « C'est votre dépêche qui nous a fait venir; nous croyions que c'était fini. » 25

Son mari, derrière elle, la pinçait pour la faire taire.

Il ajouta avec un rire malin caché dans sa barbe épaisse : — « C'est bien aimable à vous de nous avoir invités. Nous sommes venus tout 30 de suite » — faisant allusion ainsi à l'hostilité qui régnait depuis longtemps entre les deux ménages. Puis, comme la vieille arrivait aux dernières marches, il s'avança vivement et frotta contre ses joues le poil qui lui couvrait la 35 face, et criant dans son oreille à cause de sa surdité :° — « Ça va bien, la mère, toujours solide, hein? »

Mme Braux, dans sa stupeur de voir bien 40 vivante celle qu'elle s'attendait à retrouver morte, n'osait pas même l'embrasser; et son ventre énorme encombrait tout le palier, empêchant les autres d'avancer.

La vieille, inquiète et soupçonneuse, mais sans 45 parler jamais, regardait tout ce monde autour d'elle; et son petit œil gris, scrutateur° et dur, se fixait tantôt sur l'un, tantôt sur l'autre, plein de pensées visibles qui gênaient ses enfants.

Caravan dit, pour expliquer : — « Elle a été

---

19. *abasourdie:* stupefied.

12. *hydropique:* sufferer from dropsy. 14. *cordonnier:* cobbler. 37. *surdité:* deafness. 46. *scrutateur:* searching.

un peu souffrante, mais elle va bien maintenant, tout à fait bien, n'est-ce pas, mère? »

Alors la bonne femme, se remettant en marche, répondit de sa voix cassée, comme lointaine : — « C'est une syncope; je vous entendais tout le temps. »

Un silence embarrassé suivit. On pénétra dans la salle; puis on s'assit devant un dîner improvisé en quelques minutes.

Seul, M. Braux avait gardé son aplomb. Sa figure de gorille méchant grimaçait; et il lâchait des mots à double sens qui gênaient visiblement tout le monde.

Mais à chaque instant le timbre° du vestibule sonnait; et Rosalie éperdue venait chercher Caravan qui s'élançait en jetant sa serviette. Son beau-frère lui demanda même si c'était son jour de réception. Il balbutia : — « Non, des commissions, rien du tout. »

Puis, comme on apportait un paquet, il l'ouvrit étourdiment, et des lettres de faire part,° encadrées de noir, apparurent. Alors, rougissant jusqu'aux yeux, il referma l'enveloppe et l'engloutit° dans son gilet.

Sa mère ne l'avait pas vu; elle regardait obstinément sa pendule dont le bilboquet doré se balançait sur la cheminée. Et l'embarras grandissait au milieu d'un silence glacial.

Alors la vieille, tournant vers sa fille sa face ridée de sorcière, eut dans les yeux un frisson de malice et prononça : — « Lundi, tu m'amèneras ta petite, je veux la voir. » — Mme Braux, la figure illuminée, cria : — « Oui, maman », — tandis que Mme Caravan la jeune, devenue pâle, défaillait d'angoisse.

Cependant, les deux hommes, peu à peu, se mirent à causer; et ils entamèrent,° à propos de rien, une discussion politique. Braux, soutenant les doctrines révolutionnaires et communistes, se démenait,° les yeux allumés dans son visage poilu, criant : « — La propriété, monsieur, c'est un vol au travailleur; — la terre appartient à tout le monde; — l'héritage est une infamie et une honte!... » — Mais il s'arrêta brusquement, confus comme une homme qui vient de dire une sottise; puis, d'un ton plus doux, il ajouta : — « Mais ce n'est pas le moment de discuter ces choses-là. »

La porte s'ouvrit; le *docteur* Chenet parut. Il eut une seconde d'effarement, puis il reprit contenance, et s'approchant de la vieille femme : — « Ah! ah! la maman, ça va bien aujourd'hui. Oh! je m'en doutais, voyez-vous : et je me disais à moi-même tout à l'heure, en montant l'escalier : Je parie qu'elle sera debout, l'ancienne. » Et lui tapant doucement dans le dos : — « Elle est solide comme le Pont-Neuf; elle nous enterrera tous, vous verrez. »

Il s'assit, acceptant le café qu'on lui offrait, et se mêla bientôt à la conversation des deux hommes, approuvant Braux, car il avait été lui-même compromis dans la Commune.°

Or, la vieille, se sentant fatiguée, voulut° partir. Caravan se précipita. Alors elle le fixa dans les yeux et lui dit : — « Toi, tu vas me remonter tout de suite ma commode et ma pendule. » — Puis, comme il bégayait : — « Oui, maman », elle prit le bras de sa fille et disparut avec elle.

Les deux Caravan demeurèrent effarés, muets, effondrés° dans un affreux désastre, tandis que Braux se frottait les mains en sirotant° son café.

Soudain Mme Caravan, affolée de colère, s'élança sur lui, hurlant : — « Vous êtes un voleur, un gredin, une canaille... Je vous crache à la figure, je vous... je vous... » Elle ne trouvait rien, suffoquant; mais lui, riait, buvant toujours.

Puis, comme sa femme revenait justement, elle s'élança vers sa belle-sœur; et toutes deux, l'une énorme avec son ventre menaçant, l'autre épileptique et maigre, la voix changée, la main tremblante, s'envoyèrent à pleine gueule des hottées d'injures.°

Chenet et Braux s'interposèrent, et ce dernier, poussant sa moitié par les épaules, la jeta dehors en criant : — « Va donc, bourrique, tu brais trop!° »

Et on les entendit dans la rue qui se chamaillaient° en s'éloignant.

M. Chenet prit congé.

Les Caravan restèrent face à face.

Alors l'homme tomba sur une chaise avec une sueur froide aux tempes, et murmura : — « Qu'est-ce que je vais dire à mon chef? »

14. *Commune*: revolutionary uprising, 1871. 15. *voulut*: tried to, began to. 23. *effondrés*: collapsed. 24. *sirotant*: sipping. 36. *s'envoyèrent... d'injures*: at the top of their lungs exchanged loads (*lit.*, hodfuls) of insults. 40. *Va donc... trop!* Come on, donkey, you bray too much! 42. *se chamaillaient*: were squabbling.

14. *timbre*: doorbell. 21. *lettres de faire part*: announcements (of decease). 24. *engloutit*: buried. 37. *entamèrent*: entered upon. 40. *se démenait*: gestured excitedly.

18. Baudelaire [1821–1867]

If one asks a professor of literature to name the greatest French poet of the nineteenth century, the answer comes automatically: Victor Hugo. But if one puts the same question to a French poet, artist, or student, the answer is likely to be Baudelaire (though Mallarmé and Rimbaud would receive a good many votes). The fact is that Victor Hugo is no longer a very vital literary influence, while Baudelaire still ferments in modern minds; his work has not yet been digested and absorbed in the body of literature.

Charles Baudelaire was born in Paris, of a bourgeois family. His elderly father died in 1827; in the following year his mother married a Captain (later General) Aupick, who believed in military discipline for growing boys. Charles hated his stepfather. Certainly many of his later aberrations may properly be traced to his childish jealousy, frustrations, fixations. He was a problem child and a difficult youth. At twenty-one he came into his father's money. He lived in great style as a literary dandy for about two years, then slid gently into the Paris *bohème*, which is less the seed plot of young genius than the waste heap of failures. He subsisted on allowances grudgingly advanced by his mother. (Let us not join those who berate her for stinginess; she hoped naïvely that if her son was almost starving he would go to work.)

He wrote his poems, some excellent literary studies, and a remarkable series of art criticisms. In these he hailed such young innovators as Courbet, Corot, and Manet when they were still generally scorned. In 1846 he discovered Edgar Allan Poe, with whom he felt a mystic kinship. "La première fois que j'ai ouvert un livre de lui," he said, "j'ai vu, avec épouvante et ravissement, non seulement des sujets rêvés par moi, mais des PHRASES pensées par moi et écrites par lui vingt ans auparavant." When he prayed to God, he called on his father, his childhood nurse, and Poe to be his intercessors. Throughout the rest of his life he worked at a brilliant translation of Poe's tales and poems.

In 1857 appeared his one important collection of verse, *Les Fleurs du mal*. The author was immediately brought to trial and fined 300 francs for "offense à la morale publique et aux bonnes mœurs." Six poems were condemned and had to be scissored out before the volume was put on sale. (You will not find them in these pages.) Shortly after this event, Baudelaire's undermined constitution failed. He died, insane, of paresis, when only forty-six.

His *character* is perverse and fascinating. Critics see in him a conflict of many dualisms; he was both Catholic and satanist, debauchee and mystic, cynical sensualist and yearner for purity, a weakling impelled to shock and surprise the world—an exhibitionist, in short. Unable to excel in virtue, he made himself a legend of vice. When he found some chance acquaintances regarding him with horror, he told them soberly that he had killed and eaten his father; he was delighted to be believed.

His excesses have perhaps been exaggerated, and perhaps, as some say, they are of no importance, for his poetry is all that counts. Indeed, we do not rate poets according to the rectitude of their private lives. But one should have some knowledge of his character and habits, for otherwise his despair, defiance, and aspirations are incomprehensible. Further, Baudelaire is often presented to us as the spokesman for modern man, caught in the machine of civilization, deprived of faith, tortured by spiritual apathy, or ennui. Perhaps; but most of us would not choose as our representative a Satanist, amateur of all vices, whose life was passed in the Paris underworld, whose values were nearly all in reverse, who never had a job—and who thus never knew the kind of release that comes from the acceptance of life. Most of us do not writhe in daily agonies of ennui, nor do we spend our years plucking flowers of evil from the world's dunghill. We are, most of us, the very bourgeois whom Baudelaire loathed. But bourgeois as we are, we repay his loathing with honor, because he was a great poet.

The poems of the *Fleurs du mal* are grouped to make a kind of progression, a kind of drama. The first section, *Spleen et idéal*, shows the poet's horror of existence and his desperate clutching for a redeeming ideal. This he seeks in wine (*Le Vin*) and perverse sensation (*Fleurs du mal*). He rebels against God, prays humbly to Satan (*Révolte*). But the only escape is death, if it is an escape (*La Mort*).

The book no longer seems so sinister as it once did. Its poison has evaporated. Baudelaire's substitution of evil for good, his pitiable defiance of the universe, look indeed rather juvenile. But the sense of his genuine agony touches us, and we are moved by the powerful beauty of the lines—if we can be moved by any verbal beauty.

The *Petits poèmes en prose* (1861), though not the first prose poems in French, established the genre as a recognizable form. As Baudelaire says in his dedication, he wishes to escape the restrictions of poetic rule and write a "prose poétique, musicale, sans rythme et sans rime, assez souple et assez heurtée pour s'adapter aux mouvements lyriques de l'âme, aux ondulations de la rêverie, aux soubresauts de la conscience." Baudelaire's example has stimulated many followers.

The greatness of Baudelaire resides in his *art*. His *aesthetic theory* is proposed in his poem *Correspondances* (page 211). Beauty lies in the revelation of a spiritual world, represented to us in correspondences with the tangible world. He says: "Tout l'univers visible n'est qu'un magasin d'images et de signes." The artist's duty is to reveal these images and correspondences. This, by all competent testimony, he has done. Says T. S. Eliot, who surely speaks with authority: "It is not merely in the use of imagery of common life, not merely in the use of imagery of the sordid life of a great metropolis, but in the elevation of such imagery to the *first intensity*—presenting it as it is, and yet making it represent something much more than itself—that Baudelaire has created a mode of release and expression for other men."

In French literary history he is hard to classify. There is in him much of the Romantic *mal du siècle* and cult of the free ego. He was associated for a time with the Parnassian poets, captained by Leconte de Lisle. These men reacted against Romanticism, proposed an ideal of objectivity, art for art's sake (art serves no useful end; it is truth, sufficient unto itself), and escape from the ugly present, a mere illusion, into the bliss of annihilation. Like the Parnassians, Baudelaire hated empty eloquence. He was, however, a member of no school; he was himself. His frankness of self-revelation, his ability to render vague, imprecise states of mind, his new and subtle music, had a profound effect on later poets.

Préface

[Excerpt*]

Si le viol,° le poison, le poignard, l'incendie,
N'ont pas encor brodé de leurs plaisants dessins
Le canevas banal de nos piteux destins,
C'est que notre âme, hélas! n'est pas assez
    hardie.

Mais parmi les chacals,° les panthères, les
    lices,°
Les singes, les scorpions, les vautours, les
    serpents,
Les monstres glapissants,° hurlants, grognants,
    rampants
Dans la ménagerie infâme de nos vices,

PRÉFACE. * Only the last four stanzas are given here. 1. *viol:* rape.

5. *chacals:* jackals. 5. *lices:* bitch hounds. 7. *glapissants* yelping.

Il en est un plus laid, plus méchant, plus
    immonde!
Quoiqu'il ne pousse ni grands gestes ni grands
    cris,   10
Il ferait volontiers de la terre un débris
Et dans un bâillement avalerait le monde :

C'est l'Ennui!° — L'œil chargé d'un pleur
    involontaire,
Il rêve d'échafauds en fumant son houka.°
Tu le connais, lecteur, ce monstre délicat,   15
— Hypocrite lecteur, — mon semblable, —
    mon frère!°

Élévation

[*The idea is Platonic, of a world of reality of
which our world is merely the representation. Compare the treatment with that of Du Bellay :* Si notre
vie est moins qu'une journée *(Vol. I, p. 96).
Compare also Lamartine :* L'Isolement *(Vol. II,
p. 26).*]

Au-dessus des étangs, au-dessus des vallées,
Des montagnes, des bois, des nuages, des mers,
Par delà le soleil, par delà les éthers,
Par delà les confins des sphères étoilées,

Mon esprit, tu te meus avec agilité,   5
Et, comme un bon nageur qui se pâme dans
    l'onde,
Tu sillonnes gaîment l'immensité profonde
Avec une indicible et mâle volupté.

Envole-toi bien loin de ces miasmes morbides,
Va te purifier dans l'air supérieur,   10
Et bois, comme une pure et divine liqueur,
Le feu clair qui remplit les espaces limpides.

Derrière les ennuis et les vastes chagrins
Qui chargent de leur poids l'existence
    brumeuse,
Heureux celui qui peut, d'une aile
    vigoureuse,   15
S'élancer vers les champs lumineux et sereins!

Celui dont les pensers, comme des alouettes,°
Vers les cieux le matin prennent un libre essor,
— Qui plane sur la vie et comprend sans effort
Le langage des fleurs et des choses muettes!

Correspondances

[*This poem, one of the foundations of Symbolism,
expresses Baudelaire's synesthesia, or system of correspondence between various sense impressions. Such
"colored hearing" is fairly frequent and may be
highly cultivated. The poem has become very familiar;
many of its lines are proverbial.*]

La Nature est un temple où de vivants piliers
Laissent parfois sortir de confuses paroles :
L'homme y passe à travers des forêts de
    symboles
Qui l'observent avec des regards familiers.

Comme de longs échos qui de loin se
    confondent   5
Dans une ténébreuse et profonde unité
Vaste comme la nuit et comme la clarté,
Les parfums, les couleurs et les sons se
    répondent.

Il est des parfums frais comme des chairs
    d'enfants,
Doux comme les hautbois,° verts comme les
    prairies,   10
— Et d'autres, corrompus, riches et
    triomphants,

Ayant l'expansion des choses infinies,
Comme l'ambre,° le musc, le benjoin° et
    l'encens,
Qui chantent les transports de l'esprit et des
    sens.

L'Ennemi

Ma jeunesse ne fut qu'un ténébreux orage,
Traversé çà et là par de brillants soleils;
Le tonnerre et la pluie ont fait un tel ravage
Qu'il reste en mon jardin bien peu de fruits
    vermeils.

---

13. *Ennui:* Boredom; but also spiritual deadness, apathy.
14. *houka:* Turkish water pipe. 16. A line often quoted
(for instance, in T. S. Eliot's *The Waste Land*).

ÉLÉVATION. 17. *alouettes:* larks. CORRESPONDANCES. 10.
hautbois: oboes. 13. *ambre:* ambergris. 13. *benjoin:* gum
benjamin.

Voilà que j'ai touché l'automne des idées,   5
Et qu'il faut employer la pelle° et les râteaux°
Pour rassembler à neuf les terres inondées,
Où l'eau creuse des trous grands comme des
    tombeaux.

Et qui sait si les fleurs nouvelles que je rêve
Trouveront dans ce sol lavé comme une grève 10
Le mystique aliment qui ferait leur vigueur?

— O douleur! ô douleur! Le Temps mange la
    vie,
Et l'obscur Ennemi qui nous ronge le cœur
Du sang que nous perdons croît et se fortifie!°

La Vie antérieure

J'ai longtemps habité sous de vastes portiques
Que les soleils marins teignaient de mille feux
Et que leurs grands piliers, droits et majestueux,
Rendaient pareils, le soir, aux grottes
    basaltiques.

Les houles, en roulant les images des cieux,   5
Mêlaient d'une façon solennelle et mystique
Les tout-puissants accords de leur riche
    musique
Aux couleurs du couchant reflété par mes yeux.°

C'est là que j'ai vécu dans les voluptés calmes,
Au milieu de l'azur, des vagues, des
    splendeurs   10
Et des esclaves nus, tout imprégnés d'odeurs,

Qui me rafraîchissaient le front avec des palmes,
Et dont l'unique soin était d'approfondir
Le secret douloureux qui me faisait languir.

Hymne à la beauté

Viens-tu du ciel profond ou sors-tu de l'abîme,
O Beauté? Ton regard, infernal et divin,
Verse confusément le bienfait et le crime,
Et l'on peut pour cela te comparer au vin.

Tu contiens dans ton œil le couchant et
    l'aurore;   5
Tu répands des parfums comme un soir
    orageux,
Tes baisers sont un philtre et ta bouche une
    amphore
Qui font le héros lâche et l'enfant courageux.

Sors-tu du gouffre noir ou descends-tu des
    astres?
Le Destin charmé suit tes jupons comme un
    chien;   10
Tu sèmes au hasard la joie et les désastres,
Et tu gouvernes tout et ne réponds de rien.

Tu marches sur des morts, Beauté, dont tu te
    moques,
De tes bijoux l'Horreur n'est pas le moins
    charmant,
Et le Meurtre, parmi tes plus chères
    breloques,°   15
Sur ton ventre orgueilleux danse
    amoureusement.

L'éphémère° ébloui vole vers toi, chandelle,
Crépite,° flambe et dit : Bénissons ce
    flambeau!
L'amoureux pantelant° incliné sur sa belle
A l'air d'un moribond caressant son
    tombeau.   20

Que tu viennes du ciel ou de l'enfer,
    qu'importe,
O Beauté! monstre énorme, effrayant, ingénu!
Si ton œil, ton souris, ton pied, m'ouvrent la
    porte
D'un Infini que j'aime et n'ai jamais connu?

De Satan ou de Dieu, qu'importe? Ange ou
    Sirène,   25
Qu'importe, si tu rends, — fée aux yeux de
    velours,
Rythme, parfum, lueur, ô mon unique
    reine! —
L'univers moins hideux et les instants moins
    lourds?

L'ENNEMI. 6. *pelle:* shovel. 6. *râteaux:* rakes. 13–14.
Et l'obscur... fortifie: i.e., Time is the obscure enemy
which sheds our blood and grows and is strengthened
thereby. (Baudelaire bewails his failure to accomplish the
poetic task of which he had dreamed.) LA VIE ANTÉRIEURE.
7–8. For the blending of sound and color, compare
Correspondances.

HYMNE A LA BEAUTÉ. 15. *breloques:* watch charms, trinkets
(Notice the deliberate triviality of the comparison.) 17.
éphémère: ephemeron, dayfly. 18. *Crépite:* Sputters (in the
flame). 19. *pantelant:* panting.

Harmonie du soir

[*The metrical form is a* pantoum : *the second and fourth lines of each stanza are repeated as the first and third of the following. The repetition of words and rhymes gives a lulling effect, as in a litany. Notice again the blending of sound, smell, and sight impressions.*]

Voici venir les temps où vibrant sur sa tige
Chaque fleur s'évapore ainsi qu'un encensoir;°
Les sons et les parfums tournent dans l'air du
    soir,
Valse mélancolique et langoureux vertige!

Chaque fleur s'évapore ainsi qu'un encensoir; 5
Le violon frémit comme un cœur qu'on afflige;
Valse mélancolique et langoureux vertige!
Le ciel est triste et beau comme un grand
    reposoir.°

Le violon frémit comme un cœur qu'on afflige,
Un cœur tendre, qui hait le néant vaste et
    noir!   10
Le ciel est triste et beau comme un grand
    reposoir;
Le soleil s'est noyé dans son sang qui se fige.°

Un cœur tendre, qui hait le néant vaste et noir,
Du passé lumineux recueille tout vestige!
Le soleil s'est noyé dans son sang qui se fige... 15
Ton souvenir en moi luit comme un
    ostensoir!°

L'Invitation au voyage

[*This is one of Baudelaire's few happy poems. The misty dreamland he depicts is an idealized Holland, as he imagines it from Dutch paintings. Notice the use of lines of five and seven syllables, which is rare in French prosody.*]

    Mon enfant, ma sœur,
    Songe à la douceur
D'aller là-bas vivre ensemble!
    Aimer à loisir,
    Aimer et mourir   5
Au pays qui te ressemble!
    Les soleils mouillés
    De ces ciels brouillés
Pour mon esprit ont les charmes
    Si mystérieux   10
    De tes traîtres yeux,
Brillant à travers leurs larmes.

Là, tout n'est qu'ordre et beauté,
Luxe, calme et volupté.°

    Des meubles luisants,   15
    Polis par les ans,
Décoreraient notre chambre;
    Les plus rares fleurs
    Mêlant leurs odeurs
Aux vagues senteurs de l'ambre,   20
    Les riches plafonds,
    Les miroirs profonds,
La splendeur orientale,
    Tout y parlerait
    A l'âme en secret   25
Sa douce langue natale.

Là, tout n'est qu'ordre et beauté,
Luxe, calme et volupté.

    Vois sur ces canaux
    Dormir ces vaisseaux   30
Dont l'humeur est vagabonde;
    C'est pour assouvir
    Ton moindre désir
Qu'ils viennent du bout du monde.
    Les soleils couchants   35
    Revêtent les champs,
Les canaux, la ville entière,
    D'hyacinthe° et d'or;
    Le monde s'endort
Dans une chaude lumière.

Là, tout n'est qu'ordre et beauté,
Luxe, calme et volupté.

HARMONIE DU SOIR. 2. *encensoir:* censer, incense burner. 8. *reposoir:* street altar for religious processions. 12. *se fige:* congeals, clots. (Even in this love poem to an honorable lady, Baudelaire cannot suppress a touch of the horrible.) 16. *ostensoir:* monstrance. The ecclesiastical words *encensoir, reposoir, ostensoir* help to create the mood of religious mysticism in the service of love.

L'INVITATION AU VOYAGE. 13–14. A much-quoted couplet. 38. *hyacinthe:* precious stone, reddish-yellow, appropriate for describing sunsets.

Les Chats

[Baudelaire loved and admired cats, often writing about them.]

Les amoureux fervents et les savants austères
Aiment également, dans leur mûre saison,
Les chats puissants et doux, orgueil de la
    maison,
Qui comme eux sont frileux° et comme eux
    sédentaires.

Amis de la science et de la volupté,   5
Ils cherchent le silence et l'horreur des
    ténèbres;
L'Érèbe° les eût pris pour ses coursiers funèbres,
S'ils pouvaient au servage incliner leur fierté.

Ils prennent en songeant les nobles attitudes
Des grands sphinx allongés au fond des
    solitudes,   10
Qui semblent s'endormir dans un rêve sans fin;

Leurs reins féconds sont pleins d'étincelles
    magiques,°
Et des parcelles d'or, ainsi qu'un sable fin,
Étoilent vaguement leurs prunelles mystiques.

La Cloche fêlée*

Il est amer et doux, pendant les nuits d'hiver,
D'écouter, près du feu qui palpite et qui fume,
Les souvenirs lointains lentement s'élever
Au bruit des carillons qui chantent dans la
    brume.

Bienheureuse la cloche au gosier° vigoureux   5
Qui, malgré sa vieillesse, alerte et bien portante,
Jette fidèlement son cri religieux,
Ainsi qu'un vieux soldat qui veille sous la tente!

Moi, mon âme est fêlée, et lorsqu'en ses ennuis
Elle veut de ses chants peupler l'air froid des
    nuits,
Il arrive souvent que sa voix affaiblie

Semble le râle épais d'un blessé qu'on oublie
Au bord d'un lac de sang, sous un grand tas de
    morts,
Et qui meurt, sans bouger, dans d'immenses
    efforts.

Spleen [I]

*[The English word, popular in the eighteenth cen-
tury in the sense of "a fit of depression," is used by
Baudelaire to mean an aggravated form of ennui.]*

Pluviôse,° irrité contre la vie entière,
De son urne à grands flots verse un froid
    ténébreux
Aux pâles habitants du voisin cimetière
Et la mortalité sur les faubourgs brumeux.

Mon chat sur le carreau° cherchant une litière°
Agite sans repos son corps maigre et galeux;°   6
L'âme d'un vieux poète erre dans la gouttière°
Avec la triste voix d'un fantôme frileux.

Le bourdon° se lamente, et la bûche enfumée
Accompagne en fausset° la pendule enrhumée,
Cependant qu'en un jeu° plein de sales   11
    parfums,

Héritage fatal d'une vieille hydropique,°
Le beau valet de cœur° et la dame de pique°
Causent sinistrement de leurs amours défunts.°

Spleen [II]

J'ai plus de souvenirs que si j'avais mille ans.

Un gros meuble à tiroirs encombrés de bilans,°
De vers, de billets doux, de procès, de romances,
Avec de lourds cheveux roulés dans des
    quittances,°
Cache moins de secrets que mon triste cerveau.   5
C'est une pyramide, un immense caveau,
Qui contient plus de morts que la fosse commune.°

LES CHATS. 4. *frileux:* sensitive to cold. 7. *Érèbe:* Erebus,
son of Chaos and Night, who rules the mid-region between
Earth and Hades. 12. *étincelles magiques:* i.e., the
electrical discharges of cat's fur. LA CLOCHE FÊLÉE. * *La
Cloche fêlée:* The Cracked Bell. 5. *gosier:* throat.

SPLEEN [I]. 1. *Pluviôse:* "Rain month," mid-January to
mid-February, in the calendar of the French Revolution.
5. *carreau:* floor. 5. *litière:* bed. 6. *galeux:* mangy. 7. *gouttière:*
roof gutter, eaves trough. 9. *bourdon:* church bell. 10.
fausset: falsetto. 11. *jeu:* pack of cards. 12. *hydropique:*
dropsical woman. 13. *valet de cœur:* jack of hearts. 13. *dame
de pique:* queen of spades. 14. Baudelaire can introduce the
sense of brooding evil even into a pack of cards. SPLEEN [II].
2. *bilans:* balance sheets, accounts. 4. *quittances:* receipts.
7. *fosse commune:* potter's field, pauper's grave.

— Je suis un cimetière abhorré de la lune,
Où comme des remords, se traînent de longs
    vers
Qui s'acharnent toujours sur mes morts les plus
    chers.   10
Je suis un vieux boudoir plein de roses fanées,
Où gît tout un fouillis° de modes surannées,
Où les pastels plaintifs et les pâles Boucher,°
Seuls, respirent l'odeur d'un flacon débouché.

Rien n'égale en longueur les boiteuses
    journées,   15
Quand, sous les lourds flocons des neigeuses
    années,
L'ennui, fruit de la morne incuriosité,
Prend les proportions de l'immortalité.°
— Désormais tu n'es plus, ô matière vivante!
Qu'un granit entouré d'une vague épouvante, 20
Assoupi dans le fond d'un Sahara brumeux;
Un vieux sphinx ignoré du monde insoucieux,
Oublié sur la carte, et dont l'humeur farouche
Ne chante qu'aux rayons du soleil qui se
    couche!°

Spleen [III]

Quand le ciel bas et lourd pèse comme un
    couvercle°
Sur l'esprit gémissant en proie aux longs
    ennuis,
Et que de l'horizon embrassant tout le cercle
Il nous verse un jour noir plus triste que les
    nuits;

Quand la terre est changée en un cachot
    humide,   5
Où l'Espérance, comme une chauve-souris,°
S'en va battant les murs de son aile timide
Et se cognant la tête à des plafonds pourris;

Quand la pluie, étalant ses immenses traînées°
D'une vaste prison imite les barreaux,°   10

Et qu'un peuple muet d'infâmes araignées°
Vient tendre ses filets au fond de nos cerveaux,

Des cloches tout à coup sautent avec furie
Et lancent vers le ciel un affreux hurlement,
Ainsi que des esprits errants et sans patrie   15
Qui se mettent à geindre opiniâtrement.

— Et de longs corbillards,° sans tambours ni
    musique,
Défilent lentement dans mon âme; l'Espoir,
Vaincu, pleure, et l'Angoisse atroce, despotique,
Sur mon crâne incliné plante son drapeau noir.°

Le Goût du néant

*[Autobiographic poem, written after a warning
attack of Baudelaire's fatal disease.]*

Morne esprit, autrefois amoureux de la lutte,
L'Espoir, dont l'éperon attisait° ton ardeur,
Ne veut plus t'enfourcher!° Couche-toi sans
    pudeur,
Vieux cheval dont le pied à chaque obstacle
    butte.°

Résigne-toi, mon cœur; dors ton sommeil de
    brute.   5

Esprit vaincu, fourbu!° Pour toi, vieux
    maraudeur,
L'amour n'a plus de goût, non plus que la
    dispute;
Adieu donc, chants du cuivre et soupirs de la
    flûte!
Plaisirs, ne tentez plus un cœur sombre et
    boudeur!

Le Printemps adorable a perdu son odeur!   10

---

11. *araignées:* spiders. 17. *corbillards:* funeral processions. 20. Now review this famous poem. The theme: the conquest of *l'idéal* by *le spleen.* The structure: three correlative stanzas, each beginning with *Quand,* the first four stanzas making a single sentence, the last stanza making a second sentence. The sound: the predominance of vowels in *o* and *ou,* the heavy consonants, resulting in a slow movement. And the result of the combination of dark sound with grotesque and gloomy thought: a *tone* which we can only call Baudelairean. LE GOÛT DU NÉANT. 2. *attisait:* used to stir. 3. *enfourcher:* bestride. 4. *butte:* stumbles. 6. *fourbu:* foundered, dead tired.

12. *fouillis:* jumble. 13. Boucher, eighteenth-century court painter of *galanteries,* in soft, tender colors. 17–18. A famous couplet. 24. There was in Egypt a colossal sphinx which uttered sweet sounds as the sun rose. Baudelaire provides his own variation. SPLEEN [III]. 1. *couvercle:* lid. 6. *chauve-souris:* bat. (Note the strange, striking comparison.) 9. *traînées:* streaks. 10. *barreaux:* bars.

Et le Temps m'engloutit minute par minute,
Comme la neige immense un corps pris de
   roideur;°
Je contemple d'en haut le globe en sa rondeur,
Et je n'y cherche plus l'abri d'une cahute!°   14

Avalanche, veux-tu m'emporter dans ta chute?°

L'Examen de minuit

La pendule, sonnant minuit,
Ironiquement nous engage
A nous rappeler quel usage
Nous fîmes du jour qui s'enfuit :
— Aujourd'hui, date fatidique,°   5
Vendredi, treize, nous avons,
Malgré tout ce que nous savons,
Mené le train d'un hérétique;

Nous avons blasphémé Jésus,
Des Dieux le plus incontestable!   10
Comme un parasite à la table
De quelque monstrueux Crésus,°
Nous avons, pour plaire à la brute,
Digne vassale des Démons,
Insulté ce que nous aimons   15
Et flatté ce qui nous rebute;

Contristé, servile bourreau,
Le faible qu'à tort on méprise;
Salué l'énorme Bêtise,
La Bêtise au front de taureau;°   20
Baisé la stupide Matière
Avec grande dévotion,
Et de la putréfaction
Béni la blafarde° lumière.

Enfin, nous avons, pour noyer   25
Le vertige dans le délire,
Nous, prêtre orgueilleux de la Lyre,
Dont la gloire est de déployer
L'ivresse des choses funèbres,
Bu sans soif et mangé sans faim!   30
— Vite soufflons la lampe, afin
De nous cacher dans les ténèbres!

---

12. *roideur:* stiffness (from cold). Reference to Baudelaire's paralytic symptoms. 14. *cahute:* hut, shelter. 15. *chute:* The last word fittingly summarizes the whole poem. You will have observed the incantatory effect produced by the use of only two rhymes, with similar vowel sounds. L'EXAMEN DE MINUIT. 5. *fatidique:* fateful. 12. *Crésus:* Croesus, classic symbol of wealth. 19–20. A famous couplet. 24. *blafarde:* pallid, wan.

Recueillement

Sois sage, ô ma Douleur, et tiens-moi plus
   tranquille.
Tu réclamais le Soir; il descend; le voici :
Une atmosphère obscure enveloppe la ville,
Aux uns portant la paix, aux autres le souci.

Pendant que des mortels la multitude vile,   5
Sous le fouet du Plaisir, ce bourreau sans merci,
Va cueillir des remords dans la fête servile,
Ma Douleur, donne-moi la main; viens par ici,

Loin d'eux. Vois se pencher les défuntes Années,
Sur les balcons du ciel, en robes surannées;   10
Surgir du fond des eaux le Regret souriant;

Le Soleil moribond s'endormir sous une arche,
Et, comme un long linceul traînant à l'Orient,
Entends, ma chère, entends la douce Nuit qui
   marche!

L'Héautontimorouménos*

[*Baudelaire recognizes that his sadistic impulses are directed against himself, and that his self-torturing habit is a kind of spiritual irony.*]

Je te frapperai sans colère
Et sans haine, comme un boucher,
Comme Moïse le rocher!
Et je ferai de ta paupière,

Pour abreuver mon Sahara,   5
Jaillir les eaux de la souffrance.
Mon désir gonflé d'espérance
Sur tes pleurs salés nagera

Comme un vaisseau qui prend le large,
Et dans mon cœur qu'ils soûleront   10
Tes chers sanglots retentiront
Comme un tambour qui bat la charge!

Ne suis-je pas un faux accord
Dans la divine symphonie,
Grâce à la vorace Ironie   15
Qui me secoue et qui me mord?

L'HÉAUTONTIMOROUMÉNOS. * "The Self-tormentor." Title of a Greek play imitated by Terence.

Elle est dans ma voix, la criarde!°
C'est tout mon sang, ce poison noir!
Je suis le sinistre miroir
Où la mégère° se regarde!   20

Je suis la plaie et le couteau!
Je suis le soufflet et la joue!
Je suis les membres et la roue,°
Et la victime et le bourreau!

Je suis de mon cœur le vampire,   25
— Un de ces grands abandonnés
Au rire éternel condamnés,
Et qui ne peuvent plus sourire!

La Servante au grand cœur...

[*The poem, addressed to Baudelaire's mother, is inspired by the nurse of his childhood, Mariette, whom he adored.*]

La servante au grand cœur dont vous étiez
  jalouse,
Et qui dort son sommeil sous une humble
  pelouse,
Nous devrions pourtant lui porter quelques
  fleurs.
Les morts, les pauvres morts, ont de grandes
  douleurs,
Et quand Octobre souffle, émondeur° des
  vieux arbres,   5
Son vent mélancolique à l'entour de leurs
  marbres,
Certe, ils doivent trouver les vivants bien
  ingrats,
De dormir, comme ils font, chaudement dans
  leurs draps,
Tandis que, dévorés de noires songeries,
Sans compagnon de lit, sans bonnes causeries, 10
Vieux squelettes gelés travaillés par le ver,
Ils sentent s'égoutter les neiges de l'hiver
Et le siècle couler, sans qu'amis ni famille
Remplacent les lambeaux qui pendent à leur
  grille.

Lorsque la bûche siffle et chante, si le soir,   15
Calme, dans le fauteuil je la voyais s'asseoir,
Si, par une nuit bleue et froide de décembre,
Je la trouvais tapie en un coin de ma chambre,
Grave, et venant du fond de son lit éternel
Couver° l'enfant grandi de son œil maternel,   20
Que pourrais-je répondre à cette âme pieuse,
Voyant tomber des pleurs de sa paupière
  creuse?

Le Crépuscule du matin

[*A brilliant description of a city's awakening, and a contrast to the jocund dawn songs of other poets. The poet chooses details exact and objective enough, but which taken together reflect his tired misanthropy, and give us a sense of the world's evil and man's ugly viciousness.*]

La diane° chantait dans les cours des casernes,
Et le vent du matin soufflait sur les lanternes.

C'était l'heure où l'essaim des rêves malfaisants
Tord sur leurs oreillers les bruns adolescents;
Où, comme un œil sanglant qui palpite et qui
  bouge,   5
La lampe sur le jour fait une tache rouge;
Où l'âme, sous le poids du corps revêche° et
  lourd,
Imite les combats de la lampe et du jour.
Comme un visage en pleurs que les brises
  essuient,
L'air est plein du frisson des choses qui
  s'enfuient,   10
Et l'homme est las d'écrire et la femme d'aimer.

Les maisons çà et là commençaient à fumer.
Les femmes de plaisir, la paupière livide,
Bouche ouverte, dormaient de leur sommeil
  stupide;
Les pauvresses, traînant leurs seins maigres et
  froids,   15
Soufflaient sur leurs tisons° et soufflaient sur
  leurs doigts.
C'était l'heure où parmi le froid et la lésine°
S'aggravent les douleurs des femmes en gésine;°

---

17. *criarde:* scolding woman. 20. *mégère:* termagant, shrew. 23. *roue:* wheel, device for punishment of criminals. (The executioner broke the limbs of the victim, who was tied to a cart wheel.) LA SERVANTE AU GRAND CŒUR...5. *émondeur:* pruner.

20. *Couver:* Brood over, look fondly upon. LE CRÉPUSCULE DU MATIN. 1. *diane:* reveille (morning bugle call). 7. *revêche:* sullen, reluctant. 16. *tisons:* brands. 17. *lésine:* stinginess. 18. *gésine:* confinement (for childbirth).

Comme un sanglot coupé par un sang écumeux
Le chant du coq au loin déchirait l'air
  brumeux;°
Une mer de brouillards baignait les édifices,
Et les agonisants dans le fond des hospices
Poussaient leur dernier râle en hoquets° inégaux.
Les débauchés rentraient, brisés par leurs
  travaux.

L'aurore grelottante en robe rose et verte   25
S'avançait lentement sur la Seine déserte,
Et le sombre Paris, en se frottant les yeux,
Empoignait ses outils, vieillard laborieux.

La Béatrice

[*Beatrice: of course, the Beatrice who watched over
Dante in his journey through the Inferno. Sainte-
Beuve compared Baudelaire to Dante for choosing
Hell as his poetic realm. Observe Baudelaire's lucidity
about the impression he made on others.*]

Dans des terrains cendreux, calcinés,° sans
  verdure,
Comme je me plaignais un jour à la nature,
Et que de ma pensée, en vaguant au hasard,
J'aiguisais lentement sur mon cœur le poignard,
Je vis en plein midi descendre sur ma tête   5
Un nuage funèbre et gros d'une tempête,
Qui portait un troupeau de démons vicieux,
Semblables à des nains cruels et curieux.
A me considérer froidement ils se mirent,
Et, comme des passants sur un fou qu'ils
  admirent,°   10
Je les entendis rire et chuchoter entre eux,
En échangeant maint signe et maint clignement
  d'yeux :

— « Contemplons à loisir cette caricature
Et cette ombre d'Hamlet imitant sa posture,
Le regard indécis et les cheveux au vent.   15
N'est-ce pas grand'pitié de voir ce bon vivant,
Ce gueux, cet histrion en vacances, ce drôle,
Parce qu'il sait jouer artistement son rôle,
Vouloir intéresser au chant de ses douleurs
Les aigles, les grillons, les ruisseaux et les
  fleurs,   20

Et même à nous, auteurs de ces vieilles
  rubriques,°
Réciter en hurlant ses tirades publiques ? »

J'aurais pu (mon orgueil aussi haut que les
  monts
Domine la nuée et le cri des démons)
Détourner simplement ma tête souveraine,   25
Si je n'eusse pas vu parmi leur troupe obscène —
Crime qui n'a pas fait chanceler le soleil!° —
La reine de mon cœur au regard nonpareil,
Qui riait avec eux de ma sombre détresse
Et leur versait parfois quelque sale caresse.

La Mort des pauvres

C'est la Mort qui console, hélas! et qui fait
  vivre;
C'est le but de la vie, et c'est le seul espoir
Qui, comme un élixir, nous monte° et nous
  enivre,
Et nous donne le cœur de marcher jusqu'au
  soir;

A travers la tempête, et la neige, et le givre,   5
C'est la clarté vibrante à notre horizon noir;
C'est l'auberge fameuse inscrite sur le livre,
Où l'on pourra manger, et dormir, et s'asseoir;

C'est un Ange qui tient dans ses doigts
  magnétiques
Le sommeil et le don des rêves extatiques,   10
Et qui refait le lit des gens pauvres et nus;

C'est la gloire des Dieux, c'est le grenier
  mystique,
C'est la bourse du pauvre et sa patrie antique,
C'est le portique ouvert sur les Cieux inconnus!

Le Voyage

[*Excerpt*]

[*This splendid, and much-quoted, conclusion of a
long, late poem summarizes Baudelaire's thought,
character, work.*]

19–20. Observe the horrible, shocking comparison for cock
crow, which to most poets suggests the cheery welcome to the
new day. 23. *hoquets:* hiccups. LA BÉATRICE. 1. *calcinés:*
calcined, burnt to ash. 10. Explain this line.

21. *rubriques:* subjects, items. 27. *Crime... soleil:* a sour
reference to the "pathetic fallacy" of the Romantics. LA
MORT DES PAUVRES. 3. *monte: here,* stimulates.

O Mort, vieux capitaine, il est temps! levons
   l'ancre!
Ce pays nous ennuie, ô Mort! Appareillons!°
Si le ciel et la mer sont noirs comme de l'encre,
Nos cœurs que tu connais sont remplis de
   rayons!

Verse-nous ton poison pour qu'il nous
   réconforte!   5
Nous voulons, tant ce feu nous brûle le cerveau,
Plonger au fond du gouffre, Enfer ou Ciel,
   qu'importe?
Au fond de l'Inconnu pour trouver du
   nouveau!

L'Étranger

« Qui aimes-tu le mieux, homme énigmatique,
dis? ton père, ta mère, ta sœur ou ton frère?
   — Je n'ai ni père, ni mère, ni sœur, ni frère.
   — Tes amis?
   — Vous vous servez là d'une parole dont le
sens m'est resté jusqu'à ce jour inconnu.
   — Ta patrie?
   — J'ignore sous quelle latitude elle est
située.
   — La beauté?
   — Je l'aimerais volontiers, déesse° et im-
mortelle.
   — L'or?
   — Je le hais comme vous haïssez Dieu.
   — Eh! qu'aimes-tu donc, extraordinaire
étranger?
   — J'aime les nuages,... les nuages qui
passent... là-bas, là-bas... les merveilleux nu-
ages! »

Le Chien et le flacon

« — Mon beau chien, mon bon chien, mon cher
toutou, approchez et venez respirer un excellent
parfum acheté chez le meilleur parfumeur de la
ville. »
   Et le chien, en frétillant° de la queue, ce qui
est, je crois, chez ces pauvres êtres, le signe correspondant du rire et du sourire, s'approche et
pose curieusement son nez humide sur le flacon

débouché; puis, reculant soudainement avec
effroi, il aboie contre moi en manière de
reproche.
   « — Ah! misérable chien, si je vous avais offert
un paquet d'excréments, vous l'auriez flairé   5
avec délices et peut-être dévoré. Ainsi, vous-
même, indigne compagnon de ma triste vie,
vous ressemblez au public, à qui il ne faut
jamais présenter des parfums délicats qui
l'exaspèrent, mais des ordures soigneusement   10
choisies. »

Enivrez-vous

17 Il faut être toujours ivre. Tout est là : c'est
l'unique question. Pour ne pas sentir l'horrible
fardeau du Temps qui brise vos épaules et vous
20 penche vers la terre, il faut vous enivrer sans
trève.
   Mais de quoi? De vin, de poésie ou de vertu,
à votre guise. Mais enivrez-vous.
   Et si quelquefois, sur les marches d'un palais,
25 sur l'herbe verte d'un fossé, dans la solitude
morne de votre chambre, vous vous réveillez,
l'ivresse déjà diminuée ou disparue, demandez
au vent, à la vague, à l'étoile, à l'oiseau, à
l'horloge, à tout ce qui fuit, à tout ce qui gémit,
30 à tout ce qui roule, à tout ce qui chante, à tout
ce qui parle, demandez quelle heure il est; et le
vent, la vague, l'étoile, l'oiseau, l'horloge, vous
répondront : « Il est l'heure de s'enivrer! Pour
n'être pas les esclaves martyrisés du Temps,
35 enivrez-vous; enivrez-vous sans cesse! De vin, de
poésie ou de vertu, à votre guise. »

Laquelle est la vraie?

41 J'ai connu une certaine Bénédicta,° qui remplissait l'atmosphère d'idéal, et dont les yeux
répandaient le désir de la grandeur, de la
45 beauté, de la gloire et de tout ce qui fait croire à
l'immortalité.
   Mais cette fille miraculeuse était trop belle
pour vivre longtemps; aussi est-elle morte
quelques jours après que j'eus fait sa connaissance, et c'est moi-même qui l'ai enterrée,

---

LE VOYAGE. 2. *Appareillons:* Let us set sail. L'ÉTRANGER.
29. *déesse:* i.e., if she were a goddess. LE CHIEN ET LE FLACON.
45. *frétillant:* quivering.

LAQUELLE EST LA VRAIE? 42. *Bénédicta:* Blessed one.

un jour que le printemps agitait son encensoir jusque dans les cimetières. C'est moi qui l'ai enterrée, bien close dans une bière d'un bois parfumé et incorruptible comme les coffres de l'Inde.

Et, comme mes yeux restaient fichés sur le lieu où était enfoui mon trésor, je vis subitement une petite personne qui ressemblait singulièrement à la défunte, et qui, piétinant sur la terre fraîche, avec une violence hystérique et bizarre, disait en éclatant de rire : « C'est moi, la vraie Bénédicta ! C'est moi ! une fameuse canaille ! Et, pour la punition de ta folie et de ton aveuglement, tu m'aimeras telle que je suis ! »

Mais moi, furieux, j'ai répondu : « Non ! non ! non ! » Et, pour mieux accentuer mon refus, j'ai frappé si violemment la terre du pied que ma jambe s'est enfoncée jusqu'au genou dans la sépulture récente, et que, comme un loup pris au piège, je reste attaché, pour toujours peut-être, à la fosse de l'idéal.

Anywhere Out of the World

[*N'importe où hors du monde*]

Cette vie est un hôpital où chaque malade est possédé du désir de changer de lit. Celui-ci voudrait souffrir en face du poêle, et celui-là croit qu'il guérirait à côté de la fenêtre.

Il me semble que je serais toujours bien là où je ne suis pas, et cette question de déménagement en est une que je discute sans cesse avec mon âme.

« Dis-moi, mon âme, pauvre âme refroidie, que penserais-tu d'habiter Lisbonne ? Il doit y faire chaud, et tu t'y regaillardirais comme un lézard. Cette ville est au bord de l'eau; on dit qu'elle est bâtie en marbre, et que le peuple y a une telle haine du végétal, qu'il arrache tous les arbres. Voilà un paysage selon ton goût; un paysage fait avec la lumière et le minéral, et le liquide pour les réfléchir ! »

Mon âme ne répond pas.

« Puisque tu aimes tant le repos, avec le spectacle du mouvement, veux-tu venir habiter la Hollande, cette terre béatifiante ? Peut-être te divertiras-tu dans cette contrée dont tu as souvent admiré l'image dans les musées. Que penserais-tu de Rotterdam, toi qui aimes les forêts de mâts, et les navires amarrés° au pied des maisons ? »

Mon âme reste muette.

« Batavia° te sourirait peut-être davantage ? Nous y trouverions d'ailleurs l'esprit de l'Europe marié à la beauté tropicale. »

Pas un mot. — Mon âme serait-elle morte ?

« En es-tu donc venue à ce point d'engourdissement que tu ne te plaises que dans ton mal ? S'il en est ainsi, fuyons vers les pays qui sont les analogies de la Mort... Je tiens notre affaire, pauvre âme ! Nous ferons nos malles pour Tornéo.° Allons plus loin encore, à l'extrême bout de la Baltique; encore plus loin de la vie, si c'est possible; installons-nous au pôle. Là, le soleil ne frise° qu'obliquement la terre, et les lentes alternatives de la lumière et de la nuit suppriment la variété et augmentent la monotonie, cette moitié du néant. Là, nous pourrons prendre de longs bains de ténèbres, cependant que, pour nous divertir, les aurores boréales nous enverront de temps en temps leurs gerbes roses, comme des reflets d'un feu d'artifice° de l'Enfer ! »

Enfin, mon âme fait explosion, et sagement elle me crie : « N'importe où ! n'importe où ! pourvu que ce soit hors de ce monde ! »

12. *amarrés:* moored. 15. Batavia, capital of Java. 24. *Tornéo:* Tornio, city in northern Finland. 27. *frise:* grazes. 34. *feu d'artifice:* fireworks.

19. Verlaine and Rimbaud

PAUL VERLAINE [1844–1896]

Verlaine applied the term *poètes maudits*, Damned Poets, to himself, Rimbaud, and others. His classification has had one unfortunate effect: it has encouraged many young men to believe that if only they are sufficiently damned they will be poets.

Paul Verlaine was born in Metz, Lorraine, of respectable, middle-class people. He came to Paris, worked in municipal offices, and frequented the gatherings of poets of the Parnassian school. An alcoholic, he thought to find reform in marriage. His happy poems to his sixteen-year-old bride are particularly touching, in view of his later experience. He fell in with the boy genius Arthur Rimbaud in 1871, abandoned his wife, and set off with Rimbaud on a series of fantastic adventures, which ended in Belgium two years later with his shooting and wounding Rimbaud. He spent two years in jail and there became a devout Catholic. His conversion inspired a series of fine religious poems. After some ineffective efforts to rebuild his life, he slipped into the Paris *bohème* and lived in degradation with a horrible harridan. During the nineties "le pauvre Lélian," as he called himself, was one of the sights of the Latin Quarter. Revoltingly ugly and unkempt, he would accept an absinthe from any literary slummer, or indeed from anyone at all.

His poetic principles are defined in his *Art poétique* (page 224), and are suggested by the title of one of his collections: *Romances sans paroles* (1874). "Music above all," he said. Music is more important than thought, suggestion more important than statement. Music is expressed in verse not so much by rhyme as by the rhythmic structure of the line, by internal assonances and recurrences. The general effect is one of mistiness and vagueness, of dim landscapes half seen, of music half heard. His poetry is inevitably compared with the music of Wagner and particularly of Debussy, who set sixteen of his poems to music, and with the paintings of Monet and Corot.

Verlaine's sensuous melodies remain in every reader's memory. English and Americans especially, who have not had their ears conditioned in youth to the strict and subtle requirements of French classic verse, recognize in Verlaine a singer in their own tradition. (Verlaine in fact spent about three years in England—teaching school, of all things.) A surprising number of American students elect Verlaine as their favorite French poet. "Verlaine is the only French poet I understand," said John Galsworthy in conversation.*

Verlaine's *influence* has been great in that he developed the melodic possibilities of French poetry, loosened the requirements of versification, and opened the way to the greater freedoms of *vers libre*. But his chief importance is that he wrote a number of very beautiful poems.

* Quoted by Guthrie and Diller: *French Literature and Thought since the Revolution*. New York, Harcourt, Brace and World, Inc., 1942, p. 491.

Mon rêve familier

Je fais souvent ce rêve étrange et pénétrant
D'une femme inconnue, et que j'aime et qui
    m'aime,
Et qui n'est chaque fois ni tout à fait la même
Ni tout à fait une autre, et m'aime et me
    comprend.   4

Car elle me comprend, et mon cœur, trans-
    parent
Pour elle seule; hélas! cesse d'être un problème
Pour elle seule, et les moiteurs° de mon front
    blême,
Elle seule les sait rafraîchir, en pleurant.

Est-elle brune, blonde ou rousse? — Je l'ignore.
Son nom? Je me souviens qu'il est doux et sonore
Comme ceux des aimés que la Vie exila.   11

Son regard est pareil au regard des statues,
Et pour sa voix, lointaine et calme et grave, elle a
L'inflexion des voix chères qui se sont tues.

Chanson d'automne

Les sanglots longs
Des violons
    De l'automne
Blessent mon cœur
D'une langueur   5
    Monotone.

Tout suffocant
Et blême, quand
    Sonne l'heure,
Je me souviens   10
Des jours anciens
    Et je pleure;

Et je m'en vais
Au vent mauvais
    Qui m'emporte   15
Deçà, delà,
Pareil à la
    Feuille morte.°

Femme et chatte

Elle jouait avec sa chatte;
Et c'était merveille de voir
La main blanche et la blanche patte
S'ébattre° dans l'ombre du soir.

Elle cachait, la scélérate,   5
Sous ses mitaines° de fil noir
Ses meurtriers ongles d'agate,
Coupants et clairs comme un rasoir.

L'autre aussi faisait la sucrée
Et rentrait sa griffe acérée,°   10
Mais le diable n'y perdait rien...

Et dans le boudoir où, sonore,
Tintait son rire aérien,
Brillaient quatre points de phosphore.

Monsieur Prudhomme*

Il est grave : il est maire et père de famille.
Son faux col° engloutit son oreille. Ses yeux,
Dans un rêve sans fin, flottent insoucieux,
Et le printemps en fleurs sur ses pantoufles°
    brille.

Que lui fait l'astre d'or, que lui fait la
    charmille°   5
Où l'oiseau chante à l'ombre, et que lui font
    les cieux,
Et les prés verts et les gazons silencieux?
Monsieur Prudhomme songe à marier sa fille

Avec monsieur Machin,° un jeune homme cossu.°
Il est juste-milieu,° botaniste et pansu.°   10
Quant aux faiseurs de vers, ces vauriens, ces
    maroufles,°

Ces fainéants barbus, mal peignés, il les a
Plus en horreur que son éternel coryza,°
Et le printemps en fleurs brille sur ses
    pantoufles.

MON RÊVE FAMILIER. 7. *moiteurs:* moistures (*i.e.*, fever sweats).
CHANSON D'AUTOMNE. 18. Now look back and observe how
in the first stanza the nasals and the vowels in *o* and *eu*
express the thought musically; how in the last three lines
the tripping meter suggests the scuttering of dead leaves;
and how in line 17 the poet uses the article *la* as a rhyme
word and makes an *enjambement* which even Hugo would
not have dared. What effect does this *enjambement* make?

FEMME ET CHATTE. 4. *s'ébattre:* play, sport. 6. *mitaines:*
half gloves (without fingers). 10. *griffe acérée:* sharp claw.
MONSIEUR PRUDHOMME. * *Monsieur Prudhomme:* the type
of smug, pompous bourgeois whom all the poets despised.
2. *faux col:* collar. 4. *pantoufles:* slippers. 5. *charmille:* bower.
9. *Machin:* What's-his-name. 9. *cossu:* rich. 10. *juste-milieu:*
middle-of-the-road man. 10. *pansu:* paunchy. 11. *maroufles:*
scoundrels. 13. *coryza:* cold in the head.

Clair de lune

Votre âme est un paysage choisi
Que vont charmant masques et bergamasques,°
Jouant du luth et dansant et quasi
Tristes sous leurs déguisements fantasques.

Tout en chantant sur le mode mineur   5
L'amour vainqueur et la vie opportune,
Ils n'ont pas l'air de croire à leur bonheur
Et leur chanson se mêle au clair de lune,

Au calme clair de lune triste et beau,
Qui fait rêver les oiseaux dans les arbres   10
Et sangloter d'extase les jets d'eau,
Les grands jets d'eau sveltes parmi les marbres.

Colloque sentimental

Dans le vieux parc solitaire et glacé
Deux formes ont tout à l'heure passé.

Leurs yeux sont morts et leurs lèvres sont
  molles,
Et l'on entend à peine leurs paroles.°

Dans le vieux parc solitaire et glacé   5
Deux spectres ont évoqué le passé.

— Te souvient-il de notre extase ancienne?
— Pourquoi voulez-vous donc qu'il m'en
  souvienne?

— Ton cœur bat-il toujours à mon seul nom?
Toujours vois-tu mon âme en rêve? — Non. 10

— Ah! les beaux jours de bonheur indicible
Où nous joignions nos bouches! — C'est
  possible.

— Qu'il était bleu, le ciel, et grand l'espoir!
— L'espoir a fui, vaincu, vers le ciel noir.

Tels ils marchaient dans les avoines folles,   15
Et la nuit seule entendit leurs paroles.

Le Bruit des cabarets, la fange des trottoirs

[One of Verlaine's poems for his fiancée.]

Le bruit des cabarets, la fange des trottoirs,
Les platanes déchus s'effeuillant dans l'air
  noir,
L'omnibus, ouragan° de ferraille et de boues,
Qui grince, mal assis entre ses quatre roues,
Et roule ses yeux verts et rouges lentement,   5
Les ouvriers allant au club, tout en fumant
Leur brûle-gueule° au nez des agents de
  police,
Toits qui dégouttent, murs suintants,° pavé
  qui glisse,
Bitume° défoncé, ruisseaux° comblant l'égout,°
Voilà ma route — avec le paradis au bout.   10

Il pleure dans mon cœur...*

Il pleut doucement sur la ville.

ARTHUR RIMBAUD

Il pleure dans mon cœur
Comme il pleut sur la ville,
Quelle est cette langueur
Qui pénètre mon cœur?

O bruit doux de la pluie   5
Par terre et sur les toits!
Pour un cœur qui s'ennuie
O le chant de la pluie!

Il pleure sans raison
Dans ce cœur qui s'écœure.   10
Quoi! nulle trahison?
Ce deuil est sans raison.

C'est bien la pire peine
De ne savoir pourquoi,
Sans amour et sans haine,   15
Mon cœur a tant de peine.

CLAIR DE LUNE. 2. *bergamasques:* Italian country dancers.
COLLOQUE SENTIMENTAL. 3–4. *molles, paroles:* an imperfect
rhyme, condemned by traditional prosody, but satisfying to
the ear.

LE BRUIT DES CABARETS. 3. *ouragan:* hurricane. 7. *brûle-gueule:* short pipe. 8. *suintants:* oozing, dripping. 9. *Bitume:*
Street pavement. 9. *ruisseaux:* gutters. 9. *égout:* sewer. IL
PLEURE DANS MON CŒUR...* Notice the peculiar rhyme scheme
and the recurrence of certain sounds, especially *p* and *eu*.

Dans l'interminable ennui de la plaine...

Dans l'interminable
Ennui de la plaine,
La neige incertaine
Luit comme du sable.

Le ciel est de cuivre   5
Sans lueur aucune,
On croirait voir vivre
Et mourir la lune.

Comme des nuées
Flottent gris les chênes   10
Des forêts prochaines
Parmi les buées.°

Le ciel est de cuivre
Sans lueur aucune.
On croirait voir vivre   15
Et mourir la lune.

Corneille poussive°
Et vous les loups maigres,
Par ces bises aigres
Quoi donc vous arrive?   20

Dans l'interminable
Ennui de la plaine,
La neige incertaine
Luit comme du sable.°

Mon Dieu m'a dit...

[*This poem and the following one were written during Verlaine's imprisonment.*]

Mon Dieu m'a dit : — Mon fils, il faut
    m'aimer. Tu vois
Mon flanc percé, mon cœur qui rayonne et
    qui saigne,
Et mes pieds offensés que Madeleine baigne
De larmes, et mes bras douloureux sous le poids

De tes péchés, et mes mains! Et tu vois la croix,
Tu vois les clous, le fiel, l'éponge, et tout
    t'enseigne   6
A n'aimer, en ce monde amer où la chair règne,
Que ma Chair et mon Sang, ma parole et ma
    voix.

Ne t'ai-je pas aimé jusqu'à la mort moi-même,
O mon frère en mon Père, ô mon fils en l'Esprit,
Et n'ai-je pas souffert, comme c'était écrit?   11

N'ai-je pas sangloté ton angoisse suprême
Et n'ai-je pas sué la sueur de tes nuits,
Lamentable ami qui me cherches où je suis?

Le Ciel est, par-dessus le toit...

Le ciel est, par-dessus le toit,
    Si bleu, si calme!
Un arbre, par-dessus le toit,
    Berce sa palme.

La cloche, dans le ciel qu'on voit,   5
    Doucement tinte.
Un oiseau sur l'arbre qu'on voit
    Chante sa plainte.

Mon Dieu, mon Dieu, la vie est là,
    Simple et tranquille.   10
Cette paisible rumeur-là
    Vient de la ville.

— Qu'as-tu fait, ô toi que voilà
    Pleurant sans cesse,
Dis, qu'as-tu fait, toi que voilà,   15
    De ta jeunesse?

Art poétique

[*A famous poem, written in 1874, full of memorable lines (point out a few). No doubt influenced by Poe's theoretical writings.*]

De la musique avant toute chose,
Et pour cela préfère l'Impair°
Plus vague et plus soluble dans l'air,
Sans rien en lui qui pèse ou qui pose.

DANS L'INTERMINABLE ENNUI... 12. *buées:* vapors, ground mists. 17. *Corneille poussive:* Wheezy crow. 20–24. *Dans l'interminable... sable:* Did you notice the character of the rhymes throughout this poem? And the number of syllables to the line?

ART POÉTIQUE. 2. *l'Impair:* lines of an odd number of syllables. (These, as you know, are rare in French poetry. How many syllables in the lines of this poem?)

Il faut aussi que tu n'ailles point   5
Choisir tes mots sans quelque méprise :°
Rien de plus cher que la chanson grise
Où l'Indécis au Précis se joint.

C'est des beaux yeux derrière des voiles,
C'est le grand jour tremblant de midi,   10
C'est, par un ciel d'automne attiédi,
Le bleu fouillis° des claires étoiles!°

Car nous voulons la Nuance encor,
Pas la Couleur, rien que la nuance!
Oh! la nuance seule fiance   15
Le rêve au rêve et la flûte au cor!

Fuis du plus loin la Pointe° assassine,
L'Esprit cruel et le Rire impur,
Qui font pleurer les yeux de l'Azur,°
Et tout cet ail° de basse cuisine!   20

Prends l'éloquence et tords-lui son cou!
Tu feras bien, en train d'énergie,°
De rendre un peu la Rime assagie.
Si l'on n'y veille, elle ira jusqu'où?

Oh! qui dira les torts de la Rime?   25
Quel enfant sourd ou quel nègre fou
Nous a forgé ce bijou d'un sou
Qui sonne creux et faux sous la lime?

De la musique encore et toujours!
Que ton vers soit la chose envolée°   30
Qu'on sent qui fuit d'une âme en allée°
Vers d'autres cieux à d'autres amours.

Que ton vers soit la bonne aventure
Éparse au vent crispé° du matin
Qui va fleurant la menthe et le thym...   35
Et tout le reste est littérature.

L'Art tout d'abord doit être
et paraître sincère

[A passage from a late poem, J'ai dit à l'esprit
vain, *about 1891. Compare it with* Art poétique *and
note how Verlaine's views have changed.]*

L'art tout d'abord doit être et paraître sincère
Et clair, absolument : c'est la loi nécessaire
Et dure, n'est-ce pas, les jeunes, mais la loi;
Car le public, non le premier venu, mais moi,
Mais mes pairs et moi, par exemple, vieux
   complices,
Nous, promoteurs de vos, de nos pauvres malices,
Nous autres qu'au besoin vous sauriez bien
   chercher,
Le vrai, le seul Public qu'il faille raccrocher,
Le Public, pour user de ce mot ridicule,
Dorénavant il bat en retraite et recule   10
Devant vos trucs° un peu trop niais d'aujourd'hui,
Tordu par le fou rire ou navré par l'ennui.
L'art, mes enfants, c'est d'être absolument
   soi-même :
Et qui m'aime me suive et qui me suit qu'il
   m'aime,
Et si personne n'aime ou ne suit, allons seul   15
Mais traditionnel et soyons notre aïeul!
Obéissons au sang qui coule dans nos veines
Et qui ne peut broncher° en conjectures vaines,
Flux de verve gauloise et flot d'aplomb romain
Avec, puisque un peu Franc,° de bon limon°
   germain.   20
Moyennant cette allure° et par cette assurance
Il pourra bien germer des artistes en France.
Mais, plus de vos fioritures,° bons petits,
Ni de ce pessimisme et ni du cliquetis
De ce ricanement comme d'armes faussées,°   25
Et ni de ce scepticisme en sottes fusées;°
Autrement c'est la mort et je vous le prédis
De ma voix de bonhomme, encore un peu, Jadis.°

L'Art tout d'abord.... 11. *trucs:* tricks, dodges. 18.
broncher: flounder. 20. *Franc:* Frankish. (The German
Franks invaded and occupied France in the fifth century.)
20. *limon:* clay. 21. *allure:* gait, progression (*not* allurement).
23. *fioritures:* meaningless embellishments. 24–25. *cliquetis...
faussées:* the sneering rattle, as of bent weapons. 26. *fusées:*
rocket flights. 28. *de bonhomme... Jadis:* of an old-timer, I
tell you again. (Perhaps a recollection of one of Verlaine's
best collections, *Jadis et naguère.*)

---

6. *méprise: here,* inexactness, ambiguity. (Have our contemporary poets accepted this counsel?) 12. *fouillis:* jumble.
12. This stanza illustrates the advice given in lines 5–8.
17. *Pointe:* the "conceit," the keen shaft, the humorous or
moral point. 19. *l'Azur:* i.e., the Ideal. 20. *ail:* garlic. 22.
en train d'énergie: while you're about it. 30. *envolée:* soaring.
31. *en allée:* on its way. 34. *crispé:* crinkled.

Arthur Rimbaud [1854–1891]

Rimbaud was a genius—if the word is ever permissible. His life is a perfect example of the genius's effort to impose himself on the world and to accommodate himself to it, and of the world's failure to recognize the genius in his time.

He was born in the small city of Charleville, in northeastern France, of an undistinguished family. (He liked to emphasize his peasant inheritance.) He was a brilliant, precocious youth. By the time he was fourteen he was writing very remarkable poetry. At fifteen he ran away to Paris. As he had no railway ticket, he was jailed and sent home. In the following year (1871) he fled again to Paris, slept under bridges, and fed on what he could find in wartime garbage cans. He made the acquaintance of Verlaine, who took him under his wing and taught him, among other things, systematic drunkenness. Rimbaud soon dominated his weak companion. Their friendship, interrupted by savage quarrels, ended with the shooting of Rimbaud in Brussels. When Verlaine emerged from prison, he sought out Rimbaud in Germany. Rimbaud, contemptuous of Verlaine's new piety, got him drunk, or let him get drunk, and in a fight knocked him out, left him unconscious on a river bank, and never saw him again.

Rimbaud at about twenty-one renounced literature forever.* He had already set out on a career of wandering. "L'homme aux semelles de vent," Verlaine called him. He was a longshoreman in Marseille, was arrested for vagrancy in Vienna, enlisted in the Dutch army for service in Java; but once in Java he deserted and shipped on board a homebound vessel. He toured Scandinavia with a circus, helped loot a shipwrecked vessel in the Red Sea, was a quarry boss in Cyprus, and in 1880 became a trader in Abyssinia. He ran guns for a rebel prince and perhaps did some slave trading. After ten grim years he returned to France to die.

His life, so summarized, is that of a picturesque vagabond. Rimbaud was that indeed, but his vagabondage arose from no mere uneasy itch, but from a profound need of knowledge and understanding. Even as a boy he outgrew the mental limitations of Charleville; as an adolescent he outgrew the limitations of western civilization. He tried to break every subjection imposed by government, religion, society, to destroy every shelter, in order to blind himself with truth. The proof of his purpose, and the measure of his success, is in his work.

This work consists of three small volumes, only one of which he published himself. He began with poems in the Parnassian vein. He then developed his theory of the *voyant*. He said, in a letter of May 15, 1871: "Je dis qu'il faut être *voyant*, se faire *voyant*. Le poète se fait *voyant* par un long, immense et raisonné *dérèglement de tous les sens*. Toutes les formes d'amour, de souffrance, de folie; il cherche lui-même, il épuise en lui tous les poisons, pour n'en garder que les quintessences. Ineffable torture où il a besoin de toute la foi, de toute la force surhumaine, où il devient entre tous le grand malade, le grand criminel, le grand maudit, — et le suprême Savant! — Car il arrive à l'*inconnu!*" By this "systematic derangement of the senses" he hoped to attain intensity of experience and understanding of the world beyond reality. To express the "ineffable" the poet requires a new language, or a new conception of the old language. He will discard at need the rules of syntax and grammar; he will use words as magic spells, incantations, to evoke sharp sensations superior to thought. Rimbaud said: "Cette langue sera de l'âme pour l'âme, résumant tout, parfums, sons, couleurs, de la pensée accrochant la pensée et tirant."

Une Saison en enfer (1873) is the confession of his failure. In alternating prose and verse he reviews his life, his hopes, and the collapse of his hopes. He recognizes his visions to be

* It used to be said that Rimbaud stopped writing at nineteen. Recent researches show this to be unlikely.

mere hallucinations. It is a frenzied, anguished, desperate book, a *carnet de damné*, he says. He saw it carefully through the press, sent a few copies to literary friends, and then seems to have lost all interest in it. Not a single copy was sold. (This is perhaps a literary record.) The prose poems, later collected under the title *Illuminations*, were written at about the same time—whether before or after is angrily argued by critics.

The *influence* of Rimbaud was vast, and it is still increasing. A French critic has called his poetry "one of our quasi-sacred books." In contrast to the defeatist Parnassians (see p. 210), Rimbaud tried to take by storm the heavenly city, where presumably the ulti-mate secrets are hidden. His example liberated poetry, even language, even reason, from the precepts of tradition. While critics do not always think that this liberation was a good thing, young, rebellious poets do. For them, Rimbaud is one of the supreme masters.

Le Bateau ivre

[*The starting point of this astonishing poem, written when Rimbaud was only sixteen, was a rowboat moored on the Meuse River near Rimbaud's home. In this boat he spent many dreaming hours. The* je *of the poem is the boat; it is also Rimbaud, longing for experience of the great sea which he had never seen; it is also the seer, seeking a truth beyond time and space, beyond reality. The poem is developed not by logical transitions but by a kind of logic of sen-sations and images. One will feel in it, I hope, the violence of the poet's nature, his passionate desire, expressed in his exclamations like outcries, his wild evocations, his compact, truncated phrasing, his strange and startling words. One will recognize also that the poem is a painful prophecy of Rimbaud's own fate, the collapse of his vaulting dreams, the return to commonplace reality.*]

Comme je descendais des Fleuves impassibles,°
Je ne me sentis plus guidé par les haleurs :°
Des Peaux-Rouges criards les avaient pris
    pour cibles,°
Les ayant cloués nus aux poteaux de couleurs.

J'étais insoucieux de tous les équipages,   5
Porteur° de blés flamands ou de cotons anglais.
Quand avec mes haleurs ont fini ces tapages,°
Les Fleuves m'ont laissé descendre où je
    voulais.

Dans les clapotements° furieux des marées,
Moi, l'autre hiver, plus sourd° que les
    cerveaux d'enfants,   10
Je courus! et les Péninsules démarrées°
N'ont pas subi tohu-bohus° plus triomphants.

La tempête a béni mes éveils maritimes.
Plus léger qu'un bouchon j'ai dansé sur les flots
Qu'on appelle rouleurs éternels de victimes,   15
Dix nuits, sans regretter l'œil niais des falots!°

Plus douce qu'aux enfants la chair des
    pommes sures,°
L'eau verte° pénétra ma coque° de sapin
Et des taches de vins bleus et des vomissures
Me lava, dispersant gouvernail° et grappin.° 20

Et, dès lors, je me suis baigné dans le Poème
De la Mer, infusé d'astres, et lactescent,°
Dévorant les azurs verts où, flottaison° blême
Et ravie, un noyé pensif parfois descend;

Où, teignant tout à coup les bleuités, délires 25
Et rythmes lents sous les rutilements° du jour,
Plus fortes que l'alcool, plus vastes que vos lyres,
Fermentent les rousseurs° amères de l'amour!

Je sais les cieux crevant en éclairs, et les trombes°
Et les ressacs° et les courants : je sais le soir, 30

LE BATEAU IVRE. 1. *impassibles:* Malcolm Cowley, editor, told your compiler that he often receives translations of *Le Bateau ivre.* If *Fleuves impassibles* is translated *impassable rivers,* he reads no further. 2. *haleurs:* towing men. 3. *cibles:* targets. 6. *Porteur:* refers to *je.* 7. *tapages:* disturbances (*i.e.,* the massacre of the towing men).

9. *clapotements:* slappings. (At this point the boat reaches the sea.) 10. *sourd: here,* unheeding, 11. *démarrées:* un-moored (probably a wild imagination, not a reference to any geological upset). 12. *tohu-bohus:* hubbubs. 16. *falots:* beacons. 17. *sures:* sour. 18. *verte:* Green usually symbolized purity to Rimbaud. Notice later the recurrence of the color. 18. *coque:* hull. 20. *gouvernail:* helm. 20. *grappin:* grappling iron. (This stanza expresses Rimbaud's longing to be cleansed of civilization's corruptions.) 22. *lactescent:* milky. 23. *flottaison:* floating object. 26. *rutilements:* reddish glows. 28. *rousseurs:* russet tones. 29. *trombes:* water spouts. 30. *ressacs:* surfs.

L'Aube exaltée ainsi qu'un peuple de colombes,
Et j'ai vu quelquefois ce que l'homme a cru
 voir!

J'ai vu le soleil bas, taché d'horreurs mystiques,
Illuminant de longs figements° violets,
Pareils à des acteurs de drames très antiques, 35
Les flots roulant au loin leurs frissons de volets.°

J'ai rêvé la nuit verte aux neiges éblouies,
Baiser° montant aux yeux des mers avec lenteur,
La circulation des sèves inouïes,
Et l'éveil jaune et bleu des phosphores chanteurs!

J'ai suivi, des mois pleins, pareille aux vacheries°
Hystériques, la houle à l'assaut des récifs,°
Sans songer que les pieds lumineux des Maries°
Pussent forcer le mufle° aux Océans poussifs!°

J'ai heurté, savez-vous, d'incroyables Florides 45
Mêlant aux fleurs des yeux de panthères, à
 peaux
D'hommes! Des arcs-en-ciel tendus comme
 des brides,
Sous l'horizon des mers, à de glauques°
 troupeaux!

J'ai vu fermenter les marais, énormes nasses°
Où pourrit dans les joncs tout un Léviathan!° 50
Des écroulements d'eaux au milieu des bonaces°
Et les lointains vers les gouffres cataractant!°

Glaciers, soleils d'argent, flots nacreux,°
 cieux de braises!°
Échouages° hideux au fond des golfes bruns
Où les serpents géants dévorés de punaises° 55
Choient,° des arbres tordus, avec de noirs
 parfums!

J'aurais voulu montrer aux enfants ces dorades°
Du flot bleu, ces poissons d'or, ces poissons
 chantants.
— Des écumes de fleurs ont bercé mes dérades°
Et d'ineffables vents m'ont ailé par instants. 60

Parfois, martyr lassé des pôles et des zones,
La mer dont le sanglot faisait mon roulis° doux
Montait vers moi ses fleurs d'ombre aux
 ventouses° jaunes
Et je restais ainsi qu'une femme à genoux...

Presque île, ballottant° sur mes bords les
 querelles   65
Et les fientes° d'oiseaux clabaudeurs° aux
 yeux blonds,
Et je voguais, lorsqu'à travers mes liens frêles
Des noyés descendaient dormir, à reculons!...°

Or moi, bateau perdu sous les cheveux des
 anses,°
Jeté par l'ouragan dans l'éther sans oiseau,
Moi dont les Monitors° et les voiliers des
 Hanses°
N'auraient pas repêché la carcasse ivre d'eau;

Libre, fumant, monté de° brumes violettes,
Moi qui trouais le ciel rougeoyant comme un
 mur
Qui porte, confiture exquise aux bons poètes, 75
Des lichens de soleil et des morves d'azur,°

Qui courais taché de lunules° électriques,
Planche folle, escorté des hippocampes° noirs,
Quand les juillets faisaient crouler à coups de
 triques°
Les cieux ultramarins aux ardents
 entonnoirs;°   80

---

34. *figements:* coagulations. 36. *volets:* shutters. (The picture is of the parallel slats of Venetian blinds rippling in the light or wind.) 38. *Baiser:* i.e., *la nuit.* 41. *vacheries:* cow barns (*i.e.*, herds of maddened cattle.) 42. *récifs:* reefs. 43. *Maries:* perhaps the three Marys of Palestine, who, according to a Provençal legend, were set adrift in a boat without sails or oars, and who landed in the Camargue, on the French Mediterranean coast, a region famous for its herds of wild cattle. 44. *forcer le mufle:* muzzle (*lit.*, subdue the snout). 44. *poussifs:* wheezy. 48. *glauques:* sea-green. The picture is of a rainbow seen under water, through the rays of which schools of fish are swimming. 49. *nasses:* weirs, fish traps. 50. *Léviathan:* Leviathan, monster of the Bible, perhaps a whale. 51. *bonaces:* calms. (Perhaps a reference to the collapse of a waterspout.) 52. *cataractant:* plunging (coined word). 53. *nacreux:* pearly. 53. *braises:* glowing coals. 54. *Échouages:* Stranded ships. 55. *punaises:* bedbugs. (A good example of Rimbaud's surrealistic imagination.) 56. *Choient:* Fall.

57. *dorades:* sea bream (reddish-golden Mediterranean fish). 59. *dérades:* driftings. 62. *roulis:* rolling. 63. *ventouses:* cupping glasses; perhaps reference to jellyfish. 65. *ballottant:* tossing about. 66. *fientes:* dung. 66. *clabaudeurs:* squalling. 68. Up to this point Rimbaud has stated his own visions, making of them the boat's experiences. Now in a four-stanza sentence he suggests that wonders may pall. 69. *cheveux des anses:* i.e., hairy weeds and grasses of the coves. 71. *Monitors:* American Civil War vessels. 71. *voiliers des Hanses:* sailing ships of Hanseatic towns (medieval German seaports). 73. *monté de:* equipped with. 76. *morves d'azur:* mucus, snot, of azure Ideal. (Notice the deliberate coupling of the offensive with the traditional idealistic, to make a new poeticism. The thought, movement, and imagery become wilder.) 77. *lunules:* crescents. 78. *hippocampes:* sea horses. 79. *triques:* clubs. (The metaphor is vivid, though it strains the orthodox imagination.) 80. *entonnoirs:* funnels (*i.e.*, of heat).

Moi qui tremblais, sentant geindre à cinquante
    lieues
Le rut° des Béhémots° et les Maelstroms° épais,
Fileur° éternel des immobilités bleues,
Je regrette l'Europe aux anciens parapets!

J'ai vu des archipels sidéraux!° et des îles   85
Dont les cieux délirants sont ouverts au
    vogueur.°
— Est-ce en ces nuits sans fond que tu dors et
    t'exiles,
Million d'oiseaux d'or,° ô future Vigueur? —

Mais, vrai, j'ai trop pleuré! Les Aubes sont
    navrantes.
Toute lune est atroce et tout soleil amer :   90
L'âcre amour m'a gonflé de torpeurs enivrantes.
O que ma quille° éclate! O que j'aille à la mer!

Si je désire une eau d'Europe, c'est la flache°
Noire et froide où vers le crépuscule embaumé
Un enfant accroupi plein de tristesses, lâche 95
Un bateau frêle comme un papillon de mai.

Je ne puis plus, baigné de vos langueurs, ô
    lames,
Enlever leur sillage° aux porteurs de cotons,°
Ni traverser l'orgueil des drapeaux et des
    flammes,°   99
Ni nager sous les yeux horribles des pontons!°

Voyelles

[*A statement of "colored hearing," no doubt a development of Baudelaire's* Correspondances (*see page 211*). *A number of followers, and especially the Surrealists, have tried to codify the vowel colors; but certainly Rimbaud is stating their associations, which are visual rather than auditory, in his own mind. Notice his use of imagery. It is no longer the controlled, recognizable comparisons of traditional writers; it is rather a sort of "free association," wilder and more far-fetched than that of prosaic people.*]

A noir, E blanc, I rouge, U vert, O bleu :
    voyelles,
Je dirai quelque jour vos naissances latentes :
A, noir, corset velu° des mouches éclatantes
Qui bombinent° autour des puanteurs cruelles,

Golfes d'ombre; E, candeurs des vapeurs et
    des tentes,   5
Lances des glaciers fiers, rois blancs, frissons
    d'ombelles;°
I, pourpres;° sang craché, rire des lèvres belles
Dans la colère ou les ivresses pénitentes;

U, cycles, vibrements divins des mers virides,
Paix des pâtis° semés d'animaux, paix des rides
Que l'alchimie imprime aux grands fronts   11
    studieux;

O, suprême Clairon plein de strideurs° étranges,
Silences traversés des Mondes et des Anges :
— O l'Oméga,° rayon violet de Ses Yeux!

Vertige

[*A poem of total anarchy, written in 1872, after the collapse of the Commune. The title is not Rimbaud's own but is commonly attached to the poem.*]

Qu'est-ce pour nous, mon cœur, que les
    nappes de sang
Et de braise, et mille meurtres, et les longs cris
De rage, sanglots de tout enfer renversant
Tout ordre; et l'Aquilon° encor sur les débris;

Et toute vengeance? Rien!... — Mais si, toute
    encor,   5
Nous la voulons! Industriels, princes, sénats :

82. *rut:* rutting. 82. *Béhémot:* Behemoth, monster of Job (probably the hippopotamus). 82. *Maelstrom:* sea whirlpool off Norway, celebrated by Poe. 83. *Fileur:* Spinner. (The boat seems to have taken flight into the air, to have become gigantic and godlike. The poet identifies himself with it, and with some supernal force or being.) 85. *archipels sidéraux:* starry groups of islands. 86. *vogueur:* seafarer. 88. *oiseaux d'or:* no doubt the stars. 92. *quille:* keel. (This line sums up the poem's meaning.) 93. *flache:* small pool. 98. *sillage:* wake. 98. *porteurs de cotons:* i.e., merchant ships. 99. *flammes:* pennants. 100. *pontons:* prison ships, of which the *yeux horribles* are the portholes. (What is the private meaning of the poem to its author? Perhaps that poetic vision has failed, that art has been taken over by commercial-minded men, and that the poet must content himself with the memory of small realities. Or [I think more likely] that the poet will renounce all effort to rival the successful Parnassians, that he will keep the memory of childish pathos, but he will venture more boldly into uncharted poetic realms. "O que ma quille éclate! O que j'aille à la mer!")

VOYELLES. 3. *velu:* hairy. 4. *bombinent:* buzz. 6. *ombelles:* umbels (parasol-shaped flowers). 7. *pourpres:* deep reds (original meaning of *purple*). 9. *virides:* green. 10. *pâtis:* pastures. 12. *strideurs:* strident sounds. 14. *Oméga:* Greek *o* (which has also mystical meanings). VERTIGE. 4. *Aquilon:* north wind.

Périssez! Puissance, justice, histoire : à bas!
Ça nous est dû. Le sang! le sang! la flamme
   d'or!

Tout à la guerre, à la vengeance, à la terreur,
Mon esprit! tournons dans la morsure :° Ah!
   passez,   10
Républiques de ce monde! Des empereurs,
Des régiments, des colons,° des peuples, assez!

Qui remuerait les tourbillons de feu furieux,
Que° nous et ceux que nous nous imaginons
   frères?
A nous, romanesques amis : ça va nous plaire;
Jamais nous ne travaillerons, ô flots de feux! 16

Europe, Asie, Amérique, disparaissez.
Notre marche vengeresse a tout occupé,
Cités et campagnes! — Nous serons écrasés!
Les volcans sauteront! Et l'Océan frappé... 20

Oh! mes amis! — Mon cœur, c'est sûr, ils sont
   des frères!
Noirs° inconnus, si nous allions! Allons! allons!
O malheur! je me sens frémir, la vieille terre,
Sur moi de plus en plus à vous! la terre fond.

   Ce n'est rien : j'y suis; j'y suis toujours.° 25

Chanson de la plus haute tour

[*One of the* romances *in which, as Rimbaud tells
us in the* Saison en enfer, *he bade farewell to the
world in bitterness. The poem is written in five-
syllable lines (*Verlaine's *impair) and is in feminine
rhymes throughout.*]

   Oisive jeunesse
   A tout asservie,
   Par délicatesse

J'ai perdu ma vie.
Ah! Que le temps vienne   5
Où les cœurs s'éprennent.°

Je me suis dit : Laisse,
Et qu'on ne te voie :
Et sans la promesse
De plus hautes joies   10
Que rien ne t'arrête,
Auguste retraite.

J'ai tant fait patience
Qu'à jamais j'oublie;
Craintes et souffrances   15
Aux cieux sont parties.
Et la soif malsaine
Obscurcit mes veines.

Ainsi la Prairie
A l'oubli livrée,   20
Grandie, et fleurie
D'encens et d'ivraies°
Au bourdon° farouche
De cent sales mouches.

Ah! Mille veuvages   25
De la si pauvre âme
Qui n'a que l'image
De la Notre-Dame!
Est-ce que l'on prie
La Vierge Marie?°   30

Oisive jeunesse
A tout asservie,
Par délicatesse
J'ai perdu ma vie.
Ah! Que le temps vienne   35
Où les cœurs s'éprennent!

---

10. *tournons dans la morsure:* i.e., let us make a twisting
bite. 12. *colons:* colonists. 14. *Que:* Except, if not. 22. *Noirs:*
i.e., Negroes. 25. The last line, no doubt an afterthought, is
Rimbaud's ironical commentary on his own outburst.

CHANSON DE LA PLUS HAUTE TOUR. 6. *s'éprennent:* fall in
love. 22. *ivraies:* darnels, weeds. 23. *bourdon:* humming.
29–30. This passage and others suggest to some that Rimbaud
was a mystic en route, longing for Christian experience.

Une Saison en enfer

[*Excerpts*]

Jadis, si je me souviens bien, ma vie était un festin où s'ouvraient tous les cœurs, où tous les vins coulaient.

Un soir, j'ai assis la Beauté sur mes genoux. — Et je l'ai trouvée amère. — Et je l'ai injuriée.

Je me suis armé contre la justice.

Je me suis enfui. O sorcières, ô misère, ô haine, c'est à vous que mon trésor a été confié!

Je parvins à faire s'évanouir dans mon esprit toute l'espérance humaine. Sur toute joie pour l'étrangler j'ai fait le bond sourd de la bête féroce.

J'ai appelé les bourreaux pour, en périssant, mordre la crosse° de leurs fusils. J'ai appelé les fléaux, pour m'étouffer avec le sable, le sang. Le malheur a été mon dieu. Je me suis allongé dans la boue. Je me suis séché à l'air du crime. Et j'ai joué de bons tours à la folie.

Et le printemps m'a apporté l'affreux rire de l'idiot.

Or, tout dernièrement, m'étant trouvé sur le point de faire le dernier *couac*!° j'ai songé à rechercher la clef du festin ancien, où je reprendrais peut-être appétit.

La charité est cette clef. — Cette inspiration prouve que j'ai rêvé!

« Tu resteras hyène, etc... » se récrie° le démon qui me couronna de si aimables pavots.° « Gagne la mort avec tous tes appétits, et ton égoïsme et tous les péchés capitaux. »

Ah! j'en ai trop pris : — Mais, cher Satan, je vous en conjure, une prunelle moins irritée! et en attendant les quelques petites lâchetés en retard, vous qui aimez dans l'écrivain l'absence des facultés descriptives ou instructives, je vous détache ces quelques hideux feuillets de mon carnet de damné.

MAUVAIS SANG*

[*Rimbaud complains of his inherited sloth, protests his inaptitude for all the world's trades, states his hatred for the rule of science.* "J'attends Dieu avec gourmandise... Maintenant je suis maudit, j'ai horreur de la patrie. Le meilleur, c'est un sommeil bien ivre, sur la grève." *Terribly alone, he feels impulses toward perfection. He continues* :]

Encore tout enfant, j'admirais le forçat intraitable° sur qui se referme toujours le bagne;° je visitais les auberges et les garnis° qu'il aurait sacrés par son séjour; je voyais *avec son idée* le ciel bleu et le travail fleuri de la campagne; je flairais sa fatalité dans les villes. Il avait plus de force qu'un saint, plus de bon sens qu'un voyageur — et lui, lui seul! pour témoin de sa gloire et de sa raison.

Sur les routes, par des nuits d'hiver, sans gîte, sans habits, sans pain, une voix étreignait mon cœur gelé : « Faiblesse ou force : te voilà, c'est la force. Tu ne sais ni où tu vas ni pourquoi tu vas, entre partout, réponds à tout. On ne te tuera pas plus que si tu étais cadavre. » Au matin j'avais le regard si perdu et la contenance si morte, que ceux que j'ai rencontrés *ne m'ont peut-être pas vu.*

Dans les villes la boue m'apparaissait soudainement rouge et noire, comme une glace quand la lampe circule dans la chambre voisine, comme un trésor dans la forêt! Bonne chance, criais-je, et je voyais une mer de flammes et de fumée au ciel; et, à gauche, à droite, toutes les richesses flambant comme un milliard de tonnerres.

Mais l'orgie et la camaraderie des femmes m'étaient interdites. Pas même un compagnon. Je me voyais devant une foule exaspérée, en face du peloton° d'exécution, pleurant du malheur qu'ils n'aient pu comprendre, et pardonnant! — Comme Jeanne d'Arc! — « Prêtres, professeurs, maîtres, vous vous trompez en me livrant à la justice. Je n'ai jamais été de ce peuple-ci; je n'ai jamais été chrétien; je suis de la race qui chantait dans le supplice; je ne comprends pas les lois; je n'ai pas le sens moral, je suis une brute : vous vous trompez... »

Oui, j'ai les yeux fermés à votre lumière. Je suis une bête, un nègre. Mais je puis être sauvé. Vous êtes de faux nègres, vous, maniaques, féroces, avares. Marchand, tu es nègre; magistrat, tu es nègre; général, tu es nègre; empereur, vieille démangeaison,° tu es nègre : tu as bu d'une liqueur non taxée, de la fabrique de Satan.

UNE SAISON EN ENFER. 18. *crosse*: butt. 26. *couac*: squawk. 31. *se récrie*: objects. 32. *pavots*: poppies. * *Mauvais sang*: Ill will.

5. *forçat intraitable*: intractable, obstinate convict. 5. *bagne*: jail. 6. *garnis*: lodgings. 33. *peloton*: platoon, squad. 47. *démangeaison*: itch.

— Ce peuple est inspiré par la fièvre et le cancer. Infirmes et vieillards sont tellement respectables qu'ils demandent à être bouillis. — Le plus malin° est de quitter ce continent, où la folie rôde pour pourvoir d'otages ces misérables. J'entre au vrai royaume des enfants de Cham.°

Connais-je encore la nature? me connais-je? — *Plus de mots.* J'ensevelis les morts dans mon ventre. Cris, tambour, danse, danse, danse, danse! Je ne vois même pas l'heure où, les blancs débarquant, je tomberai au néant.

Faim, soif, cris, danse, danse, danse, danse!

ALCHIMIE DU VERBE*

…La vieillerie poétique avait une bonne part dans mon alchimie du verbe.

Je m'habituai à l'hallucination simple : je voyais très franchement une mosquée° à la place d'une usine, une école de tambours faite par des anges, des calèches° sur les routes du ciel, un salon au fond d'un lac; les monstres, les mystères; un titre de vaudeville° dressait des épouvantes devant moi.

Puis j'expliquai mes sophismes magiques avec l'hallucination des mots!

Je finis par trouver sacré le désordre de mon esprit. J'étais oisif, en proie à une lourde fièvre : j'enviais la félicité des bêtes, — les chenilles,° qui représentent l'innocence des limbes,° les taupes,° le sommeil de la virginité!

Mon caractère s'aigrissait. Je disais adieu au monde dans d'espèces de romances.

…Je devins un opéra fabuleux : je vis que tous les êtres ont une fatalité de bonheur : l'action n'est pas la vie, mais une façon de gâcher° quelque force, un énervement. La morale est la faiblesse de la cervelle.

A chaque être, plusieurs *autres* vies me semblaient dues. Ce monsieur ne sait ce qu'il fait : il est un ange. Cette famille est une nichée° de chiens. Devant plusieurs hommes, je causai tout haut avec un moment d'une de leurs autres vies. — Ainsi, j'ai aimé un porc.°

Aucun des sophismes de la folie, — la folie qu'on enferme, — n'a été oublié par moi : je pourrais les redire tous, je tiens le système.

Ma santé fut menacée. La terreur venait. Je tombais dans des sommeils de plusieurs jours, et, levé, je continuais les rêves les plus tristes. J'étais mûr pour le trépas, et par une route de dangers ma faiblesse me menait aux confins du monde et de la Cimmérie,° patrie de l'ombre et des tourbillons.°

Je dus voyager, distraire les enchantements assemblés sur mon cerveau. Sur la mer, que j'aimais comme si elle eût dû me laver d'une souillure, je voyais se lever la croix consolatrice. J'avais été damné par l'arc-en-ciel. Le Bonheur était ma fatalité, mon remords, mon ver : ma vie serait toujours trop immense pour être dévouée à la force et à la beauté.

Le Bonheur! Sa dent, douce à la mort, m'avertissait au chant du coq, — *ad matutinum,*° au *Christus venit,*° dans les plus sombres villes :

O saisons, ô châteaux!
Quelle âme est sans défauts?

J'ai fait la magique étude
Du bonheur, qu'aucun n'élude.

Salut à lui, chaque fois
Que chante le coq gaulois.

Ah! je n'aurai plus d'envie :
Il s'est chargé de ma vie.

Ce charme a pris âme et corps
Et dispersé les efforts.

O saisons, ô châteaux!

L'heure de la fuite, hélas!
Sera l'heure du trépas.

O saisons, ô châteaux!

Cela s'est passé. Je sais aujourd'hui saluer la beauté.

4. *Le plus malin:* The smartest thing to do. 7. *enfants de Cham:* children of Ham, Negroes. * *verbe:* word. 19. *mosquée:* mosque. 21. *calèches:* open carriages. 23. *titre de vaudeville:* musical comedy title (on a billboard). 29. *chenilles:* caterpillars. 30. *limbes:* Limbo (infernal region inhabited by the virtuous who had no access to faith). 31. *taupes:* moles. 38. *gâcher:* spoil, waste. 42 *nichée:* litter. 45. *porc:* no doubt Verlaine.

9. *Cimmérie:* mythical northern land of eternal night. 10. *tourbillons:* whirlwinds. 20–21. *ad matutinum, Christus venit:* "In the morning, Christ cometh" (phrases from the Easter service).

MATIN

N'eus-je pas *une fois* une jeunesse aimable, héroïque, fabuleuse, à écrire sur des feuilles d'or, — trop de chance! Par quel crime, par quelle erreur, ai-je mérité ma faiblesse actuelle? Vous qui prétendez que les bêtes poussent des sanglots de chagrin, que des malades désespèrent, que des morts rêvent mal, tâchez de raconter ma chute et mon sommeil. Moi, je ne puis plus m'expliquer que le mendiant avec ses continuels *Pater* et *Ave Maria. Je ne sais plus parler*!

Pourtant, aujourd'hui, je crois avoir fini la relation de mon enfer. C'était bien l'enfer; l'ancien, celui dont le fils de l'homme° ouvrit les portes.

Du même désert, à la même nuit, toujours mes yeux las se réveillent à l'étoile d'argent, toujours, sans que s'émeuvent les Rois de la vie,

10

15

15. *le fils de l'homme:* i.e., Jesus Christ.

20

les trois mages, le cœur, l'âme, l'esprit. Quand irons-nous, par delà les grèves et les monts, saluer la naissance du travail nouveau, la sagesse nouvelle, la fuite des tyrans et des démons, la fin de la superstition, adorer — les premiers! — Noël sur la terre!

5

Le chant des cieux, la marche des peuples! Esclaves, ne maudissons pas la vie.

Départ*

Assez vu. La vision s'est rencontrée à tous les airs.

Assez eu. Rumeurs des villes, le soir, et au soleil, et toujours.

Assez connu. Les arrêts de la vie. — O Rumeurs et Visions!

Départ dans l'affection et le bruit neufs.

DÉPART. * From *Illuminations*.

20. Symbolism: Mallarmé [1842–1898]

Stéphane Mallarmé was born in Paris of respectable middle-class parents. He spent two years in England, preparing to teach English in French lycées. He taught in several provincial schools, then in Paris from 1871 until his death. He was a good friend of the Parnassians but not a disciple; his first published poems appeared in *Le Parnasse contemporain* (1866). The cramped dining room of his humble Paris apartment became the meeting place of an extraordinary group of young writers and painters, of whom he was the unquestioned master. In contrast to the *poètes maudits*, he led an exemplary life, almost without external incidents. He was a model husband, father, schoolmaster. His adventures all took place within his mind.

He wrote very little, some 2000 lines of verse—about what Victor Hugo would do in a fortnight. Probably no other great poet produced so small a body of work.

His early manner, illustrated by our first six selections, shows the influence of the Parnassians and Baudelaire. The poems are compact, rigorous in form, difficult but not incomprehensible. *L'Après-midi d'un faune* (1875) is transitional. His later manner, represented here by *Le vierge, le vivace et le bel aujourd'hui...* and *Le Tombeau d'Edgar Poe*, is the characteristic one.

Now this is going to be hard. (Like a dentist, I warn you.) You will have to make an earnest effort for comprehension. But you should be repaid, for you should not only gain some appreciation of Mallarmé, you should learn a few of the principles underlying the work of many difficult poets of today, writing in French, English, Italian, and other languages.

Mallarmé said that his *purpose* was to find the Symbol that would bring the orphic (i.e., oracular, mystic) explanation of the world; to do this, he said, was the sole duty of the poet and of literature. Mallarmé believed then that such a Symbol exists, and that the poet can find it by his introspective devices. (We believe that the scientist may find the essential symbols by similar methods. Einstein's $E = mc^2$ is a symbol.)

The poet's materials are words. Well, what are words? They are conventionalized sounds; they are black marks on white paper. They have their convenient, accepted *meanings*. But the meanings, even of the most commonplace words, are not exact and absolute. Take the word "automobile." The image the word conjures up varies from country to country and from year to year. In addition to the conventionalized meanings, every word has its *connotations* or *suggestions*. It has its personal history in every individual's mind. Thus "automobile" may connote "the sweetest object of my dreams," or it may connote "the devil that killed my father."

What Mallarmé was trying to do was to pass from the conventional meanings of words to their connotations. He wished to give, he said: "un sens plus pur aux mots de la tribu." And again: "J'invente une langue qui doit nécessairement jaillir d'une poétique nouvelle, que je pourrais définir en deux mots: *Peindre, non la chose, mais l'effet qu'elle produit. Le vers ne doit donc pas, là, se composer de mots mais d'intentions, et toutes les paroles s'effacer devant la sensation.*"

What exactly does this mean? Let us take an easy example. In the first of our poems, *Apparition*, the poet, having received his first kiss from his beloved, sees her apparition in the street and is reminded of the fairy who watched over his childish dreams,

> ...laissant toujours de ses mains mal fermées
> Neiger de blancs bouquets d'étoiles parfumées.

Literally, "white bouquets of perfumed stars snowing down" are an absurdity. But each of these words has its connotations, of purity, the ideal, the delight of the senses. And the succession of uttered sounds pleases the ear. The poet is thus stating not the thing but the sensation, the effect that the thing produces.

And thus the word is a kind of magic spell. Well, words have always been magic. We say holy words to preserve us from evil and wicked words to wound and damn. A magic "spell" is a magic "spelling." Mallarmé, consciously, was trying to make magic.

The poet uses words, then, not to state clearly but to *suggest*. In a famous passage, Mallarmé said: "Nommer un objet, c'est supprimer les trois quarts de la jouissance du poème, qui est faite du bonheur de deviner peu à peu; le suggérer, voilà le but." The poem should be an enigma, because the reader, in attempting to solve the enigma, offers the maximum of cooperation and receives the maximum of suggestion.

The effort of poet and reader alike is to escape, from reality, matter, and time, into a dream, and thence into a mysterious absolute, a void, *le Néant*. The ultimate reality is emptiness, annihilation, "la vacance exquise de soi." The ultimate poem is silence, the white, unsullied page, "la poésie sans les mots."

This difficult, almost self-abolishing doctrine requires a certain technique of the reader. This is what you should do:

First read a poem through for *sound*, making no mental pauses to understand or interpret, looking nothing up. Try to feel the artful arrangements of vowel and consonant, the movement of the whole. Let the words flow through your mind.

Read the poem again for *meaning*. Look up strange words. Pause frequently to let your mind bring up the *suggestions* that each phrase may have to you. This is the psychologists' useful method of "free association."

Read the poem again for sound and meaning combined. And observe what new suggestions appear in your mind.

Wait a day and read the poem a fourth time. You will then find that the poem has assumed a shape and character of its own, it gives off something, it is radioactive.

But perhaps you just don't like poetry.

Symbolism is another of those unfortunate words with too many meanings. When we speak of the Symbolist school in France we mean, properly, a group of writers who flourished between about 1880 and 1900. Their ancestors were Baudelaire (who saw Nature as a forest of symbols), Verlaine (who blended music and poetry), Rimbaud (who advocated revolt against everything), and Mallarmé (who deified the Symbol and taught the virtues of obscurity). Their common doctrine was that commonplace reality conceals the essential reality of the Symbol, that the Symbol may be found by exploration of one's deeper self, that poetry and music should be made one, that a *psychological rhythm* should replace the *arithmetical rhythm*, or syllable counting, of traditional verse, and that the prevailing Realism and Naturalism should be rejected with horror. As none of the outright Symbolist poets seem today sufficiently important to be included in this book we need not concern ourselves with their record.

But the spirit of Symbolism is something larger and more lasting. If I were not afraid of adding another *ism* to French literary history, I should call that spirit *intuitivism*. I should define intuitivism as revolt against Realism, preoccupation with the unconscious and the subconscious at the expense of the conscious, and a preference for suggestion rather than statement. In this sense Verlaine, Rimbaud, and Mallarmé were intuitivists, and so are half of the twentieth-century French writers you will read. And how about British and American writers? How about Yeats, Joyce, Cummings, and Stevens?

Apparition*

[*An early poem rendering, clearly enough, a state of mind.*]

La lune s'attristait. Des séraphins en pleurs
Rêvant, l'archet° aux doigts, dans le calme des
  fleurs
Vaporeuses, tiraient de mourantes violes
De blancs sanglots° glissant sur l'azur des corolles.°
— C'était le jour béni de ton premier baiser. 5
Ma songerie aimant à me martyriser
S'enivrait savamment du parfum de tristesse
Que même sans regret et sans déboire° laisse
La cueillaison° d'un Rêve au cœur qui l'a cueilli.
J'errais donc, l'œil rivé sur le pavé vieilli 10
Quand avec du soleil aux cheveux, dans la rue
Et dans le soir, tu m'es en riant apparue
Et j'ai cru voir la fée au chapeau de clarté
Qui jadis sur mes beaux sommeils d'enfant gâté
Passait, laissant toujours de ses mains mal fermées
Neiger de blancs bouquets d'étoiles parfumées.

APPARITION. * *Apparition:* Vision, Appearance. 2. *archet:* bow (of violin). 4. *blancs sanglots:* Notice, here and throughout, the use of color in words where they are literally inapplicable. 4. *corolles:* corollas, inner petals of flowers. 8. *déboire:* disappointment. 9. *cueillaison:* plucking, gathering.

Soupir

[*Another early poem. Notice the insistence of sad, dreamy words : rêve, calme, automne, mélancolique, pâle, langueur.*]

Mon âme vers ton front où rêve, ô calme sœur,
Un automne jonché de taches de rousseur°
Et vers le ciel errant de ton œil angélique
Monte,° comme dans un jardin mélancolique,
Fidèle, un blanc jet d'eau soupire vers l'Azur!°
— Vers l'Azur attendri d'Octobre pâle et pur 6
Qui mire aux grands bassins sa langueur infinie
Et laisse, sur l'eau morte où la fauve agonie°
Des feuilles erre au vent et creuse un froid sillon,
Se traîner le soleil jaune d'un long rayon.

Les Fenêtres

[*The poet states his disgust with earth-bound happiness, horrible because it deters us from seeking the ideal,* l'azur. *But the tone of the poem is positive, confident, in contrast with Baudelairean despair.*]

SOUPIR. 2. *jonché… rousseur:* strewn with freckles (metaphor for autumn coloring). 4. *Monte:* the subject is *âme* (line 1). 5. *Azur:* i.e., the ideal. (One of Mallarmé's obsessing words.) 8. *fauve agonie:* tawny death throes.

*We can see the ideal, though through a windowpane,
which is art, the medium of vision. The composition
of the poem is simple : five stanzas of a detailed
picture, five stating the analogy and giving the
lesson for the poet.*]

Las du triste hôpital, et de l'encens fétide
Qui monte en la blancheur banale des rideaux
Vers le grand crucifix ennuyé du mur vide,
Le moribond sournois° y redresse un vieux
    dos,

Se traîne et va, moins pour chauffer sa
    pourriture   5
Que pour voir du soleil sur les pierres, coller
Les poils blancs et les os de la maigre figure
Aux fenêtres qu'un beau rayon clair veut
    hâler,°

Et la bouche, fiévreuse et d'azur° bleu vorace,°
Telle, jeune, elle alla respirer son trésor,   10
Une peau virginale et de jadis! encrasse°
D'un long baiser amer les tièdes carreaux d'or.

Ivre, il vit, oubliant l'horreur des saintes
    huiles,°
Les tisanes,° l'horloge et le lit infligé,
La toux; et quand le soir saigne° parmi les
    tuiles,   15
Son œil, à l'horizon de lumière gorgé,

Voit des galères d'or, belles comme des
    cygnes,°
Sur un fleuve de pourpre et de parfums dormir
En berçant l'éclair fauve et riche de leurs lignes
Dans un grand nonchaloir° chargé de
    souvenir!   20

Ainsi, pris du dégoût de l'homme à l'âme dure
Vautré° dans le bonheur, où ses seuls appétits
Mangent, et qui s'entête à chercher cette
    ordure°
Pour l'offrir à la femme allaitant ses petits,

Je fuis et je m'accroche à toutes les croisées° 25
D'où l'on tourne l'épaule à la vie, et, béni,
Dans leur verre, lavé d'éternelles rosées,
Que dore le matin chaste de l'Infini

Je me mire et me vois ange! et je meurs, et
    j'aime
— Que la vitre soit l'art, soit la mysticité — 30
A renaître, portant mon rêve en diadème,
Au ciel antérieur° où fleurit la Beauté!

Mais, hélas! Ici-bas° est maître : sa hantise
Vient m'écœurer parfois jusqu'en cet abri sûr,
Et le vomissement impur de la Bêtise   35
Me force à me boucher le nez devant l'azur.

Est-il moyen, ô Moi qui connais l'amertume,
D'enfoncer le cristal° par le monstre° insulté
Et de m'enfuir, avec mes deux ailes sans
    plume
— Au risque de tomber pendant l'éternité?

Renouveau

[*This early poem (1862) renders Mallarmé's
dreadful sense of failure to capture and express his
dream. In a letter accompanying a copy of the poem,
he said : "C'est un genre assez nouveau que cette
poésie, où les effets matériels, du sang, des nerfs, sont
analysés et mêlés aux effets moraux de l'esprit, de
l'âme." The dominant sound of the poem is the nasal
an, which recurs sixteen times. This is a slow, sad
sound.*]

Le printemps maladif a chassé tristement
L'hiver, saison de l'art serein, l'hiver lucide,
Et dans mon être à qui le sang morne préside
L'impuissance s'étire en un long bâillement...

Des crépuscules blancs tiédissent sous mon
    crâne   5
Qu'un cercle de fer serre ainsi qu'un vieux
    tombeau,
Et, triste, j'erre après un Rêve vague et beau,
Par les champs où la sève immense se pavane.°

LES FENÊTRES. 4. *sournois:* i.e., slyly. (The old man apparently climbs out of bed.) 8. *hâler:* turn brown. (The bright sun tries to tan the glass.) 9. *azur:* The special meaning *azur* has for the poet is evident from his use of *bleu* to qualify it. 9. *vorace:* modifies *bouche.* 11. *encrasse:* dirties. 13. *saintes huiles:* used in the last rites for the dying. 14. *tisanes:* infusions, potions. 15. *saigne:* i.e., floods with blood-red light. 17. *cygnes:* another of Mallarmé's obsessing words. 20. *nonchaloir:* apathy. 22. *Vautré:* Wallowing. 23. *ordure:* i.e., the repulsive food of gross well-being.

25. *croisées:* windows. 32. *antérieur:* of the past. 33. *Ici-bas:* i.e., this lower world. 38. *cristal:* i.e., the windowpane. (One of Mallarmé's favorite words.) 38. *monstre:* i.e., the vulgar mob. RENOUVEAU. 8. *se pavane:* struts, preens itself.

Puis je tombe, énervé de parfums d'arbres, las,
Et, creusant de ma face une fosse à mon
   Rêve,   10
Mordant la terre chaude où poussent les lilas,

J'attends en m'abîmant que mon ennui s'élève…
— Cependant l'Azur rit sur la haie en éveil,
Où les oiseaux en fleur gazouillent° au soleil.

L'Azur

[*Complementing the poem* Les Fenêtres *and contrasting with it,* L'Azur *expresses the poet's discouragement, his desire to submerge himself in commonplace life. But he is haunted by the ideal, the absolute. He tries in vain to hide. In a personal letter, Mallarmé tells how, following the prescriptions of "mon grand maître, Poe," he had labored over this poem, spending several hours on each word, reviewing the whole about 200 times.*]

De l'éternel azur la sereine ironie
Accable, belle indolemment comme les fleurs,
Le poète impuissant qui maudit son génie
A travers un désert stérile de Douleurs.

Fuyant, les yeux fermés, je le° sens qui
   regarde   5
Avec l'intensité d'un remords atterrant,
Mon âme vide. Où fuir? Et quelle nuit
   hagarde
Jeter, lambeaux, jeter sur ce mépris navrant?

Brouillards, montez! versez vos cendres
   monotones
Avec de longs haillons de brume dans les cieux 10
Que noiera le marais livide des automnes
Et bâtissez un grand plafond silencieux!

Et toi, sors des étangs léthéens° et ramasse
En t'en venant° la vase et les pâles roseaux,
Cher Ennui, pour boucher d'une main jamais
   lasse   15
Les grands trous bleus que font méchamment
   les oiseaux.°

Encor! que sans répit les tristes cheminées
Fument, et que de suie° une errante prison
Éteigne dans l'horreur de ses noires traînées
Le soleil se mourant jaunâtre à l'horizon!   20

— Le Ciel est mort. — Vers toi, j'accours!
   donne, ô matière,
L'oubli de l'Idéal cruel et du Péché
A ce martyr qui vient partager la litière
Où le bétail heureux des hommes est couché,

Car j'y veux, puisque enfin ma cervelle, vidée 25
Comme le pot de fard gisant au pied d'un mur,
N'a plus l'art d'attifer° la sanglotante idée,
Lugubrement bâiller vers un trépas obscur…

En vain! l'Azur triomphe, et je l'entends qui
   chante
Dans les cloches. Mon âme, il se fait voix pour
   plus   30
Nous faire peur avec sa victoire méchante,
Et du métal vivant sort en bleus angélus!

Il° roule par la brume, ancien et traverse
Ta native agonie ainsi qu'un glaive sûr;
Où fuir dans la révolte inutile et perverse? 35
Je suis hanté. L'Azur! l'Azur! l'Azur! l'Azur!

Brise marine

[*A poem on the theme of Baudelaire's* L'Invitation au voyage (*page 213*), *expressing a craving for exotic experience to escape from ennui.*]

La chair est triste, hélas! et j'ai lu tous les
   livres.°
Fuir! là-bas fuir! Je sens que des oiseaux sont
   ivres
D'être parmi l'écume inconnue et les cieux!
Rien, ni les vieux jardins reflétés par les yeux
Ne retiendra ce cœur qui dans la mer se
   trempe,   5
O nuits! ni la clarté déserte de ma lampe
Sur le vide papier que la blancheur défend°
Et ni la jeune femme allaitant son enfant.°

14. *gazouillent:* twitter. L'AZUR. 5. *le = l'azur.* 13. *léthéens:* Lethean, of the underworld river whose waters bring forgetfulness. 14. *En t'en venant:* In emerging. 16. *Les grands trous… oiseaux:* i.e., the birds, darting through the fog, make "blue holes" through which the ideal penetrates.

18. *suie:* soot. 27. *attifer:* adorn, bedizen. 33. *Il = l'Azur.* (Nowadays Mallarmé could do a poem on rising out of the clouds to the Azur.) BRISE MARINE. 1. A much-quoted line. 7. *le vide papier… défend:* i.e., the paper's whiteness repels the poet's efforts to write on it. 8. *la jeune femme… enfant:* the poet's wife and child. (One of Mallarmé's few personal references.)

Je partirai! Steamer balançant ta mâture,
Lève l'ancre pour une exotique nature! 10
Un Ennui, désolé par les cruels espoirs,
Croit encore à l'adieu suprême des mouchoirs!
Et, peut-être, les mâts, invitant les orages
Sont-ils de ceux qu'un vent penche sur les
    naufrages
Perdus, sans mâts, sans mâts, ni fertiles îlots…
Mais, ô mon cœur, entends le chant des
    matelots!° 16

L'APRÈS-MIDI D'UN FAUNE

Églogue

[1876]

*This is one of the most famous modern poems. Many
will recall Debussy's music and Diaghilev's ballet,
which were inspired by it.*

In form it is an eclogue, *or pastoral poem. It is a
monologue uttered by a faun, in a sleepy summer
noontide in mythical Sicily. There is of course a
symbolic meaning, or several. These meanings seem to
be, successively, Mallarmé's self-questioning whether
he is actually a poet or whether he deludes himself;
his questioning whether the love which he remembers
and desires may not be all a dream; his questioning
whether sleep, or renunciation of effort, may not be
better than perpetual striving for an unattainable poetic
ideal.*

*This poem will require all your attention. Read first
the synopsis, to get the development in mind; then read
the poem through in French without pausing for
mental translation or for consultation of the notes; and
then return to make an analytical study of the whole.*

Synopsis

[The faun is musing, half awake.] Oh, that
band of nymphs I encountered! Were they real,
or do they merely linger from my dream?
There were two, especially: one chaste and shy,
the other "all sighs." It must have been an
illusion; I will sing my dream. "I was cutting
reeds to make a flute, when I saw this bevy,
swans or naiads . . ." But the note, the *la* of my

16. *le chant des matelots:* i.e., the joy of the world's
men of action. (Another famous line.)

flute frightened them. My heart is bitten by
them, though my breast is unmarked. Perhaps
my flute, which was once the nymph Syrinx,
will evoke, make real, the beautiful limbs seen
in vision. As when I suck grapes and blow up
the empty transparent skins, I will blow up my
memories. (*He plays the flute.*) "I found two
nymphs, embraced in sleep; I seized and was
about to ravish them, when the jealous gods reft
them away." Ah well, there will be others, for
fauns are favored, even by goddesses. Tonight
perhaps even Venus will descend to earth and
I shall hold the Queen herself! . . . But I am
drowsy, half in dream already; I go to join
my sweet pair of nymphs in the shadows of
dream.

LE FAUNE

Ces nymphes, je les veux perpétuer.°

                              Si clair,
Leur incarnat léger,° qu'il voltige dans l'air
Assoupi de sommeils touffus.°

                      Aimai-je un rêve?

Mon doute, amas de nuit ancienne, s'achève
En maint rameau subtil, qui, demeuré les
    vrais   5
Bois mêmes, prouve, hélas! que bien seul je
    m'offrais
Pour triomphe la faute idéale de roses.°
Réfléchissons…

                    ou si les femmes dont tu gloses°
Figurent un souhait de tes sens fabuleux!°
Faune, l'illusion s'échappe des yeux bleus   10
Et froids, comme une source en pleurs, de la
    plus chaste :
Mais, l'autre tout soupirs, dis-tu qu'elle
    contraste
Comme brise du jour chaude dans ta toison!°

L'APRÈS-MIDI D'UN FAUNE. 1. *perpétuer:* i.e., by the faun's
music, by Mallarmé's poetry. (Notice the spacings. Mallarmé
said that the pauses, the silences, are as important as the
words.) 2. *incarnat léger:* light, rosy flesh. 3. *touffus:* tufted,
conscious of leafy branches. 4–7. *Mon doute… roses:* My
doubt, gathering through many long-past nights, runs out
into thin, subtle twigs of thought; and as the true woods
remain, this proves, alas, that all alone I was picturing to
myself as my triumph an idealized sin of these rosy creatures.
8. *dont tu gloses:* of whom you weave your tale. 9. *fabuleux:*
myth-making. 12–13. *dis-tu qu'elle… toison!* can you say
that she is a mere physical contrast, like a warm noon
breeze ruffling your fleece?

Que non! par l'immobile et lasse pâmoison
Suffoquant de chaleurs le matin frais s'il lutte, 15
Ne murmure point d'eau que ne verse ma flûte
Au bosquet arrosé d'accords; et le seul vent
Hors des deux tuyaux prompt à s'exhaler avant
Qu'il disperse le son dans une pluie aride,
C'est, à l'horizon pas remué d'une ride, 20
Le visible et serein souffle artificiel
De l'inspiration, qui regagne le ciel.°

O bords siciliens d'un calme marécage°
Qu'à l'envi des soleils ma vanité saccage,°
Tacite° sous les fleurs d'étincelles,° CONTEZ 25
« Que je coupais ici les creux roseaux domptés
Par le talent; quand, sur l'or glauque de lointaines
Verdures dédiant leur vigne à des fontaines,
Ondoie une blancheur animale au repos :°
Et qu'au prélude lent où naissent les pipeaux,° 30
Ce vol de cygnes, non! de naïades se sauve
Ou plonge... »

      Inerte, tout brûle dans l'heure fauve
Sans marquer par quel art ensemble détala
Trop d'hymen souhaité de qui cherche le la :°
Alors m'éveillerai-je à la ferveur première, 35
Droit et seul, sous un flot antique de lumière,
Lys!° et l'un de vous tous pour l'ingénuité.°

Autre que ce doux rien par leur lèvre ébruité,°
Le baiser, qui tout bas des perfides assure,
Mon sein, vierge de preuve, atteste une morsure 40
Mystérieuse, due à quelque auguste dent;°

Mais, bast! arcane tel élut pour confident
Le jonc vaste et jumeau dont sous l'azur on
  joue :
Qui, détournant à soi le trouble de la joue
Rêve, dans un solo long, que nous amusions 45
La beauté d'alentour par des confusions
Fausses entre elle-même et notre chant crédule;
Et de faire aussi haut que l'amour se module
Évanouir du songe ordinaire de dos
Ou de flanc pur suivis avec mes regards clos, 50
Une sonore, vaine et monotone ligne.°

Tâche donc, instrument des fuites, ô maligne
Syrinx,° de refleurir aux lacs où tu m'attends!
Moi, de ma rumeur° fier, je vais parler
  longtemps
Des déesses; et par d'idolâtres peintures, 55
A leur ombre enlever encore des ceintures :°
Ainsi, quand des raisins j'ai sucé la clarté,°
Pour bannir un regret par ma feinte écarté,°
Rieur, j'élève au ciel d'été la grappe vide
Et, soufflant dans ses peaux lumineuses, 60
  avide
D'ivresse, jusqu'au soir je regarde au travers.°

O nymphes, regonflons des SOUVENIRS divers.
« Mon œil, trouant les joncs, dardait chaque encolure
Immortelle, qui noie en l'onde sa brûlure
Avec un cri de rage au ciel de la forêt;° 65
Et le splendide bain de cheveux disparaît
Dans les clartés et les frissons, ô pierreries!°

14–22. *Que non!... ciel:* Ah, no! In the motionless, limp swoon of noonday, smothering with its heats the cool morning, if it struggles, there is no murmur of water but that liquid note which my flute pours upon the chord-sprinkled grove; and the only wind is that which readily escapes from my twin pipes before it scatters its sound in a dry rain; this, on the unruffled horizon, is the visible, serene, artificial breath of inspiration, regaining its heaven. 23. *marécage:* marsh. 24. *Qu'à l'envi... saccage:* Which I peer at, vying, in my vanity, with the sun. 25. *Tacite:* Mute (refers to *marécage*). 25. *fleurs d'étincelles:* water flowers, sparkling in the sun. 26–29. *Que je coupais... au repos:* That I was cutting here some hollow reeds, to be mastered by my musical talent; when, against the green-gold of distant verdure, dedicating its vines to the springs, [I saw] some white creatures basking in repose. 30. *où naissent les pipeaux:* by which the reeds become musical pipes. 33–34. *Sans marquer... le la:* Without hinting by what device disappeared the excessive love desired by one who seeks the musical note *la* ("A" natural). (Symbolically, the poet desires great loves, but loses them by his preoccupation with his poetic devices.) 37. *Lys:* i.e., I shall be pure as a lily. 37. *ingénuité:* innocence. (Here is a break in the development of the poem's scheme. The faun, or poet, has had a vivid sensation of beauty. He has tried to transform it into music, or poetry. In vain; the transformation is incomplete. He has lost something, his first fervor, innocence.) 38. *ébruité:* sounded, made actual. 40–41. *Mon sein... dent:* Though my breast is unmarked, it proclaims that I was bitten by some divine tooth. (The sharpness of sensation reassures the poet as to his vocation.)

42–51. *Mais, bast!... ligne:* But enough! Such a secret chose for its confidant that vast twin reed we play on here, under the azure sky; and this, gathering into itself the cheek's unrest, dreams, in a long solo, that we were trifling with external beauty by false confusions between it and our credulous song. (The song is *credulous* because it assumes that the inner experience was genuine.) And the flute dreams that, as loudly as love itself can modulate, it can abstract from an ordinary vision of a back or pure flank, pursued by my closed eyes, a sonorous, vain, single-toned line. (The poet dismisses his doubts and determines to sing his visions, even though they correspond to no reality.) 53. *Syrinx:* nymph who fled from pursuing Pan and was changed into a reed, from which Pan made his flute. (She is thus an *instrument des fuites.* But *instrument des fuites* also refers to the escape of the faun's nymphs, and to the escape of the poet from reality by music and poetry.) 54. *rumeur:* sweet music. 55–56. *et par d'idolâtres... ceintures:* and profiting by my idolatrous painting of goddesses, I shall remove yet more girdles from the shadowy forms which my imagination conjures up. 57. *clarté:* luminous pulp. 58. *un regret... écarté:* a regret turned aside by this device of my imagination. 61. The blowing up of the empty grape skins represents Mallarmé's vain effort to catch reality in words. 63–65. *Mon œil... forêt:* My eye, piercing the reeds, fastened upon each immortal back; but each drowns my eye's burning gaze by plunging in the water, with a cry of rage to the forest sky. 67. *pierreries:* gems (reference perhaps to the beading of the stirred water.)

J'accours; quand, à mes pieds, s'entrejoignent
(meurtries
De la langueur goûtée à ce mal d'être deux)
Des dormeuses parmi leurs seuls bras hasardeux;° 70
Je les ravis, sans les désenlacer, et vole
A ce massif,° haï par l'ombrage frivole,
De roses tarissant° tout parfum au soleil,
Où notre ébat au jour consumé soit pareil.° »
Je t'adore,° courroux des vierges, ô délice 75
Farouche du sacré fardeau nu qui se glisse
Pour fuir ma lèvre en feu buvant, comme un
   éclair
Tressaille! la frayeur° secrète de la chair :
Des pieds de l'inhumaine° au cœur de la timide°
Que délaisse à la fois une innocence, humide 80
De larmes folles ou de moins tristes vapeurs.
« Mon crime, c'est d'avoir, gai de vaincre ces peurs
Traîtresses, divisé la touffe échevelée
De baisers° que les dieux gardaient si bien mêlée !
Car, à peine j'allais cacher un rire ardent 85
Sous le replis° heureux d'une seule (gardant
Par un doigt simple, afin que sa candeur de plume
Se teignît° à l'émoi de sa sœur qui s'allume,
La petite, naïve et ne rougissant pas :)
Que° de mes bras, défaits par de vagues trépas,° 90
Cette proie, à jamais ingrate se délivre
Sans pitié du sanglot dont j'étais encore ivre. »
Tant pis! vers le bonheur d'autres°
   m'entraîneront
Par leur tresse nouée aux cornes de mon front :
Tu sais, ma passion, que, pourpre et déjà
   mûre, 95
Chaque grenade° éclate et d'abeilles murmure;
Et notre sang, épris de qui le va saisir,
Coule pour tout l'essaim éternel du désir.°
A l'heure où ce bois d'or et de cendres se
   teinte°

Une fête s'exalte en la feuillée° éteinte : 100
Etna!° c'est parmi° toi visité de Vénus
Sur ta lave posant ses talons ingénus,°
Quand tonne un somme triste ou s'épuise la
   flamme.°
Je tiens la reine!

O sûr châtiment°...

Non, mais l'âme

De paroles vacante et ce corps alourdi 105
Tard succombent au fier silence de midi :
Sans plus° il faut dormir en l'oubli du
   blasphème,
Sur le sable altéré gisant et comme j'aime
Ouvrir ma bouche à l'astre efficace des vins!°

Couple, adieu; je vais voir l'ombre que tu
   devins.° 110

Le vierge, le vivace, et le bel aujourd'hui

[*This famous sonnet is an example of Mallarmé's final, "hermetic" manner. At your first reading you will notice the accumulation of words suggesting cold and whiteness, the alliterations in v, the fact that all the rhymes are on the vowel i. Phonetically, i is a high back vowel; it is made with the vocal organs constricted to their utmost. Hence it has a connotation of restriction, effort, purity. "The short cold 'i's' of the rhymes shine through the whole sonnet like icicles," says Roger Fry.*]

Le vierge, le vivace et le bel aujourd'hui
Va-t-il nous déchirer avec un coup d'aile ivre,
Ce lac dur oublié que hante sous le givre
Le transparent glacier des vols qui n'ont pas fui !

68–70. *quand à mes pieds... hasardeux:* when, at my feet, sleeping nymphs cling together with their random arms alone, bruised by the sweet languor found in the distress of being two persons. 72. *massif:* clump, bank. 73. *tarissant:* drying up. 74. *Où notre... pareil:* Where our frolic may be like the burned-out day. 75. *Je t'adore:* The faun interrupts his song to revel in erotic imagination. 78. *frayeur:* fear (object of *buvant*, line 77). 79. *l'inhumaine... la timide:* recall of the original pair of nymphs, *la plus chaste, l'autre tout soupirs*, lines 11–12. 83–84. *touffe échevelée de baisers:* tousled tangle of kisses (of the embracing nymphs). 86. *replis:* curves, forms. 87–88. *afin que... se teignît:* that her feathery whiteness might be tinted. 90. *Que:* Than (completes the meaning of *à peine*, line 85). 90. *trépas:* i.e., amorous swoons. 93. *d'autres:* subject of *m'entraîneront*. 96. *grenade:* pomegranate. (Perhaps the poet's heart, bursting open, ready to accept every sensation.) 97–98. *Et notre sang... désir:* And my blood, enamored of whatever will seize it, flows, eager for the whole eternal swarm of desire. 99. *A l'heure... teinte:* i.e., at dusk.

100. *feuillée:* leafy boughs. 101. Etna, Sicilian volcano, the forge of Vulcan, Venus' spouse. 101. *parmi:* in the midst of. 102. *ingénus:* natural, instinctive. 103. *Quand tonne... flamme:* i.e., Venus rouses the volcano with her foot when it becomes sleepy or its flame dies. (No doubt a recollection of Wagner's *Tannhäuser*.) 104. *O sûr châtiment:* i.e., the faun feels a revulsion, terror of the consequences of his blasphemy in dreaming of possessing Venus, the Queen. And the poet is terrified of the consequences of his poetic presumption. 107. *Sans plus:* Without more ado. 108–09. *Sur le sable... vins!* Lying on the thirsty sand; and how I love to open my mouth to the efficacious star of wines! (The poet, exhausted by his unachieved ambitions, must content himself with the minor pleasures of reality). 110. *Couple, adieu... devins:* Pair of nymphs, adieu; I go to see the shadow you became. (The faun will sleep, and dream of his nymphs; the poet will seek in dreaming imagination the vision of truth which he has been unable to attain by rational effort.) LE VIERGE, LE VIVACE... * *Mallarmé: Poems,* translated by Roger Fry, London, 1936.

Un cygne d'autrefois se souvient que c'est lui 5
Magnifique, mais qui, sans espoir, se délivre
Pour n'avoir pas chanté la région où vivre
Quand du stérile hiver a resplendi l'ennui.

Tout son col secouera cette blanche agonie
Par l'espace infligée à l'oiseau qui le nie, 10
Mais non l'horreur du sol où le plumage est pris.

Fantôme qu'à ce lieu son pur éclat assigne,
Il s'immobilise au songe froid de mépris
Que vêt parmi l'exil inutile le Cygne.

[*Your first reading will certainly not reveal much
of the meaning. Let us translate : "The virgin, lively,
lovely day, will it tear open for us with a drunken
blow of its wing this hard, forgotten lake, haunted
under its frost by the glacial transparency of flights
which have not fled? A swan of past times remembers
his magnificence; but hopelessly he surrenders,
because, now that the dreariness of sterile winter has
shone down, he has not sung that land which is
habitable. His neck will shake off this white agony
inflicted by space (or the ideal* AZUR) *upon the bird
which denies it, but not the horror of the soil (i.e., ice)
wherein his plumage is caught. Phantom whose pure
brilliance properly assigns him to that region (of pure
upper space), he becomes motionless in the cold dream
of contempt which the Swan wears in his useless
exile."* (*The final* Cygne *may represent the northern
constellation of the Swan.*)
    *Now some effort at interpretation : Will today
bring me at last release from my sterility, my poetic
failure? I am a poet, conscious of my gifts and
obligation, but I am unrecognized because I refused
to take refuge in that "habitable land" of poetry
wherein poets sing of homely joys and pains and
commonplace preoccupations. I can shake off the
despair inflicted by the Ideal on the poet who denies
it; I cannot shake off the horrible ice of impotency,
which encases me when I try to write. I am held
motionless in my own scorn; I end in white annihilation, silence, nothing, death.*]

Le Tombeau d'Edgar Poe

[*In 1875 a Baltimore high-school teacher, Miss
Sara Sigourney Rice, indignant at the neglect of
Poe's grave, organized a memorial. A block of black
basalt, with a medallion of Poe, was placed on his
grave. Miss Rice wrote to Swinburne, among others,
asking a contribution to her Memorial Volume;
Swinburne suggested Mallarmé. In his poem Mallarmé
upbraids America for its disregard and hatred of the
poet, which of course he much exaggerates.*]

Tel qu'en Lui-même enfin l'éternité le change,
Le Poète suscite avec un glaive nu
Son siècle épouvanté de n'avoir pas connu
Que la mort triomphait dans cette voix
    étrange !

Eux, comme un vil sursaut d'hydre oyant
    jadis l'ange   5
Donner un sens plus pur aux mots de la tribu
Proclamèrent très haut le sortilège bu
Dans le flot sans honneur de quelque noir
    mélange.

Du sol et de la nue hostiles, ô grief !
Si notre idée avec ne sculpte un bas-relief   10
Dont la tombe de Poe éblouissante s'orne

Calme bloc ici-bas chu d'un désastre obscur
Que ce granit du moins montre à jamais sa
    borne
Aux noirs vols du Blasphème épars dans le
    futur.

[*Translation and elucidation : In such a form as
finally eternity has changed him, to Himself, his true
self, the Poet rouses with a naked sword his age,
appalled that it did not recognize that death was
triumphing in that strange voice! That public, with
the vile revulsion of a Hydra, on once hearing the
angel messenger give a purer sense to the tribe's words,
loudly proclaimed that his magic spell was drunk in
the shameful flow of some black mixture. (The com-
mentators solemnly propose cocktails or stout for*
quelque noir mélange.) *Oh struggle!* (*Mallarmé's
own translation of* grief.) *If our idea does not carve
from hostile soil and cloud a bas-relief to adorn the
dazzling tomb of Poe, calm block fallen down here
from some dark disaster (i.e., the stone is of meteoric
origin—the symbolism is obvious), let this granite at
least mark forever a limit to the black flights of
Blasphemy (against the angelic poet), which may
wing in the future.*]

21. Anatole France [1844–1924]

Around 1900, young Frenchmen, and young Americans and Englishmen, simply adored Anatole France. His smiling skepticism seemed the perfect response to the suspect affirmations of the orthodox and the traditionalists. But at his funeral a band of surrealists distributed a vicious attack on his reputation. After his death his literary rating plunged to a startling low. Today he seems to be rising in critical esteem.

Anatole France (an assumed name; his real name was François-Anatole Thibault) was the son of a Paris bookseller. A dreamy, distraught child, he made a poor school record. He did literary odd jobs for booksellers and periodicals, and held minor posts in public libraries. He wrote Parnassian poetry, meritorious but chill. His first novel, *Le Crime de Sylvestre Bonnard*, appeared when he was thirty-seven. (Novelists usually reveal their gifts younger.) His *Thaïs* (1890), a learned, mocking evocation of early Christianity, brought him general fame. His weekly critical articles made him a power in the literary world.

When, in 1898, Zola's generous action revealed the miscarriage of justice in the Dreyfus case, Anatole France unhesitatingly joined the protesters. The gentle, retired, bookish dilettante sacrificed his repose, his friends, many of his proclaimed convictions, to fight for what he thought was justice. He went further; he became an extreme left-wing socialist, and campaigned actively for a social system which promised to destroy his own wealth and ease. For this stand he was much vilified, charged with perversity, stupidity. But Anatole France was certainly not stupid. The best explanation of his action is the obvious one: a late-blooming idealism forced him to the conclusion that if society was badly constituted it should be reformed, and that Marxist socialism provided the best program.

His literary production took many forms; of these the most durable are his *fiction* and his *criticism*.

Some of you will remember De Quincey's distinction of the Literature of Knowledge and the Literature of Power. Anatole France's fiction belongs to the Literature of Knowledge. "I have no imagination," he confessed. He substituted fancy for imagination, taking a theme that interested him, inventing characters to represent ideas and philosophical positions, decorating the backgrounds out of his vast learning, illuminating the product with his wit. The result recalls the *contes philosophiques* of the eighteenth century.

His criticism is called *la critique impressionniste*. Criticism, he said in a famous phrase, should be merely the adventures of a soul among masterpieces. The critic cannot escape from himself; his judgments are worth only what his knowledge, comprehension, and sympathy are worth. Critical systems and hierarchies, objective valuations, are meaningless. While today few critics accept this repudiation of all standards, most book reviewers are impressionistic critics, whether they know it or not.

The charm of Anatole France's work resides in the revelation of his mind. Erudite, intelligent, insatiably curious—particularly about religion—thoroughly skeptical and yet sympathetic, a passionate lover of beauty, he is the perfect example of the *fin-de-siècle* dilettante. (Dilettantism is a disposition of mind that inclines us to lend ourselves to all intellectual contentions and pleasures without giving ourselves to any.) He was a great artist in words. His style, calculated, self-conscious, rhythmic, subtle, enchants the ear and the mind. "L'originalité d'Anatole France est de donner presque toujours l'idée de la perfection," says Daniel Mornet.*

* Daniel Mornet: *Histoire de la littérature et de la pensée françaises contemporaines*. Paris, Larousse, 1927, p. 175.

Irony and pity, he said, we should make the judges and witnesses of human life. Well, irony and pity imply a secure superiority to a ridiculous, pitiable world. They imply a universal stability, which will support us while we remain aloof, ironizing and pitying. In our century the world looks more ominous than ridiculous, and its stability seems very precarious. The dilettante's creed has become ludicrously insufficient. But Anatole France was conscious of this; in his later years his actions constantly belied his dilettantist manner.

The first of our stories, *Le Procurateur de Judée*, was published in 1892. By a kind of paradox that Anatole France loved, it is a rehabilitation of a character whom all Christendom condemns. Romanism and Judaism are seen, for once, from the Roman point of view. At the same time the story is a sober psychological study of a type of imperial administrator. The famous ending is not merely a surprise punch-line; if you think it over you will recognize that it is the logical conclusion to the premises that have been laid down.

The second story, *Le Jongleur de Notre-Dame*, likewise appeared in 1892. It is a reworking of a twelfth-century *Miracle de Notre-Dame*. It is told with a perfectly straight face; there is not a word in it to offend the most fervent pietist. And yet it is permeated from end to end with irony. How?

LE PROCURATEUR* DE JUDÉE

L. Ælius Lamia,° né en Italie de parents illustres, n'avait pas encore quitté la robe prétexte,° quand il alla étudier la philosophie aux écoles d'Athènes. Il demeura ensuite à Rome et mena dans sa maison des Esquilies,° parmi de jeunes débauchés, une vie voluptueuse. Mais accusé d'entretenir des relations criminelles avec Lepida, femme de Sulpicius Quirinus,° personnage consulaire, et reconnu coupable, il fut exilé par Tibère César.° Il entrait alors dans sa vingt-quatrième année. Pendant dix-huit ans que dura son exil, il parcourut la Syrie, la Palestine, la Cappadoce, l'Arménie,° et fit de longs séjours à Antioche,° à Césarée,° à Jérusalem.° Quand, après la mort de Tibère, Caïus° fut élevé a l'empire, Lamia obtint de entrer dans la Ville.° Il recouvra même une partie de ses biens. Ses misères l'avaient rendu sage.

Il évita tout commerce avec les femmes de condition libre, ne brigua° point les emplois publics, se tint éloigné des honneurs et vécut caché dans sa maison des Esquilies. Mettant par écrit ce qu'il avait vu de remarquable en ses lointains voyages, il faisait, disait-il, de ses peines passées le divertissement des heures présentes.° C'est au milieu de ces paisibles travaux et dans la méditation assidue des livres d'Épicure,° qu'avec un peu de surprise et quelque chagrin il vit venir la vieillesse. En sa soixante-deuxième année, tourmenté d'un rhume assez incommode, il alla prendre les eaux de Baies.° Ce rivage, jadis cher aux alcyons,° était alors fréquenté par les Romains riches et avides de plaisirs. Depuis une semaine, Lamia vivait seul et sans ami dans leur foule brillante, quand, un jour, après dîner, se sentant dispos, il lui prit fantaisie de gravir les collines qui, couvertes de pampres° comme des bacchantes,° regardent les flots.

Ayant atteint le sommet, il s'assit au bord d'un sentier, sous un térébinthe,° et laissa errer sa vue sur le beau paysage. A sa gauche s'étendaient livides et nus les champs Phlégréens° jusqu'aux

* *Procurateur:* civil governor. 3. A Lucius Ælius Lamia is mentioned by Horace. The development of the character is Anatole France's own. 4. *robe prétexte:* The *toga praetexta*, white robe with a purple border, was worn by Roman boys until, at about sixteen, they assumed the *toga virilis*, all white. 6. *Esquilies:* the Esquiline hill, aristocratic quarter. 10. *Lepida,* *ulpicius Quirinus:* actual people. 12. Tiberius Caesar, Roman emperor, A.D. 14–37. 14–15. *Syrie... Arménie:* Roman provinces of Asia Minor and the eastern Mediterranean. 16. Antioch, capital of Roman Syria, present Antakya, near northeast corner of the Mediterranean. 16. *Césarée:* Caesarea Palaestina, palatial residence of Roman governors, on the Palestine coast. Now ruined. 17. Jerusalem, capital of Judea. 18. Caïus Caesar, Caligula, one of the most depraved and despotic of Roman emperors; ruled A.D. 37–41. 19. *Ville:* Rome, which Romans called simply *Urbs.* 23. *brigua:* intrigued for.

5. *il faisait... présentes:* No doubt a reminiscence of Cicero: *Habet enim praeteriti doloris secura recordatio delectionem* (It is pleasant to recall in happier days the troubles of the past.) *Epistolae ad familiares* V, 12. 7. Epicurus, Greek philosopher, third century B.C. His system, finding in the pursuit of intellectual pleasure man's chief good, markedly resembles that of Anatole France. 11. *Baies:* Baiae, on the Bay of Naples, whose medicinal springs were much frequented by wealthy Romans. (France's various chronological indications set the story between A.D. 57 and 61.) 12. *alcyons:* kingfishers (which were supposed to set their nests on the sea; hence their presence forecast a period of "halcyon" weather). 17. *pampres:* vine branches. 18. *bacchantes:* female votaries of Bacchus, who wore wreaths of vine leaves in their orgiastic celebrations. 20. *térébinthe:* small tree, original source of turpentine. 22. Phlegraean Fields, volcanic region on the coast.

ruines de Cumes.° A sa droite le cap Misène° enfonçait son éperon aigu dans la mer Tyrrhénienne.° Sous ses pieds, vers l'occident, la riche Baies, suivant la courbe gracieuse du rivage, étalait ses jardins, ses villas peuplées de statues, ses portiques, ses terrasses de marbre, au bord de la mer bleue où se jouaient les dauphins.° Devant lui, de l'autre côté du golfe, sur la côte de Campanie,° dorée par le soleil déjà bas, brillaient les temples, que couronnaient au loin les lauriers du Pausilippe,° et dans les profondeurs de l'horizon riait° le Vésuve.

Lamia tira d'un pli de sa toge un rouleau° contenant le *Traité sur la nature,*° s'étendit à terre et commença de lire. Mais les cris d'un esclave l'avertirent de se lever pour laisser passage à une litière° qui montait l'étroit sentier des vignes. Comme la litière s'approchait tout ouverte, Lamia vit, étendu sur les coussins, un vieillard d'une vaste corpulence qui, le front dans la main, regardait d'un œil sombre et fier. Son nez aquilin descendait sur ses lèvres, que pressaient un menton proéminent et des mâchoires puissantes.

Tout d'abord, Lamia fut certain de connaître ce visage. Il hésita un moment à le nommer. Puis soudain, s'élançant vers la litière dans un mouvement de surprise et de joie :

— Pontius Pilatus! s'écria-t-il, grâces aux dieux, il m'est donné de te revoir!

Le vieillard, faisant signe aux esclaves d'arrêter, fixa un regard attentif sur l'homme qui le saluait.

— Pontius, mon cher hôte, reprit celui-ci, vingt années ont assez blanchi mes cheveux et creusé mes joues pour que tu ne reconnaisses plus ton Ælius Lamia.

A ce nom, Pontius Pilatus descendit de litière aussi vivement que le permettaient la fatigue de son âge et la gravité de son allure. Et il embrassa deux fois Ælius Lamia.

— Certes, il m'est doux de te revoir, dit-il.

Hélas! tu me rappelles les jours anciens, alors que j'étais procurateur de Judée, dans la province de Syrie. Voilà trente ans que je te vis pour la première fois. C'était à Césarée, où tu venais traîner les ennuis de l'exil. Je fus assez heureux pour les adoucir un peu, et, par amitié, Lamia, tu me suivis dans cette triste Jérusalem, où les Juifs m'abreuvèrent° d'amertume et de dégoût. Tu demeuras pendant plus de dix ans mon hôte et mon compagnon, et tous deux, parlant de la Ville, nous nous consolions ensemble, toi de tes infortunes, moi de mes grandeurs.

Lamia l'embrassa de nouveau.

— Tu ne dis pas tout, Pontius : tu ne rappelles point que tu usas en ma faveur de ton crédit auprès d'Hérode Antipas° et que tu m'ouvris ta bourse avec libéralité.

— N'en parlons point, répondit Pontius, puisque dès ton retour à Rome, tu m'envoyas par un de tes affranchis° une somme d'argent qui me payait avec usure.

— Pontius, je ne me crois pas quitte envers toi par une somme d'argent. Mais réponds-moi : les dieux ont-ils comblé tes désirs? Jouis-tu de tout le bonheur que tu mérites? Parle-moi de ta famille, de ta fortune, de ta santé.

— Retiré en Sicile, où je possède des terres, je cultive et je vends mon blé. Ma fille aînée, ma très chère Pontia, devenue veuve, vit chez moi et gouverne ma maison. J'ai gardé, grâces aux dieux, la vigueur de l'esprit; ma mémoire n'est point affaiblie. Mais la vieillesse ne vient pas sans un long cortège de douleurs et d'infirmités. Je suis cruellement travaillé de la goutte. Et tu me vois à cette heure allant chercher par les champs Phlégréens un remède à mes maux. Cette terre brûlante, d'où, la nuit, s'échappent des flammes, exhale d'âcres vapeurs de soufre qui, dit-on, calment les douleurs et rendent la souplesse aux jointures des membres. Du moins les médecins l'assurent.

— Puisses-tu, Pontius, l'éprouver toi-même! Mais en dépit de la goutte et de ses brûlantes morsures,° tu sembles à peine aussi âgé que moi, bien qu'en réalité tu sois mon aîné de dix ans. Certes, tu as conservé plus de vigueur que

---

1. *Cumes:* Cumae, home of the Cumaean sybil. 1. *Misène:* Miseno, tip of the promontory on which Baiae is situated. 3. Tyrrhenian Sea, west of Italy. 7. *dauphins:* dolphins. 9. Campania, province comprising all Neapolitan area. 11. *Pausilippe:* Posillipo, mountainous region west of Naples. 12. *riait:* In his first version France wrote *fumait*; he was incensed when a pedantic critic pointed out that Vesuvius was dormant during the period of the story. 13. *rouleau:* parchment or papyrus roll, book. 14. *Traité sur la nature:* Lucretius' philosophical poem, *De rerum natura.* 17. *litière:* litter, stretcher.

8. *abreuvèrent:* overwhelmed. 17. Herod Antipas, tetrarch of Galilee, son of Herod the Great. He sent Jesus to Pilate for trial. (See Luke 23.) 21. *affranchis:* freedmen. 45. *morsures:* bites, twinges.

je n'en eus jamais, et je me réjouis de te retrouver si robuste. Pourquoi, très cher, as-tu renoncé avant l'âge aux charges publiques? Pourquoi, au sortir de ton gouvernement de Judée, as-tu vécu sur tes domaines de Sicile dans un exil volontaire? Instruis-moi de tes actions à partir du moment où j'ai cessé d'en être le témoin. Tu te préparais à réprimer une révolte des Samaritains° lorsque je partis pour la Cappadoce, où j'espérais tirer quelque profit de l'élève° des chevaux et des mulets. Je ne t'ai pas revu depuis lors. Quel fut le succès de cette expédition? Instruis-moi, parle. Tout ce qui te touche m'intéresse.

Pontius Pilatus secoua tristement la tête.

— Une naturelle sollicitude, dit-il, et le sentiment du devoir m'ont porté à remplir les fonctions publiques non seulement avec diligence, mais encore avec amour.° Mais la haine m'a poursuivi sans trêve. L'intrigue et la calomnie ont brisé ma vie en pleine sève° et séché les fruits qu'elle devait mûrir. Tu m'interroges sur la révolte des Samaritains. Asseyons-nous sur ce tertre.° Je vais te répondre en peu de mots. Ces événements me sont aussi présents que s'ils s'étaient accomplis hier.

« Un homme de la plèbe,° puissant par la parole, comme il s'en trouve beaucoup en Syrie, persuada aux Samaritains de s'assembler en armes sur le mont Gazim,° qui passe en ce pays pour un lieu saint, et il promit de découvrir à leurs yeux les vases sacrés qu'un héros éponyme,° ou plutôt un dieu indigète,° nommé Moïse, y avait cachés, aux temps antiques d'Évandre° et d'Énée,° notre père. Sur cette assurance, les Samaritains se révoltèrent. Mais, averti à temps pour les prévenir, je fis occuper la montagne par des détachements d'infanterie et plaçai des cavaliers pour en surveiller les abords.

» Ces mesures de prudence étaient urgentes. Déjà les rebelles assiégeaient le bourg de Tyra-

thaba, situé au pied du Gazim. Je les dispersai aisément et j'étouffai la révolte à peine formée. Puis, pour faire un grand exemple avec peu de victimes, je livrai au supplice les chefs de la sédition. Mais tu sais, Lamia, dans quelle étroite dépendance me tenait le proconsul Vitellius qui, gouvernant la Syrie, non pour Rome mais contre Rome, estimait que les provinces de l'Empire se donnent comme des fermes aux tétrarques.° Les principaux d'entre les Samaritains vinrent à ses pieds pleurer en haine de moi. A les entendre, rien n'était plus éloigné de leur pensée que de désobéir à César. J'étais un provocateur, et c'est pour résister à mes violences qu'ils s'étaient assemblés autour de Tyrathaba. Vitellius entendit leurs plaintes et, confiant les affaires de Judée à son ami Marcellus, il m'ordonna d'aller me justifier devant l'empereur. Le cœur gros de douleur et de ressentiment, je pris la mer. Quand j'abordai les côtes d'Italie, Tibère, usé par l'âge et l'empire, mourait° subitement sur le cap Misène dont on voit d'ici la corne s'allonger dans la brume du soir. Je demandai justice à Caïus, son successeur, qui avait l'esprit naturellement vif et connaissait les affaires de Syrie. Mais admire avec moi, Lamia, l'injure de la fortune obstinée à ma perte. Caïus retenait alors près de lui, dans la Ville, le juif Agrippa,° son compagnon, son ami d'enfance, qu'il chérissait plus que ses yeux. Or, Agrippa favorisait Vitellius parce que Vitellius était l'ennemi d'Antipas qu'Agrippa poursuivait de sa haine. L'empereur suivit le sentiment de son cher asiatique et refusa même de m'entendre. Il me fallut rester sous le coup d'une disgrâce imméritée. Dévorant mes larmes, nourri de fiel, je me retirai dans mes terres de Sicile, où je serais mort de douleur si ma douce Pontia n'était venue consoler son père. J'ai cultivé le blé et fait croître les plus gras épis° de toute la province. Aujourd'hui ma vie est faite. L'avenir jugera entre Vitellius et moi.

— Pontius, répondit Lamia, je suis persuadé que tu as agi envers les Samaritains selon la droiture de ton esprit et dans le seul intérêt de

---

9. Samaritans, a non-Jewish people dwelling in Palestine, north of Judaea. The revolt referred to here is recorded by Josephus. 11. *élève:* raising, breeding. 19. Notice the hint of Latinism in the periodic style. 21. *sève:* sap, vigor. 24. *tertre:* hillock. 27. *plèbe:* plebs, common people. 30. *Gazim:* Gerizim. (The incidents of the Samaritan rebellion, here recounted, are taken from Josephus' *Jewish Antiquities,* written about A.D. 90.) 33. *éponyme:* eponymous (*i.e.,* created by the myth-making process to be the founder of a city, race, etc.). 33. *indigète:* local patron deity. 35. *Évandre, Énée,* Evander, companion of Aeneas (*Énée*), who was legendary ancestor of Romans and hero of Vergil's *Aeneid.*

10. *estimait que... tétrarques:* thought that the provinces of the Empire are to be handed out to the tetrarchs (native princes dependent on Rome) as private property for exploitation. 22. *mourait:* had just then died. 29. *Agrippa:* grandson of Herod the Great; nephew, and enemy, of Herod Antipas. 41. *épis:* ears (of wheat).

Rome. Mais n'as-tu pas trop obéi dans cette occasion à ce courage impétueux qui t'entraînait toujours? Tu sais qu'en Judée, alors que, plus jeune que toi, je devais être plus ardent, il m'arriva souvent de te conseiller la clémence et la douceur.

— La douceur envers les Juifs! s'écria Pontius Pilatus. Bien qu'ayant vécu chez eux, tu connais mal ces ennemis du genre humain. Tout ensemble fiers et vils, unissant une lâcheté ignominieuse à une obstination invincible, ils lassent également l'amour et la haine. Mon esprit s'est formé, Lamia, sur les maximes du divin Auguste.° Déjà, quand je fus nommé procurateur de Judée, la majesté de la paix romaine° enveloppait la terre. On ne voyait plus, comme au temps de nos discordes civiles, les proconsuls s'enrichir du sac des provinces. Je savais mon devoir. J'étais attentif à n'user que de sagesse et de modération. Les dieux m'en sont témoins: je ne me suis opiniâtré que dans la douceur. De quoi m'ont servi ces pensées bienveillantes? Tu m'as vu, Lamia, quand, au début de mon gouvernement, éclata la première révolte. Est-il besoin de t'en rappeler les circonstances? La garnison de Césarée était allée prendre ses quartiers d'hiver à Jérusalem. Les légionnaires portaient sur leurs enseignes les images de César. Cette vue offensa les Hiérosolymites° qui ne reconnaissaient point la divinité de l'empereur, comme si, puisqu'il faut obéir, il n'était pas plus honorable d'obéir à un dieu qu'à un homme. Les prêtres de la nation vinrent, devant mon tribunal, me prier avec une humilité hautaine de faire porter les enseignes hors de la ville sainte. Je m'y refusai par respect pour la divinité de César et la majesté de l'Empire. Alors la plèbe, se joignant aux sacerdotes,° fit entendre autour du prétoire° des supplications menaçantes. J'ordonnai aux soldats de former les piques en faisceaux° devant la tour Antonia° et d'aller,

armés de baguettes, comme des licteurs,° disperser cette foule insolente. Mais, insensibles aux coups, les Juifs m'adjuraient encore, et les plus obstinés, se couchant à terre, tendaient la gorge et se laissaient mourir sous les verges. Tu fus alors témoin de mon humiliation, Lamia. Sur l'ordre de Vitellius je dus renvoyer les enseignes à Césarée. Certes, cette honte ne m'était pas due. A la face des dieux immortels, je jure que je n'ai pas offensé une seule fois, dans mon gouvernement, la justice et les lois. Mais je suis vieux. Mes ennemis et mes délateurs° sont morts. Je mourrai non vengé. Qui défendra ma mémoire?

Il gémit et se tut. Lamia répondit:

— Il est sage de ne mettre ni crainte, ni espérance dans l'avenir incertain. Qu'importe ce que les hommes penseront de nous? Nous n'avons de témoins et de juges que nous-mêmes. Assure-toi, Pontius Pilatus, dans le témoignage que tu te rends de ta vertu. Contente-toi de ta propre estime et de celle de tes amis.° Au reste, on ne gouverne pas les peuples par la seule douceur. Cette charité du genre humain que conseille la philosophie a peu de part aux actions des hommes publics.

— Laissons cela, dit Pontius. Les vapeurs de soufre qui s'exhalent des champs Phlégréens ont plus de force quand elles sortent de la terre encore échauffée par les rayons du soleil. Il faut que je me hâte. Adieu. Mais, puisque je retrouve un ami, je veux profiter de cette bonne fortune. Ælius Lamia, accorde-moi la faveur de venir souper demain chez moi. Ma maison est située sur le rivage de la mer, à l'extrémité de la ville, du côté de Misène. Tu la reconnaîtras facilement au portique où l'on voit une peinture représentant Orphée° parmi les tigres et les lions qu'il charme des sons de sa lyre.

« A demain, Lamia, dit-il encore en remontant dans sa litière. Demain nous causerons de la Judée.

Le lendemain Lamia se rendit, à l'heure du souper, dans la maison de Pontius Pilatus. Deux

---

14. Augustus Caesar, first Roman Emperor, ruled as such 27 B.C.—A.D. 14, and was regarded as a god. 16. *paix romaine: pax romana*, imposed on the whole Roman world. 30. *Hiérosolymites:* people of Jerusalem. ("Now Pilate sent by night those images of Caesar that are called *ensigns* into Jerusalem. This excited a very great tumult among the Jews when it was day . . . for these laws do not permit any sort of image to be brought into the city." Josephus, *Jewish War*, Bk. II, Ch. 9.) 39. *sacerdotes:* priests. 40. *prétoire:* praetorium, governor's house. 42. *former... faisceaux:* stack pikes (a play on modern army order, to stack rifles). 42. *tour Antonia:* tower near the Temple, rebuilt by Herod the Great and named after Mark Antony.

1. *licteurs:* lictors (guards attending Roman magistrates, who carried rods as sign of office). 12. *délateurs:* secret accusers. 22. Lamia expresses the Epicurean principle that only the individual can judge his own conduct. But Pilate, the perfect governmental functionary, judges according to rules and directives. He is legalistic and social-minded. 38. Orpheus, mythical poet who charmed wild beasts with his lyre. The author is recalling Pompeian wall paintings.

its seulement attendaient les convives. Servie sans faste, mais honorablement, la table supportait des plats d'argent dans lesquels étaient préparées des becfigues° au miel, des grives,° des huîtres du Lucrin° et des lamproies° de Sicile. Pontius et Lamia, tout en mangeant, s'interrogèrent l'un l'autre sur leurs maladies dont ils décrivirent longuement les symptômes, et ils se firent part mutuellement de divers remèdes qu'on leur avait recommandés. Puis, se félicitant d'être réunis à Baies, ils vantèrent à l'envi° la beauté de ce rivage et la douceur du jour qu'on y respirait. Lamia célébra la grâce des courtisanes qui passaient sur la plage, chargées d'or et traînant des voiles brodés chez les barbares. Mais le vieux procurateur déplorait une ostentation qui, pour de vaines pierres et des toiles d'araignées tissues° de main d'homme, faisaient passer l'argent romain chez les peuples étrangers et même chez des ennemis de l'Empire. Ils vinrent ensuite à parler des grands travaux accomplis dans la contrée, de ce pont prodigieux établi par Caïus entre Putéoles° et Baies et de ces canaux creusés par Auguste pour verser les eaux de la mer dans les lacs Averne° et Lucrin.

— Moi aussi, dit Pontius en soupirant, j'ai voulu entreprendre de grands travaux d'utilité publique. Quand je reçus, pour mon malheur, le gouvernement de la Judée, je traçai le plan d'un aqueduc de deux cents stades° qui devait porter à Jérusalem des eaux abondantes et pures. Hauteur des niveaux, capacité des modules,° obliquité des calices d'airain° auxquels s'adaptent les tuyaux de distribution, j'avais tout étudié, et, sur l'avis des machinistes, tout résolu moi-même. Je préparais un règlement pour la police° des eaux, afin qu'aucun particulier ne pût faire des prises° illicites. Les architectes et les ouvriers étaient commandés. J'ordonnai qu'on commençât les travaux. Mais, loin de voir s'élever avec satisfaction cette voie qui, sur des arches puissantes, devait porter la santé avec l'eau dans leur ville, les Hiérosolymites poussèrent des hurlements lamentables.° Assemblés en tumulte, criant au sacrilège et à l'impiété, ils se ruaient sur les ouvriers et dispersaient les pierres des fondations. Conçois-tu, Lamia, des barbares plus immondes? Pourtant Vitellius leur donna raison et je reçus l'ordre d'interrompre l'ouvrage.

— C'est une grande question, dit Lamia, de savoir si l'on doit faire le bonheur des hommes malgré eux.

Pontius Pilatus poursuivit sans l'entendre :

— Refuser un aqueduc, quelle folie! Mais tout ce qui vient des Romains est odieux aux Juifs. Nous sommes pour eux des êtres impurs et notre seule présence leur est une profanation. Tu sais qu'ils n'osaient entrer dans le prétoire de peur de se souiller° et qu'il me fallait exercer la magistrature publique dans un tribunal en plein air, sur ce pavé de marbre° où tu posas si souvent le pied.

» Ils nous craignent et nous méprisent. Pourtant Rome n'est-elle pas la mère et la tutrice des peuples qui tous, comme des enfants, reposent et sourient sur son sein vénérable? Nos aigles° ont porté jusqu'aux bornes de l'univers la paix et la liberté. Ne voyant que des amis dans les vaincus, nous laissons, nous assurons aux peuples conquis leurs coutumes et leurs lois. N'est-ce point seulement depuis que Pompée° l'a soumise que la Syrie, autrefois déchirée par une multitude de rois, a commencé de goûter le repos et les heures prospères? Et quand Rome pouvait vendre ses bienfaits à prix d'or, a-t-elle enlevé les trésors dont regorgent les temples barbares? A-t-elle dépouillé la déesse Mère à Pessinonte,° Jupiter dans la Morimène° et dans la Cilicie,° le dieu des Juifs à Jérusalem? Antioche, Palmyre,° Apamée,° tranquilles malgré leurs richesses, et ne craignant plus les Arabes du désert, élèvent des temples au Génie de Rome et à la Divinité de César. Seuls, les

---

1. "After this [Pilate] raised another disturbance by expending that sacred treasure which is called *Corban* upon aqueducts . . . At this the multitude had indignation; and when Pilate was come to Jerusalem they came about this tribunal and made a clamor for it." Josephus, *Jewish War.* 17. "They themselves went not into the judgment hall, lest they should be defiled." John 18 : 28. 19. "Pilate . . . brought Jesus forth, and sat down in the judgment seat in a place that is called the Pavement." John 19 : 13. 24. *aigles:* i.e., standards. 29. Pompey the Great, 106–48 B.C. 36. *déesse Mère à Pessinonte:* temple of Rhea, or Cybele, mother of the Olympian gods, at Pessinus, in Galatia, Asia Minor. 37. *Morimène, Cilicie:* regions of Asia Minor. 38. *Palmyre, Apamée:* cities of Syria.

---

4. *becfigues:* garden warblers. 5. *grives:* thrushes. 5. *Lucrine* Lake, near Baiae. 5. *lamproies:* lampreys, eel-like fish. 12. *vantèrent à l'envi:* vied with each other in praising. 18. *tissues:* woven. 24. *Putéoles:* present Pozzuoli, on Gulf of Naples. 26. *Averne:* lake near Baiae, supposed to communicate with infernal regions. 31. *stades:* Roman unit of measurement (about 600 feet). 34. *modules:* water gauges, controlling flow. 34. *obliquité des calices d'airain:* slant of the brass tubing. 38. *police:* supervision. 39. *prises:* withdrawals.

Juifs nous haïssent et nous bravent. Il faut leur arracher le tribut, et ils refusent obstinément le service militaire.

— Les Juifs, répondit Lamia, sont très attachés à leurs coutumes antiques. Ils te soupçonnaient, sans raison, j'en conviens, de vouloir abolir leur loi et changer leurs mœurs. Souffre, Pontius, que je te dise que tu n'as pas toujours agi de sorte à dissiper leur malheureuse erreur. Tu te plaisais, malgré toi, à exciter leurs inquiétudes, et je t'ai vu plus d'une fois trahir devant eux le mépris que t'inspiraient leurs croyances et leurs cérémonies religeuses. Tu les vexais particulièrement en faisant garder par des légionnaires, dans la tour Antonia, les habits et les ornements sacerdotaux du grand-prêtre. Il faut reconnaître que, sans s'être élevés comme nous à la contemplation des choses divines, les Juifs célèbrent des mystères vénérables par leur antiquité.

Pontius Pilatus haussa les épaules :

— Ils n'ont point, dit-il, une exacte connaissance de la nature des dieux. Ils adorent Jupiter, mais sans lui donner de nom ni de figure. Ils ne le vénèrent pas même sous la forme d'une pierre,° comme font certains peuples d'Asie. Ils ne savent rien d'Apollon, de Neptune, de Mars, de Pluton, ni d'aucune déesse. Toutefois, je crois qu'ils ont anciennement adoré Vénus. Car encore aujourd'hui les femmes présentent à l'autel des colombes pour victimes et tu sais comme moi que des marchands, établis sous les portiques du temple, vendent des couples de ces oiseaux pour le sacrifice. On m'avertit même, un jour, qu'un furieux venait de renverser avec leurs cages ces vendeurs d'offrandes.° Les prêtres s'en plaignaient comme d'un sacrilège. Je crois que cet usage de sacrifier des tourterelles fut établi en l'honneur de Vénus. Pourquoi ris-tu, Lamia?

— Je ris, dit Lamia, d'une idée plaisante qui, je ne sais comment, m'a traversé la tête. Je songeais qu'un jour le Jupiter des Juifs pourrait bien venir à Rome et t'y poursuivre de sa haine. Pourquoi non? L'Asie et l'Afrique nous ont déjà donné un grand nombre de dieux. On a vu s'élever à Rome des temples en l'honneur

d'Isis° et de l'aboyant Anubis.° Nous rencontrons dans les carrefours et jusque dans les carrières° la Bonne Déesse° des Syriens, portée sur un âne. Et ne sais-tu pas que, sous le principat de Tibère, un jeune chevalier se fit passer pour le Jupiter cornu° des Égyptiens et obtint sous ce déguisement les faveurs d'une dame illustre, trop vertueuse pour rien refuser aux dieux? Crains, Pontius, que le Jupiter invisible des Juifs ne débarque un jour à Ostie!°

A l'idée qu'un dieu pouvait venir de Judée, un rapide sourire glissa sur le visage sévère du procurateur. Puis il répondit gravement :

— Comment les Juifs imposeraient-ils leur loi sainte aux peuples du dehors, quand eux-mêmes se déchirent entre eux pour l'interprétation de cette loi? Divisés en vingt sectes rivales, tu les as vus, Lamia, sur les places publiques, leurs rouleaux° à la main, s'injuriant les uns les autres et se tirant par la barbe. Tu les a vus, sur le stylobate° du temple, déchirer en signe de désolation leurs robes crasseuses° autour de quelque misérable en proie au délire prophétique. Ils ne conçoivent pas qu'on dispute en paix, avec une âme sereine, des choses divines, qui, pourtant, sont couvertes de voiles et pleines d'incertitude. Car la nature des Immortels nous demeure cachée et nous ne pouvons la connaître. Je pense toutefois qu'il est sage de croire à la Providence des dieux. Mais les Juifs n'ont point de philosophie et ils ne souffrent pas la diversité des opinions. Au contraire, ils jugent dignes du dernier supplice ceux qui professent sur la divinité des sentiments contraires à leur loi. Et, comme depuis que le Génie de Rome est sur eux, les sentences capitales prononcées par leurs tribunaux ne peuvent être exécutées qu'avec la sanction du proconsul ou du procurateur, ils pressent à tout moment le magistrat romain de souscrire à leurs arrêts funestes; ils obsèdent le prétoire de leurs cris de mort.° Cent fois je les ai vus, en

---

26. "Thou shalt not make unto thee any graven image." Exodus 20 : 4. 37. "And Jesus went into the temple of God, and cast out all them that sold and bought in the temple, and overthrew the tables of the moneychangers, and the seats of them that sold doves." Matthew 21 : 12.

1. *Isis*: Egyptian goddess of fertility. 1. *Anubis*: Egyptian god, represented with the head of a dog or jackal. 3. *carrières*: racecourses, quarries. (France's meaning is not entirely clear.) 3. *Bonne Déesse*: The Bona Dea was an old Roman goddess of fruitfulness. Lamia perhaps assimilates her with the Dea Syria, or Astarte. Or perhaps France is recalling Apuleius' bizarre picture of Isis worship in *The Golden Ass.* 6. *Jupiter cornu*: Serapis. (The story is told in Josephus' *Jewish Antiquities*, Bk. XVIII, Ch. 3.) 10. Ostia, seaport of Rome. 19. *rouleaux*: parchment rolls (of sacred writings). 21. stylobate, base supporting row of columns. 22. *crasseuses*: filthy. 42. *cris de mort*: shouts demanding death penalty.

foule, riches et pauvres, tous réconciliés autour de leurs prêtres, assiéger en furieux ma chaise d'ivoire et me tirer par les pans° de ma toge, par les courroies° de mes sandales, pour réclamer, pour exiger de moi la mort de quelque malheureux dont je ne pouvais discerner le crime° et que j'estimais seulement aussi fou que ses accusateurs. Que dis-je, cent fois! C'était tous les jours, à toutes les heures. Et pourtant, je devais faire exécuter leur loi comme la nôtre, puisque Rome m'instituait non point le destructeur, mais l'appui de leurs coutumes, et que j'étais sur eux les verges et la hache.° Dans les premiers temps, j'essayai de leur faire entendre raison; je tentais d'arracher leurs misérables victimes au supplice. Mais cette douceur les irritait davantage; ils réclamaient leur proie en battant de l'aile et du bec autour de moi comme des vautours. Leurs prêtres écrivaient à César que je violais leur loi, et leurs suppliques, appuyées par Vitellius, m'attiraient un blâme sévère. Que de fois, il me prit envie d'envoyer ensemble, comme disent les Grecs, aux corbeaux° les accusés et les juges!

« Ne crois pas, Lamia, que je nourrisse des rancunes impuissantes et des colères séniles contre ce peuple qui a vaincu en moi Rome et la paix. Mais je prévois l'extrémité où ils nous réduiront tôt ou tard. Ne pouvant les gouverner, il faudra les détruire. N'en doute point : toujours insoumis, couvant° la révolte dans leur âme échauffée, ils feront éclater un jour contre nous une fureur auprès de laquelle la colère des Numides° et les menaces des Parthes° ne sont que des caprices d'enfant. Ils nourrissent dans l'ombre des espérances insensées et méditent follement notre ruine. En peut-il être autrement, tant qu'ils attendent, sur la foi d'un oracle, le prince de leur sang qui doit régner sur le monde?° On ne viendra pas à bout de ce peuple. Il faut qu'il ne soit plus. Il faut détruire Jérusalem de fond en comble. Peut-être, tout vieux que je suis, me sera-t-il donné de voir le jour où tomberont ses murailles, où la flamme dévorera ses maisons, où ses habitants seront passés au fil de l'épée,° où l'on sèmera le sel° sur la place où fut le Temple. Et ce jour-là je serai enfin justifié.

Lamia s'efforça de ramener l'entretien sur un ton plus doux.

— Pontius, dit-il, je m'explique sans peine et tes vieux ressentiments et tes pressentiments sinistres. Certes, ce que tu as connu du caractère des Juifs n'est pas à leur avantage. Mais moi, qui vivais à Jérusalem, en curieux, et qui me mêlais au peuple, j'ai pu découvrir chez ces hommes des vertus obscures, qui te furent cachées. J'ai connu des Juifs pleins de douceur, dont les mœurs simples et le cœur fidèle me rappelaient ce que nos poètes ont dit du vieillard d'Ébalie.° Et toi-même, Pontius, tu as vu expirer sous le bâton de tes légionnaires des hommes simples qui, sans dire leur nom, mouraient pour une cause qu'ils croyaient juste. De tels hommes ne méritent point nos mépris. Je parle ainsi, parce qu'il convient de garder en toutes choses la mesure et l'équité. Mais j'avoue n'avoir jamais éprouvé pour les Juifs une vive sympathie. Les Juives, au contraire, me plaisaient beaucoup. J'étais jeune alors, et les Syriennes me jetaient dans un grand trouble des sens. Leur lèvre rouge, leurs yeux humides et brillant dans l'ombre, leurs longs regards, me pénétraient jusqu'aux moelles.° Fardées et peintes, sentant le nard° et la myrrhe,° macérées° dans les aromates, leur chair est d'un goût rare et délicieux.

Pontius entendit ces louanges avec impatience.

— Je n'étais pas homme à tomber dans les filets des Juives, dit-il, et puisque tu m'amènes à le dire, Lamia, je n'ai jamais approuvé ton incontinence. Si je ne t'ai pas assez marqué autrefois que je te tenais pour très coupable d'avoir séduit, à Rome, la femme d'un consulaire, c'est qu'alors tu expiais durement ta

---

3. *pans:* skirts. 4. *courroies:* laces. 7. "And Pilate . . . said unto them . . . I . . . have found no fault in this man touching those things whereof ye accuse him." Luke 23 : 13, 14. 13. *les verges et la hache:* the rods and ax, or mace (Roman symbol of authority). 24. *envoyer . . . aux corbeaux:* i.e., send to the devil. 31. *couvant:* breeding. 34. *Numides:* Numidians of northern Africa. 34. *Parthes:* Parthians from the Caspian Sea region in Asia; both fierce enemies of the Romans. 40. *le prince . . . monde:* i.e., the Messiah predicted by Old Testament prophets.

2. *seront passés . . . l'épée:* will be put to the sword. (In A.D. 70, soon after this conversation is supposed to have taken place, Jerusalem was destroyed by Titus, later Emperor. The savagery of the Roman destruction of the Holy City is still remembered resentfully by many Jews.) 2. *sèmera le sel:* will sow salt (as a symbol of annihilation, destruction of fertility). 17. *vieillard d'Ébalie:* Vergil, *Georgics,* IV, 125: *Namque sub Œbaliae memini me turribus altis / Corycium vidisse senem.* "For I remember that under the high towers of Œbalia I saw an old man, Corycius." This old man was happy, cultivating his fruits and flowers. 31. *moelles:* marrow. 31. *nard, myrrhe:* spikenard, myrrh; aromatic plants, base of perfumes. 32. *macérées:* drenched.

faute. Le mariage est sacré chez les patriciens; c'est une institution sur laquelle Rome s'appuie. Quant aux femmes esclaves ou étrangères, les relations qu'on peut nouer avec elles seraient de peu de conséquence, si le corps ne s'y 5 habituait à une honteuse mollesse. Souffre que je te dise que tu as trop sacrifié à la Vénus des carrefours;° et ce dont je te blâme surtout, Lamia, c'est de ne t'être pas marié selon la loi et de n'avoir pas donné des enfants à la Ré- 10 publique, comme tout bon citoyen doit le faire.

Mais l'exilé de Tibère n'écoutait plus le vieux magistrat. Ayant vidé sa coupe de Falerne,° il souriait à quelque image invisible.

Après un moment de silence, il reprit d'une 15 voix très basse, qui s'éleva peu à peu :

— Elles dansent avec tant de langueur, les femmes de Syrie! J'ai connu une Juive de Jérusalem qui, dans un bouge,° à la lueur d'une petite lampe fumeuse, sur un méchant tapis, 20 dansait en élevant ses bras pour choquer ses cymbales. Les reins cambrés,° la tête renversée et comme entraînée par le poids de ses lourds cheveux roux, les yeux noyés de volupté, ardente et languissante, souple, elle aurait fait 25 pâlir d'envie Cléopâtre elle-même. J'aimais ses danses barbares, son chant un peu rauque et pourtant si doux, son odeur d'encens, le demi-sommeil dans lequel elle semblait vivre. Je la suivais partout. Je me mêlais au monde vil de 30 soldats, de bateleurs° et de publicains° dont elle était entourée. Elle disparut un jour, et je ne la revis plus. Je la cherchai longtemps dans les ruelles suspectes et dans les tavernes. On avait plus de peine à se déshabituer d'elle que 35 du vin grec. Après quelques mois que je l'avais perdue, j'appris, par hasard, qu'elle s'était jointe à une petite troupe d'hommes et de femmes qui suivaient un jeune thaumaturge° galiléen. Il se nommait Jésus; il était de 40 Nazareth, et il fut mis en croix pour je ne sais quel crime. Pontius, te souvient-il de cet homme?

Pontius Pilatus fronça les sourcils et porta la main à son front comme quelqu'un qui cherche 45

dans sa mémoire. Puis, après quelques instants de silence :

— Jésus? murmura-t-il, Jésus, de Nazareth? Je ne me rappelle pas.

LE JONGLEUR DE NOTRE-DAME

I

Au temps du roi Louis,° il y avait en France un pauvre jongleur,° natif de Compiègne,° nommé Barnabé, qui allait par les villes, faisant des tours de force et d'adresse.

Les jours de foire, il étendait sur la place publique un vieux tapis tout usé, et, après avoir attiré les enfants et les badauds° par des propos plaisants° qu'il tenait d'un très vieux jongleur et auxquels il ne changeait jamais rien, il prenait des attitudes qui n'étaient pas naturelles et il mettait une assiette d'étain° en équilibre sur son nez. La foule le regardait d'abord avec indifférence.

Mais quand, se tenant sur les mains la tête en bas, il jetait en l'air et rattrapait avec ses pieds six boules de cuivre qui brillaient au soleil, ou quand, se renversant jusqu'à ce que sa nuque touchât ses talons, il donnait à son corps la forme d'une roue parfaite et jonglait, dans cette posture, avec douze couteaux, un murmure d'admiration s'élevait dans l'assistance et les pièces de monnaie pleuvaient sur le tapis.

Pourtant, comme la plupart de ceux qui vivent de leurs talents, Barnabé de Compiègne avait grand'peine à vivre.

Gagnant son pain à la sueur de son front, il portait plus que sa part des misères attachées à la faute d'Adam, notre père.

Encore, ne pouvait-il travailler autant qu'il aurait voulu. Pour montrer son beau savoir, comme aux arbres pour donner des fleurs et des fruits, il lui fallait la chaleur du soleil et la lumière du jour. Dans l'hiver, il n'était plus qu'un arbre dépouillé de ses feuilles et quasi mort. La terre gelée était dure au jongleur. Et,

---

8. *tu as trop... carrefours:* i.e., you have indulged too much in casual loves. (The *compitalia*, or crossroads festivals, were annually celebrated with much license.) 14. *Falerne:* Falernian wine, Horace's favorite. 19. *bouge:* dive. 22. *Les reins cambrés:* Arching her back. 31. *bateleurs:* mountebanks. 31. *publicains:* tax gatherers who were treated by the Jews as outcasts. 39. *thaumaturge:* magician. (Lamia's friend obviously is Mary Magdalene.)

13. *roi Louis:* Probably Louis VII (reigned 1137–80) or Louis IX, Saint Louis (reigned 1226–70). 14. *jongleur:* here, juggler (usually, wandering minstrel). 14. Compiègne, town 50 miles northeast of Paris. 19. *badauds:* idlers. 20. *propos plaisants:* funny remarks. 23. *étain:* pewter.

comme la cigale dont parle Marie de France,° il souffrait du froid et de la faim dans la mauvaise saison. Mais, comme il avait le cœur simple, il prenait ses maux en patience.

Il n'avait jamais réfléchi à l'origine des richesses, ni à l'inégalité des conditions humaines. Il comptait fermement que, si ce monde est mauvais, l'autre ne pourrait manquer d'être bon, et cette espérance le soutenait. Il n'imitait pas les baladins° larrons° et mécréants, qui ont vendu leur âme au diable. Il ne blasphémait jamais le nom de Dieu; il vivait honnêtement, et, bien qu'il n'eût pas de femme, il ne convoitait pas celle du voisin, parce que la femme est l'ennemie des hommes forts, comme il apparaît par l'histoire de Samson, qui est rapportée dans l'Écriture.

A la vérité, il n'avait pas l'esprit tourné aux désirs charnels, et il lui en coûtait plus de renoncer aux brocs° qu'aux dames. Car, sans manquer à la sobriété, il aimait à boire quand il faisait chaud. C'était un homme de bien, craignant Dieu et très dévot à la sainte Vierge.

Il ne manquait jamais, quand il entrait dans une église, de s'agenouiller devant l'image de la Mère de Dieu, et de lui adresser cette prière : « Madame, prenez soin de ma vie jusqu'à ce qu'il plaise à Dieu que je meure, et quand je serai mort, faites-moi avoir les joies du paradis. »

II

Or, un certain soir, après une journée de pluie, tandis qu'il s'en allait, triste et courbé, portant sous son bras ses boules et ses couteaux cachés dans son vieux tapis, et cherchant quelque grange pour s'y coucher sans souper, il vit sur la route un moine qui suivait le même chemin, et le salua honnêtement. Comme ils marchaient du même pas, ils se mirent à échanger des propos.

— Compagnon, dit le moine, d'où vient que vous êtes habillé tout de vert? Ne serait-ce point pour faire le personnage d'un fol° dans quelque mystère?°

— Non point, mon Père, répondit Barnabé. Tel que vous me voyez, je me nomme Barnabé, et je suis jongleur de mon état.° Ce serait le plus bel état du monde si on y mangeait tous les jours.

— Ami Barnabé, reprit le moine, prenez garde à ce que vous dites. Il n'y a pas de plus bel état que l'état monastique. On y célèbre les louanges de Dieu, de la Vierge et des saints, et la vie du religieux est un perpétuel cantique au Seigneur.

Barnabé répondit :

— Mon Père, je confesse que j'ai parlé comme un ignorant. Votre état ne se peut comparer au mien et, quoiqu'il y ait du mérite à danser en tenant au bout du nez un denier° en équilibre sur un bâton, ce mérite n'approche pas du vôtre. Je voudrais bien comme vous, mon Père, chanter tous les jours l'office,° et spécialement l'office de la très sainte Vierge, à qui j'ai voué une dévotion particulière. Je renoncerais bien volontiers à l'art dans lequel je suis connu, de Soissons° à Beauvais,° dans plus de six cents villes et villages, pour embrasser la vie monastique.

Le moine fut touché de la simplicité du jongleur, et, comme il ne manquait pas de discernement, il reconnut en Barnabé un de ces hommes de bonne volonté de qui Notre-Seigneur a dit : « Que la paix soit avec eux sur la terre!° » C'est pourquoi il lui répondit :

— Ami Barnabé, venez avec moi, et je vous ferai entrer dans le couvent dont je suis prieur. Celui qui conduisit Marie l'Égyptienne° dans le désert m'a mis sur votre chemin pour vous mener dans la voie du salut.

C'est ainsi que Barnabé devint moine. Dans le couvent où il fut reçu, les religieux célébraient à l'envi le culte de la sainte Vierge, et chacun employait à la servir tout le savoir et toute l'habileté que Dieu lui avait donnés.

Le prieur, pour sa part, composait des livres qui traitaient, selon les règles de la scolastique,° des vertus de la Mère de Dieu.

---

1. Marie de France, twelfth-century poetess, author of *lais* and *fables* (see Vol. I, p. 20). She tells the fable of the ant and the cicada, immortalized by La Fontaine. 10. baladins: dancers, mountebanks. 10. larrons: thievish. 20. brocs: jugs (of wine). 44. fol: buffoon. 45. mystère: mystery play, a kind of pageant of religious history. (These were not in fact current until the fifteenth century, long after the period of this story.)

3. *état*: trade. 16. *denier*: farthing. 19. *office*: service. 23. *Soissons, Beauvais*: cities of northern France. 31. *Que la paix... terre*: "On earth peace, good will toward men." Luke 2 : 14. (France translates the Vulgate version.) 34. *Marie l'Égyptienne*: woman of evil life who, converted, became a saint. (The piquant story of her journey to Jerusalem delighted Anatole France.) 43. *scolastique*: medieval scholastic philosophy.

Le Frère Maurice copiait, d'une main savante, ces traités sur des feuilles de vélin.°

Le Frère Alexandre y peignait de fines miniatures. On y voyait la Reine du ciel, assise sur le trône de Salomon, au pied duquel veillent quatre lions; autour de sa tête nimbée° voltigeaient° sept colombes, qui sont les sept dons du Saint-Esprit : dons de crainte,° de piété, de science, de force, de conseil, d'intelligence et de sagesse. Elle avait pour compagnes six vierges aux cheveux d'or : l'Humilité, la Prudence, la Retraite, le Respect, la Virginité et l'Obéissance.

A ses pieds, deux petites figures nues et toutes blanches se tenaient dans une attitude suppliante. C'étaient des âmes qui imploraient, pour leur salut et non, certes, en vain, sa toute-puissante intercession.

Le Frère Alexandre représentait sur une autre page Ève au regard de° Marie, afin qu'on vît en même temps la faute et la rédemption, la femme humiliée et la vierge exaltée. On admirait encore dans ce livre le Puits des eaux vives, la Fontaine, le Lis, la Lune, le Soleil et le Jardin clos° dont il est parlé dans le cantique, la Porte du Ciel et la Cité de Dieu, et c'étaient là des images de la Vierge.

Le Frère Marbode était semblablement un des plus tendres enfants de Marie.

Il taillait sans cesse des images de pierre, en sorte qu'il avait la barbe, les sourcils et les cheveux blancs de poussière, et que ses yeux étaient perpétuellement gonflés et larmoyants; mais il était plein de force et de joie dans un âge avancé et, visiblement, la Reine du paradis protégeait la vieillesse de son enfant. Marbode la représentait assise dans une chaire,° le front ceint d'un nimbe a orbe° perlé. Et il avait soin que les plis de la robe couvrissent les pieds de celle dont le prophète° a dit : « Ma bien-aimée est comme un jardin clos. »

Parfois aussi il la figurait sous les traits d'un enfant plein de grâce, et elle semblait dire : « Seigneur, vous êtes mon Seigneur ! — *Dixi de ventre matris meae : Deus meus es tu.* » (Psalm. 21 : 11.°)

Il y avait aussi, dans le couvent, des poètes, qui composaient, en latin, des proses° et des hymnes en l'honneur de la bienheureuse vierge Marie, et même il s'y trouvait un Picard° qui mettait les miracles de Notre-Dame en langue vulgaire et en vers rimés.

III

Voyant un tel concours de louanges et une si belle moisson d'œuvres, Barnabé se lamentait de son ignorance et de sa simplicité.

— Hélas, soupirait-il en se promenant seul dans le petit jardin sans ombre du couvent, je suis bien malheureux de ne pouvoir, comme mes frères, louer dignement la sainte Mère de Dieu à laquelle j'ai voué la tendresse de mon cœur. Hélas! hélas! je suis un homme rude et sans art, et je n'ai pour votre service, madame la Vierge, ni sermons édifiants, ni traités bien divisés selon les règles, ni fines peintures, ni statues exactement taillées, ni vers comptés par pieds et marchant en mesure. Je n'ai rien, hélas!

Il gémissait de la sorte et s'abandonnait à la tristesse. Un soir que les moines se récréaient en conversant, il entendit l'un d'eux conter l'histoire d'un religieux qui ne savait réciter autre chose qu'*Ave Maria*. Ce religieux était méprisé pour son ignorance; mais, étant mort, il lui sortit de la bouche cinq roses en l'honneur des cinq lettres du nom de Marie, et sa sainteté fut ainsi manifestée.°

En écoutant ce récit, Barnabé admira une fois de plus la bonté de la Vierge; mais il ne fut pas consolé par l'exemple de cette mort bienheureuse, car son cœur était plein de zèle et il voulait servir la gloire de sa dame qui est aux cieux.

Il en cherchait le moyen sans pouvoir le trouver et il s'affligeait chaque jour davantage, quand un matin, s'étant réveillé tout joyeux, courut a la chapelle et y demeura seul pendant plus d'une heure. Il y retourna l'après-dîner.°

Et, à compter de ce moment, il allait chaque jour dans cette chapelle, à l'heure où elle était déserte, et il y passait une grande partie du

2. *vélin:* vellum, parchment. 6. *nimbée:* surrounded by a nimbus or halo. 7. *voltigeaient:* were fluttering. 8. *crainte:* i.e., fear of the Lord. 19. *au regard de:* facing. 24. *Puits des eaux... Jardin clos:* symbols from the Song of Solomon. 36. *chaire:* throne. 37. *orbe:* circle. 39. *prophète:* i.e., Solomon. (See the Song of Solomon 4 : 12.) 45. In the King James version, Psalm 22 : 10: "thou art my God from my mother's belly."

2. *proses:* rhythmic chants. 4. *un Picard:* no doubt Gautier de Coinci, thirteenth-century religious poet, who wrote *Miracles of Our Lady* in the Picard dialect. 32. This story is told by Gautier de Coinci. 43. *l'après-dîner:* in the afternoon.

temps que les autres moines consacraient aux arts libéraux et aux arts mécaniques. Il n'était plus triste et il ne gémissait plus.

Une conduite si singulière éveilla la curiosité des moines.

On se demandait, dans la communauté, pourquoi le frère Barnabé faisait des retraites si fréquentes.

Le prieur, dont le devoir est de ne rien ignorer de la conduite de ses religieux, résolut 10 d'observer Barnabé pendant ses solitudes. Un jour donc que celui-ci était renfermé, comme à son ordinaire, dans la chapelle, dom° prieur vint, accompagné de deux anciens du couvent, observer, à travers les fentes de la porte, ce qui 15 se passait à l'intérieur.

Ils virent Barnabé qui, devant l'autel de la sainte Vierge, la tête en bas, les pieds en l'air, jonglait avec six boules de cuivre et douze couteaux. Il faisait, en l'honneur de la sainte Mère de Dieu, les tours qui lui avaient valu le plus de louanges. Ne comprenant pas que cet homme simple mettait ainsi son talent et son savoir au service de la sainte Vierge, les deux anciens criaient au sacrilège.

Le prieur savait que Barnabé avait l'âme innocente; mais il le croyait tombé en démence. Ils s'apprêtaient tous trois à le tirer vivement de la chapelle, quand ils virent la sainte Vierge descendre les degrés de l'autel pour venir essuyer d'un pan de son manteau bleu° la sueur qui dégouttait° du front de son jongleur.

Alors le prieur, se prosternant le visage contre la dalle, récita ces paroles :

— Heureux les simples, car ils verront Dieu!°

— Amen! répondirent les anciens en baisant la terre.

---

13. *dom:* ecclesiastical title— Master, Lord.

12. Blue is the Virgin's color. 13. *dégouttait:* was dripping.
16. *Heureux... Dieu:* Matthew 5 : 8.

The Early Twentieth Century

The Early Twentieth Century

1901–10. King Edward VII
1902. First radio message
1903. Wright Brothers' airplane flight
1904–5. Russo-Japanese War
1905. Separation of Church and State in France
1907+. Cubist painters
1910–36. King George V
1913. Balkan War
1914. Panama Canal opened
1914–18. First World War
1917. Russian Revolution
1919. Treaty of Versailles
1920. League of Nations
1922. Mussolini, Italian dictator
Depression begins 1929

HISTORY

1900+. *Les Cahiers de la Quinzaine*
1909. Gide: *La Porte étroite*
1909+. *La Nouvelle Revue Française*
1910. Péguy: *Jeanne d'Arc*
1912. Claudel: *L'Annonce faite à Marie*
1913–27. Proust: *A la recherche du temps perdu*
1913. Apollinaire: *Alcools*
1919. Gide: *La Symphonie pastorale*
1920. Valéry: *Le Cimetière marin*
Colette: *La Maison de Claudine* 1922
Mauriac: *Le Baiser au lébreux* 1922
Gide: *Les Faux-monnayeurs* 1927

FRENCH LITERATURE

1900. Dreiser: *Sister Carrie*
1901. Kipling: *Kim*
1902. Conrad: *Typhoon; Heart of Darkness*
1907–08. Rilke: *Neue Gedichte*
1908. Bennett: *The Old Wives' Tale*
1913. Lawrence: *Sons and Lovers*
1913. Shaw: *Candida*
1914. Frost: *North of Boston*
1915. Maugham: *Of Human Bondage*
1917. Pirandello: *Così è (se vi pare)*
1917. Eliot: *Prufrock*
1920. O'Neill: *The Emperor Jones*
1920. Lewis: *Main Street*
1922. Joyce: *Ulysses*
1923. Kafka: *Das Schloss*
Mann: *Der Zauberberg* 1924
Forster: *A Passage to India* 1924
Huxley: *Point Counter Point* 1928
García Lorca: *Romancero gitano* 1928
Hemingway: *A Farewell to Arms* 1929
Faulkner: *The Sound and the Fury* 1929
Wolfe: *Look Homeward, Angel* 1929

OTHER LITERATURES

The Early Twentieth Century

The first half of the twentieth century was for France a period of calamity. France was the battlefield of two wars. In the first she lost 1,358,000 people; in the second, about 600,000, out of a population of around 40,000,000. (The numbers of war dead in the United States, with four times France's population, are, for the first war, 126,000; for the second, 393,000.) The French have been familiar with war, death, and suffering in a way that we can hardly comprehend. The invasions of France, the German occupation, governmental instability, the loss of Tunisia, Indochina, and Algeria, the disappearance of the French colonial empire profoundly disturbed the nation's self-confidence. France passed through two violent currency inflations that wiped out savings and bore heaviest on the cultivated, leisured middle class, which has always supplied most of France's writers and readers. Industrialization destroyed ancient ways of life and called in question ancient verities. Tradition became suspect; a reference to "the wisdom of our forefathers" was good only for a laugh.

Calamity makes prevalent a mood of insecurity, disquiet, and fear. In periods of calamity, when old securities and truths totter, people turn to radical remedies, whether in politics, economics, or philosophy; they seek on the one hand *assurance*, and on the other hand *escape*.

Many literary men, seeking assurance, became advocates of faiths or causes: religious, political, social. Of course, this is not new; writers have always had their convictions. And yet, more than in the preceding century, authors seemed to sink themselves in their faiths, zealously preaching and proselytizing. Commitment, or *engagement*, was regarded as a necessity. Catholic piety had a new renaissance among writers and among the people, while the anticlericalism of the preceding period dwindled. And communism, a mystic faith as well as a political and economic doctrine, attracted many intellectuals. A few, though none of the first rank, took refuge in a home-grown fascism. The scornful intellectual aloofness of the late nineteenth century gained few adherents.

While many found the answers to their needs in the acceptance of faiths, others sought *escape* from all subjections. A hidden world was opened to the escapists by Freud and the psychologists—the world of the subconscious. After the Dadaists, who produced nothing but a prolonged Bronx cheer, came the Surrealists, intrepid spelunkers of the subterranean caves of the spirit. The Existentialists, who belong in the mid-century rather than in this between-the-wars period, will be discussed in the next section.

The literature of the *entre-deux-guerres* is extremely varied. Many writers, especially the older ones, continued on paths already well posted. One cannot suddenly reject one's training, habits, and admirations. There is much of the earlier conventions in Gide, Colette, Mauriac, and Giono.

The new spirit had its forerunners before 1914. Cubist painting, atonal music, hermetic and nihilistic writing pointed the way. Proust, Gide, Apollinaire, and others made bold ventures with new doctrines and forms. After the First World War these innovators found their disciples and their audience.

This between-the-wars literature is not so much a French as a world phenomenon. It is then *international*, like the faiths it proclaims. It is also generally *social-conscious*, implicating the writer in the real world. It is *rebellious*, disrespectful of tradition. It is *unmoral*, for morality, too, is a tradition. It is likely also to be defiant, arrogant, and secretly unsure of itself. And it is very often *difficult*, refusing the traditional accommodation and courtesy of a writer to his audience.

22. Péguy and Valéry

CHARLES PÉGUY [1873–1914]

Charles Péguy was born in the city of Orléans, of peasant stock. In infancy he lost his father, a cabinet-maker; his mother and grandmother, almost illiterate, barely supported the family by plaiting rush chair-seats. His promise in school enabled him to obtain all his education on scholarships. In the École Normale Supérieure he was deeply influenced by the philosopher Bergson, who substituted motion and change for static philosophic values, and Romain Rolland, who made of idealism a feasible plan of life. Renouncing a teaching career, Péguy established a magazine, *Les Cahiers de la Quinzaine*, which encouraged the most radical, diverse kinds of thought and expression. He demanded of his contributors only sincerity. Many remarkable works appeared in the *Cahiers*, noteworthily Péguy's own writings and Rolland's *La Vie de Beethoven* and *Jean-Christophe*. In August 1914, Péguy was mobilized as a lieutenant, and on September 5, defending his country from the enemy, he was killed by a rifle bullet.

His *thought* had its evolution. Coming of age in the midst of the Dreyfus case, he ardently espoused the cause of justice against the hierarchies of the Army, the Church, and organized society. However, Dreyfusism was taken over by politicians with their own selfish aims, and Péguy turned to Marxist socialism and then to philosophical anarchy. In 1908 he became a Catholic, of a rather peculiar sort. He rejected dogmas he did not like, such as eternal damnation. But he accepted the doctrine of salvation, the cult of the saints, especially the Virgin Mary and Joan of Arc (who to be sure was not yet sanctified). With the Church, he exalted the humble and meek, his own forbears, and put down the mighty (or the capitalists) from their seats. He made, in sum, a doctrine of heroism, somewhat curiously reconciling Catholicism, socialism, anarchism, and patriotism.

The *style* of his poetry was something new in French. It is the freest of free verse, deriving its effects from the flow of thought, from endless repetition, from the juxtaposition of high abstraction and savory colloquialism. He seeks, and gains, an incantatory quality, as of an ecclesiastical chant adapted by an intensely sincere illiterate. The style is sometimes deliciously naïve, and sometimes, I fear, false-naïve.

Péguy is today the object of a cult. He appeals to many devout idealists, revolted by commercialism, political cynicism, all the meannesses of life and thought. He recalls to us the simple virtues of the humble and the oppressed. He was a noble man and a gifted poet, and he well deserves a cult. One can wish only that he were a little less diffuse.

The first of our selections is taken from *Le Mystère de la charité de Jeanne d'Arc* (1910), a gigantic poem like a medieval mystery, or like an oratorio. Our fragment is spoken by Madame Gervaise, a young nun, fervent, contemplative, simple-hearted. The second selection is from *Le Mystère des Saints Innocents* (1912); Madame Gervaise is again speaking.

The third selection is from another enormous poem, *Ève* (1914). "Heureux ceux qui sont morts" is a poignant forecast of Péguy's own death, fated soon to occur.

Notice that Péguy's punctuation, entirely his own, represents the pauses of speech rather than grammatical structure.

La Passion de Notre-Dame*

[*Madame Gervaise tells the story of Jesus.*]

Il avait été un bon ouvrier.
Un bon charpentier.
Comme il avait été un bon fils.
Un bon fils pour sa mère Marie.
Un enfant bien sage.   5
Bien docile.
Bien soumis.
Bien obéissant à ses père et mère.
Un enfant.
Comme tous les parents voudraient en avoir. 10
Un bon fils pour son père Joseph.
Pour son père nourricier° Joseph.
Le vieux charpentier.
Le maître charpentier.

Comme il avait été un bon fils aussi pour son
     père.   15
Pour son père qui êtes aux cieux.

Comme il avait été un bon camarade pour ses
     petits camarades.
Un bon camarade d'école.
Un bon camarade de jeux.
Un bon compagnon de jeu.   20
Un bon compagnon d'atelier.°
Un bon compagnon charpentier.°
Parmi tous les autres compagnons.
Charpentiers.
Pour tous les compagnons.   25
Charpentiers.
Comme il avait été un bon pauvre.
Comme il avait été un bon citoyen.

Il avait été un bon fils pour ses père et mère.
Jusqu'au jour où il avait commencé sa
     mission.   30
Sa prédication.

LA PASSION DE NOTRE-DAME. * Copyright Éditions Gallimard, tous droits réservés, *Œuvres complètes de Charles Péguy.* 12. *père nourricier:* foster father. 21. *atelier:* workshop. 22. *compagnon charpentier:* journeyman carpenter.

Un bon fils pour sa mère Marie.
Jusqu'au jour où il avait commencé sa
     mission.
Un bon fils pour son père Joseph.
Jusqu'au jour où il avait commencé sa
     mission.   35
En somme tout s'était bien passé.
Jusqu'au jour où il avait commencé sa mission.

Il était généralement aimé.
Tout le monde l'aimait bien.
Jusqu'au jour où il avait commencé sa
     mission.   40
Les camarades, les amis, les compagnons, les
     autorités,
Les citoyens,
Les père et mère
Trouvaient cela très bien.
Jusqu'au jour où il avait commencé sa
     mission.   45
Les camarades trouvaient qu'il était un bon
     camarade.
Les amis un bon ami.
Les compagnons un bon compagnon.
Pas fier.
Les citoyens trouvaient qu'il était un bon
     citoyen.   50
Les égaux un bon égal.
Jusqu'au jour où il avait commencé sa mission.

Les citoyens trouvaient qu'il était un bon
     citoyen.
Jusqu'au jour où il avait commencé sa mission.
Jusqu'au jour où il s'était révélé comme un
     autre citoyen.   55
Comme le fondateur, comme le citoyen d'une
     autre cité.
Car c'est de la Cité céleste.
Et de la Cité éternelle.

Les autorités trouvaient cela très bien.
Jusqu'au jour où il avait commencé sa
     mission.   60
Les autorités trouvaient qu'il était un homme
     d'ordre.

Un jeune homme posé.
Un jeune homme tranquille.
Un jeune homme rangé.°
Commode à gouverner.   65
Et qui rendait à César ce qui est à César.

Jusqu'au jour où il avait commencé le désordre.
Introduit le désordre.
Le plus grand désordre qu'il y ait eu dans le
    monde.
Qu'il y ait jamais eu dans le monde.   70
Le plus grand ordre qu'il y ait eu dans le
    monde.
Le seul ordre.
Qu'il y ait jamais eu dans le monde.

Jusqu'au jour où il s'était dérangé.
Et en se dérangeant il avait dérangé le monde   75
Jusqu'au jour où il se révéla
Le seul Gouvernement du monde.
Le Maître du monde.
Le seul Maître du monde.
Et où il apparut à tout le monde.   80
Où les égaux virent bien.
Qu'il n'avait aucun égal.
Alors le monde commença à trouver qu'il
    était trop grand.
Et à lui faire des embêtements.°

Et jusqu'au jour où il entreprit de rendre à
    Dieu ce qui est à Dieu.   85
Il était un bon fils pour ses père et mère.
Un bon fils pour sa mère Marie.
Et ses père et mère trouvaient cela très bien.
Sa mère Marie trouvait cela très bien.
Elle était heureuse, elle était fière d'avoir un
    tel fils.   90
D'être la mère d'un pareil fils.
D'un tel fils.
Elle s'en glorifiait peut-être en elle-même et
    elle glorifiait Dieu.
Magnificat anima mea.
Dominum.   95
Et exultavit spiritus meus.°
Magnificat. Magnificat.
Jusqu'au jour où il avait commencé sa mission.
Mais depuis qu'il avait commencé sa mission.

Elle ne magnifiait peut-être plus.   100
Depuis trois jours elle pleurait.
Elle pleurait, elle pleurait.
Comme aucune femme n'a jamais pleuré.
Nulle femme.
Voilà ce qu'il avait rapporté à sa mère.   105
Jamais un garçon n'avait coûté autant de
    larmes à sa mère.
Jamais un garçon n'avait autant fait pleurer
    sa mère.
Voilà ce qu'il avait rapporté à sa mère.
Depuis qu'il avait commencé sa mission.

Parce qu'il avait commencé sa mission.   110
Depuis trois jours elle pleurait.
Depuis trois jours elle errait, elle suivait.
Elle suivait le cortège.
Elle suivait les événements.
Elle suivait comme à un enterrement.   115
Mais c'était l'enterrement d'un vivant.
D'un vivant encore.
Elle suivait ce qui se passait.
Elle suivait comme si elle avait été du cortège.
De la cérémonie.   120
Elle suivait comme une suivante.
Comme une servante.
Comme une pleureuse° des Romains.
Des enterrements romains.
Comme si ça avait été son métier.   125
De pleurer.
Elle suivait comme une pauvre femme.
Comme une habituée du cortège.
Comme une suivante du cortège.
Comme une servante.   130
Déjà comme une habituée.
Elle suivait comme une pauvresse.
Comme une mendiante.
Eux qui n'avaient jamais rien demandé à
    personne.
A présent elle demandait la charité.   135
Sans en avoir l'air elle demandait la charité.
Puisque sans en avoir l'air, sans même le
    savoir elle demandait la charité de la pitié.
D'une piété.
D'une certaine piété.   140
Pietas.
Voilà ce qu'il avait fait de sa mère.
Depuis qu'il avait commencé sa mission.
Elle suivait, elle pleurait.

---

64. *rangé:* well-behaved. 84. *embêtements:* vexations.
94–96. *Magnificat… spiritus meus:* "My soul doth magnify
the Lord, and my spirit hath rejoiced." (Mary's words at
the birth of John the Baptist, Luke 1 : 46–47.)

123. *pleureuse:* hired mourner.

Elle pleurait, elle pleurait.
Les femmes ne savent que pleurer.   145
On la voyait partout.
Dans le cortège mais un peu en dehors du cortège.
Sous les portiques, sous les arcades, dans les
    courants d'air.
Dans les temples, dans les palais.
Dans les rues.   150
Dans les cours et dans les arrière-cours.
Et elle était montée aussi sur le Calvaire.
Elle aussi elle avait gravi le Calvaire.
Qui est une montagne escarpée.°
Et elle ne sentait seulement pas qu'elle
    marchait.   155
Elle ne sentait seulement pas ses pieds qui la
    portaient.
Elle ne sentait pas ses jambes sous elle.
Elle aussi elle avait son calvaire.
Elle aussi elle avait monté, monté
Dans la cohue,° un peu en arrière.   160
Monté au Golgotha.
Sur le Golgotha.
Sur le faîte.
Jusqu'au faîte.
Où il était maintenant crucifié.   165
Cloué des quatre membres.
Comme un oiseau de nuit sur la porte d'une
    grange.
Lui le Roi de Lumière.
Au lieu appelé Golgotha.
C'est-à-dire la place du Crâne.   170
Voilà ce qu'il avait de sa mère.
Maternelle.
Une femme en larmes.
Une pauvresse.
Une pauvresse de détresse.   175
Une pauvresse en détresse.
Une espèce de mendiante de pitié.
Depuis qu'il avait commencé d'accomplir sa
    mission.
Depuis trois jours elle suivait elle suivait.
Accompagnée seulement de trois ou quatre
    femmes.   180
De ces saintes femmes.
Escortée, entourée seulement de ces quelques
    femmes.
De ces quelques saintes femmes.
Des saintes femmes.
Enfin.   185
Puisqu'éternellement on devait les nommer ainsi.

Qui gagnaient ainsi.
Qui assuraient ainsi leur part de paradis.
Et pour sûr elles auraient une bonne place.
Aussi bonne que celle qu'elles avaient en ce
    moment.   190
Puisqu'elles auraient la même place.
Car elles seraient aussi près de lui qu'en ce
    moment.
Je veux dire qu'elles seraient aussi près de lui
    qu'en ce moment.
Qu'en ce moment même.
Éternellement aussi près qu'en ce moment
    même.   195
Éternellement aussi près qu'en ce moment du
    temps.
Du temps de Judée.
Éternellement aussi près dans sa gloire.
Que dans sa passion.
Dans la gloire de sa passion.   200
Et toutes les quatre ensemble ou peut-être un
    peu plus ou moins.
Un peu plus un peu moins.
Elles formaient toujours un petit groupe à part.
Un petit cortège un peu derrière le grand
    cortège.
Un peu en arrière.   205
Et on les reconnaissait.
Elle pleurait, elle pleurait sous un grand voile
    de lin°
Un grand voile bleu.
Un peu passé.°
Voilà ce qu'il avait fait de sa mère.   210
Elle pleurait comme jamais il ne sera donné;
Comme jamais il ne sera demandé
A une femme de pleurer sur terre.
Éternellement jamais.
A aucune femme.   215
Voilà ce qu'il avait fait de sa mère.
D'une mère maternelle.
Ce qu'il y a de curieux c'est que tout le
    monde la respectait.
Les gens respectent beaucoup les parents des
    condamnés.
Ils disaient même : la pauvre femme.   220
Et en même temps ils tapaient sur son fils.
Parce que l'homme est comme ça.
L'homme est ainsi fait.
Le monde est comme ça.
Les hommes sont comme ils sont et on ne
    pourra jamais les changer.   225

154. *escarpée*: steep. 160. *cohue*: throng.   207. *lin*: linen. 209. *passé*: faded.

Elle ne savait pas qu'au contraire il était venu
    changer l'homme.
Qu'il était venu changer le monde.
Elle suivait, elle pleurait.
Et en même temps ils tapaient sur son garçon.
Elle suivait, elle suivait   230
Les hommes sont comme ça.
On ne les changera pas.
On ne les refera pas.
On ne les refera jamais.
Et lui il était venu pour les changer.   235
Pour les refaire.
Pour changer le monde.
Pour le refaire.
Elle suivait, elle pleurait.
Tout le monde la respectait.   240
Tout le monde la plaignait.
On disait *la pauvre femme*.
C'est que tous ces gens n'étaient peut-être pas
    méchants.
Ils n'étaient pas méchants au fond.
Ils accomplissaient les Écritures.   245
Ce qui est curieux, c'est que tout le monde la
    respectait.
Honorait, respectait, admirait sa douleur.
On ne l'écartait, on ne la repoussait que
    modérément.
Avec des attentions particulières.
Parce qu'elle était la mère du condamné.   250
On pensait : c'est la famille du condamné.
On le disait même à voix basse.
On se le disait, entre soi,
Avec une secrète admiration.
Et on avait raison, c'était toute sa famille.   255
Sa famille charnelle et sa famille élue.
Sa famille sur la terre et sa famille dans le ciel.
Elle suivait, elle pleurait.
Ses yeux étaient si brouillés que la lumière du
    jour ne lui paraîtrait jamais claire.
Plus jamais.   260
Depuis trois jours les gens disaient : Elle a
    vieilli de dix ans.
Je l'ai encore vue.
Je l'avais encore vue la semaine dernière.
En trois jours elle a vieilli de dix ans.
Jamais plus.   265
Elle suivait, elle pleurait, elle ne comprenait
    pas très bien.
Mais elle comprenait très bien que le
    gouvernement était contre son garçon.
Ce qui est une mauvaise affaire.

Que le gouvernement était pour le mettre à
    mort.
Toujours une mauvaise affaire.   270
Et qui ne pouvait pas bien finir.
Tous les gouvernements s'étaient mis
    d'accord contre lui.
Le gouvernement des Juifs et le gouvernement
    des Romains.
Le gouvernement des juges et le gouvernement
    des prêtres.
Le gouvernement des soldats et le
    gouvernement des curés.   275
Il n'en réchapperait sûrement pas.
Certainement pas.
Tout le monde était contre lui.
Tout le monde était pour sa mort.
Pour le mettre à mort.   280
Voulait sa mort.
Des fois on avait un gouvernement pour soi.
Et l'autre contre soi.
Alors on pouvait en réchapper.
Mais lui tous les gouvernements.   285
Tous les gouvernements d'abord.
Et le gouvernement et le peuple.
C'est ce qu'il y avait de plus fort.
C'était ça surtout qu'on avait contre soi.
Le gouvernement et le peuple.   290
Qui d'habitude ne sont jamais d'accord.
Et alors on en profite.
On peut en profiter.
Il est bien rare que le gouvernement et le
    peuple soient d'accord.
Et alors celui qui est contre le
    gouvernement   295
Est avec le peuple.
Pour le peuple.
Et celui qui est contre le peuple
Est avec le gouvernement.
Pour le gouvernement.   300
Celui qui est appuyé par le gouvernement.
N'est pas appuyé par le peuple.
Celui qui est soutenu par le peuple
N'est pas soutenu par le gouvernement.
Alors en s'appuyant sur l'un ou sur l'autre.   305
Sur l'un contre l'autre.
On pouvait quelquefois en réchapper.
On pourrait peut-être s'arranger.
Mais ils n'avaient pas de chance.
Elle voyait bien que tout le monde était
    contre lui.   310
Le gouvernement et le peuple.

Ensemble.

Et qu'ils l'auraient.

Qu'ils auraient sa peau.

Ce qui était curieux c'est que la dérision était
    toute sur lui. 315

Et qu'il n'y avait aucune dérision sur elle.

Pour elle.

Nulle dérision.

On n'avait que du respect pour elle.

Pour sa douleur. 320

Pour son malheur.

On ne lui disait pas des sottises.

Au contraire.

Les gens ne la regardaient même pas trop.

Afin de mieux la respecter. 325

Pour la respecter davantage.

Elle aussi elle était montée.

Montée avec tout le monde.

Jusqu'au faîte.

Sans même s'en apercevoir. 330

Ses jambes la portaient sans même s'en
    apercevoir.

Elle aussi elle avait fait son chemin de croix.

Les quatorze stations.°

Au fait était-ce bien quatorze stations.

Y avait-il bien quatorze stations. 335

Y en avait-il bien quatorze.

Elle ne savait plus au juste.

Elle ne se rappelait plus.

Pourtant elle les avait faites.

Elle en était sûre. 340

Mais on peut se tromper.

Dans ces moments-là la tête se trouble.

Nous autres qui ne les avons pas faites nous le
    savons.

Elle qui les avait faites elle ne le savait pas.

Tout le monde était contre lui. 345

Tout le monde voulait sa mort.

C'est curieux.

Des mondes qui d'habitude n'étaient pas
    ensemble.

Le gouvernement et le peuple.

De sorte que le gouvernement lui en voulait
    comme le dernier des charretiers. 350

Autant que le dernier des charretiers.

Et le dernier des charretiers comme le
    gouvernement.

Autant que le gouvernement.

C'était jouer de malheur.

333. In Catholic churches the fourteen Stations of the
Cross are pictorially represented.

Quand on a l'un pour soi, l'autre contre soi
    quelquefois on en réchappe. 355

On s'en tire.

On peut s'en tirer.

On peut en réchapper.

Mais il n'en réchapperait pas.

Sûrement il n'en réchapperait pas. 360

Quand on a tout le monde contre soi.

Qu'est-ce qu'il avait donc fait à tout le monde.

Je vais vous le dire :

Il avait sauvé le monde.

Dieu et les Français*

Je suis leur père, dit Dieu, je suis roi, ma
    situation est exactement la même,

Je suis exactement comme ce roi, qui était je
    pense un roi d'Angleterre,

Qui ne voulut point envoyer de secours,
    aucune aide

A son fils engagé dans une mauvaise bataille,

Parce qu'il voulait que l'enfant 5

Gagnât lui-même ses éperons° de chevalier.

Il faut qu'ils gagnent le ciel eux-mêmes et
    qu'ils fassent eux-mêmes leur salut.

Tel est l'ordre, tel est le secret, tel est le mystère.
    Or dans cet ordre, et dans ce secret, et dans
    ce mystère

Nos Français sont avancés entre tous. Ils sont
    mes témoins. 10

Préférés.

Ce sont eux qui marchent le plus tout seuls.

Ce sont eux qui marchent le plus eux-mêmes.

Entre tous ils sont libres et entre tous ils sont
    gratuits.

Ils n'ont pas besoin qu'on leur explique vingt
    fois la même chose.

Avant qu'on ait fini de parler, ils sont partis. 15

Peuple intelligent,

Avant qu'on ait fini de parler, ils ont compris.

Peuple laborieux,

Avant qu'on ait fini de parler, l'œuvre est faite.

Peuple militaire, 20

Avant qu'on ait fini de parler, la bataille est
    donnée.

Peuple soldat, dit Dieu, rien ne vaut le
　　Français dans la bataille.
(Et ainsi rien ne vaut le Français dans la
　　croisade).
Ils ne demandent pas toujours des ordres et ils ne
　　demandent pas toujours des explications sur
　　ce qu'il faut faire et sur ce qui va se passer.
Ils trouvent tout d'eux-mêmes, ils inventent tout
　　d'eux-mêmes, à mesure qu'il faut.　　　　　　25
Ils savent tout tout seuls. On n'a pas besoin de
　　leur envoyer des ordres à chaque instant.
Ils se débrouillent° tout seuls. Ils comprennent
　　tout seuls. En pleine bataille. Ils suivent
　　l'événement.
Ils se modifient suivant l'événement. Ils se plient
　　à l'événement. Ils se moulent sur l'événement.
　　Ils guettent, ils devancent l'événement.
Ils se retournent, ils savent toujours ce qu'il faut
　　faire sans aller demander au général.
Sans déranger le général. Or il y a toujours la
　　bataille, dit Dieu.　　　　　　　　　　　　30
Il y a toujours la croisade.
Et on est toujours loin du général.

C'est embêtant,° dit Dieu. Quand il n'y aura
　　plus ces Français,
Il y a des choses que je fais, il n'y aura plus
　　personne pour les comprendre.

Peuple, les peuples de la terre te disent léger　35
Parce que tu es un peuple prompt.
Les peuples pharisiens te disent léger
Parce que tu es un peuple vite.
Tu es arrivé avant que les autres soient
　　partis.
Mais moi je t'ai pesé, dit Dieu, et je ne t'ai
　　point trouvé léger.　　　　　　　　　　　　40
O peuple inventeur de la cathédrale, je ne t'ai
　　point trouvé léger en foi.
O peuple inventeur de la croisade je ne t'ai
　　point trouvé léger en charité.
Quant à l'espérance, il vaut mieux ne pas en
　　parler, il n'y en a que pour eux.

Tels sont nos Français, dit Dieu. Ils ne sont pas
　　sans défauts. Il s'en faut. Ils ont même
　　beaucoup de défauts.
Ils ont plus de défauts que les autres.　　　　45

Mais avec tous leurs défauts je les aime encore
　　mieux que tous les autres avec censément°
　　moins de défauts.
Je les aime comme ils sont. Il n'y a que moi, dit
　　Dieu, qui suis sans défauts. Mon fils et moi.
　　Un Dieu avait un fils.
Et comme créatures il n'y en a que trois qui
　　aient été sans défauts.
Sans compter les anges.
Et c'est Adam et Ève avant le péché.　　　　　50
Et c'est la Vierge temporellement et
　　éternellement.
Dans sa double éternité.
Et deux femmes seulement ont été pures étant
　　charnelles.
Et ont été charnelles étant pures.
Et c'est Ève et Marie.　　　　　　　　　　　55
Ève jusqu'au péché.
Marie éternellement.

Nos Français sont comme tout le monde, dit
　　Dieu. Peu de saints, beaucoup de pécheurs.
Un saint, trois pécheurs. Et trente pécheurs. Et
　　trois cents pécheurs. Et plus.
Mais j'aime mieux un saint qui a des défauts
　　qu'un pécheur qui n'en a pas. Non, je veux
　　dire :　　　　　　　　　　　　　　　　　60
J'aime mieux un saint qui a des défauts qu'un
　　neutre qui n'en a pas.
Je suis ainsi. *Un homme avait deux fils.*°
Or ces Français, comme ils sont, ce sont mes
　　meilleurs serviteurs.
Ils ont été, ils seront toujours mes meilleurs
　　soldats dans la croisade.
Or il y aura toujours la croisade.　　　　　　65
Enfin ils me plaisent. C'est tout dire. Ils ont
　　du bon et du mauvais.
Ils ont du pour et du contre. Je connais l'homme.

Prière pour nous autres charnels*

Heureux ceux qui sont morts pour la terre
　　charnelle,
Mais pourvu que ce fût dans une juste guerre.
Heureux ceux qui sont morts pour quatre
　　coins de terre.
Heureux ceux qui sont morts d'une mort
　　solennelle.

---

26. *se débrouillent:* shift for themselves, find their own
answers. 33. *embêtant:* annoying.

46. *censément:* supposedly. 62. Reference to the parable
of the prodigal son (Luke 15 : 11–32). PRIÈRE POUR NOUS
AUTRES CHARNELS. * Copyright Éditions Gallimard, tous
droits réservés, *Œuvres complètes de Charles Péguy.*

Heureux ceux qui sont morts dans les
   grandes batailles,   5
Couchés dessus le sol à la face de Dieu.
Heureux ceux qui sont morts sur un dernier
   haut lieu,
Parmi tout l'appareil des grandes funérailles.

Heureux ceux qui sont morts pour des cités
   charnelles,
Car elles sont le corps de la cité de Dieu.   10
Heureux ceux qui sont morts pour leur âtre
   et leur feu,
Et les pauvres honneurs des maisons paternelles.

Car elles sont l'image et le commencement
Et le corps et l'essai de la maison de Dieu.
Heureux ceux qui sont morts dans cet
   embrassement,   15
Dans l'étreinte d'honneur et le terrestre aveu.°

Car cet aveu d'honneur est le commencement
Et le premier essai d'un éternel aveu.
Heureux ceux qui sont morts dans cet
   écrasement,
Dans l'accomplissement de ce terrestre vœu.   20

Car ce vœu de la terre est le commencement
Et le premier essai d'une fidélité,
Heureux ceux qui sont morts dans ce
   couronnement
Et cette obéissance et cette humilité.

Heureux ceux qui sont morts, car ils sont
   retournés   25
Dans la première argile° et la première terre.
Heureux ceux qui sont morts dans une juste
   guerre.
Heureux les épis mûrs et les blés moissonnés.

16. *terrestre aveu:* i.e., the pledge of solidarity with the earth.   26. *argile:* clay.

PAUL VALÉRY [1871–1945]

Paul Valéry was born at Sète, a southern French seaport. He came of an old family of the Midi; his mother was born in Genoa. He was educated in Montpellier. Thus he was completely a Mediterranean, by ancestry and training. The Mediterraneans are supposed to be enamored of light, clarity, pure form, reason. Valéry embodies this type, though plenty of Mediterraneans do not. He came to Paris, worked in minor secretarial and governmental posts, and became a devoted admirer of Mallarmé. He wrote poems in the master's manner, and several works in prose, including the remarkable *Soirée avec Monsieur Teste* (1895), the analysis of a mind that has freed itself from the world to live in pure intellectual activity. In 1898 he abandoned the literary life to pursue his ideal of detachment, withdrawal, rigorous thought. Nineteen years later his friend André Gide begged him for a contribution to his magazine, *La Nouvelle Revue Française.* Valéry yielded, turned up some old poems, and began writing new ones. He soon found that notoriety, even fame, was not so disagreeable after all. Before long he was generally hailed as the greatest living French poet, even by those who renounced all effort to understand him. His prose essays and studies, extraordinarily acute in thought and polished in form, rank with the finest speculative literature of our time.

    Like Descartes, he had his *method,* his procedure. He demanded absolute intellectual clarity. He said: "Les choses du monde ne m'intéressent que sous le rapport de l'intellect." He counseled distrust of words, with their clinging connotations. He distrusted likewise emotion, which so subtly colors and distorts thought. Sentiment, like inspiration, is an obsolete nineteenth-century concept. Love in fact is vanishing. "The last lover will be classed as a sexual maniac. People will give up love, just as they are giving up intoxication. And we shall read *Tristan* much as we read of gluttony and vomiting in our Latin authors."* Escaping emotional distractions, we must follow our logic to its utmost limit, no matter how strange its deductions may appear.

* *Lettres à Quelques-Uns,* Paris, Gallimard, 1952, p. 68.

Such a method should result, one would think, in luminous clarity. But Valéry is in fact a very difficult writer. His logic is perhaps too lofty; it dispenses with the usual transitional steps. He could not understand why people thought him difficult; he found Musset's loose generalities much harder than his own work. Thus the mathematician deems his formulas revealingly clear, and he cannot comprehend how anyone can call them obscure.

We are used to difficult poetry nowadays. However, we have a right to ask that if we must labor to interpret a poem, the poet shall reward us with an experience of value to us. Those who have given to Valéry the labor leading to comprehension report, almost universally, that the poet has given them an experience of value.

Le Cimetière marin*

[*This*, The Seaside Cemetery (*1920*), *is Valéry's most famous poem. Its theme is the poet's own dilemma—his contradictory impulses toward an active life and toward pure contemplation, implying complete withdrawal from the world.*

It is a hard poem and requires concentration and effort on the part of the reader.

Fix well in mind this summary of the thought. The poet returns in imagination to the seaside cemetery of Sète, where he had dreamed in youth. Among the tombs, under the noonday sun, he contemplates the sea. All is calm and peace. He is imbued with a sense of changelessness, of everlasting. Yet he is uneasy; his own shadow rejects the light; he awaits some echo which may prove his existence, prove the fact of change. The sun burns away life; the poet's doubts and constraints are flaws in that perfection. But patience; his disquiet is doomed to universal death, which mocks the pious lie of immortality. The true, irrefutable worm does not live in the tomb but in life and consciousness. The old philosophical conundrums of Zeno's arrow, of Achilles and the tortoise, were intended to show that change is wholly illusion. The poet must reject such comforting doctrines. He cannot escape from change and action into pure contemplation. "Le vent se lève... il faut tenter de vivre!"

Now read the poem through rapidly in French without mental translation. Then read it again slowly with reference to the notes, working out the more puzzling passages. Then read it a third time, endeavoring to feel the beauty the poem contains and releases to those who will give it the necessary attention.]

Ce toit tranquille, où marchent des
   colombes,°
Entre les pins palpite, entre les tombes;
Midi le juste y compose de feux°
La mer, la mer, toujours recommencée!
O récompense après une pensée   5
Qu'un long regard sur le calme des dieux!°

Quel pur travail de fins éclairs° consume
Maint diamant d'imperceptible écume,
Et quelle paix semble se concevoir!
Quand sur l'abîme un soleil se repose,   10
Ouvrages° purs d'une éternelle cause,
Le Temps scintille et le Songe est savoir.°

Stable trésor, temple simple à Minerve,°
Masse de calme, et visible réserve,
Eau sourcilleuse,° Œil qui gardes en toi   15
Tant de sommeil sous un voile de flamme,
O mon silence!... Édifice dans l'âme,
Mais comble d'or aux mille tuiles, Toit!°

Temple du Temps, qu'un seul soupir résume,
A ce point pur je monte et m'accoutume,   20
Tout entouré de mon regard marin;
Et comme aux dieux mon offrande suprême,

1. *Ce toit... colombes:* i.e., the sea, seen from the cemetery, is like a roof, with its waves rippling like tiles, with its sailboats strutting like doves. 3. *Midi... feux:* i.e., Noonday, just (because blazing with clarity), composes the waves with fiery reflections. 5–6. *O récompense... dieux:* i.e., after painful thought it is a relief to gaze on the divine calm of the sea. Notice the alliterations in this stanza. 7. *éclairs:* flashes of light (whether in a diamond or a wave). 11. *Ouvrages:* refers to *le Temps* and *le Songe* (line 12). 12. *le Songe est savoir:* i.e., in the noonday peace a dream seems all the knowledge we need. 13. *Minerve:* goddess of wisdom. (In the following lines the poet identifies the sea with his own silent depths.) 15. *sourcilleuse:* frowning (because the waves are shaped like eyebrows). 17–18. *Édifice... Toit!* i.e., my silence is a structure I have built in my soul, but, like the sea, it has a thousand-tiled golden roof. (Note the deliberate cacophony of the last three words.)

La scintillation sereine sème
Sur l'altitude° un dédain souverain.°

Comme le fruit se fond en jouissance,   25
Comme en délice il change son absence
Dans une bouche où sa forme se meurt,
Je hume ici ma future fumée,
Et le ciel chante à l'âme consumée
Le changement des rives en rumeur.°   30

Beau ciel, vrai ciel, regarde-moi qui change!
Après tant d'orgueil, après tant d'étrange
Oisiveté, mais pleine de pouvoir,°
Je m'abandonne à ce brillant espace,
Sur les maisons des morts mon ombre passe   35
Qui m'apprivoise à son frêle mouvoir.°

L'âme exposée aux torches du solstice,
Je te soutiens, admirable justice
De la lumière aux armes sans pitié!
Je te rends pure à ta place première :°   40
Regarde-toi!... Mais rendre la lumière
Suppose d'ombre une morne moitié.

O pour moi seul, à moi seul, en moi-même,
Auprès d'un cœur, aux sources du poème,
Entre le vide et l'événement pur,°   45
J'attends l'écho de ma grandeur interne,
Amère, sombre et sonore citerne,°
Sonnant dans l'âme un creux toujours futur!

Sais-tu, fausse captive des feuillages,
Golfe mangeur de ces maigres grillages,   50
Sur mes yeux clos, secrets éblouissants,°

Quel corps me traîne à sa fin paresseuse,
Quel front l'attire à cette terre osseuse?
Une étincelle y pense à mes absents.°

Fermé, sacré, plein d'un feu sans matière,   55
Fragment terrestre offert à la lumière,
Ce lieu me plaît, dominé de flambeaux,°
Composé d'or, de pierre et d'arbres sombres,
Où tant de marbre est tremblant° sur tant
    d'ombres;
La mer fidèle y dort sur mes tombeaux!°   60

Chienne° splendide, écarte l'idolâtre!
Quand solitaire au sourire de pâtre,°
Je pais° longtemps, moutons mystérieux,
Le blanc troupeau de mes tranquilles tombes,
Éloignes-en les prudentes colombes,   65
Les songes vains, les anges curieux!°

Ici venu, l'avenir est paresse.
L'insecte net° gratte la sécheresse;
Tout est brûlé, défait, reçu dans l'air
A je ne sais quelle sévère essence...   70
La vie est vaste, étant ivre d'absence,
Et l'amertume est douce, et l'esprit clair.

Les morts cachés sont bien dans cette terre
Qui les réchauffe et sèche leur mystère.
Midi là-haut, Midi sans mouvement   75
En soi se pense et convient à soi-même...
Tête complète et parfait diadème,°
Je suis en toi le secret changement.°

Tu n'as que moi pour contenir tes craintes!°
Mes repentirs, mes doutes, mes contraintes   80
Sont le défaut de ton grand diamant...
Mais dans leur nuit toute lourde de marbres,
Un peuple vague° aux racines des arbres
A pris déjà ton parti lentement.

24. *altitude:* depths (in Latin sense). 19–24. *Temple
... souverain:* Throughout this stanza note the alliterations;
the pairs in lines 19–20: *Temple-Temps, seul-soupir, point-
pur, monte-m'accoutume;* the preponderance of *s* in lines
23–24. 25–30. *Comme le fruit... rumeur:* i.e., as the eaten
fruit loses its form but melts into a sense of enjoyment, so
do I breathe the scent of the vapor I shall become, so does
heaven console the consumed soul by the promise that it will
flow, like the sea, past other murmuring shores. (Again,
note in this stanza the alliterations in *f*, in *ch*, in *r.* Continue
to watch for alliterations in following stanzas.) 31–33. *Beau
ciel... pouvoir:* The poet recalls his nineteen years of arrogant
silence, of idleness which was nevertheless full of potency.
35–36. *Sur les maisons... mouvoir:* i.e., my shadow is cast
upon the graves, and this shadow takes possession of my own
spirit. 40. *Je te rends... première:* i.e., the soul, like the sea,
reflects light perfectly. 45. *événement pur:* pure event (perhaps
the abstraction, or spirit, or soul of an event). 47. *citerne:*
cistern (here thought of as empty). 49–51. At this point the
poet turns from his contemplation of the sea and sun to regard
the graves. The brilliant reflection from the water seems,
though falsely, to be captured by the foliage, to be actually
devouring the thin grilled railings of the tombs. But the
poet must close his eyes to preserve these dazzling secrets in
his thought.

52–54. *Quel corps... absents:* Do you know, O sea, what
a body is dragging me to its idle end, what a mind draws
my body to this land of bones? There is some spark in my
mind which is thinking of my absent ones. 57. *flambeaux:*
i.e., shafts of light. 59. *tremblant:* i.e., shimmering with
reflected light. 60. *La mer... tombeaux:* i.e., the sea's reflection
dwells on the tombs. (The epithet *fidèle* is developed in the
following lines.) 61. *Chienne:* i.e., watchdog. 62. *pâtre:* The
poet becomes the shepherd; the tombs, his sheep. 63. *pais:*
tend, watch the grazing of. 65–66. *Éloignes-en... curieux:*
i.e., dismiss from my mind doves and angels, familiar carved
symbols on tombs, and let me contemplate the pure idea of
death. 68. *L'insecte net:* the cicada. 77. *Tête... diadème:* i.e.,
the sun, symbol of perfection and changelessness. 78. *Je
suis... changement:* i.e., only the poet, Man, is transient,
sentient, in the face of Nature. 79. *Tu n'as... craintes:* i.e.,
I alone can feel, and my feelings are the flaw in Nature's
diamond perfection. 83. *Un peuple vague:* i.e., the dead, who
have become a part of Nature and accept her commands.

Ils ont fondu dans une absence épaisse,   85
L'argile rouge a bu la blanche espèce,°
Le don de vivre a passé dans les fleurs!
Où sont des morts les phrases familières,
L'art personnel, les âmes singulières?°
La larve° file où se formaient des pleurs.   90

Les cris aigus des filles chatouillées,°
Les yeux, les dents, les paupières mouillées,
Le sein charmant qui joue avec le feu,
Le sang qui brille aux lèvres qui se rendent,
Les derniers dons, les doigts qui les défendent, 95
Tout va sous terre et rentre dans le jeu!

Et vous, grande âme, espérez-vous un songe
Qui n'aura plus ces couleurs de mensonge
Qu'aux yeux de chair l'onde et l'or font ici?°
Chanterez-vous quand serez° vaporeuse?   100
Allez! Tout fuit! Ma présence est poreuse,
La sainte impatience meurt aussi!°

Maigre immortalité noire et dorée,°
Consolatrice affreusement laurée,°
Qui de la mort fais un sein maternel,   105
Le beau mensonge et la pieuse ruse!
Qui ne connaît, et qui ne les refuse,
Ce crâne vide et ce rire éternel!

Pères profonds, têtes inhabitées,°
Qui sous le poids de tant de pelletées,°   110
Êtes la terre et confondez nos pas,°
Le vrai rongeur, le ver irréfutable°
N'est point pour vous qui dormez sous la table,°
Il vit de vie, il ne me quitte pas!

Amour, peut-être, ou de moi-même haine?   115
Sa° dent secrète est de moi si prochaine
Que tous les noms lui peuvent convenir!

Qu'importe! Il voit, il veut, il songe, il touche!
Ma chair lui plaît, et jusque sur ma couche,
A ce vivant je vis d'appartenir!°   120

Zénon! Cruel Zénon! Zénon d'Élée!°
M'as-tu percé de cette flèche ailée
Qui vibre, vole, et qui ne vole pas!
Le son m'enfante et la flèche me tue!°
Ah! le soleil... Quelle ombre de tortue   125
Pour l'âme, Achille immobile à grands pas!

Non, non!... Debout! Dans l'ère successive!°
Brisez, mon corps, cette forme pensive!
Buvez, mon sein, la naissance du vent!
Une fraîcheur, de la mer exhalée,   130
Me rend mon âme... O puissance salée!
Courons à l'onde en rejaillir° vivant!

Oui! Grande mer de délires douée,
Peau de panthère et chlamyde trouée
De mille et mille idoles du soleil,°   135
Hydre° absolue, ivre de ta chair bleue,
Qui te remords l'étincelante queue°
Dans un tumulte au silence pareil,

Le vent se lève!... il faut tenter de vivre!°
L'air immense ouvre et referme mon livre,   140
La vague en poudre ose jaillir des rocs!
Envolez-vous, pages tout éblouies!°
Rompez, vagues! Rompez d'eaux réjouies
Ce toit tranquille où picoraient des focs!°

86. *L'argile... espèce:* The red clay (of the Mediterranean region) has drunk up the white species (man's flesh). 89. *singulières:* individual, unique. (Compare this whole passage with Villon: *Ballade des dames du temps jadis.*) 90. *larve:* larva. 91. *chatouillées:* tickled. 97–99. The poet questions if the soul may hope for an after-life, a dream more substantial than the falsities of this world's appearances. 100. *serez:* The omission of the subject pronoun heightens the archaism, the recollection of medieval questioning. 102. *La sainte... aussi:* i.e., even the impatience of the devout for another life also dies. 103. *noire et dorée:* reference to the trappings of French funeral ceremonies. 104. *laurée:* laureled. (The laurel symbolized the reward of the blessed. In this passage Valéry rejects all belief in immortality.) 109. *inhabitées:* uninhabited. 110. *pelletées:* shovelfuls of earth. 111. *confondez nos pas:* a double meaning: you, the dead, do not distinguish the footsteps of the living; and you disturb us as we walk. 112. *le ver irréfutable:* i.e., thought. 113. *table:* here, stone slab. 116. *Sa:* refers to *ver.*

120. *A ce vivant... appartenir:* I live by belonging to this living creature, the "irrefutable worm" of questioning thought. 121. Zeno of Elea, Greek philosoper who preached unity and immutability. Take an arrow in flight, he said; at any given moment it is *at* a certain place. Or set Achilles to pursuing a tortoise, and give the tortoise a head start. Imagine the smallest possible unit of time during the race; both runners are poised motionless. Therefore Achilles can never overtake the tortoise. Hence motion and time are illusions, and Being is absolute, immutable, a unity. 124. *Le son... tue:* Sound brings me to life, the arrow slays me. (Hence motion, or life, exists, and Zeno's immutable absolute does not.) 127. Here begins the final movement of the poem. The wind rouses the sea, disposes of the argument of eternal immutability, summons the poet from the cemetery to life. 132. *en rejaillir:* in order to spring up from it again. (Notice, incidentally, how much more compact French can be than English.) 134–35. *Peau de panthère... soleil:* Sea, speckled with light like a panther's hide, and, like a tattered chlamys, or Greek cloak, pierced with a thousand flecks of sunlight. 136. *Hydre:* Hydra, mythological water monster. When one of its nine heads was cut off, two others took its place. (The waves' multitudinous repetitions suggest the comparison.) 137. The serpent biting its own tail makes a circle, which, like the sea, symbolizes endless repetition. 139. The rising wind invades the poet's spirit. 142. *éblouies:* sun-dazzled. 144. *Ce toit... focs:* This calm roof (of the sea), on which the dipping jibs of the sailboats were pecking, like doves. (The image and the words of the poem's first line are here picked up, to make a circle.)

23-24. Proust [1871-1922]

At this writing, critics generally agree that Proust's *A la recherche du temps perdu* is the most important French literary work of the twentieth century, and many assert that it is the greatest book of all modern literature.

Marcel Proust's father was an eminent, successful Paris physician. His mother, née Weil, was a member of the rich Jewish intellectual aristocracy. A good deal has been made of Proust's Judeo-Christian inheritance, and perhaps indeed the warring strains caused a psychological malaise that found release in his work. He adored his mother with an almost pathological intensity, and a good deal has been made of this also. Much of his childhood was spent in the family's country house in Illiers (near Chartres), the Combray of his novel. At nine he was attacked by a severe asthma, which became chronic. The terror of suffocation determined the course of his life. Having always to protect himself against pollen and dust, he could not undertake a normal career and resigned himself to being a semi-invalid. A sick man forever scrutinizes himself. Proust's illness certainly sharpened his sensibility and encouraged his morbid self-observation.

As a young man he turned naturally to literature and made a certain reputation as an aesthetic dilettante. With much persistence he established himself in the aristocratic society of Paris. A man of great charm, sensitiveness, and wit (and an extraordinary mimic), he was welcomed in the most exclusive noble salons. Anguished by the death of his mother in 1905, he withdrew more and more from the world, to live a strange hermit's existence in his cork-lined, torridly heated Paris apartment. Sitting in bed, wrapped in shawls and sweaters, he wrote incessantly of his search for lost time. He would appear occasionally at social functions, or he would give a fabulous party at the Ritz at midnight, always, as it later transpired, in order to make notes and to obtain needed details on costumes, backgrounds, or behavior.

The first two volumes of his book were published in 1913 under the title *Du côté de chez Swann*, at his own expense, for no publisher would undertake them. They attracted readers only slowly. But the enterprising *Nouvelle Revue Française* took him up after the Armistice in 1918, and a section of his book received the Goncourt Prize in 1919. He became first notorious and then famous. As his health grew steadily worse, he worked all the more feverishly on his concluding volumes. On his deathbed, in 1922, he asked for some of his manuscript pages in which he had described the death of one of his characters. He said: "J'ai plusieurs retouches à y faire, maintenant que me voici presque au même point."

His one great book, in sixteen volumes, has the general title of *A la recherche du temps perdu*, which is incorrectly translated *Remembrance of Things Past*. It is a memoir, for it consists mostly of Proust's recollections of his world. It is also a novel, for its characters are composites, its events arranged or invented. It is a social study of aristocratic society disintegrating in futility and vice. And it is an aesthetic and psychological study of art and of human motives and behavior. It overpasses, then, the usual limits of literary forms; it comes close to being the whole of a man's life and thought.

The *structure* of the book is baffling. It seems at first to be an endless stream of consciousness, with innumerable parentheses and digressions, sometimes hundreds of pages long. Yet the construction is in fact logical, even rigorous. We are introduced at the beginning to several themes, such as idyllic memory, mother love, loneliness; these recur and blend symphonically until they are fused and explained in the final volume, *Le Temps retrouvé*. The development is then psychological, not chronological. It is based on *association*—not the association of ideas on the mind's surface, but the associations that exist in the obscure subconscious. The book is an epic of the subconscious. Its *unity* is expressed in the title; it is the search for the reality that exists not in present experience but in lost time. The meaning of lost time becomes clear only when, at the end, time is rediscovered.

The essential word, the essential thought, is Time. The book opens with the word "Longtemps." After a million and a half more words, it ends with "temps." Proust said to an interviewer: "Il y a une géométrie plane et une géométrie dans l'espace; eh bien, pour moi, le roman, ce n'est pas seulement de la psychologie plane, mais de la psychologie dans le temps. Cette substance invisible du temps, j'ai tâché de l'isoler."

Time is succession, but succession is not the important thing. The important thing is relation independent of succession. Past, present, and future coalesce; the past is a part of the future, the future a part of the past. We cannot be conscious of time unless we can recognize two points in time that give us a sense of dimension, of meaning.

Our guide in time is memory.

We have a useful workaday memory, which can arrange events of the past in chronological order. But this is a secondary, minor memory. The significant memory lies deeper, in the subconscious. It ranges backward and forward, to and fro, concerned only with making its own associations, and finding in the associations joy. This memory, the true memory, is beyond the control of our conscious will. This is how it works:

At certain moments the spirit is serene, arrested in an equilibrium of peace and joy. Such moments are marked by some casual sensory experience. At one such moment the boy Marcel was given a cup of linden tea, into which he dipped a madeleine, a little sweet cake. At another he passed a napkin of a certain coarse texture over his mouth. Again, a local train was stalled by a tree-lined field and a trainman passed, testing the wheels with a hammer, making a certain note, crescendo and diminuendo. These sensory experiences are treasured by memory as symbols of joy. And in later life the unexpected taste of a madeleine dipped in linden tea, the crushing of coarse linen on the mouth, a clinking sound reproducing that of the trainman's hammer may bring to us a sudden bliss. This sense of bliss, an almost mystical experience, is the best thing there is in life. The quest of bliss is the dominating theme of Proust's book; this is the meaning of his endless search for lost time.

The extraordinary richness of association in Proust's mind made it hard for him to say anything briefly and directly. His *style* represents his thought, with its incessant qualifications, distinctions, analyses upon analyses. A sentence may run to half a page, and consist of a long series of subordinate clauses, each qualifying its predecessor and demanding further qualification ad infinitum. The style flows like time itself, with never a pause; Proust was barely dissuaded from printing his first two volumes as a single paragraph.

It is a difficult style, then, and it demands a certain technique of the reader. You should be prepared to give it all your attention. You cannot read Proust in the midst of noise and distraction. Turn off the radio; read with *momentum*; if you stop to parse and analyze a sentence you are lost. Regard a sentence less as a logical structure than as a .wave on which you must be borne along. Try to understand completely as you read, but in any case, keep on going. When you come to a good stopping point, go back and read the selection through again.

And if you find it hard, reflect that for a considerable number of people Proust has been the great revelation. He has shown them how to look at themselves, how to understand themselves. For them the Search for Lost Time is more than a book; it is an experience of life. Maybe you are one of those people.

DU CÔTÉ DE CHEZ SWANN*

[Excerpt]

[*The book begins with reflections on the act of falling asleep, on the half dreams of a person half asleep. Thus the theme of involuntary memory is introduced. The author then fixes on his childhood distresses in Combray, when the mysterious M. Swann came to dinner and the boy was sent to bed early and alone.*]

Je ne quittais pas ma mère des yeux, je savais que quand on serait à table, on ne me permettrait pas de rester pendant toute la durée du dîner et que, pour ne pas contrarier mon père, maman ne me laisserait pas l'embrasser à 20 plusieurs reprises devant le monde, comme si ç'avait été dans ma chambre. Aussi je me promettais, dans la salle à manger, pendant qu'on commencerait à dîner et que je sentirais approcher l'heure, de faire d'avance de ce 25 baiser qui serait si court et furtif, tout ce que j'en pouvais faire seul, de choisir avec mon regard la place de la joue que j'embrasserais, de préparer ma pensée pour pouvoir grâce à ce commencement mental de baiser consacrer 30 toute la minute que m'accorderait maman à sentir sa joue contre mes lèvres, comme un peintre qui ne peut obtenir que de courtes séances de pose, prépare sa palette, et a fait d'avance de souvenir, d'après ses notes, tout 35 ce pour quoi à la rigueur il pouvait se passer de la présence du modèle.° Mais voici qu'avant que le dîner fût sonné mon grand-père eut la férocité inconsciente de dire : « Le petit a l'air fatigué, il devrait monter se coucher. On dîne 40 tard du reste ce soir. » Et mon père, qui ne gardait pas aussi scrupuleusement que ma grand'mère et que ma mère la foi des traités,°

dit : « Oui, allons, va te coucher. » Je voulus° embrasser maman, à cet instant on entendit la cloche du dîner. « Mais non, voyons, laisse ta mère, vous vous êtes assez dit bonsoir comme 5 cela, ces manifestations sont ridicules. Allons, monte! » Et il me fallut partir sans viatique;° il me fallut monter chaque marche de l'escalier, comme dit l'expression populaire, à « contre-cœur », montant contre mon cœur qui voulait 10 retourner près de ma mère parce qu'elle ne lui avait pas, en m'embrassant, donné licence de me suivre. Cet escalier détesté où je m'engageais toujours si tristement, exhalait une odeur de vernis° qui avait en quelque sorte absorbé, fixé, 15 cette sorte particulière de chagrin que je ressentais chaque soir, et la rendait peut-être plus cruelle encore pour ma sensibilité parce que, sous cette forme olfactive,° mon intelligence n'en pouvait plus prendre sa part. Quand nous 20 dormons et qu'une rage de dents n'est encore perçue par nous que comme une jeune fille que nous nous efforçons deux cents fois de suite de tirer de l'eau ou que comme un vers de Molière que nous nous répétons sans arrêter, c'est un 25 grand soulagement de nous réveiller et que notre intelligence puisse débarrasser l'idée de rage de dents de tout déguisement héroïque ou cadencé.° C'est l'inverse de ce soulagement que j'éprouvais quand mon chagrin de monter dans 30 ma chambre entrait en moi d'une façon infiniment plus rapide, presque instantanée, à la fois insidieuse et brusque, par l'inhalation — beaucoup plus toxique que la pénétration morale — de l'odeur de vernis particulière à cet 35 escalier. Une fois dans ma chambre, il fallut boucher toutes les issues, fermer les volets, creuser mon propre tombeau, en défaisant mes couvertures,° revêtir le suaire° de ma chemise de nuit. Mais avant de m'ensevelir dans le lit de

---

Du côté de chez Swann: Swann's Way. (From Marcel's home in Combray there were two directions for walks: the way to Swann's house and the way to the château of the noble Guermantes. These symbolize the author's alternatives in life: the way to intellectual cultivation and the way to social success.) 35–37. *tout ce pour quoi… modèle:* (the painter, whose model can appear for only brief poses, prepares in advance everything he could do, if necessary, without his model's presence. 43. *la foi des traités:* the good faith, or scrupulous observance, of treaties.

1. *Je voulus:* I tried to. 6. *viatique:* viaticum, last rite of the Church. (From here on the comparisons of the act of going to bed with death recur.) 14. *vernis:* varnish. 18. *olfactive:* pertaining to the sense of smell. (Notice how sensitive Proust is to the sense of smell and its associations.) 19–28. *Quand nous dormons… cadencé:* i.e., when we are asleep and we are aware of a toothache only in the form of a dream of rescuing a girl from drowning, hundreds of times over, or in the form of a line of Molière, incessantly repeated, then it is a great relief to wake, so that our conscious mind can dissociate the idea of toothache from its disguises as a heroic or musical dream. (Thus Marcel's distress on being sent to bed was not rational, it was like a horrid dream. Now the author's awakened intelligence understands the causes of the child's distress; it is a relief to recognize the cause, but the ache was real and the pain remains.) 38. *défaisant mes couvertures:* pulling apart my blankets. 38. *suaire:* shroud.

fer qu'on avait ajouté dans la chambre parce que j'avais trop chaud l'été sous les courtines de reps du grand lit,° j'eus un mouvement de révolte, je voulus essayer d'une ruse de condamné. J'écrivis à ma mère en la suppliant de monter pour une chose grave que je ne pouvais lui dire dans ma lettre. Mon effroi était que Françoise, la cuisinière de ma tante, qui était chargée de s'occuper de moi quand j'étais à Combray, refusât de porter mon mot. Je me doutais que pour elle, faire une commission à ma mère quand il y avait du monde lui paraîtrait aussi impossible que pour le portier d'un théâtre de remettre une lettre à un acteur pendant qu'il est en scène. Elle possédait à l'égard des choses qui peuvent ou ne peuvent pas se faire un code impérieux, abondant, subtil et intransigeant sur des distinctions insaisissables ou oiseuses (ce qui lui donnait l'apparence de ces lois antiques qui, à côté de prescriptions féroces comme de massacrer les enfants à la mamelle, défendent avec une délicatesse exagérée de faire bouillir le chevreau dans le lait de sa mère, ou de manger dans un animal le nerf de la cuisse).° Ce code, si l'on en jugeait par l'entêtement soudain qu'elle mettait à ne pas vouloir faire certaines commissions que nous lui donnions, semblait avoir prévu des complexités sociales et des raffinements mondains tels que rien dans l'entourage de Françoise et dans sa vie de domestique de village n'avait pu les lui suggérer; et l'on était obligé de se dire qu'il y avait en elle un passé français très ancien, noble et mal compris, comme dans ces cités manufacturières où de vieux hôtels° témoignent qu'il y eut jadis une vie de cour, et où les ouvriers d'une usine de produits chimiques travaillent au milieu de délicates sculptures qui représentent le miracle de saint Théophile,° ou les quatre fils Aymon.° Dans le cas particulier,

l'article du code à cause duquel il était peu probable que sauf le cas d'incendie Françoise allât déranger maman en présence de M. Swann pour un aussi petit personnage que moi, exprimait simplement le respect qu'elle professait non seulement pour les parents — comme pour les morts, les prêtres et les rois — mais encore pour l'étranger à qui on donne l'hospitalité, respect qui m'aurait peut-être touché dans un livre mais qui m'irritait toujours dans sa bouche, à cause du ton grave et attendri qu'elle prenait pour en parler, et davantage ce soir où le caractère sacré qu'elle conférait au dîner avait pour effet qu'elle refuserait d'en troubler la cérémonie. Mais pour mettre une chance de mon côté, je n'hésitai pas à mentir et à lui dire que ce n'était pas du tout moi qui avais voulu écrire à maman, mais que c'était maman qui, en me quittant, m'avait recommandé de ne pas oublier de lui envoyer une réponse relativement à un objet qu'elle m'avait prié de chercher; et elle serait certainement très fâchée si on ne lui remettait pas ce mot. Je pense que Françoise ne me crut pas, car, comme les hommes primitifs dont les sens étaient plus puissants que les nôtres, elle discernait immédiatement, à des signes insaisissables pour nous, toute vérité que nous voulions lui cacher; elle regarda pendant cinq minutes l'enveloppe comme si l'examen du papier et l'aspect de l'écriture allaient la renseigner sur la nature du contenu ou lui apprendre à quel article de son code elle devait se référer. Puis elle sortit d'un air résigné qui semblait signifier : « C'est-il pas° malheureux pour des parents d'avoir un enfant pareil! » Elle revint au bout d'un moment me dire qu'on n'en était encore qu'à la glace,° qu'il était impossible au maître d'hôtel° de remettre la lettre en ce moment devant tout le monde, mais que quand on serait au rince-bouche,° on trouverait le moyen de la faire passer à maman. Aussitôt mon anxiété tomba; maintenant ce n'était plus comme tout à l'heure pour jusqu'à demain que j'avais quitté ma mère, puisque mon petit mot allait, la fâchant sans doute (et doublement parce que ce manège° me rendrait ridicule aux yeux de Swann), me faire du moins entrer invisible et ravi dans la même pièce qu'elle, allait lui parler

3. *courtines... lit:* rep curtains enclosing four-poster bed. 15–25. *Elle possédait... cuisse:* With regard to things that can or cannot properly be done, she had an imperious, abundant, subtle, unshakable code, based on elusive or irrelevant distinctions; which gave her code the appearance of those ancient laws which, along with savage commands such as massacring suckling babes, forbid with exaggerated delicacy the seething of a kid in its mother's milk, or the eating of the sinew of an animal's thigh. (The reference is to the Mosaic law. See, for instance, Deuteronomy 14 : 21.) 35. *hôtels:* mansions (in European cities, often adapted to commercial use). 39. *miracle de saint Théophile:* medieval legend of cleric who made a pact with Satan and was saved by the Virgin Mary. 40. *quatre fils Aymon:* medieval story of brothers who rebelled against Charlemagne. (Notice the richness and aptness of the long comparison.)

34. *C'est-il pas = N'est-ce pas.* 37. *glace:* ice cream. 38. *maître d'hôtel:* butler. 40. *rince-bouche:* finger bowl. 46. *manège:* device, stratagem.

de moi à l'oreille; puisque cette salle à manger interdite, hostile, où, il y avait un instant encore, la glace elle-même — le « granité° » — et les rince-bouche me semblaient recéler° des plaisirs malfaisants et mortellement tristes parce que maman les goûtait loin de moi, s'ouvrait à moi et, comme un fruit devenu doux qui brise son enveloppe, allait faire jaillir, projeter jusqu'à mon cœur enivré l'attention de maman tandis qu'elle lirait mes lignes. Maintenant je n'étais plus séparé d'elle; les barrières étaient tombées, un fil délicieux nous réunissait. Et puis, ce n'était pas tout : maman allait sans doute venir!

L'angoisse que je venais d'éprouver, je pensais que Swann s'en serait bien moqué s'il avait lu ma lettre et en avait deviné le but; or, au contraire, comme je l'ai appris plus tard, une angoisse semblable fut le tourment de longues années de sa vie, et personne aussi bien que lui peut-être n'aurait pu me comprendre; lui, cette angoisse qu'il y a à sentir l'être qu'on aime dans un lieu de plaisir où l'on n'est pas, où l'on ne peut pas le rejoindre, c'est l'amour qui la lui a fait con-naître, l'amour auquel elle est en quelque sorte prédestinée, par lequel elle sera accaparée,° spécialisée; mais quand, comme pour moi, elle° est entrée en nous avant qu'il° ait encore fait son apparition dans notre vie, elle flotte en l'atten-dant, vague et libre, sans affectation déterminée,° au service un jour d'un sentiment, le lendemain d'un autre, tantôt de la tendresse filiale ou de l'amitié pour un camarade. — Et la joie avec laquelle je fis mon premier apprentissage° quand Françoise revint me dire que ma lettre serait remise, Swann l'avait bien connue aussi, cette joie trompeuse que nous donne quelque ami, quelque parent de la femme que nous aimons, quand arrivant à l'hôtel ou au théâtre où elle se trouve, pour quelque bal, redoute,° ou pre-mière° où il va la retrouver, cet ami nous aper-çoit errant dehors, attendant désespérément quelque occasion de communiquer avec elle. Il nous reconnaît, nous aborde familièrement, nous demande ce que nous faisions là. Et comme nous inventons que nous avons quelque chose d'urgent à dire à sa parente ou amie, il nous

assure que rien n'est plus simple, nous fait entrer dans le vestibule et nous promet de nous l'envoyer avant cinq minutes. Que nous l'aimons — comme en ce moment j'aimais Françoise — l'intermédiaire bien intentionné qui d'un mot vient de nous rendre supportable, humaine et presque propice la fête inconcevable, infernale, au sein de laquelle nous croyions que des tourbillons° ennemis, pervers et délicieux entraînaient loin de nous, la faisant rire de nous, celle que nous aimons. Si nous en jugeons par lui, le parent qui nous a accosté et qui est lui aussi un des initiés des cruels mystères, les autres invités de la fête ne doivent rien avoir de bien démoniaque. Ces heures inaccessibles et suppliciantes° où elle allait goûter des plaisirs inconnus, voici que par une brèche inespérée nous y pénétrons; voici qu'un des moments dont la succession les aurait composées, un moment aussi réel que les autres, même peut-être plus important pour nous, parce que notre maîtresse y est plus mêlée, nous nous le représen-tons, nous le possédons, nous y intervenons, nous l'avons créé presque : le moment où on va lui dire que nous sommes là, en bas. Et sans doute les autres moments de la fête ne devaient pas être d'une essence bien différente de celui-là, ne devaient rien avoir de plus délicieux et qui dût tant nous faire souffrir, puisque l'ami bienveillant nous a dit : « Mais elle sera ravie de descendre! Cela lui fera beaucoup plus de plaisir de causer avec vous que de s'ennuyer là-haut. » Hélas! Swann en avait fait l'expé-rience, les bonnes intentions d'un tiers sont sans pouvoir sur une femme qui s'irrite de se sentir poursuivie jusque dans une fête par quelqu'un qu'elle n'aime pas. Souvent, l'ami redescend seul.°

Ma mère ne vint pas, et sans ménagements pour mon amour-propre (engagé à ce que la fable de la recherche dont elle était censée m'avoir prié de lui dire le résultat ne fût pas démentie°) me fit dire par Françoise ces mots : « Il n'y a pas de réponse » que depuis j'ai si souvent entendu des concierges de « palaces° » ou des valets de pied de tripots,° rapporter à

9. *tourbillons:* whirlwinds, giddy whirls of activity. 16. *suppliciantes:* torturing. 37. This long paragraph was a mere parenthesis, an aside. 38–42. *sans ménagements... démentie:* without consideration for my self-respect (which demanded that my story of a search, the result of which she was supposed to have asked me to tell her, should not be disavowed). 44. *palaces:* luxury hotels. 45. *valets... tripots:* footmen of gambling houses.

3. *granité:* ice cream with ground burnt almonds. 4. *recéler:* conceal, harbor. 26. *accaparée:* possessed. 27. *elle = l'angoisse.* 28. *il = l'amour.* 30. *sans affectation déterminée:* without any special attachment. 34. *apprentissage:* apprentice-ship (to the knowledge of the pangs and joys of love). 40. *redoute:* evening party. 41. *première:* first night of a play.

quelque pauvre fille qui s'étonne : « Comment, il n'a rien dit, mais c'est impossible! Vous avez pourtant bien remis ma lettre. C'est bien, je vais attendre encore. » Et — de même qu'elle assure invariablement n'avoir pas besoin du bec supplémentaire° que le concierge veut allumer pour elle, et reste là, n'entendant plus que les rares propos sur le temps qu'il fait échangés entre le concierge et un chasseur° qu'il envoie tout d'un coup, en s'apercevant de l'heure, faire rafraîchir° dans la glace la boisson d'un client — ayant décliné l'offre de Françoise de me faire de la tisane° ou de rester auprès de moi, je la laissai retourner à l'office,° je me couchai et je fermai les yeux en tâchant de ne pas entendre la voix de mes parents qui prenaient le café au jardin. Mais au bout de quelques secondes, je sentis qu'en écrivant ce mot à maman, en m'approchant, au risque de la fâcher, si près d'elle que j'avais cru toucher le moment de la revoir, je m'étais barré la possibilité de m'endormir sans l'avoir revue, et les battements de mon cœur de minute en minute devenaient plus douloureux parce que j'augmentais mon agitation en me prêchant un calme qui était l'acceptation de mon infortune. Tout à coup mon anxiété tomba, une félicité m'envahit comme quand un médicament puissant commence à agir et nous enlève une douleur : je venais de prendre la résolution de ne plus essayer de m'endormir sans avoir revu maman, de l'embrasser coûte que coûte, bien que ce fût avec la certitude d'être ensuite fâché pour longtemps avec elle, quand elle remonterait se coucher.° Le calme qui résultait de mes angoisses finies me mettait dans une allégresse extraordinaire, non moins que l'attente, la soif et la peur du danger. J'ouvris la fenêtre sans bruit et m'assis au pied de mon lit; je ne faisais presque aucun mouvement afin qu'on ne m'entendît pas d'en bas. Dehors, les choses semblaient, elles aussi, figées° en une muette attention à ne pas troubler le clair de lune, qui doublant et reculant chaque chose par l'extension devant elle de son reflet, plus dense et concret qu'elle-même, avait à la fois aminci et agrandi le paysage comme un plan replié jusque-là, qu'on développe.° Ce qui

avait besoin de bouger, quelque feuillage de marronnier,° bougeait. Mais son frissonnement minutieux, total, exécuté jusque dans ses moindres nuances et ses dernières délicatesses, ne bavait° pas sur le reste, ne se fondait pas avec lui, restait circonscrit. Exposés sur ce silence qui n'en absorbait rien, les bruits les plus éloignés, ceux qui devaient venir de jardins situés à l'autre bout de la ville, se percevaient détaillés avec un tel « fini » qu'ils semblaient ne devoir cet effet de lointain qu'à leur pianissimo,° comme ces motifs en sourdine° si bien exécutés par l'orchestre du Conservatoire° que, quoiqu'on n'en perde pas une note, on croit les entendre cependant loin de la salle du concert, et que tous les vieux abonnés° — les sœurs de ma grand'mère aussi quand Swann leur avait donné ses places — tendaient l'oreille comme s'ils avaient écouté les progrès lointains d'une armée en marche qui n'aurait pas encore tourné la rue de Trévise.°

Je savais que le cas dans lequel je me mettais était de tous celui qui pouvait avoir pour moi, de la part de mes parents, les conséquences les plus graves, bien plus graves en vérité qu'un étranger n'aurait pu le supposer, de celles qu'il aurait cru que pouvaient produire seules des fautes vraiment honteuses. Mais dans l'éducation qu'on me donnait, l'ordre des fautes n'était pas le même que dans l'éducation des autres enfants, et on m'avait habitué à placer avant toutes les autres (parce que sans doute il n'y en avait pas contre lesquelles j'eusse besoin d'être plus soigneusement gardé°) celles dont je comprends maintenant que leur caractère commun est qu'on y tombe en cédant à une impulsion nerveuse. Mais alors on ne prononçait pas ce mot, on ne déclarait pas cette origine qui aurait pu me faire croire que j'étais excusable d'y succomber ou même peut-être incapable d'y résister. Mais je les reconnaissais bien à l'angoisse qui les précédait comme à la rigueur du châtiment qui les suivait; et je savais que celle

6. *bec supplémentaire:* extra gas jet. 9. *chasseur:* bellboy. 11. *rafraîchir:* chill. 13. *tisane:* infusion, herb tea. 14. *office:* pantry. 35. *quand elle… coucher:* qualifies *l'embrasser,* line 32. 42. *figées:* immobilized, fixed. 45–47. *avait… développe:* [the moonlight] had at the same time made the landscape thinner and larger, like a folded map which one opens up.

2. *marronnier:* horse chestnut tree. 5. *bavait:* overflowed, ran over (a water-colorist's word). 9–11. *se percevaient… pianissimo:* [the most distant noises] were perceived, executed in detail with such a "finish" that they seemed to owe this effect of distance only to their pianissimo rendering. 12. *en sourdine:* muted. 13. *Conservatoire:* government-supported music school in Paris. 16. *abonnés:* subscribers. 21. *rue de Trévise:* important Paris street, near the former location of the Conservatoire. 32–34. *parce que sans doute… gardé:* no doubt because there were no misdeeds from which I needed to be more carefully protected.

que je venais de commettre était de la même famille que d'autres pour lesquelles j'avais été sévèrement puni, quoique infiniment plus grave. Quand j'irais me mettre sur le chemin de ma mère au moment où elle monterait se coucher, et qu'elle verrait que j'étais resté levé pour lui redire bonsoir dans le couloir, on ne me laisserait plus rester à la maison, on me mettrait au collège le lendemain, c'était certain. Eh bien! dussé-je me jeter par la fenêtre cinq minutes après, j'aimais encore mieux cela. Ce que je voulais maintenant c'était maman, c'était lui dire bonsoir, j'étais allé trop loin dans la voie qui menait à la réalisation de ce désir pour pouvoir rebrousser chemin.°

J'entendis les pas de mes parents qui accompagnaient Swann; et quand le grelot° de la porte m'eut averti qu'il venait de partir, j'allai à la fenêtre. Maman demandait à mon père s'il avait trouvé la langouste° bonne et si M. Swann avait repris° de la glace au café et à la pistache. « Je l'ai trouvée bien quelconque,° dit ma mère; je crois que la prochaine fois il faudra essayer d'un autre parfum.° » — « Je ne peux pas dire comme je trouve que Swann change, dit ma grand'tante, il est d'un vieux!°» Ma grand'tante avait tellement l'habitude de voir toujours en Swann un même adolescent, qu'elle s'étonnait de le trouver tout à coup moins jeune que l'âge qu'elle continuait à lui donner. Et mes parents du reste commençaient à lui trouver° cette vieillesse anormale, excessive, honteuse et méritée des célibataires,° de tous ceux pour qui il semble que le grand jour qui n'a pas de lendemain soit plus long que pour les autres, parce que pour eux il est vide, et que les moments s'y additionnent depuis le matin sans se diviser ensuite entre des enfants. « Je crois qu'il a beaucoup de souci avec sa coquine de femme qui vit au su° de tout Combray avec un certain monsieur de Charlus. C'est la fable° de la ville. » Ma mère fit remarquer qu'il avait pourtant l'air bien moins triste depuis quelque temps. « Il fait aussi moins souvent ce geste qu'il a tout à fait comme son père de s'essuyer les yeux

et de se passer la main sur le front. Moi je crois qu'au fond il n'aime plus cette femme. » — « Mais naturellement il ne l'aime plus, répondit mon grand-père. J'ai reçu de lui il y a déjà longtemps une lettre à ce sujet, à laquelle je me suis empressé de ne pas me conformer, et qui ne laisse aucun doute sur ses sentiments, au moins d'amour, pour sa femme. Hé bien! vous voyez, vous ne l'avez pas remercié pour l'asti°, » ajouta mon grand-père en se tournant vers ses deux belles-sœurs. « Comment, nous ne l'avons pas remercié? je crois, entre nous, que je lui ai même tourné cela assez délicatement, » répondit ma tante Flora. « Oui, tu as très bien arrangé cela : je t'ai admirée, » dit ma tante Céline. — « Mais toi, tu as été très bien aussi. » — « Oui, j'étais assez fière de ma phrase sur les voisins aimables. » — « Comment, c'est cela que vous appelez remercier! s'écria mon grand-père. J'ai bien entendu cela, mais du diable si j'ai cru que c'était pour Swann. Vous pouvez être sûres qu'il n'a rien compris. » — « Mais voyons, Swann n'est pas bête, je suis certaine qu'il a apprécié. Je ne pouvais cependant pas lui dire le nombre de bouteilles et le prix du vin! » Mon père et ma mère restèrent seuls, et s'assirent un instant; puis mon père dit : « Hé bien! si tu veux, nous allons monter nous coucher. » — « Si tu veux, mon ami, bien que je n'aie pas l'ombre de sommeil; ce n'est pas cette glace au café si anodine qui a pu pourtant me tenir si éveillée; mais j'aperçois de la lumière dans l'office et puisque la pauvre Françoise m'a attendue, je vais lui demander de dégrafer mon corsage° pendant que tu vas te déshabiller. » Et ma mère ouvrit la porte treillagée° du vestibule qui donnait sur l'escalier. Bientôt, je l'entendis qui montait fermer sa fenêtre. J'allai sans bruit dans le couloir; mon cœur battait si fort que j'avais de la peine à avancer, mais du moins il ne battait plus d'anxiété, mais d'épouvante et de joie. Je vis dans la cage de l'escalier° la lumière projetée par la bougie de maman. Puis je la vis elle-même, je m'élançai. A la première seconde, elle me regarda avec étonnement, ne comprenant pas ce qui était arrivé. Puis sa figure prit une expression de colère, elle ne me

15. *rebrousser chemin:* turn back. 17. *grelot:* bell (which rang when the door was opened or closed). 20. *langouste:* lobster. 21. *repris:* taken a second helping. 22. *quelconque:* ordinary. 24. *parfum:* flavor. 26. *il est d'un vieux!* how old he looks! 31. *lui trouver:* i.e., to notice in him. 33. *des célibataires:* i.e., like that of bachelors. 40. *au su:* to the knowledge. 41. *fable:* common talk.

9. *asti:* Italian sparkling wine. (Swann had sent the wine as a present to the two old ladies. Their manner of speech is so archly allusive that it is likely to be incomprehensible to others.) 35. *dégrafer mon corsage:* unhook my bodice. 36. *treillagée:* latticed. 42. *cage de l'escalier:* stairwell.

dit même pas un mot, et en effet pour bien moins que cela on ne m'adressait plus la parole pendant plusieurs jours. Si maman m'avait dit un mot, ç'aurait été admettre qu'on pouvait me reparler et d'ailleurs cela peut-être m'eût paru plus terrible encore, comme un signe que devant la gravité du châtiment qui allait se préparer, le silence, la brouille,° eussent été puérils. Une parole, c'eût été le calme avec lequel on répond à un domestique quand on vient de décider de le renvoyer; le baiser qu'on donne à un fils qu'on envoie s'engager° alors qu'on le lui aurait refusé si on devait se contenter d'être fâché deux jours avec lui. Mais elle entendit mon père qui montait du cabinet de toilette° où il était allé se déshabiller, et, pour éviter la scène qu'il me ferait, elle me dit d'une voix entrecoupée par la colère : « Sauve-toi, sauve-toi, qu'au moins ton père ne t'ait vu ainsi attendant comme un fou! » Mais je lui répétais : « Viens me dire bonsoir, » terrifié en voyant que le reflet de la bougie de mon père s'élevait déjà sur le mur, mais aussi usant de son approche comme d'un moyen de chantage° et espérant que maman, pour éviter que mon père me trouvât encore là si elle continuait à refuser, allait me dire : « Rentre dans ta chambre, je vais venir.» Il était trop tard, mon père était devant nous. Sans le vouloir, je murmurai ces mots que personne n'entendit : « Je suis perdu! »

Il n'en fut pas ainsi. Mon père me refusait constamment des permissions qui m'avaient été consenties dans les pactes plus larges octroyés° par ma mère et ma grand'mère, parce qu'il ne se souciait pas des « principes » et qu'il n'y avait pas avec lui de « Droit des gens° ». Pour une raison toute contingente,° ou même sans raison, il me supprimait au dernier moment telle promenade si habituelle, si consacrée, qu'on ne pouvait m'en priver sans parjure,° ou bien, comme il avait encore fait ce soir longtemps avant l'heure rituelle, il me disait : « Allons, monte te coucher, pas d'explication! » Mais aussi, parce qu'il n'avait pas de principes (dans le sens de ma grand'mère), il n'avait pas à proprement parler d'intransigeance.° Il me

regarda un instant d'un air étonné et fâché, puis dès que maman lui eut expliqué en quelques mots embarrassés ce qui était arrivé, il lui dit : « Mais va donc avec lui, puisque tu disais justement que tu n'as pas envie de dormir, reste un peu dans sa chambre, moi je n'ai besoin de rien. » — « Mais, mon ami, répondit timidement ma mère, que j'aie envie ou non de dormir, ne change rien à la chose, on ne peut pas habituer cet enfant... ». — « Mais il ne s'agit pas d'habituer, dit mon père en haussant les épaules, tu vois bien que ce petit a du chagrin, il a l'air désolé, cet enfant; voyons, nous ne sommes pas des bourreaux! Quand tu l'auras rendu malade, tu seras bien avancée!° Puisqu'il y a deux lits dans sa chambre, dis donc à Françoise de te préparer le grand lit et couche pour cette nuit auprès de lui. Allons, bonsoir, moi qui ne suis pas si nerveux que vous, je vais me coucher. »

On ne pouvait pas remercier mon père; on l'eût agacé par ce qu'il appelait des sensibleries.° Je restai sans oser faire un mouvement; il était encore devant nous, grand, dans sa robe de nuit blanche sous le cachemire° de l'Inde violet et rose qu'il nouait autour de sa tête depuis qu'il avait des névralgies, avec le geste d'Abraham dans la gravure d'après Benozzo Gozzoli° que m'avait donnée M. Swann, disant à Sarah qu'elle a à se départir du côté d'Isaac. Il y a bien des années de cela. La muraille de l'escalier où je vis monter le reflet de sa bougie n'existe plus depuis longtemps. En moi aussi bien des choses ont été détruites que je croyais devoir durer toujours, et de nouvelles se sont édifiées, donnant naissance à des peines et à des joies nouvelles que je n'aurais pu prévoir alors, de même que les anciennes me sont devenues difficiles à comprendre. Il y a bien longtemps aussi que mon père a cessé de pouvoir dire à maman : « Va avec le petit. » La possibilité de telles heures ne renaîtra jamais pour moi. Mais depuis peu de temps, je recommence à très bien percevoir, si je prête l'oreille, les sanglots que j'eus la force de contenir devant mon père et qui n'éclatèrent que quand je me retrouvai seul avec maman. En réalité ils n'ont jamais cessé; et

---

8. *brouille:* estrangement. 12. *s'engager:* join the army. 15. *cabinet de toilette:* dressing room. 24. *chantage:* blackmail. 33. *octroyés:* granted. 36. *Droit des gens:* rights of peoples, international law. 37. *contingente:* here, casual. 40. *parjure:* violation of one's word. 46. *intransigeance:* intransigence, strict adherence to rules.

15. *tu seras bien avancée:* much good will it do you! 21. *sensibleries:* sentimentalities. 24. *cachemire:* cashmere shawl. 27. Benozzo Gozzoli, fifteenth-century Italian painter, who painted famous frescoes in Campo Santo of Pisa. Proust is evidently thinking of Abraham dismissing Hagar and Ishmael (Genesis 21 : 14).

c'est seulement parce que la vie se tait maintenant davantage autour de moi que je les entends de nouveau, comme ces cloches de couvents que couvrent si bien les bruits de la ville pendant le jour qu'on les croirait arrêtées mais qui se remettent à sonner dans le silence du soir.°

Maman passa cette nuit-là dans ma chambre; au moment où je venais de commettre une faute telle que je m'attendais à être obligé de quitter la maison, mes parents m'accordaient plus que je n'eusse jamais obtenu d'eux comme récompense d'une belle action...

C'est ainsi que, pendant lontemps, quand, réveillé la nuit, je me ressouvenais de Combray, je n'en revis jamais que cette sorte de pan° lumineux, découpé au milieu d'indistinctes ténèbres, pareil à ceux que l'embrasement d'un feu de bengale° ou quelque projection électrique° éclairent et sectionnent dans un édifice dont les autres parties restent plongées dans la nuit : à la base assez large, le petit salon, la salle à manger, l'amorce° de l'allée obscure par où arriverait M. Swann, l'auteur inconscient de mes tristesses, le vestibule où je m'acheminais vers la première marche de l'escalier, si cruel à monter, qui constituait à lui seul le tronc fort étroit de cette pyramide irrégulière; et, au faîte, ma chambre à coucher avec le petit couloir à porte vitrée pour l'entrée de maman; en un mot, toujours vu à la même heure, isolé de tout ce qu'il pouvait y avoir autour, se détachant seul sur l'obscurité, le décor strictement nécessaire (comme celui qu'on voit indiqué en tête des vieilles pièces° pour les représentations en province) au drame de mon déshabillage; comme si Combray n'avait consisté qu'en deux étages reliés par un mince escalier et comme s'il n'y avait jamais été que sept heures du soir. A vrai dire, j'aurais pu répondre à qui m'eût interrogé que Combray comprenait encore autre chose et existait à d'autres heures. Mais comme ce que je m'en serais rappelé m'eût été fourni seulement par la mémoire volontaire, la mémoire de l'intelligence, et comme les renseignements qu'elle donne sur le passé ne

conservent rien de lui, je n'aurais jamais eu envie de songer à ce reste de Combray. Tout cela était en réalité mort pour moi.

Mort à jamais? C'était possible.

Il y a beaucoup de hasard en tout ceci, et un second hasard, celui de notre mort, souvent ne nous permet pas d'attendre longtemps les faveurs du premier.

Je trouve très raisonnable la croyance celtique que les âmes de ceux que nous avons perdus sont captives dans quelque être inférieur, dans une bête, un végétal, une chose inanimée, perdues en effet pour nous jusqu'au jour, qui pour beaucoup ne vient jamais, où nous nous trouvons passer près de l'arbre, entrer en possession de l'objet qui est leur prison. Alors elles tressaillent, nous appellent, et sitôt que nous les avons reconnues, l'enchantement est brisé. Délivrées par nous, elles ont vaincu la mort et reviennent vivre avec nous.

Il en est ainsi de notre passé. C'est peine perdue° que nous cherchions à l'évoquer, tous les efforts de notre intelligence sont inutiles. Il est caché hors de son domaine et de sa portée, en quelque objet matériel (en la sensation que nous donnerait cet objet matériel) que nous ne soupçonnons pas. Cet objet, il dépend du hasard que nous le rencontrions avant de mourir, ou que nous ne le rencontrions pas.

Il y avait déjà bien des années que, de Combray, tout ce qui n'était pas le théâtre et le drame de mon coucher n'existait plus pour moi, quand un jour d'hiver, comme je rentrais à la maison, ma mère, voyant que j'avais froid, me proposa de me faire prendre, contre mon habitude, un peu de thé. Je refusai d'abord et, je ne sais pourquoi, je me ravisai.° Elle envoya chercher un de ces gâteaux courts et dodus° appelés Petites Madeleines qui semblent avoir été moulés dans la valve rainurée d'une coquille de Saint-Jacques.° Et bientôt, machinalement, accablé par la morne journée et la perspective d'un triste lendemain, je portai à mes lèvres une cuillerée du thé où j'avais laissé s'amollir un morceau de madeleine. Mais à l'instant même où la gorgée° mêlée des miettes du gâteau toucha mon palais,° je tressaillis, attentif à ce qui se passait d'extraordinaire en moi. Un

6. What a lovely comparison! 16. *pan*: section. 19. *l'embrasement... bengale*: the blazing of Bengal fire (colored fire for fireworks). 20. *projection électrique*: searchlight. 23. *amorce*: beginning. 35. *en tête des vieilles pièces*: i.e., illustrations showing stage settings and properties, printed at top of old plays for amateur use.

22. *peine perdue*: a waste of time. 37. *me ravisai*: changed my mind. 38. *dodus*: plump. 41. *valve... Saint-Jacques*: fluted valve of scallop shell. 46. *gorgée*: draught. 47. *palais*: palate.

plaisir délicieux m'avait envahi, isolé, sans la notion de sa cause. Il m'avait aussitôt rendu les vicissitudes de la vie indifférentes, ses désastres inoffensifs, sa brièveté illusoire, de la même façon qu'opère l'amour, en me remplissant d'une essence précieuse : ou plutôt cette essence n'était pas en moi, elle était moi. J'avais cessé de me sentir médiocre, contingent,° mortel. D'où avait pu me venir cette puissante joie ? Je sentais qu'elle était liée au goût du thé et du gâteau, mais qu'elle le dépassait infiniment, ne devait pas être de même nature. D'où venait-elle ? Que signifiait-elle ? Où l'appréhender ? Je bois une seconde gorgée où je ne trouve rien de plus que dans la première, une troisième qui m'apporte un peu moins que la seconde. Il est temps que je m'arrête, la vertu du breuvage semble diminuer. Il est clair que la vérité que je cherche n'est pas en lui, mais en moi. Il l'y a éveillée, mais ne la connaît pas, et ne peut que répéter indéfiniment, avec de moins en moins de force, ce même témoignage que je ne sais pas interpréter et que je veux au moins pouvoir lui redemander et retrouver intact à ma disposition, tout à l'heure, pour un éclaircissement décisif. Je pose la tasse et me tourne vers mon esprit. C'est à lui de trouver la vérité. Mais comment ? Grave incertitude, toutes les fois que l'esprit se sent dépassé par lui-même ; quand lui, le chercheur, est tout ensemble le pays obscur où il doit chercher et où tout son bagage ne lui sert de rien. Chercher ? pas seulement : créer. Il est en face de quelque chose qui n'est pas encore et que seul il peut réaliser, puis faire entrer dans sa lumière.

Et je recommence à me demander quel pouvait être cet état inconnu, qui n'apportait aucune preuve logique, mais l'évidence de sa félicité, de sa réalité devant laquelle les autres s'évanouissaient. Je veux essayer de le faire réapparaître. Je rétrograde par la pensée au moment où je pris la première cuillerée de thé. Je retrouve le même état, sans une clarté nouvelle. Je demande à mon esprit un effort de plus, de ramener encore une fois la sensation qui s'enfuit. Et, pour que rien ne brise l'élan° dont il va tâcher de la ressaisir, j'écarte tout obstacle, toute idée étrangère, j'abrite° mes

oreilles et mon attention contre les bruits de la chambre voisine. Mais sentant mon esprit qui se fatigue sans réussir, je le force au contraire à prendre cette distraction que je lui refusais, à penser à autre chose, à se refaire avant une tentative suprême. Puis une deuxième fois, je fais le vide devant lui, je remets en face de lui la saveur encore récente de cette première gorgée et je sens tressaillir en moi quelque chose qui se déplace, voudrait s'élever, quelque chose qu'on aurait désancré,° à une grande profondeur ; je ne sais ce que c'est, mais cela monte lentement ; j'éprouve la résistance et j'entends la rumeur des distances traversées.

Certes, ce qui palpite ainsi au fond de moi, ce doit être l'image, le souvenir visuel, qui, lié à cette saveur, tente de la suivre jusqu'à moi. Mais il se débat° trop loin, trop confusément ; à peine si je perçois le reflet neutre où se confond l'insaisissable tourbillon des couleurs remuées ; mais je ne puis distinguer la forme, lui demander, comme au seul interprète possible, de me traduire le témoignage de sa contemporaine, de son inséparable compagne, la saveur, lui demander de m'apprendre de quelle circonstance particulière, de quelle époque du passé il s'agit.

Arrivera-t-il jusqu'à la surface de ma claire conscience, ce souvenir, l'instant ancien que l'attraction d'un instant identique est venue de si loin solliciter, émouvoir, soulever tout au fond de moi ? Je ne sais. Maintenant je ne sens plus rien, il est arrêté, redescendu peut-être ; qui sait s'il remontera jamais de sa nuit ? Dix fois il me faut recommencer, me pencher vers lui. Et chaque fois la lâcheté qui nous détourne de toute tâche difficile, de toute œuvre importante, m'a conseillé de laisser cela, de boire mon thé en pensant simplement à mes ennuis d'aujourd'hui, à mes désirs de demain qui se laissent remâcher° sans peine.

Et tout d'un coup le souvenir m'est apparu. Ce goût, c'était celui du petit morceau de madeleine que le dimanche matin à Combray (parce que ce jour-là je ne sortais pas avant l'heure de la messe), quand j'allais lui dire bonjour dans sa chambre, ma tante Léonie m'offrait après l'avoir trempé dans son infusion

---

8. *contingent:* dependent. 46. *élan:* vigor. 48. *j'abrite:* I shelter, protect.

11. *désancré:* dislodged. 18. *se débat:* struggles. 41. *remâcher:* chew over, ponder upon.

de thé ou de tilleul.° La vue de la petite madeleine ne m'avait rien rappelé avant que je n'y eusse goûté; peut-être parce que, en ayant souvent aperçu depuis, sans en manger, sur les tablettes des pâtissiers,° leur image avait quitté ces jours de Combray pour se lier à d'autres plus récents; peut-être parce que, de ces souvenirs abandonnés si longtemps hors de la mémoire, rien ne survivait, tout s'était désagrégé;° les formes — et celle aussi du petit coquillage de pâtisserie, si grassement sensuel sous son plissage° sévère et dévot° — s'étaient abolies, ou, ensommeillées, avaient perdu la force d'expansion qui leur eût permis de rejoindre la conscience.° Mais, quand d'un passé ancien rien ne subsiste, après la mort des êtres, après la destruction des choses, seules, plus frêles mais plus vivaces, plus immatérielles, plus persistantes, plus fidèles, l'odeur et la saveur restent encore longtemps, comme des âmes, à se rappeler, à attendre, à espérer, sur la ruine de tout le reste, à porter sans fléchir, sur leur gouttelette presque impalpable, l'édifice immense du souvenir.°

Et dès que j'eus reconnu le goût du morceau de madeleine trempé dans le tilleul que me donnait ma tante (quoique je ne susse pas encore et dusse remettre à bien plus tard de découvrir pourquoi ce souvenir me rendait si heureux), aussitôt la vieille maison grise sur la rue, où était sa chambre, vint comme un décor de théâtre s'appliquer au petit pavillon° donnant sur le jardin, qu'on avait construit pour mes parents sur ses derrières (ce pan tronqué° que seul j'avais revu jusque-là); et avec la maison, la ville, la Place où on m'envoyait avant déjeuner, les rues où j'allais faire des courses° depuis le matin jusqu'au soir et par tous les temps, les chemins qu'on prenait si le temps était beau. Et comme dans ce jeu où les Japonais s'amusent à tremper dans un bol de porcelaine rempli d'eau de petits morceaux de papier jusque-là indistincts qui, à peine y sont-ils plongés s'étirent,° se contournent,° se colorent, se différencient, deviennent des fleurs, des

maisons, des personnages consistants et reconnaissables, de même maintenant toutes les fleurs de notre jardin et celles du parc de M. Swann, et les nymphéas° de la Vivonne,° et les bonnes gens du village et leurs petits logis, et l'église et tout Combray et ses environs, tout cela qui prend forme et solidité, est sorti, ville et jardins, de ma tasse de thé.

COMBRAY de loin, à dix lieues à la ronde,° vu du chemin de fer quand nous y arrivions la dernière semaine avant Pâques, ce n'était qu'une église résumant la ville, la représentant, parlant d'elle et pour elle aux lointains, et, quand on approchait, tenant serrés autour de sa haute mante° sombre, en plein champ, contre le vent, comme une pastoure° ses brebis, les dos laineux et gris des maisons rassemblées qu'un reste de remparts du moyen âge cernait° çà et là d'un trait° aussi parfaitement circulaire qu'une petite ville dans un tableau de primitif. A l'habiter, Combray était un peu triste, comme ses rues dont les maisons construites en pierres noirâtres du pays, précédées de degrés extérieurs, coiffées de pignons qui rabattaient l'ombre devant elles,° étaient assez obscures pour qu'il fallût dès que le jour commençait à tomber relever les rideaux dans les « salles »;° des rues aux graves noms de saints (desquels plusieurs se rattachaient à l'histoire des premiers seigneurs de Combray) : rue Saint-Hilaire, rue Saint-Jacques où était la maison de ma tante, rue Sainte-Hildegarde, où donnait la grille,° et rue du Saint-Esprit sur laquelle s'ouvrait la petite porte latérale de son jardin; et ces rues de Combray existent dans une partie de ma mémoire si reculée, peintes de couleurs si différentes de celles qui maintenant revêtent pour moi le monde, qu'en vérité elles me paraissent toutes, et l'église qui les dominait sur la Place, plus irréelles encore que les projections de la lanterne magique; et qu'à certains moments, il me semble que pouvoir encore traverser la rue Sainte-Hilaire, pouvoir louer une chambre rue de l'Oiseau — à la vieille

---

1. *tilleul:* linden, lime flowers. 5. *tablettes des pâtissiers:* pastry-shop shelves. 9. *désagrégé:* disintegrated. 12. *plissage:* folds, indented lines. 12. *dévot:* devout (because suggestive of cockle shells, symbol of pilgrims). 15. *conscience:* consciousness. 24. The preceding passage is an important statement of the evocative power of odor and savor. 32. *pavillon:* small set-back house. 34. *pan tronqué:* truncated section. 38. *courses:* errands. 44. *s'étirent:* stretch out. 44. *se contournent:* twist.

4. *nymphéas:* water lilies. 4. *Vivonne:* Proust's name for the small river watering his Combray (in fact the Loir, dear to Ronsard). 10. *à dix lieues à la ronde:* within a 25-mile radius. 16. *mante:* cloak. 17. *pastoure:* shepherdess. 19. *cernait:* enclosed. 20. *trait:* line. 26. *coiffées... devant elles:* capped with projecting gables which cast shadows before the houses. 28. *salles:* living rooms (*provincial term*). 33. *grille:* garden gate.

hôtellerie de l'Oiseau Flesché,° des soupiraux° de laquelle montait une odeur de cuisine qui s'élève encore par moments en moi aussi intermittente et aussi chaude — serait une entrée en contact avec l'Au-delà plus merveilleusement surnaturelle que de faire la connaissance de Golo° et de causer avec Geneviève de Brabant.°

La cousine de mon grand-père — ma grand'-tante — chez qui nous habitions, était la mère de cette tante Léonie qui, depuis la mort de son mari, mon oncle Octave, n'avait plus voulu quitter, d'abord Combray, puis à Combray sa maison, puis sa chambre, puis son lit et ne « descendait » plus, toujours couchée dans un état incertain de chagrin, de débilité physique, de maladie, d'idée fixe et de dévotion. Son appartement particulier donnait sur la rue Saint-Jacques qui aboutissait beaucoup plus loin au Grand-Pré° (par opposition au Petit-Pré, verdoyant au milieu de la ville, entre trois rues), et qui, unie, grisâtre, avec les trois hautes marches de grès presque devant chaque porte, semblait comme un défilé pratiqué par un tailleur d'images gothiques à même la pierre où il eût sculpté une crèche ou un calvaire.° Ma tante n'habitait plus effectivement° que deux chambres contiguës, restant l'après-midi dans l'une pendant qu'on aérait l'autre. C'étaient de ces chambres de province qui — de même qu'en certains pays des parties entières de l'air ou de la mer sont illuminées ou parfumées par des myriades de protozoaires° que nous ne voyons pas — nous enchantent des mille odeurs qu'y dégagent les vertus, la sagesse, les habitudes, toute une vie secrète, invisible, surabondante et morale que l'atmosphère y tient en suspens; odeurs naturelles encore, certes, et couleur du temps° comme celles de la campagne voisine, mais déjà casanières,° humaines et renfermées, gelée° exquise, industrieuse

et limpide de tous les fruits de l'année qui ont quitté le verger pour l'armoire; saisonnières,° mais mobilières° et domestiques, corrigeant le piquant de la gelée blanche par la douceur du pain chaud, oisives et ponctuelles comme une horloge de village, flâneuses° et rangées,° insoucieuses et prévoyantes, lingères,° matinales, dévotes, heureuses d'une paix qui n'apporte qu'un surcroît° d'anxiété et d'un prosaïsme° qui sert de grand réservoir de poésie à celui qui la traverse sans y avoir vécu. L'air y était saturé de la fine fleur d'un silence si nourricier, si succulent, que je ne m'y avançais qu'avec une sorte de gourmandise, surtout par ces premiers matins encore froids de la semaine de Pâques où je le goûtais mieux parce que je venais seulement d'arriver à Combray : avant que j'entrasse souhaiter le bonjour à ma tante, on me faisait attendre un instant dans la première pièce où le soleil, d'hiver encore, était venu se mettre au chaud devant le feu, déjà allumé entre les deux briques et qui badigeonnait° toute la chambre d'une odeur de suie,° en faisait comme un de ces grands « devants de four° » de campagne, ou de ces manteaux de cheminée° de châteaux, sous lesquels on souhaite que se déclarent° dehors la pluie, la neige, même quelque catastrophe diluvienne° pour ajouter au confort de la réclusion la poésie de l'hivernage; je faisais quelques pas du prie-Dieu° aux fauteuils en velours frappé,° toujours revêtus d'un appui-tête au crochet;° et le feu cuisant comme une pâte les appétissantes odeurs dont l'air de la chambre était tout grumeleux et qu'avait déjà fait travailler et « lever » la fraîcheur humide et ensoleillée du matin, il les feuilletait, les dorait, les godait, les boursouflait, en faisant un invisible et palpable gâteau provincial, un immense « chausson » où, à peine goûtés les aromes plus croustillants, plus fins, plus réputés, mais plus secs aussi du placard, de la commode, du papier à ramages, je revenais toujours avec

---

1. *Oiseau Flesché:* Bird Pierced by Arrow. (No doubt a transposition of Illiers' Hôtel de l'Image.) 1. *soupiraux:* basement windows. 7. *Golo, Geneviève de Brabant:* In a passage omitted here, Proust has told of his magic lantern, which crudely represented the medieval story of the noble Geneviève de Brabant and her treacherous seneschal, Golo. 19. *Grand-Pré:* common. 21–25. *et qui, unie... calvaire:* and which, level, grayish, with three high sandstone steps before almost every door, seemed like a passage cut by a sculptor of Gothic statues out of the same solid stone in which he might have carved a manger or a calvary. 26. *effectivement:* in fact. 32. *protozoaires:* protozoa, minute organisms. 38. *couleur du temps:* weather-colored. (Proust blends color, smell, and sound, as did Baudelaire.) 39. *casanières:* home-keeping. 40. *gelée:* jelly, preserve.

2. *saisonnières:* in season (refers to *odeurs,* line 37). 3. *mobilières:* movable, transferable. 6. *flâneuses:* sauntering. 6. *rangées:* orderly. 7. *lingères:* i.e., clean and tidy as a girl who supervises household linen. 9. *surcroît:* addition. 9. *prosaïsme:* commonplace quality (depends on *heureuses,* line 8). 22. *badigeonnait:* decorated (*lit.,* plastered, whitewashed). 23. *suie:* soot. 24. *devants de four:* space in front of the oven. 25. *manteaux de cheminée:* projecting mantles of great fireplaces. 26. *se déclarent:* may be occurring. 28. *catastrophe diluvienne:* calamitous flood. 30. *prie-Dieu:* praying stool. 31. *frappé:* stamped, embossed. 32. *revêtus... crochet:* equipped with a crocheted antimacassar (linen doily on which to rest head).

une convoitise inavouée m'engluer dans l'odeur médiane, poisseuse, fade, indigeste et fruitée du couvre-lit à fleurs.°

Dans la chambre voisine, j'entendais ma tante qui causait toute seule à mi-voix. Elle ne parlait jamais qu'assez bas parce qu'elle croyait avoir dans la tête quelque chose de cassé et de flottant qu'elle eût déplacé en parlant trop fort, mais elle ne restait jamais longtemps, même seule, sans dire quelque chose, parce qu'elle croyait que c'était salutaire pour sa gorge et qu'en empêchant le sang de s'y arrêter, cela rendrait moins fréquents les étouffements° et les angoisses dont elle souffrait; puis, dans l'inertie absolue où elle vivait, elle prêtait à ses moindres sensations une importance extraordinaire; elle les douait d'une motilité° qui lui rendait difficile de les garder pour elle, et à défaut de confident à qui les communiquer, elle se les annonçait à elle-même, en un perpétuel monologue qui était sa seule forme d'activité. Malheureusement, ayant pris l'habitude de penser tout haut, elle ne faisait pas toujours attention à ce qu'il n'y eût personne° dans la chambre voisine, et je l'entendais souvent se dire à elle-même : « Il faut que je me rappelle bien que je n'ai pas dormi » (car ne jamais dormir était sa grande prétention dont notre langage à tous gardait le respect et la trace : le matin Françoise ne venait pas « l'éveiller », mais « entrait » chez elle; quand ma tante voulait faire un somme° dans la journée, on disait qu'elle voulait « réfléchir » ou « reposer »; et quand il lui arrivait de s'oublier en causant jusqu'à dire : « ce qui m'a réveillée » ou « j'ai rêvé que », elle rougissait et se reprenait° au plus vite).

Au bout d'un moment, j'entrais° l'embrasser; Françoise faisait infuser son thé; ou, si ma tante se sentait agitée, elle demandait à la place sa tisane, et c'était moi qui étais chargé de faire tomber du sac de pharmacie dans une assiette la quantité de tilleul qu'il fallait mettre ensuite dans l'eau bouillante. Le dessèchement des tiges° les avait incurvées en un capricieux treillage dans les entrelacs° duquel s'ouvraient les fleurs pâles, comme si un peintre les eût arrangées, les eût fait poser de la façon la plus ornementale. Les feuilles, ayant perdu ou changé leur aspect, avaient l'air des choses les plus disparates,° d'une aile transparente de mouche, de l'envers blanc d'une étiquette,° d'un pétale de rose, mais qui eussent été° empilées,° concassées° ou tressées comme dans la confection d'un nid. Mille petits détails inutiles — charmante prodigalité du pharmacien — qu'on eût supprimés dans une préparation factice,° me donnaient, comme un livre où on s'émerveille de rencontrer le nom d'une personne de connaissance, le plaisir de comprendre que c'était bien des tiges de vrais tilleuls, comme ceux que je voyais avenue de la Gare, modifiées, justement parce que c'étaient non des doubles, mais elles-mêmes et qu'elles avaient vieilli.° Et chaque caractère nouveau n'y étant que la métamorphose d'un caractère ancien, dans de petites boules grises je reconnaissais les boutons verts qui ne sont pas venus à terme; mais surtout l'éclat rose, lunaire et doux qui faisait se détacher les fleurs dans la forêt fragile des tiges où elles étaient suspendues comme de petites roses d'or —° signe, comme la lueur qui révèle encore sur une muraille la place d'une fresque effacée, de la différence entre les parties de l'arbre qui avaient été « en couleur » et celles qui ne l'avaient pas été — me montrait que ces pétales étaient bien ceux qui avant de fleurir le sac de pharmacie avaient embaumé les soirs de printemps. Cette flamme rose de cierge, c'était leur couleur encore, mais à demi éteinte et assoupie dans cette vie diminuée qu'était la leur maintenant et qui est comme le crépuscule des fleurs. Bientôt ma tante pouvait tremper dans l'infusion bouillante dont elle savourait le

---

32–3. *et le feu cuisant... fleurs:* and the fire, baking like dough the appetizing odors with which the bedroom's air was curdled and which the damp, sunlit morning coolness had already caused to work and "rise," toyed with the odors, browned them, puckered them, puffed them up, made them an invisible but palpable country cake, an immense "turnover," to which—when I had barely savored the crustier, more delicate, more esteemed, but also drier aromas of the closet, the bureau, and the flowered wallpaper —I would always return with unavowed greediness to besmear myself with the sticky, flat, indigestible, fruity midsmell of the flowered bedspread. 14. *étouffements:* choking fits. 17. *motilité:* faculty of motion. 24. *à ce qu'il... personne:* whether there was anyone. 32. *somme:* nap. 36. *se reprenait:* would catch herself, correct herself. 38. *entrais:* Notice the force of the tense.

5. *tiges:* stems. 6. *entrelacs:* interlacings, tangle. 11. *disparates:* varied. 12. *l'envers... étiquette:* the white underside of a label. 13. *qui eussent été:* which might have been (*i.e.*, seemed to have been). 13. *empilées:* heaped up. 14. *concassées:* crushed together. 17. *factice:* artificial, synthetic. 22–24. *modifiées... vieilli:* [I knew they were real linden flowers] modified, precisely because they were not imitations but themselves, having grown old. 32. *roses d'or:* Linden, or lime flowers, take on a "soft, lunar, pink" color before drying and dropping.

goût de feuille morte ou de fleur fanée une petite madeleine dont elle me tendait un morceau quand il était suffisamment amolli.

D'un côté de son lit était une grande commode jaune en bois de citronnier° et une table qui tenait à la fois de l'officine et du maître-autel,° où, au-dessus d'une statuette de la Vierge et d'une bouteille de Vichy-Célestins,° on trouvait des livres de messe et des ordonnances° de médicaments, tout ce qu'il fallait pour suivre de son lit les offices et son régime, pour ne manquer l'heure ni de la pepsine, ni des Vêpres. De l'autre côté, son lit longeait la fenêtre, elle avait la rue sous les yeux et y lisait du matin au soir, pour se désennuyer, à la façon des princes persans, la chronique quotidienne mais immémoriale de Combray, qu'elle commentait ensuite avec Françoise.

Je n'étais pas avec ma tante depuis cinq minutes, qu'elle° me renvoyait par peur que je la fatigue. Elle tendait à mes lèvres son triste front pâle et fade sur lequel, à cette heure matinale, elle n'avait pas encore arrangé ses faux cheveux, et où les vertèbres° transparaissaient comme les pointes d'une couronne d'épines ou les grains d'un rosaire, et elle me disait : « Allons, mon pauvre enfant, va-t'en, va te préparer pour la messe; et si en bas tu rencontres Françoise, dis-lui de ne pas s'amuser trop longtemps avec vous,° qu'elle monte bientôt voir si je n'ai besoin de rien. »

Françoise, en effet, qui était depuis des années à son service et ne se doutait pas alors qu'elle entrerait un jour tout à fait au nôtre,° délaissait un peu ma tante pendant les mois où nous étions là. Il y avait eu dans mon enfance, avant que nous allions à Combray, quand ma tante Léonie passait encore l'hiver à Paris chez sa mère, un temps où je connaissais si peu Françoise que, le 1er janvier,° avant d'entrer chez ma grand'tante, ma mère me mettait dans la main une pièce de cinq francs et me disait : « Surtout

ne te trompe pas de personne. Attends pour donner que tu m'entendes dire : « Bonjour Françoise »: en même temps je te toucherai légèrement le bras. » A peine arrivions-nous dans l'obscure antichambre de ma tante que nous apercevions dans l'ombre, sous les tuyaux° d'un bonnet éblouissant, raide et fragile comme s'il avait été de sucre filé,° les remous concentriques d'un sourire de reconnaissance anticipé.° C'était Françoise, immobile et debout dans l'encadrement° de la petite porte du corridor comme une statue de sainte dans sa niche. Quand on était un peu habitué à ces ténèbres de chapelle, on distinguait sur son visage l'amour désintéressé de l'humanité, le respect attendri pour les hautes classes qu'exaltait dans les meilleures régions de son cœur l'espoir des étrennes.° Maman me pinçait le bras avec violence et disait d'une voix forte : « Bonjour Françoise. » A ce signal mes doigts s'ouvraient et je lâchais la pièce qui trouvait pour la recevoir une main confuse,° mais tendue. Mais depuis que nous allions à Combray je ne connaissais personne mieux que Françoise; nous étions ses préférés, elle avait pour nous, au moins pendant les premières années, avec autant de considération que pour ma tante, un goût plus vif, parce que nous ajoutions, au prestige de faire partie de la famille (elle avait pour les liens invisibles que noue entre les membres d'une famille la circulation d'un même sang, autant de respect qu'un tragique° grec), le charme de n'être pas ses maîtres habituels. Aussi, avec quelle joie elle nous recevait, nous plaignant de n'avoir pas encore plus beau temps, le jour de notre arrivée, la veille de Pâques, où souvent il faisait un vent glacial, quand maman lui demandait des nouvelles de sa fille et de ses neveux, si son petit-fils était gentil, ce qu'on comptait faire de lui, s'il ressemblait à sa grand'mère.

Et quand il n'y avait plus de monde là, maman qui savait que Françoise pleurait encore ses parents morts depuis des années, lui parlait d'eux avec douceur, lui demandait mille détails sur ce qu'avait été leur vie.

---

5. *citronnier:* lemon tree. 5–7. *une table… maître-autel:* a table which had some characteristics both of the dispensary and the high altar. 8. *Vichy-Célestins:* a popular mineral water. 9. *ordonnances:* prescriptions. 20. *qu'elle:* before she. 24. *vertèbres: here,* bony structure. (A flagrant misuse of the word. Indeed, when the manuscript was submitted to the *Nouvelle Revue Française* the editor, André Gide, was so shocked by this error that he rejected the whole.) 30. *vous:* i.e., you and the others. (How do we know that this is the meaning?). 34. *au nôtre:* Proust here provides for the fact that Françoise will serve him as one of his constantly reappearing characters. 40. *le 1er janvier:* the present-giving day in France.

6. *tuyaux:* flutings (of a peasant headdress). 8. *sucre filé:* spun sugar. 8–9. *les remous… anticipé:* the concentric eddies of a smile of gratitude, prepared in advance. 11. *encadrement:* frame. 18. *étrennes:* New Year's presents. 22. *confuse:* embarrassed. 32. *tragique:* writer of tragedies.

Elle avait deviné que Françoise n'aimait pas son gendre et qu'il lui gâtait le plaisir qu'elle avait à être avec sa fille, avec qui elle ne causait pas aussi librement quand il était là. Aussi, quand Françoise allait les voir, à quelques lieues de Combray, maman lui disait en souriant : « N'est-ce pas Françoise, si Julien a été obligé de s'absenter et si vous avez Marguerite à vous toute seule pour toute la journée, vous serez désolée, mais vous vous ferez une raison?° » Et Françoise disait en riant : « Madame sait tout; madame est pire que les rayons X (elle disait x avec une difficulté affectée et un sourire pour se railler elle-même, ignorante, d'employer ce terme savant), qu'on a fait venir pour Mme Octave et qui voient ce que vous avez dans le cœur, » et disparaissait, confuse qu'on s'occupât d'elle, peut-être pour qu'on ne la vît pas pleurer; maman était la première personne qui lui donnât cette douce émotion de sentir que sa vie, ses bonheurs, ses chagrins de paysanne pouvaient présenter de l'intérêt, être un motif de joie ou de tristesse pour une autre qu'elle-même. Ma tante se résignait à se priver un peu d'elle pendant notre séjour, sachant combien ma mère appréciait le service de cette bonne si intelligente et active, qui était aussi belle dès cinq heures du matin dans sa cuisine, sous son bonnet dont le tuyautage° éclatant et fixe avait l'air d'être en biscuit,° que pour aller à la grand'messe; qui faisait tout bien, travaillant comme un cheval, qu'elle fût bien portante ou non, mais sans bruit, sans avoir l'air de rien faire, la seule des bonnes de ma tante qui, quand maman demandait de l'eau chaude ou du café noir, les apportait vraiment bouillants; elle était un de ces serviteurs qui, dans une maison, sont à la fois ceux qui déplaisent le plus au premier abord à un étranger, peut-être parce qu'ils ne prennent pas la peine de faire sa conquête et n'ont pas pour lui de prévenance,° sachant très bien qu'ils n'ont aucun besoin de lui, qu'on cesserait de le recevoir plutôt que de les renvoyer; et qui sont en revanche ceux à qui tiennent le plus les maîtres qui ont éprouvé leurs capacités réelles, et ne se soucient pas de cet agrément superficiel, de ce bavardage servile qui fait favorablement impression à un visiteur, mais qui recouvre° souvent une inéducable nullité.

Quand Françoise, après avoir veillé à ce que mes parents eussent tout ce qu'il leur fallait, remontait une première fois chez ma tante pour lui donner sa pepsine et lui demander ce qu'elle prendrait pour déjeuner, il était bien rare qu'il ne fallût pas donner déjà son avis ou fournir des explications sur quelque événement d'importance :

— Françoise, imaginez-vous que Mme Goupil est passée plus d'un quart d'heure en retard pour aller chercher sa sœur; pour peu qu'elle° s'attarde sur son chemin cela ne me surprendrait point qu'elle arrive après l'élévation.°

— Hé! il n'y aurait rien d'étonnant, répondait Françoise.

— Françoise, vous seriez venue° cinq minutes plus tôt, vous auriez vu passer Mme Imbert qui tenait des asperges° deux fois grosses comme celles de la mère Callot; tâchez donc de savoir par sa bonne où elle les a eues. Vous qui, cette année, nous mettez des asperges à toutes les sauces, vous auriez pu en prendre de pareilles pour nos voyageurs.

— Il n'y aurait rien d'étonnant qu'elles viennent de chez M. le Curé, disait Françoise.

— Ah! je vous crois bien, ma pauvre Françoise, répondait ma tante en haussant les épaules. Chez M. le Curé! Vous savez bien qu'il ne fait pousser que de petites méchantes asperges de rien. Je vous dis que celles-là étaient grosses comme le bras. Pas comme le vôtre, bien sûr, mais comme mon pauvre bras qui a encore tant maigri cette année.

— Françoise, vous n'avez pas entendu ce carillon° qui m'a cassé la tête?

— Non, madame Octave.

— Ah! ma pauvre fille, il faut que vous l'ayez solide votre tête, vous pouvez remercier le Bon Dieu. C'était la Maguelone qui était venue chercher le docteur Piperaud. Il est ressorti tout de suite avec elle et ils ont tourné par la rue de l'Oiseau. Il faut qu'il y ait quelque enfant de malade.

— Eh! là, mon Dieu, soupirait Françoise,

---

10. *vous vous ferez une raison:* you will make the best of it. 29. *tuyautage:* fluting. 30. *biscuit:* unglazed porcelain. 41. *prévenance:* consideration.

1. *recouvre: here,* covers. 13. *pour peu qu'elle:* if only a little she. 15. *élévation:* elevation of the Host at Mass. (If one misses the Elevation, one's attendance at Mass is invalid.) 18. *vous seriez venue:* if you had come. 20. *asperges:* asparagus. 37. *carillon:* bell ringing (perhaps of passing horse and carriage).

qui ne pouvait pas entendre parler d'un malheur arrivé à un inconnu, même dans une partie du monde éloignée, sans commencer à gémir.

— Françoise, mais pour qui donc a-t-on sonné la cloche des morts? Ah! mon Dieu, ce sera pour Mme Rousseau. Voilà-t-il pas que j'avais oublié qu'elle a passé l'autre nuit. Ah! il est temps que le Bon Dieu me rappelle, je ne sais plus ce que j'ai fait de ma tête depuis la mort de mon pauvre Octave. Mais je vous fais perdre votre temps, ma fille.

— Mais non, madame Octave, mon temps n'est pas si cher; celui qui l'a fait ne nous l'a pas vendu. Je vas° seulement voir si mon feu ne s'éteint pas.

Ainsi Françoise et ma tante appréciaient-elles ensemble au cours de cette séance matinale, les premiers événements du jour. Mais quelquefois ces événements revêtaient un caractère si mystérieux et si grave que ma tante sentait qu'elle ne pourrait pas attendre le moment où Françoise monterait, et quatre coups de sonnette formidables retentissaient dans la maison.

— Mais, madame Octave, ce n'est pas encore l'heure de la pepsine, disait Françoise. Est-ce que vous vous êtes senti une faiblesse?

— Mais non, Françoise, disait ma tante, c'est-à-dire, si, vous savez bien que maintenant les moments où je n'ai pas de faiblesse sont bien rares; un jour je passerai comme Mme Rousseau sans avoir eu le temps de me reconnaître;° mais ce n'est pas pour cela que je sonne. Croyez-vous pas que je viens de voir comme je vous vois Mme Goupil, avec une fillette que je ne connais point? Allez donc chercher deux sous de sel chez Camus. C'est bien rare° si Théodore ne peut pas vous dire qui c'est.

— Mais ça sera la fille de M. Pupin, disait Françoise qui préférait s'en tenir à une explication immédiate, ayant été déjà deux fois depuis le matin chez Camus.

— La fille de M. Pupin! Oh! je vous crois bien, ma pauvre Françoise! Avec cela° que je ne l'aurais pas reconnue?

— Mais je ne veux pas dire la grande, madame Octave, je veux dire la gamine,° celle qui est en pension° à Jouy. Il me ressemble° de l'avoir déjà vue ce matin.

— Ah! à moins de ça,° disait ma tante. Il faudrait qu'elle soit venue pour les fêtes.° C'est cela! Il n'y a pas besoin de chercher, elle sera venue pour les fêtes. Mais alors nous pourrions bien voir tout à l'heure Mme Sazerat venir sonner chez sa sœur pour le déjeuner. Ce sera ça! J'ai vu le petit de chez Galopin qui passait avec une tarte! Vous verrez que la tarte allait chez Mme Goupil.

— Dès l'instant que° Mme Goupil a de la visite, madame Octave, vous n'allez pas tarder à voir tout son monde rentrer pour le déjeuner, car il commence à ne plus être de bonne heure, disait Françoise qui, pressée de redescendre s'occuper du déjeuner, n'était pas fâchée de laisser à ma tante cette distraction en perspective.

— Oh! pas avant midi, répondait ma tante d'un ton résigné, tout en jetant sur la pendule un coup d'œil inquiet, mais furtif, pour ne pas laisser voir qu'elle, qui avait renoncé à tout, trouvait pourtant, à apprendre que Mme Goupil avait à déjeuner,° un plaisir aussi vif, et qui se ferait malheureusement attendre encore un peu plus d'une heure. Et encore cela tombera pendant mon déjeuner! ajoutait-elle à mi-voix pour elle-même. Son déjeuner lui était une distraction suffisante pour qu'elle n'en souhaitât pas une autre en même temps. « Vous n'oublierez pas au moins de me donner mes œufs à la crème dans une assiette plate?° » C'étaient les seules qui fussent ornées de sujets,° et ma tante s'amusait à chaque repas à lire la légende de celle qu'on lui servait ce jour-là. Elle mettait ses lunettes, déchiffrait : Ali-Baba et les quarante voleurs, Aladin ou la Lampe merveilleuse, et disait en souriant : Très bien, très bien.

— Je serais bien allée chez Camus... disait Françoise en voyant que ma tante ne l'y enverrait plus.

— Mais non, ce n'est plus la peine, c'est sûrement Mlle Pupin. Ma pauvre Françoise, je regrette de vous avoir fait monter pour rien.

Mais ma tante savait bien que ce n'était pas pour rien qu'elle avait sonné Françoise, car, à Combray, une personne « qu'on ne connaissait point » était un être aussi peu croyable qu'un dieu de la mythologie, et de fait on ne se

---

14. *Je vas = Je vais.* 31. *de me reconnaître:* to know what's happening. 36. *rare:* strange. 43. *Avec cela:* Can you suppose. 46. *gamine:* little girl, kid. 47. *pension:* boarding school. 47. *ressemble = semble.*

1. *à moins de ça:* maybe that's it. 2. *les fêtes:* i.e., of Easter. 10. *Dès l'instant que:* Since. 23. *à déjeuner:* guests to lunch. 31. *assiette plate:* flat plate. 32. *sujets:* pictures.

souvenait pas que, chaque fois que s'était produite, dans la rue du Saint-Esprit ou sur la place, une de ces apparitions stupéfiantes, des recherches bien conduites n'eussent pas fini par réduire le personnage fabuleux aux proportions d'une « personne qu'on connaissait », soit personnellement, soit abstraitement, dans son état civil,° en tant qu'ayant tel degré de parenté avec des gens de Combray. C'était le fils de Mme Sauton qui rentrait du service,° la nièce de l'abbé Perdreau qui sortait du couvent, le frère du curé, percepteur° à Châteaudun qui venait de prendre sa retraite° ou qui était venu passer les fêtes. On avait eu en les apercevant l'émotion de croire qu'il y avait à Combray des gens qu'on ne connaissait point simplement parce qu'on ne les avait pas reconnus ou identifiés tout de suite. Et pourtant, longtemps à l'avance, Mme Sauton et le curé avaient prévenu qu'ils attendaient leurs « voyageurs. » Quand le soir je montais, en rentrant, raconter notre promenade à ma tante, si j'avais l'imprudence de lui dire que nous avions rencontré près du Pont-Vieux, un homme que mon grand-père ne connaissait pas : « Un homme que grand-père ne connaissait point, s'écriait-elle. Ah! je te crois bien!° » Néanmoins un peu émue de cette nouvelle, elle voulait en avoir le cœur net,° mon grand-père était mandé. « Qui donc est-ce que vous avez rencontré près du Pont-Vieux, mon oncle? un homme que vous ne connaissiez point? » — « Mais si, répondait mon grand-père, c'était Prosper, le frère du jardinier de Mme Bouillebœuf. » — « Ah! bien, » disait ma tante, tranquillisée et un peu rouge; haussant les épaules avec un sourire ironique, elle ajoutait : « Aussi il me disait que vous aviez rencontré un homme que vous ne connaissiez point! » Et on me recommandait d'être plus circonspect une autre fois et de ne plus agiter ainsi ma tante par des paroles irréfléchies. On connaissait tellement bien tout le monde, à Combray, bêtes et gens, que si ma tante avait vu par hasard passer un chien « qu'elle ne connaissait point », elle ne cessait d'y penser et de consacrer à ce fait incompréhensible ses talents d'induction et ses heures de liberté.

— Ce sera le chien de Mme Sazerat, disait Françoise, sans grande conviction, mais dans un but d'apaisement et pour que ma tante ne se « fende pas la tête». °

— Comme si je ne connaissais pas le chien de Mme Sazerat! répondait ma tante dont l'esprit critique n'admettait pas si facilement un fait.

— Ah! ce sera le nouveau chien que M. Galopin a rapporté de Lisieux.

— Ah! à moins de ça.

— Il paraît que c'est une bête bien affable, ajoutait Françoise qui tenait le renseignement de Théodore, spirituelle comme une personne, toujours de bonne humeur, toujours aimable, toujours quelque chose de gracieux. C'est rare qu'une bête qui n'a que cet âge-là soit déjà si galante. Madame Octave, il va falloir que je vous quitte, je n'ai pas le temps de m'amuser, voilà bientôt dix heures, mon fourneau n'est seulement pas éclairé,° et j'ai encore à plumer° mes asperges.

— Comment, Françoise, encore des asperges! mais c'est une vraie maladie d'asperges que vous avez cette année, vous allez en fatiguer nos Parisiens!

— Mais non, madame Octave, ils aiment bien ça. Ils rentreront de l'église avec de l'appétit et vous verrez qu'ils ne les mangeront pas avec le dos de la cuiller.°

— Mais à l'église, ils doivent y être déjà; vous ferez bien de ne pas perdre de temps. Allez surveiller votre déjeuner.

Pendant que ma tante devisait° ainsi avec Françoise, j'accompagnais mes parents à la messe...

---

8. *état civil:* civil status, position in society. 10. *service:* military service. 12. *percepteur:* tax collector. 13. *retraite:* retirement. 27. *je te crois bien:* (ironic). 29. *en avoir le cœur net:* clear the matter up.

10. *ne se "fende pas la tête":* shouldn't worry herself sick. 26. *éclairé:* burning bright. 26. *plumer:* scrape. 35. *avec le dos de la cuiller:* i.e., reluctantly. 39. *devisait:* was chatting.

25-26. Gide [1869–1951]

André Gide's father, professor of law at the University of Paris, and his mother, a member of a wealthy Norman industrial family, were both Protestants. French Protestants, an entrenched minority, take their religion very seriously, strive for direct communication with the divine, cultivate the examination of conscience, insist on moral rigor and austere behavior. Gide lost his father when young; he was brought up by women in an atmosphere of evangelistic piety. His youth was difficult, darkened by the conviction of sin.

Sickly, sensitive, and rich, Gide was predestined for literature. He began with a Symbolist period; with so many others, he sat at the feet of Mallarmé. But at twenty-three (a little late) he concluded that Art alone could not suffice him; he must live and find a philosophy of life. "We went through life seeing it. We were reading," he said. Threatened with tuberculosis, he went to North Africa and there found a kind of liberation through the discovery of his latent homosexuality. He changed direction, and in *Les Nourritures terrestres* (1897) he proclaimed the necessity of freedom.

There were few to heed his declarations of independence. He gained a larger influence by his foundation, with a group of friends, of *La Nouvelle Revue Française*, in 1909. This became the powerful organ of the younger writers, the literary review *par excellence* in the period between the two wars. After the first war *Les Nourritures terrestres* belatedly found its public: the young whose faith in all traditional wisdom was destroyed. These accepted with passion Gide's doctrines of sincerity, of fervor, of *déracinement*, of *dénuement*, or spiritual stripping, of *disponibilité*, or constant availability to all experience. These doctrines do not represent the mere hedonism of escape; they are a positive philosophy of self-cultivation. Gide said: "L'héroïsme quotidien, c'est l'horreur du repos, du confort, de tout ce qui propose à la vie une diminution, un engourdissement, un sommeil."

A journey to the Congo in 1926, where Gide saw the cruel exploitation of the natives, made of him a communist. The comrades proudly sent him to Moscow. But the perversion of communist ideals in the Soviet Union horrified him; on his return he announced that in no country was the spirit more oppressed, terrorized, vassalized than in Russia. Thus, after his adventures into politics, he concluded that the reformation of institutions is futile. Our hope must lie in the reformation of man's spirit, and toward this reformation our efforts should tend.

Gide's old age was happy and honored. He received the Nobel Prize in 1948, but he was never elected to the Académie française.

His *work* is vast in bulk, varied in form (poems, novels, criticisms, plays, travel notes, polemics, etc.) and diverse in spirit. We can note here only *L'Immoraliste* (1902), a transposition of his self-searching into fictional form; *La Porte étroite* (1909), a story of the conflict of Protestant piety with the profound, misunderstood imperatives of the secret self; *Les Caves du Vatican* (1914), a farcical treatment of the individual's liberation from conventional restraints; and *Les Faux-Monnayeurs* (1926), a novel about a man writing *Les Faux-Monnayeurs*.

Through all of Gide's disconcerting shifts of position he had one constant theme: the search for sincerity. In his own case the search paralleled his life-long effort to shake off the Protestant conditioning of his youth. It is very difficult to be sincere, for sincerity depends on self-knowledge, and nothing is harder to know than one's self. With perfect self-knowledge we may live richly, dismissing all fear and regret, acting spontaneously, without concern for consequences. Thus we find fulfillment, thus we save our souls.

This is a dangerous doctrine, which has certainly got a lot of people into trouble. "To disturb is my function," said Gide, and he disturbed some of his disciples to the point of folly and beyond. Some of them took from him merely a moral justification of immorality. But time has passed, Gide is dead, and posterity—we are his posterity—chooses what it finds permanently serviceable from his work. To accept the permanently serviceable is, strangely enough, to accept St. Paul's lesson: to prove all things and hold fast that which is good. Or, to say the same thing in more words, we must make our own judgments and follow them to their conclusions, with all the sincerity of which we are capable.

Gide's *style* is clear, precise, disciplined, abstract: classic, in short. He said: "Le grand artiste est celui qu'exalte la gêne, à qui l'obstacle sert de tremplin (*springboard*)." This is just what Boileau said. Even the most violent opponents of Gide's teachings have recognized the beautiful form in which they are couched.

La Symphonie pastorale (1919) is a psychological study of a subject that obsessed Gide all his life: the dissolution of a Protestant unit, or cell, by the intrusion of the elemental demands of life. It is at the same time a new version of the Pygmalion story, of the artist who falls disastrously in love with his own creation. One may recognize in it, if one wishes, a number of symbols: the snowy purity of the setting, the physical blindness of Gertrude, balancing the psychological blindness of the pastor. The story has its faults; Gide evidently grew tired of it and finished it off with sudden and unconvincing melodrama. But its merits are very great. You should total them up when you have finished reading it.

LA SYMPHONIE PASTORALE*

Premier Cahier

10 *février* 189... :

La neige qui n'a pas cessé de tomber depuis trois jours, bloque les routes.° Je n'ai pu me rendre à R... où j'ai coutume depuis quinze ans de célébrer le culte° deux fois par mois. Ce matin trente fidèles seulement se sont rassemblés dans la chapelle de La Brévine.°

Je profiterai des loisirs que me vaut cette claustration° forcée, pour revenir en arrière et raconter comment je fus amené à m'occuper de Gertrude.

J'ai projeté d'écrire ici tout ce qui concerne la formation et le développement de cette âme pieuse, qu'il me semble que je n'ai fait sortir de la nuit que pour l'adoration et l'amour.
5 Béni soit le Seigneur pour m'avoir confié cette tâche.

Il y a deux ans et six mois, comme je remontais° de la Chaux-de-Fonds,° une fillette
10 que je ne connaissais point vint me chercher en toute hâte pour m'emmener à sept kilomètres de là, auprès d'une pauvre vieille qui se mourait. Le cheval n'était pas dételé;° je fis monter l'enfant dans la voiture, après m'être muni d'une
15 lanterne, car je pensai ne pas pouvoir être de retour avant la nuit.

Je croyais connaître admirablement tous les entours° de la commune; mais passé la ferme de la Saudraie, l'enfant me fit prendre une
20 route où jusqu'alors je ne m'étais jamais aventuré. Je reconnus pourtant, à deux kilomètres de là, sur la gauche, un petit lac mystérieux où jeune homme j'avais été quelquefois patiner.° Depuis quinze ans je ne l'avais plus revu, car

9. *je remontais:* i.e., I was just getting in. 9. *Chaux-de-Fonds:* small city about 15 miles from La Brévine. 13. *dételé:* unhitched. 18. *entours:* environs. 23. *patiner:* skate.

aucun devoir pastoral ne m'appelle de ce côté;
je n'aurais plus su dire où il était et j'avais à ce
point cessé d'y penser qu'il me sembla, lorsque
tout à coup, dans l'enchantement rose et doré
du soir, je le reconnus, ne l'avoir d'abord vu 5
qu'en rêve.

La route suivait le cours d'eau qui s'en
échappait, coupant l'extrémité de la forêt, puis
longeant une tourbière.° Certainement je
n'étais jamais venu là. 10

Le soleil se couchait et nous marchions depuis
longtemps dans l'ombre, lorsque enfin ma jeune
guide m'indiqua du doigt, à flanc de coteau, une
chaumière° qu'on eût pu croire inhabitée,° sans°
un mince filet de fumée qui s'en échappait, 15
bleuissant dans l'ombre, puis blondissant dans
l'or du ciel. J'attachai le cheval à un pommier
voisin, puis rejoignis l'enfant dans la pièce
obscure où la vieille venait de mourir.

La gravité du paysage, le silence et la solen- 20
nité de l'heure m'avaient transi.° Une femme
encore jeune était à genoux près du lit. L'enfant,
que j'avais prise pour la petite-fille de la défunte,
mais qui n'était que sa servante, alluma une
chandelle fumeuse, puis se tint immobile au pied 25
du lit. Durant la longue route, j'avais essayé
d'engager la conversation, mais n'avais pu tirer
d'elle quatre paroles.

La femme agenouillée se releva. Ce n'était pas
une parente ainsi que je supposais d'abord, mais 30
simplement une voisine, une amie, que la
servante avait été chercher lorsqu'elle vit
s'affaiblir sa maîtresse, et qui s'offrit pour veiller
le corps. La vieille, me dit-elle, s'était éteinte
sans souffrance. Nous convînmes ensemble des 35
dispositions à prendre pour l'inhumation et la
cérémonie funèbre. Comme souvent déjà, dans
ce pays perdu, il me fallait tout décider. J'étais
quelque peu gêné, je l'avoue, de laisser cette
maison, si pauvre que fût son apparence, à la 40
seule garde de cette voisine et de cette servante
enfant. Toutefois, il ne paraissait guère probable
qu'il y eût dans un recoin° de cette misérable
demeure, quelque trésor caché... Et qu'y
pouvais-je faire? Je demandai néanmoins si la 45
vieille ne laissait aucun héritier.

La voisine prit alors la chandelle, qu'elle
dirigea vers un coin du foyer, et je pus distinguer,

accroupi dans l'âtre,° un être incertain, qui
paraissait endormi; l'épaisse masse de ses
cheveux cachait presque complètement son
visage.

— Cette fille aveugle; une nièce, à ce que dit
la servante; c'est à quoi la famille se réduit,
paraît-il. Il faudra la mettre à l'hospice;° sinon
je ne sais pas ce qu'elle pourra devenir.

Je m'offusquai° d'entendre ainsi décider de
son sort devant elle, soucieux du chagrin que
ces brutales paroles pourraient lui causer.

— Ne la réveillez pas, dis-je doucement, pour
inviter la voisine, tout au moins, à baisser la voix.

— Oh! je ne pense pas qu'elle dorme; mais
c'est une idiote; elle ne parle pas et ne comprend rien à ce qu'on dit. Depuis ce matin que
je suis dans la pièce, elle n'a pour ainsi dire pas
bougé. J'ai d'abord cru qu'elle était sourde; la
servante prétend que non, mais que simplement
la vieille, sourde elle-même, ne lui adressait
jamais la parole, non plus qu'à quiconque,
n'ouvrant plus la bouche depuis longtemps, que
pour boire ou manger.

— Quel âge a-t-elle?

— Une quinzaine d'années, je suppose : au
reste je n'en sais pas plus long que vous...

Il ne me vint pas aussitôt à l'esprit de prendre
soin moi-même de cette pauvre abandonnée;
mais après que j'eus prié — ou plus exactement
pendant la prière que je fis, entre la voisine et
la petite servante, toutes deux agenouillées au
chevet du lit, agenouillé moi-même, — il m'apparut soudain que Dieu plaçait sur ma route une
sorte d'obligation et que je ne pouvais pas sans
quelque lâcheté m'y soustraire.° Quand je me
relevai, ma décision était prise d'emmener
l'enfant le même soir, encore que je ne me fusse
pas nettement demandé ce que je ferais d'elle
par la suite, ni à qui je la confierais. Je demeurai
quelques instants encore à contempler le visage
endormi de la vieille, dont la bouche plissée° et
rentrée semblait tirée comme par les cordons
d'une bourse d'avare, instruite à ne rien laisser
échapper. Puis me retournant du côté de
l'aveugle, je fis part à la voisine de mon
intention.

— Mieux vaut qu'elle ne soit point là demain,
quand on viendra lever le corps, dit-elle. Et ce
fut tout.

---

9. *tourbière*: peat bog. 14. *chaumière*: cottage. 14. *inhabitée*:
uninhabited. 14. *sans*: were it not for. 21. *transi*: chilled. 43.
recoin: nook, recess.

1. *âtre*: hearth. 7. *hospice*: almshouse. 9. *m'offusquai*:
was shocked. 35. *m'y soustraire*: elude it. 41. *plissée*: puckered.

Bien des choses se feraient facilement, sans les chimériques objections que parfois les hommes se plaisent à inventer. Dès l'enfance, combien de fois sommes-nous empêchés de faire ceci ou cela que nous voudrions faire, simplement parce que nous entendons répéter autour de nous : il ne pourra pas le faire...

L'aveugle s'est laissée emmener comme une masse involontaire. Les traits de son visage étaient réguliers, assez beaux, mais parfaitement inexpressifs. J'avais pris une couverture° sur la paillasse° où elle devait reposer d'ordinaire dans un coin de la pièce, au-dessous d'un escalier intérieur qui menait au grenier.

La voisine s'était montrée complaisante et m'avait aidé à l'envelopper soigneusement, car la nuit très claire était fraîche; et après avoir allumé la lanterne du cabriolet,° j'étais reparti, emmenant blotti contre moi ce paquet de chair sans âme et dont je ne percevais la vie que par la communication d'une ténébreuse chaleur. Tout le long de la route, je pensais : dort-elle? et de quel sommeil noir... Et en quoi la veille° diffère-t-elle ici du sommeil? Hôtesse de ce corps opaque, une âme attend sans doute, emmurée, que vienne la toucher enfin quelque rayon de votre grâce, Seigneur! Permettrez-vous que mon amour, peut-être, écarte d'elle l'affreuse nuit?...

J'ai trop souci de la vérité pour taire le fâcheux accueil que je dus essuyer° à mon retour au foyer. Ma femme est un jardin de vertus; et même dans les moments difficiles qu'il nous est arrivé parfois de traverser, je n'ai pu douter un instant de la qualité de son cœur; mais sa charité naturelle n'aime pas à être surprise. C'est une personne d'ordre qui tient à ne pas aller au delà, non plus qu'à rester en deçà du devoir. Sa charité même est réglée comme si l'amour était un trésor épuisable. C'est là notre seul point de conteste...

Sa première pensée, lorsqu'elle m'a vu revenir ce soir-là avec la petite, lui échappa dans ce cri :

— De quoi encore est-ce que tu as été te charger?

Comme chaque fois qu'il doit y avoir une explication entre nous, j'ai commencé par faire sortir les enfants qui se tenaient là, bouche bée,°

pleins d'interrogation et de surprise. Ah! combien cet accueil était loin de celui que j'eusse pu souhaiter. Seule ma chère petite Charlotte a commencé de danser et de battre les mains quand elle a compris que quelque chose de nouveau, quelque chose de vivant allait sortir de la voiture. Mais les autres, qui sont déjà stylés par la mère, ont vite fait de la refroidir et de lui faire prendre le pas.°

Il y eut un moment de grande confusion. Et comme ni ma femme, ni les enfants ne savaient encore qu'ils eussent affaire à une aveugle, ils ne s'expliquaient pas l'attention extrême que je prenais pour guider ses pas. Je fus moi-même tout décontenancé par les bizarres gémissements que commença de pousser la pauvre infirme sitôt que ma main abandonna la sienne, que j'avais tenue durant tout le trajet. Ses cris n'avaient rien d'humain; on eût dit les jappements° plaintifs d'un petit chien. Arrachée pour la première fois au cercle étroit de sensations coutumières qui formaient tout son univers, ses genoux fléchissaient sous elle; mais lorsque j'avançai vers elle une chaise, elle se laissa crouler° à terre, comme quelqu'un qui ne saurait pas s'asseoir; alors je la menai jusqu'auprès du foyer, et elle reprit un peu de calme lorsqu'elle put s'accroupir, dans la position où je l'avais vue d'abord auprès du foyer de la vieille, accotée° au manteau de la cheminée. En voiture déjà elle s'était laissée glisser au bas du siège et avait fait tout le trajet blottie à mes pieds. Ma femme cependant m'aidait, dont le mouvement le plus naturel est toujours le meilleur; mais sa raison sans cesse lutte et souvent l'emporte contre son cœur.

— Qu'est-ce que tu as l'intention de faire de ça? reprit-elle après que la petite fut installée.

Mon âme frissonna en entendant l'emploi de ce neutre et j'eus peine à maîtriser un mouvement d'indignation. Cependant, encore tout imbu de ma longue et paisible méditation je me contins, et tourné vers eux tous qui de nouveau faisaient cercle, une main posée sur le front de l'aveugle :

— Je ramène la brebis perdue,° dis-je avec le plus de solennité que je pus.

Mais Amélie n'admet pas qu'il puisse y avoir

---

11. *couverture:* blanket. 12. *paillasse:* pallet, straw mattress. 18. *cabriolet:* light carriage (origin of our "cab"). 23. *veille: here*, waking. 30. *essuyer: here*, endure. 48. *bouche bée:* gaping.

9. *prendre le pas:* fall into step. 20. *jappements:* yelpings. 25. *crouler:* collapse. 30. *accotée:* leaning. 46. *brebis perdue:* lost sheep. (See Luke 15 : 3–7.)

quoi que ce soit de déraisonnable ou de sur-
raisonnable dans l'enseignement de l'Évangile.
Je vis qu'elle allait protester, et c'est alors que
je fis un signe à Jacques et à Sarah qui, habitués
à nos petits différends conjugaux, et du reste peu
curieux de leur nature (souvent même in-
suffisamment à mon gré), emmenèrent les deux
petits. Puis, comme ma femme restait encore
interdite° et un peu exaspérée, me semblait-il,
par la présence de l'intruse :

— Tu peux parler devant elle, ajoutai-je; la
pauvre enfant ne comprend pas.

Alors Amélie commença de protester que
certainement elle n'avait rien à me dire, — ce
qui est le prélude habituel des plus longues
explications, — et qu'elle n'avait qu'à se soumettre comme toujours à ce que je pouvais
inventer de moins pratique et de plus contraire
à l'usage et au bon sens. J'ai déjà écrit que je
n'étais nullement fixé sur ce que je comptais
faire de cette enfant. Je n'avais pas encore
entrevu, ou que très vaguement, la possibilité
de l'installer à notre foyer et je puis presque dire
que c'est Amélie qui d'abord m'en suggéra
l'idée lorsqu'elle me demanda si je pensais que
nous n'étions pas « déjà assez dans la maison ».
Puis elle déclara que j'allais toujours de l'avant
sans jamais m'inquiéter de la résistance de ceux
qui suivent, que pour sa part elle estimait que
cinq enfants suffisaient, que depuis la naissance
de Claude (qui précisément à ce moment, et
comme en entendant son nom, se mit à hurler
dans son berceau) elle en avait « son compte° »
et qu'elle se sentait à bout.°

Aux premières phrases de sa sortie, quelques
paroles du Christ me remontèrent du cœur aux
lèvres, que je retins pourtant, car il me paraît
toujours malséant d'abriter ma conduite derrière l'autorité du livre saint. Mais dès qu'elle
argua de sa fatigue je demeurai penaud,° car je
reconnais qu'il m'est arrivé plus d'une fois de
laisser peser sur ma femme les conséquences
d'élans inconsidérés de mon zèle. Cependant
ces récriminations m'avaient instruit sur mon
devoir; je suppliai donc très doucement Amélie
d'examiner si à ma place elle n'eût pas agi de
même et s'il lui eût été possible de laisser dans
la détresse un être qui manifestement n'avait

plus sur qui s'appuyer; j'ajoutai que je ne
m'illusionnais point sur la somme de fatigues
nouvelles que le soin de cette hôtesse infirme
ajouterait aux soucis du ménage, et que mon
regret était de ne l'y pouvoir plus souvent
seconder. Enfin je l'apaisai de mon mieux, la
suppliant aussi de ne point faire retomber sur
l'innocente un ressentiment que celle-ci n'avait
en rien mérité. Puis je lui fis observer que
Sarah désormais était en âge de l'aider davantage, Jacques de se passer de ses soins. Bref, Dieu
mit en ma bouche les paroles qu'il fallait pour
l'aider à accepter ce que je m'assure qu'elle eût
assumé volontiers si l'événement lui eût laissé
le temps de réfléchir et si je n'eusse point ainsi
disposé de sa volonté par surprise.

Je croyais la partie à peu près gagnée, et
déjà ma chère Amélie s'approchait bienveil-
lamment de Gertrude; mais soudain son
irritation rebondit de plus belle lorsque, ayant
pris la lampe pour examiner un peu l'enfant,
elle s'avisa de son état de saleté indicible.°

— Mais c'est une infection, s'écria-t-elle.
Brosse-toi; brosse-toi vite. Non, pas ici. Va te
secouer dehors. Ah! mon Dieu! les enfants vont
en être couverts. Il n'y a rien au monde que je
redoute autant que la vermine.

Indéniablement la pauvre petite en était
peuplée : et je ne pus me défendre d'un mouvement de dégoût en songeant que je l'avais si
longuement pressée contre moi dans la voiture.

Quand je rentrai deux minutes plus tard,
après m'être nettoyé de mon mieux, je trouvai
ma femme effondrée° dans un fauteuil, la tête
dans les mains, en proie à une crise de sanglots.

— Je ne pensais pas soumettre ta constance à
une pareille épreuve, lui dis-je tendrement.
Quoi qu'il en soit, ce soir il est tard, et l'on n'y
voit pas suffisamment. Je veillerai pour entretenir le feu auprès duquel dormira la petite.
Demain nous lui couperons les cheveux et la
laverons comme il faut. Tu ne commenceras à
t'occuper d'elle que quand tu pourras la regarder
sans horreur. Et je la priai de ne point parler de
cela aux enfants.

Il était l'heure de souper. Ma protégée, vers
laquelle notre vieille Rosalie, tout en nous
servant, jetait force regards hostiles, dévora
goulûment° l'assiette de soupe que je lui tendis.

---

9. *interdite:* disconcerted. 33. *en avait "son compte":* had
reached "her limit." 34. *se sentait à bout:* was all worn out.
40. *demeurai penaud:* felt ashamed.

22. *indicible:* unspeakable. 34. *effondrée:* collapsed. 49
goulûment: gluttonously.

Le repas fut silencieux. J'aurais voulu raconter mon aventure, parler aux enfants, les émouvoir en leur faisant comprendre et sentir l'étrangeté d'un dénuement si complet, exciter leur pitié, leur sympathie pour celle que Dieu nous invitait à recueillir; mais je craignis de raviver l'irritation d'Amélie. Il semblait que l'ordre eût été donné de passer outre° et d'oublier l'événement encore qu'aucun de nous ne pût assurément penser à rien d'autre.

Je fus extrêmement ému quand, plus d'une heure après que tous furent couchés et qu'Amélie m'eut laissé seul dans la pièce, je vis ma petite Charlotte entr'ouvrir la porte, avancer doucement, en chemise et pieds nus, puis se jeter à mon cou et m'étreindre sauvagement en murmurant :

— Je ne t'avais pas bien dit bonsoir.

Puis, tout bas, désignant du bout de son petit index° l'aveugle qui reposait innocemment et qu'elle avait eu curiosité de revoir avant de se laisser aller au sommeil :

— Pourquoi est-ce que je ne l'ai pas embrassée?

— Tu l'embrasseras demain. A présent laissons-la. Elle dort, lui dis-je en la raccompagnant jusqu'à la porte.

Puis je revins me rasseoir et travaillai jusqu'au matin, lisant ou préparant mon prochain sermon.

Certainement, pensais-je (il m'en souvient), Charlotte se montre beaucoup plus affectueuse aujourd'hui que ses aînés; mais chacun d'eux, à cet âge, ne m'a-t-il pas d'abord donné le change;° mon grand Jacques lui-même, aujourd'hui si distant, si réservé... On les croit tendres, ils sont cajoleurs et câlins.°

27 *février*.

La neige est tombée encore abondamment cette nuit. Les enfants sont ravis parce que bientôt, disent-ils, on sera forcé de sortir par les fenêtres. Le fait est que ce matin la porte est bloquée et que l'on ne peut sortir que par la buanderie.° Hier, je m'étais assuré que le village avait des provisions en suffisance, car nous allons sans doute demeurer quelque temps isolés du reste de l'humanité. Ce n'est pas le premier hiver que la neige nous bloque, mais je ne me souviens pas d'avoir jamais vu son empêchement si épais. J'en profite pour continuer ce récit que je commençai hier.

J'ai dit que je ne m'étais point trop demandé, lorsque j'avais ramené cette infirme, quelle place elle allait pouvoir occuper dans la maison. Je connaissais le peu de résistance de ma femme; je savais la place dont nous pouvions disposer et nos ressources très limitées. J'avais agi, comme je le fais toujours, autant par disposition naturelle que par principes, sans nullement chercher à calculer la dépense où mon élan risquait de m'entraîner (ce qui m'a toujours paru antiévangélique). Mais autre chose° est d'avoir à se reposer sur Dieu ou à se décharger sur autrui. Il m'apparut bientôt que j'avais déposé sur les bras d'Amélie une lourde tâche, si lourde que j'en demeurai d'abord confondu.

Je l'avais aidée de mon mieux à couper les cheveux de la petite, ce que je voyais bien qu'elle ne faisait déjà qu'avec dégoût. Mais quand il s'agit de la laver et de la nettoyer je dus laisser faire ma femme; et je compris que les plus lourds et les plus désagréables soins m'échappaient.

Au demeurant, Amélie n'éleva plus la moindre protestation. Il semblait qu'elle eût réfléchi pendant la nuit et pris son parti de cette charge nouvelle; même elle y semblait prendre quelque plaisir et je la vis sourire après qu'elle eut achevé d'apprêter Gertrude. Un bonnet blanc couvrait la tête rase où j'avais appliqué de la pommade; quelques anciens vêtements à Sarah et du linge propre remplacèrent les sordides haillons qu'Amélie venait de jeter au feu. Ce nom de Gertrude fut choisi par Charlotte et accepté par nous tous aussitôt, dans l'ignorance du nom véritable que l'orpheline ne connaissait point elle-même et que je ne savais où retrouver. Elle devait être un peu plus jeune que Sarah, de sorte que les vêtements que celle-ci avait dû laisser depuis un an lui convenaient.

Il me faut avouer ici la profonde déception° où je me sentis sombrer les premiers jours. Certainement je m'étais fait tout un roman de l'éducation de Gertrude, et la réalité me forçait par trop d'en rabattre.° L'expression indifférente, obtuse de son visage, ou plutôt son inexpressivité absolue glaçait jusqu'à sa source mon bon vouloir. Elle restait tout le long du jour, auprès du feu, sur la défensive, et dès qu'elle entendait nos voix, surtout dès que l'on s'approchait d'elle, ses traits semblaient durcir; ils ne cessaient d'être inexpressifs que pour marquer l'hostilité; pour peu que l'on s'efforçât d'appeler son attention elle commençait à geindre,° à grogner comme un animal. Cette bouderie° ne cédait qu'à l'approche du repas, que je lui servais moi-même, et sur lequel elle se jetait avec une avidité bestiale des plus pénibles à observer. Et de même que l'amour répond à l'amour, je sentais un sentiment d'aversion m'envahir, devant le refus obstiné de cette âme. Oui, vraiment, j'avoue que les dix premiers jours j'en étais venu à désespérer, et même à me désintéresser d'elle au point que je regrettais mon élan premier et que j'eusse voulu ne l'avoir jamais emmenée. Et il advenait° ceci de piquant, c'est que, triomphante un peu devant ces sentiments que je ne pouvais pas bien lui cacher, Amélie prodiguait ses soins d'autant plus et de bien meilleur cœur, semblait-il, depuis qu'elle sentait que Gertrude me devenait à charge° et que sa présence parmi nous me mortifiait.

J'en étais là quand je reçus la visite de mon ami le Docteur Martins, du Val Travers,° au cours d'une de ses tournées de malades. Il s'intéressa beaucoup à ce que je lui dis de l'état de Gertrude, s'étonna grandement d'abord de ce qu'elle fût restée à ce point arriérée, n'étant somme toute qu'aveugle; mais je lui expliquai qu'à son infirmité s'ajoutait la surdité de la vieille qui seule jusqu'alors avait pris soin d'elle, et qui ne lui parlait jamais, de sorte que la pauvre 'enfant était demeurée dans un état d'abandon total. Il me persuada que, dans ce cas, j'avais tort de désespérer; mais que je ne m'y prenais pas bien.

— Tu veux commencer de construire, me dit-il, avant de t'être assuré d'un terrain solide. Songe que tout est chaos dans cette âme et que même les premiers linéaments n'en sont pas encore arrêtés.° Il s'agit, pour commencer, de lier en faisceau° quelques sensations tactiles et gustatives et d'y attacher, à la manière d'une étiquette,° un son, un mot, que tu lui rediras, à satiété, puis tâcheras d'obtenir qu'elle redise.

» Surtout ne cherche pas d'aller trop vite; occupe-toi d'elle à des heures régulières, et jamais très longtemps de suite...

» Au reste cette méthode, ajouta-t-il, après me l'avoir minutieusement exposée, n'a rien de bien sorcier. Je ne l'invente point et d'autres l'ont appliquée déjà. Ne t'en souviens-tu? du temps que nous faisions ensemble notre philosophie,° nos professeurs, à propos de Condillac° et de sa statue animée, nous entretenaient déjà d'un cas analogue à celui-ci... A moins, fit-il en se reprenant, que je n'aie lu cela plus tard, dans une revue de psychologie... N'importe; cela m'a frappé et je me souviens même du nom de cette pauvre enfant, encore plus déshéritée que Gertrude, car elle était aveugle et sourde-muette, qu'un docteur de je ne sais plus quel comté° d'Angleterre recueillit, vers le milieu du siècle dernier. Elle avait nom Laura Bridgeman.° Ce docteur avait tenu journal, comme tu devrais faire, des progrès de l'enfant, ou du moins, pour commencer, de ses efforts à lui pour l'instruire. Durant des jours et des semaines, il s'obstina à lui faire toucher et palper alternativement deux petits objets, une épingle, puis une plume, puis toucher sur une feuille imprimée à l'usage des aveugles le relief des deux mots anglais : *pin* et *pen*. Et durant des semaines, il n'obtint aucun résultat. Le corps semblait inhabité. Pourtant il ne perdait pas confiance. Je me faisais l'effet de quelqu'un, racontait-il, qui, penché sur la margelle° d'un puits profond et noir, agiterait désespérément une corde dans l'espoir qu'enfin une main la saisisse. Car il ne douta pas un instant que quelqu'un ne fût là, au fond du gouffre, et que cette corde à la fin ne soit saisie. Et un jour, enfin, il vit cet impassible visage de Laura s'éclairer d'une sorte de sourire; je crois bien qu'à ce moment des larmes de

2. *étiquette:* label. 12. *nous faisions... philosophie:* i.e., in the final year of the lycée. 12. Condillac (1715–80), French philosopher. In his *Traité des sensations* he "imagines a statue organized inwardly like a man, animated by a soul which has never received an idea, into which no sense impression has ever penetrated. He then unlocks its senses one by one " (*Encyclopaedia Britannica*). 21. *comté:* county. 23. Laura Bridgman (1829–89) was in fact born in Hanover N. H. and spent her life in America. Her mentor was Dr S. G. Howe, head of the Perkins Institution for the Blind in Boston. Gide's account of his methods is substantially correct. 36. *margelle:* curb, rim.

10. *geindre:* whimper. 11. *bouderie:* sulking. 21. *advenait:* happened. 26. *me devenait à charge:* was becoming burdensome to me. 29. *Val Travers:* mountain valley about 10 miles from La Brévine. 46. *arrêtés:* fixed. 47. *lier en faisceau:* tie in a bundle.

reconnaissance et d'amour jaillirent de ses yeux et qu'il tomba à genoux pour remercier le Seigneur. Laura venait tout à coup de comprendre ce que le docteur voulait d'elle; sauvée! A partir de ce jour elle fit attention; ses progrès furent rapides; elle s'instruisit bientôt elle-même, et par la suite devint directrice d'un institut d'aveugles — à moins que ce ne fût une autre... car d'autres cas° se présentèrent récemment, dont les revues et les journaux ont longuement parlé, s'étonnant à qui mieux mieux,° un peu sottement à mon avis, que de telles créatures pussent être heureuses. Car c'est un fait : chacune de ces emmurées était heureuse, et sitôt qu'il leur fut donné de s'exprimer, ce fut pour raconter leur *bonheur*. Naturellement les journalistes s'extasiaient, en tiraient un enseignement pour ceux qui, « jouissant » de leurs cinq sens, ont pourtant le front° de se plaindre...

Ici s'engagea une discussion entre Martins et moi qui regimbais° contre son pessimisme et n'admettais point que les sens, comme il semblait l'admettre, ne servissent en fin de compte qu'à nous désoler.

— Ce n'est point ainsi que je l'entends, protesta-t-il, je veux dire simplement que l'âme de l'homme imagine plus facilement et plus volontiers la beauté, l'aisance et l'harmonie que le désordre et le péché qui partout ternissent,° avilissent, tachent et déchirent ce monde et sur quoi nous renseignent et tout à la fois nous aident à contribuer nos cinq sens. De sorte que, plus volontiers, je ferais suivre le *Fortunatos nimium* de Virgile, de *si sua mala nescient*, que du *si sua bona norint* qu'on nous enseigne :° Combien heureux les hommes, s'ils pouvaient ignorer le mal !

Puis il me parla d'un conte de Dickens, qu'il croit avoir été directement inspiré par l'exemple de Laura Bridgeman et qu'il promit de m'envoyer aussitôt. Et quatre jours après je reçus en effet *Le Grillon du Foyer*,° que je lus avec un vif plaisir. C'est l'histoire un peu longue, mais

pathétique par instants, d'une jeune aveugle que son père, pauvre fabricant de jouets, entretient dans l'illusion du confort, de la richesse et du bonheur; mensonge que l'art de Dickens s'évertue° à faire passer pour pieux, mais dont, Dieu merci ! je n'aurai pas à user avec Gertrude.

Dès le lendemain du jour où Martins était venu me voir, je commençai de mettre en pratique sa méthode et m'y appliquai de mon mieux. Je regrette à présent de n'avoir point pris note, ainsi qu'il me le conseillait, des premiers pas de Gertrude sur cette route crépusculaire, où moi-même je ne la guidais d'abord qu'en tâtonnant. Il y fallut, dans les premières semaines, plus de patience que l'on ne saurait croire, non seulement en raison du temps que cette première éducation exigeait, mais aussi des reproches qu'elle me fit encourir. Il m'est pénible d'avoir à dire que ces reproches me venaient d'Amélie; et du reste, si j'en parle ici, c'est que je n'en ai conservé nulle animosité, nulle aigreur — je l'atteste solennellement pour le cas où plus tard ces feuilles seraient lues par elle. (Le pardon des offenses ne nous est-il pas enseigné par le Christ immédiatement à la suite de la parabole sur la brebis égarée?) Je dirai plus : au moment même où j'avais le plus à souffrir de ses reproches, je ne pouvais lui en vouloir de ce qu'elle désapprouvât ce long temps que je consacrais à Gertrude. Ce que je lui reprochais plutôt c'était de n'avoir pas confiance que mes soins pussent remporter quelques succès. Oui, c'est ce manque de foi qui me peinait; sans me décourager du reste. Combien souvent j'eus à l'entendre répéter : « Si encore tu devais aboutir à quelque résultat... » Et elle demeurait obtusément convaincue que ma peine était vaine; de sorte que naturellement il lui paraissait mal séant que je consacrasse à cette œuvre un temps qu'elle prétendait toujours qui serait mieux employé différemment. Et chaque fois que je m'occupais de Gertrude elle trouvait à me représenter que je ne sais qui ou quoi attendait cependant après moi,° et que je distrayais pour celle-ci un temps que j'eusse dû donner à d'autres. Enfin, je crois qu'une sorte de jalousie maternelle l'animait,

9. *d'autres cas:* noteworthily the case of Helen Keller. 12. *à qui mieux mieux:* i.e., in rivalry. 20. *front:* effrontery. 22. *regimbais:* was protesting. 30. *ternissent:* tarnish, befoul. 34-36. *je ferais suivre... enseigne:* I would rather have Vergil's exclamation: *Oh, only too fortunate are men* succeeded by *if they were ignorant of their own ills* than by the *if they are aware of their own good fortune* which they teach us (Vergil: *Georgics,* II, 458). 43. *Le Grillon du Foyer: The Cricket on the Hearth.*

5. *s'évertue:* struggles. 47. *attendait... moi:* was waiting on me, demanding my attention.

car je lui entendis plus d'une fois me dire : « Tu ne t'es jamais autant occupé d'aucun de tes propres enfants. » Ce qui était vrai; car si j'aime beaucoup mes enfants, je n'ai jamais cru que j'eusse beaucoup à m'occuper d'eux.

J'ai souvent éprouvé que la parabole de la brebis égarée reste une des plus difficiles à admettre pour certaines âmes, qui pourtant se croient profondément chrétiennes. Que chaque brebis du troupeau, prise à part, puisse aux yeux du berger être plus précieuse à son tour que tout le reste du troupeau pris en bloc, voici ce qu'elles ne peuvent s'élever à comprendre. Et ces mots : « Si un homme a cent brebis et que l'une d'elles s'égare, ne laisse-t-il pas les quatre-vingt-dix-neuf autres sur les montagnes, pour aller chercher celle qui s'est égarée ?° » — ces mots tout rayonnants de charité, si elles osaient parler franc, elles les déclareraient de la plus révoltante injustice.

Les premiers sourires de Gertrude me consolaient de tout et payaient mes soins au centuple. Car « cette brebis, si le pasteur la trouve, je vous le dis en vérité, elle lui cause plus de joie que les quatre-vingt-dix-neuf autres qui ne se sont jamais égarées.° » Oui, je le dis en vérité, jamais sourire d'aucun de mes enfants ne m'a inondé le cœur d'une aussi séraphique joie que fit celui que je vis poindre sur ce visage de statue certain matin où brusquement elle sembla commencer à comprendre et à s'intéresser à ce que je m'efforçais de lui enseigner depuis tant de jours.

Le 5 mars. J'ai noté cette date comme celle d'une naissance. C'était moins un sourire qu'une transfiguration. Tout à coup ses traits *s'animèrent*; ce fut comme un éclairement subit, pareil à cette lueur purpurine dans les hautes Alpes qui, précédant l'aurore, fait vibrer le sommet neigeux qu'elle désigne et sort de la nuit; on eût dit une coloration mystique; et je songeai également à la piscine de Bethesda° au moment que l'ange descend et vient réveiller l'eau dormante. J'eus une sorte de ravissement devant l'expression angélique que Gertrude put prendre soudain, car il m'apparut que ce qui la visitait en cet instant, n'était point tant l'intelligence que l'amour. Alors un tel élan de reconnaissance me souleva, qu'il me sembla que j'offrais à Dieu le baiser que je déposai sur ce beau front.

Autant ce premier résultat avait été difficile à obtenir, autant les progrès sitôt° après furent rapides. Je fais effort aujourd'hui pour me remémorer par quels chemins nous procédâmes; il me semblait parfois que Gertrude avançâ par bonds comme pour se moquer des méthodes. Je me souviens que j'insistai d'abord sur les qualités des objets plutôt que sur la variété de ceux-ci : le chaud, le froid, le tiède, le doux, l'amer, le rude, le souple, le léger... puis les mouvements : écarter, rapprocher, lever, croiser, coucher, nouer, disperser, rassembler, etc. Et bientôt, abandonnant toute méthode, j'en vins à causer avec elle sans trop m'inquiéter si son esprit toujours me suivait; mais lentement l'invitant et la provoquant à me questionner à loisir. Certainement un travail se faisait en son esprit durant le temps que je l'abandonnais à elle-même; car chaque fois que je la retrouvais c'était avec une nouvelle surprise et je me sentais séparé d'elle par une moindre épaisseur de nuit. C'est tout de même ainsi, me disais-je, que la tiédeur de l'air et l'insistance du printemps triomphent peu à peu de l'hiver. Que de fois n'ai-je pas admiré la manière dont fond la neige : on dirait que le manteau s'use par en dessous, et son aspect reste le même. A chaque hiver Amélie y est prise et me déclare : la neige n'a toujours pas changé; on la croit épaisse encore, quand déjà la voici qui cède et tout à coup, de place en place, laisse reparaître la vie.

Craignant que Gertrude ne s'étiolât° à demeurer auprès du feu sans cesse, comme une vieille, j'avais commencé de la faire sortir. Mais elle ne consentait à se promener qu'à mon bras. Sa surprise et sa crainte d'abord, dès qu'elle avait quitté la maison, me laissèrent comprendre, avant qu'elle n'eût su me le dire, qu'elle ne s'était encore jamais hasardée au dehors. Dans la chaumière où je l'avais trouvée personne ne s'était occupé d'elle autrement que pour lui donner à manger et l'aider à ne point mourir, car je n'ose point dire : à vivre. Son univers obscur était borné par les murs mêmes

---

14–17. *Si un homme... égarée:* Matthew 18 : 12. 23–26. *cette brebis... égarées:* Matthew 18 : 13. 42. *piscine de Bethesda:* For an account of the pool of Bethesda near the sheep market at Jerusalem, see John 5 : 2–4. Whenever an angel troubled the waters, and the sick bathed therein immediately after, they were made well.

7. *sitôt = aussitôt.* 38. *ne s'étiolât:* would grow sickly.

e cette unique pièce qu'elle n'avait jamais uittée; à peine se hasardait-elle, les jours d'été, u bord du seuil quand la porte restait ouverte ur le grand univers lumineux. Elle me raconta lus tard, qu'entendant le chant des oiseaux, lle l'imaginait alors un pur effet de la lumière, insi que cette chaleur même qu'elle sentait aresser ses joues et ses mains, et que, sans du este y réfléchir précisément, il lui paraissait out naturel que l'air chaud se mît à chanter, de même que l'eau se met à bouillir près du feu. e vrai c'est qu'elle ne s'en était point inquiétée, u'elle ne faisait attention à rien et vivait dans n engourdissement° profond, jusqu'au jour ù je commençai de m'occuper d'elle. Je me ouviens de son inépuisable ravissement lorsque e lui appris que ces petites voix émanaient de réatures vivantes, dont il semble que l'unique onction soit de sentir et d'exprimer l'éparse joie e la nature. (C'est de ce jour qu'elle prit habitude de dire : Je suis joyeuse comme un iseau.) Et pourtant l'idée que ces chants acontaient la splendeur d'un spectacle qu'elle e pouvait point contempler avait commencé ar la rendre mélancolique.

— Est-ce que vraiment, disait-elle, la terre st aussi belle que le racontent les oiseaux? ourquoi ne le dit-on pas davantage? Pourquoi, ous, ne me le dites-vous pas? Est-ce par crainte e me peiner en songeant que je ne puis la voir? ous auriez tort. J'écoute si bien les oiseaux; crois que je comprends tout ce qu'ils disent.

— Ceux qui peuvent y voir ne les entendent as si bien que toi, ma Gertrude, lui dis-je en spérant la consoler.

— Pourquoi les autres animaux ne chantent- s pas? reprit-elle. Parfois ses questions me urprenaient et je demeurais un instant per- lexe, car elle me forçait de réfléchir à ce que usqu'alors j'avais accepté sans m'en étonner. 'est ainsi que je considérai, pour la première is, que, plus l'animal est attaché de près à terre et plus il est pesant, plus il est triste. 'est ce que je tâchai de lui faire comprendre; je lui parlai de l'écureuil° et de ses jeux. Elle me demanda alors si les oiseaux étaient s seuls animaux qui volaient.

— Il y a aussi les papillons,° lui dis-je.

— Est-ce qu'ils chantent?

— Ils ont une autre façon de raconter leur joie, repris-je. Elle est inscrite en couleurs sur leurs ailes… Et je lui décrivis la bigarrure° des papillons.

28 fév.

Je reviens en arrière; car hier je m'étais laissé entraîner.

Pour l'enseigner à Gertrude j'avais dû apprendre moi-même l'alphabet des aveugles; mais bientôt elle devint beaucoup plus habile que moi à lire cette écriture où j'avais assez de peine à me reconnaître,° et qu'au surplus, je suivais plus volontiers avec les yeux qu'avec les mains. Du reste, je ne fus point le seul à l'in- struire. Et d'abord je fus heureux d'être secondé dans ce soin, car j'ai fort à faire° sur la commune, dont les maisons sont dispersées à l'excès de sorte que mes visites de pauvres et de malades m'obligent à des courses parfois assez lointaines. Jacques avait trouvé le moyen de se casser le bras en patinant pendant les vacances de Noël qu'il était venu passer près de nous — car entre temps il était retourné à Lausanne° où il avait fait déjà ses premières études, et entré à la faculté de théologie. La fracture ne présentait aucune gravité et Martins que j'avais aussitôt appelé put aisément la réduire sans l'aide d'un chirurgien; mais les précautions qu'il fallut prendre obligèrent Jacques à garder la maison quelque temps. Il commença brusque- ment de s'intéresser à Gertrude, que jusqu'alors il n'avait point considérée, et s'occupa de m'aider à lui apprendre à lire. Sa collaboration ne dura que le temps de sa convalescence, trois semaines environ, mais durant lesquelles Ger- trude fit de sensibles progrès. Un zèle extraordinaire la stimulait à présent. Cette intelligence hier encore engourdie, il semblait que, dès les premiers pas et presque avant de savoir marcher, elle se mettait à courir. J'admire le peu de difficulté qu'elle trouvait à formuler ses pensées, et combien promptement elle parvint à s'exprimer d'une manière, non point enfantine, mais correcte déjà, s'aidant pour imager° l'idée, et de la manière la plus inattendue pour nous et la plus plaisante, des objets qu'on venait de lui apprendre à connaître, ou de ce dont nous lui parlions et que nous lui

---

14. *engourdissement:* torpor. 45. *écureuil:* squirrel. 48. *pillons:* butterflies. | 3. *bigarrure:* motley coloring. 12. *me reconnaître:* get my bearings. 16. *fort à faire:* much to do. 23. Lausanne, Swiss city on Lake Geneva. 45. *imager:* picture.

décrivions, lorsque nous ne le pouvions mettre directement à sa portée; car nous nous servions toujours de ce qu'elle pouvait toucher ou sentir pour expliquer ce qu'elle ne pouvait atteindre, procédant à la manière des télémétreurs.°

Mais je crois inutile de noter ici tous les échelons° premiers de cette instruction qui, sans doute, se retrouvent dans l'instruction de tous les aveugles. C'est ainsi que, pour chacun d'eux, je pense, la question des couleurs a plongé chaque maître dans un même embarras. (Et à ce sujet je fus appelé à remarquer qu'il n'est nulle part question de couleurs dans l'Évangile.) Je ne sais comment s'y sont pris les autres; pour ma part je commençai par lui nommer les couleurs du prisme dans l'ordre où l'arc-en-ciel nous les présente; mais aussitôt s'établit une confusion dans son esprit entre couleur et clarté; et je me rendais compte que son imagination ne parvenait à faire aucune distinction entre la qualité de la nuance° et ce que les peintres appellent, je crois, « la valeur° ». Elle avait le plus grand mal à comprendre que chaque couleur à son tour pût être plus ou moins foncée, et qu'elles pussent à l'infini se mélanger entre elles. Rien ne l'intriguait davantage et elle revenait sans cesse là-dessus.

Cependant il me fut donné de l'emmener à Neuchâtel° où je pus lui faire entendre un concert. Le rôle de chaque instrument dans la symphonie me permit de revenir sur cette question des couleurs. Je fis remarquer à Gertrude les sonorités différentes des cuivres,° des instruments à cordes et des bois,° et que chacun d'eux à sa manière est susceptible d'offrir, avec plus ou moins d'intensité, toute l'échelle des sons, des plus graves aux plus aigus. Je l'invitai à se représenter de même, dans la nature, les colorations rouges et orangées analogues aux sonorités des cors° et des trombones, les jaunes et les verts à celles des violons, des violoncelles et des basses;° les violets et les bleus rappelés ici par les flûtes, les clarinettes et les hautbois.° Une sorte de ravissement intérieur vint dès lors remplacer ses doutes:

5. *télémétreurs:* range finders (surveyors who reckon distances according to known verticals). 7. *échelons:* rungs, steps. 21. *nuance:* hue. 22. *valeur:* value (the gradations between white and black; the "grayness" of a picture). 29. Neuchâtel, Swiss city, about 25 miles from La Brévine. 33. *cuivres:* we call them "brasses." 34. *bois:* wood-winds. 40. *cors:* horns. 42. *basses:* bass viols. 44. *hautbois:* oboes. (Compare this passage with Baudelaire's *Correspondances* and Rimbaud's *Voyelles.*)

— Que cela doit être beau! répétait-elle.

Puis, tout à coup:

— Mais alors: le blanc? Je ne comprends plus à quoi ressemble le blanc...

Et il m'apparut aussitôt combien ma comparaison était précaire.

— Le blanc, essayai-je pourtant de lui dire, est la limite aiguë où tous les tons se confondent, comme le noir en est la limite sombre. — Mais ceci ne me satisfit pas plus qu'elle, qui me fit aussitôt remarquer que les bois, les cuivres et les violons restent distincts les uns des autres dans le plus grave aussi bien que dans le plus aigu. Que de fois, comme alors, je dus demeurer d'abord silencieux, perplexe et cherchant à quelle comparaison je pourrais faire appel.

— Eh bien! lui dis-je enfin, représente-toi le blanc comme quelque chose de tout pur, quelque chose où il n'y a plus aucune couleur, mais seulement de la lumière; le noir, au contraire, comme chargé de couleur, jusqu'à en être tout obscurci...

Je ne rappelle ici ce débris de dialogue que comme un exemple des difficultés où je me heurtais trop souvent. Gertrude avait ceci de bien qu'elle ne faisait jamais semblant de comprendre, comme font si souvent les gens, qui meublent ainsi leur esprit de données° imprécises ou fausses, par quoi tous leurs raisonnements ensuite se trouvent viciés.° Tant qu'elle ne s'en était point fait une idée nette, chaque notion demeurait pour elle une cause d'inquiétude et de gêne.

Pour ce que j'ai dit plus haut, la difficulté s'augmentait de ce que, dans son esprit, la notion de lumière et celle de chaleur s'étaient d'abord étroitement liées, de sorte que j'eus le plus grand mal à les dissocier par la suite.

Ainsi j'expérimentais sans cesse à travers elle combien le monde visuel diffère du monde des sons et à quel point toute comparaison que l'on cherche à tirer de l'un pour l'autre est boiteuse.°

Tout occupé par mes comparaisons, je n'ai point dit encore l'immense plaisir que Gertrude avait pris à ce concert de Neuchâtel. On y jouait précisément la *Symphonie pastorale.* Je dis « précisément » car il n'est, on le comprend

28. *données:* data. 30. *viciés:* vitiated, falsified. 42. *boiteuse:* limping, inexact.

aisément, pas une œuvre que j'eusse pu davantage souhaiter de lui faire entendre. Longtemps après que nous eûmes quitté la salle de concert, Gertrude restait encore silencieuse et comme noyée dans l'extase.

— Est-ce que vraiment ce que vous voyez est aussi beau que cela? dit-elle enfin.

— Aussi beau que quoi? ma chérie.

— Que cette « *scène au bord du ruisseau* ».°

Je ne lui répondis pas aussitôt, car je réfléchissais que ces harmonies ineffables peignaient, non point le monde tel qu'il était, mais bien tel qu'il aurait pu être, qu'il pourrait être sans le mal et sans le péché. Et jamais encore je n'avais osé parler à Gertrude du mal, du péché, de la mort.

— Ceux qui ont des yeux, dis-je enfin, ne connaissent pas leur bonheur.

— Mais moi qui n'en ai point, s'écria-t-elle aussitôt, je connais le bonheur d'entendre.

Elle se serrait contre moi tout en marchant et elle pesait à mon bras comme font les petits enfants :

— Pasteur, est-ce que vous sentez combien je suis heureuse? Non, non, je ne dis pas cela pour vous faire plaisir. Regardez-moi : est-ce que cela ne se voit pas sur le visage, quand ce que l'on dit n'est pas vrai? Moi, je le reconnais si bien à la voix. Vous souvenez-vous du jour où vous m'avez répondu que vous ne pleuriez pas, après que ma tante (c'est ainsi qu'elle appelait ma femme) vous avait reproché de ne rien savoir faire pour elle; je me suis écriée : Pasteur, vous mentez! Oh! je l'ai senti tout de suite à votre voix, que vous ne me disiez pas la vérité; je n'ai pas eu besoin de toucher vos joues, pour savoir que vous aviez pleuré. » Et elle répéta très haut : « Non, je n'avais pas besoin de toucher vos joues » — ce qui me fit rougir, parce que nous étions encore dans la ville et que des passants se retournèrent. Cependant elle continuait :

— Il ne faut pas chercher à m'en faire accroire,° voyez-vous. D'abord parce que ça serait très lâche de chercher à tromper une aveugle... Et puis parce que ça ne prendrait pas, ajouta-t-elle en riant. Dites-moi, pasteur, vous n'êtes pas malheureux, n'est-ce pas?

Je portai sa main à mes lèvres, comme pour lui faire sentir sans le lui avouer que partie de mon bonheur venait d'elle, tout en répondant:

— Non, Gertrude, non, je ne suis pas malheureux. Comment serais-je malheureux?

— Vous pleurez quelquefois, pourtant?

— J'ai pleuré quelquefois.

— Pas depuis la fois que j'ai dit?

— Non, je n'ai plus repleuré, depuis.

— Et vous n'avez plus eu envie de pleurer?

— Non. Gertrude.

— Et dites... est-ce qu'il vous est arrivé depuis, d'avoir envie de mentir?

— Non, chère enfant.

— Pouvez-vous me promettre de ne jamais chercher à me tromper?

— Je le promets.

— Eh bien! dites-moi tout de suite : Est-ce que je suis jolie?

Cette brusque question m'interloqua,° d'autant plus que je n'avais point voulu jusqu'à ce jour accorder attention à l'indéniable beauté de Gertrude; et je tenais pour parfaitement inutile, au surplus, qu'elle en fût elle-même avertie.

— Que t'importe de le savoir? lui dis-je aussitôt.

— Cela, c'est mon souci, reprit-elle. Je voudrais savoir si je ne... comment dites-vous cela?... si je ne détonne° pas trop dans la symphonie. A qui d'autre demanderais-je cela, pasteur?

— Un pasteur n'a pas à s'inquiéter de la beauté des visages, dis-je, me défendant comme je pouvais.

— Pourquoi?

— Parce que la beauté des âmes lui suffit.

— Vous préférez me laisser croire que je suis laide, dit-elle alors avec une moue charmante; de sorte que, n'y tenant plus, je m'écriai :

— Gertrude, vous savez bien que vous êtes jolie.

Elle se tut et son visage prit une expression très grave dont elle ne se départit plus jusqu'au retour.

Aussitôt rentrés, Amélie trouva le moyen de me faire sentir qu'elle désapprouvait l'emploi de ma journée. Elle aurait pu me le dire auparavant; mais elle nous avait laissés partir, Gertrude et moi, sans mot dire, selon son

---

9. *scène... ruisseau*: second movement of the *Pastoral Symphony*. 44. *m'en faire accroire*: take me in.

19. *m'interloqua*: took me aback. 28. *détonne*: am out of tune.

habitude de laisser faire et de se réserver ensuite le droit de blâmer. Du reste elle ne me fit
point précisément des reproches; mais son
silence même était accusateur; car n'eût-il pas
été naturel qu'elle s'informât de ce que nous 5
avions entendu, puisqu'elle savait que je menais
Gertrude au concert? la joie de cette enfant
n'eût-elle pas été augmentée par le moindre
intérêt qu'elle eût senti que l'on prenait à son
plaisir? Amélie du reste ne demeurait pas 10
silencieuse, mais elle semblait mettre une sorte
d'affectation à ne parler que des choses les plus
indifférentes; et ce ne fut que le soir, après que
les petits furent allés se coucher, que l'ayant
prise à part et lui ayant demandé sévèrement : 15
— Tu es fâchée de ce que j'ai mené Gertrude
au concert? j'obtins cette réponse :
— Tu fais pour elle ce que tu n'aurais fait
pour aucun des tiens.

C'était donc toujours le même grief, et le 20
même refus de comprendre que l'on fête
l'enfant qui revient, mais non point ceux qui
sont demeurés, comme le montre la parabole;°
il me peinait aussi de ne la voir tenir aucun
compte de l'infirmité de Gertrude, qui ne 25
pouvait espérer d'autre fête que celle-là. Et si,
providentiellement, je m'étais trouvé libre de
mon temps ce jour-là, moi qui suis si requis°
d'ordinaire, le reproche d'Amélie était d'autant
plus injuste qu'elle savait bien que chacun 30
de mes enfants avait soit un travail à faire, soit
quelque occupation qui le retenait, et qu'elle-
même, Amélie, n'a point de goût pour la
musique, de sorte que, lorsqu'elle° disposerait
de tout son temps, jamais il ne lui viendrait à 35
l'idée d'aller au concert, lors même que celui-ci
se donnerait à notre porte.

Ce qui me chagrinait davantage, c'est qu'-
Amélie eût osé dire cela devant Gertrude; car
bien que j'eusse pris ma femme à l'écart, elle 40
avait élevé la voix assez pour que Gertrude
l'entendît. Je me sentais moins triste qu'indigné,
et quelques instants plus tard, comme Amélie
nous avait laissés, m'étant approché de Gertrude, je pris sa petite main frêle et la portant à 45
mon visage :
— Tu vois! cette fois je n'ai pas pleuré.
— Non : cette fois, c'est mon tour, dit-elle,

en s'efforçant de me sourire; et son beau visage
qu'elle levait vers moi, je vis soudain qu'il
était inondé de larmes.

                              8 mars.

Le seul plaisir que je puisse faire à Amélie,
c'est de m'abstenir de faire les choses qui lui
déplaisaient. Ces témoignages d'amour tout
négatifs sont les seuls qu'elle me permette. A
quel point elle a déjà rétréci° ma vie, c'est
ce dont elle ne peut se rendre compte. Ah!
plût à Dieu qu'elle réclamât de moi quelque
action difficile! Avec quelle joie j'accomplirais
pour elle le téméraire, le périlleux! Mais on
dirait qu'elle répugne à tout ce qui n'est pas
coutumier; de sorte que le progrès dans la
vie n'est pour elle que d'ajouter de semblables
jours au passé. Elle ne souhaite pas, elle
n'accepte même pas de moi, des vertus nouvelles,
ni même un accroissement des vertus reconnues.
Elle regarde avec inquiétude, quand ce n'est
pas avec réprobation, tout effort de l'âme qui
veut voir dans le Christianisme autre chose
qu'une domestication des instincts.

Je dois avouer que j'avais complètement
oublié, une fois à Neuchâtel, d'aller régler le
compte de notre mercière,° ainsi qu'Amélie
m'en avait prié, et de lui rapporter une boîte de
fil. Mais j'en étais ensuite beaucoup plus
fâché contre moi qu'elle ne pouvait être elle-
même; et d'autant plus que je m'étais bien
promis de n'y pas manquer, sachant de reste
que « celui qui est fidèle dans les petites choses
le sera aussi dans les grandes° », — et craignant
les conclusions qu'elle pouvait tirer de mon
oubli. J'aurais même voulu qu'elle m'en fît
quelque reproche, car sur ce point certainement
j'en méritais. Mais comme il advient surtout, le
grief imaginaire l'emportait sur l'imputation
précise : ah! que la vie serait belle et notre
misère supportable, si nous nous contentions des
maux réels sans prêter l'oreille aux fantômes
et aux monstres de notre esprit... Mais je me
laisse aller à noter ici ce qui ferait plutôt le sujet
d'un sermon (Luc. XII, 29. « N'ayez point
l'esprit inquiet »). C'est l'histoire du développement intellectuel et moral de Gertrude que j'ai
entrepris de tracer ici. J'y reviens.

---

23. *parabole:* i.e., of the prodigal son (Luke 15 : 11–32).
This parable had a particular meaning for Gide; he developed
it in *Le Retour de l'enfant prodigue* (1907). 28. *requis:* in
demand. 34. *lorsqu'elle:* if she.

10. *rétréci:* narrowed. 27. *mercière:* small dry goods dealer,
notion-shop keeper. 32. *de reste:* full well (distinguish from
du reste). 34. *celui qui... grandes:* Luke 16 : 10.

J'espérais pouvoir suivre ici ce développement pas à pas, et j'avais commencé d'en raconter le détail. Mais outre que le temps me manque pour en noter minutieusement toutes les phases, il m'est extrêmement difficile aujourd'hui d'en retrouver l'enchaînement exact. Mon récit m'entraînant, j'ai rapporté d'abord des réflexions de Gertrude, des conversations avec elle, beaucoup plus récentes, et celui qui par aventure lirait ces pages s'étonnera sans doute de l'entendre s'exprimer aussitôt avec tant de justesse et raisonner si judicieusement.° C'est aussi que ses progrès furent d'une rapidité déconcertante : j'admirais souvent avec quelle promptitude son esprit saisissait l'aliment intellectuel que j'approchais d'elle et tout ce dont il pouvait s'emparer, le faisant sien par un travail d'assimilation et de maturation continuel. Elle me surprenait, précédant sans cesse ma pensée, la dépassant, et souvent d'un entretien à l'autre je ne reconnaissais plus mon élève.

Au bout de peu de mois il ne paraissait plus que son intelligence avait sommeillé si longtemps. Même elle montrait plus de sagesse déjà que n'en ont la plupart des jeunes filles que le monde extérieur dissipe et dont maintes préoccupations futiles absorbent la meilleure attention. Au surplus elle était, je crois, sensiblement plus âgée qu'il ne nous avait paru d'abord. Il semblait qu'elle prétendît tourner à profit sa cécité,° de sorte que j'en venais à douter si, sur beaucoup de points, cette infirmité ne lui devenait pas un avantage. Malgré moi je la comparais à Charlotte et lorsque parfois il m'arrivait de faire répéter à celle-ci ses leçons, voyant son esprit tout distrait par la moindre mouche qui vole, je pensais : « Tout de même, comme elle m'écouterait mieux, si seulement elle n'y voyait pas ! »

Il va sans dire que Gertrude était très avide de lectures ; mais, soucieux d'accompagner le plus possible sa pensée, je préférais qu'elle ne lût pas beaucoup — ou du moins pas beaucoup sans moi — et principalement la Bible, ce qui peut paraître bien étrange pour un protestant. Je m'expliquerai là-dessus ; mais, avant que d'aborder une question si importante, je veux relater un petit fait qui a rapport à la musique et qu'il faut situer, autant qu'il m'en souvient, peu de temps après le concert de Neuchâtel.

Oui, ce concert avait eu lieu, je crois, trois semaines avant les vacances d'été qui ramenèrent Jacques près de nous. Entre temps il m'était arrivé plus d'une fois d'asseoir Gertrude devant le petit harmonium de notre chapelle, que tient d'ordinaire Mlle de La M... chez qui Gertrude habite à présent. Louise de La M... n'avait pas encore commencé l'instruction musicale de Gertrude. Malgré l'amour que j'ai pour la musique, je n'y connais pas grand'chose et ne me sentais guère capable de rien lui enseigner lorsque je m'asseyais devant le clavier auprès d'elle.

— Non, laissez-moi, m'a-t-elle dit, dès les premiers tâtonnements.° Je préfère essayer seule.

Et je la quittais d'autant plus volontiers que la chapelle ne me paraissait guère un lieu décent pour m'y enfermer seul avec elle, autant par respect pour le saint lieu, que par crainte des racontars° — encore qu'à l'ordinaire je m'efforce de n'en point tenir compte ; mais il s'agit ici d'elle et non plus seulement de moi. Lorsqu'une tournée de visites m'appelait de ce côté, je l'emmenais jusqu'à l'église et l'abandonnais donc, durant de longues heures, souvent, puis allais la reprendre au retour. Elle s'occupait ainsi, patiemment, à découvrir des harmonies, et je la retrouvais vers le soir, attentive, devant quelque consonance qui la plongeait dans un ravissement prolongé.

Un des premiers jours d'août, il y a à peine un peu plus de six mois de cela, n'ayant point trouvé chez elle une pauvre veuve à qui j'allais porter quelque consolation, je revins pour prendre Gertrude à l'église où je l'avais laissée ; elle ne m'attendait point si tôt et je fus extrêmement surpris de trouver Jacques auprès d'elle. Ni l'un ni l'autre ne m'avaient entendu entrer, car le peu de bruit que je fis fut couvert par les sons de l'orgue. Il n'est point dans mon naturel d'épier, mais tout ce qui touche à Gertrude me tient à cœur : amortissant° donc le bruit de mes pas, je gravis furtivement les quelques marches de l'escalier qui mène à la tribune° ;

13. In fact, Gide hardly allows time for Gertrude to learn the language plus all the background facts and skills of common life, plus musical virtuosity. But his time scheme, to be dramatically effective, must be compressed. 32. *cécité:* blindness.

19. *tâtonnements:* fumblings. 25. *racontars:* gossip. 47. *amortissant:* deadening, softening. 49. *tribune:* gallery.

excellent poste d'observation. Je dois dire que, tout le temps que je demeurai là, je n'entendis pas une parole que l'un et l'autre n'eussent aussi bien dite devant moi. Mais, il était contre elle et, à plusieurs reprises, je le vis qui prenait sa main pour guider ses doigts sur les touches.° N'était-il pas étrange déjà qu'elle acceptât de lui des observations et une direction dont elle m'avait dit précédemment qu'elle préférait se passer ? J'en étais plus étonné, plus peiné que je n'aurais voulu me l'avouer à moi-même et déjà je me proposais d'intervenir lorsque je vis Jacques tout à coup tirer sa montre.

— Il est temps que je te quitte, à présent, dit-il; mon père va bientôt revenir.

Je le vis alors porter à ses lèvres la main qu'elle lui abandonna; puis il partit. Quelques instants après, ayant redescendu sans bruit l'escalier, j'ouvris la porte de l'église de manière qu'elle pût l'entendre et croire que je ne faisais que d'entrer.

— Eh bien, Gertrude ! Es-tu prête à rentrer ? L'orgue va bien ?

— Oui, très bien, me dit-elle de sa voix la plus naturelle; aujourd'hui j'ai vraiment fait quelques progrès.

Une grande tristesse emplissait mon cœur, mais nous ne fîmes l'un ni l'autre aucune allusion à ce que je viens de raconter.

Il me tardait de me trouver seul avec Jacques. Ma femme, Gertrude et les enfants se retiraient d'ordinaire assez tôt après le souper, nous laissant tous deux prolonger studieusement la veillée.° J'attendais ce moment. Mais devant° que de lui parler je me sentis le cœur si gonflé et par des sentiments si troublés que je ne savais ou n'osais aborder le sujet qui me tourmentait. Et ce fut lui qui brusquement rompit le silence en m'annonçant sa résolution de passer toutes les vacances auprès de nous. Or, peu de jours auparavant, il nous avait fait part d'un projet de voyage dans les Hautes-Alpes, que ma femme et moi avions grandement approuvé; je savais que son ami T..., qu'il choisissait pour compagnon de route, l'attendait; aussi m'apparut-il nettement que ce revirement° subit n'était point sans rapport avec la scène que je venais de surprendre. Une grande indignation

me souleva d'abord, mais craignant, si je m'y laissais aller, que mon fils ne se fermât à moi définitivement, craignant aussi d'avoir à regretter des paroles trop vives, je fis un grand effort sur moi-même et du ton le plus naturel que je pus :

— Je croyais que T... comptait sur toi, lui dis-je.

— Oh! reprit-il, il n'y comptait pas absolument, et du reste, il ne sera pas en peine de me remplacer. Je me repose aussi bien ici que dans l'Oberland° et je crois vraiment que je peux employer mon temps mieux qu'à courir les montagnes.

— Enfin, dis-je, tu as trouvé ici de quoi t'occuper?

Il me regarda, percevant dans le ton de ma voix quelque ironie, mais, comme il n'en distinguait pas encore le motif, il reprit d'un air dégagé :

— Vous savez que j'ai toujours préféré le livre à l'alpenstock.°

— Oui, mon ami, fis-je en le regardant à mon tour fixement; mais ne crois-tu pas que les leçons d'accompagnement à l'harmonium présentent pour toi encore plus d'attrait que la lecture?

Sans doute il se sentit rougir, car il mit sa main devant son front, comme pour s'abriter de la clarté de la lampe. Mais il se ressaisit presque aussitôt, et d'une voix que j'aurais souhaitée moins assurée :

— Ne m'accusez pas trop, mon père. Mon intention n'était pas de vous rien cacher, et vous devancez° de bien peu l'aveu que je m'apprêtais à vous faire.

Il parlait posément, comme on lit un livre, achevant ses phrases avec autant de calme, semblait-il, que s'il ne se fût pas agi de lui-même. L'extraordinaire possession de soi dont il faisait preuve achevait de m'exaspérer. Sentant que j'allais l'interrompre, il leva la main, comme pour me dire : non, vous pourrez parler ensuite, laissez-moi d'abord achever; mais je saisis son bras et le secouant :

— Plutôt que de te voir porter le trouble dans l'âme pure de Gertrude, m'écriai-je impétueusement, ah! je préférerais ne plus te revoir. Je n'ai pas besoin de tes aveux! Abuser de l'infirmité,

---

7. *touches:* keys. 34. *veillée:* evening gathering. 34. *devant* = *avant.* 46. *revirement:* shift.

12. *Oberland:* region of the high Alps, in central Switzerland. 22. *alpenstock:* climbers' iron-shod staff. 34. *devancez:* forestall.

le l'innocence, de la candeur, c'est une abominable lâcheté dont je ne t'aurais jamais cru capable! et de m'en parler avec ce détestable sang-froid!... Écoute-moi bien : J'ai charge de Gertrude et je ne supporterai pas un jour de plus que tu lui parles, que tu la touches, que tu la voies.

— Mais, mon père, reprit-il sur le même ton tranquille et qui me mettait hors de moi, croyez 10 bien que je respecte Gertrude autant que vous pouvez faire vous-même. Vous vous méprenez étrangement si vous pensez qu'il entre quoi que ce soit de répréhensible, je ne dis pas seulement dans ma conduite, mais dans mon dessein même et dans le secret de mon cœur. J'aime Gertrude, 15 et je la respecte, vous dis-je, autant que je l'aime. L'idée de la troubler, d'abuser de son innocence et de sa cécité me paraît aussi abominable qu'à vous. Puis il protesta que ce qu'il voulait être pour elle, c'était un soutien, 20 un ami, un mari; qu'il n'avait pas cru devoir m'en parler avant que sa résolution de l'épouser ne fût prise; que cette résolution Gertrude elle-même ne la connaissait pas encore et que c'était à moi qu'il en voulait parler d'abord. — Voici 25 l'aveu que j'avais à vous faire, ajouta-t-il, et je n'ai rien d'autre à vous confesser, croyez-le.

Ces paroles m'emplissaient de stupeur. Tout en les écoutant j'entendais mes tempes battre. Je n'avais préparé que des reproches, et, à 30 mesure qu'il m'enlevait toute raison de m'indigner, je me sentais plus désemparé,° de sorte qu'à la fin de son discours je ne trouvais plus rien à lui dire.

— Allons nous coucher, fis-je enfin, après un 35 assez long silence. Je m'étais levé et lui posai la main sur l'épaule. Demain je te dirai ce que je pense de tout cela.

— Dites-moi du moins que vous n'êtes plus irrité contre moi. 40

— J'ai besoin de la nuit pour réfléchir.

Quand je retrouvai Jacques le lendemain, il me sembla vraiment que je le regardais pour la première fois. Il m'apparut tout à coup que 45 mon fils n'était plus un enfant, mais un jeune homme; tant que je le considérais comme un enfant, cet amour que j'avais surpris pouvait me sembler monstrueux. J'avais passé la nuit à me persuader qu'il était tout naturel et normal au

contraire. D'où venait que mon insatisfaction n'en était que plus vive? C'est ce qui ne devait s'éclairer pour moi qu'un peu plus tard. En attendant je devais parler à Jacques et lui signifier ma décision. Or un instinct aussi sûr que celui de la conscience m'avertissait qu'il fallait empêcher ce mariage à tout prix.

J'avais entraîné Jacques dans le fond du jardin; c'est là que je lui demandai d'abord :

— T'es-tu déclaré à Gertrude?

— Non, me dit-il. Peut-être sent-elle déjà mon amour; mais je ne le lui ai point avoué.

— Eh bien! tu vas me faire la promesse de ne pas lui en parler encore.

— Mon père, je me suis promis de vous obéir; mais ne puis-je connaître vos raisons?

J'hésitais à lui en donner, ne sachant trop si celles qui me venaient d'abord à l'esprit étaient celles mêmes qu'il importait le plus de mettre en avant. A dire vrai la conscience bien plutôt que la raison dictait ici ma conduite.°

— Gertrude est trop jeune, dis-je enfin. Songe qu'elle n'a pas encore communié. Tu sais que ce n'est pas une enfant comme les autres, hélas! et que son développement a été beaucoup retardé. Elle ne serait sans doute que trop sensible, confiante comme elle est, aux premières paroles d'amour qu'elle entendrait; c'est précisément pourquoi il importe de ne pas les lui dire. S'emparer de ce qui ne peut se défendre, c'est une lâcheté : je sais que tu n'es pas un lâche. Tes sentiments, dis-tu, n'ont rien de répréhensible; moi je les dis coupables parce qu'ils sont prématurés. La prudence que Gertrude n'a pas encore, c'est à nous de l'avoir pour elle. C'est une affaire de conscience.

Jacques a ceci d'excellent, qu'il suffit, pour le retenir, de ces simples mots : « Je fais appel à ta conscience » dont j'ai souvent usé lorsqu'il était enfant. Cependant je le regardais et pensais que, si elle pouvait y voir, Gertrude ne laisserait pas d'admirer ce grand corps svelte, à la fois si droit et si simple, ce beau front sans rides, ce regard franc, ce visage enfantin encore, mais que semblait ombrer une soudaine gravité. Il était nu-tête et ses cheveux cendrés,° qu'il portait alors assez longs, bouclaient légèrement à ses tempes et cachaient ses oreilles à demi.

— Il y a ceci que je veux te demander encore,

---

32. *désemparé:* at a loss.

21. Do you agree with this analysis? 46. *cendrés:* ash-blond.

repris-je en me levant du banc où nous étions assis : tu avais l'intention, disais-tu, de partir après-demain; je te prie de ne pas différer ce départ. Tu devais rester absent tout un mois; je te prie de ne pas raccourcir d'un jour ce voyage. C'est entendu?

— Bien, mon père, je vous obéirai.

Il me parut qu'il devenait extrêmement pâle, au point que ses lèvres mêmes étaient décolorées. Mais je me persuadai que, pour une soumission si prompte, son amour ne devait pas être bien fort; et j'en éprouvai un soulagement indicible. Au surplus, j'étais sensible à sa docilité.

— Je retrouve l'enfant que j'aimais, lui dis-je doucement, et, le tirant à moi, je posai mes lèvres sur son front. Il y eut de sa part un léger recul; mais je ne voulus pas m'en affecter.°

10 mars.

Notre maison est si petite que nous sommes obligés de vivre un peu les uns sur les autres, ce qui est assez gênant parfois pour mon travail, bien que j'aie réservé au premier une petite pièce où je puisse me retirer et recevoir mes visites; gênant surtout lorsque je veux parler à l'un des miens en particulier, sans pourtant donner à l'entretien une allure trop solennelle, comme il adviendrait dans cette sorte de parloir que les enfants appellent en plaisantant : le Lieu saint, où il leur est défendu d'entrer; mais ce même matin Jacques était parti pour Neuchâtel, où il devait acheter ses chaussures d'excursionniste, et, comme il faisait très beau, les enfants, après déjeuner, sortirent avec Gertrude, que tout à la fois ils conduisent et qui les conduit. (J'ai plaisir à remarquer ici que Charlotte est particulièrement attentionnée avec elle.) Je me trouvai donc tout naturellement seul avec Amélie à l'heure du thé, que nous prenons toujours dans la salle commune. C'était ce que je désirais, car il me tardait de lui parler. Il m'arrive si rarement d'être en tête à tête avec elle que je me sentais comme timide, et l'importance de ce que j'avais à lui dire me troublait, comme s'il se fût agi, non des aveux de Jacques, mais des miens propres. J'éprouvais aussi, devant que de parler, à quel point deux êtres, vivant somme toute de la même vie, et qui s'aiment, peuvent rester (ou devenir) l'un pour l'autre énigmatiques et emmurés; les paroles,

dans ce cas, soit celles que nous adressons à l'autre, soit celles que l'autre nous adresse, sonnent plaintivement comme des coups de sonde° pour nous avertir de la résistance de cette cloison séparatrice et qui, si l'on n'y veille, risque d'aller s'épaississant...

— Jacques m'a parlé hier soir et ce matin, commençais-je, tandis qu'elle versait le thé; et ma voix était aussi tremblante que celle de Jacques hier était assurée. Il m'a parlé de son amour pour Gertrude.

— Il a bien fait de t'en parler, dit-elle sans me regarder et en continuant son travail de ménagère, comme si je lui annonçais une chose toute naturelle, ou plutôt comme si je ne lui apprenais rien.

— Il m'a dit son désir de l'épouser; sa résolution...

— C'était à prévoir, murmura-t-elle en haussant légèrement les épaules.

— Alors tu t'en doutais? fis-je un peu nerveusement.

— On voyait venir cela depuis longtemps. Mais c'est un genre de choses que les hommes ne savent pas remarquer.

Comme il n'eût servi à rien de protester, et que du reste il y avait peut-être un peu de vrai dans sa repartie, j'objectai simplement :

— Dans ce cas, tu aurais bien pu m'avertir.

Elle eut ce sourire un peu crispé° du coin de la lèvre, par quoi elle accompagne parfois et protège ses réticences, et en hochant la tête obliquement :

— S'il fallait que je t'avertisse de tout ce que tu ne sais pas remarquer!

Que signifiait cette insinuation? C'est ce que je ne savais, ni ne voulais chercher à savoir, et passant outre :

— Enfin, je voulais entendre ce que toi tu penses de cela.

Elle soupira, puis :

— Tu sais, mon ami, que je n'ai jamais approuvé la présence de cette enfant parmi nous.

J'avais du mal à ne pas m'irriter en la voyant revenir ainsi sur le passé.

— Il ne s'agit pas de la présence de Gertrude, repris-je; mais Amélie continuait déjà :

— J'ai toujours pensé qu'il n'en pourrait rien résulter que de fâcheux.

---

17. *je ne... affecter:* I refused to let myself be affected by it.

4. *coups de sonde:* soundings. 30. *crispé:* puckered, tense.

Par grand désir de conciliation, je saisis au
bond la phrase :

— Alors tu considères comme fâcheux un tel
mariage. Eh bien! c'est ce que je voulais
t'entendre dire; heureux que nous soyons du
même avis. J'ajoutai que du reste Jacques
s'était docilement soumis aux raisons que je
lui avais données, de sorte qu'elle n'avait plus
à s'inquiéter : qu'il était convenu qu'il partirait
demain pour ce voyage qui devrait durer tout
un mois.

— Comme je ne me soucie pas plus que toi
qu'il retrouve Gertrude ici à son retour, dis-je
enfin, j'ai pensé que le mieux serait de la
confier à Mlle de La M... chez qui je pourrai
continuer de la voir; car je ne dissimule pas que
j'ai contracté de véritables obligations envers
elle. J'ai tantôt été pressentir° la nouvelle
hôtesse, qui ne demande qu'à nous obliger.
Ainsi tu seras délivrée d'une présence qui t'est
pénible. Louise de La M... s'occupera de
Gertrude; elle se montre enchantée de l'arrangement; elle se réjouit déjà de lui donner des
leçons d'harmonie.

Amélie semblant décidée à demeurer silencieuse, je repris :

— Comme il faut éviter que Jacques n'aille
retrouver Gertrude là-bas en dehors de nous, je
crois qu'il sera bon d'avertir Mlle de La M... de
la situation, ne penses-tu pas ?

Je tâchais par cette interrogation d'obtenir
un mot d'Amélie; mais elle gardait les lèvres
serrées, comme s'étant juré de ne rien dire. Et
je continuai, non qu'il me restât rien à ajouter,
mais parce que je ne pouvais supporter son
silence :

— Au reste, Jacques reviendra de ce voyage
peut-être déjà guéri de son amour. A son âge,
est-ce qu'on connaît seulement ses désirs ?

— Oh! même plus tard on ne les connaît pas
toujours, fit-elle enfin bizarrement.

Son ton énigmatique et sentencieux m'irritait,
car je suis de naturel trop franc pour m'accom-
moder aisément du mystère. Me tournant vers
elle, je la priai d'expliquer ce qu'elle sous-
entendait par là.

— Rien, mon ami, reprit-elle tristement. Je
songeais seulement que tantôt tu souhaitais
qu'on t'avertisse de ce que tu ne remarquais pas.

— Et alors ?

— Et alors je me disais qu'il n'est pas aisé
d'avertir.

J'ai dit que j'avais horreur du mystère et, par
principe, je me refuse aux sous-entendus.

— Quand tu voudras que je te comprenne, tu
tâcheras de t'exprimer plus clairement, repartis-
je d'une manière peut-être un peu brutale, et
que je regrettai tout aussitôt; car je vis un
instant ses lèvres trembler. Elle détourna la tête
puis, se levant, fit quelques pas hésitants et
comme chancelants dans la pièce.

— Mais enfin, Amélie, m'écriai-je, pourquoi
continues-tu à te désoler, à présent que tout est
réparé ?

Je sentais que mon regard la gênait, et c'est le
dos tourné, m'accoudant à la table et la tête
appuyée contre la main, que je lui dis :

— Je t'ai parlé durement tout à l'heure.
Pardon.

Alors je l'entendis s'approcher de moi, puis je
sentis ses doigts se poser doucement sur mon
front, tandis qu'elle disait d'une voix tendre et
pleine de larmes :

— Mon pauvre ami!

Puis aussitôt elle quitta la pièce.

Les phrases d'Amélie, qui me paraissaient
alors mystérieuses, s'éclairèrent pour moi peu
ensuite; je les ai rapportées telles qu'elles
m'apparurent d'abord; et ce jour-là je compris
seulement qu'il était temps que Gertrude partît.

12 mars.

Je m'étais imposé ce devoir de consacrer
quotidiennement un peu de temps à Gertrude;
c'était, suivant les occupations de chaque jour,
quelques heures ou quelques instants. Le
lendemain du jour où j'avais eu cette conversation avec Amélie, je me trouvais assez libre,
et, le beau temps y invitant, j'entraînai Gertrude
à travers la forêt, jusqu'à ce repli du Jura° où,
à travers le rideau des branches et par delà
l'immense pays dominé, le regard, quand le
temps est clair, par-dessus une brume légère,
découvre l'émerveillement des Alpes blanches.
Le soleil déclinait déjà sur notre gauche quand
nous parvînmes à l'endroit où nous avions
coutume de nous asseoir. Une prairie à l'herbe
à la fois rase et drue° dévalait° à nos pieds; plus
loin pâturaient quelques vaches; chacune

---

18. *pressentir:* sound out.

40. *repli du Jura:* fold of the Jura mountains. 49. *rase et drue:*
short and dense. 48. *dévalait:* sloped downward.

d'elles, dans ces troupeaux de montagne, porte une cloche au cou.

— Elles dessinent le paysage, disait Gertrude en écoutant leur tintement.

Elle me demanda, comme à chaque promenade, de lui décrire l'endroit où nous nous arrêtions.

— Mais, lui dis-je, tu le connais déjà; c'est l'orée° d'où l'on voit les Alpes.

— Est-ce qu'on les voit bien aujourd'hui?

— On voit leur splendeur tout entière.

— Vous m'avez dit qu'elles étaient chaque jour un peu différentes.

— A quoi les comparerai-je aujourd'hui? A la soif d'un plein jour d'été. Avant ce soir elles auront achevé de se dissoudre dans l'air.

— Je voudrais que vous me disiez s'il y a des lys dans la grande prairie devant nous?

— Non, Gertrude; les lys ne croissent pas sur ces hauteurs; ou seulement quelques espèces rares.

— Pas ceux que l'on appelle les lys des champs?

— Il n'y a pas de lys dans les champs.

— Même pas dans les champs des environs de Neuchâtel?

— Il n'y a pas de lys des champs.

— Alors pourquoi le Seigneur nous dit-il : « Regardez les lys des champs° »?

— Il y en avait sans doute de son temps, pour qu'il le dise; mais les cultures des hommes les ont fait disparaître.

— Je me rappelle que vous m'avez dit souvent que le plus grand besoin de cette terre est de confiance et d'amour. Ne pensez-vous pas qu'avec un peu plus de confiance l'homme recommencerait de les voir? Moi, quand j'écoute cette parole, je vous assure que je les vois. Je vais vous les décrire, voulez-vous? — On dirait des cloches de flamme, de grandes cloches d'azur emplies du parfum de l'amour et que balance le vent du soir. Pourquoi me dites-vous qu'il n'y en a pas, là devant nous? Je les sens! J'en vois la prairie toute emplie.

— Ils ne sont pas plus beaux que tu les vois, ma Gertrude.

— Dites qu'ils ne sont pas moins beaux.

— Ils sont aussi beaux que tu les vois.

— « Et je vous dis en vérité que Salomon même, dans toute sa gloire, n'était pas vêtu comme l'un d'eux° », dit-elle, citant les paroles du Christ, et d'entendre sa voix si mélodieuse, il me sembla que j'écoutais ces mots pour la première fois. « Dans toute sa gloire », répéta-t-elle pensivement, puis elle demeura quelque temps silencieuse, et je repris :

— Je te l'ai dit, Gertrude : ceux qui ont des yeux sont ceux qui ne savent pas regarder. Et du fond de mon cœur j'entendais s'élever cette prière : « Je te rends grâces, ô Dieu, de révéler aux humbles ce que tu caches aux intelligents! »

— Si vous saviez, s'écria-t-elle alors dans une exaltation enjouée, si vous pouviez savoir combien j'imagine aisément tout cela. Tenez, voulez-vous que je vous décrive le paysage?... Il y a derrière nous, au-dessus et autour de nous, les grands sapins, au goût de résine, au tronc grenat,° aux longues sombres branches horizontales qui se plaignent lorsque veut les courber le vent. A nos pieds, comme un livre ouvert, incliné sur le pupitre de la montagne, la grande prairie verte et diaprée,° que bleuit l'ombre, que dore le soleil, et dont les mots distincts sont des fleurs — des gentianes, des pulsatilles,° des renoncules,° et les beaux lys de Salomon° — que les vaches viennent épeler avec leurs cloches, et où les anges viennent lire, puisque vous dites que les yeux des hommes sont clos. Au bas du livre, je vois un grand fleuve de lait fumeux, brumeux, couvrant tout un abîme de mystère, un fleuve immense, sans autre rive que, là-bas, tout au loin devant nous, les belles Alpes éblouissantes... C'est là-bas que doit aller Jacques. Dites : est-ce vrai qu'il part demain?

— Il doit partir demain. Il te l'a dit?

— Il ne me l'a pas dit; mais je l'ai compris. Il doit rester longtemps absent?

— Un mois... Gertrude, je voulais te demander... Pourquoi ne m'as-tu pas raconté qu'il venait te retrouver à l'église?

— Il est venu m'y retrouver deux fois. Oh! je ne veux rien vous cacher! mais je craignais de vous faire de la peine.

— Tu m'en ferais en ne le disant pas.

Sa main chercha la mienne.

9. *orée:* edge (of woods). 29. *Regardez... champs:* Matthew 6 : 28.

2. *Et je vous dis... l'un d'eux:* Matthew 6 : 29. 19. *grenat:* garnet-red. 23. *diaprée:* mottled, pied. 25. *pulsatilles:* pasque flowers (a kind of anemone). 26. *renoncules:* ranunculi (a genus including buttercups). 26. *lys de Salomon:* apparently not a real flower.

— Il était triste de partir.

— Dis-moi, Gertrude... t'a-t-il dit qu'il ['aimait?

— Il ne me l'a pas dit; mais je sens bien cela [sans] qu'on le dise. Il ne m'aime pas tant que [vous].

— Et toi, Gertrude, tu souffres de le voir [partir?]

— Je pense qu'il vaut mieux qu'il parte. Je [ne] pourrais pas lui répondre.

— Mais, dis : tu souffres, toi, de le voir [partir?]

— Vous savez bien que c'est vous que j'aime, [pasteur]... Oh! pourquoi retirez-vous votre [main?] Je ne vous parlerais pas ainsi si vous [n'étiez] pas marié. Mais on n'épouse pas une [a]veugle. Alors pourquoi ne pourrions-nous pas [n]ous aimer? Dites, pasteur, est-ce que vous [tr]ouvez que c'est mal?

— Le mal n'est jamais dans l'amour.

— Je ne sens rien que de bon dans mon cœur. [J]e ne voudrais pas faire souffrir Jacques. Je [v]oudrais ne faire souffrir personne... Je voudrais [ne] donner que du bonheur.

— Jacques pensait à demander ta main.

— Me laisserez-vous lui parler avant son [dé]part? Je voudrais lui faire comprendre qu'il [d]oit renoncer à m'aimer. Pasteur, vous com[p]renez, n'est-ce pas, que je ne peux épouser [p]ersonne? Vous me laisserez lui parler, n'est-ce [p]as?

— Dès ce soir.

— Non, demain, au moment même de son [dé]part...

Le soleil se couchait dans une splendeur [ex]altée. L'air était tiède. Nous nous étions levés [et] tout en parlant nous avions repris le sombre [ch]emin du retour.

Deuxième Cahier

25 avril.

J'ai dû laisser quelque temps ce cahier.

La neige avait enfin fondu,° et sitôt que les [ro]utes furent redevenues praticables, il m'a [fa]llu m'acquitter d'un grand nombre d'obli[g]ations que j'avais été forcé de remettre pendant le long temps que notre village était resté bloqué. Hier seulement, j'ai pu retrouver quelques instants de loisir.

La nuit dernière j'ai relu tout ce que j'avais écrit ici...

Aujourd'hui que j'ose appeler par son nom le sentiment si longtemps inavoué de mon cœur, je m'explique à peine comment j'ai pu jusqu'à présent m'y méprendre°; comment certaines paroles d'Amélie, que j'ai rapportées, ont pu me paraître mystérieuses; comment, après les naïves déclarations de Gertrude, j'ai pu douter encore si je l'aimais. C'est que, tout à la fois, je ne consentais point alors à reconnaître d'amour permis en dehors du mariage, et que, dans le sentiment qui me penchait si passionnément vers Gertrude, je ne consentais pas à reconnaître quoi que ce soit de défendu.

La naïveté de ses aveux, leur franchise même me rassurait. Je me disais : c'est une enfant. Un véritable amour n'irait pas sans confusion, ni rougeurs. Et de mon côté je me persuadais que je l'aimais comme on aime un enfant infirme. Je la soignais comme on soigne un malade, — et d'un entraînement° j'avais fait une obligation morale, un devoir. Oui, vraiment, ce soir même où elle me parlait comme j'ai rapporté, je me sentais l'âme si légère et si joyeuse que je me méprenais encore, et encore en transcrivant ces propos. Et parce que j'eusse cru répréhensible l'amour, et que j'estimais que tout ce qui est répréhensible courbe l'âme, ne me sentant point l'âme chargée je ne croyais pas à l'amour.

J'ai rapporté ces conversations non seulement telles qu'elles ont eu lieu, mais encore les ai-je transcrites dans une disposition d'esprit toute pareille; à vrai dire ce n'est qu'en les relisant cette nuit-ci que j'ai compris...

Sitôt après le départ de Jacques — auquel j'avais laissé Gertrude parler, et qui ne revint que pour les derniers jours de vacances, affectant ou de fuir Gertrude ou de ne lui parler plus que devant moi — notre vie avait repris son cours très calme. Gertrude, ainsi qu'il était convenu, avait été loger chez Mlle Louise, où j'allais la voir chaque jour. Mais, par peur de l'amour encore, j'affectais de ne plus parler avec elle de rien qui nous pût émouvoir. Je ne lui

45. Notice how the weather and the seasons play a sym[bo]lic role throughout the story. Is this the same as the ["p]athetic fallacy" of the Romantics?

9. *m'y méprendre*: be mistaken about it. 25. *entraînement*: inclination.

parlais plus qu'en pasteur, et le plus souvent en présence de Louise, m'occupant surtout de son instruction religieuse et la préparant à la communion qu'elle vient de faire à Pâques.

Le jour de Pâques j'ai, moi aussi, communié.

Il y a de cela quinze jours. A ma surprise, Jacques, qui venait passer une semaine de vacances près de nous, ne m'a pas accompagné auprès de la Table Sainte. Et j'ai le grand regret de devoir dire qu'Amélie, pour la première fois depuis notre mariage, s'est également abstenue. Il semblait qu'ils se fussent tous deux donné le mot et eussent résolu, par leur défection à ce rendez-vous solennel, de jeter l'ombre sur ma joie. Ici encore, je me félicitai que Gertrude ne pût y voir, de sorte que je fusse seul à supporter le poids de cette ombre. Je connais trop bien Amélie pour n'avoir pas su voir tout ce qu'il entrait de reproche indirect dans sa conduite. Il ne lui arrive jamais de me désapprouver ouvertement, mais elle tient à me marquer son désaveu° par une sorte d'isolement.

Je m'affectai profondément de ce qu'un grief de cet ordre — je veux dire : tel que je répugne à le considérer — pût incliner l'âme d'Amélie au point de la détourner de ses intérêts supérieurs. Et de retour à la maison je priai pour elle dans toute la sincérité de mon cœur.

Quant à l'abstention de Jacques, elle était due à de tout autres motifs et qu'une conversation, que j'eus avec lui peu de temps après, vint éclairer.

3 mai.

L'instruction religieuse de Gertrude m'a amené à relire l'Évangile avec un œil neuf. Il m'apparaît de plus en plus que nombre des notions dont se compose notre foi chrétienne relèvent non des paroles du Christ mais des commentaires de saint Paul.

Ce fut proprement le sujet de la discussion que je viens d'avoir avec Jacques. De tempérament un peu sec, son cœur ne fournit pas à sa pensée un aliment suffisant; il devient traditionnaliste et dogmatique. Il me reproche de choisir dans la doctrine chrétienne « ce qui me plaît. » Mais je ne choisis pas telle ou telle parole du Christ. Simplement entre le Christ et

saint Paul, je choisis le Christ. Par crainte d'avoir à les opposer, lui se refuse à dissocier l'un de l'autre, se refuse à sentir de l'un à l'autre une différence d'inspiration, et proteste si je lui dis qu'ici j'écoute un homme tandis que là j'entends Dieu. Plus il raisonne, plus il me persuade de ceci : qu'il n'est point sensible à l'accent uniquement divin de la moindre parole du Christ.

Je cherche à travers l'Évangile, je cherche en vain commandement, menace, défense... Tout cela n'est que de Saint Paul. Et c'est précisément de ne le trouver point dans les paroles du Christ, qui gêne Jacques. Les âmes semblables à la sienne se croient perdues, dès qu'elles ne sentent plus auprès d'elles tuteurs, rampes et garde-fous.° De plus elles tolèrent mal chez autrui une liberté qu'elles résignent, et souhaitent d'obtenir par contrainte tout ce qu'on est prêt à leur accorder par amour.

— Mais, mon père, me dit-il, moi aussi je souhaite le bonheur des âmes.

— Non, mon ami; tu souhaites leur soumission.

— C'est dans la soumission qu'est le bonheur.

Je lui laisse le dernier mot parce qu'il me déplaît d'ergoter;° mais je sais bien que l'on compromet le bonheur en cherchant à l'obtenir par ce qui doit au contraire n'être que l'effet du bonheur — et que s'il est vrai de penser que l'âme aimante se réjouit de sa soumission volontaire, rien n'écarte plus du bonheur qu'une soumission sans amour.

Au demeurant, Jacques raisonne bien, et si je ne souffrais de rencontrer, dans un si jeune esprit, déjà tant de raideur doctrinale, j'admirerais sans doute la qualité de ses arguments et la constance de sa logique. Il me paraît souvent que je suis plus jeune que lui; plus jeune aujourd'hui que je n'étais hier, et je me redis cette parole : « Si vous ne devenez semblables à des petits enfants, vous ne sauriez entrer dans le Royaume. »°

Est-ce trahir le Christ, est-ce diminuer, profaner l'Évangile que d'y voir surtout une *méthode pour arriver à la vie bienheureuse?* L'état de joie, qu'empêchent notre doute et la dureté de

17. *tuteurs, rampes, et garde-fous:* props, handrails, and guardrails. 27. *ergoter:* quibble. 41–43. *Si vous... Royaume:* Matthew 18 : 3.

22. *désaveu:* disavowal, repudiation.

nos cœurs, pour le chrétien est un état obliga-toire. Chaque être est plus ou moins capable de joie. Chaque être doit tendre à la joie.° Le seul sourire de Gertrude m'en apprend plus là-dessus, que mes leçons ne lui enseignent.

Et cette parole du Christ s'est dressée lumi-neusement devant moi : « Si vous étiez aveugles, vous n'auriez point de péché.° » Le péché, c'est ce qui obscurcit l'âme, c'est ce qui s'oppose à sa joie. Le parfait bonheur de Gertrude, qui rayonne de tout son être, vient de ce qu'elle ne connaît point le péché. Il n'y a en elle que de la clarté, de l'amour.

J'ai mis entre ses mains vigilantes les quatre évangiles, les psaumes, l'apocalypse et les trois épîtres de Jean où elle peut lire : « Dieu est lumière et il n'y a point en lui de ténèbres° » comme déjà dans son évangile elle pouvait entendre le Sauveur dire : « Je suis la lumière du monde; celui qui est avec moi ne marchera pas dans les ténèbres.° » Je me refuse à lui donner les épîtres de Paul, car si, aveugle, elle ne connaît point le péché, que sert de l'inquiéter en la laissant lire : « Le péché a pris de nouvelles forces par le commandement » (Romains VII, 13) et toute la dialectique qui suit, si admirable soit-elle ?

8 mai.

Le docteur Martins est venu hier de la Chaux-de-Fonds. Il a longuement examiné les yeux de Gertrude à l'ophtalmoscope. Il m'a dit avoir parlé de Gertrude au docteur Roux, le spécia-liste de Lausanne, à qui il doit faire part de ses observations. Leur idée à tous deux c'est que Gertrude serait opérable. Mais nous avons convenu de ne lui parler de rien tant qu'il n'y aurait pas plus de certitude. Martins doit venir me renseigner après consultation. Que servirait d'éveiller en Gertrude un espoir qu'on risque de devoir éteindre aussitôt ? — Au surplus, n'est-elle pas heureuse ainsi ?…

10 mai.

A Pâques, Jacques et Gertrude se sont revus, en ma présence — du moins Jacques a revu Gertrude et lui a parlé, mais rien que de choses insignifiantes. Il s'est montré moins ému que je n'aurais pu craindre, et je me persuade à

nouveau que, vraiment ardent,° son amour n'aurait pas été si facile à réduire, malgré que Gertrude lui ait déclaré, avant son départ l'an passé, que cet amour devait demeurer sans espoir. J'ai constaté qu'il vousoie° Gertrude à présent, ce qui est certainement préférable; je ne le lui avais pourtant pas demandé, de sorte que je suis heureux qu'il ait compris cela de lui-même. Il y a incontestablement beaucoup de bon en lui.

Je soupçonne néanmoins que cette soumission de Jacques n'a pas été sans débats et sans luttes. Le fâcheux, c'est que la contrainte qu'il a dû imposer à son cœur, à présent lui paraît bonne en elle-même; il la souhaiterait voir imposer à tous; je l'ai senti dans cette discussion que je viens d'avoir avec lui et que j'ai rapportée plus haut. N'est-ce pas La Rochefoucauld qui disait que l'esprit est souvent la dupe du cœur ? Il va sans dire que je n'osai le faire remarquer à Jacques aussitôt, connaissant son humeur et le tenant pour un de ceux que la discussion ne fait qu'obstiner dans son sens;° mais le soir même, ayant retrouvé, et dans saint Paul précisément (je ne pouvais le battre qu'avec ses armes), de quoi lui répondre, j'eus soin de laisser dans sa chambre un billet où il a pu lire : « Que celui qui ne mange pas ne juge pas celui qui mange, car Dieu a accueilli ce dernier » (Romains XIV, 3).

J'aurais aussi bien pu copier la suite : « Je sais et je suis persuadé par le Seigneur Jésus que rien n'est impur en soi et qu'une chose n'est impure que pour celui qui la croit impure° » — mais je n'ai pas osé, craignant que Jacques n'allât supposer, en mon esprit, à l'égard de Gertrude, quelque interprétation injurieuse, qui ne doit même pas effleurer son esprit. Évidem-ment il s'agit ici d'aliments; mais à combien d'autres passages de l'Écriture n'est-on pas appelé à prêter double et triple sens ? (« Si ton œil°… »; multiplication des pains;° miracle aux noces de Cana,° etc…) Il ne s'agit pas ici d'ergoter; la signification de ce verset est large et profonde : la restriction ne doit pas être dictée par la loi, mais par l'amour, et saint

---

44–3. *Est-ce trahir… joie:* This passage expresses one of Gide's own convictions. 8. *Si vous étiez… péché:* John 9 : 41. 17. *Dieu… ténèbres:* 1 John 1 : 5. 21. *Je suis la lumière… ténèbres:* John 8 : 12.

1. *vraiment ardent:* i.e., if it had been really ardent. 5. *vousoie:* uses *vous* form of address. 23. *sens: here,* opinion. 34. *Je sais… impure:* Romans 14 : 14. 42. *Si ton œil…:* "If thine eye offend thee, pluck it out." Mark 9 : 47. 42. *multiplication des pains:* miracle of the loaves and fishes (Matthew 14 : 17, etc.). 43. *noces de Cana:* John 2 : 1–12.

Paul, aussitôt ensuite, s'écrie : « Mais si, pour un aliment, ton frère est attristé, tu ne marches pas selon l'amour. » C'est au défaut de l'amour que nous attaque le Malin.° Seigneur! enlevez de mon cœur tout ce qui n'appartient pas à l'amour... Car j'eus tort de provoquer Jacques : le lendemain je trouvais sur ma table le billet même où j'avais copié le verset : sur le dos de la feuille, Jacques avait simplement transcrit cet autre verset du même chapitre : « Ne cause point par ton aliment la perte de celui pour lequel Christ est mort. » (Romains XIV, 15.)

Je relis encore une fois tout le chapitre. C'est le départ d'une discussion infinie. Et je tourmenterais de ces perplexités, j'assombrirais de ces nuées, le ciel lumineux de Gertrude? — Ne suis-je pas plus près du Christ et ne l'y maintiens-je point elle-même, lorsque je lui enseigne et la laisse croire que le seul péché est ce qui attente au bonheur d'autrui, ou compromet notre propre bonheur?

Hélas! certaines âmes demeurent particulièrement réfractaires au bonheur; inaptes, maladroites... Je songe à ma pauvre Amélie. Je l'y invite sans cesse, l'y pousse et voudrais l'y contraindre. Oui, je voudrais soulever chacun jusqu'à Dieu. Mais elle se dérobe sans cesse, se referme comme certaines fleurs que n'épanouit aucun soleil. Tout ce qu'elle voit l'inquiète et l'afflige.

— Que veux-tu, mon ami, m'a-t-elle répondu l'autre jour, il ne m'a pas été donné d'être aveugle.

Ah! que son ironie m'est douloureuse, et quelle vertu me faut-il pour ne point m'en laisser troubler! Elle devrait comprendre pourtant, il me semble, que cette allusion à l'infirmité de Gertrude est de nature à particulièrement me blesser. Elle me fait sentir, du reste, que ce que j'admire surtout en Gertrude, c'est sa mansuétude° infinie : je ne l'ai jamais entendue formuler le moindre grief contre autrui. Il est vrai que je ne lui laisse rien connaître de ce qui pourrait la blesser.

Et de même que l'âme heureuse, par l'irradiation de l'amour, propage le bonheur autour d'elle, tout se fait à l'entour d'Amélie sombre et morose. Amiel° écrirait que son âme émet des rayons noirs. Lorsque après une journée de lutte, visites aux pauvres, aux malades, aux affligés, je rentre à la nuit tombante, harassé parfois, le cœur plein d'un exigeant besoin de repos, d'affection, de chaleur, je ne trouve le plus souvent à mon foyer que soucis, récriminations, tiraillements,° à quoi mille fois je préférerais le froid, le vent et la pluie du dehors. Je sais bien que notre vieille Rosalie prétend n'en faire jamais qu'à sa tête;° mais elle n'a pas toujours tort, ni surtout Amélie toujours raison quand elle prétend la faire céder. Je sais bien que Charlotte et Gaspard sont horriblement turbulents; mais Amélie n'obtiendrait-elle point davantage en criant un peu moins fort et moins constamment après eux? Tant de recommandations, d'admonestations,° de réprimandes perdent tout leur tranchant,° à l'égal des galets° des plages; les enfants en sont beaucoup moins dérangés que moi. Je sais bien que le petit Claude fait ses dents (c'est du moins ce que soutient sa mère chaque fois qu'il commence à hurler), mais n'est-ce pas l'inviter à hurler que d'accourir aussitôt, elle ou Sarah, et de le dorloter° sans cesse? Je demeure persuadé qu'il hurlerait moins souvent si on le laissait, quelques bonnes fois, hurler tout son soûl° quand je ne suis point là. Mais je sais bien que c'est surtout alors qu'elles s'empressent.

Sarah ressemble à sa mère, ce qui fait que j'aurais voulu la mettre en pension.° Elle ressemble non point, hélas! à ce que sa mère était à son âge, quand nous nous sommes fiancés, mais bien à ce que l'ont fait devenir les soucis de la vie matérielle, et j'allais dire la culture des soucis de la vie (car certainement Amélie les cultive). Certes j'ai bien du mal à reconnaître en elle aujourd'hui l'ange qui souriait naguère à chaque noble élan de mon cœur, que je rêvais d'associer indistinctivement° à ma vie, et qui me paraissait me précéder et me guider vers la lumière — ou l'amour en ce temps-là me blousait-il?°... Car je ne découvre en Sarah d'autres préoccupations que vulgaires; à l'instar de° sa mère elle se laisse affairer°

---

7. *tiraillements:* tuggings, wranglings. 10. *n'en faire... tête:* always to do just as she pleases. 17. *admonestations:* reproofs. 18. *tranchant:* sharpness. 18. *galets:* pebbles. 25. *dorloter:* soothe, pamper. 27. *tout son soûl:* his bellyful. 31. *en pension:* in a boarding school. 40. *indistinctivement:* without qualification. 43. *me blousait-il?* did it deceive me? 45. *à l'instar de:* like. 45. *affairer:* be busied with.

---

4. *le Malin:* the Devil. 41. *mansuétude:* gentleness. 48. *Amiel:* Swiss writer (1821–81), whose introspective *Journal* reveals rare qualities of meditative thought.

uniquement par des soucis mesquins;° les traits mêmes de son visage, que ne spiritualise aucune flamme intérieure, sont mornes et comme durcis. Aucun goût pour la poésie, ni plus généralement pour la lecture; je ne surprends jamais, entre elle et sa mère, de conversation à quoi je puisse souhaiter prendre part, et je sens mon isolement plus douloureusement encore auprès d'elles que lorsque je me retire dans mon bureau, ainsi que je prends coutume de faire de plus en plus souvent.

J'ai pris aussi cette habitude, depuis l'automne et encouragé par la rapide tombée de la nuit, d'aller chaque fois que me le permettent mes tournées, c'est-à-dire quand je peux rentrer assez tôt, prendre le thé chez Mlle de La M... Je n'ai point dit encore que, depuis le mois de novembre dernier, Louise de La M... hospitalise avec Gertrude trois petites aveugles que Martins a proposé de lui confier; à qui Gertrude à son tour apprend à lire et à exécuter divers menus travaux, où déjà ces fillettes se montrent assez habiles.

Quel repos, quel réconfort pour moi, chaque fois que je rentre dans la chaude atmosphère de *la Grange*, et combien il me prive si parfois il me faut rester deux ou trois jours sans y aller. Mlle de La M... est à même, il va sans dire, d'héberger° Gertrude et ses trois petites pensionnaires, sans avoir à se gêner ou à se tourmenter pour leur entretien; trois servantes l'aident avec un grand dévouement et lui épargnent toute fatigue. Mais peut-on dire que jamais fortune et loisirs furent mieux mérités? De tout temps Louise de La M... s'est beaucoup occupée des pauvres; c'est une âme profondément religieuse, qui semble ne faire que se prêter à cette terre et n'y vivre que pour aimer; malgré ses cheveux presque tout argentés déjà qu'encadre un bonnet de guipure,° rien de plus enfantin que son sourire, rien de plus harmonieux que son geste, de plus musical que sa voix. Gertrude a pris ses manières, sa façon de parler, une sorte d'intonation, non point seulement de la voix, mais de la pensée, de tout l'être — ressemblance dont je plaisante l'une et l'autre, mais dont aucune des deux ne consent à s'apercevoir. Qu'il m'est doux, si j'ai le temps de m'attarder un peu près d'elles, de les voir, assises l'une auprès de l'autre et Gertrude soit appuyant son front sur l'épaule de son amie, soit abandonnant une de ses mains dans les siennes, m'écouter lire quelques vers de Lamartine ou de Hugo; qu'il m'est doux de contempler dans leurs deux âmes limpides le reflet de cette poésie! Même les petites élèves n'y demeurent pas insensibles. Ces enfants, dans cette atmosphère de paix et d'amour, se développent étrangement et font de remarquables progrès. J'ai souri d'abord lorsque Mlle Louise a parlé de leur apprendre à danser, par hygiène autant que par plaisir; mais j'admire aujourd'hui la grâce rythmée des mouvements qu'elles arrivent à faire et qu'elles ne sont pas, hélas! capables elles-mêmes d'apprécier. Pourtant Louise de La M... me persuade que, de ces mouvements qu'elles ne peuvent voir, elles perçoivent musculairement l'harmonie. Gertrude s'associe à ces danses avec une grâce et une bonne grâce charmantes, et du reste y prend l'amusement le plus vif. Ou parfois c'est Louise de La M... qui se mêle au jeu des petites, et Gertrude s'assied alors au piano. Ses progrès en musique ont été surprenants; maintenant elle tient l'orgue de la chapelle chaque dimanche et prélude au chant des cantiques par de courtes improvisations.

Chaque dimanche, elle vient déjeuner chez nous; mes enfants la revoient avec plaisir, malgré que leurs goûts et les siens diffèrent de plus en plus. Amélie ne marque pas trop de nervosité et le repas s'achève sans accroc.° Toute la famille ensuite ramène Gertrude et prend le goûter° à *la Grange*. C'est une fête pour mes enfants que Louise prend plaisir à gâter et comble de friandises.° Amélie elle-même, qui ne laisse pas d'être sensible aux prévenances,° se déride° enfin et paraît toute rajeunie. Je crois qu'elle se passerait désormais malaisément de cette halte dans le train fastidieux° de sa vie.

18 mai.

A présent que les beaux jours reviennent, j'ai de nouveau pu sortir avec Gertrude, ce qui ne m'était pas arrivé depuis longtemps (car dernièrement encore il y a eu de nouvelles chutes de neige et les routes sont demeurées

---

1. *mesquins:* petty. 29. *à même d'héberger:* able to lodge. 40. *guipure:* needlepoint lace. 32. *accroc:* hitch, difficulty. 34. *goûter:* tea. 36. *comble de friandises:* showers with dainties. 38. *prévenances:* kindnesses. 38. *se déride:* cheers up. 41. *train fastidieux:* boring routine.

jusqu'à ces derniers jours dans un état épouvantable), non plus qu'il ne m'était arrivé depuis longtemps de me retrouver seul avec elle.

Nous marchions vite; l'air vif colorait ses joues et ramenait sans cesse sur son visage ses cheveux blonds. Comme nous longions une tourbière° je cueillis quelques joncs° en fleurs, dont je glissai les tiges sous son béret, puis que je tressai avec ses cheveux pour les maintenir.

Nous ne nous étions encore presque pas parlé, tout étonnés de nous retrouver seuls ensemble, lorsque Gertrude, tournant vers moi sa face sans regards, me demanda brusquement :

— Croyez-vous que Jacques m'aime encore? 15

— Il a pris son parti de renoncer à toi, répondis-je aussitôt.

— Mais croyez-vous qu'il sache que vous m'aimez? reprit-elle.

Depuis la conversation de l'été dernier que j'ai rapportée, plus de six mois s'étaient écoulés 20 sans que (je m'en étonne) le moindre mot d'amour ait été de nouveau prononcé entre nous. Nous n'étions jamais seuls, je l'ai dit, et mieux valait qu'il en fût ainsi... La question de Gertrude me fit battre le cœur si fort que je dus 25 ralentir un peu notre marche.

— Mais tout le monde, Gertrude, sait que je t'aime, m'écriai-je. Elle ne prit pas le change :°

— Non, non; vous ne répondez pas à ma question.

Et après un moment de silence, elle reprit, la tête baissée :

— Ma tante Amélie sait cela; et moi je sais que cela la rend triste.

— Elle serait triste sans cela, protestai-je 35 d'une voix mal assurée. Il est de son tempérament d'être triste.

— Oh! vous cherchez toujours à me rassurer, dit-elle avec une sorte d'impatience. Mais je ne tiens pas à être rassurée. Il y a bien des choses, je 40 le sais, que vous ne me faites pas connaître, par peur de m'inquiéter ou de me faire de la peine; bien des choses que je ne sais pas, de sorte que parfois...

Sa voix devenait de plus en plus basse; elle 45 s'arrêta comme à bout de souffle. Et comme, reprenant ses derniers mots, je demandais :

— Que parfois?...

— De sorte que parfois, reprit-elle tristement,

tout le bonheur que je vous dois me paraît reposer sur de l'ignorance.

— Mais, Gertrude...

— Non, laissez-moi vous dire : Je ne veux pas 5 d'un pareil bonheur. Comprenez que je ne... Je ne tiens pas à être heureuse. Je préfère savoir. Il y a beaucoup de choses, de tristes choses assurément, que je ne puis pas voir, mais que vous n'avez pas le droit de me laisser ignorer. 10 J'ai longtemps réfléchi durant ces mois d'hiver; je crains, voyez-vous, que le monde entier ne soit pas si beau que vous me l'avez fait croire, pasteur, et même qu'il ne s'en faille de beaucoup.°

— Il est vrai que l'homme a souvent enlaidi la terre, arguai-je craintivement, car l'élan de ses pensées me faisait peur et j'essayais de le détourner tout en désespérant d'y réussir. Il semblait qu'elle attendît ces quelques mots, car, 20 s'en emparant aussitôt comme d'un chaînon° grâce à quoi se fermait la chaîne :

— Précisément, s'écria-t-elle : je voudrais être sûre de ne pas ajouter au mal.

Longtemps nous continuâmes de marcher 25 très vite en silence. Tout ce que j'aurais pu lui dire se heurtait d'avance à ce que je sentais qu'elle pensait; je redoutais de provoquer quelque phrase dont notre sort à tous deux dépendait. Et songeant à ce que m'avait dit 30 Martins, que peut-être on pourrait lui rendre la vue, une grande angoisse étreignait mon cœur.

— Je voulais vous demander, reprit-elle enfin — mais je ne sais comment le dire...

Certainement, elle faisait appel à tout son 35 courage, comme je faisais appel au mien pour l'écouter. Mais comment eussé-je pu prévoir la question qui la tourmentait :

— Est-ce que les enfants d'une aveugle naissent aveugles nécessairement?

Je ne sais qui de nous deux cette conversation oppressait davantage; mais à présent il nous fallait continuer.

— Non, Gertrude, lui dis-je; à moins de cas très spéciaux. Il n'y a même aucune raison 45 pour qu'ils le soient.

Elle parut extrêmement rassurée. J'aurais voulu lui demander à mon tour pourquoi elle me demandait cela; je n'en eus pas le courage et continuai maladroitement :

---

7. *tourbière*: peat bog. 7. *joncs*: rushes. 28. *ne prit pas le change*: refused to be distracted.

14. *qu'il ne... beaucoup*: far from it. 20. *chaînon*: link.

— Mais, Gertrude, pour avoir des enfants, il faut être mariée.

— Ne me dites pas cela, pasteur. Je sais que cela n'est pas vrai.

— Je t'ai dit ce qu'il était décent de te dire, protestai-je. Mais en effet les lois de la nature permettent ce qu'interdisent les lois des hommes et de Dieu.

— Vous m'avez dit souvent que les lois de Dieu étaient celles mêmes de l'amour.

— L'amour qui parle ici n'est plus celui qu'on appelle aussi : charité.

— Est-ce par charité que vous m'aimez ?

— Tu sais bien que non, ma Gertrude.

— Mais alors vous reconnaissez que notre amour échappe aux lois de Dieu ?

— Que veux-tu dire ?

— Oh ! vous le savez bien, et ce ne devrait pas être à moi de parler.

En vain je cherchais à biaiser ;° mon cœur battait la retraite de mes arguments en déroute. Éperdument je m'écriai :

— Gertrude... tu penses que ton amour est coupable ?

Elle rectifia :

— Que *notre* amour... Je me dis que je devrais le penser.

— Et alors ?

Je surpris comme une supplication dans ma voix, tandis que, sans reprendre haleine, elle achevait :

— Mais que je ne peux pas cesser de vous aimer.

Tout cela se passait hier. J'hésitais d'abord à l'écrire... Je ne sais plus comment s'acheva la promenade. Nous marchions à pas précipités, comme pour fuir, et je tenais son bras étroitement serré contre moi. Mon âme avait à ce point quitté mon corps — il me semblait que le moindre caillou sur la route nous eût fait tous deux rouler à terre.

19 mai.

Martins est revenu ce matin. Gertrude est opérable. Roux l'affirme et demande qu'elle lui soit confiée quelque temps. Je ne puis m'opposer à cela et, pourtant, lâchement, j'ai demandé à réfléchir. J'ai demandé qu'on me laissât la préparer doucement... Mon cœur devrait bondir de joie, mais je le sens peser en moi, lourd d'une angoisse inexprimable. A l'idée de devoir annoncer à Gertrude que la vue lui pourrait être rendue, le cœur me faut.

Nuit du 19 mai.

J'ai revu Gertrude et je ne lui ai point parlé. A *la Grange*, ce soir, comme personne n'était dans le salon, je suis monté jusqu'à sa chambre. Nous étions seuls.

Je l'ai tenue longuement pressé contre moi. Elle ne faisait pas un mouvement pour se défendre, et comme elle levait le front vers moi, nos lèvres se sont rencontrées...

21 mai.

Est-ce pour nous, Seigneur, que vous avez fait la nuit si profonde et si belle ? Est-ce pour moi ? L'air est tiède et par ma fenêtre ouverte la lune entre et j'écoute le silence immense des cieux. O confuse adoration de la création tout entière où fond mon cœur dans une extase sans paroles. Je ne peux plus prier qu'éperdument. S'il est une limitation dans l'amour, elle n'est pas de Vous, mon Dieu, mais des hommes. Pour coupable que mon amour paraisse aux yeux des hommes, oh ! dites-moi qu'aux vôtres il est saint.

Je tâche à m'élever au-dessus de l'idée de péché ; mais le péché me semble intolérable, et je ne veux point abandonner le Christ. Non, je n'accepte pas de pécher, aimant Gertrude. Je ne puis arracher cet amour de mon cœur qu'en arrachant mon cœur même, et pourquoi ? Quand je ne l'aimerais pas déjà, je devrais l'aimer par pitié pour elle ; ne plus l'aimer, ce serait la trahir : elle a besoin de mon amour...

Seigneur, je ne sais plus... Je ne sais plus que Vous. Guidez-moi. Parfois il me paraît que je m'enfonce dans les ténèbres et que la vue qu'on va lui rendre m'est enlevée.

Gertrude est entrée hier à la clinique° de Lausanne, d'où elle ne doit sortir que dans vingt jours. J'attends son retour avec une appréhension extrême. Martins doit nous la ramener. Elle m'a fait promettre de ne point chercher à la voir d'ici là.

22 mai.

Lettre de Martins : l'opération a réussi. Dieu soit loué !

---

20. *biaiser:* shift, hedge.

41. *clinique:* hospital.

24 mai.

L'idée de devoir être vu par elle, qui jusqu'-
alors m'aimait sans me voir — cette idée me
cause une gêne intolérable. Va-t-elle me
reconnaître? Pour la première fois de ma vie
j'interroge anxieusement les miroirs. Si je sens
son regard moins indulgent que n'était son
cœur, et moins aimant, que deviendrai-je?
Seigneur, il m'apparaît parfois que j'ai besoin
de son amour pour vous aimer.

27 mai.

Un surcroît° de travail m'a permis de
traverser ces derniers jours sans trop d'impatience. Chaque occupation qui peut m'arracher
de moi-même est bénie; mais tout le long du
jour, à travers tout, son image me suit.

C'est demain qu'elle doit revenir. Amélie, qui
durant cette semaine ne m'a montré que les
meilleurs côtés de son humeur et semble avoir
pris à tâche de me faire oublier l'absente,
s'apprête avec les enfants à fêter son retour.

28 mai.

Gaspard et Charlotte ont été cueillir ce qu'ils
ont pu trouver de fleurs dans les bois et dans les
prairies. La vieille Rosalie confectionne un
gâteau monumental que Sarah agrémente° de
je ne sais quels ornements de papier doré. Nous
l'attendons pour ce midi.°

J'écris pour user cette attente. Il est onze
heures. A tout moment je relève la tête et
regarde vers la route par où la voiture de
Martins doit approcher. Je me retiens d'aller à
leur rencontre : mieux vaut, et par égard pour
Amélie, ne pas séparer mon accueil. Mon
cœur s'élance... ah! les voici!

28 au soir.

Dans quelle abominable nuit je plonge!

Pitié, Seigneur, pitié! Je renonce à l'aimer,
mais, Vous, ne permettez pas qu'elle meure!

Que j'avais donc raison de craindre! Qu'a-t-
elle fait? Qu'a-t-elle voulu faire? Amélie et
Sarah m'ont dit l'avoir accompagnée jusqu'à la
porte de *la Grange*, où Mlle de La M... l'attendait.
Elle a donc voulu ressortir... Que s'est-il passé?

Je cherche à mettre un peu d'ordre dans mes
pensées. Les récits qu'on me fait sont incompré-
hensibles, ou contradictoires. Tout se brouille en
ma tête... Le jardinier de Mlle de La M... vient
de la ramener sans connaissance à *la Grange*; il
dit l'avoir vue marcher le long de la rivière, puis
franchir le pont du jardin, puis se pencher, puis
disparaître; mais n'ayant pas compris d'abord
qu'elle tombait, il n'est pas accouru comme il
aurait dû le faire; il l'a retrouvée près de la
petite écluse,° où le courant l'avait portée.
Quand je l'ai revue un peu plus tard, elle n'avait
pas repris connaissance; ou du moins l'avait
reperdue, car un instant elle était revenue à
elle, grâce aux soins prodigués aussitôt. Martins,
qui Dieu merci n'était pas encore reparti,
s'explique mal cette sorte de stupeur et d'indolence où la voici plongée; en vain l'a-t-il interrogée; on eût dit qu'elle n'entendait rien ou
qu'elle avait résolu de se taire. Sa respiration
reste très oppressée et Martins craint une
congestion pulmonaire;° il a posé des sina-
pismes° et des ventouses° et promis de revenir
demain. L'erreur a été de la laisser trop longtemps dans ses vêtements trempés tandis qu'on
s'occupait d'abord à la ranimer; l'eau de la
rivière est glacée. Mlle de La M... qui seule a
pu obtenir d'elle quelques mots, soutient qu'elle
a voulu cueillir des myosotis° qui croissent en
abondance de ce côté de la rivière, et que, mal-
habile encore à mesurer les distances, ou prenant
pour de la terre ferme le flottant tapis de fleurs,
elle a perdu pied brusquement... Si je pouvais
le croire! me convaincre qu'il n'y eut là qu'un
accident, quel poids affreux serait levé de sur
mon âme! Durant tout le repas, si gai pourtant,
l'étrange sourire, qui ne la quittait pas, m'inquiétait; un sourire contraint que je ne lui
connaissais point mais que je m'efforçais de
croire celui même de son nouveau regard; un
sourire qui semblait ruisseler de ses yeux sur
son visage comme des larmes, et près de quoi la
vulgaire joie des autres m'offensait. Elle ne se
mêlait pas à la joie! on eût dit qu'elle avait
découvert un secret, que sans doute elle m'eût
confié si j'eusse été seul avec elle. Elle ne disait
presque rien; mais on ne s'en étonnait pas, car

---

13. *surcroît:* excess. 28. *agrémente:* decorates. 30. The author
has forgotten that Gertrude was to spend three weeks in the
hospital.

11. *écluse:* lock, sluice. 22. *congestion pulmonaire:* i.e.
pneumonia. 23. *sinapismes:* mustard plasters. 23. *ventouses:*
cupping glasses (for drawing blood, by vacuum, to a certain
area). 29. *myosotis:* forget-me-nots.

près des autres, et plus ils sont exubérants, elle est souvent silencieuse.

Seigneur, je vous implore : permettez-moi de lui parler. J'ai besoin de savoir, ou sinon comment continuerais-je à vivre?... Et pourtant, si tant est° qu'elle a voulu cesser de vivre, est-ce précisément pour avoir *su*? Su quoi? Mon amie, qu'avez-vous donc appris d'horrible? Que vous avais-je donc caché de mortel, que soudain vous aurez pu voir?

J'ai passé plus de deux heures à son chevet, ne quittant pas des yeux son front, ses joues pâles, ses paupières délicates recloses° sur un indicible chagrin, ses cheveux encore mouillés et pareils à des algues,° étalés autour d'elle sur l'oreiller — écoutant son souffle inégal et gêné.

29 mai.

Mlle Louise m'a fait appeler ce matin, au moment où j'allais me rendre à *la Grange.* Après une nuit à peu près calme, Gertrude est enfin sortie de sa torpeur. Elle m'a souri lorsque je suis entré dans la chambre et m'a fait signe de venir m'asseoir à son chevet. Je n'osais pas l'interroger et sans doute craignait-elle mes questions, car elle m'a dit tout aussitôt et comme pour prévenir toute effusion :

— Comment donc appelez-vous ces petites fleurs bleues, que j'ai voulu cueillir sur la rivière — qui sont de la couleur du ciel? Plus habile que moi, voulez-vous m'en faire un bouquet? Je l'aurai là, près de mon lit...

L'artificiel enjouement de sa voix me faisait mal; et sans doute le comprit-elle, car elle ajouta plus gravement :

— Je ne puis vous parler ce matin; je suis trop lasse. Allez cueillir ces fleurs pour moi, voulez-vous? Vous reviendrez tantôt.

Et comme, une heure après, je rapportais pour elle un bouquet de myosotis, Mlle Louise me dit que Gertrude reposait de nouveau et ne pourrait me recevoir avant le soir.

Ce soir, je l'ai revue. Des coussins entassés sur son lit la soutenaient et la maintenaient presque assise. Ses cheveux à présent rassemblés et tressés au-dessus de son front étaient mêlés aux myosotis que j'avais rapportés pour elle.

Elle avait certainement de la fièvre et paraissait très oppressée. Elle garda dans sa main brûlante la main que je lui tendais : je restais debout près d'elle :

— Il faut que je vous fasse un aveu, pasteur; car ce soir j'ai peur de mourir, dit-elle. Je vous ai menti ce matin... Ce n'était pas pour cueillir des fleurs... Me pardonnerez-vous si je vous dis que j'ai voulu me tuer?

Je tombai à genoux près de son lit, tout en gardant sa frêle main dans la mienne; mais elle, se dégageant, commença de caresser mon front, tandis que j'enfonçais dans les draps mon visage pour lui cacher mes larmes et pour y étouffer mes sanglots.

— Est-ce que vous trouvez que c'est très mal? reprit-elle alors tendrement; puis comme je ne répondais rien :

— Mon ami, mon ami, vous voyez bien que je tiens trop de place dans votre cœur et votre vie. Quand je suis revenue près de vous, c'est ce qui m'est apparu tout de suite; ou du moins que la place que j'occupais était celle d'une autre et qui s'en attristait. Mon crime est de ne pas l'avoir senti plus tôt; ou du moins — car je le savais bien déjà — de vous avoir laissé m'aimer quand même. Mais lorsque m'est apparu tout à coup son visage, lorsque j'ai vu sur son pauvre visage tant de tristesse, je n'ai plus pu supporter l'idée que cette tristesse fût mon œuvre... Non, non, ne vous reprochez rien; mais laissez-moi partir et rendez-lui sa joie.

La main cessa de caresser mon front; je la saisis et la couvris de baisers et de larmes. Mais elle la dégagea impatiemment et une angoisse nouvelle commença de l'agiter.

— Ce n'est pas là ce que je voulais dire; non, ce n'est pas cela que je veux dire, répétait-elle; et je voyais la sueur mouiller son front. Puis elle baissa les paupières et garda les yeux fermés quelque temps, comme pour concentrer sa pensée, ou retrouver son état de cécité première; et d'une voix d'abord traînante et désolée, mais qui bientôt s'éleva tandis qu'elle rouvrait les yeux, puis s'anima jusqu'à la véhémence :

— Quand vous m'avez donné la vue, mes yeux se sont ouverts sur un monde plus beau que je n'avais rêvé qu'il pût être; oui vraiment, je n'imaginais pas le jour si clair, l'air si brillant, le ciel si vaste. Mais non plus je n'imaginais pas si soucieux le front des hommes; et quand je suis entrée chez vous, savez-vous ce qui m'est apparu tout d'abord... Ah! il faut pourtant

6. *si tant est:* if the fact is. 13. *recloses:* closed. 15. *algues:* water weeds.

bien que je vous le dise : ce que j'ai vu d'abord, c'est notre faute, notre péché. Non, ne protestez pas. Souvenez-vous des paroles du Christ : « Si vous étiez aveugle, vous n'auriez point de péché. » Mais à présent, j'y vois… Relevez-vous, pasteur. Asseyez-vous là, près de moi. Écoutez-moi sans m'interrompre. Dans le temps que j'ai passé à la clinique, j'ai lu, ou plutôt, me suis fait lire, des passages de la Bible que je ne connaissais pas encore, que vous ne m'aviez jamais lus. Je me souviens d'un verset de saint Paul, que je me suis répété tout un jour : « Pour moi, étant autrefois sans loi, je vivais; mais quand le commandement vint, le péché reprit vie, et moi je mourus.° »

Elle parlait dans un état d'exaltation extrême, à voix très haute et cria presque ces derniers mots, de sorte que je fus gêné à l'idée qu'on la pourrait entendre du dehors; puis elle referma les yeux et répéta, comme pour elle-même, ces derniers mots dans un murmure :

— « Le péché reprit vie — et moi je mourus. »

Je frissonnai, le cœur glacé d'une sorte de terreur. Je voulus détourner sa pensée.

— Qui t'a lu ces versets? demandai-je.

— C'est Jacques, dit-elle en rouvrant les yeux et en me regardant fixement. Vous saviez qu'il s'est converti?°

C'en était trop; j'allais la supplier de se taire, mais elle continuait déjà :

— Mon ami, je vais vous faire beaucoup de peine; mais il ne faut pas qu'il reste aucun mensonge entre nous. Quand j'ai vu Jacques, j'ai compris soudain que ce n'était pas vous que j'aimais; c'était lui. Il avait exactement votre visage; je veux dire celui que j'imaginais que vous aviez… Ah! pourquoi m'avez-vous fait le repousser? J'aurais pu l'épouser…

— Mais, Gertrude, tu le peux encore, m'écriai-je avec désespoir.

— Il entre dans les ordres,° dit-elle impétueusement. Puis des sanglots la secouèrent : Ah!

je voudrais me confesser à lui… gémissait-elle dans une sorte d'extase… Vous voyez bien qu'il ne me reste qu'à mourir. J'ai soif. Appelez quelqu'un, je vous en prie. J'étouffe. Laissez-moi seule. Ah! de vous parler ainsi, j'espérais être plus soulagée. Quittez-moi. Quittons-nous. Je ne supporte plus de vous voir.

Je la laissai. J'appelai Mlle de La M… pour me remplacer auprès d'elle; son extrême agitation me faisait tout craindre mais il me fallait bien me convaincre que ma présence aggravait son état. Je priai qu'on vînt m'avertir s'il empirait.

30 mai.

Hélas! Je ne devais plus la revoir qu'endormie. C'est ce matin, au lever du jour, qu'elle est morte, après une nuit de délire et d'accablement. Jacques, que, sur la demande dernière de Gertrude, Mlle de La M… avait prévenu par dépêche, est arrivé quelques heures après la fin. Il m'a cruellement reproché de n'avoir pas fait appeler un prêtre tandis qu'il était temps encore. Mais comment l'eussé-je fait, ignorant encore que, pendant son séjour à Lausanne, pressée par lui évidemment, Gertrude avait abjuré. Il m'annonça du même coup sa propre conversion et celle de Gertrude. Ainsi me quittaient à la fois ces deux êtres; il semblait que, séparés par moi durant la vie, ils eussent projeté de me fuir et tous deux de s'unir en Dieu. Mais je me persuade que dans la conversion de Jacques entre plus de raisonnement que d'amour.

— Mon père, m'a-t-il dit, il ne sied pas que je vous accuse; mais c'est l'exemple de votre erreur qui m'a guidé.

Après que Jacques fut reparti, je me suis agenouillé près d'Amélie, lui demandant de prier pour moi, car j'avais besoin d'aide. Elle a simplement récité « Notre Père… » mais en mettant entre les versets de longs silences qu'emplissait notre imploration.

J'aurais voulu pleurer, mais je sentais mon cœur plus aride que le désert.

---

15. *Pour moi… mourus:* Romans 7 : 9. 28. *il s'est converti:* i.e., to Roman Catholicism. 41. *les ordres:* i.e., the priesthood.

27. Claudel [1868–1955]

Paul Claudel was born in a village northeast of Paris, where his family had been fixed for centuries. His father, a small government employee, was fortunately assigned to Paris in time to permit Paul's attendance at a great Parisian lycée. The boy was an outstanding and precocious student. Indeed he was precocious until he was 87.

Rebelling against the prevailing materialism and skepticism of the eighties, he attended Mallarmé's Tuesday soirées and admired the Symbolists. He was deeply stirred by the apocalyptic visions of Rimbaud. At vespers in Notre-Dame de Paris, on Christmas Day, 1886, he had a mystical experience. God called him by name and inspired in him an ardent faith, which he proclaimed in nearly all his works.

Though he devoutly accepted orthodox Catholic dogma, he was filled with the joy of St. Francis rather than with the terrified distress of St. Augustine. No ascetic, he was a hearty, humorous Catholic, hail-fellow-well-met with the saints, like Belloc and Chesterton in England. He insisted that the wonder of the universe, of life, can be understood only through Christian revelation.

He entered the diplomatic service and had a brilliant career, serving as Ambassador to Japan, Belgium, and the United States. His long years outside of France detached him from French literary schools and influences and helped to make him an independent.

The literary production of this busy diplomat is staggering. A hundred volumes, including poetry, drama, fiction, impressions of travel (especially in the Orient), literary and artistic criticism, Biblical commentaries, translations of Greek tragedies—the mere listing shows the richness and abundance of his mind. If we must classify him, we may call him essentially a poet, expressing himself in many literary forms.

He was a poet who believed in inspiration rather than in the classical precepts of reason and patient toil. The world, as Baudelaire had said, is a forest of symbols which the poet must interpret. The poet's intuition reveals to him the meaning of the symbols, dictates his revelations. To express his surging intuitions Claudel could not be cramped by traditional verse forms. Influenced by the Bible, and perhaps by Walt Whitman, he invented his own form, illustrated in the second of our selections. This is based on the *verset*, the Biblical "verse." A *verset*, he says, is "une idée isolée par du blanc"; it is based on speech and represents what a voice can utter in a single breath. It abandons syllable-counting and can easily dispense with rhyme.

Claudel's *dramas* had a long-delayed success in the theater. He began to write them as early as 1883, when he was fifteen. They defied all current rules of dramatic composition; they were, and are, wild, extravagant, poetic, and, in the common view, unplayable. But *L'Annonce faite à Marie*, a modern miracle play, was produced with great success in 1912; it was long a staple of American college dramatic societies. More recently, Claudel's lyric visions of sin and redemption, of man and God, of worlds and time, have been triumphantly staged. Noteworthy are *Partage de Midi*, *Le Soulier de satin*, and *Jeanne au bûcher* (with music by Honegger).

Claudel's place in French literature is not securely fixed. Many critics call him the greatest French poet of the century, while others have an uncomfortable premonition that his lyricism may turn out to be bombast in the view of another generation. The critics' judgments are swayed not only by their temperament and aesthetic preferences or prejudices, but also by religion and politics.

Mort de Judas (1933) seems to your editor one of the happiest of Claudel's works, delicate, *fin*, amusing. In his colloquial style there is a seeming irreverence that sets off and heightens the inexorable justice of the conclusion. You may profitably compare the story, its philosophy, lesson, tone, and devices, with *Le Procurateur de Judée*.

Hymne du Saint Sacrement*

[*Excerpt*]

[*The poem is one of a series celebrating the Christian year. The Fête du saint sacrement, or Fête-Dieu, or Corpus Christi, is celebrated in France on the second Sunday after Pentecost (Whitsunday). It falls commonly in June and serves as a thanksgiving for the grain harvest. See Flaubert's* Un Cœur simple, *p. 156.) The festival is naturally associated with the story of Ruth and Boaz. (See Book of Ruth.) Notice the form. Claudel begins with an eighteen-syllable line and with alternations of masculine and feminine rhymes, but he soon tires of his own restrictions. Compare this poem with Hugo's* Booz endormi.]

Les six longues journées sont finies, l'œuvre de la
   moisson est faite.
Toute l'orge° et le blé sont à bas, la paille est par
   terre avec le grain,
Les six jours de la moisson sont faits et le
   septième jour est demain,
Et déjà les troupes des travailleurs ont regagné
   pour la fête
     Bethléem, la « Maison du pain° ».   5

Le riche Booz, cette nuit, est resté seul dans son
   champ.
C'est un homme craignant Dieu, un cœur droit
   que la sagesse habite.
Bienheureux qui sur le pauvre et la veuve est
   intelligent,°
Et dont les faucheurs° inexacts laissent derrière
   eux en marchant
     Des épis pour la glaneuse Moabite.°   10

Cependant qu'il est couché sans dormir au
   milieu de l'immense moisson préparée,

Regardant la pleine lune du sabbat, la nuit
   jubilaire° et consacrée,
Voici qu'il sent à son côté comme° un chien
   timide qui le frôle,
Et la glaneuse Ruth, s'étant lavée et parée,
     Met la tête au creux de son épaule.   15

« Ma fille, que me voulez-vous ? Vous voyez que
   je suis solitaire et vieux.
J'ai vécu de longs jours avant vous et maintenant ma barbe est grise.
Va, Ruth, vers le frère de ton mari, selon que la
   loi de Moïse le veut.° »
Et Ruth lui répond sans lever les yeux :
     « A l'ombre de Celui que mon cœur désirait
     je me suis assise. »   20

Nous de même, mon Dieu, nous voyons que
   Vous êtes solitaire et abandonné,
Comme un vieillard au milieu de ces passants
   d'un jour, ces jeunes gens occupés et frivoles.
Mais parce que nous avons goûté le miel qui
   passe toute saveur de Votre bonté,
Versant la tête sur Votre épaule, nous Vous
   offrons un cœur trop plein pour des paroles
     Cette pauvre chose que nous pouvons
     donner.   25

Donnez-nous à manger, homme riche de la
   « Maison du pain » !
Recevez pour toujours l'Étrangère dans Votre
   demeure !
Nous en avons assez loin de Vous d'avoir soif et
   d'avoir faim !
Que ne nous faille plus jamais, soustrait à l'envie
   du publicain,
     L'épi gratuit épargné par Votre faucheur.   30

Donnez-nous aujourd'hui notre pain supersub-
   stantiel.
J'en ai assez de cette manne d'un matin, de ce
   pain qui passe en ombre et figure.

2. *orge:* barley. (The biblical story deals with the barley harvest.) 5. *Maison du pain:* the meaning of the Hebrew word *Bethlehem.* 8. *intelligent:* i.e., understanding. 9. *faucheurs:* reapers. (See Ruth 2 : 16.) 10. *Moabite:* of Moab, present Jordan.

12. *jubilaire:* i.e., celebrating a festive occasion or jubilee. 13. *comme:* i.e., something like. 18. According to Mosaic law, a childless widow had the right to demand children of her husband's brother. (See Deuteronomy 25 : 5–10.)

Nous en avons assez du goût de la chair et du
  sang, du lait, des fruits et du miel.
Arbre de vie, donnez-nous le pain réel.
Vous-même êtes ma nourriture.   35

[From *Corona benignitatis anni Dei, 1915*]

Verlaine*

[*Excerpt*]

II. L'IRRÉDUCTIBLE†

Il fut ce matelot laissé à terre et qui fait de la
  peine à la gendarmerie,
Avec ses deux sous de tabac,° son casier judi-
  ciaire° belge et sa feuille de route° jusqu'à
  Paris.°
Marin dorénavant sans la mer, vagabond d'une
  route sans kilomètres,°
Domicile inconnu, profession, pas°… « Verlaine,
  Paul, homme de lettres, »
Le malheureux fait des vers en effet pour lesquels
  Anatole France n'est pas tendre :   5
Quand on écrit en français, c'est pour se faire
  comprendre.°
L'homme tout de même est si drôle avec sa
  jambe raide qu'il l'a mis dans un roman.°
On lui paye parfois une « blanche »,° il est
  célèbre chez les étudiants.
Mais ce qu'il écrit, c'est des choses qu'on ne
  peut lire sans indignation.
Car elles ont treize pieds quelquefois et aucune
  signification.   10
Le prix Archon-Desperouses° n'est pas pour lui,
  ni le regard de M. de Monthyon° qui est au
  ciel.

Il est l'amateur dérisoire° au milieu des profes-
  sionnels.
Chacun lui donne de bons conseils; s'il meurt de
  faim, c'est sa faute.
On ne se la laisse pas faire° par ce mystificateur
  à la côte.°
L'argent, on n'en a pas de trop pour Messieurs
  les Professeurs,   15
Qui plus tard feront des cours sur lui et qui
  seront tous décorés de la Légion d'honneur.

Nous ne connaissons pas cet homme° et nous ne
  savons qui il est.
Le vieux Socrate° chauve grommelle dans sa
  barbe emmêlée;°
Car une absinthe coûte cinquante centimes et il
  en faut au moins quatre pour être saoûl;°
Mais il aime mieux être ivre que semblable à
  aucun de nous.   20
Car son cœur est comme empoisonné, depuis
  que le pervertit
Cette voix de femme ou d'enfant° — ou d'un
  ange qui lui parlait dans le paradis!
Que Catulle Mendès° garde sa gloire, et Sully-
  Prud'homme° ce grand poète!
Il refuse de recevoir sa patente en cuivre avec
  une belle casquette.°
Que d'autres gardent le plaisir avec la vertu, les
  femmes, l'honneur et les cigares.   25
Il couche tout nu dans un garni° avec une indif-
  férence tartare.
Il connaît les marchands de vin par leur petit
  nom, il est à l'hôpital° comme chez lui :
Mais il vaut mieux être mort que d'être comme
  les gens d'ici.

Donc célébrons tous d'une seule voix Verlaine,
  maintenant qu'on nous dit qu'il est mort.°

---

† *L'Irréductible:* The Irreducible (*i.e.*, the poet reduced to his
lowest limits, to the depth of abjectness. The opening passage
recalls Verlaine's imprisonment in Mons, Belgium, for the
shooting of Rimbaud. 2. *deux sous de tabac:* no doubt a
ritual gift to a released prisoner. 2. *casier judiciaire:* police
record. 2. *feuille de route:* warrant for railway ticket. 2.
Trusting to ear alone, Claudel calmly rhymes a masculine
with a feminine. 3. *kilomètres:* i.e., mileposts. 4. *profession,
pas:* occupation, none (an imitation of the style of official
records). 6. *Quand on écrit… comprendre:* i.e., Anatole
France's dictum. But in fact France admired and praised
Verlaine's poetry. Why is Claudel so hostile to Anatole
France? 7. *un roman: Le Lys rouge* (1894). 8. *blanche:* cheap
spirits. 11. François Archon-Desperouses, who died in 1868,
was a philanthropist who left his money to various worthy
causes. 11. J.-B.-A. Auget de Monthyon (1733–1820) established a *prix de vertu* and a literary prize for moral writings.

12. *dérisoire:* ridiculous. 14. *On ne… faire:* They won't
be made fools of. 14. *mystificateur à la côte:* deadbeat faker.
17. *Nous… homme:* an echo of Peter's words: "I know
not the man." Matthew 26 : 74. 18. Verlaine, grotesquely
ugly, was often likened to Socrates. 18. *emmêlée:* tangled.
19. *saoûl:* drunk. 22. *enfant:* i.e., Rimbaud. 23. *Mendès:*
clever, prolific, unimportant nineteenth-century writer. 23.
Sully-Prudhomme, idealistic philosophic poet (1839–1907).
Claudel misspells the name, no doubt deliberately, in order
to suggest a type of smug, Pharisaic bourgeois. 24.
patente… casquette: evidently reference to the copper *jeton*,
or token, given Academicians for attendance at meetings
and to Academicians' dress uniform. 26. *garni:* furnished
room. 27. Verlaine made a number of forced sojourns in
charity hospitals. 29. Verlaine died in 1896; the poem was
presumably not written at the time, since it is in Claudel's
later style, and since it was not published in book form
until 1925.

C'était la seule chose qui lui manquait, et ce
qu'il y a de plus fort,   30
C'est que nous comprenons, tous, ses vers
maintenant que nos demoiselles nous les
chantent, avec la musique
Que de grands compositeurs° y ont mise et
toute sorte d'accompagnements séraphiques!
Le vieil homme à la côte est parti; il a rejoint le
bateau qui l'a débarqué
Et qui l'attendait en ce port noir, mais nous 10
n'avons rien remarqué,
Rien que la détonation de la grande voile qui se
gonfle et le bruit d'une puissante étrave° dans
l'écume.   35
Rien qu'une voix, comme une voix de femme ou 15
d'enfant, ou d'un ange qui appelait : Verlaine! dans la brume.

[From *Feuilles de Saints, 1925*]

Mort de Judas*

[*To appreciate this story properly, the serious student should first read the Biblical sources : Matthew* 25
*26 : 14–25, 47–50; 27 : 3–8; John 12 : 1–8;
13 : 21–30; and Acts 1 : 15–19.*]

Judas autem laqueo se suspendit.°

On ne peut vraiment pas dire que chez moi
ç'ait été ce que les gens appellent un feu de
paille.° Ni un enthousiasme puéril qui m'ait
entraîné, ni un sentiment que je ne vois guère
moyen de qualifier autrement que de « senti- 35
mental ». C'était quelque chose d'absolument
sérieux, un intérêt profond. Je voulais en avoir
le cœur net, je voulais savoir où Il allait. De son
côté, quand Il m'a appelé, je suis bien forcé de
supposer que distinctement Il savait ce qu'Il 40
faisait. Pour Le suivre sans hésiter j'ai sacrifié
ma famille, mes amis, ma fortune, ma position.
Il y a toujours eu chez moi une espèce de
curiosité scientifique ou psychologique, appelez
ça comme vous voudrez, et en même temps un 45
goût d'aventure et de spéculation. Toutes ces

histoires de perle inestimable,° de domaines
mystérieux on ne sait où qui rapportent cent
pour un,° de Royaume imminent dont les
charges° nous seront distribuées,° il faut avouer
que tout cela était de nature à enflammer dans 5
le cœur d'un jeune homme les plus nobles
ambitions. J'ai mordu à l'hameçon.° D'ailleurs je
ne suis pas le seul à m'être laissé prendre. Il y
avait tous ces bons râcleurs° de poissons. Mais
d'autre part je voyais des personnalités abon- 10
dantes et considérées comme Lazare,° des
femmes du monde, des autorités en Israël
comme Joseph° et Nicodème,° se prosterner à
Ses pieds. On ne sait jamais. Après tout, depuis
que les Romains sont arrivés, on peut dire que
l'on en a vu de toutes les couleurs. Moi, j'ai
voulu savoir au juste ce qu'il en était° et suivre
la chose de bout en bout.

J'ose dire que parmi les Douze c'était moi de
beaucoup le plus instruit et le plus distingué. 20
J'étais un crédit pour la troupe. Évidemment,
il y avait Simon Pierre, on n'aurait pas eu le
cœur de le chasser ou de lui refuser la première
place. Il n'y avait qu'à regarder ses bons yeux
de chien affectueux, et cette grimace d'enfant 25
qui va pleurer quand on lui adressait des
reproches, ça lui arrivait plus souvent qu'à son
tour. Moi, j'ai toujours été correct. J'avais mon
service, il n'y avait pas à m'en demander plus.
Autrement c'est le désordre. On appréciait tout 30
de même mon jugement, mes manières, ma
connaissance du monde et des Écritures, mon
savoir-faire avec les clients. J'ai été un des
premiers à passer Apôtre,° un de ceux à qui on
a passé une corde autour du cou, ce que vous 35
appelez maintenant une étole.°

J'étais ce que l'on appelle *un bon administrateur,*
c'était là ma spécialité. Évidemment, c'est plus
distingué de ne pas toucher à l'argent : il faut

---

32. *compositeurs:* e.g., Fauré and Debussy. 35. *etrave:* bow,
cutwater. MORT DE JUDAS.*Copyright Editions Gallimard,
tous droits reserves. 29. *Judas... suspendit:* "But Judas hanged
himself with a noose." Matthew 27:5. 33. *feu de paille:* straw
fire (*i.e.*, a brief infatuation).

1. *perle inestimable:* "The kingdom of heaven is like unto a merchant man . . . who, when he had found one pearl of
great price, went and sold all that he had, and bought it."
Matthew 13 : 45–46. 3. *cent pour un:* "And every one that
hath forsaken houses, or brethren, or sisters, or father, or
mother, or wife, or children, or lands, for my name's sake,
shall receive a hundredfold." Matthew 19 : 29. 4. *charges:* high
offices. 4. *Royaume... distribuées:* See, e.g., Matthew 19 : 28.
7. *mordu à l'hameçon:* bit the fishhook, took the bait. 9.
râcleurs: scrapers-up. 11. *Lazare:* See John, Chs. 11 and 12. 13.
Joseph of Arimathea (Matthew 27 : 57, etc.). 13. Nicodemus,
a wealthy Pharisee (John 3 : 1–9; 19 : 39). 17. *ce qu'il en était:*
how things stood. 34. *passer Apôtre:* "make Apostle." 36.
étole: stole, ecclesiastical vestment, narrow strip passing over
both shoulders, with the ends hanging in front. (Claudel implies
that its origin was a rope symbolizing the Apostles' servitude.)

out de même qu'il y ait quelqu'un qui s'en occupe et que ce ne soit pas le plus manchot.° On ne peut pas vivre éternellement en se remplissant les poches des épis qui vous tombent sous la main.° Les propriétaires finissent par vous regarder d'un drôle d'air. Nous étions toujours au moins treize à table, sans parler de l'imprévu. Pour tenir la bourse il fallait un homme qui sût tout ce que l'on peut tirer d'un denier° d'argent. Nourrir treize personnes avec un denier d'argent, c'est presque aussi difficile que d'en alimenter 5,000 avec deux petits poissons.° (On me l'a dit, je ne l'ai pas vu). Le soir tout de même quand on avait fini de considérer les lys des champs° on était heureux de trouver la soupe prête.

Que d'histoires on m'a faites parce que de temps en temps je faisais un petit virement° à mon compte personnel! *Erat enim latro.*° C'est bientôt dit. Étais-je un Apôtre, oui ou non? n'avais-je pas à tenir mon rang? C'était l'intérêt général que je n'eusse pas l'air d'un mendiant. Et d'ailleurs n'est-il pas écrit au Livre du *Deutéronome (XXV, 4) Tu ne lieras pas la bouche du bœuf triturant?*° Quand je courais de droite et de gauche, que je rappelais leurs promesses aux souscripteurs appesantis,° que je préparais les logements, que j'embaumais° les chefs de synagogues pour préparer la lecture du Samedi (il faut voir si c'était commode!), quand je faisais toute cette besogne de procureur° sans un mot d'appréciation ou de remerciement, qu'en dites-vous? Triturais-je ou ne triturais-je pas? moi, j'ai le ferme sentiment que je triturais.

N'en parlons plus.

Ça ne fait rien, je suis content d'avoir vu tout ça. Vous me demandez si j'ai vu des miracles. Bien sûr que j'en ai vu. Nous ne faisions que ça. C'était notre spécialité. Les gens ne seraient pas venus à nous si nous n'avions pas fait de miracles. Les premières fois il faut avouer que ça fait impression, mais c'est étonnant comme on s'y habitue. J'ai vu les camarades qui bâillaient ou qui regardaient le chat sur un mur pendant que des files de paralytiques se levaient au commandement. J'ai fait des miracles moi-même tout comme les autres.° C'est curieux. Mais je me permets de vous le demander en toute sincérité, qu'est-ce que ça prouve? Un fait est un fait et un raisonnement est un raisonnement. Cela m'agaçait quelquefois. Par exemple on savait que l'éternelle question du sabbat° allait être remise sur le tapis. Les gens de la synagogue m'avaient expliqué leur ligne d'argumentation, moi-même je m'étais permis de leur donner quelques petits conseils, c'était passionnant. Eh bien! à peine avait-on ouvert la séance qu'à point nommé, au moment le plus crucial, se présentait quelque cul-de-jatte° qu'on remettait immédiatement sur ses pieds, et adieu la discussion! Je ne trouve pas ça loyal. Au beau milieu des débats les plus intéressants, on entendait un bruit sur le toit, les tuiles commençaient à nous dégringoler° sur la tête, c'est un mort qu'il fallait ressusciter *hic et nunc!*° Dans ces conditions il n'y a plus de discussion possible! C'est trop facile! ou du moins... Enfin vous comprenez ce que je veux dire.

Au premier abord, tous ces malades qu'on guérit, ces aveugles qui voient clair, c'est magnifique! Mais moi qui restais en arrière, si vous croyez que ça allait tout seul dans les familles! J'ai vu des scènes impayables.° Ces estropiés,° on en avait pris l'habitude, et voilà qu'ils réclamaient leur place! Un paralytique qu'on a remis sur ses pieds, vous n'avez pas idée de ce que c'est! un lion déchaîné! Tous ces morts qu'on avait découpés en petits morceaux,° les voilà, recousus, qui redemandent leur substance. Si l'on n'est plus sûr même de la mort, il n'y a plus de société, il n'y a plus rien! C'est le trouble, c'est le désordre partout. Quand notre troupe arrivait dans un village, je regardais les gens du coin de l'œil, il y en avait qui faisaient une drôle de figure.

Et les démoniaques! il y en avait qui n'étaient pas du tout contents d'être débarrassés de leur

---

2. *manchot:* one-handed (*i.e.,* clumsy, incompetent). 5. *des épis... sous la main:* "At that time Jesus went on the sabbath day through the corn; and his disciples were a-hungered, and began to pluck the ears of corn, and to eat." Matthew 12 : 1. 10. *denier:* farthing. 13. *poissons:* the miracle of the loaves and fishes (Matthew 14 : 17, etc.). 15. *lys des champs:* Matthew 6 : 28. 18. *virement:* transfer. 19. *Erat enim latro:* "Because he was a thief," John 12 : 6. 25. *triturant:* i.e., treading out the harvest (to separate the kernels from the chaff). 27. *appesantis:* sluggish, reluctant. 28. *embaumais:* was sweetening up. 32. *procureur:* here, bursar, treasurer, of a religious order.

5–6. *J'ai fait... autres.* Matthew 10 : 1. 12. *question du sabbat:* i.e., the question of what is lawful activity on the Sabbath. (See, e.g., Matthew 12 : 1–13.) 18. *cul-de-jatte:* legless cripple. 23. *dégringoler:* slide down. (See Mark 2 : 4.) 24. *hic et nunc:* here and now. 32. *impayables:* screamingly funny. 33. *estropiés:* cripples. 37. *qu'on avait... morceaux:* i.e., whose property had been divided.

démon : ils en avaient pris l'habitude, ils y tenaient autant qu'une petite sous-préfecture tient à sa garnison, — et qui faisaient tous leurs efforts pour le ravaler.° C'était à se tordre!°

Tout mon malheur est qu'à aucun moment je n'ai pu perdre mes facultés de contrôle° et de critique. Je suis comme ça. Les gens de Carioth° sont comme ça. Une espèce de gros bon sens. Quand j'entends dire qu'il faut tendre la joue gauche,° et payer aussi cher pour une heure de travail que pour dix,° et haïr son père et sa mère,° et laisser les morts ensevelir leurs morts,° et maudire son figuier parce qu'il ne produit pas des abricots au mois de mars,° et ne pas lever un cil° sur une jolie femme,° et ce défi continuel au sens commun, à la nature et à l'équité, évidemment je fais la part° de l'éloquence et de l'exagération, mais je n'aime pas ça, je suis froissé. Il y a en moi un appétit de logique, ou si vous aimez mieux une espèce de sentiment moyen, qui n'est pas satisfait. Un instinct de la mesure. Nous sommes tous comme ça dans la cité de Carioth. En trois ans je n'ai pas entendu l'ombre d'une discussion raisonnable. Toujours des textes et encore des textes, ou des miracles, ça, c'est la grande ressource! — ou des petites histoires qui ont leur charme, je suis le premier à le reconnaître, mais qui sont entièrement à côté. Par exemple on voudrait causer un peu d'homme à homme, et tout de suite qu'est-ce qu'on vous met dans la main? *Avant qu'Abraham ne fût Je Suis.*° Voilà des choses qui vous tombent du ciel, si je peux dire! qui vous cassent bras et jambes. Comment s'étonner que cela vous fasse un peu grincer des dents? *Qui es-tu donc? explique-toi un peu à la fin! pourquoi nous balances-tu*° *de cette manière intolérable! il faut en finir! il faut nous dire qui tu es!* Et savez-vous la réponse, je l'ai entendue de mes oreilles! *Le Principe qui vous parle.*° Moi aussi je suis un homme de principes, mais de là à s'entendre envoyer dans la figure des choses pareilles! on n'a pas le droit de parler comme ça!

Et tant qu'aux petites histoires, elles ne sont pas toutes originales, il y en a que j'avais lues par-ci par-là, et puis à force de les entendre débiter,° j'avais fini par les connaître par cœur. Dès que ça commençait j'aurais pu aller jusqu'au bout sans points ni virgules,° les yeux fermés et la langue dans le coin de la joue. C'était toujours le même répertoire. Tout cela entremêlé d'injures atroces et des insinuations les plus malveillantes. Par exemple cette histoire de Lazare et de Dives° que je n'ai jamais entendu raconter, et souvent à la table de Simon° lui-même, sans un véritable embarras. Je ne savais où me fourrer!

C'est pour en revenir aux Pharisiens et pour vous expliquer leur situation. Il ne faut pas trop leur en vouloir. On les avait mis au pied du mur. Ou Lui, ou nous. Sa peau ou la nôtre. S'Il a raison, c'est nous qui avons tort. Si on Lui laisse dire ainsi ouvertement qu'Il est le Messie, c'est qu'Il L'est. Et s'Il est le Messie, alors nous, qu'est-ce que nous sommes? qu'est-ce que nous faisons dans le paysage? Il n'y a pas à sortir de là!

C'est pourquoi, possédant cette équité naturelle que j'ai dite, et voulant connaître l'autre côté des choses, je me suis mis à fréquenter les Pharisiens, en qui j'ai trouvé, je dois le dire, des gens parfaitement polis et bien élevés. A la fin j'ai eu gravement à me plaindre d'eux, mais cela ne m'empêchera pas de leur rendre justice. L'intérêt national, l'ordre public, la tradition, le bon sens, l'équité, la modération, étaient de leur côté.° On trouve qu'ils ont pris des mesures un peu extrêmes, mais comme Caïphe,° qui était grand-prêtre cette année-là, nous le faisait remarquer avec autorité : *Il est expédient qu'un homme meure pour le peuple.*° Il n'y a rien à répondre à ça. Parmi eux il y avait un esprit remarquable,° originaire de la région de Gaza,

---

4. *le ravaler:* swallow him again. 4. *à se tordre:* very funny, a riot. 6. *contrôle:* checking, verification. 7. *Carioth:* Kerioth, Palestinian city from which Judas Iscariot took his name. 10. *la joue gauche:* Matthew 5 : 39. 10–11. *payer... dix:* Matthew 20 : 10. 12. *haïr... mère:* Matthew 10 : 35–37. 12. *laisser... morts:* Matthew 8 : 22. 14. *maudire ... mars:* Mark 11 : 13–14. 15. *cil:* eyelash. 14–15. *ne pas lever... femme:* Matthew 5 : 28. 17. *fais la part:* make an allowance. 32. *Avant... Suis:* John 8 : 58. 37. *nous balances-tu:* put us off, befool us. 40. *Le Principe qui vous parle:* perhaps John 14 : 6.

4. *débiter:* recount, spin out. 6. *points ni virgules:* periods or commas. 11. *Lazare et Dives:* Luke 16 : 19–25. 13. Simon the leper, of Bethany, in whose house occurred the anointing with the precious ointment by an unnamed woman. (See Mark 14 : 3, etc.) 34. *de leur côté:* observe that Claudel is suggesting modern parallels. 35. *Caïphe:* Caiaphas, high priest of the Jews, who presided at the trial of Jesus. 38. *Il est expédient... peuple:* John 18 : 14. 40. *un esprit remarquable:* i.e., Goethe, whose teachings Claudel detested and toward whom he was very unjust. (See *Correspondance de Gide et de Claudel*, etc.) The character's philosophy suggests Gide more than Goethe; no doubt Claudel was attacking Gide as if unintentionally. (Claudel tried in vain to convert Gide, finally gave up in disgust.)

si je ne me trompe. C'est lui qui m'a ouvert les yeux, ou plutôt, si je peux dire, qui m'a rendu le cou flexible, me permettant de regarder de différents côtés, car auparavant j'étais comme les gens de mon peuple, j'avais la nuque raide,° je ne regardais ni à droite ni à gauche ni en arrière, je ne voyais pas plus loin que le bout de mon nez. (Et je dois dire que pour cette nuque raide, j'ai suivi un traitement radical!° Ha! Ha! Ne faites pas attention. C'est une petite plaisanterie). Quand il a appris que j'étais un disciple de Qui-Vous-Savez, croyez-vous qu'il se soit moqué de moi? Il m'a félicité au contraire. Il y a des choses excellentes, m'a-t-il dit, dans l'enseignement de Qui-Vous-Savez. Je l'écoute souvent avec plaisir. Moi-même dans cette inspiration j'ai composé un petit recueil intitulé : *Cantiques pour le mois de Nizan*° qui a mérité l'admiration de Nicodème. Mais il faut voir les choses de plus haut. Il faut dominer les questions. Enrichissez-vous! voilà ma devise. Développez-vous dans le sens que vous indique votre démon intérieur. Qu'il y ait toujours place pour quelque chose dans les soutes° insatiables de votre esprit. Achevez votre statue. Quant à moi, païen avec les païens, je suis chrétien avec les chrétiens et chamelier° avec les enfants d'Ismaël.° Impossible de me distinguer de l'article authentique.° Par exemple nul plus que moi n'admire l'héroïque obstination des Macchabées.° C'est même le poème épique que j'ai écrit à ce sujet qui m'a valu l'entrée du Sanhédrin.° Et cependant cette civilisation grecque à laquelle ils s'opposaient, quelle tentation! que de belles choses! pourquoi la rejeter si brutalement? Il y avait des raisons nationales, je le sais! mais combien davantage, je vous le dis tout bas, m'est sympathique l'attitude raisonnable et éclairée d'un véritable clerc, d'un digne prélat, comme celui dont une histoire partiale° a travesti les intentions : le grand prêtre Jason!° Et cette belle statue de Jupiter par Polyclète,° comment nous consoler de l'avoir perdue, grâce au zèle farouche de ce Matathias!° — Ainsi parlait le grand homme et il me semblait que littéralement il m'expliquait à moi-même. Je me développais à vue d'œil sous ses paroles, je poussais des feuilles et des branches, ou, si vous aimez mieux, j'étais dans un trou, et il déployait devant mes yeux un panorama. C'est comme s'il m'avait porté avec lui sur le sommet du temple et m'avait montré tous les royaumes de la terre en me disant : Ils sont à toi.° Vous voulez savoir le nom de ce grand homme? Il est bien connu. Il s'appelle G...° Excusez-moi si je ne peux achever. J'ai un peu mal à la gorge. Sa mémoire est en vénération dans toutes les Universités. A ce nom sacré tous les professeurs sont saisis d'un tremblement et se prosternent la face contre terre.

Vous pensez bien que ce petit drame psychologique avait altéré mes relations avec les Onze. J'ai été victime d'actes odieux de la part de ces grossiers. Mais sur l'incident qui a consommé la rupture je tiens à établir la vérité.

Depuis longtemps nous étions en relations avec une riche famille de Béthanie à laquelle appartenait le fameux Lazare,° et nous ne nous faisions pas faute de puiser dans leur trésorerie, tout cela en désordre, au jour le jour, sans vue de l'avenir. Je voulais régulariser. Mon idée était d'établir à Béthanie une espèce de base financière, d'organisation administrative sur laquelle nous pourrions nous appuyer. Je comptais spécialement pour cela sur Marie Madeleine.° La fortune de Marthe et de Lazare consistait surtout, je m'en étais assuré, en hypothèques° et

---

5–6. *j'avais la nuque raide:* I was stiff-necked. 9. *traitement radical:* i.e., by hanging himself. 18. *Nizan:* April in the Hebrew calendar. (Perhaps reference to Gide's pious reflections, *Numquid et tu...?* [*Art thou also of Galilee?*], 1922.) 24. *soutes:* storerooms. 27. *chamelier:* camel driver. 28. Ishmael, whose descendants were condemned to be outcasts, their hand against every man. 29. *article authentique:* "Qu'il dit." (*Note de Claudel.*) 31. *Macchabées:* Maccabees, Jewish family of patriotic rebels, second century B.C. 33. *Sanhédrin:* Jewish supreme council and tribunal. 41. *une histoire partiale:* Books of the Maccabees, in Catholic Bible and in Protestant Apocrypha.

1. Jason, Jewish high priest under Antiochus Epiphanes (175–164 B.C.). Sympathizer with Greek culture and "collaborator," he attempted to reconcile Jewish and Greek customs. 2. Polycletus, Greek sculptor, fifth century B.C. 4. Mattathias, father of the Maccabees and leader of the revolt. He captured Jerusalem and cleansed the city of its Hellenizing intrusions. (I find no trace of Polycletus' statue; but under Jason the Holy Temple was consecrated to Jupiter Olympius [2 Maccabees 6 : 2].) 13. *C'est comme... à toi:* reminiscence of Christ's temptation by the Devil (Matthew 4 : 8–9). 15. *G...:* (*Note de Claudel:*) "—Vous êtes un homme, Monsieur Goethe!—Hélas, non! ce n'était qu'un surhomme, c'est-a-dire un pauvre diable." (*Editor's note:* Napoleon, on meeting Goethe in 1806, is said to have exclaimed: "Vous êtes un homme!" The following sentence seems to be Claudel's own comment.) 28. For the following story of Lazarus, his sister Mary, and the box of ointment, see John 12 : 1–8. 35. Claudel identifies Mary of Bethany with Mary Magdalene—probably just a mistake. 37. *hypothèques:* mortgages.

biens fonciers° difficiles à liquider. Marie Madeleine au contraire possédait une assez grosse somme en numéraire,° bijoux, effets personnels, etc. Et dans un pays pauvre comme la Judée on va loin avec rien qu'un petit peu d'argent comptant. On a des occasions de placement.° J'avais tout expliqué à cette personne, malgré le peu de sympathie que m'inspirait son passé d'immoralité.° Je croyais que tout était arrangé.

Tout à coup la porte s'ouvre — nous étions chez Simon le Lépreux° — et à l'instant j'ai senti mes cheveux se dresser sur ma tête! je ne comprenais que trop ce qui allait se passer! Une de ces scènes théâtrales dont je n'ai jamais pu être le témoin sans me sentir tout le corps crispé par cette espèce de chair de poule° qu'inflige une atroce inconvenance! Figurez-vous que cette dinde° avait porté tout cet argent, — cet argent en somme qui n'était plus à elle et qu'elle m'avait promis, — au bazar, en se faisant indignement voler naturellement, pour acheter de la parfumerie! Il y en avait plein une petite fiole de terre blanche, je la vois encore! Là-dessus elle se met par terre à quatre pattes, trop heureuse de faire l'étalage de ses remarquables cheveux, et, brisant la fiole sur les pieds de l'Invité, elle répand tout notre capital!

C'était le bouquet!°

Vous comprenez qu'après cela il n'y avait plus à hésiter. De la maison de Simon je ne fis qu'un saut jusqu'au Sanhédrin et la chose fut réglée en un tournemain.° J'ose dire que tout fut arrangé de la manière la plus heureuse avec le minimum de violence et de scandale, la relation officielle en fait foi. J'étais au courant des aîtres° et je savais exactement le lieu et l'heure où nous trouverions les amis de notre maître assoupis.

Je me souviendrai toujours de ce moment. Quand on prend congé d'une personnalité distinguée à laquelle on a prodigué pendant trois ans des services aussi loyaux que gratuits, l'émotion est compréhensible. C'est donc dans les sentiments de la sympathie la plus sincère, mais avec en même temps cette satisfaction dans le cœur que procure la conscience du devoir accompli que je déposai sur Ses lèvres, à la manière orientale, un baiser respectueux.° Je savais que je rendais à l'État, à la religion, à Lui-même, un service éminent, — aux dépens peut-être de mes intérêts et de ma réputation, — en L'empêchant désormais de troubler, — avec les meilleures intentions du monde! — les esprits faibles, de semer dans la population l'inquiétude, le mécontentement de ce qui existe et le goût de ce qui n'existe pas. Comment s'étonner après cela de cette larme honorable que fait sourdre,° au coin de tout œil bien né, le pressentiment, mêlé à l'approbation de notre démon intérieur, de l'incompréhension générale qui va nous envelopper? J'avais pour me consoler cette forte maxime que l'ami dont je vous parlais tout à l'heure m'avait inculquée : *Agis toujours de manière que la formule de ton acte puisse être érigée en maxime universelle.*° En même temps que j'éprouvais une espèce de soulagement, je sentais que j'avais joué mon rôle, que c'était cela que l'on attendait de moi et pour quoi j'étais né.

Sur ce qui s'est passé ensuite je n'insiste pas. Pendant ces heures douloureuses rien ne m'a davantage affligé et scandalisé, je l'avoue, que la lâcheté de mes ex-confrères, et surtout l'inqualifiable désertion de Simon Pierre.° L'infortuné aurait dû cependant se souvenir de cette parole qu'il avait entendue si souvent : *Malheur à celui par qui le scandale arrive!*°

Mais moi-même ne suis-je pas la victime éclatante d'une trahison non moins odieuse? Après l'acte d'abnégation que j'avais accompli, et en dépit de certaines grimaces déjà surprises sur ces dures figures sacerdotales, je m'attendais de la part de mes conseillers à un accueil empressé et sympathique. Je me voyais déjà me rendant au Temple, un peu solitaire, mais accompagné de la considération générale, revêtu de cette grave auréole qui entoure les héros extrêmes du devoir et du sacrifice. Quelle erreur! Pour toute récompense on me jette avec mépris un peu d'argent comme à un mendiant!

---

1. *biens fonciers:* real estate. 3. *numéraire:* cash. 7. *placement:* investment. 9. Everyone presumes that poor Mary Magdalene was immoral. I find nothing in the Bible to substantiate this. 12. *Simon le Lépreux:* Mark 14 : 3. 17. *chair de poule:* goose flesh. 19. *dinde:* idiot, goose, *lit.,* turkey. 30. *bouquet: here,* limit. 34. *tournemain:* jiffy. 38. *aîtres:* arrangements.

4. *baiser respectueux:* Matthew 26 : 49. 14. *sourdre:* form, well up. 21. *Agis toujours... universelle:* Kant's formula, in *Critique of Practical Reason,* Part I, ch. 1., sec. VII. 30. *désertion de Simon Pierre:* Peter's denial of Christ (Matthew 26 : 69–75). 33. *Malheur... arrive:* Matthew 18 : 7.

Trente deniers!° Après cela il n'y avait plus qu'à tirer l'échelle!° C'est ce que j'ai fait.

— J'ai oublié de dire que la veille, pour me réconforter, j'étais allé rendre visite à mon excellent maître. Je le trouvai plein de sérénité et parvenu à cet état d'indifférence supérieure à quoi toute sa vie n'avait été qu'une longue préparation, je veux dire qu'il était mort. Il était couché tout nu sur son lit, entouré de morceaux de glace, de cette glace qui était son élément naturel comme l'eau l'est pour les poissons, et qui constituera, pour longtemps, espérons-le, le principal ingrédient de sa conservation.

De la position que j'occupe maintenant, on peut juger les choses, si j'ose dire, avec détachement. Dans le drame qui s'est joué le 14 du mois de Nizan entre le Golgotha° et la modeste dépression° où j'ai couronné ma carrière, je comprends le rôle qui m'était départi.° Comme l'a dit ce petit Pharisien excité dont j'ai encouragé les débuts, *oportet haereses esse.*° Tant que le drame du Calvaire se développe, et il ne fait que commencer, l'Iscariote y jouera son rôle, à la tête d'une troupe nombreuse de successeurs et de partisans que son exemple continuera à guider. Tant qu'il y aura de bons esprits que rebute la Croix, cette espèce de charpente rudimentaire, brutalement arrêtée et retranchée dans toutes les directions, qui s'élève sur une montagne avec la netteté offensante d'une affirmation, il y aura une localité marécageuse où la pente du terrain entraînera naturellement les rêveurs. Là se dresse un arbre de qui le Douzième Apôtre a prouvé qu'il était bien injuste de le maudire sous prétexte qu'il ne porte point de fruits.° Pour se rendre compte de l'exactitude de cette affirmation il n'y qu'à lever les yeux sur ce branchage populeux. Avec la croix il y a juste deux directions sèchement indiquées, la gauche et la droite, oui ou non, le bien et le mal, le vrai et le faux. Ça suffit aux esprits simplistes. Mais l'arbre que nous autres

colonisons, on n'a jamais fini d'en faire le tour. Ses branches indéfiniment ramifiées ouvrent dans toutes les directions les possibilités les plus attrayantes : philosophie, philologie, sociologie, *...et toi, triste théologie!*° comme fredonne en ce moment ce savant ecclésiastique qui, sa ceinture à la main, seul débris qui lui reste d'une soutane abandonnée aux orties,° étudie de l'œil la place qu'il se propose d'occuper incessamment° à ma droite. C'est si touffu que l'on s'y perd. Le mieux est de choisir une branche pour s'y installer fortement et pour donner à cette lanière° captieuse,° mais un peu incertaine, et dont en somme on peut faire ce que l'on veut, que nous portons autour des reins, la rigidité désirable, par le bien simple procédé de nous la mettre au cou et de nous confier à elle. Quand j'errais sur les routes de Galilée, les malins me reprochaient quelquefois de tenir les cordons de ma bourse trop serrés. Les personnes malveillantes ne manqueront pas de voir là un présage. Car qu'est-ce qu'un avare, sinon l'homme qui essaye de garder pour lui seul ce qui lui appartient, tout ce qu'il a d'esprit et de souffle, ou, pour employer une expression un peu démodée, d'âme? C'est assez naturel après tout. C'est dommage qu'en me fermant par le haut je me sois ouvert par le bas. D'un seul coup je me suis défait de ma triperie.° Vidé comme un lapin! *Sine affectione,*° ne manquerait pas de remarquer méchamment à ce propos le petit Pharisien mentionné ci-dessus (*op. laud.*°). Tant pis! quand on veut graduer° pour l'Éternité il faut être prêt à faire quelque sacrifice au sentiment de la perpendiculaire. Maintenant retenu par un fil presque imperceptible, je peux dire qu'enfin je m'appartiens à moi-même. Je ne dépends plus que de mon propre poids, sans en perdre une once. D'une part, aussi exact qu'un fil à plomb° j'indique le centre de la terre. D'autre part, grâce à ce trait° en quelque sorte idéal qui me retient et me soutient, j'ai

1. *trente deniers:* Matthew 26 : 15. 2. *tirer l'échelle:* pull up the ladder, retire from activity. 19. Golgotha, hill of the Crucifixion. 20. *modeste dépression:* Aceldama, the Field of Blood (Acts 1 : 19). 21. *départi:* allotted. 23. *oportet haereses esse:* It is necessary to have heresies. (Martin Luther used the phrase, in examining the doctoral thesis of Johann Marbach in 1543. Luther meant that the natural man, without grace, cannot know spiritual truth; he refers to I Corinthians 2 : 14.) 38. According to legend, the tree on which Judas hung himself was condemned never to bear fruit.

5. *...et toi, triste théologie! Faust,* Act I, line 3: *und leider auch Theologie.* 9. *orties:* nettles. (Reference to a common phrase: *jeter son froc aux orties,* unfrock oneself, abandon monastic vows. To whom is Claudel referring? Perhaps Renan?) 10. *incessamment:* immediately. 13. *lanière:* strap. Reference to the cord worn as a girdle by Franciscan monks. 13. *captieuse:* fair-seeming, specious. 30. *triperie:* bowels. (See Acts 1 : 18.) 31. *Sine affectione:* without relation (or perhaps perturbation). 33. *op. laud.: opus laudatum:* recommended work. 34. *graduer:* graduate, establish a position. 41. *fil à plomb:* plumb line. 42. *trait:* stretched line.

acquis de tous côtés autonomie et indépendance. A droite, à gauche, il n'y a plus d'obstacle, je suis libre, tout m'est ouvert, j'ai intégré cette position hautement philosophique qui est le suspens, je suis parfaitement en équilibre, je suis accessible à tous les vents. Personne n'estimera qu'enfin libéré du sol j'aie payé trop cher le privilège d'osciller. Que la jeunesse vienne donc à moi, qu'elle élève avec confiance son regard vers la maîtresse branche où ma dépouille éviscérée se conforme rigoureusement à toutes les lois scientifiques, et qu'elle trace sur la couverture de ses livres de classe cette naïve exclamation où se trahit mon sentiment de la propriété : *Aspice Judas pendu!*°

7. *Aspice Judas pendu!* Look on Judas hung!

28. Colette [1873–1954]

When Colette (Sidonie Gabrielle Colette Goudeket) died, she was given a magnificent state funeral, such as no woman, except royalty, had received in France. The ceremony was the official recognition of the honor which all France accorded to Colette, in part for her indubitable literary gifts, in part because she was a symbol of the old happy times before the First World War when, it seems, life was easy and secure, when childhood was free from terror, when the whole concern of adult men and women was Love. (In fact the world of those years was no Eden; but no doubt even Eden was embellished in the memories of outcast Adam and Eve.)

Colette took her writing name from her father's surname. He was an army captain, who lost a leg in the Italian campaign of 1859 and was given a small post as *percepteur* (tax collector) in a small village in Burgundy. There Colette was born and there she lived until her eighteenth year, impregnating herself with the sensuous background of the rich, vinous countryside. She married (how romantically it would take too long to tell) a minor Parisian journalist and free-lance writer, who used the pseudonym of Willy. She was suddenly transported from her rustic simplicities to a Paris milieu where the talk was all of art, letters, and music, and where behavior was guided by cynical license. Willy, enchanted by Colette's stories of her girlhood, realized that he had married a gold mine. He made his wife write her recollections, hotted them up with boulevard ribaldries, and published the results under his own name.

Colette left her despicable husband, went on the stage as a mime and as a nude dancer, came to know the life of raffish, underpaid music-hall performers, and observed the curious world of the *demi-monde*, which has its laws and conventions as does the *monde*. All the time she was writing, frankly for money, for success. Little by little the public realized that what she was writing was literature.

Colette had three special subject matters. One is the life of animals, particularly domestic animals, which she rendered with great finesse and sympathy. Another is the evocation of childhood and girlhood memories of the lush land of Burgundy. The third is the life of Parisian kept women and kept men. Her best-known novel, *Chéri*, deals with this milieu. It is a strange society, wherein the thought of marriage rarely occurs, wherein no one seems to have children, or at least legitimate children. But from Colette's point of view this absence of family and social ties had this advantage: she could observe passion and emotion working in a void, free of all society's rules—pure, one might almost say.

To the treatment of these subject matters, in which the life of the senses is all-important,

Colette brought a remarkable sensory acuteness. She was extremely sensitive to impressions of sight, sound, touch, taste, and particularly smell. These impressions she rendered with a poetic exactness that conveys them unforgettably to the reader. (The cultivation of delicate sensation is more respectable in France than it is here; the French preoccupation with cuisine, for instance, is likely to seem to us a little morbid, indecent.)

Colette's subtlety of sense impression expressed itself in her *style*. She was fond of rare words, of archaic and provincial terms, of specific names of plants and flowers. She sought *le mot juste, la phrase juste*. Her devotion to artistic technique is in the great French tradition.

Below her apartment in the Palais-Royal, whence she looked down on the quiet gardens laid out by Cardinal Richelieu, the government has fastened a plaque with this inscription: "Ici vécut, ici mourut Colette, dont l'œuvre est une fenêtre grande ouverte sur la vie." It is seldom that a memorial tablet bears such a just literary judgment.

La Maison de Claudine, from which our extracts are taken, was published in 1922.

LA MAISON DE CLAUDINE*

[*Extracts*]

Amour

— Il n'y a rien pour le dîner, ce soir... Ce matin, Tricotet n'avait pas encore tué... Il devait tuer à midi. Je vais moi-même à la boucherie, comme je suis. Quel ennui! Ah! pourquoi mange-t-on! Qu'allons-nous manger ce soir?

Ma mère est debout, découragée, devant la fenêtre. Elle porte sa « robe de maison » en satinette à pois,° sa broche d'argent qui représente deux anges penchés sur un portrait d'enfant, ses lunettes au bout d'une chaîne et son lorgnon° au bout d'un cordonnet° de soie noire, accroché à toutes les clefs de porte, rompu à toutes les poignées° de tiroir et renoué vingt fois. Elle nous regarde, tour à tour, sans espoir. Elle sait qu'aucun de nous ne lui donnera un avis utile. Consulté, papa répondra :

— Des tomates crues avec beaucoup de poivre.

— Des choux rouges au vinaigre, dit Achille, l'aîné de mes frères, que sa thèse de doctorat retient à Paris.°

— Un grand bol de chocolat! postulera° Léo, le second.

Et je réclamerai, en sautant en l'air parce que j'oublie souvent que j'ai quinze ans passés :

— Des pommes de terre frites! Des pommes de terre frites! Et des noix avec du fromage!

Mais il paraît que frites, chocolat, tomates et choux rouges ne « font pas un dîner »...

5 —Pourquoi, maman?

— Ne pose donc pas de questions stupides...

Elle est toute à son souci. Elle a déjà empoigné le panier fermé, en rotin° noir, et s'en va, comme elle est. Elle garde son chapeau de 10 jardin roussi° par trois étés, à grands bords, à petit fond cravaté d'une ruche marron,° et son tablier de jardinière, dont le bec busqué du sécateur a percé une poche.° Des graines sèches de nigelles,° dans leur sachet° de papier, font, au 15 rythme de son pas, un bruit de pluie et de soie égratignée° au creux de l'autre poche. Coquette pour elle, je lui crie :

— Maman! ôte ton tablier!

Elle tourne en marchant sa figure à bandeaux° 20 qui porte, chagrine, ses cinquante-cinq ans, et trente lorsqu'elle est gaie.

— Pourquoi donc? Je ne vais que dans la rue de la Roche.

— Laisse donc ta mère tranquille, gronde 25 mon père dans sa barbe. Où va-t-elle, au fait?

— Chez Léonore, pour le dîner.

— Tu ne vas pas avec elle?

— Non. Je n'ai pas envie aujourd'hui.

Il y a des jours où la boucherie de Léonore, 30 ses couteaux, sa hachette, ses poumons de bœuf gonflés que le courant d'air irise° et balance,

---

* Les six passages extraits du volume *La Maison de Claudine* par Mme Colette sont reproduits avec l'autorisation des Éditions Ferenczi. 15. *satinette à pois:* dotted sateen. 18. *lorgnon:* eyeglasses. 18. *cordonnet:* braid, cord. 20. *poignées:* handles. 26–27. *que sa thèse... Paris:* i.e., who for the moment is kept in Paris by the preparation of his doctor's thesis. 28. *postulera:* will solicit.

8. *rotin:* rattan. 10. *roussi:* scorched. 10–11. *à petit fond... marron:* with a small crown bound with a ruffled maroon band. 12–14. *tablier... poche:* gardening apron, in whose pocket the curved point of the garden clippers has poked a hole. 14. *nigelles:* fennel flowers. 14. *sachet:* bag. 16. *égratignée:* scratched. 19. *à bandeaux:* with hair parted in the middle. 31. *irise:* makes iridescent.

roses comme la pulpe du bégonia, me plaisent à l'égal d'une confiserie. Léonore y tranche pour moi un ruban de lard° salé qu'elle me tend, transparent, du bout de ses doigts froids. Dans le jardin de la boucherie, Marie Tricotet, qui est pourtant née le même jour que moi, s'amuse encore à percer d'une épingle des vessies° de porc ou de veau non vidées, qu'elle presse sous le pied « pour faire jet d'eau ». Le son affreux de la peau qu'on arrache à la chair fraîche, la rondeur des rognons,° fruits bruns dans leur capitonnage° immaculé de « panne° » rosée, m'émeuvent d'une répugnance compliquée, que je recherche et que je dissimule. Mais la graisse fine qui demeure au creux du petit sabot° fourchu, lorsque le feu fait éclater les pieds du cochon mort, je la mange comme une friandise saine... N'importe. Aujourd'hui, je n'ai guère envie de suivre maman.

Mon père n'insiste pas, se dresse agilement sur sa jambe unique, empoigne sa béquille° et sa canne et monte à la bibliothèque. Avant de monter, il plie méticuleusement le journal *Le Temps*, le cache sous le coussin de sa bergère,° enfouit dans une poche de son long paletot *La Nature* en robe° d'azur. Son petit œil cosaque,° étincelant sous un sourcil de chanvre° gris, rafle° sur les tables toute provende° imprimée, qui prendra le chemin de la bibliothèque et ne reverra plus la lumière... Mais, bien dressés à cette chasse, nous ne lui avons rien laissé...

— Tu n'as pas vu le *Mercure de France*?
— Non, papa.
— Ni la *Revue Bleue*?
— Non, papa.

Il darde° sur ses enfants un œil de tortionnaire.°

— Je voudrais bien savoir qui, dans cette maison...

Il s'épanche en sombres et impersonnelles conjectures, émaillées° de démonstratifs venimeux. Sa maison est devenue *cette* maison, où règne *ce* désordre, où *ces enfants* « de basse extraction » professent le mépris du papier imprimé, encouragés d'ailleurs par *cette* femme...

— ... Au fait, où est cette femme?
— Mais, papa, elle est chez Léonore!
— Encore!
— Elle vient de partir...

Il tire sa montre, la remonte° comme s'il allait se coucher, agrippe,° faute de mieux, l'*Office de Publicité* d'avant-hier, et monte à la bibliothèque. Sa main droite étreint fortement le barreau° d'une béquille qui étaie° l'aisselle° droite de mon père. L'autre main se sert seulement d'une canne. J'écoute s'éloigner, ferme, égal, ce rythme de deux bâtons et d'un seul pied qui a bercé toute ma jeunesse. Mais voilà qu'un malaise neuf me trouble aujourd'hui, parce que je viens de remarquer, soudain, les veines saillantes et les rides sur les mains si blanches de mon père, et combien cette frange de cheveux drus, sur sa nuque, a perdu sa couleur depuis peu... C'est donc possible qu'il ait bientôt soixante ans?...

Il fait frais et triste, sur le perron° où j'attends le retour de ma mère. Son petit pas élégant sonne enfin dans la rue de la Roche et je m'étonne de me sentir si contente... Elle tourne le coin de la rue, elle descend vers moi. L'Infâme-Patasson, — le chien — la précède, et elle se hâte.

— Laisse-moi, chérie, si je ne donne pas l'épaule de mouton tout de suite à Henriette pour la mettre au feu, nous mangerons de la semelle de bottes. Où est ton père?

Je la suis, vaguement choquée, pour la première fois, qu'elle s'inquiète de papa. Puisqu'elle l'a quitté il y a une demi-heure et qu'il ne sort presque jamais... Elle le sait bien, où est mon père... Ce qui pressait davantage, c'était de me dire, par exemple : « Minet-Chéri, tu es pâlotte°... Minet-Chéri, qu'est-ce que tu as? »

Sans répondre, je la regarde jeter loin d'elle son chapeau de jardin, d'un geste jeune qui découvre des cheveux gris et un visage au frais coloris, mais marqué ici et là de plis ineffaçables. C'est donc possible — mais oui, je suis la dernière née des quatre — c'est donc possible que ma mère ait bientôt cinquante-quatre ans?... Je n'y pense jamais. Je voudrais l'oublier.

---

3. *lard:* bacon. 7. *vessies:* bladders. 11. *rognons:* kidneys. 12. *capitonnage:* quilting. 12. *panne:* fat. 15. *sabot:* hoof. 21. *empoigne sa béquille:* seizes his crutch. 24. *bergère:* easy chair. 26. *robe:* here, paper cover. 27. *cosaque:* Cossack. 27. *chanvre:* tow, hemp. 28. *rafle:* sweeps up. 28. *provende:* provender, supplies. 37. *darde:* darts. 38. *tortionnaire:* torturer. 42. *émaillées: here,* studded.

5. *remonte:* winds. 6. *agrippe:* clutches. 9. *barreau:* crosspiece. 9. *étaie:* supports. 9. *aisselle:* armpit. 21. *perron:* doorstep. 37. *Minet:* Pussy. 38. *pâlotte:* kind of pale.

Le voici, celui qu'elle réclamait. Le voici hérissé, la barbe en bataille. Il a guetté le claquement de la porte d'entrée, il est descendu de son aire°...

— Te voilà? Tu y as mis le temps.

Elle se retourne, rapide comme une chatte :

— Le temps? C'est une plaisanterie, je n'ai fait qu'aller et revenir.

— Revenir d'où? de chez Léonore?

— Ah! non, il fallait aussi que je passe chez Corneau, pour...

— Pour sa tête de crétin? et ses considérations sur la température?

— Tu m'ennuies! J'ai été aussi chercher de la feuille de cassis° chez Cholet.

Le petit œil cosaque jette un trait aigu :

— Ah! ah! chez Cholet!

Mon père rejette la tête en arrière, passe une main dans ses cheveux épais, presque blancs :

— Ah! ah! chez Cholet! As-tu remarqué seulement que ses cheveux tombent, à Cholet, et qu'on lui voit le caillou?°

— Non, je n'ai pas remarqué.

— Tu n'as pas remarqué? Mais non, tu n'as pas remarqué! Tu étais bien trop occupée à faire la belle pour les godelureaux° du mastroquet° d'en face et les deux fils Mabilat!

— Oh! c'est trop fort! Moi, moi, pour les deux fils Mabilat! Écoute, vraiment, je ne conçois pas comment tu oses... Je t'affirme que je n'ai pas même tourné la tête du côté de chez Mabilat! Et la preuve, c'est que...

Ma mère croise avec feu, sur sa gorge que hausse un corset à goussets°, ses jolies mains, fanées par l'âge et le grand air. Rougissante entre ses bandeaux qui grisonnent, soulevée d'une indignation qui fait trembler son menton détendu°, elle est plaisante, cette petite dame âgée, quand elle se défend, sans rire, contre un jaloux sexagénaire. Il ne rit pas non plus, lui, qui l'accuse à présent de « courir le guilledou° ». Mais je ris encore, moi, de leurs querelles, parce que je n'ai que quinze ans, et que je n'ai pas encore deviné, sous un sourcil de vieillard, la férocité de l'amour, et sur des joues flétries de femme la rougeur° de l'adolescence.°

Propagande

Quand j'eus huit, neuf, dix ans, mon père songea à la politique. Né pour plaire et pour combattre, improvisateur et conteur d'anecdotes, j'ai pensé plus tard qu'il eût pu réussir et séduire une Chambre,° comme il charmait une femme. Mais, de même que sa générosité sans borne nous ruina tous, sa confiance enfantine l'aveugla. Il crut à la sincérité de ses partisans, à la loyauté de son adversaire, en l'espèce° M. Merlou. C'est M. Pierre Merlou, ministre éphémère plus tard, qui évinça° mon père du conseil général° et d'une candidature à la députation;° grâces soient rendues à Sa défunte Excellence!

Une petite perception° de l'Yonne° ne pouvait suffire à maintenir, dans le repos et la sagesse, un capitaine de zouaves° amputé de la jambe, vif comme la poudre et affligé de philanthropie. Dès que le mot « politique » obséda son oreille d'un pernicieux cliquetis,° il songea :

« Je conquerrai le peuple en l'instruisant; j'évangéliserai la jeunesse et l'enfance aux noms sacrés de l'histoire naturelle, de la physique et de la chimie élémentaires, je m'en irai brandissant la lanterne à projections° et le microscope, et distribuant dans les écoles des villages les instructifs et divertissants tableaux coloriés où le charançon,° grossi vingt fois, humilie le vautour° réduit à la taille d'une abeille... Je ferai des conférences populaires contre l'alcoolisme d'où le Poyaudin et le Forterrat, à leur habitude buveurs endurcis, sortiront convertis et lavés dans leurs larmes!... »

Il le fit comme il le pensait. La victoria défraîchie° et la jument noire âgée chargèrent, les temps venus, lanterne à projections, cartes peintes, éprouvettes,° tubes coudés,° le futur candidat, ses béquilles, et moi : un automne froid et calme pâlissait le ciel sans nuages, la jument prenait le pas° à chaque côte et je sautais à terre, pour cueillir aux haies la

---

7. *Chambre:* Chambre des Députés (legislature). 11. *en l'espèce:* in this circumstance. 13. *évinça:* ousted. 14. *conseil général:* elective administrative council of a department. 15. *députation:* office of the député, congressman. 17. *perception:* tax collector's office. 17. Yonne, department southeast of Paris. 19. *zouaves:* French troops uniformed in North African style. 22. *cliquetis:* rattling, jingling. 27. *lanterne à projections:* projector (of picture slides). 30. *charançon:* weevil. 31. *vautour:* vulture. 37. *victoria défraîchie:* shabby open carriage. 39. *éprouvettes:* test tubes. 39. *tubes coudés:* elbow tubing (glass). 42. *prenait le pas:* slowed to a walk.

---

4. *aire:* aerie. 15. *cassis:* black currant. 22. *caillou:* i.e., skull. 26. *godelureaux:* hick showoffs. 27. *mastroquet:* saloon. 34. *goussets:* gussets. 38. *détendu:* slack. 41. *courir le guilledou:* make a round of cheap joints. 46. *rougeur:* blush. 46. Notice how, in this and the following stories, Colette reserves the underlying meaning for a final resonant sentence.

prunelle° bleue, le bonnet-carré° couleur de corail, et ramasser le champignon blanc, rosé dans sa conque° comme un coquillage.° Des bois amaigris que nous longions sortait un parfum de truffe° fraîche et de feuille macérée.

Une belle vie commençait pour moi. Dans les villages, la salle d'école, vidée l'heure d'avant, offrait aux auditeurs ses bancs usés; j'y reconnaissais le tableau noir, les poids et mesures, et la triste odeur d'enfants sales. Une 10 lampe à pétrole, oscillant au bout de sa chaîne, éclairait les visages de ceux qui y venaient, défiants et sans sourire, recueillir la bonne parole. L'effort d'écouter plissait des fronts, entr'ouvrait des bouches de martyrs. Mais 15 distante, occupée sur l'estrade à de graves fonctions, je savourais l'orgueil qui gonfle le comparse° enfant chargé de présenter au jongleur les œufs de plâtre, le foulard de soie et les poignards à lame bleue. 20

Une torpeur consternée, puis des applaudissements timides saluaient la fin de la « causerie instructive ». Un maire chaussé de sabots félicitait mon père comme s'il venait d'échapper à une condamnation infamante.° Au seuil de la 25 salle vide, des enfants attendaient le passage du « monsieur qui n'a qu'une jambe ». L'air froid et nocturne se plaquait à mon visage échauffé comme un mouchoir humide, imbibé d'une forte odeur de labour° fumant, d'étable et 30 d'écorce de chêne. La jument attelée, noire dans le noir, hennissait° vers nous, et dans le halo d'une des lanternes tournait l'ombre cornue de sa tête... Mais mon père, magnifique, ne quittait pas ses mornes évangélisés sans offrir à 35 boire, tout au moins, au conseil municipal. Au « débit de boisson » le plus proche, le vin chaud bouillait sur un feu de braise,° soulevant sur sa houle° empourprée des bouées° de citron et des épaves de cannelle.° La capiteuse° 40 vapeur, quand j'y pense, mouille encore mes narines... Mon père n'acceptait, en bon Méridional,° que de la « gazeuse° », tandis que sa fille...

— Cette petite demoiselle va se réchauffer avec un doigt de vin chaud!

Un doigt? Le verre tendu, si le cafetier relevait trop tôt le pichet à bec,° je savais 5 commander : « Bord à bord!° » et ajouter : « A la vôtre! » trinquer° et lever le coude, et taper sur la table le fond de mon verre vide, et torcher d'un revers de main° mes moustaches de petit bourgogne sucré,° et dire, en poussant 10 mon verre du côté du pichet : « Ça fait du bien par où ça passe! » Je connaissais les bonnes manières.

Ma courtoisie rurale déridait° les buveurs, qui entrevoyaient soudain en mon père un homme 15 pareil à eux — sauf la jambe coupée — et « bien causant, peut-être un peu timbré° »... La pénible séance finissait en rires, en tapes sur l'épaule, en histoires énormes, hurlées par des voix comme en ont les chiens de berger qui 20 couchent dehors toute l'année... Je m'endormais, parfaitement ivre, la tête sur la table, bercée par un tumulte bienveillant. De durs bras de laboureurs, enfin, m'enlevaient et me déposaient au fond de la voiture, tendrement, 25 bien roulée dans le châle° tartan rouge qui sentait l'iris et maman...

Dix kilomètres, parfois quinze, un vrai voyage sous les étoiles haletantes du ciel d'hiver, au trot de la jument bourrée d'avoine... 30 Y a-t-il des gens qui restent froids, au lieu d'avoir dans la gorge le nœud° d'un sanglot enfantin, quand ils entendent, sur une route sèche de gel, le trot d'un cheval, le glapissement° d'un renard qui chasse, le rire d'une chouette° 35 blessée au passage par le feu des lanternes?...

Les premières fois, au retour, ma prostration béate° étonna ma mère, qui me coucha vite, en reprochant à mon père ma fatigue. Puis elle découvrit un soir dans mon regard une gaieté un 40 peu bien bourguignonne,° et dans mon haleine le secret de ma goguenardise,° hélas!...

La victoria repartit sans moi le lendemain, revint le soir et ne repartit plus.

— Tu as renoncé à tes conférences? demanda, 45 quelques jours après, ma mère à mon père.

---

1. *prunelle:* sloe (fruit of a common European shrub). 1. *bonnet-carré:* flower of the spindle tree (kind of euonymus). 3. *conque:* shell, cup. 3. *coquillage:* shellfish. 5. *truffe:* truffle. 18. *comparse:* assistant (summoned from the audience to help stage performer). 25. *infamante:* degrading. 30. *labour:* plowed land. 32. *hennissait:* was whinnying. 38. *braise:* embers. 39. *houle:* wave, surface. 39. *bouées:* buoys. 40. *épaves de cannelle:* cinnamon, like drifting wreckage. 40. *capiteuse:* heady. 43. *Méridional:* Southerner. 43. *gazeuse:* soft drinks (carbonated).

4. *pichet à bec:* small jug with a spout. 5. *Bord à bord!* Up to the brim! Fill her up! 6. *trinquer:* clink glasses. 8. *torcher... main:* wipe with the back of the hand. 9. *petit bourgogne sucré:* sweetened cheap Burgundy wine. 13. *déridait:* brightened up, amused. 16. *timbré:* cracked. 25. *châle:* shawl. 31. *nœud:* here, lump. 33. *glapissement:* barking. 34. *chouette:* owl. 37. *béate:* blissful. 40. *bourguignonne:* Burgundian. 41. *goguenardise:* joking mood.

Il glissa vers moi un coup d'œil mélancolique et flatteur, leva l'épaule :

—Parbleu! Tu m'as enlevé mon meilleur agent électoral...

Épitaphes

— Qu'est-ce qu'il était, quand il était vivant, Astoniphronque Bonscop?

Mon frère renversa la tête, noua ses mains autour de son genou, et cligna des yeux pour détailler, dans un lointain inaccessible à la grossière vue humaine, les traits oubliés d'Astoniphronque Bonscop.

— Il était tambour de ville.° Mais, dans sa maison, il rempaillait les chaises.° C'était un gros type... peuh... pas bien intéressant. Il buvait et il battait sa femme.

— Alors, pourquoi lui as-tu mis « bon père, bon époux » sur son épitaphe?

— Parce que ça se met quand les gens sont mariés.

— Qui est-ce qui est encore mort depuis hier?

— Mme Egrémimy Pulitien.

— Qui c'était, Mme Egrémimy?...

— Egrémimy, avec un *y* à la fin. Une dame, comme ça, toujours en noir. Elle portait des gants de fil...

Et mon frère se tut, en sifflant entre ses dents agacées° par l'idée des gants de fil frottant sur le bout des ongles.

Il avait treize ans, et moi sept. Il ressemblait, les cheveux noirs taillés à la malcontent° et les yeux d'un bleu pâle, à un jeune modèle italien. Il était d'une douceur extrême, et totalement irréductible.°

— A propos, reprit-il, tiens-toi prête demain, à dix heures. Il y a un service.

— Quel service?

— Un service pour le repos de l'âme de Lugustu Trutrumèque.

— Le père ou le fils?

— Le père.

— A dix heures, je ne peux pas, je suis à l'école.

— Tant pis pour toi, tu ne verras pas le service. Laisse-moi seul, il faut que je pense à l'épitaphe de Mme Egrémimy Pulitien.

Malgré cet avertissement qui sonnait comme un ordre, je suivis mon frère au grenier. Sur un tréteau,° il coupait et collait des feuilles de carton blanc en forme de dalles plates, de stèles° arrondies par le haut, de mausolées rectangulaires sommés° d'une croix. Puis, en capitales ornées, il y peignait à l'encre de Chine° des épitaphes, brèves ou longues, qui perpétuaient, en pur style « marbrier,° » les regrets des vivants et les vertus d'un gisant° supposé.

« *Ici repose Astoniphronque Bonscop, décédé le 22 juin 1884, à l'âge de cinquante-sept ans. Bon père, bon époux, le ciel l'attendait, la terre le regrette. Passant, priez pour lui!* »

Ces quelques lignes barraient de noir une jolie pierre tombale en forme de porte romane,° avec saillies simulées à l'aquarelle.° Un étai,° pareil à celui qui assure l'équilibre des cadres-chevalet,° l'inclinait gracieusement en arrière.

— C'est un peu sec, dit mon frère. Mais, un tambour de ville... Je me rattraperai sur Mme Egrémimy.

Il consentit à me lire une esquisse :

— « *O! toi le modèle des épouses chrétiennes! Tu meurs à dix-huit ans, quatre fois mère! Ils ne t'ont pas retenue, les gémissements de tes enfants en pleurs! Ton commerce périclite,° ton mari cherche en vain l'oubli!...* » J'en suis là.

— Ça commence bien. Elle avait quatre enfants, à dix-huit ans?

— Puisque je te le dis.

— Et son commerce périclique? Qu'est-ce que c'est, un commerce périclique?

Mon frère haussa les épaules.

— Tu ne peux pas comprendre, tu n'as que sept ans. Mets la colle forte° au bain-marie.° Et prépare-moi deux petites couronnes de perles bleues, pour la tombe des jumeaux Azioume, qui sont nés et morts le même jour.

— Oh!... Ils étaient gentils?

— Très gentils, dit mon frère. Deux garçons, blonds, tout pareils. Je leur fais un truc°

---

16. *tambour de ville:* town crier (who precedes his announcements with the roll of a drum.) 17. *rempaillait les chaises:* wove rush chair seats. 31. *agacées:* irritated, set on edge. 34. *taillés à la malcontent:* close-cropped. 37. *irréductible:* unmanageable.

5. *tréteau:* trestle, stand. 7. *stèles:* gravestones. 8. *sommés:* surmounted. 10. *encre de Chine:* India ink. 11. *marbrier:* stonecutter. 12. *gisant:* deceased person. 19. *romane:* romanesque. 20. *saillies... l'aquarelle:* projections simulated in water colors. 20. *étai:* support. 22. *cadres-chevalet:* picture frames (with folding wing to support them in inclined position). 30. *périclite:* is going downhill. 39. *colle forte:* glue. 39. *bain-marie:* double boiler. 45. *truc:* device.

nouveau, deux colonnes tronquées° en rouleaux de carton, j'imite le marbre dessus, et j'y enfile° les couronnes de perles. Ah! ma vieille...

Il siffla d'admiration et travailla sans parler. Autour de lui, le grenier se fleurissait de petites tombes blanches, un cimetière pour grandes poupées. Sa manie ne comportait aucune parodie irrévérencieuse, aucun faste macabre. Il n'avait jamais noué sous son menton les cordons d'un tablier de cuisine, pour simuler la chasuble,° en chantant *Dies irae.*° Mais il aimait les champs de repos comme d'autres chérissent les jardins à la française, les pièces d'eau ou les potagers. Il partait de son pas léger, et visitait, à quinze kilomètres à la ronde, tous les cimetières villageois, qu'il me racontait en explorateur.

— A Escamps, ma vieille, c'est chic, il y a un notaire, enterré dans une chapelle grande comme la cabane du jardinier, avec une porte vitrée, par où on voit un autel, des fleurs, un coussin par terre et une chaise en tapisserie.

— Une chaise! Pour qui?

— Pour le mort, je pense, quand il revient la nuit.

Il avait conservé, de la très petite enfance, cette aberration douce, cette paisible sauvagerie qui garde l'enfant tout jeune contre la peur de la mort et du sang. A treize ans, il ne faisait pas beaucoup de différence entre un vivant et un mort. Pendant que mes jeux suscitaient° devant moi, transparents et visibles, des personnages imaginés que je saluais, à qui je demandais des nouvelles de leurs proches, mon frère, inventant des morts, les traitait en toute cordialité et les parait° de son mieux, l'un coiffé d'une croix à branches de rayons, l'autre couché sous une ogive gothique, et celui-là couvert de la seule épitaphe qui louait sa vie terrestre...

Un jour vint où le plancher râpeux° du grenier ne suffit plus. Mon frère voulut, pour honorer ses blanches tombes, la terre molle et odorante, le gazon véridique, le lierre, le cyprès... Dans le fond du jardin, derrière le bosquet de thuyas,° il emménagea° ses défunts

aux noms sonores, dont la foule débordait la pelouse,° semée de têtes de soucis° et de petites couronnes de perles. Le diligent fossoyeur° clignait son œil d'artiste.

— Comme ça fait bien!

Au bout d'une semaine, ma mère passa par là, s'arrêta, saisie, regarda de tous ses yeux — un binocle,° un face-à-main,° des lunettes pour le lointain — cria d'horreur, en violant du pied toutes les sépultures...

— Cet enfant finira dans un cabanon!° C'est du délire, c'est du sadisme, c'est du vampirisme, c'est du sacrilège, c'est... je ne sais même pas ce que c'est!...

Elle contemplait le coupable, par-dessus l'abîme qui sépare une grande personne d'un enfant. Elle cueillit, d'un râteau° irrité, dalles, couronnes et colonnes tronquées. Mon frère souffrit sans protestations qu'on traînât son œuvre aux gémonies,° et, devant la pelouse nue, devant la haie de thuyas qui versait son ombre à la terre fraîchement remuée, il me prit à témoin, avec une mélancolie de poète:

— Crois-tu que c'est triste, un jardin sans tombeaux?

La Toutouque*

Large et basse comme un porcelet° de quatre mois, jaune et rase de poil, masquée largement de noir, elle ressemblait plutôt à un petit mastiff qu'à un bouledogue. Des ignares° avaient taillé en pointe ses oreilles coquillardes,° et sa queue au ras du derrière.° Mais jamais chienne ou femme au monde ne reçut, pour sa part de beauté, des yeux comparables à ceux de la Toutouque. Quand mon frère aîné, volontaire au chef-lieu,° la sauva, en l'amenant chez nous, d'un règlement imbécile qui condamnait à mort les chiens de la caserne, et qu'elle posa sur nous son regard couleur de vieux madère,° à peine inquiet, divinateur, étincelant d'une humidité pareille à celle des larmes humaines,

---

1. *tronquées:* broken off, truncated. 3. *enfile:* string. 11. *chasuble:* ecclesiastical vestment. 11. *Dies irae:* Day of Wrath (opening words of a hymn). 31. *suscitaient:* would summon up. 36. *parait:* would adorn. 41. *râpeux:* rough. 46. *thuyas:* arborvitae. 46. *emménagea:* installed.

2. *pelouse:* lawn. 2. *soucis:* marigolds. 3. *fossoyeur:* gravedigger. 8. *binocle:* eyeglasses. 8. *face-à-main:* lorgnette. 11. *cabanon:* madhouse cell. 17. *râteau:* rake. 20. *gémonies:* public shame. * *Toutouque:* Doggie. 30. *porcelet:* piglet. 33. *ignares:* ignoramuses. 34. *coquillardes:* shell-like. 35. *au ras du derrière:* close to the hindquarters. 39. *volontaire au chef-lieu:* volunteer soldier at the chief city of the department. 42. *madère:* madeira wine (rich brown).

nous fûmes tous conquis, et nous donnâmes à la Toutouque sa large place devant le feu de bois. Nous appréciâmes tous — et surtout moi, petite fille — sa cordialité de nourrice, son humeur égale. Elle aboyait peu, d'une voix grasse et assourdie° de dogue,° mais parlait d'autre manière, donnant son avis d'un sourire à lèvres noires et à dents blanches, baissant, d'un air complice, ses paupières charbonnées° sur ses yeux de mulâtresse.

Elle apprit nos noms, cent paroles nouvelles, les noms des chattes, aussi vite que l'eût fait un enfant intelligent. Elle nous adopta tous dans son cœur, suivit ma mère à la boucherie, me fit un bout de conduite° quotidien sur le chemin de l'école. Mais elle n'appartenait qu'à ce frère aîné qui l'avait sauvée de la corde ou du coup de revolver. Elle l'aimait au point de perdre contenance devant lui. Pour lui elle devenait sotte, courbait le front et ne savait plus que courir au-devant des tourments qu'elle espérait comme des récompenses. Elle se couchait sur le dos, offrait son ventre, clouté de tétines violacées,° sur lesquelles mon frère pianotait,° en les pinçant à tour de rôle, l'air du *Menuet* de Boccherini. Le rite commandait qu'à chaque pinçon° la Toutouque jetât — elle n'y manquait point — un petit glapissement, et mon frère s'écriait, sévère : « Toutouque! vous chantez faux! Recommencez! » Il n'y mettait aucune cruauté, un effleurement° arrachait, à la Toutouque chatouilleuse,° une série de cris musicaux et variés. Le jeu fini, elle demeurait gisante et réclamait : « Encore! »

Mon frère lui rendait tendresse pour tendresse, et composa pour elle ces chansons qui s'échappent de nous dans des moments de puérilité sauvage, ces enfants étranges du rythme, du mot répété, épanouis dans le vide innocent de l'esprit. Un refrain louait la Toutouque d'être :

Jaune, jaune, jaune,
Excessivement jaune,
A la limite du jaune...

Un autre célébrait ses formes massives, et l'appelait, par trois fois, « cylindre sympathique », sur une excellente cadence de marche militaire. Alors la Toutouque riait aux éclats, c'est-à-dire qu'elle découvrait les dents de sa mâchoire grignarde,° couchait le restant émondé° de ses oreilles et hochait, en place de sa queue absente, son gros train postérieur.° Dormît-elle au jardin, s'occupât-elle gravement à la cuisine, l'air du « cylindre, » chanté par mon frère, ramenait la Toutouque à ses pieds, captivée par l'harmonie familière.

Un jour que la Toutouque cuisait,° après le repas, sur le marbre brûlant du foyer, mon frère, au piano, sertit° sans paroles, dans l'ouverture qu'il déchiffrait, l'air du « cylindre ». Les premières notes effleurèrent, comme des mouches importunes, le sommeil de la bête endormie. Son pelage ras° de vache blonde tressaillit ici et là, et son oreille... La reprise° énergique — piano *solo* — entr'ouvrit les yeux, pleins d'humain égarement, de la Toutouque musicienne, qui se leva et m'interrogea clairement : « Est-ce que je n'ai pas entendu ça quelque part?... » Puis elle se tourna vers son ingénieux bourreau, qui martelait° toujours l'air favori, accepta de lui cette magie nouvelle et vint s'asseoir au flanc du piano, pour écouter mieux, avec l'air entendu et mystifié d'un enfant qui suit une conversation entre grandes personnes.

Sa douceur désarmait toutes les taquineries. On lui confiait les petits chats à lécher, les chiots° des lices° étrangères. Elle baisait les mains des marmots trébuchants,° se laissait piquer du bec par les poussins,° et je la méprisai un peu pour sa mansuétude de commère repue,° jusqu'au jour où, les temps marqués étant venus, la Toutouque s'éprit d'un chien de chasse, le setter d'un cafetier° voisin. C'était un grand setter doué, comme tous les setters, d'un charme second-empire; blond acajou, long-chevelu, l'œil pailleté,° il manquait de physionomie, non de distinction. Sa femelle lui ressemblait comme une sœur; mais, nerveuse et sujette à des vapeurs,° elle jetait des cris pour un claquement de porte et se lamentait au son des angélus. Sensible à la seule euphonie, leur maître les nommait Black et Bianca.

---

3. *grignarde:* puckered. 4. *couchait le restant émondé:* would lay down the clipped remnant. 5. *train postérieur:* hind-quarters. 10. *cuisait:* was roasting. 12. *sertit:* inserted. 16. *pelage ras:* short hair. 17. *reprise:* reprise, repetition. 23. *martelait:* was hammering out. 30. *chiots:* puppies. 30. *lices:* bitch hounds. 31. *marmots trébuchants:* tottering urchins. 32. *poussins:* chicks. 33. *commère repue:* well-fed old woman. 36. *cafetier:* cafékeeper. 39. *pailleté:* spangled, flecked. 42. *vapeurs:* vapors, fits of nervous depression.

6. *assourdie:* muffled. 6. *dogue:* large watchdog. 9. *charbonnées:* blackened (as with charcoal). 15. *me fit... conduite:* accompanied me a little way. 24. *clouté... violacées:* studded with purplish-blue nipples. 25. *pianotait:* would play as on a piano. 27. *pinçon:* pinch. 31. *effleurement:* gentle touch. 32. *chatouilleuse:* ticklish.

La brève idylle m'apprit à mieux connaître notre Toutouque. Passant avec elle devant le café, je vis Bianca la rousse, couchée sur la pierre du seuil, pattes croisées, ses anglaises défrisées° le long des joues. Les deux chiennes n'échangèrent qu'un regard et Bianca fit le grand cri de la patte écrasée° en se réfugiant au fond de la buvette.° La Toutouque ne m'avait pas quittée d'une semelle, et son bel œil de soularde° sentimentale s'étonnait : « Qu'est-ce qu'elle a ? »

— Laisse-la, lui répondis-je, tu sais bien qu'elle est à moitié folle.

Personne ne s'inquiétait, à la maison, des affaires personnelles de la Toutouque. Libre d'aller, de venir, de pousser du nez la porte battante, de dire bonjour à la bouchère, de rejoindre mon père à sa partie d'écarté,° nous ne craignions point que la Toutouque s'égarât, ni qu'elle songeât à mal faire. Aussi, quand le cafetier vint nous informer, en accusant la Toutouque, que sa chienne Bianca avait l'oreille déchirée, nous éclatâmes tous d'un rire impertinent, en lui désignant la Toutouque vautrée, béate, cardée° par un petit chat impérieux…

Le lendemain matin je m'étais installée, stylite,° sur le chapiteau° d'un des piliers que reliait l'un à l'autre la grille du jardin, et j'y prêchais des foules invisibles, quand j'entendis accourir une mêlée de hurlements canins, dominés par la voix haute et désespérée de Bianca. Elle parut, décoiffée et hagarde, dépassa le coin de la rue de la Roche, dévala° la rue des Vignes. A ses trousses° roulait, avec une rapidité inconcevable, une sorte de monstre jaune, hérissé, les pattes ramenées sous le ventre puis projetées de tous côtés, en membres de grenouille,° par la fureur de sa course, — une bête jaune, masquée de noir, garnie de dents, d'yeux exorbités,° d'une langue violacée où écumait la salive… Le tout passa en trombe,° disparut, et pendant que je quittais à la hâte mon chapiteau, je distinguai dans l'éloignement le choc, le râle orageux d'un combat très court,

et la voix encore de la chienne rouge, meurtrie.. Je traversai le jardin en courant, j'atteignis la porte de la rue, m'arrêtai de stupeur : la Toutouque, le monstre entrevu, jaune, carnassier,° Toutouque était là, couchée sur le perron…

— Toutouque !…

Elle essaya son sourire de bonne nourrice mais elle haletait, et le blanc de ses yeux strié° de filets sanguins, semblait saigner…

— Toutouque ! est-ce possible ?

Elle se leva, frétilla° pesamment et prétendit changer de conversation, mais sa lèvre noire, et la langue qui voulut effleurer mes doigts, retenaient des poils d'or roux arrachés à Bianca…

— Oh ! Toutouque… Toutouque…

Je ne trouvais pas d'autres paroles, et ne savais comment me plaindre, m'effrayer et m'étonner qu'une force malfaisante, dont le nom même échappait à mes dix ans, pût changer en brute féroce la plus douce des créatures…

L'Ami

Le jour où l'Opéra-Comique brûla,° mon frère aîné, accompagné d'un autre étudiant, son ami préféré, voulait louer deux places. Mais d'autres mélomanes° pauvres, habitués des places à trois francs, n'avaient rien laissé. Les deux étudiants déçus dînèrent à la terrasse d'un petit restaurant du quartier : une heure plus tard, à deux cents mètres d'eux, l'Opéra-Comique brûlait. Avant de courir l'un au télégraphe pour rassurer ma mère, l'autre à sa famille parisienne, ils se serrèrent la main et se regardèrent, avec cet embarras, cette mauvaise grâce sous laquelle les très jeunes hommes déguisent leurs émotions pures. Aucun d'eux ne parla de hasard providentiel, ni de la protection mystérieuse étendue sur leurs deux têtes. Mais quand vinrent les grandes vacances, pour la première fois Maurice — admettez qu'il s'appelait Maurice — accompagna mon frère et vint passer deux mois chez nous.

J'étais alors une petite fille assez grande, treize ans environ.

5. *anglaises défrisées:* limp, uncurled ringlets. 7. *cri de la patte écrasée:* i.e., as if her paw were stepped on. 8. *buvette:* saloon. 10. *soularde:* alcoholic woman. 18. *écarté:* card game. 25. *cardée:* carded (*i.e.,* licked by the cat's rough tongue as wool is combed with a teasel). 28. *stylite:* perched on a pillar (like an ancient hermit monk). 28. *chapiteau:* capital, top. 34. *dévala:* ran down. 35. *A ses trousses:* On her heels. 38–39. *en membres de grenouille:* like frogs' legs. 41. *exorbités:* protruding. 42. *en trombe:* like a whirlwind.

5. *carnassier:* bloodthirsty. 10. *strié:* streaked. 12. *frétilla:* wriggled. 27. *Le jour… brûla:* i.e., in May 1887. Several hundred people lost their lives. 30. *mélomanes:* music lovers.

Il vint donc, ce Maurice que j'admirais en aveugle, sur la foi de l'amitié que lui portait mon frère. En deux ans, j'avais appris que Maurice faisait son droit — pour moi, c'était un peu comme si on m'eût dit qu'il « faisait le beau » debout sur ses pattes de derrière° — qu'il adorait, autant que mon frère, la musique, qu'il ressemblait au baryton Taskin° avec des moustaches et une très petite barbe en pointe, que ses riches parents vendaient en gros des produits chimiques et ne gagnaient pas moins de cinquante mille francs par an — on voit que je parle d'un temps lointain.

Il vint, et ma mère s'écria tout de suite qu'il était « de cent mille pics »° supérieur à ses photographies, et même à tout ce que mon frère vantait de lui depuis deux ans : fin, l'œil velouté, la main belle, la moustache comme roussie au feu, et l'aisance caressante d'un fils qui a peu quitté sa mère. Moi, je ne dis rien, justement parce que je partageais l'enthousiasme maternel.

Il arrivait vêtu de bleu, coiffé d'un panama à ruban rayé,° m'apportant des bonbons, des singes en chenille de soie grenat,° vieil-or, vert-paon,° qu'une mode agaçante accrochait partout — les rintintins° de l'époque — un petit porte-monnaie en peluche° turquoise. Mais que valaient les cadeaux au prix des larcins?° Je leur dérobais, à lui et à mon frère, tout ce qui tombait sous ma petite serre° de pie° sentimentale : des journaux illustrés libertins, des cigarettes d'Orient, des pastilles contre la toux, un crayon dont l'extrémité portait des traces de dents — et surtout les boîtes d'allumettes vides, les nouvelles boîtes blasonnées de photographies d'actrices que je ne fus pas longue à connaître toutes, et à nommer sans faute : Théo, Sybil Sanderson, Van Zandt... Elles appartenaient à une race inconnue, admirable, que la nature avait dotée invariablement d'yeux très grands, de cils très noirs, de cheveux frisés en éponge sur le front, et d'un lé de tulle° sur une seule épaule, l'autre demeurant nue... A les entendre nommer négligemment par Maurice, je les réunis en un harem sur lequel il étendait une royauté indolente, et j'essayais, le soir, en me couchant, l'effet d'une voilette de maman sur mon épaule. Je fus, huit jours durant, revêche,° jalouse, pâle, rougissante — en un mot amoureuse.

Et puis, comme j'étais en somme une fort raisonnable petite fille, cette période d'exaltation passa et je goûtai pleinement l'amitié, l'humeur gai de Maurice, les causeries libres des deux amis. Une coquetterie plus intelligente régit tous mes gestes, et je fus, avec une apparence parfaite de simplicité, telle que je devais être pour plaire : une longue enfant aux longues tresses, la taille bien serrée dans un ruban à boucle, blottie sous son grand chapeau de paille comme un chat guetteur. On me revit à la cuisine et les mains dans la pâte à galettes,° au jardin le pied sur la bêche,° et je courus en promenade, autour des deux amis bras sur bras, ainsi qu'une gardienne gracieuse et fidèle. Quelles chaudes vacances, si émues et si pures...

C'est en écoutant causer les deux jeunes gens que j'appris le mariage, encore assez lointain, de Maurice. Un jour que nous étions seuls au jardin, je m'enhardis jusqu'à lui demander le portrait de sa fiancée. Il me le tendit : une jeune fille souriante, jolie, extrêmement coiffée, enguirlandée de mille ruches° de dentelle.

— Oh! dis-je maladroitement, la belle robe!

Il rit si franchement que je ne m'excusai pas.

— Et qu'allez-vous faire, quand vous serez marié?

Il cessa de rire et me regarda.

— Comment, ce que je vais faire? Mais je suis déjà presque avocat, tu sais!

— Je sais. Et elle, votre fiancée, que fera-t-elle pendant que vous serez avocat?

— Que tu es drôle! Elle sera ma femme, voyons.

— Elle mettra d'autres robes avec beaucoup de petites ruches?

— Elle s'occupera de notre maison, elle recevra... Tu te moques de moi? Tu sais très bien comment on vit quand on est marié.

4–6. *pour moi... derrière:* i.e., Colette, not knowing that *le droit* means "law," took the phrase to mean "standing upright," like a dog showing off by standing on his hind legs. 8. Taskin (1853–97), star of the Opéra-Comique. 15. *de cent mille pics:* i.e., thousands of miles. 24. *rayé:* striped. 25. *singes... grenat:* monkeys made of garnet-red silk chenille (fluffy corded material). 26. *vert-paon:* peacock green. 27. *rintintins:* tiny wool figures, good luck charms popular during World War I. 28. *peluche:* plush. 29. *au prix des larcins:* in comparison with thefts. 31. *serre:* claw. 31. *pie:* magpie, a thievish bird.

1. *lé de tulle:* width of tulle, a gauzy silk material. 8. *revêche:* sulky. 21. *pâte à galettes:* pastry dough. 22. *bêche:* spade. 32. *ruches:* ruffled strips.

— Non, pas très bien. Mais je sais comment nous vivons depuis un mois et demi.

— Qui donc, « nous ? »

— Vous, mon frère et moi. Vous êtes bien, ici ? Étiez-vous heureux ? Vous nous aimez ?

Il leva ses yeux noirs vers le toit d'ardoises brodé de jaune, vers la glycine° en sa seconde floraison, les arrêta un moment sur moi et répondit comme à lui-même :

— Mais oui…

— Après, quand vous serez marié, vous ne pourrez plus, sans doute, revenir ici, passer les vacances ? Vous ne pourrez plus jamais vous promener à côté de mon frère, en tenant mes deux nattes° par le bout, comme des rênes ?°

Je tremblais de tout mon corps, mais je ne le quittais pas des yeux. Quelque chose changea dans son visage. Il regarda tout autour de lui, puis il parut mesurer, de la tête aux pieds, la fillette qui s'appuyait à un arbre et qui levait la tête en lui parlant, parce qu'elle n'avait pas encore assez grandi. Je me souviens qu'il ébaucha° une sorte de sourire contraint, puis il haussa les épaules, répondit assez sottement :

— Dame,° non, ça va de soi…

Il s'éloigna vers la maison sans ajouter un mot et je mêlai pour la première fois, au grand regret enfantin que j'avais de perdre bientôt Maurice, un petit chagrin victorieux de femme.

Le Rire

Elle riait volontiers, d'un rire jeune et aigu qui mouillait ses yeux de larmes, et qu'elle se reprochait après comme un manquement à la dignité d'une mère chargée de quatre enfants et de soucis d'argent. Elle maîtrisait les cascades de son rire, se gourmandait° sévèrement : « Allons ! voyons !… » puis cédait à une rechute de rire qui faisait trembler son pince-nez.

Nous nous montrions jaloux de déchaîner son rire, surtout quand nous prîmes assez d'âge pour voir grandir d'année en année, sur son visage, le souci du lendemain, une sorte de détresse qui l'assombrissait, lorsqu'elle songeait à notre destin d'enfants sans fortune, à sa santé menacée, à la vieillesse qui ralentissait les pas —

une seule jambe et deux béquilles — de son compagnon chéri. Muette, ma mère ressemblait à toutes les mères épouvantées devant la pauvreté et la mort. Mais la parole rallumait sur son visage une jeunesse invincible. Elle put maigrir de chagrin et ne parla jamais tristement. Elle échappait, comme d'un bond, à une rêverie tragique, en s'écriant, l'aiguille à tricot° dardée° vers son mari :

— Oui ? Eh bien, essaye de mourir avant moi, et tu verras !

— Je l'essaierai, ma chère âme, répondait-il.

Elle le regardait aussi férocement que s'il eût, par distraction, écrasé une bouture de pélargonium° ou cassé la petite théière° chinoise niellée° d'or :

— Je te reconnais bien là ! Tout l'égoïsme des Funel et des Colettes est en toi ! Ah ! pourquoi t'ai-je épousé ?

— Ma chère âme, parce que je t'ai menacée, si tu t'y refusais, d'une balle dans la tête.

— C'est vrai. Déjà à cette époque-là, tu vois tu ne pensais qu'à toi. Et maintenant, tu ne parles de rien de moins que de mourir avant moi. Va, va, essaye seulement !…

Il essaya, et réussit du premier coup. Il mourut dans sa soixante-quatorzième année, tenant les mains de sa bien-aimée et rivant° à des yeux en pleurs un regard qui perdait sa couleur, devenait d'un bleu vague et laiteux, pâlissait comme un ciel envahi par la brume. Il eut les plus belles funérailles dans un cimetière villageois, un cercueil de bois jaune, nu sous une vieille tunique percée de blessures, — sa tunique de capitaine au 1er zouaves — et ma mère l'accompagna sans chanceler au bord de la tombe, toute petite et résolue sous ses voiles, et murmurant tout bas, pour lui seul, des paroles d'amour.

Nous la ramenâmes à la maison, où elle s'emporta contre son deuil neuf, son crêpe° encombrant qu'elle accrochait à toutes les clefs de tiroirs et de portes, sa robe de cachemire qui l'étouffait. Elle se reposa dans le salon, près du grand fauteuil vert où mon père ne s'assoierait plus et que le chien déjà envahissait avec délices. Elle était fiévreuse, rouge de teint, et disait, sans pleurs :

---

7. *glycine:* wisteria. 15. *nattes:* braids. 15. *rênes:* reins. 23. *ébaucha:* sketched out, put on. 25. *Dame:* After all. 39. *se gourmandait:* reproved herself.

8–9. *aiguille à tricot:* knitting needle. 9. *dardée:* pointed. 15. *bouture de pélargonium:* slip of a geranium plant. 15. *théière:* teapot. 16. *niellée:* with enamel inlay. 28. *rivant:* riveting, fastening. 41. *crêpe:* long mourning veil.

—Ah! quelle chaleur! Dieu, que ce noir ient chaud! Tu ne crois pas que maintenant e puis remettre ma robe de satinette bleue?

—Mais...

—Quoi? c'est à cause de mon deuil? J'ai horreur de ce noir! D'abord c'est triste. Pourquoi veux-tu que j'offre, à ceux que je rencontre, un spectacle triste et déplaisant? Quel rapport y a-t-il entre ce cachemire et ce crêpe et mes propres sentiments? Que je te voie jamais porter mon deuil!° Tu sais très bien que je n'aime pour toi que le rose,° et certains bleus...

Elle se leva brusquement, fit quelques pas vers une chambre vide et s'arrêta :

—Ah!... c'est vrai...

Elle revint s'asseoir, avouant, d'un geste humble et simple, qu'elle venait, pour la première fois de la journée, d'oublier qu'*il* était mort.

—Veux-tu que je te donne à boire, maman? Tu ne voudrais pas te coucher?

—Eh non! Pourquoi? Je ne suis pas malade!

Elle se rassit, et commença d'apprendre la patience, en regardant sur le parquet, de la porte du salon à la porte de la chambre vide, un chemin poudreux marqué par de gros souliers pesants.

Un petit chat entra, circonspect et naïf, un ordinaire et irrésistible chaton° de quatre à cinq mois. Il se jouait à lui-même une comédie majestueuse, mesurait son pas et portait la queue en cierge, à l'imitation des seigneurs matous.° Mais un saut périlleux° en avant, que rien n'annonçait, le jeta séant par-dessus tête° à nos pieds, où il prit peur de sa propre extravagance, se roula en turban, se mit debout sur ses pattes de derrière, dansa de biais, enfla le dos, se changea en toupie°...

—Regarde-le, regarde-le, Minet-Chéri! Mon Dieu, qu'il est drôle!

Et elle riait, ma mère en deuil, elle riait de son rire aigu de jeune fille, et frappait dans ses mains devant le petit chat... Le souvenir fulgurant° tarit cette cascade brillante, sécha dans les yeux de ma mère les larmes du rire. Pourtant, elle ne s'excusa pas d'avoir ri, ni ce jour-là, ni ceux qui suivirent, car elle nous fit cette grâce, ayant perdu celui qu'elle aimait d'amour, de demeurer parmi nous toute pareille à elle-même, acceptant sa douleur ainsi qu'elle eût accepté l'avènement d'une saison lugubre et longue, mais recevant de toutes parts la bénédiction passagère de la joie, — elle vécut balayée d'ombre et de lumière, courbée sous des tourmentes, résignée, changeante et généreuse, parée d'enfants, de fleurs et d'animaux comme un domaine nourricier.°

---

11. *Que je te voie... deuil:* Don't let me ever see you wearing mourning for me. 12. *rose:* pink. (Notice gender.) 29. *chaton:* kitten.

4. *matous:* tomcats. 4. *saut périlleux:* somersault. 5. *séant par-dessus tête:* bottom up. 9. *toupie:* top. 15. *fulgurant:* flashing. 28. *un domaine nourricier:* i.e., a domain which she cherished and nurtured.

29. Giraudoux [1882–1944]

Jean Giraudoux was born in Bellac, a small town in the Limousin, in central France. His father was a *fonctionnaire*, a government road engineer. Giraudoux was a brilliant student and pursued the course of free education provided by the government for exceptional youths; this culminated in his receiving highest honors at the École Normale Supérieure. He traveled on scholarships and was tutor in a princely German family. He fought gallantly and was three times wounded in the First World War. Assigned to Harvard as a military instructor, he came to know America well and wrote of us with teasing affection. Between the wars he was a responsible official of the French Foreign Service. In 1939 he was appointed *Commissaire général à l'Information*, directing the press and radio services until the German invasion of 1940.

His writing, like that of Claudel, was an escape from a world of activity into a world of imagination. He began with fiction—gay, whimsical, surprising. He liked to make a fantastic supposition, as of a French prisoner in Germany, a victim of amnesia, who builds himself a new German personality and becomes dictator. He adorns his supposition with delightful fancy, while subtly enforcing some moral or idealistic contention. He appears to let his imagination carry him where it will; "une espèce de divagation poétique," he called his work. But at the end the reader recognizes that he has read a *conte philoso-phique*, in the tradition of Voltaire, though by no means with Voltaire's philosophy nor with his style.

He came late to the theater, and most people were surprised that this extravagant romancer could fit at all the requirements of the stage. But he had a great success, for in fact he brought the theater just what it lacked: poetic illusion, mystery and magic, the sur-mounting of grim reality. He held that dramas should be deliberately unreal; he said: "le théâtre n'est pas un théorème, mais un spectacle; pas une leçon, mais un filtre." Several of his plays, including *Amphitryon 38*, *Tiger at the Gates*, *The Madwoman of Chaillot*, *Ondine*, and *Judith*, have been successfully staged in this country.

One may call Giraudoux, in his literary and moral purpose, a *practical idealist*. He sought to find real meanings under conventional representations, in life and art. (Remember Baudelaire's *forêt de symboles* in his *Correspondances*, page 211.) The artist performs this task by a magic operation. The result turns out to be socially useful, for the truth is on the side of honor, fidelity, sincerity, altruism—in short, virtue.

Giraudoux's *style* is rich, decorative, lyric, often artificial—*précieux*, in a word. He makes great use of comparisons and similes, strange, startling, even wild. His style moves by rocket propulsion. It is just to note that many readers find the incessant bursting of his metaphors a strain on the intellectual ear.

Intermezzo was produced in 1933. Most of the first act, which makes an almost self-sufficient unit, is given here. Giraudoux sets his play in his native Limousin, a primitive, isolated, lovely hill country; he recalls affectionately his father's world of *fonctionnaires*. The play is a fairy tale, of course. But if you are tempted to read the two following acts, you will find that the fairy tale is a very serious one, a treatise on the conflict of the real and the ideal.

INTERMEZZO*

[*Excerpt*]

Personnages du premier acte

ISABELLE
ARMANDE MANGEBOIS
LÉONIDE MANGEBOIS
LE CONTRÔLEUR
L'INSPECTEUR
LE MAIRE
LE DROGUISTE
LES PETITES FILLES : LUCE, GISÈLE, DAISY,
    GILBERTE, IRÈNE, NICOLE, MARIE-LOUISE,
    VIOLA

* Reproduit avec l'autorisation de M. Pierre Giraudoux-Montaigne. *Intermezzo:* an interlude or diversion.

Acte premier

La campagne. Une belle prairie. Des bosquets.†
Vers le soir.

5

SCÈNE PREMIÈRE : LE MAIRE, *puis* LE
DROGUISTE

LE MAIRE (*entrant seul et criant*). Oh! Oh!..
10 Évidemment, l'endroit est étrange. Personne ne
répond, pas même l'écho... Oh! Oh!

LE DROGUISTE (*entrant derrière lui*). Oh! Oh!

LE MAIRE. Vous m'avez fait peur, mon cher
Droguiste.

15 LE DROGUISTE. Pardon, Monsieur le Maire,
vous avez cru que c'était lui?

LE MAIRE. Ne plaisantez pas! Je sais bien

† *bosquets:* thickets.

u'il n'existe peut-être pas, que tous ceux qui
rétendent l'avoir rencontré dans ces parages°
ont peut-être victimes d'une hallucination.
Mais convenez que ce lieu est singulier!

LE DROGUISTE. Pourquoi l'avez-vous choisi
our notre rendez-vous?

LE MAIRE. Pour la raison qui sans doute le
i fait choisir. Pour être hors de vue des
urieux. Vous ne vous y sentez pas mal à
aise?

LE DROGUISTE. Pas le moins du monde.
out y est vert et calme. On se croirait sur un
errain de golf.

LE MAIRE. On n'en rencontre jamais, sur les
errains de golf?

LE DROGUISTE. Peut-être en rencontrera-t-on
lus tard, quand se sera accumulé sous les
llées et venues des joueurs de golf mâles et
emelles cet humus° de mots banals et de vrais
veux, de bouts de cigares et de houppettes,°
e rivalités et de sympathies nécessaires pour
umaniser un sol encore primitif.° Pour le
moment, ces beaux terrains bien dessinés,
xhaussés,° surveillés, sont certainement les
moins maléfiques!°... D'autant plus qu'on les
lante en gazon anglais, c'est-à-dire avec la
raminée° la moins chargée en mystère... Ni
squiame,° ni centaurée,° ni vertadine°... Il
st vrai qu'ici vous avez ces plantes, à ce que
vois, et même la mandragore.°

LE MAIRE. C'est vrai ce qu'on raconte de la
mandragore?

LE DROGUISTE. Au sujet de la constipation?

LE MAIRE. Non, au sujet de l'immortalité...
Que les enfants conçus au-dessus d'une man-
ragore par un pendu deviennent des êtres
émoniaques, et vivent sans terme?°

LE DROGUISTE. Tous les symboles ont leur
aison. Il suffit de les interpréter.

LE MAIRE. Peut-être avons-nous affaire avec
n symbole de cet ordre.

LE DROGUISTE. Comment apparaît-il en
énéral: malingre,° difforme?

LE MAIRE. Non. Grand, avec un beau
visage.

LE DROGUISTE. Il y a eu des pendus, autrefois, dans le canton?

LE MAIRE. Depuis que je suis Maire, j'ai eu
en tout deux suicides. Mon vigneron, qui s'est
fait sauter dans son canon pare à grêle,° et la
vieille épicière, qui s'est pendue, mais par les
pieds.

LE DROGUISTE. Il faut un pendu homme de
vingt à quarante ans... Mais je commence à
croire que ces Messieurs se sont égarés. L'heure
de la réunion passe.

LE MAIRE. Rien à craindre. J'ai prié le
Contrôleur des Poids et Mesures° de guider
l'Inspecteur. Ainsi nous serons quatre pour
former la commission chargée d'enquêter° sur
l'affaire.

LE DROGUISTE. Une commission de trois
membres aurait largement suffi!

LE MAIRE. Notre jeune Contrôleur est pourtant bien sympathique.

LE DROGUISTE. Très sympathique.

LE MAIRE. Et courageux! A notre dîner du
mercredi, où les propos avant lui frisaient°
l'indécence, il ne laisse passer aucune occasion
de défendre la vertu des femmes. En deux
phrases, hier, il nous a réhabilité définitivement
Catherine II,° malgré l'agent-voyer,° fortement
prévenu° contre elle.

LE DROGUISTE. Je parlais de l'Inspecteur.
Pourquoi l'avoir convoqué° de Limoges?° Il
passe pour brutal, les esprits n'aiment pas les
butors.°

LE MAIRE. C'est qu'il est venu de lui-même.
C'est qu'il entend se déranger lui-même pour
combattre tout ce qui surgit d'anormal ou de
mystérieux dans le département. Dès qu'un
phénomène inexplicable se manifeste dans la
faune, la flore, la géographie même de la région,
l'Inspecteur survient et ramène l'ordre. Vous
connaissez ses derniers exploits?

LE DROGUISTE. En Berry,° avec ses préten-
dues ondines?°

---

2. *dans ces parages:* hereabouts. 19. *humus:* vegetable mold.
0. *houppettes:* powder puffs. 22. Notice that the language
f the Droguiste, and indeed of all the speakers, is com-
letely unrealistic, exaggeratedly literary. 24. *exhaussés:*
levated. 25. *maléfiques:* evil-working. 27. *graminée:* grass. 28.
squiame: henbane; *centauré:* bluebottle; *vertadine:* un-
entified. 30. *mandragore:* mandrake (plant containing a
oisonous narcotic and supposed to possess many magical
roperties. See an encyclopedia). 37. *sans terme:* endlessly.
3. *malingre:* puny.

6–7. *s'est fait... grêle:* discharged himself in his
antihail cannon (a device for shooting shells into threaten-
ing storm clouds). 15. *Contrôleur... Mesures:* weighmaster
(an uncommon post). 17. *enquêter:* make an investigation.
25. *frisaient:* bordered on. 29. Catherine II (1729–96),
Empress of Russia, whose lack of morals was famous. 29.
agent-voyer: road inspector. 30. *prévenu:* prejudiced. 32.
convoqué: summoned. 31. Limoges, city of central France. 34.
butors: boors. 43. Berry, region of central France, around
Bourges. 44. *ondines:* undines (female water sprites).

LE MAIRE. Dans le Limousin même! A Rochechouart d'abord, où il a fait murer par le génie° militaire la source qui appelait.° Et au haras° de Pompadour, où les étalons° s'étaient mis à user de leurs yeux comme des humains, à se regarder de biais entre eux, à se faire signe de leurs prunelles ou de leurs paupières, il leur a imposé des œillères,° même dans les stalles. Vous pensez si l'état de notre ville a dû l'allécher°... Je m'étonne seulement qu'il tarde ainsi.

LE DROGUISTE. Appelons-le!

LE MAIRE. Non! Non! Ne criez point! Ne trouvez-vous pas que l'acoustique de ce pré a je ne sais quoi de trouble, d'inquiétant?

LE DROGUISTE. Le Contrôleur a la plus belle voix de basse de la région. Nous l'entendrons d'un kilomètre... Oh! Oh!...

SCÈNE II : LES MÊMES, ISABELLE, LES ÉLÈVES

(*On entend des voix aiguës de fillettes répondre Oh! Oh! et aussitôt,* ISABELLE *et ses élèves entrent sur la scène.*)

LE MAIRE. Ah! c'est Mademoiselle Isabelle! Bonjour, Mademoiselle Isabelle!

ISABELLE. Bonjour, Monsieur le Maire!

LE DROGUISTE. Vous herborisez,° mes enfants?

LE MAIRE. Depuis trois mois que notre institutrice est malade, mademoiselle Isabelle veut bien la remplacer. Elle tient seulement à faire sa classe en plein air, par ce beau temps.

ISABELLE. D'ailleurs, nous herborisons aussi, Monsieur le Droguiste. Il faut que ces petites connaissent la nature par tous ses noms et prénoms. J'ai là un sac plein déjà de plantes curieuses... Excusez-nous, mais nous cherchons la plus indispensable à mon cours de tout à l'heure... Je sais où la trouver...

LE DROGUISTE. Laquelle?

FILLETTES. La mandragore! La mandragore! (*Elles sortent.*)

SCÈNE III : LE MAIRE, LE DROGUISTE

LE DROGUISTE. La charmante personne! Comme il est touchant de voir l'innocence tourner ainsi sans soupçon et sans péril autour des symboles du mal!

LE MAIRE. Je voudrais bien que les demoiselles Mangebois eussent sur elle la même opinion.

LE DROGUISTE. Qu'ont à voir ces deux taupes° avec Isabelle?

LE MAIRE. C'est ce que nous allons savoir tout à l'heure. Elles ont demandé à être entendues de l'Inspecteur; elles m'ont laissé supposer qu'il s'agissait d'Isabelle, et d'une dénonciation.

LE DROGUISTE. Que peuvent-elles bien dénoncer? Isabelle est si simple, si nette, si différente en somme de ses compagnes! Car vous les connaissez, Monsieur le Maire, toutes les autres. Elles passent leur après-midi à se perdre dans les bois aux bras de leurs cousins, à se baigner avec l'employé nègre de la sous préfecture, à lire, étendues dans les prairies, le marquis de Sade° illustré... Des jeunes filles quoi!... Isabelle, au contraire, n'a pas de vague à l'âme, pas de curiosité anticipée... Regardez la franchise de cette silhouette! Près de chaque être, de chaque objet, elle semble la clef destinée à le rendre compréhensible. Voyez-la à cheval sur ce baliveau,° faisant valser cet ânon,° en agitant un chardon,° pendant que ses élèves dansent une ronde autour d'eux, la nécessité des ânons dans ce bas monde devient fulgurante°... Celle des petites filles aussi, d'ailleurs... Regardez-les, Monsieur le Maire : les charmantes petites figures, les charmants petits dos ...

LE MAIRE. Eh bien, eh bien, mon cher Droguiste!

LE DROGUISTE. Ah! Voici Monsieur l'Inspecteur!

SCÈNE IV : LES MÊMES, L'INSPECTEUR, LE CONTRÔLEUR

L'INSPECTEUR. La preuve, mon cher Contrôleur? La preuve que les esprits n'existent pas, que le monde invisible n'existe pas? Voulez-vous que je vous l'administre à la minute, sur-le-champ?

LE CONTRÔLEUR. Venant d'un haut fonctionnaire, elle me sera précieuse.

---

3. *génie:* engineer corps. 3. Talking springs were frequent in Celtic and French folklore. 4. *haras:* stud farm. 4. *étalons:* stallions. 8. *œillères:* blinders (preventing horses from seeing sidewise). 10. *allécher:* entice. 28. *herborisez:* are botanizing.

7. *taupes:* moles, hags. 20. Marquis de Sade, eighteenth century writer of perverse erotic works. His name is preserved in our word "sadism." 26. *baliveau:* sapling. 27. *ânon:* young donkey. 27. *chardon:* thistle. 30. *fulgurante:* of dazzling clarity.

L'INSPECTEUR. Vous admettez que si les esprits existent, ils m'entendent?

LE CONTRÔLEUR. A part les esprits sourds, sans aucun doute.

L'INSPECTEUR. Qu'ils entendent donc ceci : Esprits, formes de vide et de blanc d'œuf° (vous voyez, je ne mâche° pas mes mots, s'ils ont un peu de dignité, ils savent ce qui leur reste à faire), l'humanité en ma personne vous défie d'apparaître! Vous avez là une occasion unique, étant donné la qualité de l'assistance, de reprendre un peu de crédit dans l'arrondissement. Je ne vous demande pas d'extirper° de ma poche une perruche° vivante, opération classique, paraît-il, chez les esprits. Je vous défie d'obtenir qu'un vulgaire passereau° s'envole de cet arbre, de ce bosquet, de cette forêt, quand j'aurai compté trois... Je compte, Monsieur le Contrôleur : Une... Deux... Trois... Voyez, c'est lamentable. (*Son chapeau s'envole.*) Dieu, quel vent!

LE DROGUISTE. Nous ne sentons pas le moindre souffle, Monsieur l'Inspecteur.

L'INSPECTEUR. Il suffit. C'est piteux.

LE CONTRÔLEUR. Peut-être que les esprits ne croient pas aux hommes.

LE MAIRE. Ou que l'invocation avait un caractère un peu général.

L'INSPECTEUR. Vous voulez que je les appelle chacun par leur nom? Vous voulez que j'appelle Asphlaroth?

LE DROGUISTE. Asphlaroth, le plus susceptible et le plus cruel des esprits, qu'on dit se loger dans l'organisme humain et se plaire à le torturer? Prenez garde, Monsieur l'Inspecteur! On ne sait jamais où mènent ces jeux.

L'INSPECTEUR. Tu m'entends, Asphlaroth, mes organes les plus vils et les plus ridicules te défient aujourd'hui. Non pas mes poumons, mon cœur, mais ma vésicule biliaire,° ma glotte,° ma membrane sternutatoire°... Frappe l'un d'eux de la moindre douleur, de la moindre contraction, et je crois en toi... Une... Deux... Trois... J'attends!... (*Il glisse.*) Que c'est humide, ici!

LE MAIRE. Il n'a pas plu depuis trois semaines.

LE DROGUISTE. Les esprits ont une autre notion du temps que nous. Peut-être Asphlaroth a-t-il répondu à vos insultes longtemps à l'avance... Puis-je vous demander d'où proviennent ces cicatrices° à votre nez?

L'INSPECTEUR. Une tuile m'est tombée sur la tête, quand je marchais à peine.°

LE DROGUISTE. Voilà l'explication de son silence. Il vous a répondu voilà quarante ans.

L'INSPECTEUR. Je n'attendais pas moins de lui : il n'existe pas, et il est lâche, et il s'attaque à des enfants... Messieurs, la preuve est faite, irréfutablement... Je me permettrai donc de sourire quand vous me dites que votre bourg est hanté.

LE MAIRE. Il est hanté, Monsieur l'Inspecteur...

L'INSPECTEUR. Je sais ce qu'est en réalité un bourg hanté. Les batteries de cuisine° qui résonnent la nuit dans les appartements dont on veut écarter le locataire, des apparitions dans les propriétés indivises pour dégoûter l'une des parties. De là les commères au travail.° De là la suspicion et l'agitation poussées à la calomnie et jusqu'au crime. Vous aviez à élire un conseiller général. Il en est résulté des rixes° autour des urnes,° évidemment, des rixes sanglantes. Ma foi, tant pis : l'urne, même électorale, appelle le cadavre.

LE MAIRE. Pas du tout, Monsieur l'Inspecteur, au contraire!

L'INSPECTEUR. On a voté sans répandre le sang? C'est à peine démocratique, et pas du tout démoniaque.

LE MAIRE. On n'a pas voté. Personne n'a voté, ni songé à voter. Les électeurs s'étaient pourtant levés à l'aube, conscients de leur devoir, et précipités vers les affiches. Mais le soleil étincelait; tous prétendent avoir lu sur les panneaux° : au soleil, pas d'abstentions!° et ils sont allés se promener jusqu'au soir.

L'INSPECTEUR. Ils ont été soudoyés° par la réaction.

---

7. *cicatrices:* scars. 9. *quand je marchais à peine:* when I was just beginning to walk. 21. *batteries de cuisine:* kitchen copperware. 25. *De là... travail:* That starts the old women gossiping. 28. *rixes:* brawls. 29. *urnes:* ballot boxes; also cinerary urns containing human ashes or remains. (In the following sentence the Inspecteur plays on the double meaning.) 42. *panneaux:* notices. 42. *au soleil, pas d'abstentions:* into the sunshine, no absences permitted. 44. *soudoyés:* bribed.

6. *blanc d'œuf:* a reference to faked "ectoplasm," reportedly used in spiritualistic manifestations. 7. *mâche* (*lit.,* chew). 13. *extirper:* remove, produce. 14. *perruche:* small parrot. 16. *passereau:* sparrow. 40. *vésicule biliaire:* gall bladder. 40. *glotte:* glottis (mouth of the windpipe). 41. *sternutatoire:* sneezing.

LE DROGUISTE. D'accord avec le soleil.

LE CONTRÔLEUR. Certainement pas, Monsieur l'Inspecteur, Monsieur le Maire ne vous dit pas que depuis plusieurs semaines c'est à une série d'opérations aussi étranges que la ville se consacre. Une influence inconnue, et dont, pour ma part, je trouve les effets assez sympathiques, y sape peu à peu tous les principes, faux d'ailleurs, sur lesquels se base la société civilisée.

L'INSPECTEUR. Je vous dispense de vos commentaires personnels. Expliquez-vous.

LE CONTRÔLEUR. Je m'explique. Les enfants que leurs parents battent, par exemple, quittent leurs parents. Les chiens que leurs maîtres rudoient° mordent la main de leurs maîtres. Les femmes qui ont un vieux mari ivrogne, laid et poilu, l'abandonnent simplement pour quelque jeune amant sobre et à peau lisse.° Les hercules que des gringalets° insultaient impunément n'hésitent plus à leur fracasser la mâchoire. Bref, la faiblesse n'est plus ici une force, ni l'affection une habitude.

L'INSPECTEUR. Et vous me prévenez si tard d'un pareil état de choses?

LE MAIRE. J'ajoute que plusieurs coïncidences étranges témoignent de l'intrusion, dans notre vie municipale, de puissances occultes. Nous avons tiré l'autre dimanche notre loterie mensuelle, c'est le plus pauvre qui a gagné le gros lot° en argent, et non le gagnant habituel, M. Dumas, le millionnaire, qui d'ailleurs a fort bien tenu le coup;° c'est notre jeune champion qui a gagné la motocyclette et non la supérieure des bonnes sœurs à laquelle elle échéait° régulièrement. Cette semaine, nous avons eu deux décès : les deux habitants les plus âgés, qui, par-dessus le compte, étaient le plus avare et la plus acariâtre.° Pour la première fois, le sort nous débarrasse, le hasard frappe à coup sûr.

L'INSPECTEUR. C'est le négation de la liberté humaine!

LE DROGUISTE. Vous pourriez peut-être parler du recensement,° Monsieur le Maire.

L'INSPECTEUR. Quel recensement?

LE MAIRE. Le recensement quinquennal° officiel. Je n'ai pas osé transmettre encore les feuilles à la Préfecture.

L'INSPECTEUR. Vos administrés ont écrit de déclarations mensongères?

LE MAIRE. Au contraire, tous ont répondu avec une vérité si outrée et si cynique qu'elle est un défi à l'administration. Au chapitre de la famille, pour vous en donner un exemple, la plupart n'ont pas indiqué comme leurs enfants leurs vrais fils ou filles, quand ceux-là étaient ingrats ou laids, mais leurs chiens, leurs apprentis, leurs oiseaux, bref, ceux qu'ils aimaient vraiment comme leurs rejetons.°

LE CONTRÔLEUR. Plusieurs ont noté pour épouse non pas leur épouse réelle, mais la femme inconnue dont ils ont rêvé, ou la voisine avec laquelle ils sont en rapports secrets, ou même l'animal femelle qui représente pour eux la compagne parfaite, la chatte ou l'écureuil.

LE MAIRE. Au chapitre des appartements, les riches neurasthéniques ont prétendu habiter des masures,° les pauvres heureux des palais.

L'INSPECTEUR. Et depuis quand, tous ces scandales?

LE MAIRE. A peu près depuis que l'on rencontre ce fantôme.

L'INSPECTEUR. N'employez pas ce mot stupide. Il n'y a pas de fantôme.

LE MAIRE. De ce spectre, si vous voulez.

L'INSPECTEUR. Il n'y a pas de spectre!

LE DROGUISTE. Ce n'est pas ce que nous apprend la science. Il y a des spectres° de tout, du métal, de l'eau. Il peut s'en trouver un des hommes.

(*On entend, à la cantonade,° la voix des demoiselles Mangebois.*)

Scène V : les mêmes, les demoiselles Mangebois

(*L'aînée des demoiselles Mangebois est sourde. Elle porte en sautoir* un récepteur† par lequel sa sœur la tient au courant de la conversation.*)

ARMANDE MANGEBOIS (*criant, encore invisible*). Nous pouvons approcher, Monsieur le Maire?

LE MAIRE. Approchez, Mesdemoiselles, approchez! Monsieur l'Inspecteur, voici justement ces demoiselles Mangebois qui nous ont promis des révélations.

---

16. *rudoient:* mistreat. 19. *lisse:* smooth. 20. *gringalets:* little shrimps. 31. *gros lot:* first prize. 33. *tenu le coup:* bore the shock. 35. *échéait:* used to fall. 39. *acariâtre:* cantankerous. 44. *recensement:* census. 46. *quinquennal:* five-year.

11. *rejetons:* offspring. 20. *masures:* hovels. 30. *spectres:* the word has the double meaning of *specters* and *spectra* 33. *à la cantonade:* in the wings. * *en sautoir:* slung baldricwise, from one shoulder to opposite hip. † *récepteur:* here, ear trumpet.

ARMANDE MANGEBOIS (*apparaissant avec sa sœur*). J'espère, Monsieur le Maire, que nous ne vous décevrons pas.

LE MAIRE. Mesdemoiselles Mangebois sont les filles de notre défunt juge de paix, célèbre pour avoir fait trancher la membrane de deux sœurs siamoises que deux forains° de Limoges se disputaient.

(*Les demoiselles Mangebois s'asseyent sur des pliants,° après l'échange des saluts.*)

L'INSPECTEUR. Mes félicitations, Mesdemoiselles. Le vrai jugement de Salomon! Je vous écoute.

ARMANDE MANGEBOIS. Je tiens à vous demander d'abord, Monsieur l'Inspecteur, d'excuser ma sœur Léonide. Elle est un peu dure d'oreille.

LÉONIDE MANGEBOIS. Que dis-tu?

ARMANDE MANGEBOIS. Je dis à Monsieur l'Inspecteur que tu es un peu dure d'oreille.

LÉONIDE MANGEBOIS. Pourquoi me le dis-tu à moi? Je le sais.

ARMANDE MANGEBOIS. Voyons, Léonide, tu exiges que je te répète tout ce que je dis?

LÉONIDE MANGEBOIS. Excepté que tu dis que je suis sourde.

L'INSPECTEUR. Mesdemoiselles, si nous vous avons priées de venir jusqu'en ces lieux, choisis à cause de leur discrétion…

LÉONIDE MANGEBOIS. Tu ronfles, toi. Est-ce que je le dis?

ARMANDE MANGEBOIS. Je ne ronfle pas.

LÉONIDE MANGEBOIS. Si tu ne ronfles pas, c'est que tu as subitement cessé de ronfler à la minute où je devenais sourde…

L'INSPECTEUR. Priez votre sœur de se taire, Mademoiselle, ou nous n'en sortirons jamais.

ARMANDE MANGEBOIS. Cela m'est difficile, Monsieur l'Inspecteur; elle est mon aînée.

LÉONIDE MANGEBOIS. Que dis-tu?

ARMANDE MANGEBOIS. Rien qui t'intéresse.

LÉONIDE MANGEBOIS. Si cela ne m'intéresse pas, c'est que tu es en train de dire que tu es la cadette.

ARMANDE MANGEBOIS. Monsieur l'Inspecteur te fait dire qu'il souhaite le silence.

LÉONIDE MANGEBOIS. S'il savait ce que c'est, le silence, il ne le souhaiterait pas. Je me tais.

L'INSPECTEUR. Mesdemoiselles, on m'assure que vous êtes au courant de tout ce qui se dit et se passe dans l'arrondissement?°

ARMANDE MANGEBOIS. Nous sommes en effet secrétaires de l'œuvre des trousseaux.°

L'INSPECTEUR. Et de quoi est-il question, en ce moment, à l'œuvre des trousseaux?

ARMANDE MANGEBOIS. De quoi parlerait-on, Monsieur l'Inspecteur, du spectre!

L'INSPECTEUR. Vous y croyez, à ce spectre? Vous l'avez vu?

ARMANDE MANGEBOIS. J'ai vu des gens qui l'ont vu.

L'INSPECTEUR. Des témoins dignes de foi?

ARMANDE MANGEBOIS. L'un d'eux est Commandeur du Grand Dragon de l'Annam.°

L'INSPECTEUR. S'il croit au Grand Dragon de l'Annam, il est déjà suspect. Nommez-les.

ARMANDE MANGEBOIS. Notre laitier, la belle Fatma, — ces Messieurs appellent ainsi l'épicière, — et le commandant Lescalard. C'est le commandant qui est commandeur.

L'INSPECTEUR. Je l'aurais parié… Et comment ont-ils vu le spectre? Recouvert d'un suaire,° évidemment, la tête faite d'une citrouille° vidée et ajourée° où l'on installe une lampe électrique?

ARMANDE MANGEBOIS. Pas du tout, Monsieur l'Inspecteur. Tous les témoignages concordent. C'est un grand jeune homme vêtu de noir. Il apparaît à la tombée de la nuit, et toujours aux environs de l'étang dont vous voyez là-bas les roseaux.

L'INSPECTEUR. Et comment expliquez-vous ces apparitions? Y a-t-il eu déjà des revenants° dans la région?

ARMANDE MANGEBOIS. Jamais. Jamais avant le crime.

L'INSPECTEUR. Quel crime?

LE CONTRÔLEUR. Un crime superbe, Monsieur l'Inspecteur, je dirai même mondain. Un jeune étranger et sa femme avaient loué le château à Pâques. Un ami est venu les rejoindre. Au matin, on a retrouvé la femme et l'ami tués, sauvagement tués et, sur le bord de l'étang, le chapeau du mari. Ce salut à la mort a grande allure.° On suppose qu'il s'est noyé.

ARMANDE MANGEBOIS. A l'Œuvre, nous sommes toutes d'avis que c'est ce noyé qui revient. D'ailleurs, il est nu-tête.

L'INSPECTEUR. Il peut revenir sans s'être noyé. Le criminel revient toujours au lieu de son crime, comme le boomerang aux pieds de son maître.

LÉONIDE MANGEBOIS. Que dit l'Inspecteur?

ARMANDE MANGEBOIS. Que le boomerang revient aux pieds de son maître.

LÉONIDE MANGEBOIS. Très intéressant. Quand vous en serez au fusil à canon coudé,° tu voudras bien me prévenir.

L'INSPECTEUR. Et vous croyez que les événements insolites° dont votre ville est le théâtre se rapportent à ce spectre?

ARMANDE MANGEBOIS. Oh non! Cela, c'est une autre histoire. Mais à notre avis, les deux histoires ne vont pas tarder à se rejoindre. C'est ce danger qui nous décide à parler.

LE MAIRE. Soyez claire, Mademoiselle Mangebois.

ARMANDE MANGEBOIS. Monsieur l'Inspecteur, je ne sais si ces messieurs vous ont dépeint dans son horreur tout le scandale.

L'INSPECTEUR. Oui, oui, Mademoiselle, abrégez. Je sais que dans votre ville toute la morale bourgeoise est en ce moment cul pardessus tête.°

LÉONIDE MANGEBOIS. Que dit l'Inspecteur?

ARMANDE MANGEBOIS. Rien de particulier.

LÉONIDE MANGEBOIS. J'exige que tu me répètes les trois derniers mots, comme d'habitude.

ARMANDE MANGEBOIS. A tes ordres… Tu m'ennuies… Cul par-dessus tête.

LÉONIDE MANGEBOIS. Ah! vous parlez de Madame Lambert!

ARMANDE MANGEBOIS. Nous ne parlons pas de Madame Lambert…

LÉONIDE MANGEBOIS. Ce ne peut être que de Madame Lambert ou de la receveuse.°

L'INSPECTEUR. Quelle est cette Madame Lambert?

ARMANDE MANGEBOIS. La femme de l'horloger… et de quelques autres…

LE CONTRÔLEUR. Comment?

ARMANDE MANGEBOIS. Et de quelques autres.

LE CONTRÔLEUR (soudain passionné). Pardon! Je ne souffrirai pas que l'on suspecte la conduite de Madame Lambert!

L'INSPECTEUR. Monsieur le Contrôleur, notre enquête est suffisamment ardue. Il n'est pas ici question de Madame Lambert.

LE CONTRÔLEUR. Eh bien, tant pis, il en sera question. Vous ne vous étonnez pas, à Paris, aux terrasses des cafés ou dans les salons littéraires de voir soudain un poète se lever et faire sans raison l'éloge du printemps. Madame Lambert est le printemps de notre ville.

ARMANDE MANGEBOIS. Ce jeune homme est fou!

LE MAIRE. Monsieur le Contrôleur!

LE CONTRÔLEUR. Que nous frôlions° Madame Lambert debout au pas° de son magasin en feignant de prendre l'heure à cent cadrans° qui se contredisent, ou que nous l'apercevions à travers sa vitrine, occupée, ses jolies dents dans l'effort mordillant sa langue, à boucler un bracelet-montre au poignet d'une communiante° ou à faire sauter de son ongle rosé le boîtier° d'un militaire, il nous faut bien convenir que la spécialité la plus émouvante de la France ce ne sont ni ses cathédrales, ni ses hôtelleries, mais cette jeune femme dont le corsage tendrement moulé de satin ou d'organdi aimante° dans chaque petite ville aux diverses heures du jour l'itinéraire du sous-préfet, des lycéens, et de toute la garnison!

LÉONIDE MANGEBOIS. Que dit le Contrôleur?

ARMANDE MANGEBOIS. Absolument rien!

LE CONTRÔLEUR. Bref, cette beauté de province à laquelle rien ne m'empêchera en cette minute de rendre hommage en la personne de Madame Lambert, et sous tous les noms et formes qu'a revêtus Madame Lambert au cours de ma carrière pourtant encore si courte, quand elle s'appelait Madame Merle et était libraire à Rodez, Madame Lespinard, la bandagiste de Moulins, ou Madame Tribourty, la gantière de Castres… Ces gants d'agneau viennent de chez elle… Pas une déchirure… Je me porte garant de Madame Lambert.

L'INSPECTEUR. Messieurs, je lève la séance.°

---

16. *Que nous frôlions:* Whether we brush past. 17. *pas:* threshold. 18. *cadrans:* clock dials. 23. *communiante:* girl making first communion (an occasion for present giving). 24. *boîtier:* watchcase. 29. *aimante:* magnetizes, determines. 46 *lève la séance:* adjourn the meeting.

12. *à canon coudé:* with a curved barrel. 15. *insolites:* unusual. 29. *cul par-dessus tête:* (a coarse expression) topsy-turvy. 42. *receveuse:* postmistress.

Nous n'arriverons à rien avec une telle gabegie.° Vous avez un blâme,° Contrôleur.

LE MAIRE. Et Mademoiselle Isabelle, Monsieur le Contrôleur, vous vous portez garant aussi de Mademoiselle Isabelle?

LE DROGUISTE. Vous n'allez pas mêler Mademoiselle Isabelle à ces scandales?

LE CONTRÔLEUR. Elle est la pureté et l'honneur mêmes.

LE MAIRE. Et je me félicite de lui avoir confié, en l'absence de la titulaire,° la classe des fillettes.

ARMANDE MANGEBOIS. Que les hommes sont aveugles! Mademoiselle Isabelle est là dans ce champ. Vous avez une nièce dans sa classe, Monsieur le Maire. Appelez-la... Vous verrez ce qu'on lui apprend à la petite Daisy!

LE MAIRE. Que lui apprend-on?

ARMANDE MANGEBOIS. Profitez de la présence de Monsieur l'Inspecteur pour lui faire passer° un examen, et vous le verrez.

L'INSPECTEUR. Mais encore?

ARMANDE MANGEBOIS. Nous soupçonnions depuis longtemps Isabelle d'être pour quelque chose dans les machinations qui corrompent la ville. Depuis ce matin, nous en avons la certitude.

LE CONTRÔLEUR. Calomnie!

ARMANDE MANGEBOIS. Léonide, dis à ces messieurs pourquoi nous sommes sûres qu'Isabelle est la coupable.

LÉONIDE MANGEBOIS. Parce que l'agenda où elle écrit chaque soir le récit de sa journée nous en a fait l'aveu.

L'INSPECTEUR. Comment est-il venu en votre possession?

ARMANDE MANGEBOIS. Comment est-il venu en ta possession?

LÉONIDE MANGEBOIS. Je l'ai trouvé, sur le trottoir.

LE DROGUISTE. Vous avez eu l'impudence de le lire?

ARMANDE MANGEBOIS. Tu as eu l'impudence de le lire?

LÉONIDE MANGEBOIS. Est-ce que je te demande ton avis? Je l'ai feuilleté pour découvrir le nom de son propriétaire.

LE CONTRÔLEUR. Ce carnet appartient à Mademoiselle Isabelle. Vous deviez le lui rendre.

ARMANDE MANGEBOIS. Ce carnet appartient à Mademoiselle Isabelle. Tu devais le lui rendre.

LÉONIDE MANGEBOIS. Mêle-toi de ce qui te regarde! Le voici, Monsieur le Maire! Ouvrez-le au hasard. Vous y verrez votre favorite à l'œuvre; s'ingéniant° à séparer les époux mal assortis,° excitant par des drogues les chevaux contre les charretiers qu'elle prétend brutaux, multipliant les lettres anonymes pour signaler aux maris ou aux femmes les vertus de leurs conjoints.° Ouvrez-le au 21 mars, par exemple, si vous voulez savoir combien vous fûtes avisé d'en faire votre maîtresse d'école! Quoi? Qu'est-ce qu'on dit?

ARMANDE MANGEBOIS. Mais c'est toi qui parles...

L'INSPECTEUR. Lisez, Monsieur le Maire.

LE MAIRE (*lisant*). 21 mars... 21 mars!... Organisé petite fête du printemps. Profité de la circonstance pour faire à mes élèves l'éloge du corps, leur expliquer sa beauté. Souligné les bienfaits, la franchise de la coquetterie. Pour les exercer, élisons le plus bel homme de la ville. Leur choix se porte sur le sous-préfet. Ce n'est déjà pas si mal.

ARMANDE MANGEBOIS. Monsieur le Contrôleur n'était pas encore parmi nous.

L'INSPECTEUR. Mais en effet, c'est une infamie! Et à laquelle il faut porter promptement remède. Contrôleur, prévenez cette demoiselle d'avoir à venir immédiatement ici, avec ses élèves. Je vais passer illico° leur examen. J'étais sûr qu'il y avait des femmes à la base de ces turpitudes. Dès qu'on laisse un peu de liberté à ces fourmis dans l'édifice social, toutes les poutres° en sont rongées en un clin d'œil.

LE CONTRÔLEUR (*sur le point de sortir se retourne*). Permettez, Monsieur l'Inspecteur...

L'INSPECTEUR. Vous refusez d'aller chercher Mademoiselle Isabelle?

LE CONTRÔLEUR. Certes, non, Monsieur l'Inspecteur. Je voulais respectueusement contester l'exactitude de votre métaphore et vous

---

1. *gabegie:* muddle. 2. *Vous avez un blâme:* I mark a demerit against you. 11. *titulaire:* incumbent. 21. *passer:* take.

9. *s'ingéniant:* using all her ingenuity, doing her utmost. 10. *mal assortis:* ill-matched. 14. *conjoints:* spouses. 35. *illico:* on the spot, immediately. 39. *poutres:* beams.

faire remarquer qu'il y a pourtant une certaine différence entre les femmes et les fourmis.

L'INSPECTEUR. Si vous voyez la moindre, vous êtes plus malin que moi. Hâtez-vous, je vous prie.

LE CONTRÔLEUR. Notez que je ne méprise pas les fourmis. Je reconnais leurs qualités exceptionnelles. Je sais qu'elles traient des puces° et qu'elles ont des militaires. Mais de là à les comparer aux femmes, à toutes les femmes, non!

ARMANDE MANGEBOIS. Pour une fois, bravo, Monsieur le Contrôleur...

LE CONTRÔLEUR. Vous avez dit cela en l'air, au hasard. Quelle est la caractéristique du physique de la fourmi?

L'INSPECTEUR. Je vous ai donné un ordre, Contrôleur.

LÉONIDE MANGEBOIS. Que disent-ils?

ARMANDE MANGEBOIS. L'inspecteur prétend qu'il ne peut distinguer une femme d'une fourmi.

LÉONIDE MANGEBOIS. Il est marié?

L'INSPECTEUR (éclatant). Non, je ne distingue pas, Mademoiselle. Même affairement,° même bavardage dès que deux se rencontrent. Même cruauté vis-à-vis de qui pénètre dans leur cercle. Et leur taille. Et tous ces paquets qu'elles portent. Absolument des fourmis.

LE CONTRÔLEUR. Monsieur l'Inspecteur, si, renversant une fourmi, vous la touchez du bout de l'index...

L'INSPECTEUR. Je vous enjoins pour la dernière fois, d'aller chercher Mademoiselle Isabelle.

(LE CONTRÔLEUR s'incline et sort.)

LE MAIRE. Mais enfin, Monsieur l'Inspecteur, nous' nous étions réunis pour parler du spectre et non d'Isabelle!

ARMANDE MANGEBOIS. C'est la même chose!

LE DROGUISTE. Vous allez sans doute prétendre aussi que Mademoiselle Isabelle est une sorcière?

ARMANDE MANGEBOIS. Ouvrez le carnet au 14 juin, et lisez.

L'INSPECTEUR. Le 14 juin, c'était hier. Nous sommes bien le 15?

ARMANDE MANGEBOIS. Nous nous demandions pourquoi depuis quelque temps, Mademoiselle Isabelle choisissait les bords de l'étang pour ses sorties nocturnes. La dernière page de son carnet vous fixera.

L'INSPECTEUR. Lisez, Monsieur le Maire.

LE MAIRE (lisant). 14 juin. Je suis certaine que ce spectre a compris que je crois en lui, que je peux l'aider. Comment peut-on ne pas croire aux spectres? Il me cherche, car on signale son passage partout où j'ai mené mes fillettes en promenade. Près de quelque bois, à la chute du jour, il va sûrement m'apparaître, et quels conseils ne va-t-il pas me donner pour rendre la ville enfin parfaite. Je suis sûre que c'est pour demain.

L'INSPECTEUR. Et demain, c'est aujourd'hui.

LÉONIDE MANGEBOIS. Que dit l'Inspecteur?

ARMANDE MANGEBOIS. Que demain, c'est aujourd'hui.

LÉONIDE MANGEBOIS. C'est une opinion...

LE CONTRÔLEUR (réapparaissant). Mademoiselle Isabelle me suit, Monsieur l'Inspecteur.

ARMANDE MANGEBOIS. Partons, Léonide, Isabelle arrive.

L'INSPECTEUR. Mes remerciements, Mesdemoiselles. J'espère que grâce à vos indications, nous allons voir enfin la vérité toute nue.

ARMANDE MANGEBOIS. C'est tout ce que nous avons à offrir à ces Messieurs, nous ne disposons point de Madame Lambert...

L'INSPECTEUR. Vous savez manier la flèche du Parthe,° Mademoiselle.

LÉONIDE MANGEBOIS. Comment?

ARMANDE MANGEBOIS. L'Inspecteur parle de la flèche du Parthe.

LÉONIDE MANGEBOIS. Quelle panoplie!°

(Les demoiselles Mangebois sortent.)

LE CONTRÔLEUR (regardant ISABELLE qui approche). Si les fourmis qui marchent dans les prairies ressemblent à la Victoire de Samothrace° avec sa tête, à la Vénus de Milo avec ses bras, si le sang de la grenade° colore leurs pommettes,° celui de la framboise° leur sourire alors, oui, Monsieur l'Inspecteur, et seulement dans ce cas, Isabelle ressemble à une fourmi. Regardez-la!

---

9. *elles traient des puces:* they milk fleas. (Ants keep in their nests aphids, "plant lice," from which they obtain a sweet, apparently intoxicating, secretion. Some species keep "slaves" of another species.) 25. *affairement:* bustle, fussy activity.

33. *flèche du Parthe:* parting shaft (arrow discharged by ancient Parthians while fleeing). 37. *panoplie:* panoply, collection of weapons. 42. *Victoire de Samothrace:* Greek statue, headless, in the Louvre. 43. *grenade:* pomegranate. 44. *pommettes:* cheeks (*lit.*, cheekbones). 44. *framboise:* raspberry

SCÈNE VI : L'INSPECTEUR, LE CON-
TRÔLEUR, LE DROGUISTE, LE MAIRE,
ISABELLE, *puis* LES PETITES FILLES

ISABELLE. Vous m'avez demandée, Monsieur l'Inspecteur?

L'INSPECTEUR. Mademoiselle, les bruits les plus fâcheux courent sur votre enseignement. Je vais voir immédiatement s'ils sont fondés et envisager la sanction.°

ISABELLE. Je ne vous comprends pas, Monsieur l'Inspecteur.

L'INSPECTEUR. Il suffit! Que l'examen commence... Entrez, les élèves... (*Elles rient.*) Pourquoi rient-elles ainsi?

ISABELLE. C'est que vous dites : entrez, et qu'il n'y a pas de porte, Monsieur l'Inspecteur.

L'INSPECTEUR. Cette pédagogie de grand air est stupide... Le vocabulaire des Inspecteurs y perd la moitié de sa force... (*chuchotements°*) Silence, là-bas... La première qui bavarde balayera la classe, le champ, veux-je dire, la campagne... (*rires...*) Mademoiselle, vos élèves sont insupportables!

LE MAIRE. Elles sont très gentilles, Monsieur l'Inspecteur, regardez-les.

L'INSPECTEUR. Elles n'ont pas à être gentilles. Avec leur gentillesse, il n'en est pas une qui ne prétende avoir sa manière spéciale de sourire ou de cligner.° J'entends° que l'ensemble des élèves montre au maître le même visage sévère et uniforme qu'un jeu° de dominos.

LE DROGUISTE. Vous n'y arriverez pas, Monsieur l'Inspecteur.

L'INSPECTEUR. Et pourquoi?

LE DROGUISTE. Parce qu'elles sont gaies.

L'INSPECTEUR. Elles n'ont pas à être gaies. Vous avez au programme le certificat d'études et non de fou rire. Elles sont gaies parce que leur maîtresse ne les punit pas assez.

ISABELLE. Comment les punirais-je? Avec ces écoles de plein ciel, il ne subsiste presque aucun motif de punir. Tout ce qui est faute dans une classe devient une initiative et une intelligence au milieu de la nature. Punir une élève qui regarde au plafond? Regardez-le, ce plafond?

LE CONTRÔLEUR. En effet. Regardons-le.

L'INSPECTEUR. Le plafond dans l'enseignement, doit être compris de façon à faire ressortir° la taille de l'adulte vis-à vis de la taille de l'enfant. Un maître qui adopte le plein air avoue qu'il est plus petit que l'arbre, moins corpulent que le bœuf, moins mobile que l'abeille, et sacrifie la meilleure preuve de sa dignité. (*rires...*) Qu'y a-t-il encore?

LE MAIRE. C'est une chenille° qui monte sur vous, Monsieur l'Inspecteur!

L'INSPECTEUR. Elle arrive bien... Tant pis pour elle!

ISABELLE. Oh! Monsieur l'Inspecteur... Ne la tuez pas. C'est la *collata azurea*. Elle remplit sa mission de chenille!

L'INSPECTEUR. Mensonge. La mission de la *collata azurea* n'a jamais été de grimper sur les Inspecteurs. (*sanglots*) Qu'ont-elles maintenant? Elles pleurent?

LUCE. Parce que vous avez tué la *collata azurea*!

L'INSPECTEUR. Si c'était un merle° qui emportât la *collata azurea*, elles trouveraient son exploit superbe, évidemment, elles s'extasieraient.

LUCE. C'est que la chenille est la nourriture du merle!...

LE CONTRÔLEUR. Très juste. La chenille en tant qu'aliment perd toute sympathie.

L'INSPECTEUR. Ainsi, voilà où votre enseignement mène vos élèves, Mademoiselle, à ce qu'elles désirent voir un Inspecteur manger les chenilles qu'il tue! Eh bien, non, elles seront déçues. Je tuerai mes chenilles sans les manger, et je préviens tous vos camarades de classe habituels, mes petites, insectes, reptiles et rongeurs,° qu'ils ne s'avisent pas d'effleurer mon cou ou d'entrer dans mes chaussettes,° sinon je les tuerai!... Toi, la brune, veille à tes taupes, car j'écraserai les taupes, et toi, la rousse, si un de tes écureuils passe à ma portée, je lui romps sa nuque d'écureil, de ces mains, aussi vrai que, quand je serai mort, je serai mort... (*Elles s'esclaffent°...*)

PETITES FILLES. Pff...

L'INSPECTEUR. Qu'ont-elles à s'esclaffer?

ISABELLE. C'est l'idée que quand vous serez mort, vous serez mort, Monsieur l'Inspecteur...

---

10. *sanction:* penalty. 20. *chuchotements:* whisperings. 30. *cligner:* wink. 30. *entends: here,* intend. 32. *jeu:* set.

2. *faire ressortir:* emphasize. 9. *chenille:* caterpillar. 22. *merle:* blackbird. 37. *rongeurs:* rodents. 38. *chaussettes:* socks. 44. *s'esclaffent:* burst out laughing.

LE MAIRE.   Si nous commencions l'examen?

L'INSPECTEUR.   Appelez la première. (*mouvements*) Pourquoi ces mouvements?

ISABELLE.   C'est qu'il n'y a pas de première, Monsieur l'Inspecteur, ni de seconde, ni de troisième. Vous ne pensez pas que j'irais leur infliger des froissements° d'amour-propre. Il y a la plus grande, la plus bavarde, mais elles sont toutes premières.

L'INSPECTEUR.   Ou toutes dernières, plus vraisemblablement. Toi, là-bas, commence! En quoi es-tu la plus forte?

GILBERTE.   En botanique, Monsieur l'Inspecteur.

L'INSPECTEUR.   En botanique? Explique-moi la différence entre les monocotylédons et les dicotylédons?

GILBERTE.   J'ai dit en botanique, Monsieur l'Inspecteur.

L'INSPECTEUR.   Écoutez-la! Sait-elle seulement ce qu'est qu'un arbre?

GILBERTE.   C'est justement ce qu'elle sait le mieux, Monsieur l'Inspecteur.

ISABELLE.   Si tu le sais, dis-le, Gilberte. Ces messieurs t'écoutent.

GILBERTE.   L'arbre est le frère non mobile des hommes. Dans son langage, les assassins s'appellent les bûcherons, les croque-morts° les charbonniers,° les puces les pic-verts.°

IRÈNE.   Par ses branches, les saisons nous font des signes toujours exacts. Par ses racines les morts soufflent jusqu'à son faîte leurs désirs, leurs rêves.

VIOLA.   Et ce sont les fleurs dont toutes plantes se couvrent au printemps.

L'INSPECTEUR.   Oui, surtout les épinards°... De sorte, ma petite, si je te comprends bien, que les racines sont le vrai feuillage, et le feuillage, les racines.

GILBERTE.   Exactement.

L'INSPECTEUR.   Zéro!... (*Elle rit.*) Pourquoi cette joie, petite effrontée?

ISABELLE.   C'est que dans ma notation, j'ai adopté le zéro comme meilleure note, à cause de sa ressemblance avec l'infini.

LE CONTRÔLEUR.   Intéressant.

L'INSPECTEUR.   Monsieur le Maire, vraiment, je suffoque... Continuez, Mademoiselle, interrogez vous-même.

ISABELLE.   Parle de la fleur, Daisy.

DAISY.   La fleur est la plus noble conquête de l'homme.

L'INSPECTEUR.   Très bien. Cela promet.

DAISY.   Dans la fleur, mon attention se porte sur le pistil et les étamines.° C'est eux qui reçoivent le pollen des autres fleurs, par l'entremise° du vent. C'est ainsi que naît la plante, d'une façon tellement différente de celle adoptée par l'oiseau.

GILBERTE.   L'Ornythorinque°...

VIOLA.   Surtout le carnivore!...

L'INSPECTEUR.   Un scandale, Monsieur le Maire, un scandale! Mon opinion sur les événements du bourg est faite!

LE MAIRE.   Passons à la géographie, Monsieur l'Inspecteur... Toi, ma petite Viola, qui cause les éruptions des volcans?

VIOLA.   C'est l'ensemblier,° Monsieur le Maire.

L'INSPECTEUR.   C'est quoi?

VIOLA.   C'est l'ensemblier!

FILLETTES.   C'est l'ensemblier!

L'INSPECTEUR.   L'ensemblier? Elles sont folles?

ISABELLE.   Monsieur l'Inspecteur, je veille à ce que ces enfants ne croient pas à l'injustice de la nature. Je leur en présente toutes les grandes catastrophes comme des détails regrettables, il est vrai, mais nécessaires pour obtenir un univers satisfaisant dans son ensemble, et la puissance, l'esprit qui les provoque, nous l'appelons, pour cette raison, l'ensemblier!

LE CONTRÔLEUR.   Très juste! Très sensé!

L'INSPECTEUR.   Et je suppose, Mademoiselle, si je comprends bien votre méthode, que vous avez imaginé aussi, pour expliquer les petits ennuis et les petites surprises de la vie, un second personnage malin et invisible, celui qui claque les volets la nuit ou amène un vieux Monsieur à s'asseoir dans la tarte aux prunes posée par négligence sur une chaise?

VIOLA.   Oh! oui, Monsieur l'Inspecteur! C'est Arthur!

L'INSPECTEUR.   C'est Arthur ou l'Ensemblier,

---

7. *froissements:* slights. 28. *croque-morts:* undertakers'-helpers. 29. *charbonniers:* charcoal burners. 29. *pic-verts:* woodpeckers. 36. *épinards:* spinach.

8. *étamines:* stamens. 10. *entremise:* agency. 13. *Ornythorinque:* platypus (Australian duck-billed, egg-laying mammal). 21. *ensemblier:* totalizer (a word coined by author).

qui fait monter la chenille sur les Inspecteurs en visite?

PETITES FILLES. C'est Arthur! C'est Arthur!

L'INSPECTEUR. Et c'est Arthur qui fait tuer la chenille par les Inspecteurs?

PETITES FILLES. Non, non, l'Ensemblier! L'Ensemblier!

AUTRES ASSISTANTS. L'ensemblier!

L'INSPECTEUR. C'est à désespérer, Monsieur le Maire! Je n'ai jamais vu cela!

LE MAIRE. Peut-être qu'en histoire elles seront plus fortes...

L'INSPECTEUR. En histoire? Mais vous ne voyez donc pas à quoi tend cette éducation? A rien moins qu'à soustraire ces jeunes esprits au filet° de vérité que notre magnifique dix-neuvième siècle a tendu sur notre pays. En histoire! Mais ce sera comme en calcul ou en géographie? Et vous allez le voir! Toi, qu'est-ce qui règne entre la France et l'Allemagne?

IRÈNE. L'amitié éternelle. La paix.

L'INSPECTEUR. C'est trop peu dire. Toi, qu'est-ce qu'un angle droit?

LUCE. Il n'y a pas d'angle droit. L'angle droit n'existe pas dans la nature. Le seul angle à peu près droit s'obtient en prolongeant par une ligne imaginaire le nez grec jusqu'au sol grec.

L'INSPECTEUR. Naturellement! Toi, combien font deux et deux?

DAISY. Quatre, Monsieur l'Inspecteur.

L'INSPECTEUR. Vous voyez, Monsieur le Maire... Ah! pardon! Ces petites imbéciles me font perdre la tête. D'ailleurs, au fait, d'où vient que, pour elles aussi, deux et deux font quatre? Par quelle aberration nouvelle, quel raffinement de sadisme, cette femme a-t-elle imaginé cette fausse table de multiplication absolument conforme à la vraie!... Je suis sûr que son quatre est un faux quatre, un cinq dévergondé° et dissimulé. Deux et deux font cinq, n'est-ce pas, ma petite?

DAISY. Non, Monsieur l'Inspecteur, quatre.

L'INSPECTEUR. Et entêtées, avec cela! Toi, chante-moi la *Marseillaise!*

LE MAIRE. Est-ce bien au programme, Monsieur l'Inspecteur?

L'INSPECTEUR. Qu'elle chante la *Marseillaise!*

ISABELLE. Mais elle la sait, Monsieur l'Inspecteur. La *Marseillaise* des petites filles, naturellement.

DENISE. Je la sais, Monsieur le Maire. Je la sais! (*Elle chante.*)

LA MARSEILLAISE DES PETITES FILLES

Le Pays des petites filles,
C'est d'avoir plus tard un mari,
Qu'il ait nom Paul, John ou Dimitri.
Pourvu qu'il sache aimer et que bien il
s'habille.

ISABELLE. Au refrain, mes enfants!
PETITES FILLES.

Refrain
A Marseille, à Marseille,
La patrie, c'est le soleil!
Le vrai quatorze juillet
C'est Marseille ensoleillé!

L'INSPECTEUR. Quelle honte! Et peignées,° chacune à sa guise! Et ce signe qu'elles ont au cou, au crayon rouge, c'est un vaccin?

LUCE. Non, Monsieur l'Inspecteur, c'est pour les spectres!

L'INSPECTEUR. Nous y voilà. Ces demoiselles Mangebois avaient raison. Les spectres?

LUCE. Les spectres, les fantômes. C'est la marque à laquelle ils reconnaissent des amis, Mademoiselle l'écrit elle-même sur nous tous les matins!

L'INSPECTEUR. Effacez-la!

LUCE ET LES PETITES FILLES. Jamais! Jamais!

VIOLA. Nous avons trop peur.

PETITES FILLES. Nous avons trop peur; le spectre est dans les environs.

L'INSPECTEUR. Effacez-la, ou je vous gifle!

PETITES FILLES. Nous avons trop peur! Le spectre est dans les environs!

L'INSPECTEUR. Taisez-vous. Apprenez qu'après la mort il n'y a pas de spectres, petites effrontées, mais des carcasses; pas de revenants mais des os et des vers. Et répétez toutes ce que je viens de vous dire. Toi, qu'est-ce qu'il y a après la mort?

LE DROGUISTE. Ne leur gâtez pas l'idée qu'elles ont de la vie, Monsieur l'Inspecteur.

---

16. *filet:* net. 41. *dévergondé:* shameless.

23. *peignées:* with hair done.

L'INSPECTEUR. Elles en auront toujours une idée trop favorable, Monsieur le Droguiste. Je vais leur apprendre ce qu'est la vie à ces nigaudes° : une aventure lamentable, avec, pour les hommes, des traitements de début° misérables, des avancements de tortue, des retraites° inexistantes, des boutons de faux-col° en révolte, et pour des niaises comme elles, bavardage et cocuage,° casserole et vitriol.° Ces petites imbéciles me font parler en vers pour la première fois de ma vie. Ah! vous apprenez le bonheur à vos élèves, Mademoiselle!

ISABELLE. Je leur apprends ce que Dieu a prévu pour elles!

L'INSPECTEUR. Mensonge. Dieu n'a pas prévu le bonheur pour ses créatures : il n'a prévu que des compensations, la pêche à la ligne, l'amour et le gâtisme.° Monsieur le Maire, ma décision est prise. Le Contrôleur, dont les fonctions ne sont pas autrement absorbantes, assurera provisoirement la direction de la classe. Où allez-vous, Mesdemoiselles? C'est l'ensemblier qui vous fait sortir sans prendre congé?

ISABELLE. Faites vos révérences, mes enfants.

L'INSPECTEUR. Par deux, et fermez vos bouches; les cas d'aérophagie° pullulent dans l'arrondissement. Qu'est-ce que tu emportes là?

GILBERTE. Le tableau bleu,° Monsieur l'Inspecteur.

L'INSPECTEUR. Que le tableau bleu reste ici! Qu'il reste avec la craie° dorée l'encre rose, et le crayon caca d'oie.° Vous aurez un tableau noir, désormais! Et de l'encre noire! Et des vêtements noirs! Le noir a toujours été, dans notre beau pays, la couleur de la jeunesse... Et regardez-moi! A la bonne heure, elles commencent à se ressembler maintenant. Un mois de discipline et l'on ne pourra plus les distinguer l'une de l'autre... Quant à vous, Mademoiselle, j'écris dans l'heure à vos parents que vous déshonorez leur famille et notre Université.

ISABELLE. Je suis orpheline, Monsieur l'Inspecteur.

L'INSPECTEUR. Tant mieux pour eux. Au moins ils ne vous voient pas.

ISABELLE. Ils me voient, Monsieur l'Inspecteur, et m'approuvent.

L'INSPECTEUR. Félicitations. Cela nous donne une haute idée de l'enseignement primaire aux Enfers.

ISABELLE. Sortez, Monsieur l'Inspecteur!

L'INSPECTEUR. Je sors, Mademoiselle. Il n'y a pas de porte, mais je sors. Nous nous retrouverons. Je demeure ici jusqu'à ce que j'aie liquidé ce scandale... Venez, Messieurs! Où est mon chapeau? Qui a mis un hérisson° à la place de mon chapeau?

VIOLA. C'est Arthur, Monsieur l'Inspecteur...

PETITES FILLES. C'est Arthur! Monsieur l'Inspecteur! C'est Arthur!

(*Tous sortent, moins* ISABELLE *et* LE DROGUISTE.)

4. *nigaudes:* ninnies. 5. *traitements de début:* beginning salaries. 7. *retraites:* pensions. 7. *faux-col:* collar. 9. *bavardage et cocuage:* loquaciousness, unfaithfulness. 9. *casserole et vitriol:* kitchen pots and pistol shots. (The classic revenge of the jealous woman in France is to throw vitriol in the face of the rival or the gallant.) 18. *gâtisme:* senile decay. 27. *aérophagie:* swallowing of air (a hysterical symptom). 29. *tableau bleu:* a play on *tableau noir,* blackboard.

2. *craie:* chalk. 3. *caca d'oie:* goose-dropping green. 27. *hérisson:* hedgehog.

30. Mauriac [1885–   ]

François Mauriac was born in Bordeaux, of an old family of the high bourgeoisie. His father died when he was a baby; he was brought up austerely by a devout mother and educated in Catholic schools and in the University of Bordeaux. Young men of his family and class normally became lawyers or physicians; having a comfortable income, he chose to be a literary man and nothing else. He was a hospital orderly during the First World War; since then his placid family life in his Bordeaux town house and his country estate in the Landes has been interrupted only by his campaign against fascism at the time of the

Spanish Civil War, by his gallant work for the Resistance during the Second World War, and by journalism in the postwar period. His weekly newspaper page of comment on life and letters shows no sign of age; it edifies and stimulates a world of readers. He entered the Académie française in 1935 and received the Nobel Prize for Literature in 1952.

His *character* and *thought* have been influenced, if not molded, by his regional Bordeaux background, by his bourgeois family and training, and especially by his ardent religious faith.

He is the great modern Catholic novelist of France. His concern, his constant *theme*, is the disquiet of the spirit, tempted to its destruction by sin, but clinging desperately to the Christian hope. Or, to put it in traditional terms, his theme is the battle of good and evil for the human soul.

His favorite *setting* for his fictions is one of the old upper-bourgeois Catholic families of Bordeaux or of its tributary countryside. These families are typically ingrown, inbred, grimly devout, fiercely avaricious. Into their closed circle penetrates a disturbing element from without. This disturbance is likely to be lawless Nature, which may be identified with sin. The story is the struggle of the family against the attack of the demonic world. The center of the author's interest is the psychology of his characters, tortured and self-torturing, irresistibly drawn to the sin they fear and hate. "Ces personnages de François Mauriac, durs, ou soudain rompus, contractés, tranchants, anxieux, enfiévrés, seraient impossibles s'ils n'étaient tous avant tout d'essence chrétienne, catholique, s'ils ne concevaient pas la vie comme une aventure effroyablement tragique et de conséquences illimitées, et si le fait de céder à quelque tentation que ce soit ne leur paraissait pas une chose grave; ce qui d'ailleurs augmente le prestige de la tentation."*

Mauriac criticizes incidentally the society he portrays. He reveals all its hardness, cruelty, greed, and Pharisaic self-satisfaction. This is a society which has kept its Faith but lost its Charity.†

Mauriac's *style* is in the great tradition of French prose, classic in its rhythms, poetic in its careful harmonies.

Le Baiser au lépreux (1922) was the first of Mauriac's books with the theme and style that were to become characteristic, and the first to gain wide success. The story deals with the matching, according to bourgeois convention, of Jean Péloueyre, surely one of the most repulsive heroes in fiction, with a simple, healthy, instinctive village girl. This mating, obviously contrary to every design of Nature, is doomed to disaster, according to all worldly estimation; but each party is brought to a transfiguring experience by renunciation and self-sacrifice. The title refers to an incident in the life of St. Francis of Assisi, who while still "in the world," kissed a horrible leper and by this act of love triumphed over his own nature and gained possession of his soul.

LE BAISER AU LÉPREUX§

[*Excerpt*]

I

Jean Péloueyre,° étendu sur son lit, ouvrit les yeux. Les cigales autour de la maison crépitaient.° Comme un liquide métal la lumière coulait à travers les persiennes.° Jean Péloueyre, la bouche amère, se leva. Il était si petit que la basse glace du trumeau° refléta sa pauvre mine, ses joues creuses, un nez long, au bout pointu, rouge et comme usé, pareil à ces sucres d'orge° qu'amincissent,° en les suçant, de patients garçons. Les cheveux ras s'avançaient en angle aigu sur son front déjà ridé : une grimace découvrit ses gencives,° des dents mauvaises. Bien que jamais il ne se fût tant haï, il s'adressa à lui-même de pitoyables paroles : « Sors,

* Edmond Jaloux: *Le Romancier et ses personnages.* Paris, Correa, 1933, p. 11. † André Rousseaux: *Âmes et visages du 20ᵉ siècle.* Paris, Grasset, 1944. p. 49. § Reproduit avec l'autorisation des Éditions Bernard Grasset. 5. *Péloueyre:* The name, of a type common in the southwest, suggests the location of the story. 7. *crépitaient:* were making a crackling sound. 8. *persiennes:* shutters, Venetian blinds.

2. *trumeau:* pier glass (horizontally divided). 4. *sucres d'orge:* barley sugar sticks. 5. *amincissent:* thin down. 8. *gencives:* gums.

promène-toi, pauvre Jean Péloueyre!» et il caressait de la main une mâchoire mal rasée. Mais comment sortir sans éveiller son père? Entre une heure et quatre heures, M. Jérôme Péloueyre exigeait un silence solennel : ce temps sacré de son repos l'aidait à ne pas mourir de nocturnes insomnies. Sa sieste engourdissait° la maison : pas une porte ne devait se fermer ni s'ouvrir, pas une parole ni un éternuement° troubler le prodigieux silence à quoi, après dix ans de supplications et de plaintes, il avait dressé Jean, les domestiques, les passants eux-mêmes accoutumés sous ses fenêtres à baisser la voix. Les carrioles° évitaient par un détour de rouler devant sa porte. En dépit de cette complicité autour de son sommeil, à peine éveillé, M. Jérôme en accusait un choc d'assiettes, un aboi,° une toux.° Était-il persuadé qu'un absolu silence lui eût assuré un repos sans fin relié à la mort comme à l'Océan un fleuve? Toujours mal réveillé et grelottant même durant la canicule,° il s'asseyait avec un livre près du feu de la cuisine; son crâne chauve reflétait la flamme; Cadette vaquait à° ses sauces sans prêter au maître plus d'attention qu'aux jambons des solives.° Lui, au contraire, observait la vieille paysanne, admirant que, née sous Louis-Philippe,° des révolutions, des guerres, de tant d'histoire, elle n'eût rien connu, hors le cochon qu'elle nourrissait et de qui la mort à chaque Noël humectait° de chiches° larmes ses yeux chassieux.°

En dépit de la sieste paternelle, la fournaise extérieure attira Jean Péloueyre; d'abord elle l'assurait d'une solitude : au long de la mince ligne d'ombre des maisons, il glisserait sans qu'aucun rire fusât° des seuils où les filles cousent. Sa fuite misérable suscitait la moquerie des femmes; mais elles dorment encore environ la deuxième heure après midi, suantes et geignantes° à cause des mouches. Il ouvrit, sans qu'elle grinçât, la porte huilée, traversa le vestibule où les placards° déversent leur odeur de confitures et de moisissures, la cuisine ses

relents° de graisse. Des espadrilles,° on eût dit qu'elles ajoutaient au silence. Il décrocha sous une tête de sanglier° son calibre 24° connu de toutes les pies° du canton : Jean Péloueyre était un ennemi juré des pies. Plusieurs générations avaient laissé des cannes dans le porte-cannes : la canne-fusil du grand-oncle Ousilanne, la canne à pêche et la canne à épée du grand-père Lapeignine et celles dont les bouts ferrés rappelaient des villégiatures à Bagnères-de-Bigorre.° Un héron empaillé ornait une crédence.°

Jean sortit. Comme l'eau d'une piscine, la chaleur s'ouvrit et se referma sur lui. Il fut au moment d'aller à l'endroit où le ruisseau, près de traverser le village, concentre sous un bois d'aulnes° son haleine glacée, l'odeur des sources. Mais des moustiques, la veille, l'y avaient harcelé;° puis son désir était d'adresser une parole à quelque être vivant. Alors il se dirigea vers le logis du Docteur Pieuchon, de qui le fils Robert, étudiant en médecine, était revenu ce matin même pour les vacances.

Rien ne vivait, rien ne semblait vivre; mais à travers les volets mi-clos, parfois le soleil allumait des besicles° relevées sur un front de vieille. Jean Péloueyre marcha entre deux murs aveugles° de jardins. Ce passage lui était cher parce qu'aucun œil ne s'y embusquait et qu'il s'y pouvait livrer à ses méditations. Méditer, chez lui, n'allait pas sans contractions du front, gestes, rires, vers déclamés — toute une pantomime dont le bourg se gaussait.° Ici, les arbres indulgents se refermaient sur ses solitaires colloques. Ah! pourtant qu'il eût préféré l'enchevêtrement° des rues d'une grande ville où, sans que se retournent les passants, on peut se parler à soi-même! Du moins, Daniel Trasis, dans ses lettres, l'assurait à Jean Péloueyre. Ce camarade, contre le gré de sa famille, s'était, à Paris, «lancé dans la littérature.» Jean l'imaginait, le corps ramassé, puis bondissant dans la cohue parisienne, s'y enfonçant comme un plongeur;° sans doute y nageait-il

1. *relents:* stale smells. 1. *espadrilles:* rope-soled shoes, commonly worn from Bordeaux to the Pyrenees. (Thus the story is further localized.) 3. *sanglier:* wild boar. 3. *calibre 24:* i.e., shotgun. 4. *pies:* magpies. 11. *Bagnères-de-Bigorre:* summer resort in the Pyrenees. 11. *crédence:* side table. 16. *aulnes:* alders. 18. *harcelé:* harassed. 25. *besicles:* spectacles. 27. *aveugles:* here, solid. 32. *se gaussait:* laughed, mocked. 35. *enchevêtrement:* crisscrossing. 43. *plongeur:* diver. (Jean's mental picture derives from the literal meaning of *lancé dans la littérature*, a phrase evidently new to him.)

8. *engourdissait:* benumbed. 10. *éternuement:* sneeze. 14. *carrioles:* light carts. 18. *aboi:* bark. 18. *toux:* cough. 22. *canicule:* dog days (midsummer). 24. *vaquait à:* attended to. 26. *des solives:* (hanging from) the beams. 28. Since Louis-Philippe reigned 1830–48, and since Cadette is old, the time of the story is deftly placed around 1900 or 1910. 31. *humectait:* moistened. 31. *chiches:* scanty, stingy. 32. *chassieux:* rheumy, bleary. 37. *fusât:* would shoot up. 41. *geignantes:* whining, complaining. 43. *placards:* cupboards.

maintenant, haletait-il°... vers des buts précis : fortune, gloire, amour, tous les fruits défendus à ta bouche, Jean Péloueyre !

A pas feutrés,° il entra chez le docteur. La servante lui dit que ces messieurs avaient déjeuné en ville; Jean résolut d'attendre le fils Pieuchon de qui la chambre ouvrait sur le vestibule. Cette chambre lui ressemblait au point que l'ayant vue, on ne souhaitait plus d'en connaître l'hôte : au mur, ratelier° de pipes, affiches° du bal des étudiants; sur la table, une tête de mort insultée par un brûle-gueule°; des livres achetés pour les loisirs des vacances : *Aphrodite, l'Orgie Latine, Le Jardin des Supplices, Le Journal d'une Femme de Chambre,*° *Les Morceaux choisis* de Nietzsche° attirèrent Jean : il les feuilleta. Une odeur de vêtements dont un étudiant s'est servi l'été venait de la malle ouverte. Alors Jean Péloueyre lut ceci : « Qu'est-ce qui est bon? — Tout ce qui exalte en l'homme le sentiment de puissance, la volonté de puissance, la puissance elle-même. Qu'est-ce qui est mauvais? — Tout ce qui a sa racine dans la faiblesse. Périssent les faibles et les ratés° : et qu'on les aide encore à disparaître! Qu'est-ce qui est plus nuisible que n'importe quel vice? — La pitié qu'éprouve l'action pour les déclassés et les faibles : le Christianisme.° »

Jean Péloueyre posa le livre; ces paroles entraient en lui comme dans une chambre dont on pousse les volets, l'embrasement° d'une après-midi. D'instinct il alla en effet à la fenêtre, livra la chambre de son camarade au feu du ciel, puis relut la phrase atroce. Il ferma les yeux, les rouvrit, contempla son visage dans la glace : Ah! pauvre figure de landais° chafouin,° de « landousquet »° comme au collège° on le désignait, triste corps en qui l'adolescence n'avait su accomplir son habituel miracle, minable° gibier pour le puits sacré de

Sparte!° Il se revit à cinq ans chez les sœurs° : en dépit de la haute position des Péloueyre, les premières places, les bons points allaient aux enfants bouclés° et beaux. Il se rappela cette composition de lecture où, ayant lu mieux qu'aucun autre, il avait été tout de même classé dernier. Jean Péloueyre parfois se demandait si sa mère, morte phtisique° et qu'il n'avait pas connue, l'eût aimé. Son père le chérissait comme un souffrant reflet de lui-même, comme son ombre chétive dans ce monde qu'il traversait en pantoufles ou étendu au fond d'une alcôve parfumée de valériane° et d'éther. La sœur aînée de M. Jérôme, la tante de Jean, sans doute eût-elle exécré ce garçon, — mais le culte qu'elle vouait à son fils Fernand Cazenave, homme considérable, président du Conseil général, et chez qui elle vivait à B...° cette adoration l'absorbait au point que les autres s'effaçaient; elle ne les voyait pas; il arrivait pourtant que d'un sourire, d'un mot, elle tirât Jean Péloueyre du néant, parce que dans ses calculs, ce fils d'un père égrotant,° ce pauvre être voué au célibat et à une mort prématurée, canaliserait au profit de Fernand Cazenave la fortune des Péloueyre. Jean mesura d'un seul regard le désert de sa vie. Ses trois années de collège, il les avait consumées en amitiés jalousement cachées : ni ce camarade Daniel Trasis, ni cet abbé maître de rhétorique, ne comprirent ses regards de chien perdu.

Jean Péloueyre ouvrit le livre de Nietzsche à une autre page; il dévora l'aphorisme 260 de *Par delà le bien et le mal,* — qui a trait aux deux morales : celle des maîtres et celle des esclaves. Il regardait sa face que le soleil brûlait sans qu'elle en parût moins jaune, répétait les mots de Nietzsche, se pénétrait de leur sens, les entendait gronder en lui, comme un grand vent d'octobre. Un instant, il crut voir à ses pieds, pareille à un chêne déraciné, sa Foi. Sa Foi n'était-elle pas là, gisante, dans ce torride jour? Non, non ; l'arbre l'étreignait encore de ses mille racines; après cette rafale,° Jean Péloueyre

---

1. *haletait-il:* he was panting. 4. *feutrés:* felted, muffled. 10. *ratelier:* rack. 11. *affiches:* posters. 12. *brûle-gueule:* short pipe. 15. *Aphrodite... Chambre:* books notorious for their erotic or perverse content. 16. Nietzsche (1844–1900), German philosopher, proponent of the "superman," above and beyond good and evil, scorner of "slave morality." At one time the idol of rebellious young. 25. *ratés:* failures. 28. *Qu'est-ce qui est bon?... Christianisme:* from Nietzsche's *Antichrist,* sec. 2. 31. *embrasement:* burning. 37. *landais:* inhabitant of the Landes, sandy pine-forested region south of Bordeaux. 37. *chafouin:* weasel-faced. 37. *landousquet:* mocking deformation of *landais.* 38. *collège:* church school, distinguished from government *lycée.* 40. *minable:* pitiable.

1. *puits sacré de Sparte:* In ancient Sparta, weakly and defective children were abandoned by cliff's edge in wild mountains. I find no trace of a *puits sacré.* 1. *chez les sœurs:* i.e., in a convent school. 4. *bouclés:* curly-headed. 8. *phtisique:* consumptive. 13. *valériane:* valerian (a gentle stimulant and antispasmodic). 18. *B...:* Bordeaux. Fernand Cazenave and his mother reappear as the chief characters of *Génitrix,* 1923. 23. *égrotant:* sickly. 45. *rafale:* gust.

en retrouvait dans son cœur l'ombre aimée, le mystère sous ces frondaisons drues et de nouveau immobiles. Mais il découvrait soudain que la Religion lui fut surtout un refuge. Au laideron° orphelin, elle avait ouvert une nuit consolatrice. Quelqu'un sur l'autel tenait la place des amis qu'il n'avait pas eus et la Vierge héritait de cette dévotion qu'il eût vouée à sa mère selon la chair. Toutes les confidences qui l'étouffaient, se déversaient au confessionnal ou dans ses muettes prières du crépuscule — quand le vaisseau° ténébreux de l'église recueille ce qui reste de fraîcheur au monde. Alors le vase de son cœur se rompait à des pieds invisibles. S'il eût possédé les boucles de Daniel Trasis, ce visage que depuis son enfance les femmes jamais ne s'étaient interrompues de caresser, Jean Péloueyre se fût-il mêlé au troupeau des vieilles filles et des servantes ?° Il était de ces esclaves que Nietzsche dénonce ; il en discernait en lui la mine basse ; il portait sur sa face une condamnation inéluctable° ; tout son être était construit pour la défaite ; — comme son père, d'ailleurs, comme son père, dévot lui aussi mais mieux que Jean instruit dans la théologie, et naguère encore lecteur patient de saint Augustin et de saint Thomas d'Aquin. Jean, peu soucieux de doctrine, et professant une religion d'effusions, admirait que celle de M. Jérôme fût d'abord raisonnable. Tout de même il se rappelait cette parole que son père aimait à répéter : « Sans la Foi, que serais-je devenu ? » Cette Foi n'allait pas d'ailleurs jusqu'à braver un rhume pour entendre la messe. Aux grandes fêtes, on installait M. Jérôme dans la sacristie° surchauffée et d'où il suivait, emmitouflé,° la cérémonie.

Jean Péloueyre sortit. De nouveau, entre les murs aveugles et sous la muette indulgence des arbres, il marchait, gesticulait ; parfois il feignait de se croire allégé de sa croyance : ce liège° qui l'avait soutenu sur la vie lui manquait d'un coup. Plus rien ! Plus rien ! Il savourait ce dénûment° ; des réminiscences scolaires se

pressaient sur ses lèvres : « ... Mon malheur passe mon espérance... Oui, je te loue, ô Ciel, de ta persévérance°... » Un peu plus loin, il démontrait aux arbres, aux tas de cailloux, aux murs, qu'il existe parmi les chrétiens des Maîtres et que les Saints, les grands Ordres, toute l'Église universelle offre un sublime exemple de volonté de puissance.

Agité de tant de pensées, il ne reprit conscience qu'au bruit de ses pas dans le vestibule — bruit qui, au premier étage, déclencha° un gémissement ; une voix pleurarde et ensommeillée appela Cadette ; alors les savates° de la servante traînèrent dans la cuisine ; le chien aboya ; des volets furent rabattus : le réveil de M. Jérôme désengourdissait° la maison.

C'était l'heure de ses yeux gonflés, de sa bouche amère où sa conception du monde atteignait au plus sombre. Jean Péloueyre se réfugia donc au «salon de compagnie» aussi frais qu'une cave. Des papiers moisis découvraient le salpêtre° des murs. Une pendule n'y fragmentait le temps pour aucune oreille humaine. Il s'enfonça dans un fauteuil capitonné,° regarda en lui la place où sa foi souffrait et se pénétrait d'angoisse. Une mouche bourdonnait, se posait. Alors un coq chantait — puis un bref trille d'oiseau — puis un coq encore... la pendule sonna une demie — un coq..., des coqs... Il s'endormit jusqu'à l'heure si douce où il avait coutume, par des ruelles détournées, d'atteindre la plus petite porte de l'église et de se couler dans la ténèbre odorante. N'irait-il donc plus à ce rendez-vous — le seul qui ait jamais été assigné au cloporte° Jean Péloueyre ? Il n'y alla pas, mais gagna le jardin où le soleil déclinant lui fit dire : La chaleur va tomber. Des papillons blancs palpitaient. Le petit-fils de Cadette arrosait les laitues° — un beau drôle aux pieds nus dans ses sabots, le bien-aimé des filles et que fuyait Jean Péloueyre honteux d'être le maître : n'aurait-ce pas été à lui, chétif, de servir ce triomphant et juvénile dieu potager ?° Même de loin, il n'osait lui

3. *Mon malheur... persévérance:* Racine's *Andromaque,* lines 1613–14. Spoken defiantly by Oreste, upon whom every calamity has fallen. 12. *déclencha:* released, provoked. 13. *savates:* slippers. 16. *désengourdissait:* was rousing from torpor. 23. *salpêtre:* saltpeter, niter, exuding from plaster. 25. *capitonné:* stuffed. 36. *cloporte:* wood louse. 40. *laitues:* lettuce. 45. *dieu potager:* god of the vegetable garden (a recollection of Priapus, whose obscene statues protected gardens).

4. *laideron:* ugly child. 12. *vaisseau:* vault, nave. 18–19. *se fût-il mêlé... servantes:* i.e., would he have joined the unhappy women who alone were faithful in religious duties? 22. *inéluctable:* without appeal. 35. *sacristie:* sacristy (vestry room adjoining church choir). 36. *emmitouflé:* wrapped up. 43. *liège:* cork, float. 45. *dénûment:* divestment, stripping clean.

sourire; avec les paysans, sa timidité atteignait à la paralysie. Maintes fois il avait essayé d'aider le curé au patronage,° au cercle d'études, et toujours perclus° de honte, stupide, objet de risée, était rentré dans sa nuit.

Cependant M. Jérôme suivait l'allée bordée de poiriers en quenouille,° d'héliotropes, de résédas,° de géraniums dont on ne sentait pas les odeurs parce que l'immense bouquet rond d'un tilleul emplissait de son haleine la terre et le ciel. M. Jérôme traînait les pieds. Le bas de son pantalon demeurait pris entre sa cheville et sa pantoufle. Son chapeau de paille déformé était bordé de moire.° Il avait sur les épaules une vieille pèlerine de tricot° oubliée par sa sœur. Jean reconnut, entre les mains paternelles, un Montaigne. Sans doute *Les Essais*, comme sa religion, le fournissaient de subterfuges pour parer du nom de sagesse son renoncement à toute conquête? Oui, oui, se répétait Jean Péloueyre, ce pauvre homme appelait tantôt stoïcisme, tantôt résignation chrétienne, l'immense défaite de sa vie. Ah! que Jean se sentait donc lucide! Aimant et plaignant son père, comme, à cette heure, il le méprisait! Le malade se lamenta : des élancements° dans la nuque, des étouffements, l'envie de rendre°... Un métayer° avait forcé sa porte, Duberne d'Hourtinat qui exigeait une nouvelle chambre pour loger l'armoire de sa fille mariée! Où pourrait-il souffrir tranquille? Où pourrait-il mourir en paix? Pour comble, le lendemain était un jeudi, jour de marché sur la place, et aussi jour d'invasion : sa sœur Félicité Cazenave, son neveu régneraient céans; dès cette aube néfaste, les bestiaux sur le foirail° réveilleraient le malade; l'auto des Cazenave, grondant devant la porte, annoncerait la présence de l'hebdomadaire fléau. Tante Félicité forcerait l'entrée de la cuisine, bouleverserait le régime° de son frère au nom du régime de son fils. Au soir, le couple laisserait derrière lui Cadette en larmes et son maître suffoquant.

Rampant et faible devant l'ennemi, M. Jérôme dans le secret nourrissait sa rancœur. Si souvent il grommelait qu'il réservait aux Cazenave « un chien de sa chienne° », que Jean Péloueyre, ce jour-là, ne prêta nulle attention à ce que lui glissait son père : « Nous allons leur jouer un tour, Jean, pour peu que tu veuilles t'y prêter... Mais le voudras-tu? » Jean, à mille lieues des Cazenave, sourit. Cependant son père l'observait et lui disait : « Tu devrais être plus coquet à ton âge; comme tu es mal « dringué,° » mon pauvre drôle! » Bien que M. Jérôme ne lui eût jamais montré qu'il se souciât de sa tenue, Jean Péloueyre ne posa aucune question; il ne pressentit rien de ce qui se préparait à ce tournant de son destin; il avait pris le Montaigne des mains paternelles et lisait cette phrase : « Pour moi, je loue une vie glissante, sombre et muette... » Ah! oui, leur vie était à souhait glissante, sombre et muette! Les Péloueyre regardaient un souffle rider l'eau de la citerne, agitée de têtards° autour d'une taupe morte. M. Jérôme crut sentir le serein,° se dirigea vers la maison. Désœuvré, Jean, au fond du jardin, glissa la tête dans l'entre-bâillement d'une poterne° ouverte sur la ruelle. A sa vue, le petit-fils de Cadette, qui tenait pressée contre lui une fille, la lâcha, comme on laisse tomber un fruit.

II

Jean Péloueyre ne dormit guère cette nuit-là. Ses fenêtres étaient ouvertes sur la laiteuse nuit — la nuit plus bruyante que le jour à cause des coassantes° mares. Mais les coqs surtout ne cessent de chanter jusqu'à l'aube, fatigués d'avoir salué l'obscure et trompeuse clarté des étoiles.° Ceux du bourg avertissent ceux des métairies qui, de proche en proche répondent : « C'est un cri répété par mille sentinelles... »° Jean veillait, se berçant de ce vers indéfiniment marmonné.° Les fenêtres découpaient à l'emporte-pièce° un azur dévoré d'astres. Jean se levait pieds nus, regardait les mondes et les appelait par leurs noms, agitant

---

3. *patronage:* church club for young people. 4. *perclus:* paralyzed. 8. *en quenouille:* trained in conical form with the limbs bent downward. 9. *résédas:* a genus of plants, including mignonnette. 15. *moire:* watered silk (usually black, suggesting mourning). 16. *pèlerine de tricot:* knitted cape. 27. *élancements:* darting pains. 28. *rendre:* vomit. 29. *métayer:* tenant farmer. 37. *foirail:* fairground (*dialect*). 41. *régime:* diet.

3. *un chien de sa chienne:* a dose of their own medicine. 11. *mal "dringué":* pooped out. 21. *têtards:* tadpoles. 23. *serein:* cool evening air. 25. *poterne:* back gate. 35. *coassantes:* croaking. 38. *l'obscure... étoiles:* recollection of Corneille's *Le Cid*, Act IV, Scene 2, "Cette obscure clarté qui tombe des étoiles." 41. *C'est un cri... sentinelles:* from Baudelaire's *Les Phares.* 42. *marmonné:* muttered. 43. *à l'emporte-pièce:* cleanly, sharply.

sans se lasser le problème posé la veille : avait-il adhéré à une métaphysique ou à un système de consolations ingénieuses? Sans doute des croyants parmi les Maîtres régnaient. Mais Chateaubriand hésita-t-il jamais à jouer son éternité contre une caresse? Barbey d'Aurevilly,° que de fois trahit-il le Fils de l'Homme pour un baiser? Ne triomphèrent-ils pas dans la mesure où ils trahirent leur Dieu?

Dès l'aube, les déchirantes plaintes des porcelets° éveillèrent Jean. Comme chaque jeudi, il évita de pousser les volets, afin que le marché ne le vît pas. Sur le trottoir, tout contre la fenêtre, Madame Bourideys, la mercière, arrêta Noémi d'Artiailh pour lui demander si elle avait déjeuné. Goulûment° Jean Péloueyre regardait cette Noémi qui avait dix-sept ans. Sa tête brune et bouclée d'ange espagnol° n'était point faite pour un corps si ramassé°; mais Jean adorait le contraste d'un jeune corps dru, mal équarri° et d'un séraphique visage qui faisait dire aux dames que Noémi d'Artiailh était jolie comme un tableau. Vierge de Raphaël qui eût été ragote,° elle émouvait chez Jean le meilleur et le pire, l'incitait aux hautes pensées comme aux basses délectations. Déjà son cou, sa douce gorge luisaient de moiteur. Des cils indéfinis ajoutaient à la chasteté des longues paupières sombres : visage encore baigné de vague enfance, virginité des lèvres puériles — et soudain ces fortes mains de garçon, ces mollets qu'au ras du talon, comprimés de lacets, il fallait bien appeler chevilles!° Jean Péloueyre regardait sournoisement cet ange; le petit-fils de Cadette, lui, la pouvait regarder en face : les beaux garçons, même du peuple, ont le droit de regard sur toutes les filles. C'est à peine, à la grand'messe, quand elle avait traversé la nef et frôlé la chaise de Jean Péloueyre, s'il osait renifler° l'air remué par sa robe de percale, son odeur de savonnette° et de linge propre. Jean Péloueyre soupira, mit sa chemise de la veille qui était aussi de l'avant-veille. Son corps ne méritait aucun soin; il usait d'un pot à eau recroquevillé° dans une minuscule cuvette° pour que, sans le briser, se pût rabattre le couvercle de la commode.° Sous le tilleul du jardin, il ne récita pas sa prière mais lut le journal de façon que le papier cachât sa figure au petit-fils de Cadette. Il sifflotait,° ce misérable! Un œillet° rouge à l'oreille, il était brillant et vernissé comme un jeune coq. Une ceinture serrait à la taille son pantalon indigo. Jean Péloueyre le haïssait bassement et se faisait horreur de le haïr. La pensée ne le consolait pas que ce garçon deviendrait un paysan hideux, puisqu'un autre garçon aussi fort, aussi bien découplé° alors arroserait les laitues — de même que palpiteraient d'autres papillons blancs pareils à ceux de cette matinée. « O mon âme, se dit Jean Péloueyre, mon âme, dans ce matin d'été plus laide encore que mon visage! »

Il reconnut dans la maison la voix de flûte du curé. Que venait-il manigancer° à cette heure qui n'était pas celle de sa visite quotidienne? Ce jour-là surtout, comment osait-il risquer une rencontre avec Fernand Cazenave que la vue d'un ecclésiastique rendait furieux? Dissimulé derrière le tilleul, Jean Péloueyre vit passer Fernand au pas de course, ainsi qu'il faisait toujours cinq minutes avant ses repas. Sa mère le suivait, soufflante. Son grand corps tout en jambes, son buste sphérique, sa tête de vieille Junon attachée à ses seins, — toute cette forte machine détraquée, usée, obéissait aux injonctions du fils bien-aimé, comme s'il eût, en pressant un bouton, mis en branle° un mécanisme. Le conseiller° voulut bien s'arrêter pour l'attendre, il essuya avec son mouchoir un front ruisselant et le cuir intérieur de son canotier.° Divinité renfrognée,° il suait sous l'alpaga.° Derrière le binocle,° ses métalliques yeux ne reflétaient rien du monde. Sa mère lui frayait la route,° brisant les êtres comme des branches. On racontait qu'elle avait dit un jour : « Si Fernand se marie, ma bru° mourra. » Nulle bru ne s'y était risquée et quelle jeune fille eût consenti à

6. Barbey d'Aurevilly (1808–89), writer of strange tales, who combined Catholicism with a taste for the perverse. 11. *porcelets:* porkers (small pigs). 16. *Goulûment:* Greedily. 18. *d'ange espagnol:* i.e., as in Spanish religious painting. 19. *ramassé:* thickset. 21. *mal équarri:* ill squared (*i.e.,* with coarse contours). 24. *ragote:* stumpy, stocky. 32–34. *ces mollets… chevilles:* those calves, extending down to the heel and tightly laced (in high shoes), which one had to call her ankles. 40. *renifler:* sniff. 41. *savonnette:* toilet soap.

1. *recroquevillé:* huddled. 2. *cuvette:* washbasin. 3. *commode:* washstand. 7. *sifflotait:* was whistling aimlessly. 7. *œillet:* carnation, pink. 14. *bien découplé:* well built. 22. *Que venait-il manigancer?* What tricks was he up to? 35. *mis en branle:* set in motion. 36. *conseiller:* member of *conseil général.* 39. *canotier:* straw hat. 39. *renfrognée:* scowling. 39. *alpaga:* alpaca jacket. 40. *binocle:* eyeglasses. 42. *frayait la route:* was clearing the way. 44. *bru:* daughter-in-law.

ětriller,° à nourrir cet homme en place,° acoutumé, la cinquantaine franchie, aux soins du premier âge? L'angelus se défit° dans la chaleur. Jean Péloueyre entendit le conseiller gronder : « Salopes de cloches. »°

Il ne se glissa à table que lorsque déjà y trônaient sa tante et Fernand cravatés de serviettes. M. Jérôme en retard s'assit, le dos rond et peureux, mais l'œil vif et il osa avouer que le curé l'avait retenu. La tête dans les épaules, les Péloueyre attendirent l'orage qui n'éclata qu'au gigot. Servi le premier, Fernand Cazenave, sa fourchette en l'air, interrogeait le visage maternel. Félicité flaira le morceau, le retourna, puis laissa tomber cette sentence : « Trop cuit! » Alors le couple repoussa de concert ses assiettes. Cadette comparut avec des yeux de volaille pourchassée,° défendit son gigot en un patois gémissant, — inutile vacarme puisque le conseiller finit tout de même par assouvir sur la viande trop cuite sa fringale.° Repu,° il s'excusa de n'être pas allé d'abord saluer son oncle Péloueyre; mais il avait vu dans le vestibule un chapeau ecclésiastique : les Péloueyre savaient qu'un prêtre lui faisait physiquement horreur. Sans lever les yeux, de sa voix monotone, M. Jérôme prononça : « C'était pour me parler de toi, Jean, qu'est venu M. le curé. Crois-tu qu'il veut te marier? » Fernand ricana et dit que ce n'était pas sérieux : « Pourquoi? Jean va sur ses vingt-trois ans. » Alors Fernand Cazenave éclata : de quoi se mêlait cet ensoutané?° de quel droit mettait-il le nez dans les affaires de la famille? Perdant toute mesure, il osa demander à mi-voix si Jean était seulement « mariable ». D'un clin d'œil, sa mère rappela à l'ordre le malotru.° « Ce serait très heureux que Jean se mariât, disait-elle : il manquait à cette maison une ménagère. Ah! sans doute les jeunes femmes ont d'étranges humeurs et le régime de Jérôme subirait quelque bouleversement. » Fernand, calmé, l'approuva : Jean, certes, pouvait fonder une famille. Mais ne ferait-il pas son malheur? Le cher enfant avait déjà des habitudes, des manies, comme un vieux garçon. Tante Félicité insinua que son

frère aurait raison, le cas échéant,° de ne pas habiter avec le jeune ménage. Évidemment, le coup lui serait dur. Et elle rappela les faux départs de Jean Péloueyre pour le collège, lorsque la place retenue, le trousseau° préparé, la voiture devant la porte, son père, à la dernière seconde, le retenait.

Inquiet, mais ne voulant point douter que toute cette histoire de mariage fût une invention sournoise de M. Jérôme, Jean, isolé en esprit, se souvint, en effet, de ces soirs du 2 octobre, lorsque attendait sous la pluie l'antique landau qui devait le conduire à travers le Bazadais,° jusqu'à la pieuse maison où les enfants de la Lande rêvent de chasse sur leurs lexiques. Des lambeaux d'un papier à fleurs° étaient collés encore à sa malle qui avait été celle d'un grand-oncle. M. Jérôme sanglotait, feignant une attaque, tant il était lâche devant la minute d'angoisse d'une séparation! Sans doute, dès cette époque, le pauvre homme exigeait-il du silence, mais un silence un peu troublé par cette petite vie souffrante de Jean à ses côtés. Ainsi Jean Péloueyre avait travaillé avec le curé jusqu'à quinze ans et ne fut au collège que pour le baccalauréat°... Quelle était cette soudaine fantaisie de le marier? Jean se souvint des paroles étranges de son père, la veille, dans le jardin... mais de quoi se troublait-il? Il se répétait qu'un Jean Péloueyre n'est pas « mariable ». Les Cazenave étaient fous de prendre au tragique cette farce. Ils insistaient maintenant pour connaître le nom de la jeune fille élue; l'heure de la sieste permit à M. Jérôme d'éluder toute question. Le couple, en dépit de la chaleur, erra au jardin, et angoissé, Jean, du corridor, épiait leurs colloques.

Au bruit du démarrage° qui signalait leur départ, le malade s'éveilla, et dès que Jean eut reconnu le traînement des pantoufles paternelles, il entra dans l'odeur de remèdes qui saturait la chambre. En cette méphitique officine,° il lui fut révélé que l'on songeait sans rire à lui donner une femme, une femme qui

1. *le cas échéant:* if the circumstances should arise. 5. *trousseau:* (school) outfit. 13. *Bazadais:* region around Bazas, 40 miles southeast of Bordeaux. 16. *papier à fleurs:* the old wooden trunk was freshened up with flowered wallpaper. 26. *pour le baccalauréat:* i.e., to prepare for his baccalaureate examination (comprising subject matter corresponding roughly to that of our sophomore college year). 38. *démarrage:* starting (of an automobile). 43. *méphitique officine:* foul-smelling drug dispensary.

était Noémi d'Artiailh. La psyché° reflète le corps de Jean, plus sec que les brandes° des landes incendiées. Il balbutie : « Elle ne voudra pas de moi », — et frémit d'entendre ces paroles inouïes : « Elle a été pressentie° et ne montre aucune répugnance… » Les d'Artiailh font un beau rêve, ne peuvent croire à leur bonheur. Mais Jean secoue la tête et semble, de ses mains tendues, se défendre contre le mirage. Une jeune fille dans ses bras, consentante? Noémi de la grand'messe, Noémi dont jamais il ne put regarder en face les yeux pareils à des fleurs noires? L'air agité par son corps mystérieux quand elle traversait la nef, Jean Péloueyre l'accueillait sur sa chair comme le seul baiser qu'il ait jamais connu. Cependant son père lui découvre ses vues qui sont celles du curé : il importe que les Péloueyre fassent souche° et que rien d'eux ne risque de passer à tante Félicité ni à Fernand Cazenave. M. Jérôme ajoute : « Tu sais, ce que le curé veut, il le veut bien. » Jean sourit, grimace; le coin de sa lèvre frémit et il dit : « Je lui ferai horreur. » Le père ne songe pas à protester; comme il ne fut jamais aimé, il n'imagine pas que son fils puisse connaître ce bonheur. Mais complaisamment il rappelle les vertus de Noémi que M. le curé a choisie entre toutes et qui édifie la paroisse. Elle appartient à cette race qui ne cherche dans le mariage aucune joie charnelle; femme de devoir, soumise à Dieu et à son époux, ce sera une de ces mères comme on en rencontre encore et de qui rien, en dépit de multiples grossesses, n'entame° la candide ignorance. M. Jérôme toussote,° s'attendrit un peu : « Te sachant bien marié et à l'abri des Cazenave, je mourrais en paix… » Le curé voulait brûler les étapes° : Jean pourrait dès le lendemain voir Noémi; elle l'attendrait après le déjeuner, au presbytère où Mme d'Artiailh trouverait un prétexte pour les laisser en tête à tête. M. Jérôme parlait vite, énervé à cause de la discussion inévitable, du refus de Jean qu'il faudrait vaincre, et ses doigts tremblaient. Jean, affolé, ne trouvait pas ses mots. Quelle honte d'éprouver une telle terreur! N'était-ce pas enfin l'instant de s'échapper du troupeau des esclaves et d'agir en maître? Cette minute

unique lui était donnée pour rompre sa chaîne, devenir un homme. Comme on le pressait de répondre, il fit un vague signe d'assentiment. Plus tard, songeant à cette seconde où se noua son destin, il s'avoua que dix pages de Nietzsche mal comprises le décidèrent. Il s'évada, laissant M. Jérôme stupéfait d'une si facile victoire et impatient de l'annoncer à la cure.°

Le temps de descendre l'escalier et Jean Péloueyre déjà s'accoutumait au prodige, se sentait imperceptiblement moins chaste. Vierge, il lui était révélé que sa virginité ne serait peut-être pas éternelle. En lui, il osa éveiller une image, il en fixait avec hardiesse les yeux sombres; ah! c'était assez pour défaillir! Jean Péloueyre éprouva le désir de se baigner. Comme il arrive à beaucoup de baignoires du pays girondin,° celle des Péloueyre était pleine de pommes de terre, et il fallut que Cadette la débarrassât.

Après le dîner, Jean Péloueyre traversa le village. Il s'observait pour ne faire aucun geste et ne pas se parler à lui-même. Raide, officiel, il saluait chaque groupe devant les portes, soudain silencieux à son approche, comme les grenouilles d'une mare; mais aucun rire ne fusa. Enfin, les dernières maisons dépassées, sur la route blême encore entre deux noires armées de pins qui soufflaient sur lui une haleine d'étuve° et dont les milliers de pots emplis de gemme° parfumaient comme des encensoirs la cathédrale sylvestre,° il put rire, secouer les épaules, faire craquer ses doigts, crier : « Je suis un Maître, un Maître, un Maître! » et répéter en marquant la césure ce distique° : « *Par quels secrets ressorts — par quel enchaînement — le ciel a-t-il conduit — ce grand événement? »°*

III

Jean Péloueyre redoute que la conversation tombe : la peur du silence incite le curé et Madame d'Artiailh à effleurer tous les sujets, à les dissiper follement; ils ne trouveront bientôt plus rien à dire. Comme dilatée hors du vase une fleur de magnolia, la robe de Noémi déborde sa chaise. Ce parloir pauvre où Dieu est partout, sur tous les murs et sur la cheminée, elle

1. *psyché:* cheval glass, pivoted mirror. 2. *brandes:* heather. 5. *pressentie:* here, sounded out. 18. *fassent souche:* found a family. 34. *entame:* encroaches on. 35. *toussote:* gives a little cough. 38. *brûler les étapes:* make all speed.

8. *cure:* rectory. 18. *girondin:* region of the Gironde River and the Département including Bordeaux. 29. *étuve:* sweating room (of a bathhouse). 30. *gemme:* resin (tapped from pine trees). 32. *sylvestre:* woodland. 35. *distique:* couplet. 35–37. *Par quels… événement?* Racine's *Esther,* Act I, Scene 1.

'imprègne de son odeur de jeune fille, un jour fauve de juillet — pareille à ces trop capiteuses° fleurs qu'on ne saurait prudemment laisser dans sa chambre, la nuit. Jean tourne non la tête mais les yeux; il inspecte Noémi descendue de sa colonne et qui, vue d'aussi près, lui apparaît telle que sous une loupe.° Il cherche avidement les défauts, les « pailles° » de ce vivant et frémissant métal : aux ailes du nez, des points noirs; à la naissance de la gorge, la peau dut être brulée par une trop vieille teinture d'iode.° Un mot du curé la fait rire brièvement mais assez pour que de la haie pure de ses dents, Jean Péloueyre isole une canine un peu mate° — douteuse. Son examen empêche les larges et sombres yeux de se lever vers lui; peut-être regarde-t-il Noémi afin de n'être pas regardé par elle. Dieu merci! le curé sait parler seul et prêcher à bâtons rompus.° En dépit de sa ronde petitesse, rien en lui n'est jovial. Malgré la corpulence, l'austérité intérieure transparaît. Peu compris des métairies, il est aimé du bourg où, sous sa direction, plusieurs âmes avancent haut et loin dans la vie spirituelle. Comme il arrive, ce doux possède la terre. Il n'est que suavité, que componction, mais son vouloir flexible jamais ne rompt. Il détourne du bal dominical° les plus belles filles, et tient benoîtement° tête aux entreprises amoureuses des garçons; nul ne sait qu'il a retenu la receveuse des postes° à l'extrême bord de l'adultère. Or il a décidé qu'il n'était pas bon que Jean Péloueyre demeurât seul; et il lui importe surtout, à ce pasteur, que la maison Péloueyre ne devienne un jour la maison Cazenave; que le loup ne se recèle° pas dans la bergerie.

Jamais Jean n'avait remarqué comme les femmes respirent haut : en se gonflant, la gorge de Noémi touchait presque son menton. Sans plus essayer de feindre, le curé se leva, disant que ces chers enfants voulaient peut-être échanger des confidences; et il invita Madame d'Artiailh à admirer au jardin des promesses de Reines-Claude.°

Il n'y a plus maintenant dans la pièce obscure, comme pour une expérience d'entomologie, que ce petit mâle noir et apeuré devant la femelle merveilleuse. Jean Péloueyre ne bouge plus, ne lève plus les yeux : c'est inutile désormais; le voilà prisonnier des regards arrêtés sur lui. La vierge mesure de l'œil cette larve° qui est son destin. Le beau jeune homme aux interchangeables visages, le compagnon du rêve de toutes les jeunes filles, — celui qui offre à leurs insomnies sa dure poitrine et la courroie° serrée de deux bras, — il se dilue dans le crépuscule de cette cure, il se fond jusqu'à n'être plus, au coin le plus obscur du parloir, que ce grillon° éperdu. Elle regarde son destin, le sachant inéluctable : on ne refuse pas le fils Péloueyre. Les parents de Noémi, s'ils vivent dans l'angoisse que le jeune homme se dérobe, n'imaginent même pas qu'aucune objection vienne de leur fille; elle n'y songe pas non plus. Depuis un quart d'heure, tout ce que doit lui donner la vie est là, se rongeant les ongles, se tortillant° sur une chaise. Il se lève, il est encore plus petit levé qu'assis et il parle, balbutie une phrase qu'elle n'entend pas et qu'il répète : « Je sais que je ne suis pas digne... » Elle proteste : « Oh! Monsieur!... » Il s'abandonne à une crise folle d'humilité, reconnaît qu'on ne peut l'aimer et ne demande que la permission d'aimer. Les mots lui viennent, ses phrases s'organisent. Il a attendu jusqu'à vingt-trois ans pour expliquer son cœur à une femme. Il gesticule comme s'il était seul pour dépeindre sa belle âme, et en effet il est bien seul.

Noémi regardait la porte et ne s'étonnait pas; toujours elle avait ouï dire de Jean Péloueyre : « C'est un type,° il est un peu timbré.° » Il parlait, et la porte demeurait close; rien ne vivait dans ce presbytère que ce bonhomme et ses gestes. Noémi se troubla; un désir de larmes l'étouffait. Jean se tut enfin et elle eut peur comme dans une chambre où l'on sait qu'une chauve-souris° est entrée et se cache. Lorsque le curé et Mme d'Artiailh revinrent, elle se jeta au cou de sa mère sans imaginer que cette effusion pût être un acquiescement. Mais déjà le curé frottait sa joue contre celle de Jean. Ces dames s'en allèrent seules pour ne pas éveiller la curiosité des voisines. Entre les volets rapprochés, Jean Péloueyre vit-il, — près de

2. *capiteuses:* heady, strong-smelling. 7. *loupe:* magnifying glass. 8. *pailles:* flaws (*lit.,* straws). 11. *teinture d'iode:* tincture of iodine. 14. *mate:* dull colored. 19. *à bâtons rompus:* by fits and starts. 28. *dominical:* Sunday. 29. *benoîtement:* gently, blandly. 31. *receveuse des postes:* postmistress. 36. *se recèlé:* hide. 44. *Reines-Claude:* greengage plums.

6. *larve:* larva, grub. 9. *courroie:* belt. 13. *grillon:* cricket. 21. *se tortillant:* fidgeting. 35. *type:* queer one. 35. *timbré:* cracked. 41. *chauve-souris:* bat.

Mme d'Artiailh, aiguë et grêle et qui filait l'arrière-train de côté,° comme les chiens, — cette robe de Noémi, cette robe un peu fripée° qui ne s'épanouirait plus, cette nuque fléchie, fleur moins vivante, fleur déjà coupée?

Ce garçon sauvage, accoutumé à se tapir° loin du monde et de qui c'était l'unique souci de n'être pas vu, demeura plusieurs jours ahuri° et stupide à cause de cette rumeur autour de lui. Le destin le tirait de ses ténèbres; comme une formule de magie, les mots de Nietzsche avaient renversé les murs de sa cellule; le cou dans les épaules et les yeux clignotants,° on eût dit d'un oiseau nocturne lâché dans le grand jour. Les gens, à son entour, changeaient aussi; M. Jérôme négligeait ses régimes, prenait sur le temps de sa sieste pour relancer° le curé jusqu'à la sacristie; les Cazenave ne parurent plus le jeudi, et ne manifestèrent leur existence que par mille bruits infâmes touchant le tempérament de Jean Péloueyre et certaines particularités qui le rendaient, disait-on, impropre à l'état de mariage.

Du fond de son humilité, Jean Péloueyre admirait que les d'Artiailh pussent être, à cause de lui, enviés. On répétait partout que certes, Noémi méritait bien son bonheur. Cette très ancienne famille était à la côte.° Le laborieux M. d'Artiailh avait laissé des plumes dans diverses entreprises et ne rougissait pas de tenir un emploi à la mairie; ce n'était plus un secret qu'à Pâques, les d'Artiailh avaient dû congédier leur bonne à tout faire.° Jean Péloueyre se regardait dans la glace et ne se trouvait plus si hideux. M. le curé allait partout répétant que le fils Péloueyre, s'il manquait un peu d'apparence, était un esprit des plus distingués. Le respectueux silence de Noémi, chaque soir, tandis que sur un canapé du salon, Jean Péloueyre s'écoutait parler, inclinait ce garçon à croire que, comme le disait M. le curé, une jeune fille sérieuse prise surtout chez son fiancé les avantages de l'esprit. Il s'abandonnait devant elle comme autrefois dans ses soliloques, grimaçait, gesticulait, citait, sans les annoncer, des vers, — et cette belle fille blottie au coin

du canapé lui parut aussi indulgente à se[s] discours que naguère les arbres sur la rout[e] vide. Il alla loin dans les confidences, et jusqu'[à] l'entretenir de ce Nietzsche qui peut-êtr[e] l'obligerait à réviser les bases de sa vie morale[.] Noémi essuyait ses mains moites avec un peti[t] mouchoir en boule et regardait la porte derrièr[e] laquelle ses parents chuchotaient sans que[,] Dieu merci! elle pût saisir le sens de leur[s] paroles : les ragots° touchant son futur gendr[e] troublaient le père d'Artiailh qui, roulé° et vol[é] à tous les tournants de sa vie, ne doutait poin[t] que cet apparent retour de fortune cachâ[t] un désastre. Mais, selon Mme d'Artiailh, o[n] ne connaissait d'autre fondement à ces calomnies que la malveillance des Cazenave e[t] l'éloignement des femmes° où — soit religio[n] soit timidité — s'était tenu Jean Péloueyre[.] Onze heures sonnaient dans le clair de lune[.] Mme d'Artiailh ouvrait la porte, sans tousse[r] ni frapper, et désespérait de surprendre le[s] jeunes gens dans une attitude qui donnât [à] penser. Elle s'excusait de déranger « les tourte[-] reaux »; c'était l'heure, disait-elle, « du couvre[-] feu° ». Jean touchait de ses lèvres les cheveux d[e] Noémi, puis s'en allait en compagnie de so[n] ombre le long des maisons. Son pas vainqueu[r] éveillait les chiens de garde que la lune empê[-] chait de se rendormir; ainsi, même la nuit, i[l] emplissait de bruit le village! L'étrange étai[t] qu'il n'éprouvait plus rien de son émoi d[u] temps qu'à la grand'messe Noémi fendait l'ai[r] de sa robe repassée.° Il secouait la tête, pour n[e] pas penser à cette nuit de septembre où elle lu[i] serait livrée. Cette nuit jamais n'arrivera; un[e] guerre éclatera, quelqu'un mourra; la terr[e] tremblera...

Noémi d'Artiailh, en sa longue chemise[,] récitait sa prière devant les étoiles. Ses pieds nu[s] aimaient le froid carrelage°; elle offrait s[a] douce gorge à l'apitoiement de la nuit. Ell[e] n'essuyait pas cette larme qui roulait à portée d[e] sa langue mais la buvait. Le frémissement d[u] tilleul et son odeur rejoignaient la voie lactée.[°] Sur cette route du ciel, ses rêves un peu fous n[e] vagabondaient plus. Les grillons, qui crépi[-] taient au bord de leur trou, lui rappelaient so[n]

2. *filait... côté:* twisted her hips to one side as she walked. 3. *fripée:* crumpled, shabby. 7. *se tapir:* cower, lurk. 9. *ahuri:* bewildered. 14. *clignotants:* blinking. 18. *relancer:* hunt out. 29. *à la côte:* hard up. 34. *bonne à tout faire:* maid of all work.

10. *ragots:* gossip. 11. *roulé:* cheated. 17. *éloignemen[t] des femmes:* estrangement from women. 25. *couvre-feu:* curfew. 33. *repassée:* ironed. 41. *carrelage:* tiled floor. 45. *voie lactée:* Milky Way.

naître. Un soir, étendue sur ses draps et toute
vrée à la nuit chaude, elle sanglota d'abord à
etit bruit, puis gémit longuement et regarda
vec pitié son chaste corps intact, brûlant de vie
nais d'une végétale fraîcheur. Qu'en ferait le
rillon? Elle savait qu'il aurait droit à toute
aresse, et à celle-là, mystérieuse et terrible,
près quoi un enfant naîtrait, un petit Péloueyre
out noir et chétif... Le grillon, elle l'aurait
oute sa vie et jusque dans ses draps. Comme
lle sanglotait, sa mère survint (ô camisole
estonnée!° maigre tresse!°) La petite inventa
ʉu'elle avait horreur du mariage et souhaitait
l'entrer au Carmel.° Mme d'Artiailh, sans
ʊrotester, la prit dans ses bras jusqu'à ce que se
ʉussent espacés les sanglots. Puis elle l'assura
ʉu'en ces matières, il fallait s'en rapporter à
ʊon directeur; or, M. le curé n'avait-il pas
ʈhoisi lui-même pour elle la voie du mariage?
ʋetite âme ménagère, toute tendresse et piété,
ʋoémi était bien capable de rien répondre.°
ʈlle ne lisait pas de romans; elle servait chez ses
ʋarents, elle obéissait; on lui assurait qu'un

homme n'a pas besoin d'être beau; que le
mariage produit l'amour comme un pêcher une
pêche... Mais il eût suffi, pour la convaincre,
de répéter l'axiome : *On ne refuse pas le fils
5 Péloueyre*! On ne refuse pas le fils Péloueyre;
on ne refuse pas des métairies, des fermes, des
troupeaux de moutons, des pièces d'argenterie,
le linge de dix générations bien rangé dans des
armoires larges, hautes et parfumées, — des
10 alliances avec ce qu'il y a de mieux dans la
lande. On ne refuse pas le fils Péloueyre.

[*The marriage takes place; Noémi tries to love her
husband, but he inspires her with unconquerable re-
15 pulsion. To give her some peace, Jean makes a long
visit to Paris. A new doctor comes to the neighbor-
hood, a coarse, handsome fellow, to whom Noémi is
irresistibly drawn. Jean returns, recognizes that there
is no good resolution for the situation, deliberately
20 exposes himself to infection from a dying consumptive. (Here is the first application of the title, the
baiser au lépreux.) Noémi tends him devotedly in
his illness, at last learns to love him. (Here is the
second baiser au lépreux.) Jean dies, and Noémi
25 consecrates herself to his memory.*]

12. *camisole festonnée:* festooned dressing gown. 12. *tresse:*
ress (of hair). 14. *Carmel:* i.e., Carmelite nuns. 21. *Noémi...*
épondre: Little could Noémi make any answer.

31. Malraux [1901–   ]

André Malraux is a man of action, of great action, as well as a man of letters. His work
is the exemplification of his life, and his life the illustration of his work. Hence he claims
the admiration of those who distrust the inert thinker, as well as of those who prize thought
above mere bustling activity.

He was born in Paris, of a bourgeois family in poor circumstances. Educated in a Paris
lycée, he studied oriental languages and joined an archaeological expedition to Indochina. Convicted, though perhaps unjustly, of purloining ancient sculptures for shipment
to France, he was sentenced to three years in jail; but he was pardoned on the intervention
of a group of French authors, headed by André Gide. Thus he had his experience of
judgment and of imprisonment. He joined a revolutionary group, forerunner of the
present Viet Cong, and carried on underground Communist agitation in Indochina and
in China. His first book, *La Tentation de l'Occident*, appeared in 1926. He returned to
France; after the great success of *La Condition humaine* in 1933 he was marked as a thoroughgoing rebel against everything—even communist rule. (At Moscow in 1934 he shocked
the comrades by proclaiming the necessity of freedom for the writer.) Two days after the
Spanish Civil War broke out in 1936 he joined the Republicans; he organized the air

force, commanded a squadron, was wounded and invalided out. In 1939 he enlisted in the French army as a private in the tank corps. He was wounded, captured, and imprisoned. Escaping, he joined the active Resistance and did some dynamiting. He rose to a colonelcy in the French army of liberation. When De Gaulle became Premier in 1945 Malraux was appointed Minister of Information. He retired after De Gaulle's loss of power in 1946; but at the formation of the Fifth Republic in 1958 he became, as he remains at this writing, the vigorous and original Minister of Cultural Affairs.

His *work* parallels the curve of his experience. His early novels (especially *Les Conquérants*, 1928; *La Voie royale*, 1930; *L'Espoir*, 1937) are transpositions of his own life, with his effort to find meaning in it. In his retirement after the Second World War he turned to the interpretation of art, proposing to each of us a "museum without walls" of reproductions, wherein we may nobly brood. His own broodings on artistic creation (especially in *La Psychologie de l'art*, 1947-1950, and *Les Voix du silence*, 1951) have had a worldwide acceptance.

"Art," he says, "is an interrogation of the world." Most of his own work is such an interrogation—a search for answers satisfactory to himself, though probably there are no such answers. But the search must go on; man must seek justification by faith and works. He will not find it, but he must seek. All he will find is death. That is the human condition.

La Condition humaine is haunted by death. It opens with a murder; it ends with a general execution, and there are many atrocious deaths along the way. It recounts (with much exaggeration, it is said) the communist revolution in Shanghai in 1927. Briefly successful, the revolution founders, with the incompetence, double-crossing, and double-double-crossing of the leaders, the pressures of the western powers, and the abandonment of the rebels by the Soviet for larger political reasons. The leaders lose their "virile fraternity," retreat into solitude, and come one by one to horrible death. This is what it means to offer oneself wholly and utterly to a cause. The cause is betrayed; it is not worth our sacrifice; but the sacrificed gain a dignity, a consecration. This idea of fulfillment and expiation by death is a quite Christian idea.

LA CONDITION HUMAINE*

[*Excerpt*]

21 MARS 1927

Minuit et demi.

Tchen tenterait-il de lever la moustiquaire?° Frapperait-il au travers? L'angoisse lui tordait l'estomac; il connaissait sa propre fermeté, mais n'était capable en cet instant que d'y songer avec hébétude,° fasciné par ce tas de mousseline° blanche qui tombait du plafond sur un corps moins visible qu'une ombre, et d'où sortait seulement ce pied à demi incliné par le sommeil, vivant quand même — de la

chair d'homme. La seule lumière venait du building voisin : un grand rectangle d'électricité pâle, coupé par les barreaux de la fenêtre dont l'un rayait le lit juste au-dessous du pied 5 comme pour en accentuer le volume et la vie. Quatre ou cinq klaxons grincèrent à la fois. Découvert? Combattre, combattre des ennemis qui se défendent, des ennemis éveillés!

La vague de vacarme retomba : quelque 10 embarras de voitures (il y avait encore des embarras de voitures, là-bas, dans le monde des hommes...). Il se retrouva en face de la tache molle de la mousseline et du rectangle de lumière, immobiles dans cette nuit où le temps 15 n'existait plus.

Il se répétait que cet homme devait mourir. Bêtement : car il savait qu'il le tuerait. Pris ou non, exécuté ou non, peu importait. Rien n'existait que ce pied, cet homme qu'il devait 20 frapper sans qu'il se défendît, — car, s'il se défendait, il appellerait.

"On attache aussi bien toute la philosophie morale à une vie populaire et privée qu'à une vie de plus riche étoffe; chaque homme porte la forme entière de l'humaine condition." Montaigne: *Essais*, III, 2. 8. *moustiquaire:* mosquito net. 12. *hébétude:* lethargy. 13. *mousseline:* muslin, gauze.

Les paupières battantes, Tchen découvrait en lui, jusqu'à la nausée, non le combattant qu'il attendait, mais un sacrificateur. Et pas seulement aux dieux qu'il avait choisis : sous son sacrifice à la révolution grouillait° un monde de profondeurs auprès de quoi cette nuit écrasée d'angoisse n'était que clarté. « Assassiner n'est pas seulement tuer... » Dans ses poches, ses mains hésitantes tenaient, la droite un rasoir fermé, la gauche un court poignard. Il les enfonçait le plus possible, comme si la nuit n'eût pas suffi à cacher ses gestes. Le rasoir était plus sûr, mais Tchen sentait qu'il ne pourrait jamais s'en servir; le poignard lui répugnait moins. Il lâcha le rasoir dont le dos pénétrait dans ses doigts crispés; le poignard était nu dans sa poche, sans gaine.° Il le fit passer dans sa main droite, la gauche retombant sur la laine de son chandail° et y restant collée. Il éleva légèrement le bras droit, stupéfait du silence qui continuait à l'entourer, comme si son geste eût dû déclencher° quelque chute. Mais non, il ne se passait rien : c'était toujours à lui d'agir.

Ce pied vivait comme un animal endormi. Terminait-il un corps? « Est-ce que je deviens imbécile? » Il fallait voir ce corps. Le voir, voir cette tête; pour cela, entrer dans la lumière, laisser passer sur le lit son ombre trapue.° Quelle était la résistance de la chair? Convulsivement, Tchen enfonça le poignard dans son bras gauche. La douleur (il n'était plus capable de songer que c'était *son* bras), l'idée du supplice certain si le dormeur s'éveillait le délivrèrent une seconde : le supplice valait mieux que cette atmosphère de folie. Il s'approcha : c'était bien l'homme qu'il avait vu, deux heures plus tôt, en pleine lumière. Le pied, qui touchait presque le pantalon de Tchen, tourna soudain comme une clef, revint à sa position dans la nuit tranquille. Peut-être le dormeur sentait-il une présence, mais pas assez pour s'éveiller... Tchen frissonna : un insecte courait sur sa peau. Non; c'était le sang de son bras qui coulait goutte à goutte. Et toujours cette sensation de mal de mer.

Un seul geste, et l'homme serait mort. Le tuer n'était rien : c'était le toucher qui était impossible. Et il fallait frapper avec précision.

Le dormeur, couché sur le dos, au milieu du lit à l'européenne, n'était habillé que d'un caleçon court, mais, sous la peau grasse, les côtes n'étaient pas visibles. Tchen devait prendre pour repères° les pointes des seins. Il savait combien il est difficile de frapper de haut en bas. Il tenait donc le poignard la lame en l'air, mais le sein gauche était le plus éloigné : à travers le filet de la moustiquaire, il eût dû frapper à longueur de bras, d'un mouvement courbe comme celui du swing. Il changea la position du poignard : la lame horizontale. Toucher ce corps immobile était aussi difficile que frapper un cadavre, peut-être pour les mêmes raisons. Comme appelé par cette idée de cadavre, un râle° s'éleva. Tchen ne pouvait plus même reculer, jambes et bras devenus complètement mous. Mais le râle s'ordonna : l'homme ne râlait pas, il ronflait. Il redevint vivant, vulnérable; et, en même temps, Tchen se sentit bafoué.° Le corps glissa d'un léger mouvement vers la droite. Allait-il s'éveiller maintenant! D'un coup à traverser° une planche, Tchen l'arrêta dans un bruit de mousseline déchirée, mêlé à un choc sourd. Sensible jusqu'au bout de la lame, il sentit le corps rebondir vers lui, relancé° par le sommier° métallique. Il raidit rageusement son bras pour le maintenir : les jambes revenaient ensemble vers la poitrine, comme attachées; elles se détendirent d'un coup. Il eût fallu frapper de nouveau, mais comment retirer le poignard? Le corps était toujours sur le côté, instable, et, malgré la convulsion qui venait de le secouer, Tchen avait l'impression de le tenir fixé au lit par son arme courte sur quoi pesait toute sa masse. Dans le grand trou de la moustiquaire, il le voyait fort bien : les paupières s'étaient ouvertes, — avait-il pu s'éveiller? — les yeux étaient blancs. Le long du poignard le sang commençait à sourdre,° noir dans cette fausse lumière. Dans son poids, le corps, prêt à retomber à droite ou à gauche, trouvait encore de la vie. Tchen ne pouvait lâcher le poignard. A travers l'arme, son bras raidi, son épaule douloureuse, un courant d'angoisse s'établissait entre le corps et lui jusqu'au fond de sa poitrine, jusqu'à son cœur

---

5. *grouillait:* was seething. 17. *gaine:* sheath. 19. *chandail:* sweater. 22. *déclencher:* set in motion. 29. *trapue:* stocky.

5. *repères:* guide marks. 16. *râle:* death rattle. 21. *bafoué:* mocked. 24. *à traverser:* sufficient to pierce. 27. *relancé:* bounced up. 28. *sommier:* bedsprings. 41. *sourdre:* well up.

convulsif, seule chose qui bougeât dans la pièce. Il était absolument immobile; le sang qui continuait à couler de son bras gauche lui semblait celui de l'homme couché; sans que rien de nouveau fût survenu, il eut soudain la certitude que cet homme était mort. Respirant à peine, il continuait à le maintenir sur le côté, dans la lumière immobile et trouble, dans la solitude de la chambre. Rien n'y indiquait le combat, pas même la déchirure de la mousse-line qui semblait séparée en deux pans° : il n'y avait que le silence et une ivresse écrasante où il sombrait, séparé du monde des vivants, accroché à son arme. Ses doigts étaient de plus en plus serrés, mais les muscles du bras se relâchaient et le bras tout entier commença à trembler par secousses, comme une corde. Ce n'était pas la peur, c'était une épouvante à la fois atroce et solennelle qu'il ne connaissait plus depuis son enfance : il était seul avec la mort, seul dans un lieu sans hommes, mollement écrasé à la fois par l'horreur et par le goût du sang.

Il parvint à ouvrir la main. Le corps s'inclina doucement sur le ventre : le manche du poignard ayant porté à faux,° sur le drap une tache sombre commença à s'étendre, grandit comme un être vivant. Et à côté d'elle, grandissant comme elle, parut l'ombre de deux oreilles pointues.

La porte était proche, le balcon plus éloigné; mais c'était du balcon que venait l'ombre. Bien que Tchen ne crût pas aux génies, il était paralysé, incapable de se retourner. Il sursauta : un miaulement.° A demi délivré, il osa regarder. C'était un chat de gouttières qui entrait par la fenêtre sur ses pattes silencieuses, les yeux fixés sur lui. Une rage forcenée° secouait Tchen à mesure qu'avançait l'ombre; rien de vivant ne devait se glisser dans la farouche région où il était jeté : ce qui l'avait vu tenir ce couteau l'empêchait de remonter chez les hommes. Il ouvrit le rasoir, fit un pas en avant : l'animal s'enfuit par le balcon. Tchen se trouva en face de Shanghaï.

Secouée par son angoisse, la nuit bouillonnait comme une énorme fumée noire pleine d'étincelles; au rythme de sa respiration de moins en moins haletante elle s'immobilisa et, dans la déchirure des nuages, des étoiles s'établirent dans leur mouvement éternel qui l'envahit avec l'air plus frais du dehors. Une sirène s'éleva, puis se perdit dans cette poignante sérénité. Au-dessous, tout en bas, les lumières de minuit reflétées à travers une brume jaune par le macadam mouillé, par les raies pâles des rails, palpitaient de la vie des hommes qui ne tuent pas. C'étaient là des millions de vies, et toutes maintenant rejetaient la sienne; mais qu'était leur condamnation misérable à côté de la mort qui se retirait de lui, qui semblait couler hors de son corps à longs traits, comme le sang de l'autre ? Toute cette ombre immobile ou scintillante était la vie, comme le fleuve, comme la mer invisible au loin — la mer... Respirant enfin jusqu'au plus profond de sa poitrine, il lui sembla rejoindre cette vie avec une reconnaissance sans fond — prêt à pleurer, aussi bouleversé que tout à l'heure. « Il faut filer°... » Il demeurait, contemplant le mouvement des autos, des passants qui couraient sous ses pieds dans la rue illuminée, comme un aveugle guéri regarde, comme un affamé mange. Insatiable de vie, il eût voulu toucher ces corps. Au-delà du fleuve une sirène emplit tout l'horizon : la relève° des ouvriers de nuit, à l'arsenal. Que les ouvriers imbéciles vinssent fabriquer les armes destinées à tuer ceux qui combattaient pour eux! Cette ville illuminée resterait-elle possédée comme un champ par son dictateur militaire, louée à mort, comme un troupeau, aux chefs de guerre et aux commerces d'Occident? Son geste meurtrier valait un long travail des arsenaux de Chine : l'insurrection imminente qui voulait donner Shanghaï aux troupes révolutionnaires ne possédait pas deux cents fusils. Qu'elle possédât les pistolets à crosse° (presque trois cents) dont cet intermédiaire, le mort, venait de négocier la vente avec le gouvernement, et les insurgés, dont le premier acte devait être de désarmer la police pour armer leurs troupes, doublaient leurs chances. Mais, depuis dix minutes, Tchen n'y avait pas pensé une seule fois.

Et il n'avait pas encore pris le papier pour lequel il avait tué cet homme. Les vêtements

11. *pans:* sections. 26. *porté à faux:* twisted. 35. *miaulement:* mewing. 38. *forcenée:* savage.

21. *filer:* get out. 28. *relève:* relief. 40. *pistolets à crosse:* pistols with butts (*i.e.,* pistol carbines).

étaient accrochés au pied du lit, sous la moustiquaire. Il chercha dans les poches. Mouchoir,
cigarettes... Pas de portefeuille. La chambre
restait la même : moustiquaire, murs blancs,
rectangle net de lumière; le meurtre ne change 5
donc rien... Il passa la main sous l'oreiller,
fermant les yeux. Il sentit le portefeuille, très
petit, comme un porte-monnaie. Honte ou
angoisse, car le poids léger de la tête à travers
l'oreiller était plus inquiétant encore, il rouvrit 10
les yeux : pas de sang sur le traversin,° et
l'homme n'avait pas du tout l'air mort. Devrait-
il donc le tuer à nouveau ? mais déjà son regard
qui rencontrait les yeux blancs, le sang sur les
draps, le délivrait. Pour fouiller dans le porte- 15
feuille, il recula dans la lumière; c'était celle
d'un restaurant, plein du fracas des joueurs de
mah-jong. Il trouva le document, conserva le
portefeuille, traversa la chambre presque en
courant, ferma à double tour, mit la clef dans 20
sa poche. A l'extrémité du couloir de l'hôtel —
il s'efforçait de ralentir sa marche — pas
d'ascenseur. Sonnerait-il ? Il descendit. A l'étage
inférieur, celui du dancing, du bar et des
billards, une dizaine de personnes attendaient 25
la cabine° qui arrivait. Il les y suivit. « — La
dancing-girl en rouge est épatante! » lui dit en
anglais son voisin, Birman° ou Siamois un peu
saoul. Il eut envie, à la fois de le gifler pour le
faire taire, et de l'étreindre parce qu'il était 30
vivant. Il bafouilla° au lieu de répondre; l'autre
lui tapa sur l'épaule d'un air complice. « Il pense
que je suis saoul aussi... » Mais l'interlocuteur
ouvrait de nouveau la bouche. « — J'ignore les
langues étrangères », dit Tchen en pékinois. 35
L'autre se tut, regarda, intrigué, cet homme
jeune sans col, mais en chandail de belle laine.
Tchen était en face de la glace intérieure de la
cabine. Le meurtre ne laissait aucune trace sur
son visage... Ses traits plus mongols que chinois : 40
pommettes° aiguës, nez très écrasé mais avec
une légère arête,° comme un bec, n'avaient pas
changé, n'exprimaient que la fatigue; jusqu'à
ses épaules solides, ses grosses lèvres de brave
type, sur quoi rien d'étranger ne semblait peser; 45
seul son bras, gluant dès qu'il le pliait, et chaud...
La cabine s'arrêta. Il sortit avec le groupe.

Une heure du matin.

Il acheta une bouteille d'eau minérale, et
appela un taxi : une voiture fermée, où il lava
son bras et le banda avec un mouchoir. Les
rails déserts et les flaques des averses de l'après-
midi luisaient faiblement. Le ciel lumineux s'y
reflétait. Sans savoir pourquoi, Tchen le
regarda : qu'il en avait été plus près, tout à
l'heure, lorsqu'il avait découvert les étoiles! Il
s'en éloignait à mesure que son angoisse
faiblissait, qu'il retrouvait les hommes... A
l'extrémité de la rue, les auto-mitrailleuses°
presque aussi grises que les flaques, la barre
claire des baïonnettes portées par des ombres
silencieuses : le poste, la fin de la concession
française. Le taxi n'allait pas plus loin. Tchen
montra son passeport faux d'électricien employé
sur la concession. Le factionnaire° regarda le
papier avec indifférence (« Ce que je viens de
faire ne se voit décidément pas. ») et le laissa
passer. Devant lui, perpendiculaire, l'avenue
des Deux-Républiques, frontière de la ville
chinoise.

Abandon et silence. Chargées de tous les
bruits de la plus grande ville de Chine, des
ondes grondantes se perdaient là comme, au
fond d'un puits, des sons venus des profondeurs
de la terre : tous ceux de la guerre, et les
dernières secousses nerveuses d'une multitude
qui ne veut pas dormir. Mais c'était au loin que
vivaient les hommes; ici, rien ne restait du
monde, qu'une nuit à laquelle Tchen s'accordait d'instinct comme à une amitié soudaine :
ce monde nocturne, inquiet, ne s'opposait pas
au meurtre. Monde d'où les hommes avaient
disparu, monde éternel; le jour reviendrait-il
jamais sur ces tuiles pourries, sur toutes ces
ruelles au fond desquelles une lanterne éclairait
un mur sans fenêtres, un nid de fils télégraphiques? Il y avait un monde du meurtre, et il y
restait comme dans la chaleur. Aucune vie,
aucune présence, aucun bruit proche, pas même
le cri des petits marchands, pas même les chiens
abandonnés.

Enfin, un magasin pouilleux° : *Lou-You-Shuen
et Hemmelrich, phonos.* Il fallait revenir parmi les
hommes... Il attendit quelques minutes sans se
délivrer tout à fait, heurta enfin un volet. La

11. *traversin:* bolster. 26. *cabine:* elevator car. 28. *Birman:*
Burmese. 31. *bafouilla:* mumbled. 41. *pommettes:* cheekbones.
42. *arête:* ridge.

13. *auto-mitrailleuses:* armored cars. 19. *factionnaire:*
guard on duty. 46. *pouilleux:* crummy, squalid.

porte s'ouvrit presque aussitôt : un magasin plein de disques rangés avec soin, à vague aspect de bibliothèque municipale; puis l'arrière-boutique, grande, nue, et quatre camarades, en bras de chemise.

La porte refermée fit osciller la lampe : les visages disparurent, reparurent : à gauche, tout rond, Lou-You-Shuen; la tête de boxeur crevé° d'Hemmelrich, tondu, nez cassé, épaules creusées. En arrière, dans l'ombre, Katow. A droite, Kyo Gisors; en passant au-dessus de sa tête, la lampe marqua fortement les coins tombants de sa bouche d'estampe° japonaise; en s'éloignant elle déplaça les ombres et ce visage métis° parut presque européen. Les oscillations de la lampe devinrent de plus en plus courtes : les deux visages de Kyo reparurent tour à tour de moins en moins différents l'un de l'autre.

Tous regardaient Tchen avec une intensité idiote, mais ne disaient rien; lui regarda les dalles° criblées de graines de tournesol.° Il pouvait renseigner ces hommes, mais il ne pourrait jamais s'expliquer.

La résistance du corps au couteau l'obsédait, tellement plus grande que celle de son bras : Je n'aurais jamais cru que ce fût si dur…

« Ça y est », dit-il.

Il tendit l'ordre de livraison des armes. Son texte était long. Kyo le lisait :

« Oui, mais… »

Tous attendaient. Kyo n'était ni impatient, ni irrité; il n'avait pas bougé; à peine son visage était-il contracté. Mais tous sentaient que ce qu'il découvrait le bouleversait. Il se décida :

« Les armes ne sont pas payées. *Payables à livraison.* »

Tchen sentit la colère tomber sur lui, comme s'il eût été volé. Il s'était assuré que ce papier était celui qu'il cherchait, mais n'avait pas eu le temps de le dire. Il n'eût pu, d'ailleurs, rien y changer. Il tira le portefeuille de sa poche, le donna à Kyo : des photos, des reçus; aucune autre pièce.°

« On peut s'arranger avec des hommes des sections de combat, je pense, dit Kyo.

— Pourvu que nous puissons grimper à bord, répondit Katow, ça ira. »

Leur présence arrachait Tchen à sa terrible solitude, doucement, comme une plante que l'on tire de la terre où ses racines les plus fines la retiennent encore. Et en même temps que, peu à peu, il venait à eux, il semblait qu'il les découvrît — comme sa sœur la première fois qu'il était revenu d'une maison de prostitution. Il y avait là la tension des salles de jeu à la fin de la nuit.

« Ça a bien marché? » demanda Katow, posant enfin son disque et avançant dans la lumière.

Sans répondre, Tchen regarda cette bonne tête de Pierrot russe — petits yeux rigoleurs° et nez en l'air — que même cette lumière ne pouvait rendre dramatique; lui, pourtant, savait ce qu'était la mort. Il se levait; il alla regarder le grillon endormi dans sa cage minuscule; Tchen pouvait avoir ses raisons de se taire. Celui-ci observait le mouvement de la lumière, qui lui permettait de ne pas penser : le cri tremblé du grillon éveillé par son arrivée se mêlait aux dernières vibrations de l'ombre sur les visages. Toujours cette obsession de la dureté de la chair; les paroles n'étaient bonnes qu'à troubler la familiarité avec la mort qui s'était établie dans son cœur.

« A quelle heure es-tu sorti de l'hôtel? demanda Kyo.

— Il y a vingt minutes. »

Kyo regarda sa montre : minuit cinquante.

« Bien. Finissons ici, et filons.

— Je veux voir ton père, Kyo.

— Tu sais que CE sera sans doute pour demain?

— Tant mieux. »

Tous savaient ce qu'était CE : l'arrivée des troupes révolutionnaires aux dernières stations du chemin de fer, qui devait déterminer l'insurrection.

« Tant mieux », répéta Tchen. Comme toutes les sensations intenses, celle du danger, en se retirant, le laissait vide; il aspirait à la retrouver.

« Quand même : je veux le voir.

— Vas-y : il ne dort jamais avant l'aube.

— Vers quatre heures. »

D'instinct, quand il s'agissait d'être compris, Tchen se dirigeait vers Gisors. Que cette attitude fût douloureuse à Kyo — d'autant plus douloureuse que nulle vanité n'intervenait — il le savait, mais n'y pouvait rien : Kyo était un

9. *crevé:* battered. 13. *estampe:* print. 15. *métis:* half-breed. 21. *dalles:* paving stones. 21. *tournesol:* sunflower. 43. *pièce:* document.

13. *rigoleurs:* humorous.

les organisateurs de l'insurrection, le comité central avait confiance en lui; lui, Tchen, aussi; mais il ne tuerait jamais, sauf en combattant. Katow était plus près de lui, Katow condamné à cinq ans de bagne° en 1905, lorsque, étudiant en médecine, il avait participé à l'attaque — puérile — de la prison d'Odessa. Et pourtant...

Le Russe mangeait des petits bonbons au sucre, un à un, sans cesser de regarder Tchen; et Tchen, tout à coup, comprit la gourmandise. Maintenant qu'il avait tué, il avait le droit d'avoir envie de n'importe quoi. Le droit. Même si c'était enfantin. Il tendit sa main carrée. Katow crut qu'il voulait partir et la serra. Tchen se leva. C'était peut-être aussi bien : il n'avait plus rien à faire là; Kyo était prévenu, à lui d'agir. Et lui, Tchen, savait ce qu'il voulait faire maintenant. Il gagna la porte, revint pourtant :

« Passe-moi les bonbons. »

Katow lui donna le sac. Il voulut en partager le contenu : pas de papier. Il emplit le creux de sa main, mordit à pleine bouche, et sortit.

« Ça n'a pas dû aller t't seul », dit Katow.

Réfugié en Suisse de 1905 à 1912, date de son retour clandestin en Russie, il parlait français presque sans accent, mais en avalant un certain nombre de voyelles, comme s'il eût voulu compenser ainsi la nécessité d'articuler rigoureusement lorsqu'il parlait chinois. Presque sous la lampe maintenant, son visage était peu éclairé. Kyo préférait cela : l'expression de naïveté ironique que les petits yeux et surtout le nez en l'air (moineau pince-sans-rire,° disait Hemmelrich) donnaient au visage de Katow, était d'autant plus vive qu'elle s'opposait davantage à ses propres traits, et le gênait souvent.

« Finissons, dit-il. Tu as les disques, Lou? »

Lou-You-Shuen, tout sourire et comme prêt à mille respectueux petits coups d'échine,° disposa sur deux phonos les deux disques examinés par Katow. Il fallait les mettre en mouvement en même temps.

« Un, deux, trois », compta Kyo.

Le sifflet° du premier disque couvrit le second; soudain s'arrêta — on entendit : *envoyer* — puis reprit. Encore un mot : *trente*. Sifflet de nouveau. Puis : *hommes*. Sifflet.

« Parfait », dit Kyo. Il arrêta le mouvement, et remit en marche le premier disque, seul : sifflet, silence, sifflet. Stop. Bon. Etiquette des disques de rebut.°

Au second : *Troisième leçon. Courir, marcher, aller, venir, envoyer, recevoir. Un, deux, trois, quatre, cinq, six, sept, huit, neuf, dix, vingt, trente, quarante, cinquante, soixante, cent. J'ai vu courir dix hommes. Vingt femmes sont ici. Trente...* Ces faux disques pour l'enseignement des langues étaient excellents; l'étiquette, imitée à merveille. Kyo était pourtant inquiet :

« Mon enregistrement était mauvais?

— Très bon, parfait. »

Lou s'épanouissait en sourire, Hemmelrich semblait indifférent. A l'étage supérieur, un enfant cria de douleur.

Kyo ne comprenait plus :

« Alors, pourquoi l'a-t-on changé?

— On ne l'a pas changé, dit Lou. C'est lui-même. Il est rare que l'on reconnaisse sa propre voix, voyez-vous, lorsqu'on l'entend pour la première fois.

— Le phono déforme?

— Ce n'est pas cela, car chacun reconnaît sans peine la voix des autres. Mais on n'a pas l'habitude, voyez-vous, de s'entendre soi-même... »°

Lou était plein de la joie chinoise d'expliquer une chose à un esprit distingué qui l'ignore.

« Il en est de même dans notre langue...

— Bon. On doit toujours venir chercher les disques cette nuit?

— Les bateaux partiront demain au lever du soleil pour Han-Kéou°... »

Les disques-sifflets étaient expédiés par un bateau; les disques-textes, par une autre. Ceux-ci étaient français ou anglais, suivant que la mission de la région était catholique ou protestante.

« Au jour, pensait Kyo. Que de choses avant le jour... » Il se leva :

« Il faut des volontaires, pour les armes. Et quelques Européens, si possible ».

Hemmelrich s'approcha de lui. L'enfant, là-haut, cria de nouveau.

« Il te répond, le gosse,° dit Hemmelrich. Ça

---

4. *Etiquette des disques de rebut:* Labels of worn out records. 28. Malraux, commenting on his own words that "we hear the voices of others with our ears, our own voice with our throat," says: "Because our throat alone transmits to us our inner voice I named the book *La Condition humaine*." 35. *Han-Kéou:* Hankow. 47. *gosse:* kid.

5. *bagne:* prison. 34. *moineau pince-sans-rire:* deadpan sparrow. 40. *coups d'échine:* bows. 49. *sifflet:* whistling, grating.

te suffit? Qu'est-ce que tu foutrais,° toi, avec le gosse qui va crever° et la femme qui gémit là-haut — pas trop fort, pour ne pas nous déranger... »

La voix presque haineuse était bien celle de ce visage au nez cassé, aux yeux enfoncés que la lumière verticale remplaçait par deux taches noires.

« Chacun son travail, répondit Kyo. Les disques aussi sont nécessaires... Katow et moi, ça ira. Passons chercher des types° (nous saurons en passant si nous attaquons demain ou non) et je...

— Ils peuvent dégotter° le cadavre à l'hôtel, vois-tu bien, dit Katow.

— Pas avant l'aube. Tchen a fermé à clef. Il n'y a pas de rondes.°

— L'interm'diaire avait p't'être pris un rend'vous?

— A cette heure-ci? Peu probable. Quoi qu'il arrive l'essentiel est de faire changer l'ancrage du bateau : comme ça s'ils essaient de l'atteindre, ils perdront au moins trois heures avant de le trouver. Il est à la limite du port.

— Où veux-tu le faire passer?

— Dans le port même. Pas à quai, naturellement. Il y a des centaines de vapeurs. Trois heures perdues au moins. Au moins.

— Le cap'taine se méfiera... »

Le visage de Katow n'exprimait presque jamais ses sentiments : la gaieté ironique y demeurait. Seul, en cet instant, le ton de la voix traduisait son inquiétude — d'autant plus fortement.

« Je connais un spécialiste des affaires d'armes, dit Kyo. Avec lui, le capitaine aura confiance. Nous n'avons pas beaucoup d'argent, mais nous pouvons payer une commission... Je pense que nous sommes d'accord : nous nous servons du papier pour monter à bord, et nous nous arrangeons après? »

Katow haussa les épaules, comme devant l'évidence. Il passa sa vareuse,° dont il ne boutonnait jamais le col, tendit à Kyo le veston de sport accroché à une chaise; tous deux serrèrent fortement la main d'Hemmelrich. La pitié n'eût fait que l'humilier davantage. Ils sortirent. Ils abandonnèrent aussitôt l'avenue, entrèrent dans la ville chinoise.

1. *Qu'est-ce que tu foutrais:* What the hell would you do. 2. *crever:* croak. 11. *types:* fellows, guys. 14. *dégotter:* turn up, discover. 17. *rondes:* inspections.

19. *vareuse:* military blouse.

32. Giono [1895–   ]

Jean Giono was born in Manosque, a small city near the foot of the French Alps. His father was a cobbler of Italian origin, his mother a laundress. He came of age just in time for the First World War and spent four full years in the trenches as a private, refusing advancement in order to share in the common misery. (He was one of three survivors of his original company.) Giono emerged a passionate pacifist; no one has a better right to pacifism.

He worked in a bank in Marseille until the success of *Colline* (1929) released him. He bought a small house near Manosque, where he lived, and still lives, in country retirement. He shows no interest in travel or in the literary world, and visitors remark with awe that he does not even take a Paris newspaper.

As the menace of a second war grew, he proclaimed the necessity of individual refusal (*Refus d'obéissance*, 1937). Disciples gathered, and he found himself the leader of an anti-war party, which compounded pacifism with a demand for simplicity and joy. So when in 1939 war was declared, he disregarded his mobilization summons and was imprisoned for a time. But the Vichy government applauded his refusals and made propaganda of his ideas. Thus when the Liberation came he was condemned as a collaborator and his books were banned for three years. Now he has gained a new popularity. His little house has become a sort of pilgrims' shrine; he is excessively bothered by tourists. Don't join them.

His *work* falls comfortably into three periods: an early style that celebrates peasant life with a contained, almost pantheistic lyricism; the pacifist propaganda mentioned above; and a postwar group of novels which he calls *Chroniques*. These are more regular, more sober, and less poetic than the early works; they remind readers of Stendhal. The best known is *Le Hussard sur le toit* (1951).

Giono preaches individualism and total liberty. "Vivez simplement, ne cherchez pas plus loin que vos besoins, mais ne trichez pas avec eux, livrez-vous à vos passions, même si elles vous portent à des actions dangereuses."* The state of nature is a state of grace; daily life is good and beautiful. Society is anti-natural. Giono hates mass life, mass thought, the machine, industrial society, all totalitarianism, all restraints upon the individual. He is said to have "an immoderate love for anarchy." He is unique and remains outside all schools and movements.

His fictions also are unique. He tells stories of his own countryside, frequently imitating the rhythms of country speech. His mountain peasants are often brutal, greedy, selfish, lustful, dirty, and smelly. They are inarticulate; they feel rather than think; but there is a wealth of meaning under their clumsy words. They are elemental, like animals. But they are animals, and so are we. We can even be beautiful and happy animals.

Under the surface story pulses a passionate love of nature, of the soil blooming and chilling, of life everlasting on this earth. Pan and the old gods join naturally in this dance of living things. A profound, accessible poetry arises from Giono's prose. "Pour lui, chaque chose a un sens et une valeur par le seul fait qu'elle existe."†

Entrée du printemps (1944) is a good example of Giono's style and substance, of his self.

* Jacques Pugnet: *Jean Giono.* Paris, Éditions universitaires, 1955, p. 120.
† *Ibid.*, p. 50.

ENTRÉE DU PRINTEMPS§

C'était plein de fumée et de cris. Là-bas au fond, les vaches tapaient du pied et secouaient les chaînes, énervées par toute cette fumée, ces cris, ces chansons. Une grosse odeur de purin° et de foin sec coulait alors comme de la boue sur l'odeur des viandes, du vin et des chandelles. Rodolphe poussait dans ses moustaches des rots° qui sentaient le chamois et la pipe. Il avait ouvert sa veste et, sous sa chemise, on voyait respirer sa poitrine épaisse comme une meule.° Il tirait sur sa ceinture.

« Il y en va encore, criait-il, encore. Tant pis si ça me tue », et il repoussait l'escabeau° et se penchait en appointant ses yeux sur la chaudronnée° de viande.

La grande table craquait; on la frappait des genoux et des coudes pour se retourner et claquer° les épaules à tour de bras.

L'autre table était couverte de sang, de poil et de plume. Des tripes chaudes, pleines et pourries, tombaient dans le seau° comme du linge mouillé. La Dore fouillait le ventre des lièvres avec le crochet° de sa vieille main, puis elle se secouait en jetant du sang partout. L'huile de noix toute fraîche criait à pleine poêle° et hurlait chaque fois qu'on lançait là-dedans, à la volée, le râble° d'un lapin ou la grosse cuisse encore toute enracinée du lièvre. Elle débordait dans le feu. Des plaques de suie embrasées° tombaient dans la cheminée.

Dans les caveaux de la montagne
Avec des litières° de fer.

2. *claquer:* slap. 5. *seau:* pail. 7. *crochet:* hook. 10. *poêle:* skillet. 11. *râble:* back, saddle. 13–14. *plaques de suie embrasées:* glowing patches of soot. 17. *litières:* litter, bedding.

. *purin:* liquid manure. 10. *rots:* belches. 12. *meule:* millstone. 5. *escabeau:* stool. 17. *chaudronnée:* cauldron.

« Léopoldine!

— Foutre, tu te pousseras ?°

— Il y a du large° sur la terre!

— Vas-y.

— Léopoldine! »

Pierre le vieux fumait sa grosse vieille pipe à tête de Turc. Il mettait sa bouche au tuyau, tirait un coup, puis se reculait en tordant sa lèvre comme s'il avait mâché du persil° et il crachait à perte de salive jusqu'à être obligé de couper sa glaire° avec les doigts pour dégager le menton. Entre temps, il suçait un quignon° rôti plein de jus de grive.° Pierre le jeune poussait l'Antoinette de l'épaule.

« Oh! » disait-il.

Elle criait :

« Oh! »

Elle le poussait aussi de tout le poids de son épaule grasse et elle riait à s'en faire trembler les seins.

« Laisse-moi manger.

— Oh! »

Il la poussait rien que pour sentir le chaud de cette graisse de femme.

La Dore allait à la jarre et elle puisait l'huile vierge avec une grande louche.°

La bonbonne° de vin était sur le chevalet,° on la penchait, et elle dégòrgeait à plein canon.° Il y en avait trois qui buvaient dans des bols parce que le « Main-d'or » n'avait pas des verres pour tous dans son armoire.

« Ah! je vais boire mon café° », disaient-ils.

Ils remplissaient les bols; ils buvaient; ils renversaient le vin tout le long de leurs joues, jusque sur la chemise.

« Jeanne! » dit Simon doucement en se penchant vers elle.

Elle ne l'entendit pas, elle riait de la Dore qui déshabillait° le lièvre avec tant de force qu'elle en avait tout ses cheveux devant les yeux.

C'était une joie qui s'allumait dans la bouche de Jeanne avec l'éclat de ses dents.

Il appela doucement : « Jeanne! »

Elle l'entendit et elle tourna son beau rire vers lui.

Dorothée balançait sa chaise à la cadence Elle chantait avec sa grosse voix grave, les yeu perdus, perdus, perdus!

Il a pris son lourd manteau et il l'a mis sur son
épaule.
Il a ouvert la porte par où tout entre et tout sort.
Et j'ai vu dessous ses pas l'herbe qui court, le vent
qui vole…

Un chamois tout entier faisait plier la lar doire°; petit Bizou tournait la manivelle° ave sa main d'enfant. Quand la tête du chamoi était en haut de la course, le poids gagnait peti Bizou et toute la bête tournait d'un coup au dessus du feu. Une pluie de graisse criait dans la lèchefrite.°

« Léopoldine! »

Léopoldine était là, attablée juste dessous la lampe, le visage tout cireux,° des taches brune sur les joues comme si on avait touché sa têt trop mûre. Elle n'avait que de la bouche et d l'œil. Elle riait sans bruit de son rire de plâtr en regardant les morceaux de viande dans son assiette.

« Léopoldine! Ça va te faire crever. »

Léopoldine portait dans son ventre un enfan de l'Adonis Jourdan, celui qui avait été tué pa un sanglier.° Ça se voyait lourdement. La vieille Babotte Jourdan surveillait ça. Ell était là, pas trop loin. La viande, ce n'était pa son fort. Elle buvait; elle humait° après l'odeu de sa bouche d'un grand coup de nez° qu prenait aussi le goût du rôti, des sauces, du fumier et de cette sueur de mâle et de femelle elle regardait le ventre de Léopoldine. Fallai avoir l'œil sur ça. C'est mon fils qui revient, se disait-elle. C'est mon Adonis.

« C'est l'Adonis », disait-elle doucement au gros Alphonse.

Elle clignait de l'œil et, de sa main sèche, ell repoussait sa mèche de cheveux.

« Allons, pense donc un peu à autre chose », disait l'Alphonse en levant des bras gros comm des cuisses.

Là-haut, là-haut, plus haut que haut…
Il est parti dans la montagne

---

2. *Foutre, tu te pousseras?* Hell, won't you make room?
3. *du large:* room enough. 9. *persil:* parsley. 11. *glaire:* phlegm. 12. *quignon:* chunk. 13. *grive:* thrush. 26. *louche:* ladle. 27. *bonbonne:* demijohn. 27. *chevalet:* rack, stand. 28. *à plein canon:* full flowing. 32. *boire mon café:* i.e., since the wine is in bowls, they drink it like coffee. 39. *déshabillait:* was stripping.

11. *lardoire:* larding pin (here apparently the shaft of the spit). 11. *manivelle:* crank. 16. *lèchefrite:* dripping pan. 19. *cireux:* waxy. 28. *sanglier:* wild boar. 31. *humait:* breathed in. 32. *coup de nez:* sniff.

...chantait la gorge rouge de Dorothée.

Au milieu de la table, une large terrine° tenait le lac noir des sauces d'où émergeaient les îles boueuses de la viande.

La Dore arrosait le chamois.

« Donne aux vaches », dit le « Main d'Or ».

Les vaches étaient au fond, et à travers le râtelier° on voyait le mur. Philippe se dressa. Il tenait sur ses jambes par la seule force de ses jambes. Il prit la fourche et distribua le foin. Un moment l'odeur allègre et poivrée de l'herbe sèche fuma par-dessus tout ; une poussière dorée passa sous la lampe.

Simon regarda son beau-père. Il se taillait du pain. La miche° dure criait sous le couteau comme un fruit vert. La mère sommeillait sur sa chaise, toute molle et balancée par le sommeil. Elle se réveillait :

« L'huile », disait-elle aussitôt.

Et elle faisait vers la Dore un petit geste de la main pour dire :

« Prenez, prenez, ne faites pas l'avare d'huile. »

Mais elle avait les boyaux° pleins de viande ; ça la travaillait, et elle se remettait à dormir comme une herbe qui écoute la peine de ses racines.

« Alors, ce chamois! cria Rodolphe. On en a assez de vos soupes de lièvre. »

La Dore toucha la bête du bout du doigt.

« Encore quelques tours ; prenez patience, chantez un peu. »

Elle commença à chanter de sa voix de chèvre :

Quand j'étais jeune fille

Léopoldine, Dorothée, les femmes, la vieille mère, Jeanne, suivaient doucement de la voix.

Avec le lait, avec la fleur, avec la fleur du lait.
J'avais la peau gentille
Et les mollets gonflets,°
Avec le lait, avec la fleur, avec la fleur du lait.
Il prit à la brasselle° mon pauvre corselet
Avec le lait, avec la fleur, avec la fleur du lait.

Rodolphe se cura° la gorge.

« Attention! » dit-il.

Il tapa sur la table avec la louche de bois. Il dressa la louche en l'air.

« Chantons la chanson des presseurs d'huile! Un, deux, trois! »

Notre vie, nous la gagnons durement sous les astres,
Et chaque fois que nous avons un peu de joie
Elle est faite d'écorce dure et de lait jaune, comme
*   les noix.*
Allons, garçons, allons, garçons, tirons la barre.°
Si nous voulions manger la joie, nous casserions notre
*   mâchoire.*
Mettons-la dedans un sac avec l'eau bouillante
Et puis tirons tous ensemble pour en écraser le jus.

« Voilà la bête, cria la Dore, venez! »

Ils se levèrent en bousculant les chaises, et les jarres de vin dansèrent sur la table.

« Attendez. Deux d'ici, deux de là-bas, reculez-vous, Dore, on n'a plus besoin de vous. »

Rodolphe et Simon saisirent la broche° d'un côté. Pierre le vieux était venu aussi tout cassé.

« Où je mets ma pipe? » disait-il.

Il tournait comme un mouton lourd, à chercher une place propre pour y poser sa pipe.

Le « Main d'or » était de l'autre côté.

« Laissez-moi, je fais seul. Préparez le plat et attention au commandement, tous ensemble. Père Pierre, levez-vous de devant, vous et votre pipe. Vous y êtes. Enlevez! »

Ils haussèrent la bête hors du feu, puis presque au-dessus de leurs têtes ; ils la portèrent sur la table. Ils la jetèrent sur le plat. Le fer de la lardoire sonna sur la grosse terre épaisse du plat.

Le haut de la maison crépitait° dans la chaude fumée du rôti, et les vieilles mouches gourdes° de l'autre été sortirent des poutres et se mirent à nager gauchement à travers la fumée.

« Ah! maintenant, on va manger. »

On tira la lardoire, elle sortit toute fumante comme un épieu° sort de la bête en vie. Ils arrachaient à pleine main des morceaux de la bête ; elle s'écrasait en criant de tout son jus. La tête du chamois tomba.

« Donnez-la-moi, dit le vieux Pierre. C'est mon morceau. »

---

2. *terrine:* casserole. 8. *râtelier:* manger, feed rack. 15. *miche:* loaf. 24. *boyaux:* bowels. 42. *mollets gonflets:* plump little calves. 44. *à la brasselle:* in his arms. 47. *se cura:* cleared.

10. *barre:* bar (of an oil press). 21. *broche:* spit. 36. *crépitait:* was crackling. 38. *gourdes:* sluggish. 43. *épieu:* stake, lance.

Il ouvrit son couteau à manche de corne. Il chercha le joint du crâne avec la pointe de la lame. Il ouvrit la tête en deux, il se mit à tirer la cervelle à pleine lame de couteau. Il avait posé sa pipe à côté de lui.

Babotte avait rejeté son fichu noir, elle mangeait à pleines lèvres dans une fin de cuisse, elle tirait sur la chair avec des mandibules° sans dents. A des moments elle s'essuyait la graisse de la bouche avec le dos de la main et elle criait :

« Léopoldine! »

On voyait son regard qui s'abaissait jusqu'au ventre de la fille.

« Adonis, se disait-elle, mon Adonis qui va renaître! »

Elle mâchait longtemps, longtemps le même morceau.

Léopoldine avait un peu de dégoût et elle ne mangeait plus. Elle regardait le jeune Barthélémy, et lui la regardait du haut de ses deux mètres d'épaules. Il mangeait debout, adossé à l'armoire, et sa tête si haute était là-haut cachée dans l'ombre. Il pouvait regarder où il voulait sans qu'on le sache. Il regardait Léopoldine. Elle pouvait voir ses yeux là-haut qui disaient avec toute la tendresse de ce gros corps :

« Débarrasse-toi seulement, fais ton petit, que tu puisses servir, et puis tu seras ma femme, va, attends seulement. »

Léopoldine se mit à sourire du sourire des saintes vierges, larges comme le ciel.

« En somme, tu l'as tué où? demanda Rodolphe.

— A l'à-pic° de Baumas. »

C'était le petit Cornand qui avait répondu. Petit de tout, sauf d'âge, il était réduit comme un fer qu'on a oublié au cœur de la forge. Mais dur comme ça. Les bras courts étaient solides comme des câbles. Des petites jambes… Il en était fier, il n'était fier que d'elles : il les ouvrait, il disait : « Regardez. » On regardait ce triangle d'air là-dessous, le buste était comme un pilier. « Il en a passé des montagnes là-dessous, disait-il, de celles qui ne se décoiffent° jamais. »

« Ce n'est pas de le tuer qui a été difficile, dit-il, c'est de l'apporter. Tu sais l'à-pic? Tu sais le sapin? celui qui se tord. J'étais là, j'entends chanter la casse.° Je me dis : « En voilà un. » Oui. Je tire. Il y reste. Seulement c'était en bas. Au moins quatre cents mètres, tu sais.

« En arrivant, j'l'ai quitté dans la cour. Je suis rentré sans rien.

« Voilà, j'ai dit.

« J'avais mis mon chapeau à la mauvaise,° la femme avait l'air de dire.

« — Et alors, quoi, tu n'as rien tué? »

« Elle m'a dit : Tourne-toi.

« Je me suis tourné.

« Elle a ri : Ah! tu as du sang plein ta veste! Ne fais pas l'andouille° et dis-moi où tu l'as mis.

— Ce que je me demande, dit Rodolphe, c'est comment tu fais pour ne pas te faire sentir par les bêtes.

— Comment je fais? » dit Cornand.

Il riait.

« Oh! Pierrine, comment fais-tu, toi, pour ne pas te faire sentir toi, ma fille?

— Je sens bon, moi, mal appris.

— Allez, allez, avec tes cheveux rouges, tu sens la renarde. Quand tu te marieras, ton homme sera obligé de te faire mariner° pendant huit jours sous la neige avant de coucher avec toi. »

De rire, le vieux Pierre lâcha sa tête de chamois. Rodolphe se claquait les cuisses; il pouffa° dessus la tête du « Main d'or » la gorgée de vin qu'il venait d'emboucher.

« Attention, toi, le grand, ris pour ton compte.

— Moi, dit Cornand, c'est bien simple, je n'ai pas une odeur d'homme; j'ai une odeur de montagne. Ma peau sent la montagne. Tu ne veux pas me croire? Tiens, renifle! »°

Il déboutonna sa chemise et il avança sa poitrine.

« Renifle. »

Léopoldine se dressa : « Fais-moi renifler. »

Elle se pencha sur ce torse d'homme. Elle resta là longuement à renifler dans le poil et la sueur. Elle se redressa comme saoule.

« C'est vrai, dit-elle, il sent la montagne! »

Elle regardait droit dans la lampe sans la voir.

« Et puis quoi encore? cria la Dore. Je fais

9. *mandibules:* jawbones. 36. *à-pic:* cliff. 46. *se décoiffent:* i.e., lose their snow.

1. *casse:* probably a mountain gap. 8. *mis mon chapeau à la mauvaise:* had bad luck. 14. *Ne fais pas l'andouille:* Don't play the fool. 26. *mariner:* marinate, pickle. 31. *pouffa:* blew out. 37. *renifle:* take a sniff.

les sauces; je me rôtis plus que votre viande, j'ai la cuisse droite tant brûlée que la chair se désempare° de l'os, et puis vous croyez qu'ils se pousseront? Vous croyez qu'ils vont me faire une place pour que je mange moi aussi? Non, ils sont là à se renifler, les salauds!°

« Pousse-toi », dit-elle à Léopoldine qui restait debout, plus lourde de montagne et d'odeur de bête à l'herbe que de l'enfant de son ventre.

— Elle a raison, poussez-vous.

— Venez, Dore, ma belle!

— Oui, oui, ma belle, maintenant que vous avez de quoi vous bourrer,° vous m'appelez ma belle. Mais vous croyez qu'ils m'en laisseront seulement un morceau? »

Pierre le vieux fouillait au plat avec la longue fourchette.

Rodolphe lui escamota° la pipe.

« Et ta pipe, dit-il, où est-elle? »

Pierre le vieux resta avec la fourchette en l'air et regarda :

« Eh oui, dit-il, c'est vrai, où est ma pipe? »

Les vaches tiraient sur les chaînes et tapaient du pied. La rousse tourna la tête, renifla la longue odeur de sang, de graisse et de feu; elle ronfla du fond de la gorge un petit beuglement° peureux et doux.

« Les casses vertes?

— Oui, les casses vertes, dit Cornand. Avec le chamois là-dessus. »

Il montra ses épaules.

« Léopoldine! » appela doucement Barthélémy dans le bruit.

Dorothée mâchait et elle regardait la porte. Elle avait les mêmes yeux que la vache, larges et morts. La porte! et derrière ce vide terrible où il y avait cent mille chemins pour s'en aller.

Simon regardait Jeanne; il profitait de tout ce qui pouvait sembler naturel : regarder le plat, parler au « Main d'or », pour la regarder, elle, et pour lui parler avec ses yeux et avec tout son visage. Elle le regardait aussi maintenant.

« La Large terre », dit Rodolphe en dressant sa cuiller en l'air. Chantons la « Large terre ».

— Oui, chantons la « Large terre », dit Cornand. Mais tous ensemble alors, et en chœur.

— Je mange, moi, dit la Dore.

— Mangez, mangez, vous chantez comme les serrures.

Derrière la montagne, le grand pays, le grand pays!

Rodolphe regarda les murs.

— Le grand pays...

Il ne resta plus que le bruit du feu et de Dore qui mangeait.

Alors ils commencèrent à chanter, tous d'accord, tous ensemble, en se poussant d'abord un peu de la voix pour trouver leur place, mais côte à côte et bras à bras, d'un seul corps et d'un seul cœur; les hommes, les femmes, et ils soufflaient la chanson d'une même ouverture de bouche, et tous les yeux étaient devenus larges et clairs comme des pierres, et peureux, peureux de la peur fraîche des cieux et de la terre ouverts.

Derrière les montagnes, le grand pays, le grand pays!
Derrière les montagnes, le grand pays s'en va!
Il est plat comme une eau avec des plaques d'arbres,
Il est plat comme une eau avec des prés sans fin,
Il est plat comme une eau avec des prés profonds,
Et les herbes s'en vont là-haut jusqu'aux étoiles.

Les voix s'en allaient comme une troupe de chevaux. Dorothée était la petite pouliche° blanche étroite de croupe et toute fuselée° par le désir de partir dans les herbes. Elle dansait là-bas devant.

Dans l'aise de la terre plate et du soleil,
Avec un grand vent dans la tête.

Et il y avait de lourds chevaux solides et roux à gros poils.

Rodolphe et le « Main d'or » et le beau-père, ceux qui ont déjà écrasé tant d'herbe qu'ils ont déjà la bouche verte et les pieds tout poissés,° et ils marchaient de leur pas solide, et leur voix était solide et rousse; elle avait l'odeur des herbes et ils contournaient les plaques de reines-des-prés° et ils faisaient siffler leurs crinières° dans le grand élan du départ.

Le soleil est là-bas au bout, là-bas, là-bas,
Là-bas, là-bas dans sa maison de verts nuages,
Et le chemin est tout flambant, plus flambant que de
la fumée
Et il s'en va partout, partout.

---

3. *se désempare:* is coming loose. 6. *salauds:* stinkers. 14. *bourrer:* stuff. 19. *escamota:* filched. 27. *beuglement:* lowing.

38. *pouliche:* filly. 29. *fuselée:* tapered. 39. *poissés:* sticky. 43. *reines-des-prés:* meadowsweet. 44. *crinières:* manes.

Barthélémy chantait du haut de sa hauteur avec sa voix de jeune étalon,° et il voyait les bosquets et les ombres. Mais il s'en allait dans sa troupe, derrière sa femelle et son ombre. C'était le moutonnement d'ombres de toute cette troupe de chevaux chanteurs partis dans le grand pays vert.

Le beau large, le beau large, la vaste terre et le ciel.

Le pays pas encore respiré, la terre toute vierge et toute saine, sans trace de pieds et sans bruit de pas et sans bruit d'homme, où tous les nuages ne pèsent pas, où l'on peut marcher nu dans ses poils° et dans sa santé, où tout est lueur de jeux et de bonds allègres dans la gloire du matin.

Et les femmes venaient douces et toutes frissonnantes comme de paisibles juments et le vieux Pierre criait des mots, tout en retard.

« Attendez-moi. »

Le foin est mûr, toute l'herbe est comme du beurre, la terre est douce aux pieds, déjà on ne voit plus le hérissé° des arbres blancs dessous le givre° des montagnes.

Et Simon chantait en accord et il écoutait là-dedans la voix de Jeanne. Il la trouvait toute seule à côté de sa voix à lui. Il n'entendait pas la galopade des autres, mais seulement ces petits pas légers qu'il voulait suivre dans le grand pays délivré du poids des nuages.° Et Jeanne regardait Simon.

★
★ ★

Il avait dit : viens, la lune est morte et on dirait que tout le ciel va naître.

Il avait ouvert la porte. Il ne faisait plus froid. On ne pouvait pas les voir sortir.

Il se sentait tout jeunot, comme un petit tout frais sorti du lait de sa mère. Un grand bon air pur volait dans sa tête, net de souci et de poussière, tout vierge aussi et plein de rayons et d'oiseaux.

« Tu vois, dit-il, c'est doux comme du jus de sureau.° » Et il respira…

Elle respira aussi.

« Oui, dit-elle, c'est vrai, »

Et Jeanne, avec son bras souple, engerba° le grand corps de Simon.

Ils s'en allèrent par les champs du même pas tranquille et lourd comme sous un même joug.

Le temps était devenu tout mou et il restait clair : on entendait là-haut, dans la montagne nue, la glace qui commençait à tonner à coups sourds. Le petit vent coupait encore, mais les étoiles n'avaient plus l'aiguisée des nuits d'hiver, elles étaient grises comme du vieux blé, et la nuit s'émiettait° dans une moisissure° verte qui était à la fois l'aube et une chose plus forte et plus sereine encore, venue du fond du ciel sur des ailes de fer.

Simon regarda le jour qui se levait, Jeanne s'appuyait contre lui de tout son corps et elle serrait ce grand tronc d'homme et elle tâtait doucement, à pleins doigts, sa force et sa chaleur et sa vie.

Simon regardait le jour :

« C'est le printemps qui vient, ma belle! » dit-il.

★
★ ★

Le ciel était devenu clair et franc, et, un soir, les enfants se mirent à crier tous ensemble comme des hirondelles.° La barre des brumes hautes s'était enfin déchirée et le mont Ferrand était né. Voilà qu'on recommençait à voir le grand Ferrand, l'annonciateur des temps clairs, du chaud et des libres jours. Il était né tout nu et tout glacé encore. Il saignait de tous ses rochers rouges, ruisselants de soleil couchant; il déchirait les nuages avec ses couteaux de pierre et doucement il s'habillait de lumière, comme un nouveau soleil. Il resta là dans sa force de montagne. Il bouchait toute la largeur du ciel vers le sud. Les enfants criaient de joie et ils dansaient comme des chèvres et ils lançaient leurs bérets en l'air. Alors l'air doux passait dans leurs cheveux avec l'odeur des jonquilles. La nuit vint. Le Ferrand restait tout rouge comme une grosse braise de forge. Puis il s'éteignit lentement. Il ne faisait plus de vent et le ciel ne se referma plus autour de la montagne éteinte.

Tous les jours, maintenant, elle s'allumait. Elle commença aussi à parler. Elle avait une grande voix grave faite d'eau et d'échos, et des

---

2. *étalon:* stallion. 14. *dans ses poils:* naked. 24. *hérissé:* bristling. 24. *givre:* frost, snow. 31. This long comparison of the peasants with horses becomes more than a metaphor; it is almost a metamorphosis. 46. *sureau:* elderberries.

1. *engerba:* embraced. 11. *s'émiettait:* was crumbling. 11. *moisissure:* mildew. 27. *hirondelles:* swallows.

ruisseaux de pierres brunes coulaient le long des pentes en chantant comme des cloches.

Tècle venait tous les matins à la place de l'église et elle écoutait. Ça commençait assez tard, avec le gros soleil, et tout d'un coup, elle avait sur elle la parole confuse et toute embrouillée des chutes d'eau et du torrent et ça lui crachait à la figure des paquets d'air frais. Alors elle ramassait ses petites jupes et elle se mettait à courir vers l'épicerie de sa mère.

Un matin, elle vit que la montagne s'enchapait° de bleu, que le ciel était devenu trop épais et trop baveux,° qu'il coulait sur le Ferrand. Les os de la montagne restaient clairs et luisants, mais, dans ses coins de graisse, la peau de terre devenait bleue comme le ciel.

Le temps était doux et mûr avec des jus de toutes les couleurs dans l'air, et le torrent d'Ebron gesticulait dans son grand lit de pierres; on l'entendait mâcher et remâcher de pauvres arbres morts, et il soufflait avec une telle colère que tous ses bords d'aulnes° tremblaient.

Et puis, un beau matin, on vit que ce bleu qui avait coulé sur le Ferrand l'avait tout recouvert, et qu'on avait maintenant une montagne bleue, qu'elle parlait tout doucement, avec plus de gentillesse, et que ce bleu du ciel s'avançait dans les champs jusqu'à l'abordée du village.

Tècle prit courage et descendit vers les prés. Elle regarda l'herbe. C'était toute une troupe de petites fleurs qui avaient fait leur chemin, petit à petit, du haut du ciel à la montagne, de la montagne jusqu'ici. Elles semblaient faites d'un peu d'eau et d'un peu d'air, elles tremblaient parce qu'elles n'avaient pas l'habitude de la terre. Elles avaient une petite collerette sous le menton et de beaux bas tout dentelés. Elles ne savaient pas encore bien s'habiller comme dessus la terre. Tècle restait là, un doigt dans la bouche. Beaucoup de petites filles regardaient les fleurs, elles n'étaient pas en bande, mais chacune pour leur compte. Il y avait Tècle, puis un peu plus loin Marianne, puis Delphine et Catherine et, près du saule, Rosine la frisée,° toute en extase et tant contente qu'elle contrefaisait la grenouille avec sa bouche.

Une force pesait contre les serrures des maisons et les clenches° des étables. Par les joints des portes, on voyait passer les barres de soleil qui forçaient raide et dur contre les chambranles;° et les portes craquaient et on sentait bien que quelque chose allait les défoncer tout d'un coup et toutes ensemble.

Ce fut au matin d'un dimanche : Durban, le sans-bouche, s'avança dans sa basse-cour et donna le vol aux poules; il se baissa sur une et l'empoigna aux ailes. Elle se mit à crier et toutes les portes s'ouvrirent. Joffroi s'en alla d'un pas clair délivrer l'étable comme si ç'avait été entendu depuis longtemps. Matelot se mit en route sur la route qui était droite devant sa porte. Il marchait comme pour aller à la fin du vaste monde, d'un pas si délibéré qu'en rien de temps il fut au détour. Là, cependant, une chose le mit en balance. Il resta planté au milieu de la route, à regarder autour de lui et à sourire. Sansombre passa son seuil et se mit à crier :

« Mélanie, Mélanie! »

Elle était déjà à la fontaine à regarder l'eau et tout.

« Quoi? »

Il lui fit signe « viens », à grands crochets de bras.

Elle arriva. Il la regarda venir. Elle marchait comme une grosse mère canard pleine d'œufs.

« Qu'est-ce que tu veux?

— Rien, dit-il, c'est comme ça. »

Et il riait d'un rire de feu qui va tout manger.

Les femmes criaient près du lavoir parce qu'il venait de se débonder° et qu'on voyait enfin, là près du trou, ce petit chien qu'on avait tant cherché l'autre automne. Il avait passé tout l'hiver gelé dans la glace; maintenant il était là, tout gonflé, tout blanc, tout pelé et il pourrissait à vue d'œil.

Monsieur Lignières se mit à dondonner° la messe sur ses deux cloches. Il était là-haut dans le clocher. Il semblait en mécanique, un coup de là, un coup d'ici. Il avait l'air de ne plus pouvoir s'arrêter de sonner. Le son même des cloches partait dans l'air et sautait comme une chèvre.

De ce temps, Durban avait saigné sa poule et

---

12. *s'enchapait:* was enclosing itself. 13. *baveux:* slobbering. 22. *aulnes:* alders. 47. *frisée:* curly-haired.

2. *clenches:* latches. 5. *chambranles:* door frames. 35. *se débonder:* be drained. 41. *dondonner:* ding-dong.

mis sa poêle au feu. Son âtre° chantait si haut qu'il laissa sa porte ouverte.

Chez Babeau, on fricassait les oignons. Clorinde arriva sur sa porte en traînant son petit Joseph. Elle se mit à genoux devant l'enfant et elle lui noua une belle cravate de ruban tout mordoré;° il en était comme un pigeon.

Les pigeons volaient à pleines ailes dans le pigeonnier encore fermé. Boromé monta à l'échelle et, avec une piochette° de maçon, il démaçonna° les trous. Dès qu'il avait fait le trou, le pigeon venait passer la tête avec sa belle cravate de plume. Il regardait de droite et de gauche, puis il sortait et s'envolait; il revenait vite, l'air ne portait pas bien encore.

A mesure que le soleil montait, le chaud s'affermissait et un grand dégel de liberté coulait de tout. Les petites fleurs bleues étaient maintenant bien habituées à la terre et elles faisaient de grandes assemblées au creux de l'herbe. On avait lâché les chèvres, les poules,

les femmes et les enfants. Les hommes marchaient par les champs en comptant la prochaine peine. Tant d'ici, tant de là! Mais c'était une peine joyeuse et bien consentie. Ils étaient lourds de graisse d'hiver et le bon air les râpait° déjà dans leur tendre, comme une râpe sur l'inutile du bois.

Les femmes étaient chargées d'une grosse cueillette° d'enfants. Elles en portaient au bras, elles en avaient des pleins tabliers° qu'elles venaient vider sur l'herbe luisante au soleil, dans les fleurs; elles en traînaient dans leurs jupes. Elles faisaient des fois deux ou trois voyages de la maison aux prés comme des fourmis qui portent du blé grain à grain, et elles riaient comme les petites filles. La prairie, dessous le village, chantait de tout ça comme un grand nid et le Ferrand souriait doucement là-haut, de son bel œil de glace. Il était, malgré son grand âge et ses rides, étincelant et hérissé comme un taureau neuf.

1. *âtre:* hearth. 7. *mordoré:* bronze colored. 10. *piochette:* small pick. 11. *démaçonna:* chipped out.

6. *râpait:* was filing. 9. *cueillette:* gathering, brood. 10. *tabliers:* aprons.

33. Modern Poetry: Surrealism

In France, as elsewhere, immense quantities of poetry are written. But in France, as elsewhere, not much of it is read, except by poets. Probably the reason is that poetry is now commonly regarded as a means of self-expression, not as a message to a reader. Gone are the days when Lamartine could reply to a detractor that he was unconcerned; his book would soon be in the pocket of every cobbler.

In modern poetry as in the other arts one of the dominant characteristics is *anti-rationalism*. Rimbaud is one of the great forerunners. Before the First World War came literary cubism and futurism, or a demand for "words in liberty." In the midst of war arose Dadaism, a protest against everything: society, war, religion, language, literature, reason, intelligence. One Dadaist poem consisted entirely of the letter W.

Dadaism was self-annihilating. Much more powerful was *Surrealism*. Apollinaire invented the word in 1917. In 1924 André Breton took it up, issued a manifesto, and organized a doctrine and a school. Surrealism, like Dadaism, rejected common sense and the social establishment; however, it was not content with repudiation. It proposed a purpose, to change the world and life. It proposed further a subject matter and a method. The *subject matter* is the subconscious and the dream. The conscious is merely an unimportant momentary aspect of our gigantic subconscious, which is our true self, our reality. Conscious memory must be replaced by subliminal chaos, by "memories of the future." The theory drew heavily on Freud and psychiatry; the school solemnly celebrated in 1928 the

Fiftieth Anniversary of Hysteria. The *method* of Surrealism was involuntary or free association, like that of the psychologist with his Rorschach test. The well-known phenomenon of automatic writing was held in honor.

The formal Surrealist school did not produce much that is readable today. It did, however, assemble a group of remarkable young men who bore many marks of surrealism in their later achievements. We shall make briefly the acquaintance of some of them. And the *influence* of Surrealism, which was a liberating movement, may be readily discerned in the work of many later writers, such as Robbe-Grillet.

GUILLAUME APOLLINAIRE [1880–1918]

Apollinaire (an adopted name) was born in Rome. After a difficult and raffish youth he came to Paris and lived by expedients, mostly literary. He frequented the Cubist painters and became their champion and unofficial press agent (though Braque said he knew nothing of art and could not tell a Rubens from a Rembrandt). He published his first collection of verse, *Alcools*, in 1913. At the outbreak of the First World War he volunteered, serving gallantly until, in 1916, he was severely wounded in the head. He was one of the few who found a kind of self-fulfillment in military service and who could perceive in war a ghastly beauty. He died of an illness in 1918, two days before the armistice. (The crowds were shouting: "A bas Guillaume!" [referring to Kaiser Wilhelm]. He took the words personally.)

His early poetic style is close to music, à la Verlaine. Sound is the essential; the sense that poetry makes is not a linear statement, an argument, but a transfer of emotion; it is the awakening of a sympathetic vibration. Hence there is little point in our torturing a poem for its meaning. The meaning consists in the release of a hidden wonder, a mystery. He had other styles—his *calligrammes*, or "shaped verses," and his *poèmes-conversations*, a sort of stream of consciousness. *Merveilles de la guerre* is a *poème-conversation*. You must note that he accepted syllable-counting in verse-forms, and rhyme, though with many qualifications. But he banished punctuation.

Apollinaire's literary rating has steadily risen. He is now regarded as one of the poetic masters, showing the way to his successors.

Le Pont Mirabeau*

[*Apollinaire was for some years the lover of the painter Marie Laurencin. She lived in Auteuil, at the western edge of Paris. Apollinaire stands on the Pont Mirabeau, crossing the Seine, grieving at the breaking up of the love affair. Observe the form—a 10-syllable line followed by a 4-, a 6-, and a 10-, with a feminine rhyme on the first, third, and fourth lines. The stanza could as well be written as three 10-syllable lines, but the poet wants a sharp break in his second line. Hence, the haunting music.*]

Sous le pont Mirabeau coule la Seine
        Et nos amours
    Faut-il qu'il m'en souvienne
La joie venait toujours après la peine

    Vienne la nuit sonne l'heure   5
    Les jours s'en vont je demeure

Les mains dans les mains restons face à face
        Tandis que sous
    Le pont de nos bras passe
Des éternels regards l'onde si lasse°   10

10. *Des éternels regards... lasse:* The water so weary of our endless mutual gaze.

Vienne la nuit sonne l'heure
Les jours s'en vont je demeure

L'amour s'en va comme cette eau courante
L'amour s'en va
Comme la vie est lente   15
Et comme l'espérance est violente

Vienne la nuit sonne l'heure
Les jours s'en vont je demeure

Passent les jours et passent les semaines
Ni temps passé   20
Ni les amours reviennent
Sous le pont Mirabeau coule la Seine

Vienne la nuit sonne l'heure
Les jours s'en vont je demeure

Cors de chasse*

Notre histoire est noble et tragique
Comme le masque d'un tyran
Nul drame hasardeux ou magique
Aucun détail indifférent
Ne rend notre amour pathétique   5

Et Thomas de Quincey° buvant
L'opium poison doux et chaste
A sa pauvre Anne allait rêvant
Passons passons puisque tout passe
Je me retournerai souvent   10

Les souvenirs sont cors de chasse
Dont meurt le bruit parmi le vent

Merveilles de la guerre†

Que c'est beau ces fusées° qui illuminent la nuit
Elles montent sur leur propre cime et se
penchent pour regarder
Ce sont des dames qui dansent avec leur
regard pour yeux bras et cœurs

J'ai reconnu ton sourire et ta vivacité

C'est aussi l'apothéose quotidienne de toutes
mes Bérénices° dont les chevelures sont
devenues des comètes   5
Ces danseuses surdorées° appartiennent à tous
les temps et à toutes les races
Elles accouchent brusquement d'enfants qui
n'ont que le temps de mourir

Comme c'est beau toutes ces fusées
Mais ce serait bien plus beau s'il y en avait
plus encore
S'il y en avait des millions qui auraient un sens
complet et relatif comme les lettres d'un livre
Pourtant c'est aussi beau que si la vie même
sortait des mourants

Mais ce serait plus beau encore s'il y en avait
plus encore
Cependant je les regarde comme une beauté qui
s'offre et s'évanouit aussitôt
Il me semble assister à un grand festin éclairé
à giorno°
C'est un banquet que s'offre la terre   15
Elle a faim et ouvre de longues bouches pâles
La terre a faim et voici son festin de
Balthasar° cannibale

Qui aurait dit qu'on pût être à ce point
anthropophage
Et qu'il fallût tant de feu pour rôtir le corps
humain
C'est pourquoi l'air a un petit goût   20
empyreumatique° qui n'est ma foi pas
désagréable
Mais le festin serait plus beau encore si le ciel
y mangeait avec la terre
Il n'avale que les âmes
Ce qui est une façon de ne pas se nourrir
Et se contente de jongler avec des feux
versicolores°   25

Mais j'ai coulé dans la douceur de cette guerre
avec toute ma compagnie au long des longs
boyaux°

5. *Bérénices:* Queen Berenice of Egypt sacrificed her hair to Aphrodite; it was blown to heaven to become the constellation *Coma Berenices*. 6. *surdorés:* double-gilt. 14. *à giorno:* as brightly as by day (*Italian*). 17. *festin de Balthasar:* feast of Belshazzar, which spelled his downfall. (See Daniel, 5.) 20. *empyreumatique:* smelling of burned organic substances. 25. *versicolores:* parti-colored. 26. *boyaux:* communication trenches.

Quelques cris de flamme annoncent sans cesse
ma présence
J'ai creusé le lit où je coule en me ramifiant en
mille petits fleuves qui vont partout
Je suis dans la tranchée de première ligne et
cependant je suis partout ou plutôt je commence à être partout
C'est moi qui commence cette chose des
siècles à venir   30
Ce sera plus long à réaliser que non la fable
d'Icare° volant

Je lègue à l'avenir l'histoire de Guillaume
Apollinaire°
Qui fut à la guerre et sut être partout
Dans les villes heureuses de l'arrière
Dans tout le reste de l'univers   35
Dans ceux qui meurent en piétinant dans le
barbelé°
Dans les femmes dans les canons dans les
chevaux
Au zénith au nadir aux 4 points cardinaux
Et dans l'unique ardeur de cette veillée d'armes°
Et ce serait sans doute bien plus beau   40
Si je pouvais supposer que toutes ces choses
dans lesquelles je suis partout
Pouvaient m'occuper aussi
Mais dans ce sens il n'y a rien de fait
Car si je suis partout à cette heure il n'y a
cependant que moi qui suis en moi

Si je mourais là-bas…*

Si je mourais là-bas sur le front de l'armée,
Tu pleurerais un jour, ô Lou, ma bien-aimée

31. *Icare:* Icarus. who attempted disastrously to fly. 32.
This recalls Villon's *Grand Testament.* 36. *barbelé:* barbed wire.
38. *veillée d'armes:* vigil of arms, the night before battle.
Si je mourais là-bas… * Copyright Éditions Gallimard,
tous droits réservés.

Et puis mon souvenir s'éteindrait comme meurt
Un obus° éclatant sur le front de l'armée,
Un bel obus semblable aux mimosas en fleur.   5

Et puis ce souvenir éclaté dans l'espace
Couvrirait de mon sang le monde tout entier :
La mer, les monts, les vals et l'étoile qui passe,
Les soleils merveilleux mûrissant dans l'espace
Comme font les fruits d'or autour de
Baratier.°   10

Souvenir oublié, vivant dans toutes choses,
Je rougirais le bout de tes jolis seins roses,
Je rougirais ta bouche et tes cheveux sanglants.
Tu ne vieillirais point, toutes ces belles choses
Rajeuniraient toujours pour leurs destins
galants.   15

Le fatal giclement° de mon sang sur le monde
Donnerait au soleil plus de vive clarté,
Aux fleurs plus de couleur, plus de vitesse à
l'onde,
Un amour inouï descendrait sur le monde,   19
L'amant serait plus fort dans ton corps écarté…

Lou, si je meurs là-bas, souvenir qu'on oublie,
— Souviens-t'en quelquefois aux instants de
folie, —
De jeunesse et d'amour et d'éclatante ardeur
Mon sang c'est la fontaine ardente du bonheur !
Et sois la plus heureuse étant la plus jolie,

O mon unique amour et ma grande folie !   25

La nuit descend,
On y pressent°
Un long, un long destin de sang.

4. *obus:* artillery shell. 10. Baratier was an officer who
conducted expeditions in Equatorial Africa. Perhaps this is a
travel reminiscence. 16. *giclement:* spurting. 27. *pressent:*
has a foreboding of.

JEAN COCTEAU [1889–1963]

Jean Cocteau, gifted in every art, devoted himself for a time to startling Paris by his
extravagances. He established a literary cabaret, "Le Bœuf sur le Toit," and played in its
jazz band. He then settled down to fiction, drama, vanguard films, choreography, and
graphic art. His exuberant fancy came under control with the passage of time; he even
entered the Académie française in 1955.

Pauvre Jean*

[*This seems to be a standard lament for misspent youth, but Cocteau invests it with his own whimsical fancy.*]

On réussit le tour
Grâce au nœud de cravate.

Jamais un acrobate
Ne tombe dans la cour.

Le cygne dit à l'âne :   5
Si vous avez une âme,
Mourez mélodieux.

L'aveugle devint sourd
Et il y voyait mieux.

On dit à ce jeune homme :   10
Mon beau convalescent,
Vous n'avez pas de barbe,
Tournez-vous contre un arbre
Et comptez jusqu'à cent.

Quand il releva son visage,   15
Il n'eut pas la force de crier;
Car les uns étaient en voyage
Et les autres s'étaient mariés.

HENRI MICHAUX [1899–   ]

Henri Michaux, explorer of the visible and invisible worlds, painter and mystic, seeks to disorder and repudiate reality. He is a Surrealist in spirit, though not a member of the original club. His fantastic imaginations and incantations have had an enthusiastic welcome, especially from the generation that came of age around 1940. In *Dans la nuit* note especially the repetitive vowel sounds.

Dans la nuit†

Dans la nuit
Dans la nuit
Je me suis uni à la nuit
A la nuit sans limites
A la nuit.   5

Mienne, belle, mienne.

Nuit
Nuit de naissance
Qui m'emplit de mon cri
De mes épis°   10
Toi qui m'envahis

Qui fais houle houle°
Qui fais houle tout autour
Et fume,° es fort dense
Et mugis   15
Es la nuit.

Nuit qui gît, Nuit implacable.
Et sa fanfare, et sa plage
Sa plage en haut, sa plage partout,
Sa plage boit, son poids est roi, et tout ploie°
sous lui   20

Sous lui, sous plus ténu° qu'un fil
Sous la nuit
La Nuit.

10. *épis:* ears of wheat (probably for sound, since it does not seem to make any sense).

12. *houle:* sea surge. 14. *fume:* perhaps for *fumes.* 20. *ploie:* bends, yields. 21. *ténu:* tenuous, thin.

Saint-John Perse [1887–   ]

His real name is Marie-René-Alexis Saint-Léger Léger, but by that name he would be recognized only as an eminent diplomat, who rose to the rank of Ambassador. He resigned with the fall of France in 1940 and took up residence in Washington, D.C., where he worked in the Library of Congress and devoted himself to poetry. He was awarded the Nobel Prize for Literature in 1960.

His *Exil,* from which our selection is taken, expresses in Claudelian rhythms his loneliness and anguish during the Second World War, when he was far from his suffering country. The form is obviously that of the prose poem. (See Baudelaire and Rimbaud.)

Exil*

[*Section VI*]

« …Celui qui erre, à la mi-nuit, sur les galeries de pierre pour estimer les titres d'une belle comète; celui qui veille, entre deux guerres, à la pureté des grandes lentilles° de cristal; celui qui s'est levé avant le jour pour 10 curer° les fontaines, et c'est la fin des grandes épidémies; celui qui laque° en haute mer avec ses filles et ses brus, et c'en était assez des cendres de la terre…

Celui qui flatte la démence aux grands hospices de craie° bleue, et c'est Dimanche sur 15 les seigles,° à l'heure de grande cécité°; celui qui monte aux orgues solitaires, à l'entrée des armées; celui qui rêve un jour d'étranges latomies,° et c'est un peu après midi, à l'heure de grande viduité°; celui qu'éveille en mer, sous 20 le vent d'une île basse, le parfum de sécheresse d'une petite immortelle° des sables; celui qui veille, dans les ports, aux bras des femmes d'autre race, et c'est un goût de vétiver° dans le parfum d'aisselle° de la nuit basse, et c'est un 25 peu après minuit, à l'heure de grande opacité; celui, dans le sommeil, dont le souffle est relié au souffle de la mer, et au renversement de la marée voici qu'il se retourne sur sa couche comme un vaisseau change d'amures°… 30

Celui qui peint l'amer° au front des plus hauts caps, celui qui marque d'une croix blanche la face des récifs°; celui qui lave d'un lait° pauvre les grandes casemates d'ombre au pied des sémaphores, et c'est un lieu de cinéraires° et de gravats° pour la délectation du sage; celui qui prend logement, pour la saison des pluies, avec les gens de pilotage et de bornage° — chez le gardien d'un temple mort à bout de péninsule (et c'est sur un éperon° de pierre gris-bleu, ou sur la haute table de grès° rouge); celui qu'enchaîne, sur les cartes, la course close des cyclones; pour qui s'éclairent, aux nuits d'hiver, les grandes pistes sidérales°; ou qui démêle en songe bien d'autres lois de transhumance° et de dérivation; celui qui quête, à bout de sonde,° l'argile° rouge des grands fonds pour modeler la face de son rêve; celui qui s'offre, dans les ports, à compenser les boussoles° pour la marine de plaisance…

Celui qui marche sur la terre à la rencontre des grands lieux d'herbe; qui donne, sur sa route, consultation pour le traitement d'un très vieux arbre; celui qui monte aux tours de fer, après l'orage, pour éventer° ce goût de crêpe sombre des feux de ronces en forêt; celui qui veille, en lieux stériles, au sort des grandes lignes télégraphiques; qui sait le gîte et la culée d'atterrissage° des maîtres câbles sous-marins; qui soigne sous la ville, en lieu d'ossuaires° et d'égouts° (et c'est à même l'écorce

---

8. *lentilles:* lenses. 10. *curer:* clean out. 11. *laque:* lacquers. (Why anyone should lacquer at sea with his daughters and daughters-in-law, I don't know.) 15. *craie:* chalk. 16. *seigles:* fields of rye. 16. *cécité:* blindness (*i.e.,* it is noon). 19. *latomies:* prison quarries. 20. *viduité:* widowhood, bereavement. 22. *immortelle:* everlasting (flower). 24. *vétiver:* kind of grass. 25. *aisselle:* armpit. 30. *amures:* tack (direction).

1. *amer:* landmark, seamark. 3. *récifs:* reefs. 4. *lait:* lime. 6. *cinéraires:* cineraria (flower). 6. *gravats:* rubble. 9. *bornage:* coasting trade. 10. *éperon:* spur. 12. *grès:* sandstone. 14. *pistes sidérales:* starry courses. 16. *transhumance:* seasonal migration. 17. *à bout de sonde:* with a sounding lead. 17. *argile:* clay. 20. *compenser les boussoles:* compensate the compasses. 25. *éventer:* dissipate. 29. *culée d'atterrissage:* landing pier. 31. *ossuaires:* bone yards. 31. *égouts:* sewers.

démasclée° de la terre), les instruments lecteurs
de purs séismes°...

Celui qui a la charge, en temps d'invasion,
du régime° des eaux, et fait visite aux grands
bassins filtrants lassés des noces d'éphémères°;
celui qui garde de l'émeute, derrière les ferron-
neries° d'or vert, les grandes serres° fétides du
Jardin Botanique; les grands Offices des
Monnaies,° des Longitudes et des Tabacs; et
le Dépôt des Phares, où gisent les fables, les 10
lanternes; celui qui fait sa ronde, en temps de
siège, aux grands halls où s'émiettent,° sous
verre, les panoplies de phasmes,° de vanesses°;
et porte sa lampe aux belles auges de lapis,°
où, friable, la princesse d'os épinglée d'or 15
descend le cours des siècles sous sa chevelure
de sisal°; celui qui sauve des armées un hybride
très rare de rosier-ronce° hymalayen; celui qui
entretient de ses deniers,° aux grandes banque-
routes de l'État, le luxe trouble des haras,° des 20
grands haras de briques fauve sous les feuilles,
comme des roseraies° de roses rouges sous les
roucoulements d'orage, comme de beaux gyné-
cées° pleins de princes sauvages, de ténèbres,
d'encens et de substance mâle... 25

Celui qui règle, en temps de crise, le gardien-
nage des hauts paquebots mis sous scellés,°
à la boucle d'un fleuve couleur d'iode,°
de purin° (et sous le limbe° des verrières,°
aux grands salons bâchés° d'oubli, c'est une 30
lumière d'agave° pour les siècles et à jamais
vigile en mer); celui qui vaque,° avec les gens
de peu,° sur les chantiers° et sur les cales°
désertées par la foule, après le lancement°
d'une grande coque de trois ans;° celui qui a 35
pour profession d'agréer° les navires; et celui-là
qui trouve un jour le parfum de son âme dans
le vaigrage° d'un voilier° neuf; celui qui prend
la garde d'équinoxe sur le rempart des docks,

sur le haut peigne° sonore des grands barrages°
de montagne, et sur les grandes écluses°
océanes; celui, soudain, pour qui s'exhale toute
l'haleine incurable de ce monde dans le relent°
des grands silos et entrepôts° de denrées° 5
coloniales, là où l'épice et le grain vert s'enflent
aux lunes d'hivernage comme la création sur
son lit fade; celui qui prononce la clôture des
grands congrès d'orographie,° de climatologie,
et c'est le temps de visiter l'Arboretum et 10
l'Aquarium et le quartier des filles, les tailleries
de pierres fines° et le parvis° des grands con-
vulsionnaires...

Celui qui ouvre un compte en banque pour
les recherches de l'esprit; celui qui entre au 15
cirque de son œuvre nouvelle dans une très
grande animation de l'être, et, de trois jours,
nul n'a regard sur son silence que sa mère, nul
n'a l'accès de sa chambre que la plus vieille
des servantes; celui qui mène aux sources sa 20
monture° sans y boire lui-même; celui qui rêve,
aux selleries,° d'un parfum plus ardent que
celui de la cire; celui, comme Baber,° qui vêt la
robe du poète entre deux grandes actions
viriles pour révérer la face d'une belle terrasse; 25
celui qui tombe en distraction pendant la
dédicace d'une nef, et au tympan° sont telles
cruches,° comme des ouïes,° murées pour
l'acoustique; celui qui tient en héritage, sur
terre de main-morte,° la dernière héronnière,° 30
avec de beaux ouvrages de vénerie,° de fau-
connerie; celui qui tient commerce, en ville, de
très grands livres : almagestes,° portulans° et
bestiaires°; qui prend souci des accidents de
phonétique, de l'altération des signes et des 35
grandes érosions du langage; qui participe aux
grands débats de sémantique; qui fait autorité
dans les mathématiques usuelles et se complaît
à la supputation° des temps pour le calendrier
des fêtes mobiles° (le nombre d'or, l'indiction 40

---

1. *à même l'écorce démasclée:* level with the stripped bark.
2. *séismes:* earthquakes. 4. *régime:* system. 5. *éphémères:*
Mayflies. 7. *ferronneries:* ornamental ironwork. 7. *serres:*
hothouses. 9. *Offices des Monnaies:* Mints. 12. *s'émiettent:*
crumble. 13. *phasmes:* phasmas (insects, as walking sticks).
13. *vanesses:* genus of butterfly. 14. *auges de lapis:* (burial)
troughs of lapis lazuli. 17. *sisal:* hemp. 18. *rosier-ronce:* bramble
rose. 19. *de ses deniers:* with his own money. 20. *haras:* stud
farms. 22. *roseraies:* rose gardens. 24. *gynécées:* women's
quarters, seraglios. 27. *mis sous scellés:* interned. 28. *iode:*
iodine. 29. *purin:* liquid manure. 29. *limbe:* rim. 29. *verrières:*
colored windows, or skylights. 30. *bâchés:* sheeted. 31. *agave:*
aloe. 32. *vaque:* is occupied. 33. *gens de peu:* common workers.
33. *chantiers:* shipyards. 33. *cales:* stocks, slipways. 34. *lance-
ment:* launching. 35. *coque de trois ans:* hull, three years in
the building. 36. *agréer:* accept. 38. *vaigrage:* planking. 38.
voilier: sailing ship.

1. *peigne:* comb, summit. 1. *barrages:* dams. 2. *écluses:* tide
gates. 4. *relent:* stench. 5. *entrepôts:* storehouses. 5. *denrées:*
products. 9. *orographie:* physiography of mountains. 12.
tailleries de pierres fines: gem cutting plants. 12. *parvis:* court.
21. *monture:* mount, horse. 22. *selleries:* harness shops. 23.
Baber: Mongol conqueror of India, sixteenth century. 27.
tympan: tympanum (arched space over a door or a window). 28.
cruches: indentations. 28. *ouïes:* sound holes. 30. *main-morte:*
mortmain, inalienable tenure. 30. *héronnière:* heronry. 31.
vénerie: hunting. 33. *almagestes:* medieval treatises, as on
astrology or alchemy. 33. *portulans:* charts of harbors.
34. *bestiaires:* medieval treatises on animals. 39. *supputation:*
reckoning. 40. *fêtes mobiles:* movable feasts of the Church;
in parentheses: the devices for reckoning the dates.

romaine, l'épacte et les grandes lettres dominicales); celui qui donne la hiérarchie aux grands offices du langage; celui à qui l'on montre, en très haut lieu, de grandes pierres lustrées par l'insistance de la flamme...

Ceux-là sont princes de l'exil et n'ont que faire de mon chant. »

Étranger, sur toutes grèves° de ce monde, sans audience ni témoin, porte à l'oreille du 10 Ponant° une conque sans mémoire :

9. *grèves:* shores. 11. *Ponant:* West.

Hôte précaire à la lisière de nos villes, tu ne franchiras point le seuil des Lloyds,° où ta parole n'a point cours et ton or est sans titre...

« J'habiterai mon nom », fut ta réponse aux 5 questionnaires du port.° Et sur les tables du changeur, tu n'as rien que de trouble à produire, comme ces grandes monnaies de fer exhumées par la foudre.

2. *Lloyds:* international insurance underwriters. 4. *questionnaires du port:* probably a recollection of the poet's arrival in America as a refugee.

LOUIS ARAGON [1897–   ]

One of the original Dadaists and Surrealists, Aragon has been since 1927 an unswerving Communist. He has written a number of excellent novels, examining modern society from the Marxist point of view. His war poems, apolitical and relatively traditional in form, had a very·wide appeal; they recall Hugo in their emotional presentation of experienced fact.

Les Lilas et les roses is a memory of the great retreat of May and June 1940, from Belgium toward Paris, amid the acclamations and tears of the populace.

Les Lilas et les roses*

O mois des floraisons mois des métamorphoses
Mai qui fut sans nuage et Juin poignardé
Je n'oublierai jamais les lilas et les roses
Ni ceux que le printemps dans ses plis a gardés.

Je n'oublierai jamais l'illusion tragique   5
Le cortège des cris la foule et le soleil
Les chars° chargés d'amour les dons de la
    Belgique
L'air qui tremble et la route à ce bourdon°
    d'abeilles
Le triomphe imprudent° qui prime la querelle
Le sang que préfigure en carmin le baiser°   10
Et ceux qui vont mourir debout dans les
    tourelles°
Entourés de lilas par un peuple grisé

Je n'oublierai jamais les jardins de la France
Semblables aux missels° des siècles disparus

Ni le trouble des soirs l'énigme du silence   15
Les roses tout le long du chemin parcouru
Le démenti des fleurs au vent de la panique
Aux soldats qui passaient sur l'aile de la peur
Aux vélos° délirants aux canons ironiques
Au pitoyable accoutrement des faux campeurs 20

Mais je ne sais pourquoi ce tourbillon d'images
Me ramène toujours au même point d'arrêt
A Sainte-Marthe° Un général De noirs
    ramages°
Une villa normande au bord de la forêt
Tout se tait L'ennemi dans l'ombre se repose 25
On nous a dit ce soir que Paris s'est rendu
Je n'oublierai jamais les lilas ni les roses
Et ni les deux amours que nous avons perdus

Bouquets du premier jour lilas lilas des Flandres
Douceur de l'ombre dont la mort farde les
    joues   30
Et vous bouquets de la retraite roses tendres
Couleur de l'incendie au loin roses d'Anjou.

* Copyright Éditions Gallimard, tous droits réservés.
7. *chars:* tanks. 8. *bourdon:* buzzing. 9. *triomphe imprudent:* i.e., early French successes in the war. 10. *baiser:* i.e., the French soldiers were welcomed with kisses. 11. *tourelles:* tank turrets. 14. *missels:* i.e., the landscape miniatures in medieval Books of Hours.

19. *vélos:* bicycles. 23. *Sainte-Marthe:* village near Évreux, 100 miles west of Paris. 23. *ramages:* branches.

PAUL ÉLUARD [1895–1952]

Paul Éluard, gassed in the First World War, emerged from it a rebel against all systems. With Aragon, he was Dadaist, Surrealist, and communist. In Paris during the Second World War he worked bravely for the Resistance. His poems were smuggled abroad, then dropped over France by Allied planes. They had a great and deserved popularity. In wartime poetry is something that can be memorized, meditated upon, and endlessly repeated, even if the text must be destroyed for security's sake.

Liberté*

Sur mes cahiers d'écolier
Sur mon pupitre° et les arbres
Sur le sable sur la neige
J'écris ton nom

Sur toutes les pages lues   5
Sur toutes les pages blanches
Pierre sang papier ou cendre
J'écris ton nom

Sur les images dorées
Sur les armes des guerriers   10
Sur la couronne des rois
J'écris ton nom

Sur la jungle et le désert
Sur les nids sur les genêts°
Sur l'écho de mon enfance   15
J'écris ton nom

Sur les merveilles des nuits
Sur le pain blanc des journées
Sur les saisons fiancées
J'écris ton nom   20

Sur tous mes chiffons d'azur
Sur l'étang soleil moisi
Sur le lac lune vivante
J'écris ton nom

Sur les champs sur l'horizon   25
Sur les ailes des oiseaux
Et sur le moulin des ombres°
J'écris ton nom

Sur chaque bouffée d'aurore
Sur la mer sur les bateaux   30
Sur la montagne démente
J'écris ton nom

Sur la mousse des nuages
Sur les sueurs de l'orage
Sur la pluie épaisse et fade   35
J'écris ton nom

Sur les formes scintillantes
Sur les cloches des couleurs
Sur la vérité physique
J'écris ton nom   40

Sur les sentiers éveillés
Sur les routes déployées
Sur les places qui débordent
J'écris ton nom

Sur la lampe qui s'allume   45
Sur la lampe qui s'éteint
Sur mes maisons réunies
J'écris ton nom

Sur le fruit coupé en deux
Du miroir et de ma chambre   50
Sur mon lit coquille vide
J'écris ton nom

Sur mon chien gourmand et tendre
Sur ses oreilles dressées
Sur sa patte maladroite   55
J'écris ton nom

Sur le tremplin° de ma porte
Sur les objets familiers
Sur le flot du feu béni
J'écris ton nom   60

2. *pupitre:* desk. 14. *genêts:* broom flowers. 27. *moulin des ombres:* i.e., the shadows move like a windmill's sails.
57. *tremplin:* springboard.

Sur toute chair accordée°
Sur le front de mes amis
Sur chaque main qui s'étend
J'écris ton nom

Sur la vitre des surprises   65
Sur les lèvres attentives
Bien au-dessus du silence
J'écris ton nom

Sur mes refuges détruits
Sur mes phares écroulés   70
Sur les murs de mon ennui
J'écris ton nom

Sur l'absence sans désir
Sur la solitude nue
Sur les marches de la mort   75
J'écris ton nom

Sur la santé revenue
Sur le risque disparu
Sur l'espoir sans souvenir
J'écris ton nom   80

Et par le pouvoir d'un mot
Je recommence ma vie

61. *chair accordée:* i.e., in marriage.

Je suis né pour te connaître
Pour te nommer

Liberté.

Bonne justice*

C'est la chaude loi des hommes
Du raisin ils font du vin
Du charbon ils font du feu
Des baisers ils font des hommes

C'est la dure loi des hommes   5
Se garder intact malgré
Les guerres et la misère
Malgré les dangers de mort

C'est la douce loi des hommes
De changer l'eau en lumière   10
Le rêve en réalité
Et les ennemis en frères

Une loi vieille et nouvelle
Qui va se perfectionnant
Du fond du cœur de l'enfant   15
Jusqu'à la raison suprême.

Jacques Prévert [1900–   ]

One of the early Surrealists, Prévert turned to film scenarios, animated cartoons, and songs for night clubs. He also succeeded in combining communism and anarchism. Thus he produced a kind of popularized surrealism, mingling protest against almost everything with wild fancy and broad, deadpan humor. The mixture has been the delight of a large public. Try this poem out loud.

Familiale†

La mère fait du tricot°
Le fils fait la guerre
Elle trouve ça tout naturel la mère
Et le père qu'est-ce qu'il fait le père?
Il fait des affaires   5
Sa femme fait du tricot
Son fils la guerre

Lui des affaires
Il trouve ça tout naturel le père
Et le fils et le fils   10
Qu'est-ce qu'il trouve le fils?
Il ne trouve rien absolument rien le fils
Le fils sa mère fait du tricot son père les
   affaires lui la guerre
Quand il aura fini la guerre
Il fera des affaires avec son père   15
La guerre continue la mère continue elle
   tricote

Le père continue il fait des affaires
Le fils est tué il ne continue plus
Le père et la mère vont au cimetière
Ils trouvent ça tout naturel le père et la
   mère   20

La vie continue la vie avec le tricot la guerre
   les affaires
Les affaires la guerre le tricot la guerre
Les affaires les affaires et les affaires
La vie avec le cimetière.

RAYMOND QUENEAU [1903–   ]

Queneau is a scholar (editor of the Literature section of the *Encyclopédie de la Pléiade*), businessman (secrétaire-général of the mighty publisher, Gallimard), humorous novelist (*Zazie dans le métro*, etc.), and poet. He joined the Surrealists but was too much of a mocker to linger with them long. He is also a very funny man. He loves to do tricks with language, like recounting one very dull anecdote in ninety-nine styles. He likes also to insert without warning phonetic transcriptions of speech. See below.

Si tu t'imagines...*

Si tu t'imagines
Si tu t'imagines
fillette fillette
si tu t'imagines
xa° va xa va xa   5
va durer toujours
la saison des za
la saison des za
saison des amours
ce que tu te goures°   10
fillette fillette
ce que tu te goures

si tu crois petite
si tu crois ah ah
que ton teint de rose   15
ta taille de guêpe°
tes mignons biceps
tes ongles d'émail
ta cuisse de nymphe
et ton pied léger   20
si tu crois petite
xa va xa va xa
va durer toujours

ce que tu te goures
fillette fillette   25
ce que tu te goures

les beaux jours s'en vont
les beaux jours de fête
soleils et planètes
tournent tous en rond   30
mais toi ma petite
tu marches tout droit
vers sque tu ne vois pas
très sournois s'approchent
la ride véloce   35
la pesante graisse
le menton triplé
le muscle avachi°
allons cueille cueille
les roses les roses   40
roses de la vie°
et que leurs pétales
soient la mer étale°
de tous les bonheurs
allons cueille cueille   45
si tu le fais pas
ce que tu te goures
fillette fillette
ce que tu te goures

5. xa = que ça. 10. te goures = te trompes. 16. taille de guêpe: wasp waist.

38. avachi: flabby. 39–41. cueille... roses de la vie: recollection of Ronsard: *Quand vous serez bien vieille...* 43. étale: smooth.

34. Saint-Exupéry [1900–1944]

The Second World War has produced, so far, little literature with the look of greatness. Among the few books that seem to possess this mysterious quality is Saint-Exupéry's *Pilote de guerre*. This, and the rest of Saint-Exupéry's work, have another literary-historical importance: they make a splendid chapter in *The History of the Imaginative Literature of Aviation*—a book which has not yet been written.

Antoine de Saint-Exupéry was born in Lyon of an old, noble, eminent family. His father died when he was four. He prepared for the École Navale, failed the test in French composition of his entrance examination, and studied architecture for a year. In 1921 he began his military service in aviation and found his vocation. For the rest of his life he was a military and commercial pilot. He helped establish the mail routes across the South Atlantic and in South America. He survived several serious crashes (one in the Guatemala jungle, one in the Libyan desert). In 1939, although declared "inapte aux missions de guerre," he succeeded in entering the French military air service. After the collapse of France in 1940 he made his way to America and wrote and lectured until, in 1943, he was attached to the United States Army with the rank of captain. In the summer of 1944 his unit was stationed in Corsica in preparation for the invasion of France. He departed on a reconnaissance mission and did not return. It is presumed that he was shot down by a German plane over the Mediterranean.

Even in his lifetime he was legendary as a brilliant flyer, as a beloved companion in adventure, as a philosophic poet of man's new element. A modern critic, who is not often carried away, says: "Ce n'est pas assez de dire que Saint-Exupéry fut un héros; il fut un héros sans tache."*

He was one of the few important modern writers who were not primarily *hommes de lettres*. If one had asked him his profession he would have responded: "aviation pilot." (One may feel that literature has become too professionalized, for the professional is likely to depart from general human values. A musician is not always the best judge of music's effect, nor a cleric of social conduct, nor a chef of food.) In this volume we have met few non-professionals, whose work in the world came first, their writing second. Perhaps only Malraux, Saint-John Perse, and Giraudoux might so qualify.

Saint-Exupéry had time to write very little. His *Terre des hommes* (1939), translated as *Wind, Sand, and Stars*, is his best-known work. Many will remember his charming fable for children, *Le Petit Prince*.

Pilote de guerre (1942) is the account of a single reconnaissance flight made in the dark days at the end of May 1940, during the German invasion of France. The book is a factual *reportage*, blending with a poetic meditation on eternal themes. It combines action and thought, as does the pilot himself, physically alert and tense, but mentally free to carry on a long secret soliloquy. His mind turns backward to childhood security and forward to the serene mystery beyond imminent death. His own fate is absorbed in the fate of France, of all civilization. "Une civilisation," he says in *Pilote de Guerre*, "est un héritage de croyances, de coutumes et de connaissances lentement acquises au cours des siècles, difficiles parfois à justifier par la logique mais qui se justifient d'elles-mêmes, comme des chemins, s'ils conduisent quelque part, puisqu'elles ouvrent à l'homme son étendue

---

* Pierre de Boisdeffre: *Histoire vivante de la littérature d'aujourd'hui.* Paris, Perrin, 1962, p. 68.

intérieure.'' The moral, to use a crude term, is that words and formulas do not express the human quality; it is acts, it is the substance. Saint-Exupéry foresees that a new humanism will restore man through his acts, through his sacrifices.

The book opens with the crumbling of the French defense before the German attack. Only fifty reconnaissance planes are left in the French Air Force. Of every three planes dispatched on missions, two do not return. And whatever intelligence the survivors bring back is totally useless. The chief of Saint-Exupéry's unit receives an order to reconnoiter the enemy tank parks near Arras. To gain the information the plane will have to descend under a cloud bank to an altitude of about 700 meters. It will probably be shot down by antiaircraft guns or by pursuit planes. And if, miraculously, the mission returns, its report will mean nothing to the routed, fleeing army. The whole thing is ridiculous. But it is an order.

PILOTE DE GUERRE*

[Excerpt]

XIX

— Cent soixante-douze.
— Entendu. Cent soixante-douze.°
Va pour cent soixante-douze. Épitaphe : « A maintenu correctement cent soixante-douze au compas. » Combien de temps ce défi bizarre tiendra-t-il ? Je navigue à sept cent cinquante mètres d'altitude sous le plafond de lourds nuages. Si je m'élevais de trente mètres, Dutertre, déjà, serait aveugle. Il nous faut demeurer bien visibles, et offrir ainsi au tir° allemand une cible pour écoliers.° Sept cents mètres est une altitude interdite. On sert de point de mire° à toute une plaine. On draine le tir de toute une armée. On est accessible à tous les calibres. On demeure une éternité dans le champ de tir de chacune des armes. Ce n'est plus du tir, c'est du bâton. C'est comme si l'on défiait mille bâtons d'abattre une noix.

J'ai bien étudié le problème : il n'est pas question de parachute. Quand l'avion° avarié° plongera vers le sol, l'ouverture de la trappe de départ° occupera, à elle seule, plus de secondes que la chute n'en accordera. Cette ouverture exige sept tours d'une manivelle° qui résiste. Au surplus, à pleine vitesse, la trappe se déforme et ne coulisse° pas.

C'est ainsi. Fallait bien l'avaler un jour cette médecine ! Le cérémonial n'est pas compliqué : maintenir cent soixante-douze au compas. J'ai eu tort de vieillir. Voilà. J'étais si heureux dans l'enfance. Je le dis, mais est-ce vrai ? Je marchais déjà dans mon vestibule à cent soixante-douze au compas. A cause des oncles.°

C'est maintenant qu'elle se fait douce, l'enfance. Non seulement l'enfance, mais toute la vie passée. Je la vois dans sa perspective, comme une campagne...

Et il me semble que je suis un. Ce que j'éprouve je l'ai toujours connu. Mes joies ou mes tristesses ont sans doute changé d'objet, mais les sentiments sont restés les mêmes. J'étais ainsi heureux ou malheureux. J'étais puni ou pardonné. Je travaillais bien. Je travaillais mal. Cela dépendait les jours...

Mon plus lointain souvenir ? J'avais une gouvernante tyrolienne° qui s'appelait Paula. Mais ce n'est même pas un souvenir : c'est le souvenir d'un souvenir. Paula, lorsque j'avais cinq ans, dans mon vestibule, n'était déjà plus qu'une légende. Pendant des années ma mère nous a dit, à l'époque du nouvel an : « Il y a une lettre de Paula ! » C'était une grande joie pour nous, les enfants. Cependant pourquoi étions-nous heureux ? Nul d'entre nous ne se souvenait de Paula. Elle était retournée à son Tyrol. Donc à sa maison tyrolienne. Une sorte de chalet-baromètre° perdu dans la neige. Et Paula se

---

7. The pilot (Saint-Exupéry) and the observer (Dutertre) are checking the compass reading, in degrees, which shows their course. 15. *tir:* [antiaircraft] fire. 15–16. *cible pour écoliers:* a target for students (*i.e.,* an easy mark). 17. *point de mire:* sighting mark, target. 25. *avion:* plane. 25. *avarié:* damaged. 27. *trappe de départ:* escape hatch. 29. *manivelle:* crank. 31. *coulisse:* slide.

7. The author has already told how, when a boy, he had hid in a vestibule and heard his uncles utter sounding phrases about the follies of our time. Here he suggests that his destiny was determined from his earliest moments. 20. *tyrolienne:* of Tyrol (province of Austria). 31. *chalet-baromètre:* an ornament in the form of a Swiss chalet, from the two doors of which appropriately dressed figures emerged to indicate fine or foul weather.

montrait à la porte, les jours de soleil, comme dans tous les chalets-baromètres.

— Paula est jolie?

— Ravissante.

— Il fait souvent beau au Tyrol?

— Toujours.

Il faisait toujours beau au Tyrol. Le chalet-baromètre poussait Paula très loin, dehors, sur sa pelouse de neige. Lorsque j'ai su écrire on m'a fait écrire des lettres à Paula. Je lui disais : « Ma chère Paula je suis bien content de vous écrire... » C'était un peu comme des prières, puisque je ne la connaissais pas...

— Cent soixante-quatorze.

— Entendu. Cent soixante-quatorze.

Va pour cent soixante-quatorze. Faudra modifier l'épitaphe. C'est curieux comme d'un coup° la vie s'est rassemblée. J'ai fait mes bagages de souvenirs. Ils ne serviront plus jamais à rien. Ni à personne. J'ai le souvenir d'un grand amour. Ma mère nous disait : « Paula écrit que l'on vous embrasse tous pour elle... » Et ma mère nous embrassait tous pour Paula.

— Paula sait que j'ai grandi?

— Bien sûr. Elle sait.

Paula savait tout.

— Mon Capitaine, ils tirent.

Paula, on me tire dessus! Je jette un coup d'œil à l'altimètre : six cent cinquante mètres. Les nuages sont à sept cents mètres. Bon. Je n'y puis rien. Mais sous mon nuage, le monde n'est pas noirâtre comme je croyais le pressentir° : il est bleu. Merveilleusement bleu. C'est l'heure du crépuscule, et la plaine est bleue. Par endroits il pleut. Bleue de pluie...

— Cent soixante-huit.

— Entendu. Cent soixante-huit.

Va pour cent soixante-huit. Il fait bien des zig-zags le chemin vers l'éternité... Mais ce chemin, qu'il me paraît tranquille! Le monde ressemble à un verger. Tout à l'heure il se montrait dans la sécheresse d'une épure.° Tout m'apparaissait inhumain. Mais je vole bas, dans une sorte d'intimité. Il y a des arbres isolés ou groupés, par petits paquets. On les rencontre. Et des champs verts. Et des maisons aux tuiles rouges avec quelqu'un devant la porte. Et de belles averses° bleues tout autour.

Paula, par ce temps-là, sans doute nous rentrait vite...

— Cent soixante-quinze.

Mon épitaphe perd beaucoup de sa rude noblesse : « A maintenu cent soixante-douze, cent soixante-quatorze, cent soixante-huit, cent soixante-quinze... » J'ai plutôt l'air versatile.° Tiens! Mon moteur tousse! Il se refroidit. Je ferme donc les volets de capot.° Bon. Comme c'est l'heure d'ouvrir le réservoir° supplémentaire, je tire le levier. Je n'oublie rien? Je jette un coup d'œil sur la pression d'huile. Tout est en ordre.

— Ça commence à faire vilain, mon Capitaine...

Tu entends, Paula? Ça commence à faire vilain. Et cependant je ne puis pas ne pas m'étonner de ce bleu du soir. Il est tellement extraordinaire! Cette couleur est si profonde. Et ces arbres fruitiers, ces pruniers° peut-être, qui défilent. Je suis entré dans ce paysage. Finies les vitrines!° Je suis un maraudeur qui a sauté le mur. Je marche à grandes enjambées dans une luzerne° mouillée et je vole des prunes. Paula, c'est une drôle de guerre. C'est une guerre mélancolique et toute bleue. Je me suis un peu égaré. J'ai trouvé cet étrange pays en vieillissant... Oh non, je n'ai pas peur. C'est un peu triste, et voilà tout.

— Zigzaguez, Capitaine!

Ça, c'est un jeu nouveau, Paula! Un coup de pied à droite, un coup de pied à gauche, on déroute le tir. Quand je tombais je me faisais des bosses.° Tu me les soignais sans doute avec des compresses d'arnica. Je vais avoir fameusement besoin d'arnica. Tu sais, quand même... c'est merveilleux le bleu du soir!

J'ai vu là, sur l'avant, trois coups de lance divergents. Trois longues tiges° verticales et brillantes. Sillages° de balles lumineuses ou d'obus° lumineux à petit calibre. C'était tout doré. J'ai vu brusquement, dans le bleu du soir, jaillir l'éclat de ce candélabre à trois branches...

— Capitaine! A gauche tirent très fort! Obliquez!

Coup de pied.

— Ah, ça s'aggrave...

---

7. *versatile:* changeable. 9. *volets de capot:* cowl shutters. 10. *réservoir:* gas tank. 20. *pruniers:* plum trees. 22. *Finies les vitrines!* i.e., I am no longer looking through windows! I am a part of things! 24. *luzerne:* alfalfa field. 34. *bosses:* lumps. 39. *tiges:* stalks. 40. *Sillages:* Trails. 41. *obus:* shells.

18. *d'un coup = tout d'un coup.* 33. *pressentir:* forecast. 43. *épure:* diagram. 49. *averses:* showers.

Peut-être...

Ça s'aggrave, mais je suis à l'intérieur des choses. Je dispose de tous mes souvenirs et de toutes les provisions que j'ai faites, et de toutes mes amours. Je dispose de mon enfance qui se perd dans la nuit comme une racine. J'ai commencé la vie sur la mélancolie d'un souvenir... Ça s'aggrave, mais je ne reconnais rien en moi de ce que je pensais ressentir face à ces coups de griffe° d'étoiles filantes.°

Je suis dans un pays qui me touche au cœur. C'est la fin du jour. Il est de grands pans° de lumière, entre les orages, sur la gauche, qui bâtissent des carrés de vitrail.° Je palpe presque, de la main, à deux pas de moi, toutes les choses qui sont bonnes. Il y a ces pruniers à prunes. Cette terre à odeur de terre. Il doit être bon de marcher au travers des terres humides. Tu sais, Paula, j'avance doucement, en balançant de droite à gauche, comme un char à foin. Tu crois ça rapide, un avion... bien sûr, si tu réfléchis! Mais si tu oublies la machine, si tu regardes, tu te promènes tout simplement dans la campagne...

— Arras...

Oui. Très loin en avant. Mais Arras n'est pas une ville. Arras n'est rien d'autre qu'une mèche° rouge sur fond bleu de nuit. Sur fond d'orage. Car décidément, à gauche et en face, c'est un fameux grain° qui se prépare. Le crépuscule n'explique pas ce demi-jour. Il faut des massifs de nuages, pour filtrer une lumière aussi sombre...

La flamme d'Arras a grandi. Ce n'est pas une flamme d'incendie. Un incendie s'élargit comme un chancre,° avec, autour, un simple rebord° de chair vive. Mais cette mèche rouge, alimentée en permanence, est celle d'une lampe qui fumerait un peu. C'est une flamme sans nervosité, assurée de durer, bien installée sur sa provision d'huile. Je la sens pétrie° d'une chair compacte, presque pesante, que le vent remue quelquefois comme il inclinerait un arbre. Voilà... un arbre. Cet arbre a pris Arras dans le réseau de ses racines. Et tous les sucs d'Arras, toutes les provisions d'Arras, tous les trésors d'Arras montent, changés en sève, pour nourrir l'arbre.

Je vois cette flamme parfois trop lourde perdre l'équilibre à droite ou à gauche, cracher une fumée plus noire, puis de nouveau se reconstruire. Mais je ne distingue toujours pas la ville. Toute la guerre se résume à cette lueur. Dutertre dit que ça s'aggrave. Il observe, de l'avant, mieux que moi. N'empêche que je suis surpris d'abord par une sorte d'indulgence: cette plaine vénéneuse lance peu d'étoiles.

Oui mais...

Tu sais, Paula, dans les contes de fées de l'enfance, le chevalier marchait, à travers de terribles épreuves, vers un château mystérieux et enchanté. Il escaladait des glaciers. Il franchissait des précipices, il déjouait des trahisons. Enfin le château lui apparaissait, au cœur d'une plaine bleue, douce au galop comme une pelouse. Il se croyait déjà vainqueur... Ah! Paula, on ne trompe pas une vieille expérience des contes de fées! C'était toujours là le plus difficile...

Je cours ainsi vers mon château de feu, dans le bleu du soir, comme autrefois... Tu es partie trop tôt pour connaître nos jeux, tu as manqué le « chevalier Aklin ». C'était un jeu de notre invention car nous méprisions les jeux des autres. Il se jouait les jours de grands orages, quand, après les premiers éclairs, nous sentions, à l'odeur des choses et au brusque tremblement des feuilles, que le nuage était près de crever. L'épaisseur des branchages se change alors, pour un instant, en mousse bruissante° et légère. C'était là le signal... rien ne pouvait plus nous retenir!

Nous partions de l'extrême fond du parc en direction de la maison, au large des pelouses,° à perdre haleine. Les premières gouttes des averses d'orage sont lourdes et espacées. Le premier touché s'avouait vaincu. Puis le second. Puis le troisième. Puis les autres. Le dernier survivant se révélait ainsi le protégé des dieux, l'invulnérable! Il avait droit, jusqu'au prochain orage, de s'appeler « le chevalier Aklin »...

Ç'avait été chaque fois, en quelques secondes, une hécatombe d'enfants...

Je joue encore au chevalier Aklin. Vers mon château de feu je cours lentement, à perdre haleine...

---

10. *coups de griffe:* clawings. 10. *étoiles filantes:* shooting stars. 12. *pans:* sections, areas. 14. *carrés de vitrail:* square panes of stained-glass windows. 27. *mèche:* wisp, lock. (The city was in flames.) 30. *grain:* squall. 36. *chancre:* canker, ulcer. 36. *rebord:* edge, rim. 41. *pétrie:* molded (*lit.*, kneaded).

32. *bruissante:* murmuring. 36. *au large des pelouses:* right across the lawns.

Mais voici que :

— Ah! Capitaine. Je n'ai jamais vu ça...

Je n'ai jamais vu ça non plus. Je ne suis plus
invulnérable. Ah! Je ne savais pas que j'espérais...

XX

Malgré les sept cents mètres, j'espérais. Malgré
les parcs à tanks, malgré la flamme d'Arras,
j'espérais. J'espérais désespérément. Je remontais dans ma mémoire jusqu'à l'enfance, pour
retrouver le sentiment d'une protection souveraine. Il n'est point de protection pour les
hommes. Une fois homme on vous laisse aller...
Mais qui peut quelque chose contre le petit
garçon dont une Paula toute-puissante tient la
main bien enfermée? Paula, j'ai usé de ton
ombre comme d'un bouclier.°

J'ai usé de tous les trucs. Lorsque Dutertre
m'a dit : « Ça s'aggrave... » j'ai usé, pour
espérer, de cette menace même. Nous étions en
guerre : il fallait bien que la guerre se montrât.
Elle se réduisait, en se montrant, à quelques
sillages de lumière : « Voilà donc ce fameux
péril de mort sur Arras ? Laissez-moi rire... »

Le condamné s'était fait du bourreau l'image
d'un robot blême. Se présente un brave homme
quelconque, qui sait éternuer, ou même
sourire. Le condamné se raccroche au sourire
comme à un chemin vers la délivrance... Ce
n'est qu'un fantôme de chemin. Le bourreau,
bien qu'en éternuant, tranchera cette tête.
Mais comment refuser l'espérance ?

Comment ne me serais-je pas trompé moi-
même sur un certain accueil, puisque tout se
faisait intime et campagnard, puisque luisaient
si gentiment les ardoises° mouillées et les tuiles,
puisque rien ne changeait d'une minute à
l'autre, ni ne semblait devoir changer. Puisque
nous n'étions plus, Dutertre, le mitrailleur° et
moi, que trois promeneurs à travers champs, qui
rentrent lentement sans avoir trop à relever le
col, car véritablement il ne pleut guère. Puisqu'au cœur des lignes allemandes, rien ne se
révélait qui méritât véritablement d'être raconté, et qu'il n'était point de raison absolue
pour que, plus loin, la guerre fût autre. Puisqu'il semblait que l'ennemi se fût dispersé et
comme fondu dans l'immensité des campagnes,

à raison° d'un soldat peut-être par maison,
d'un soldat peut-être par arbre, dont l'un, de
temps à autre, se souvenant de la guerre, tirait.
On lui avait rabâché la consigne :° « Tu
tireras sur les avions... » La consigne se mêlait
en songe. Il lâchait ses trois balles, sans trop y
croire. J'ai chassé ainsi des canards, le soir,
dont je me moquais bien si la promenade était
un peu tendre.° Je les tirais en parlant d'autre
chose : ça ne les dérangeait guère...

On voit si bien ce que l'on voudrait voir : ce
soldat m'ajuste,° mais sans conviction, et il me
manque. Les autres laissent passer. Ceux qui
sont en mesure de nous donner des crocs-en-
jambe° respirent peut-être, en cet instant, avec
plaisir, l'odeur du soir, ou allument des cigarettes, ou achèvent une plaisanterie — et ils
laissent passer. D'autres, de ce village où ils
cantonnent,° tendent peut-être leur gamelle°
vers la soupe. Un grondement s'éveille et
meurt. Est-il ami ou ennemi? Ils n'ont pas le
temps de le connaître, ils surveillent leur
gamelle qui s'emplit : ils laissent passer. Et
moi je tente de traverser, les mains dans les
poches, en sifflotant, et le plus naturellement
que je puis, ce jardin qui est interdit aux
promeneurs, mais dont chaque garde — qui
compte sur l'autre — laisse passer...

Je suis si vulnérable! Ma faiblesse même leur
est un piège : « Pourquoi vous agiter? On me
descendra un peu plus loin... » C'est évident!
« Va-t'en te faire prendre ailleurs...! » Ils rejet-
tent sur autrui la corvée,° pour ne pas manquer
leur tour à la soupe, pour ne pas interrompre
une plaisanterie, ou par simple goût du vent du
soir. J'abuse ainsi de leur négligence, je tire
mon salut de cette minute où la guerre les
fatigue tous, tous ensemble, comme par hasard
— et pourquoi pas? Et, déjà, j'escompte°
vaguement que, d'homme en homme, d'escou-
ade° en escouade, de village en village, je
parviendrai bien à finir mon tour. Après tout,
nous ne sommes qu'un passage d'avion dans le
soir... ça ne fait même pas lever la tête!

Bien sûr, j'espérais revenir. Mais dans le
même temps je savais qu'il se passerait quelque

---

1. *à raison:* in the proportion. 4. *rabâché la consigne:* pounded in the order. 9. *tendre:* i.e., emotional,
charming, 12. *m'ajuste:* aims at me. 15. *nous donner des crocs-
en-jambe:* trip us up. 19. *cantonnent:* are quartered. 19.
gamelle: mess kit. 33. *corvée:* detail, job. 39. *escompte:*
discount, anticipate. 41. *escouade:* squad.

---

18. *bouclier:* shield. 37. *ardoises:* slates (of roofs). 40.
mitrailleur: machine gunner.

chose. Vous êtes condamné au châtiment, mais la prison qui vous enferme est muette encore. Vous vous cramponnez à ce silence. Chaque seconde ressemble à la seconde qui précède. Il n'est point de raison absolue pour que celle-là, qui va tomber, change le monde. Ce travail est trop lourd pour elle. Chaque seconde, l'une après l'autre, sauve le silence. Le silence déjà semble éternel…

Mais le pas de celui dont on sait bien qu'il va venir se fait entendre.

Quelque chose dans le paysage vient de se rompre. Ainsi la bûche° qui paraissait éteinte, soudain craque et délivre une provision d'étincelles. Par quel mystère toute cette plaine a-t-elle réagi dans le même instant? Les arbres, le printemps venu, lâchent leurs graines. Pourquoi ce soudain printemps des armes? Pourquoi ce déluge lumineux qui monte vers nous, et qui se montre, d'emblée,° universel?

La sensation que d'abord j'éprouve est d'avoir manqué de prudence. J'ai tout gâché. Il suffit parfois d'un clin d'œil, d'un geste, quand l'équilibre est trop précaire! Un alpiniste tousse, et il déclenche° l'avalanche. Et maintenant qu'il l'a déclenchée, tout est conclu.

Nous avons marché lourdement dans ce marécage bleu déjà noyé de nuit. Nous avons remué cette vase° tranquille, et voici que, vers nous, par dizaines de milliers, elle lâche des bulles° d'or.

Un peuple de jongleurs vient d'entrer dans la danse. Un peuple de jongleurs égrène° vers nous, par dizaines de milliers, ses projectiles. Ceux-ci, faute de variation angulaire, nous semblent d'abord immobiles, mais, pareils à ces billes° que l'art du jongleur ne projette pas, mais délivre,° ils commencent avec lenteur leur ascension. Je vois des larmes de lumière couler vers moi à travers une huile de silence. De ce silence qui baigne le jeu des jongleurs.

Chaque rafale° de mitrailleuse ou de canon à tir rapide débite,° par centaines, obus ou balles phosphorescents, qui se succèdent comme les perles d'un chapelet. Mille chapelets élastiques s'allongent vers nous, s'étirent à rompre,° et craquent à notre hauteur.

En effet, vus par le travers, les projectiles qui nous ont manqués, montrent, dans leur passage tangentiel, une allure vertigineuse. Les larmes se changent en éclairs. Et voici que je me découvre noyé dans une moisson de trajectoires, qui ont couleur de tiges de blé. Me voici centre d'un épais buisson de coups de lances. Me voici menacé par je ne sais quel vertigineux travail d'aiguilles. Toute la plaine s'est liée à moi, et tisse,° autour de moi, un réseau fulgurant° de lignes d'or.

Ah! Quand je me penche vers la terre je découvre ces étages de bulles lumineuses qui montent avec la lenteur de voiles de brouillard. Je découvre ce lent tourbillon de semences°: ainsi s'envole l'écorce du blé que l'on bat! Mais si je regarde à l'horizontale, il n'est plus que gerbes° de lances! Du tir? Mais non! Je suis attaqué à l'arme blanche!° Je ne vois qu'épées de lumière! Je me sens… Il n'est pas question de danger! M'éblouit le luxe où je trempe!°

— Ah!

J'ai décollé° de vingt centimètres de mon siège. Ç'a été sur l'avion comme un coup de bélier.° Il s'est rompu, pulvérisé… mais non… mais non… je le sens qui répond encore aux commandes.° Ce n'est rien que le premier coup d'un déluge de coups. Cependant je n'ai point observé d'explosions. La fumée des éclatements se confond sans doute avec le sol sombre: je lève la tête et je regarde.

Ce spectacle est sans appel.

XXI

Penché vers la terre je n'avais pas remarqué l'espace vide qui peu à peu s'est élargi entre les nuages et moi. Les traçantes° versaient une lumière de blé°: comment aurais-je su qu'au sommet de leur ascension elles distribuaient un à un, comme on plante des clous, ces matériaux sombres? Je les découvre accumulés

---

14. *bûche:* log. 21. *d'emblée:* from the first. 26. *déclenche:* releases, starts. 30. *vase:* mud. 32. *bulles:* bubbles. 34. *égrène:* pick off (one by one, like grapes); discharge. 38. *billes:* balls. 39. *délivre:* i.e., the juggler tosses his balls so that they make a pattern which seems to be in slow motion. 43. *rafale:* burst. 44. *débite:* discharges.

1. *s'étirent à rompre:* stretch out to the breaking point. 12. *tisse:* weaves. 12. *réseau fulgurant:* flashing web. 17. *semences:* seeds. 20. *gerbes:* sheaves, clusters. 21. *à l'arme blanche:* with cold steel. 24. *où je trempe:* in which I am drenched (*i.e.,* which surrounds me). 26. *décollé:* taken off, jumped. 28. *bélier:* battering ram. 30. *commandes:* controls. 41. *traçantes:* tracer bullets. 42. *de blé:* wheat-colored.

déjà en pyramides vertigineuses qui dérivent° vers l'arrière avec des lenteurs de banquises.° À l'échelle° de telles perspectives, j'ai la sensation d'être immobile.

Je sais bien que ces constructions ont, à peine dressées, usé leur pouvoir. Chacun de ces flocons n'a disposé qu'un centième de seconde durant, du droit de vie ou de mort. Mais ils m'ont entouré à mon insu. Leur apparition fait peser soudain sur ma nuque le poids d'une réprobation formidable.

Cette succession d'explosions mates,° dont le son est couvert par le grondement des moteurs, m'impose l'illusion d'un silence extraordinaire. Je n'éprouve rien. Le vide de l'attente se creuse en moi, comme si l'on délibérait.

Je pense... je pense cependant : « Ils tirent trop haut! » et renverse la tête pour voir basculer° vers l'arrière, comme à regret, une tribu d'aigles. Ceux-là renoncent. Mais il n'est rien à espérer.

Les armes qui nous ont manqués rajustent leur tir. Les murailles d'éclatements se reconstruisent à notre étage. Chaque foyer de feu,° en quelques secondes, dresse sa pyramide d'explosions qu'il abandonne aussitôt, périmée,° pour bâtir ailleurs. Le tir ne nous recherche pas : il nous enferme.

— Dutertre, loin encore?

— ...si pouvions tenir trois minutes encore aurions terminé... mais...

— Passerons peut-être...

— Jamais!

Il est sinistre ce noir grisâtre, ce noir de hardes jetées en vrac.° La plaine était bleue. Immensément bleue. Bleue fond de mer...

Quelle survie puis-je espérer? Dix secondes? Vingt secondes? L'ébranlement des explosions me travaille déjà en permanence. Celles qui sont proches jouent sur l'avion comme la chute de rocs dans un tombereau.° Après quoi l'avion tout entier rend un son presque musical. Drôle de soupir... Mais ce sont là des coups manqués. Il en est ici comme de la foudre. Plus elle est proche, plus elle se simplifie. Certains chocs sont élémentaires! c'est que l'éclatement alors nous a marqués de ses éclats. Le fauve ne

bouscule pas le bœuf qu'il tue. Il plante ses griffes d'aplomb, sans déraper.° Il prend possession du bœuf. Ainsi les coups au but° s'incrustent-ils simplement dans l'avion, comme dans du muscle.

— Blessé?

— Non!

— Hep! le mitrailleur, blessé?

— Non!

Mais ces chocs, qu'il faut bien décrire, ne comptent pas. Ils tambourinent sur une écorce, sur un tambour. Au lieu de crever les réservoirs ils nous eussent tout aussi bien ouvert le ventre. Mais le ventre lui-même n'est qu'un tambour. Le corps, on s'en fout bien!° Ce n'est pas lui qui compte... çà c'est extraordinaire!

Sur le corps j'ai deux mots à dire. Mais dans la vie de chaque jour on est aveugle à l'évidence. Il faut, pour que l'évidence se montre, l'urgence de telles conditions. Il faut cette pluie de lumières montantes, il faut cet assaut de coups de lances, il faut enfin que soit dressé ce tribunal pour jugement dernier. Alors on comprend.

Je me demandais, durant l'habillage° : « Comment se présentent-ils, les derniers instants? » La vie toujours a démenti les fantômes que j'inventais. Mais il s'agissait, cette fois-ci, de marcher nu, sous le déchaînement de poings imbéciles, sans même le pli d'un coude pour en garantir le visage.

L'épreuve, j'en faisais une épreuve pour ma chair. Je l'imaginais subie dans ma chair. Le point de vue que j'adoptais nécessairement était celui de mon corps même. On s'est tant occupé de son corps! On l'a tellement habillé, lavé, soigné, rasé, abreuvé,° nourri. On s'est identifié à cet animal domestique. On l'a conduit chez le tailleur, chez le médecin, chez le chirurgien. On a souffert avec lui. On a crié avec lui. On a aimé avec lui. On dit de lui : c'est moi. Et voilà tout à coup que cette illusion s'éboule.° On se moque bien du corps! On le relègue au rang de valetaille.° Que la colère se fasse un peu vive, que l'amour s'exalte, que la haine se noue, alors craque cette fameuse solidarité.

Ton fils est pris dans l'incendie? Tu le sauveras! On ne peut pas te retenir! Tu brûles? Tu t'en moques bien. Tu laisses ces hardes de chair

---

1. *dérivent:* drift. 2. *banquises:* ice floes. 3. *échelle:* scale. 12. *mates:* dull. 19. *basculer:* rock. 24. *foyer de feu:* zone of fire. 26. *périmée:* expired. 35. *hardes jetées en vrac:* old clothes thrown in a pile. 42. *tombereau:* cart, truck.

2. *déraper:* slip, skid. 3. *coups au but:* hits. 15. *on s'en fout bien:* one doesn't give a damn about it. 24. *habillage:* dressing (in flying suit and equipment). 36. *abreuvé:* watered. 41. *s'éboule:* collapses. 43. *valetaille:* servants, menials.

en gage à qui les veut. Tu découvres que tu ne tenais point à ce qui t'importait si fort. Tu vendrais, s'il est un obstacle, ton épaule pour le luxe d'un coup d'épaule!° Tu loges dans ton acte même. Ton acte, c'est toi. Tu ne te trouves plus ailleurs! Ton corps est de toi, il n'est plus toi. Tu vas frapper? Nul ne te maîtrisera en te menaçant dans ton corps. Toi? C'est la mort de l'ennemi. Toi? C'est le sauvetage de ton fils. Tu t'échanges. Et tu n'éprouves pas le sentiment de perdre à l'échange. Tes membres? Des outils. On se moque bien d'un outil qui saute,° quand on taille. Et tu t'échanges contre la mort de ton rival, le sauvetage de ton fils, la guérison de ton malade, ta découverte si tu es inventeur! Ce camarade du Groupe est blessé à mort. La citation porte : « A dit alors à son observateur : je suis foutu.° File! Sauve les documents!... » Seul importe le sauvetage des documents, ou de l'enfant, la guérison du malade, la mort du rival, la découverte! Ta signification se montre, éblouissante. C'est ton devoir, c'est ta haine, c'est ton amour, c'est ta fidélité, c'est ton invention. Tu ne trouves plus rien d'autre en toi.

Le feu non seulement a fait tomber la chair, mais du même coup le culte de la chair. L'homme ne s'intéresse plus à soi. Seul s'impose à lui ce dont il est. Il ne se retranche° pas, s'il meurt : il se confond. Il ne se perd pas : il se trouve. Ceci n'est point souhait de moraliste. C'est une vérité usuelle, une vérité de tous les jours, qu'une illusion de tous les jours couvre d'un masque impénétrable. Comment aurais-je pu prévoir, tandis que je m'habillais, et éprouvais la peur à cause de mon corps, que je me préoccupais de balivernes?° Ce n'est qu'à l'instant de rendre ce corps que tous, toujours, découvrent avec stupéfaction combien peu ils tiennent au corps. Mais, certes, au cours de ma vie, lorsque rien d'urgent ne me gouverne, lorsque ma signification n'est pas en jeu, je ne conçois point de problèmes plus graves que ceux de mon corps.

Mon corps, je me fous bien de toi!° Je suis expulsé hors de toi, je n'ai plus d'espoir, et rien ne me manque! Je renie tout ce que j'étais jusqu'à cette seconde-ci. Ce n'est ni moi qui pensais, ni moi qui éprouvais. C'était mon corps Tant bien que mal, j'ai dû, en le tirant, l'amene jusqu'ici, d'où je découvre qu'il n'a plus aucune importance.

J'ai reçu à l'âge de quinze ans ma première leçon : un frère plus jeune que moi était, depui quelques jours, considéré comme perdu. Un matin. vers quatre heures, son infirmière me réveille :

— Votre frère vous demande.

— Il se sent mal?

Elle ne répond rien. Je m'habille en hâte e rejoins mon frère.

Il me dit d'une voix ordinaire :

— Je voulais te parler avant de mourir. Je vais mourir.

Une crise nerveuse le crispe et le fait taire. Durant la crise, il fait « non » de la main. Et je ne comprends pas le geste. J'imagine que l'enfant refuse la mort. Mais, l'accalmie venue, il m'explique :

— Ne t'effraie pas... je ne souffre pas. Je n'ai pas mal. Je ne peux pas m'en empêcher. C'est mon corps.

Son corps, territoire étranger, déjà autre.

Mais il désire être sérieux, ce jeune frère qui succombera dans vingt minutes. Il éprouve le besoin pressant de se déléguer° dans son héri- tage. Il me dit « Je voudrais faire mon testa- ment... » Il rougit, il est fier, bien sûr, d'agir en homme. S'il était constructeur de tours, il me confierait sa tour à bâtir. S'il était père, il me confierait ses fils à instruire. S'il était pilote d'avion de guerre, il me confierait les papiers de bord.° Mais il n'est qu'un enfant. Il ne confie qu'un moteur à vapeur, une bicyclette et une carabine.

On ne meurt pas. On s'imaginait craindre la mort : on craint l'inattendu, l'explosion, on se craint soi-même. La mort? Non. Il n'est plus de mort quand on la rencontre. Mon frère m'a dit : « N'oublie pas d'écrire tout ça... » Quand le corps se défait, l'essentiel se montre. L'homme n'est qu'un nœud de relations. Les relations comptent seules pour l'homme.

Le corps, vieux cheval, on l'abandonne. Qui songe à soi-même dans la mort? Celui-là, je ne l'ai jamais rencontré...

— Capitaine?

4. *coup d'épaule:* i.e., a shoulder thrust against the obstacle. 12. *saute:* here, breaks up, is smashed. 18. *foutu:* done for. 28. *se retranche:* cuts himself off. 37. *balivernes:* trifles, ab- surdities. 45. *je me fous... toi:* to hell with you.

28. *se déléguer:* delegate himself, hand himself on. 35. *papiers de bord:* official papers.

— Quoi?

— Formidable!

— Mitrailleur...

— Heu... Oui...

— Quel...

Ma question a sauté dans le choc.

— Dutertre!

— ...taine?

— Touché?

— Non.

— Mitrailleur...

— Oui?

— Tou...

J'ai comme embouti° un mur de bronze.
'entends :

— Ah! la! la!...

Je lève la tête vers le ciel pour mesurer la distance des nuages. Évidemment, plus j'observe en
oblique, plus les flocons noirs semblent entassés
es uns sur les autres. A la verticale ils paraissent
moins denses. C'est pourquoi je découvre, serti°
au-dessus de nos fronts, ce diadème monumental
aux fleurons° noirs.

Les muscles des cuisses sont d'une puissance
surprenante. Je pèse d'un coup sur le palonnier,° comme si je défonçais un mur. J'ai
lancé l'avion en travers. Il dérape brutalement
vers la gauche, avec des vibrations craquantes.
Le diadème a glissé vers la droite. Je l'ai fait
basculer d'au-dessus de ma tête. J'ai surpris le
tir, qui tape ailleurs. Je vois s'accumuler, à
droite, d'inutiles paquets d'éclatements. Mais
avant que j'aie amorcé,° de l'autre cuisse, le
mouvement contraire, le diadème déjà a été
au-dessus de moi. Ceux du sol l'ont réinstallé.
L'avion, avec des hans!° s'écroule de nouveau
dans des fondrières.° Mais toute la pesée de mon
corps a écrasé une seconde fois le palonnier. J'ai
lancé l'avion en virage° contraire, ou plus
exactement en dérapage contraire (au diable
les virages corrects!) et le diadème bascule vers
la gauche.

Durer? Ce jeu ne peut durer! J'ai beau
donner ces coups de pied géants, le déluge des
coups de lances se recompose, là, devant moi.
La couronne se rétablit. Les chocs me reprennent
au ventre. Et, si je regarde vers le bas, je
retrouve, bien centrée sur moi, cette ascension

de bulles d'une vertigineuse lenteur. Il est
inconcevable que nous soyons encore entiers.
Et cependant je me découvre invulnérable. Je
me sens comme vainqueur! Je suis, dans
chaque seconde, vainqueur!

— Touchés?

— Non...

Ils ne sont pas touchés. Ils sont invulnérables.
Ils sont vainqueurs. Je suis propriétaire d'un
équipage de vainqueurs...

Désormais chaque explosion me paraît, non
nous menacer, mais nous durcir. Chaque fois,
durant un dixième de seconde, j'imagine mon
appareil pulvérisé. Mais il répond toujours aux
commandes, et je le relève, comme un cheval,
en tirant durement sur les rênes. Alors je me
détends,° et je suis envahi par une sourde
jubilation. Je n'ai pas eu le temps d'éprouver la
peur autrement que comme une contraction
physique, celle que provoque un grand bruit,
que déjà il m'est accordé le soupir de la délivrance. Je devrais éprouver le saisissement du
choc, puis la peur, puis la détente. Pensez-vous!
Pas le temps! J'éprouve le saisissement, puis la
détente. Saisissement, détente. Il manque une
étape : la peur. Et je ne vis point dans l'attente
de la mort pour la seconde qui suit, je vis dans
la résurrection, au sortir de la seconde qui
précède. Je vis dans une sorte de traînée° de
joie. Je vis dans le sillage de ma jubilation. Et
je commence d'éprouver un plaisir prodigieusement inattendu. C'est comme si ma vie m'était,
à chaque seconde, donnée. Comme si ma vie me
devenait, à chaque seconde, plus sensible. Je vis.
Je suis vivant. Je suis encore vivant. Je suis
toujours vivant. Je ne suis plus qu'une source de
vie. L'ivresse de la vie me gagne. On dit
« l'ivresse du combat... » c'est l'ivresse de la vie!
Eh! Ceux qui nous tirent d'en bas, savent-ils
qu'ils nous forgent?

Réservoirs d'huile, réservoirs d'essence,° tout
est crevé. Dutertre a dit « Fini! Montez! » Une
fois encore, je mesure des yeux la distance qui
me sépare des nuages, et je cabre.° Une fois
encore, je renverse l'avion vers la gauche, puis
vers la droite. Une fois encore je jette un coup
d'œil vers la terre. Je n'oublierai pas ce paysage.

---

14. *embouti*: crashed into. 21. *serti*: set (reference to gems).
23. *fleurons*: flower-shaped ornaments. 26. *palonnier*: rudder
bar. 33. *amorcé*: begun. 36. *hans*: grunts (*onomatopoetic*).
37. *fondrières*: holes, pockets. 39. *virage*: turn, bank.

17. *me détends*: relax. 29. *traînée*: trail. 42. *essence*: gas.
45. *cabre*: rear, elevate sharply.

La plaine crépite tout entière de courtes mèches lumineuses. Sans doute les canons à tir rapide. L'ascension des globules se poursuit dans l'immense aquarium bleuâtre. La flamme d'Arras luit rouge sombre, comme un fer sur l'enclume,° cette flamme d'Arras bien installée sur des réserves souterraines, par où la sueur des hommes, l'invention des hommes, l'art des hommes, les souvenirs et le patrimoine des hommes, nouant leur ascension dans cette chevelure, se changent en brûlure qu'emporte le vent.

Déjà je frôle les premiers paquets de brumaille.° Il est encore autour de nous des flèches d'or montantes qui trouent par en dessous le ventre du nuage. La dernière image m'est offerte quand déjà le nuage m'enferme, par un dernier trou. Durant une seconde, la flamme d'Arras m'apparaît, allumée pour la nuit comme une lampe à huile de nef° profonde. Elle sert un culte, mais elle coûte cher. Demain elle aura tout consommé et consumé. J'emporte en témoignage la flamme d'Arras.

— Ça va, Dutertre?

— Ça va, mon Capitaine. Deux cent quarante. Dans vingt minutes on descendra sous le nuage. On se repérera° quelque part sur la Seine...

— Ça va, le mitrailleur?

— Heu... oui... mon Capitaine... ça va.

— Pas eu trop chaud?

— Heu... non... oui.

Il n'en sait rien. Il est content. Je songe au mitrailleur de Gavoille. Une nuit, sur le Rhin, quatre-vingts projecteurs° de guerre ont pris Gavoille dans leurs faisceaux.° Ils construisent autour de lui une gigantesque basilique.° Et voilà que le tir s'en mêle. Gavoille entend alors son mitrailleur se parler à soi-même, à voix basse. (Les laryngophones° sont indiscrets.) Le mitrailleur se fait ses propres confidences : « Eh bien! mon vieux... Eh bien! mon vieux... on peut toujours courir pour trouver ça dans le civil!°... » Il était content, le mitrailleur.

Moi, je respire avec lenteur. Je remplis bien ma poitrine. C'est merveilleux de respirer. Il est des tas de choses que je vais comprendre... mais d'abord je songe à Alias.° Non. C'est à mon fermier d'abord que je songe. Je l'interrogerai donc sur le nombre des instruments... Eh! que voulez-vous! J'ai de la suite dans les idées. Cent trois. A propos... les jauges° d'essence, les pressions d'huile... quand les réservoirs sont crevés, vaut mieux surveiller ces instruments-là! Je les surveille. Les revêtements° de caoutchouc° tiennent le coup. Ça, c'est un perfectionnement merveilleux! Je surveille aussi les gyroscopes : ce nuage est peu habitable. Un nuage d'orage. Il nous secoue dur.

— Croyez pas que pourrions descendre?

— Dix minutes... ferions mieux d'attendre encore dix minutes...

J'attendrai donc encore dix minutes. Ah! oui, je pensais à Alias. Compte-t-il beaucoup nous revoir? L'autre jour nous étions en retard d'une demi-heure. Une demi-heure, en général, c'est grave... Je cours rejoindre le Groupe qui dîne. Je pousse la porte, je tombe sur ma chaise à côté d'Alias. Juste à cet instant le Commandant soulève sa fourchette ornée d'une gerbe de nouilles.° Il s'apprête à les enfourner.° Mais il sursaute, s'interrompt net, et me considère, la bouche ouverte. Les nouilles pendent, immobiles.

— Ah!... Ben... suis content de vous voir!

Et il engrange° les nouilles.

Il a, selon moi, un défaut grave, le Commandant. Il s'obstine à interroger le pilote sur les enseignements de la mission. Il m'interrogera. Il me regardera avec une patience redoutable, en attendant que je lui dicte des vérités premières.° Il se sera armé d'une feuille de papier et d'un stylographe,° pour ne pas laisser se perdre une seule goutte de cet élixir. Ça me rappellera ma jeunesse : « Comment intégrez-vous, candidat Saint-Exupéry, les équations de Bernoulli? »°

— Euh...

Bernoulli... Bernoulli... Et l'on reste là, immobile, sous ce regard, comme un insecte orné d'une épingle au travers du corps.

Ça regarde Dutertre, les enseignements de la mission. Il observe à la verticale, Dutertre. Il

---

6. *enclume:* anvil. 14. *brumaille:* mist. 20. *nef:* nave of a church. (The suggestion is of a sanctuary lamp, indicating reservation of the sacred Host.) 27. *On se repérera:* We'll get our bearings. 35. *projecteurs:* searchlights. 36. *faisceaux:* cones, beams. 37. *basilique:* basilica (Romanesque cathedral). 40. *laryngophones:* communicating devices (strapped to the throat). 43–44. *on peut toujours... civil:* you'd have to go a long way to see that in civilian life.

3. *Alias:* the real name of the group commander, strangely enough. 7. *jauges:* gauges. 10. *revêtements:* casings (self-sealing). 10. *caoutchouc:* rubber. 25. *gerbe de nouilles:* sheaf of noodles. 26. *enfourner:* tuck in. 30. *engrange:* engulfs. 35. *premières: here,* elementary. 37. *stylographe:* fountain pen. 40. *équations de Bernoulli:* certain differential equations.

voit des tas de choses. Des camions, des chalands,° des tanks, des soldats, des canons, des
chevaux, des gares, des trains dans les gares,
des chefs de gare. Moi j'observe trop en oblique.
Je vois des nuages, la mer, des fleuves, des
montagnes, le soleil. J'observe très en gros. Je
me fais une idée d'ensemble.

2. *chalands:* barges.

— Vous savez bien, mon Commandant, que
le pilote...

— Voyons! Voyons! On aperçoit toujours
quelque chose.

Je... Ah! Des incendies! J'ai vu des incendies.
Ça, c'est intéressant...

— Non. Tout brûle. Quoi d'autre?

Pourquoi Alias est-il cruel?

The Mid-Twentieth Century

The Mid-Twentieth Century

1933. Hitler, German Chancellor
1936. Italy invades Ethiopia
1936+. Front populaire, France
1936–39. Spanish Civil War
1938. Hitler takes Austria
1939–45. Second World War
1940. Invasion of France
1944. Liberation of France
1945. First atomic bomb dropped
1945. United Nations organized
1946–58. French Fourth Republic
1949. People's Republic of China
1950–53. Korean War
1953. Death of Stalin
Sputnik launched 1957
French Fifth Republic; De Gaulle Premier 1958+
Khrushchev Soviet Premier 1958–64
Algerian independence 1962

HISTORY

1933. Malraux: *La Condition humaine*
1933. Giraudoux: *Intermezzo*
1934. Giono: *Le Chant du monde*
1938. Sartre: *La Nausée*
1939. Éluard: *Chansons*
1942. Camus: *L'Étranger*
1942. Saint-John Perse: *Exil*
1942. Saint-Exupéry: *Pilote de guerre*
1946. Prévert: *Paroles*
1946. Anouilh: *Médée*
1947. Camus: *La Peste*
1950. Ionesco: *La Cantatrice chauve*
1952. Beckett: *En attendant Godot*
Robbe-Grillet: *Le Voyeur* 1955
Camus: *Prix Nobel* 1957

FRENCH LITERATURE

1930–36. Dos Passos: *U. S. A.*
1932. Huxley: *Brave New World*
1933. Yeats: *Collected Poems*
1937. Silone: *Pane e vino*
1938. Wilder: *Our Town*
1939. Kazantzakis: *The Odyssey*
1940. Steinbeck: *The Grapes of Wrath*
1940. Koestler: *Darkness at Noon*
1949. Miller: *Death of a Salesman*
1949. Orwell: *1984*
1951. Salinger: *Catcher in the Rye*
Pasternak: *Dr. Zhivago* 1957
Lampedusa: *Il Gattopardo* 1958
Grass: *Die Blechtrommel* 1959

OTHER LITERATURES

The Mid-Twentieth Century

If the first half of the twentieth century was for France a period of calamity, the mid-century seems to be, so far, a period of recovery. True, the Bomb inspires a universal fear; but we have got used to it, as to other world menaces. The communist threat is apparently dwindling; the Common Market and other phenomena indicate the fading of nationalism, the movement of Europe toward commercial and intellectual union. France has cast off most of its colonies, to its material advantage. Under De Gaulle it has had its most stable government since 1870.

But literature shows no such stability. Literature itself, once the crown of intellectual achievement, finds formidable rivals in competition for superior minds—science, social studies, politics, big business. What has happened to Victor Hugo's proud claim that the Poet alone was fit to rule the world?

The realities of today often surpass the imaginations of mere men of letters. As so often, literature reflects only muddily the external world. Existentialism, which began before the Second World War, destroyed more than it created. Destruction is all very well, but something should be left standing. The newer doctrines, producing the anti-novel and anti-play, with anti-heroes befuddled in anti-society, are essentially negative. You can't get very far by merely being *against*. It is not enough for the artist to be free; once he is free, he must do something. The new literature is very intelligent, very subtle, very conscious of art and form; but one feels a certain lack of robustness, of the vigorous creative spirit. Or rather, that robustness is more evident in minor literary forms (the film script, the historical novel, the crime story) than in the *littérature de l'élite*.

Nevertheless, every literary historian knows that the critic who dares to judge his own times is likely to be strangely blind. He deplores and misunderstands the present; he fails to recognize the greatness apparent to his successors. Posterity may well acclaim as great some writers who are now struggling unregarded and who are not even mentioned here.

EXISTENTIALISM

Existentialism was a fully developed philosophical system in Germany before Jean-Paul Sartre and others, in the late 1930's, undertook to illustrate the philosophy in imaginative forms. The philosophical system and its literary illustration found favoring circumstances in the mood of modern Europe, for sensitive spirits were horrified at the spectacle of the world's absurdity (as evidenced in war) and of man's evil (as evidenced in political systems based on organized cruelty and murder).

The *tenets* of French literary existentialism must be stated in brief, bald terms, necessarily unfair to it.

The external world is real; it exists, but it has no meaning except for the mind. The world is absurd and God is dead. The apparent stability of things is an illusion. If things seem constant, it is because of their laziness, or ours. The only "thing" of which we can be sure is existence. Philosophers used to assume that the essence of things precedes their existence. No; existence precedes essence; from our existence we create essence.

Some important corollaries of this proposition are these:

1. The world has no meaning except the meaning we give to it. It contains no moral principle; it imposes no obligation. We must properly regard it with nausea.

2. The body is all-important. There is no use talking about mind, spirit, or soul, apart from the body. And the body is nearly always disgusting.

3. Man cannot exist alone. He is inevitably a part of society, and he must be regarded in his relations to others. These relations are usually absurd and calamitous. Since we cannot know ourselves, we seek an image of ourselves in the conception others have of us. Others exist to confirm our belief that we exist. But the image of ourselves reflected by others revolts us. "Hell is other people," is the theme of Sartre's play *Huis clos*.

4. By such determinations as the body and society, man is involved in life, committed, *engagé*. But the involvement does not imply determinism. "Man is a consciousness, he is a look (*un regard*), and he possesses the absolute freedom to look at the world in the way he chooses, and this choice gives meaning to the world."*

5. An individual has no nature or character. His "psychology" is nothing but the succession of his acts. He is what he decides to be. He makes his being by his choices. And his choices, his acts, may bring him through despair to liberty. Says Sartre's Oreste, in *Les Mouches*: "Human life begins on the far side of despair." At least, human life begins; it imposes upon us responsibility for our actions and for the selves that we create.

Existentialism has made its converts among philosophers, literary men, and the cultivated public. It has a considerable vogue in America, especially among young theological students. It has fathered an entire Literature of the Absurd. It has also become, in vulgarized form, a mere rejection of purpose and morality, and a tourist trap in the form of noisome night clubs.

* Gaston Berger: "*Existentialism and Literature in Action*," *University of Buffalo Studies*. Buffalo, 1948, Vol. XVIII, No. 4.

35. Sartre [1905–   ]

Jean-Paul Sartre was born in Paris, of a middle-class background. He is a cousin of the great Dr. Albert Schweitzer. He lost his father in childhood. Sartre attended the École Normale Supérieure, won first place in the examinations for the *agrégation*, and taught philosophy for ten years in the lycées of Le Havre and Paris. He served in the army as an artillery observer (though he is very markedly myopic), was taken prisoner in 1940, and spent nine months in a German prison camp. He was released; he taught and wrote in Paris and worked for the Resistance. After the war he published a gigantic philosophic demonstration of existentialism, gained particular success as a playwright, edited an influential literary magazine, *Les Temps modernes*, joined and deserted the Communists, and even founded a political party, which demanded a permanent revolution and which did not last very long. Recently he has turned especially to criticism and to the writing of his memoirs. In 1964, awarded the Nobel Prize for Literature, Sartre refused to accept it on the grounds that it would be "inauthentic" for him to do so.

All of his works, in many fields, are bold, novel, intelligent, abundant in ideas—and controversial. His properly philosophical treatises, imposing in bulk, can be judged only by philosophers. But his philosophy is not mere speculation, it is a *felt* philosophy, an impassioned belief, which requires artistic demonstration. His imaginative writings are a part of his philosophy, and vice versa.

Le *Mur* is the title story of a collection that appeared in 1939. (Though it precedes our selection from Saint-Exupéry by six years, it belongs in the new literature, not the older tradition.) *Le Mur* is an imagined episode of the Spanish Civil War of 1936–1938. Sartre's sympathies are naturally with the Republican, or radical, side. When you have finished the story, please reflect for a few minutes on how far it fulfills the existentialist doctrines that have just been stated.

LE MUR*

On nous poussa dans une grande salle blanche et mes yeux se mirent à cligner° parce que la lumière leur faisait mal. Ensuite je vis une table 5 et quatre types° derrière la table, des civils, qui regardaient des papiers. On avait massé les autres prisonniers dans le fond et il nous fallut traverser toute la pièce pour les rejoindre. Il y en avait plusieurs que je connaissais et d'autres qui 10 devaient être étrangers. Les deux qui étaient devant moi étaient blonds avec des crânes ronds; ils se ressemblaient : des Français, j'imagine. Le plus petit remontait° tout le temps son pantalon : c'était nerveux.

Ça dura près de trois heures; j'étais abruti° et 15 j'avais la tête vide; mais la pièce était bien chauffée et je trouvais ça plutôt agréable : depuis vingt-quatre heures, nous n'avions pas cessé de grelotter. Les gardiens amenaient les 20 prisonniers l'un après l'autre devant la table. Les quatre types leur demandaient alors leur nom et leur profession. La plupart du temps ils n'allaient pas plus loin — ou bien alors ils posaient une question par-ci, par-là : « As-tu 25 pris part au sabotage des munitions? » Ou bien : « Où étais-tu le matin du 9 et que faisais-tu? » Ils n'écoutaient pas les réponses ou du moins ils n'en avaient pas l'air : ils se taisaient un moment et regardaient droit devant eux 30 puis ils se mettaient à écrire. Ils demandèrent à Tom si c'était vrai qu'il servait dans la Brigade internationale :° Tom ne pouvait pas dire le contraire à cause des papiers qu'on avait trouvés dans sa veste.° A Juan ils ne demandè- 35 rent rien, mais, après qu'il eut dit son nom, ils écrivirent longtemps.

— C'est mon frère José qui est anarchiste, dit

Juan. Vous savez bien qu'il n'est plus ici. Moi je ne suis d'aucun parti, je n'ai jamais fait de politique.

Ils ne répondirent pas. Juan dit encore :

— Je n'ai rien fait. Je ne veux pas payer pour les autres.

Ses lèvres tremblaient. Un gardien le fit taire et l'emmena. C'était mon tour :

— Vous vous appelez Pablo Ibbieta?

Je dis que oui.

Le type regarda ses papiers et me dit :

— Où est Ramon Gris?

— Je ne sais pas.

— Vous l'avez caché dans votre maison du 6 au 19.

— Non.

Ils écrivirent un moment et les gardiens me firent sortir. Dans le couloir Tom et Juan attendaient entre deux gardiens. Nous nous mîmes en marche. Tom demanda à un des gardiens :

— Et alors?

— Quoi? dit le gardien.

— C'est un interrogatoire ou un jugement?

— C'était le jugement, dit le gardien.

— Eh bien? Qu'est-ce qu'ils vont faire de nous?

Le gardien répondit sèchement :

— On vous communiquera la sentence dans vos cellules.

En fait, ce qui nous servait de cellule c'était une des caves de l'hôpital. Il y faisait terriblement froid à cause des courants d'air. Toute la nuit nous avions grelotté et pendant la journée ça n'avait guère mieux été. Les cinq jours précédents je les avais passés dans un cachot de l'archevêché, une espèce d'oubliette° qui devait dater du moyen âge : comme il y avait beaucoup de prisonniers et peu de place, on les casait° n'importe où. Je ne regrettais pas mon cachot : je n'y avais pas souffert du froid mais j'y étais seul; à la longue c'est irritant. Dans la cave

37. *oubliette:* dungeon. 39. *casait:* stowed.

j'avais de la compagnie. Juan ne parlait guère :
il avait peur et puis il était trop jeune pour
avoir son mot à dire. Mais Tom était beau
parleur et il savait très bien l'espagnol.

Dans la cave il y avait un banc et quatre paillasses.° Quand ils nous eurent ramenés, nous
nous assîmes et nous attendîmes en silence.
Tom dit, au bout d'un moment :

— Nous sommes foutus.°

— Je le pense aussi, dis-je, mais je crois qu'ils
ne feront rien au petit.

— Ils n'ont rien à lui reprocher, dit Tom.
C'est le frère d'un militant, voilà tout.

Je regardai Juan : il n'avait pas l'air d'entendre. Tom reprit :

— Tu sais ce qu'ils font à Saragosse ?° Ils
couchent les types sur la route et ils leur passent
dessus avec des camions. C'est un Marocain°
déserteur qui nous l'a dit. Ils disent que c'est
pour économiser les munitions.

— Ça n'économise pas l'essence, dis-je.

J'étais irrité contre Tom : il n'aurait pas dû
dire ça.

— Il y a des officiers qui se promènent sur la
route, poursuivit-il, et qui surveillent ça, les
mains dans les poches, en fumant des cigarettes.
Tu crois qu'ils achèveraient les types ? Je t'en
fous.° Ils les laissent gueuler.° Des fois pendant
une heure. Le Marocain disait que, la première
fois, il a manqué dégueuler.°

— Je ne crois pas qu'ils fassent ça ici, dis-je. A
moins qu'ils ne manquent vraiment de munitions.

Le jour entrait par quatre soupiraux° et par
une ouverture ronde qu'on avait pratiquée au
plafond, sur la gauche, et qui donnait sur le
ciel. C'est par ce trou rond ordinairement fermé
par une trappe, qu'on déchargeait le charbon
dans la cave. Juste au-dessous du trou il y avait
un gros tas de poussier ;° il avait été destiné à
chauffer l'hôpital mais, dès le début de la
guerre, on avait évacué les malades et le
charbon restait là, inutilisé ; il pleuvait même
dessus, à l'occasion, parce qu'on avait oublié de
baisser la trappe.

Tom se mit à grelotter :

— Sacré nom de Dieu, je grelotte, dit-il,
voilà que ça recommence.

Il se leva et se mit à faire de la gymnastique.°
A chaque mouvement sa chemise s'ouvrait sur
sa poitrine blanche et velue.° Il s'étendit sur le
dos, leva les jambes en l'air et fit les ciseaux :
je voyais trembler sa grosse croupe.° Tom était
costaud° mais il avait trop de graisse. Je pensais
que des balles de fusil ou des pointes de baïonnettes allaient bientôt s'enfoncer dans cette
masse de chair tendre comme dans une motte°
de beurre. Ça ne me faisait pas le même effet
que s'il avait été maigre.

Je n'avais pas exactement froid, mais je ne
sentais plus mes épaules ni mes bras. De temps
en temps, j'avais l'impression qu'il me manquait
quelque chose et je commençais à chercher ma
veste autour de moi et puis je me rappelais
brusquement qu'ils ne m'avaient pas donné de
veste. C'était plutôt pénible. Ils avaient pris nos
vêtements pour les donner à leurs soldats et ils
ne nous avaient laissé que nos chemises — et
ces pantalons de toile que les malades hospitali-
sés portaient au gros° de l'été. Au bout d'un
moment Tom se releva et s'assit près de moi en
soufflant.

— Tu es réchauffé ?

— Sacré nom de Dieu, non. Mais je suis
essoufflé.

Vers huit heures du soir un commandant
entra avec deux phalangistes.° Il avait une
feuille de papier à la main. Il demanda au
gardien :

— Comment s'appellent-ils, ces trois-là ?

« Steinbock, Ibbieta et Mirbal, » dit le
gardien.

Le commandant mit ses lorgnons et regarda
sa liste :

— Steinbock... Steinbock... Voilà. Vous êtes
condamné à mort. Vous serez fusillé demain
matin.

Il regarda encore :

— Les deux autres aussi, dit-il.

— C'est pas possible, dit Juan. Pas moi.

Le commandant le regarda d'un air étonné :

— Comment vous appelez-vous ?

— Juan Mirbal, dit-il.

6. *paillasses:* pallets, straw mattresses. 9. *foutus:* done for.
16. Saragossa, important city of northern Spain. 18. *Marocain:*
Moroccan. (General Franco brought with him many Spanish
Moroccans in his invasion of Spain.) 28. *Je t'en fous:* Like
hell. 28. *gueuler:* yell. 30. *dégueuler:* vomit. 34. *soupiraux:* air
holes. 40. *poussier:* coal dust.

3. *gymnastique:* exercises. 5. *velue:* hairy. 7. *croupe:*
rump. 8. *costaud:* strongly built. 11. *motte:* mound, lump.
24. *gros:* here, height. 31. *phalangistes:* members of the
Falange, activist political party, resembling Fascists.

— En bien, votre nom est là, dit le commandant, vous êtes condamné.

— J'ai rien fait, dit Juan.

Le commandant haussa les épaules et se tourna vers Tom et vers moi.

— Vous êtes Basques?

— Personne n'est Basque.

Il eut l'air agacé.

— On m'a dit qu'il y avait trois Basques. Je ne vais pas perdre mon temps à leur courir 10 après. Alors naturellement vous ne voulez pas de prêtre?°

Nous ne répondîmes même pas. Il dit :

— Un médecin belge viendra tout à l'heure. Il a l'autorisation de passer la nuit avec vous. 15

Il fit le salut militaire et sortit :

— Qu'est-ce que je te disais, dit Tom. On est bons.°

— Oui, dis-je, c'est vache° pour le petit.

Je disais ça pour être juste mais je n'aimais 20 pas le petit. Il avait un visage trop fin et la peur, la souffrance l'avaient défiguré, elles avaient tordu tous ses traits. Trois jours auparavant c'était un môme° dans le genre mièvre,° ça peut plaire; mais maintenant il avait l'air d'une 25 vieille tapette° et je pensais qu'il ne redeviendrait plus jamais jeune, même si on le relâchait. Ça n'aurait pas été mauvais d'avoir un peu de pitié à lui offrir mais la pitié me dégoûte, il me faisait plutôt horreur. Il n'avait plus rien dit 30 mais il était devenu gris : son visage et ses mains étaient gris. Il se rassit et regarda le sol avec des yeux ronds. Tom était une bonne âme, il voulut lui prendre le bras, mais le petit se dégagea violemment en faisant une grimace. 35

— Laisse-le, dis-je à voix basse, tu vois bien qu'il va se mettre à chialer.°

Tom obéit à regret; il aurait aimé consoler le petit; ça l'aurait occupé et il n'aurait pas été tenté de penser à lui-même. Mais ça m'agaçait : 40 je n'avais jamais pensé à la mort parce que l'occasion ne s'en était pas présentée, mais maintenant l'occasion était là et il n'y avait pas autre chose à faire que de penser à ça.

Tom se mit à parler : 45

— Tu as bousillé° des types, toi? me demanda-t-il.

Je ne répondis pas. Il commença à m'expliquer qu'il en avait bousillé six depuis le début du mois d'août; il ne se rendait pas compte de la situation et je voyais bien qu'il ne voulait 5 pas s'en rendre compte. Moi-même je ne réalisais pas encore tout à fait, je me demandais si on souffrait beaucoup, je pensais aux balles, j'imaginais leur grêle brûlante à travers mon corps. Tout ça c'était en dehors de la véritable question; mais j'étais tranquille : nous avions 10 toute la nuit pour comprendre. Au bout d'un moment Tom cessa de parler et je le regardai du coin de l'œil; je vis qu'il était devenu gris, lui aussi, et qu'il avait l'air misérable, je me dis : « Ça commence. » Il faisait presque nuit, une 15 lueur terne filtrait à travers les soupiraux et le tas de charbon et faisait une grosse tache sous le ciel; par le trou du plafond je voyais déjà une étoile : la nuit serait pure et glacée.

La porte s'ouvrit et deux gardiens entrèrent. 20 Ils étaient suivis d'un homme blond qui portait un uniforme belge. Il nous salua :

« Je suis médecin, dit-il. J'ai l'autorisation de vous assister en ces pénibles circonstances. »

Il avait une voix agréable et distinguée. Je 25 lui dis :

— Qu'est-ce que vous venez faire ici?

— Je me mets à votre disposition. Je ferai tout mon possible pour que ces quelques heures vous soient moins lourdes. 30

— Pourquoi êtes-vous venu chez nous? Il y a d'autres types, l'hôpital en est plein.

— On m'a envoyé ici, répondit-il d'un air vague.

« Ah! vous aimeriez fumer, hein? ajouta-t-il 35 précipitamment. J'ai des cigarettes et même des cigares. »

Il nous offrit des cigarettes anglaises et des puros,° mais nous refusâmes. Je le regardai dans les yeux et il parut gêné. Je lui dis : 40

— Vous ne venez pas ici par compassion. D'ailleurs je vous connais. Je vous ai vu avec des fascistes dans la cour de la caserne, le jour où on m'a arrêté.

J'allais continuer, mais tout d'un coup il 45 m'arriva quelque chose qui me surprit : la présence de ce médecin cessa brusquement de m'intéresser. D'ordinaire quand je suis sur un homme je ne le lâche pas. Et pourtant l'envie 50 de parler me quitta; je haussai les épaules et je

---

12. Many adherents of the Republic were violent anticlericals, but the Basques (from northern Spain) were devout. 17–18. *On est bons:* We're going to get it. 19. *vache:* tough. 24. *môme:* kid. 24. *mièvre:* delicate. 26. *tapette:* fairy. 37. *chialer:* squall. 46. *bousillé:* bumped off, croaked.

39. *puros:* cigars (*Spanish*).

détournai les yeux. Un peu plus tard, je levai la tête : il m'observait d'un air curieux. Les gardiens s'étaient assis sur une paillasse. Pedro, le grand maigre, se tournait les pouces, l'autre agitait de temps en temps la tête pour s'empê- 5 cher de dormir.

— Voulez-vous de la lumière ? dit soudain Pedro au médecin. L'autre fit « oui » de la tête : je pense qu'il avait à peu près autant d'intelligence qu'une bûche, mais sans doute n'était-il 10 pas méchant. A regarder ses gros yeux bleus et froids, il me sembla qu'il péchait surtout par défaut d'imagination. Pedro sortit et revint avec une lampe à pétrole qu'il posa sur le coin du banc. Elle éclairait mal, mais c'était mieux 15 que rien : la veille on nous avait laissés dans le noir. Je regardai un bon moment le rond de lumière que la lampe faisait au plafond. J'étais fasciné. Et puis, brusquement, je me réveillai, le rond de lumière s'effaça et je me 20 sentis écrasé sous un poids énorme. Ce n'était pas la pensée de la mort, ni la crainte : c'était anonyme. Les pommettes° me brûlaient et j'avais mal au crâne.

Je me secouai et regardai mes deux compa- 25 gnons. Tom avait enfoui sa tête dans ses mains, je ne voyais que sa nuque grasse et blanche. Le petit Juan était de beaucoup le plus mal en point,° il avait la bouche ouverte et ses narines tremblaient. Le médecin s'approcha de lui et 30 lui posa la main sur l'épaule comme pour le réconforter : mais ses yeux restaient froids. Puis je vis la main du Belge descendre sournoisement le long du bras de Juan jusqu'au poignet. Juan se laissait faire avec indifférence. Le Belge lui 35 prit le poignet entre trois doigts, avec un air distrait, en même temps il recula un peu et s'arrangea pour me tourner le dos. Mais je me penchai en arrière et je le vis tirer sa montre et la consulter un instant sans lâcher le poignet 40 du petit. Au bout d'un moment il laissa retomber la main inerte et alla s'adosser au mur, puis, comme s'il se rappelait soudain quelque chose de très important qu'il fallait noter sur-le-champ, il prit un carnet dans sa poche et 45 y inscrivit quelques lignes. « Le salaud,° pensai-je avec colère, qu'il ne vienne pas me tâter le pouls, je lui enverrai mon poing dans sa sale gueule.° »

Il ne vint pas mais je sentis qu'il me regardait. Je levai la tête et lui rendis son regard. Il me dit d'une voix impersonnelle :

— Vous ne trouvez pas qu'on grelotte ici ?

Il avait l'air d'avoir froid ; il était violet.

— Je n'ai pas froid, lui répondis-je.

Il ne cessait pas de me regarder, d'un œil dur. Brusquement je compris et je portai mes mains à ma figure : j'étais trempé de sueur. Dans cette cave, au gros de l'hiver, en plein courant d'air, je suais. Je passai les doigts dans mes cheveux qui étaient feutrés° par la transpiration° ; en même temps je m'aperçus que ma chemise était humide et collait à ma peau : je ruisselais depuis une heure au moins et je n'avais rien senti. Mais ça n'avait pas échappé au cochon de Belge ; il avait vu les gouttes rouler sur mes joues et il avait pensé : c'est la manifestation d'un état de terreur quasi pathologique ; et il s'était senti normal et fier de l'être parce qu'il avait froid. Je voulus me lever pour aller lui casser la figure mais à peine avais-je ébauché° un geste que ma honte et ma colère furent effacées ; je retombai sur le banc avec indifférence.

Je me contentai de me frictionner le cou avec mon mouchoir parce que, maintenant, je sentais la sueur qui gouttait de mes cheveux sur ma nuque et c'était désagréable. Je renonçai d'ailleurs bientôt à me frictionner, c'était inutile : déjà mon mouchoir était bon à tordre° et je suais toujours. Je suais aussi des fesses° et mon pantalon humide adhérait au banc.

Le petit Juan parla tout à coup.

— Vous êtes médecin ?

— Oui, dit le Belge.

— Est-ce qu'on souffre... longtemps ?

— Oh ! Quand... ? Mais non, dit le Belge d'une voix paternelle, c'est vite fini.

Il avait l'air de rassurer un malade payant.

— Mais je... on m'avait dit... qu'il fallait souvent deux salves.°

— Quelquefois, dit le Belge en hochant la tête. Il peut se faire que la première salve n'atteigne aucun des organes vitaux.

— Alors il faut qu'ils rechargent les fusils et qu'ils visent de nouveau ?

---

23. *pommettes:* cheekbones. 29. *mal en point:* badly off. 46. *salaud:* bastard. 49. *gueule:* jaw, face.

12. *feutrés:* matted. 12. *transpiration:* perspiration. 22. *ébauché:* sketched out, begun. 31. *à tordre:* to be wrung out. 32. *fesses:* buttocks. 42. *salves:* volleys.

Il réfléchit et ajouta d'une voix enrouée° :

— Ça prend du temps !

Il avait une peur affreuse de souffrir, il ne pensait qu'à ça : c'était de son âge. Moi je n'y pensais plus beaucoup et ce n'était pas la crainte de souffrir qui me faisait transpirer.

Je me levai et je marchai jusqu'au tas de poussier. Tom sursauta et me jeta un regard haineux : je l'agaçais parce que mes souliers craquaient. Je me demandais si j'avais le visage aussi terreux° que lui : je vis qu'il suait aussi. Le ciel était superbe, aucune lumière ne se glissait dans ce coin sombre et je n'avais qu'à lever la tête pour apercevoir la grande Ourse.° Mais ça n'était plus comme auparavant : l'avant-veille, de mon cachot de l'archevêché, je pouvais voir un grand morceau de ciel et chaque heure du jour me rappelait un souvenir différent. Le matin quand le ciel était d'un bleu dur et léger, je pensais à des plages au bord de l'Atlantique; à midi je voyais le soleil et je me rappelais un bar de Séville où je buvais du manzanilla° en mangeant des anchois° et des olives; l'après-midi j'étais à l'ombre et je pensais à l'ombre profonde qui s'étend sur la moitié des arènes° pendant que l'autre moitié scintille au soleil : c'était vraiment pénible de voir ainsi toute la terre se refléter dans le ciel. Mais à présent je pouvais regarder en l'air tant que je voulais, le ciel ne m'évoquait plus rien. J'aimais mieux ça. Je revins m'asseoir près de Tom. Un long moment passa.

Tom se mit à parler, d'une voix basse. Il fallait toujours qu'il parlât, sans ça il ne se reconnaissait pas bien dans ses pensées. Je pense que c'était à moi qu'il s'adressait mais il ne me regardait pas. Sans doute avait-il peur de me voir comme j'étais, gris et suant : nous étions pareils et pires que des miroirs l'un pour l'autre.° Il regardait le Belge, le vivant.

— Tu comprends, toi ? disait-il. Moi, je comprends pas.

Je me mis aussi à parler à voix basse. Je regardais le Belge.

— Quoi, qu'est-ce qu'il y a ?

— Il va nous arriver quelque chose que je ne peux pas comprendre.

Il y avait une étrange odeur autour de Tom.

Il me sembla que j'étais plus sensible aux odeurs qu'à l'ordinaire. Je ricanai :

— Tu comprendras tout à l'heure.

— Ça n'est pas clair, dit-il d'un air obstiné. Je veux bien avoir du courage, mais il faudrait au moins que je sache... Écoute, on va nous amener dans la cour. Bon. Les types vont se ranger devant nous. Combien seront-ils ?

— Je ne sais pas. Cinq ou huit. Pas plus.

— Ça va. Ils seront huit. On leur criera : « En joue° » et je verrai les huit fusils braqués° sur moi. Je pense que je voudrai rentrer dans le mur, je pousserai le mur avec le dos de toutes mes forces et le mur résistera, comme dans les cauchemars.° Tout ça je peux me l'imaginer. Ah ! Si tu savais comme je peux me l'imaginer.

— Ça va ! lui dis-je, je me l'imagine aussi.

— Ça doit faire un mal de chien. Tu sais qu'ils visent les yeux et la bouche pour défigurer, ajouta-t-il méchamment. Je sens déjà les blessures; depuis une heure j'ai des douleurs dans la tête et dans le cou. Pas de vraies douleurs; c'est pis : ce sont les douleurs que je sentirai demain matin. Mais après.

Je comprenais très bien ce qu'il voulait dire mais je ne voulais pas en avoir l'air. Quant aux douleurs, moi aussi je les portais dans mon corps, comme une foule de petites balafres.° Je ne pouvais pas m'y faire, mais j'étais comme lui, je n'y attachais pas d'importance.

— Après, dis-je rudement, tu boufferas du pissenlit.°

Il se mit à parler pour lui seul : il ne lâchait pas des yeux le Belge. Celui-ci n'avait pas l'air d'écouter. Je savais ce qu'il était venu faire; ce que nous pensions ne l'intéressait pas; il était venu regarder nos corps, des corps qui agonisaient tout vifs.

— C'est comme dans les cauchemars, disait Tom. On veut penser à quelque chose, on a tout le temps l'impression que ça y est, qu'on va comprendre et puis ça glisse, ça vous échappe et ça retombe. Je me dis : après il n'y aura plus rien. Mais je ne comprends pas ce que ça veut dire. Il y a des moments où j'y arrive presque... et puis ça retombe, je recommence à penser aux douleurs, aux balles, aux détonations. Je suis matérialiste, je te le jure; je ne deviens pas fou.

---

1. *enrouée:* hoarse. 11. *terreux:* earthy, ashen. 14. *la grande Ourse:* the Great Bear, or Big Dipper. 22. *manzanilla:* tart white wine. 23. *anchois:* anchovies. 25. *arènes:* bull rings. 40. How is this an existentialist idea? See the introduction.

11. *En joue:* Aim! 11. *braqués:* pointed. 15. *cauchemars:* nightmares. 28. *balafres:* slashes. 31–32. *tu boufferas du pissenlit:* you'll be eating dandelions.

Mais il y a quelque chose qui ne va pas. Je vois mon cadavre : ça n'est pas difficile mais c'est *moi* qui le vois, avec *mes* yeux. Il faudrait que j'arrive à penser... à penser que je ne verrai plus rien, que je n'entendrai plus rien et que le monde continuera pour les autres. On n'est pas faits pour penser ça, Pablo. Tu peux me croire : ça m'est déjà arrivé de veiller toute une nuit en attendant quelque chose. Mais cette chose-là, ça n'est pas pareil : ça nous prendra par derrière, Pablo, et nous n'aurons pas pu nous y préparer.

— La ferme,° lui dis-je, veux-tu que j'appelle un confesseur ?

Il ne répondit pas. J'avais déjà remarqué qu'il avait tendance à faire le prophète et à m'appeler Pablo en parlant d'une voix blanche. Je n'aimais pas beaucoup ça ; mais il paraît que tous les Irlandais sont ainsi. J'avais l'impression vague qu'il sentait l'urine. Au fond je n'avais pas beaucoup de sympathie pour Tom et je ne voyais pas pourquoi, sous prétexte que nous allions mourir ensemble, j'aurais dû en avoir davantage. Il y a des types avec qui ç'aurait été différent. Avec Ramon Gris, par exemple. Mais, entre Tom et Juan, je me sentais seul. D'ailleurs j'aimais mieux ça : avec Ramon je me serais peut-être attendri. Mais j'étais terriblement dur, à ce moment-là, et je voulais rester dur.

Il continua à mâchonner° des mots, avec une espèce de distraction. Il parlait sûrement pour s'empêcher de penser. Il sentait l'urine à plein nez comme les vieux prostatiques.° Naturellement j'étais de son avis, tout ce qu'il disait j'aurais pu le dire : ça n'est pas *naturel* de mourir. Et, depuis que j'allais mourir, plus rien ne me semblait naturel, ni ce tas de poussier, ni le banc, ni la sale gueule de Pedro. Seulement, ça me déplaisait de penser les mêmes choses que Tom. Et je savais bien que, tout au long de la nuit, à cinq minutes près, nous continuerions à penser les choses en même temps, à suer ou à frissonner en même temps. Je le regardai de côté et, pour la première fois, il me parut étrange : il portait sa mort sur sa figure. J'étais blessé dans mon orgueil : pendant vingt-quatre heures j'avais vécu aux côtés de Tom, je l'avais écouté, je lui avais parlé, et je

savais que nous n'avions rien de commun. Et maintenant nous nous ressemblions comme des frères jumeaux, simplement parce que mous allions crever° ensemble. Tom me prit la main sans me regarder :

— Pablo, je me demande... je me demande si c'est bien vrai qu'on s'anéantit.

Je dégageai ma main, je lui dis :

— Regarde entre tes pieds, salaud.

Il y avait une flaque° entre ses pieds et des gouttes tombaient de son pantalon.

— Qu'est-ce que c'est, dit-il avec effarement.

— Tu pisses dans la culotte,° lui dis-je.

— C'est pas vrai, dit-il furieux, je ne pisse pas, je ne sens rien.

Le Belge s'était approché. Il demanda avec une fausse sollicitude :

— Vous vous sentez souffrant ?

Tom ne répondit pas. Le Belge regarda la flaque sans rien dire.

— Je ne sais pas ce que c'est, dit Tom d'un ton farouche, mais je n'ai pas peur. Je vous jure que je n'ai pas peur.

Le Belge ne répondit pas. Tom se leva et alla pisser dans un coin. Il revint en boutonnant sa braguette,° se rassit et ne souffla plus mot. Le Belge prenait des notes.

Nous le regardions tous les trois parce qu'il était vivant. Il avait les gestes d'un vivant, les soucis d'un vivant : il grelottait dans cette cave, comme devaient grelotter les vivants : il avait un corps obéissant et bien nourri. Nous autres nous ne sentions plus guère nos corps — plus de la même façon en tout cas. J'avais envie de tâter mon pantalon, entre mes jambes, mais je n'osais pas ; je regardais le Belge, arqué° sur ses jambes, maître de ses muscles — et qui pouvait penser à demain. Nous étions là, trois ombres privées de sang ; nous le regardions et nous sucions sa vie comme des vampires.

Il finit par s'approcher du petit Juan. Voulut-il lui tâter la nuque pour quelque motif professionnel ou bien obéit-il à une impulsion charitable ? S'il agit par charité ce fut la seule et unique fois de toute la nuit. Il caressa le crâne et le cou du petit Juan. Le petit se laissait faire, sans le quitter des yeux, puis, tout à coup, il lui saisit la main et la regarda d'un drôle d'air. Il tenait la main du Belge entre les deux siennes et

---

13. *La ferme:* Shut up. 31. *mâchonner:* chew, mutter. 34. *prostatiques:* suffers from prostate trouble.

4. *crever:* die, croak. 10. *flaque:* puddle. 13. *culotte:* breeches. 26. *braguette:* fly. 36. *arqué:* arched.

elles n'avaient rien de plaisant, les deux pinces° grises qui serraient cette main grasse et rougeaude. Je me doutais bien de ce qui allait arriver et Tom devait s'en douter aussi : mais le Belge n'y voyait que du feu,° il souriait paternellement. Au bout d'un moment le petit porta la grosse patte rouge à sa bouche et voulut la mordre. Le Belge se dégagea vivement et recula jusqu'au mur en trébuchant.° Pendant une seconde il nous regarda avec horreur, il devait comprendre tout d'un coup que nous n'étions pas des hommes comme lui. Je me mis à rire, et l'un des gardiens sursauta. L'autre s'était endormi, ses yeux, grands ouverts, étaient blancs.

Je me sentais las et surexcité, à la fois. Je ne voulais plus penser à ce qui arriverait à l'aube, à la mort. Ça ne rimait à rien, je ne rencontrais que des mots ou du vide. Mais dès que j'essayais de penser à autre chose je voyais des canons de fusil° braqués sur moi. J'ai peut-être vécu vingt fois de suite mon exécution; une fois même j'ai cru que ça y était pour de bon; j'avais dû m'endormir une minute. Ils me traînaient vers le mur et je me débattais; je leur demandais pardon. Je me réveillai en sursaut et je regardai le Belge : j'avais peur d'avoir crié dans mon sommeil. Mais il se lissait° la moustache, il n'avait rien remarqué. Si j'avais voulu, je crois que j'aurais pu dormir un moment : je veillais depuis quarante-huit heures, j'étais à bout. Mais je n'avais pas envie de perdre deux heures de vie : ils seraient venus me réveiller à l'aube, je les aurais suivis, hébété de sommeil et j'aurais clamecé° sans faire « ouf »; je ne voulais pas de ça, je ne voulais pas mourir comme une bête, je voulais comprendre. Et puis je craignais d'avoir des cauchemars. Je me levai, je me promenai de long en large et, pour me changer les idées, je me mis à penser à ma vie passée. Une foule de souvenirs me revinrent, pêle-mêle. Il y en avait de bons et de mauvais — ou du moins je les appelais comme ça *avant*. Il y avait des visages et des histoires. Je revis le visage d'un petit novillero° qui s'était fait encorner° à Valence° pendant la Feria,° celui d'un de mes oncles, celui de Ramon Gris. Je me rappelai des

histoires : comment j'avais chômé° pendant trois mois en 1926, comment j'avais manqué crever de faim. Je me souvins d'une nuit que j'avais passée sur un banc à Grenade° : je n'avais pas mangé depuis trois jours, j'étais enragé, je ne voulais pas crever. Ça me fit sourire. Avec quelle âpreté je courais après le bonheur, après les femmes, après la liberté. Pourquoi faire? J'avais voulu libérer l'Espagne, j'admirais Pi y Margall,° j'avais adhéré au mouvement anarchiste, j'avais parlé dans des réunions publiques : je prenais tout au sérieux comme si j'avais été immortel.

A ce moment-là j'eus l'impression que je tenais toute ma vie devant moi et je pensai : « C'est un sacré° mensonge. » Elle ne valait rien puisqu'elle était finie. Je me demandai comment j'avais pu me promener, rigoler° avec des filles : je n'aurais pas remué le petit doigt si seulement j'avais imaginé que je mourrais comme ça. Ma vie était devant moi, close, fermée, comme un sac et pourtant tout ce qu'il y avait dedans était inachevé. Un instant j'essayai de la juger. J'aurais voulu me dire : c'est une belle vie. Mais on ne pouvait pas porter de jugement sur elle, c'était une ébauche°; j'avais passé mon temps à tirer des traites° pour l'éternité, je n'avais rien compris. Je ne regrettais rien : il y avait des tas de choses que j'aurais pu regretter, le goût du manzanilla ou bien les bains que je prenais en été dans une petite crique° près de Cadix;° mais la mort avait tout désenchanté.

Le Belge eut une fameuse idée, soudain.

— Mes amis, nous dit-il, je puis me charger — sous réserve que l'administration militaire y consentira — de porter un mot de vous, un souvenir aux gens qui vous aiment...

Tom grogna :

— J'ai personne.

Je ne répondis rien. Tom attendit un instant, puis me considéra avec curiosité :

— Tu ne fais rien dire à Concha?

— Non.

Je détestais cette complicité tendre : c'était ma faute, j'avais parlé de Concha la nuit

---

1. *pinces:* claws. 5. *n'y voyait que du feu:* was taken in by it. 9. *en trébuchant:* stumbling. 21. *canons de fusil:* gun barrels. 28. *lissait:* was stroking. 35. *clamecé:* kicked off, died. 45. *novillero:* beginning bullfighter. 45. *encorner:* gore. 45. *Valence:* Valencia, city in southern Spain. 46. *Feria:* festival.

1. *chômé:* been out of work. 4. *Grenade:* Granada, city in southern Spain. 10. *Pi y Margall:* nineteenth-century Republican statesman. 16. *sacré:* here, damned. 18. *rigoler:* have fun. 27. *ébauche:* rough sketch. 27. *tirer des traites:* draw advances. 32. *crique:* bay. 32. *Cadix:* Cadiz, city in southern Spain.

précédente, j'aurais dû me retenir. J'étais avec elle depuis un an. La veille encore je me serais coupé un bras à coups de hache pour la revoir cinq minutes. C'est pour ça que j'en avais parlé, c'était plus fort que moi. A présent je n'avais plus envie de la revoir, je n'avais plus rien à lui dire. Je n'aurais même pas voulu la serrer dans mes bras : j'avais horreur de mon corps parce qu'il était devenu gris et qu'il suait — et je n'étais pas sûr de ne pas avoir horreur du sien. Concha pleurerait quand elle apprendrait ma mort; pendant des mois elle n'aurait plus de goût à vivre. Mais tout de même c'était moi qui allais mourir. Je pensai à ses beaux yeux tendres. Quand elle me regardait, quelque chose passait d'elle à moi. Mais je pensai que c'était fini : si elle me regardait à *présent* son regard resterait dans ses yeux, il n'irait pas jusqu'à moi. J'étais seul.°

Tom aussi était seul, mais pas de la même manière. Il s'était assis à califourchon° et il s'était mis à regarder le banc avec une espèce de sourire, il avait l'air étonné. Il avança la main et toucha le bois avec précaution, comme s'il avait peur de casser quelque chose, ensuite il retira vivement sa main et frissonna. Je ne me serais pas amusé à toucher le banc, si j'avais été Tom; c'était encore de la comédie d'Irlandais, mais je trouvais aussi que les objets avaient un drôle d'air : ils étaient plus effacés, moins denses qu'à l'ordinaire. Il suffisait que je regarde le banc, la lampe, le tas de poussier, pour que je sente que j'allais mourir. Naturellement je ne pouvais pas clairement penser ma mort mais je la voyais partout, sur les choses, dans la façon dont les choses avaient reculé et se tenaient à distance, discrètement, comme des gens qui parlent bas au chevet d'un mourant. C'était *sa* mort que Tom venait de toucher sur le banc.

Dans l'état où j'étais, si l'on était venu m'annoncer que je pouvais rentrer tranquillement chez moi, qu'on me laissait la vie sauve, ça m'aurait laissé froid : quelques heures ou quelques années d'attente c'est tout pareil, quand on a perdu l'illusion d'être éternel. Je ne tenais plus à rien, en un sens, j'étais calme. Mais c'était un calme horrible — à cause de mon corps : mon corps, je voyais avec ses yeux,

j'entendais avec ses oreilles, mais ça n'était plus moi; il suait et tremblait tout seul et je ne le reconnaissais plus. J'étais obligé de le toucher et de le regarder pour savoir ce qu'il devenait, comme si ç'avait été le corps d'un autre. Par moments je le sentais encore, je sentais des glissements, des espèces de dégringolades,° comme lorsqu'on est dans un avion qui pique du nez,° ou bien je sentais battre mon cœur. Mais ça ne me rassurait pas : tout ce qui venait de mon corps avait un sale air louche. La plupart du temps, il se taisait, il se tenait coi° et je ne sentais plus rien qu'une espèce de pesanteur, une présence immonde contre moi; j'avais l'impression d'être lié à une vermine énorme. A un moment je tâtai mon pantalon et je sentis qu'il était humide; je ne savais pas s'il était mouillé de sueur ou d'urine, mais j'allai pisser sur le tas de charbon, par précaution.

Le Belge tira sa montre et la regarda. Il dit :
— Il est trois heures et demie.

Le salaud! Il avait dû le faire exprès. Tom sauta en l'air : nous ne nous étions pas encore aperçus que le temps s'écoulait; la nuit nous entourait comme une masse informe et sombre, je ne me rappelais même plus qu'elle avait commencé.

Le petit Juan se mit à crier. Il se tordait les mains, il suppliait :
— Je ne veux pas mourir, je ne veux pas mourir.

Il courut à travers toute la cave en levant les bras en l'air puis il s'abattit sur une des paillasses et sanglota. Tom le regardait avec des yeux mornes et n'avait même plus envie de le consoler. Par le fait ce n'était pas la peine : le petit faisait plus de bruit que nous, mais il était moins atteint : il était comme un malade qui se défend contre son mal par de la fièvre. Quand il n'y a même plus de fièvre, c'est beaucoup plus grave.

Il pleurait : je voyais bien qu'il avait pitié de lui-même; il ne pensait pas à la mort. Une seconde, une seule seconde, j'eus envie de pleurer moi aussi, de pleurer de pitié sur moi. Mais ce fut le contraire qui arriva : je jetai un coup d'œil sur le petit, je vis ses maigres épaules sanglotantes et je me sentis inhumain : je ne pouvais avoir pitié ni des autres ni de

---

19. Notice the themes of solitude and of *le regard*. 21. *à califourchon:* straddling (the bench).

7. *dégringolades:* tumblings. 9. *pique du nez:* nose dives. 12. *coi:* quiet.

moi-même. Je me dis : « Je veux mourir proprement. »

Tom s'était levé, il se plaça juste en dessous de l'ouverture ronde et se mit à guetter le jour. Moi j'étais buté,° je voulais mourir proprement et je ne pensais qu'à ça. Mais, par en dessous, depuis que le médecin nous avait dit l'heure, je sentais le temps qui filait, qui coulait goutte à goutte.

Il faisait encore noir quand j'entendis la voix de Tom :

— Tu les entends.

— Oui.

Des types marchaient dans la cour.

— Qu'est-ce qu'ils viennent foutre?° Ils ne peuvent pourtant pas tirer dans le noir.

Au bout d'un moment nous n'entendîmes plus rien. Je dis à Tom :

— Voilà le jour.

Pedro se leva en bâillant et vint souffler la lampe. Il dit à son copain :°

— Mince de froid.°

La cave était devenue toute grise. Nous entendîmes des coups de feu dans le lointain.

— Ça commence, dis-je à Tom, ils doivent faire ça dans la cour de derrière.

Tom demanda au médecin de lui donner une cigarette. Moi je n'en voulais pas; je ne voulais ni cigarettes ni alcool. A partir de cet instant ils ne cessèrent pas de tirer.

— Tu te rends compte? dit Tom.

Il voulait ajouter quelque chose mais il se tut, il regardait la porte. La porte s'ouvrit et un lieutenant entra avec quatre soldats. Tom laissa tomber sa cigarette.

— Steinbock?

Tom ne répondit pas. Ce fut Pedro qui le désigna.

— Juan Mirbal?

— C'est celui qui est sur la paillasse.

— Levez-vous, dit le lieutenant.

Juan ne bougea pas. Deux soldats le prirent aux aisselles° et le mirent sur ses pieds. Mais dès qu'ils l'eurent lâché il retomba.

Les soldats hésitèrent.

— Ce n'est pas le premier qui se trouve mal, dit le lieutenant, vous n'avez qu'à le porter, vous deux; on s'arrangera là-bas.

Il se tourna vers Tom :

— Allons, venez.

Tom sortit entre deux soldats. Deux autres soldats suivaient, ils portaient le petit par les aisselles et par les jarrets.° Il n'était pas évanoui; il avait les yeux grands ouverts et des larmes coulaient le long de ses joues. Quand je voulus° sortir, le lieutenant m'arrêta :

— C'est vous, Ibbieta?

— Oui.

— Vous allez attendre ici : on viendra vous chercher tout à l'heure.

Ils sortirent. Le Belge et les deux geôliers sortirent aussi, je restai seul. Je ne comprenais pas ce qui m'arrivait mais j'aurais mieux aimé qu'ils en finissent tout de suite. J'entendais les salves à intervalles presque réguliers; à chacune d'elles, je tressaillais. J'avais envie de hurler et de m'arracher les cheveux. Mais je serrais les dents et j'enfonçais les mains dans mes poches parce que je voulais rester propre.

Au bout d'une heure on vint me chercher et on me conduisit au premier étage, dans une petite pièce qui sentait le cigare et dont la chaleur me parut suffocante. Il y avait là deux officiers qui fumaient assis dans des fauteuils, avec des papiers sur leurs genoux.

— Tu t'appelles Ibbieta?

— Oui.

— Où est Ramon Gris?

— Je ne sais pas.

Celui qui m'interrogeait était petit et gros. Il avait des yeux durs derrière ses lorgnons. Il me dit :

— Approche.

Je m'approchai. Il se leva et me prit par les bras en me regardant d'un air à me faire rentrer sous terre. En même temps il me pinçait les biceps de toutes ses forces. Ça n'était pas pour me faire mal, c'était le grand jeu : il voulait me dominer. Il jugeait nécessaire aussi de m'envoyer son souffle pourri en pleine figure. Nous restâmes un moment comme ça, moi, ça me donnait plutôt envie de rire. Il en faut beaucoup plus pour intimider un homme qui va mourir : ça ne prenait pas. Il me repoussa violemment et se rassit. Il dit :

— C'est ta vie contre la sienne. On te laisse la vie sauve si tu nous dis où il est.

---

5. *buté:* set on it. 15. *Qu'est-ce... foutre?* What the hell are they up to? 21. *copain:* pal. 22. *Mince de froid:* Damn cold. 43. *aisselles:* armpits.

5. *jarrets:* knees (*lit.,* tendons in back of the knee). 7. *voulus:* started to.

Ces deux types chamarrés° avec leurs cravaches° et leurs bottes, c'étaient tout de même des hommes qui allaient mourir. Un peu plus tard que moi, mais pas beaucoup plus. Et ils s'occupaient à chercher des noms sur leurs paperasses,° ils couraient après d'autres hommes pour les emprisonner ou les supprimer; ils avaient des opinions sur l'avenir de l'Espagne et sur d'autres sujets. Leurs petites activités me paraissaient choquantes et burlesques : je n'arrivais plus à me mettre à leur place, il me semblait qu'ils étaient fous.

Le petit gros me regardait toujours, en fouettant ses bottes de sa cravache. Tous ses gestes étaient calculés pour lui donner l'allure d'une bête vive et féroce.

— Alors ? C'est compris ?

— Je ne sais pas où est Gris, répondis-je. Je croyais qu'il était à Madrid.

L'autre officier leva sa main pâle avec indolence. Cette indolence aussi était calculée. Je voyais tous leurs petits manèges° et j'étais stupéfait qu'il se trouvât des hommes pour s'amuser à ça.

— Vous avez un quart d'heure pour réfléchir, dit-il lentement. Emmenez-le à la lingerie,° vous le ramènerez dans un quart d'heure. S'il persiste à refuser, on l'exécutera sur-le-champ.

Ils savaient ce qu'ils faisaient : j'avais passé la nuit dans l'attente; après ça ils m'avaient encore fait attendre une heure dans la cave, pendant qu'on fusillait Tom et Juan et maintenant ils m'enfermaient dans la lingerie ; ils avaient dû préparer leur coup depuis la veille. Ils se disaient que les nerfs s'usent à la longue et ils espéraient m'avoir comme ça.

Ils se trompaient bien. Dans la lingerie je m'assis sur un escabeau,° parce que je me sentais très faible et je me mis à réfléchir. Mais pas à leur proposition. Naturellement je savais où était Gris : il se cachait chez ses cousins, à quatre kilomètres de la ville. Je savais aussi que je ne révélerais pas sa cachette, sauf s'ils me torturaient (mais ils n'avaient pas l'air d'y songer). Tout cela était parfaitement réglé, définitif et ne m'intéressait nullement. Seulement j'aurais voulu comprendre les raisons de ma conduite. Je préférais crever plutôt que de livrer Gris. Pourquoi ? Je n'aimais plus Ramon Gris. Mon amitié pour lui était morte un peu avant l'aube en même temps que mon amour pour Concha, en même temps que mon désir de vivre. Sans doute je l'estimais toujours; c'était un dur. Mais ça n'était pas pour cette raison que j'acceptais de mourir à sa place; sa vie n'avait pas plus de valeur que la mienne; aucune vie n'avait de valeur. On allait coller un homme contre un mur et lui tirer dessus jusqu'à ce qu'il en crève : que ce fût moi ou Gris ou un autre c'était pareil. Je savais bien qu'il était plus utile que moi à la cause de l'Espagne mais je me foutais de° l'Espagne et de l'anarchie : rien n'avait plus d'importance. Et pourtant j'étais là, je pouvais sauver ma peau en livrant Gris et je me refusais à le faire. Je trouvais ça plutôt comique : c'était de l'obstination. Je pensai :

« Faut-il être têtu !° » Et une drôle de gaieté m'envahit.

Ils vinrent me chercher et me ramenèrent auprès des deux officiers. Un rat partit sous nos pieds et ça m'amusa. Je me tournai vers un des phalangistes et je lui dis :

— Vous avez vu le rat ?

Il ne répondit pas. Il était sombre, il se prenait au sérieux. Moi j'avais envie de rire mais je me retenais parce que j'avais peur, si je commençais, de ne plus pouvoir m'arrêter. Le phalangiste portait des moustaches. Je lui dis encore :

— Il faut couper tes moustaches, ballot.°

Je trouvais drôle qu'il laissât de son vivant les poils envahir sa figure. Il me donna un coup de pied sans grande conviction, et je me tus.

— Eh bien, dit le gros officier, tu as réfléchi ?

Je les regardai avec curiosité, comme des insectes d'une espèce très rare. Je leur dis :

— Je sais où il est. Il est caché dans le cimetière. Dans un caveau° ou dans la cabane des fossoyeurs.°

C'était pour leur faire une farce. Je voulais les voir se lever, boucler leurs ceinturons° et donner des ordres d'un air affairé.

Ils sautèrent sur leurs pieds.

— Allons-y. Moles, allez demander quinze hommes au lieutenant Lopez. Toi, me dit le

---

1. *chamarrés:* bespangled (*i.e.,* with uniforms covered with insignia and decorations). 2. *cravaches:* riding whips. 6. *paperasses:* piles of paper. 22. *manèges:* tricks. 26. *lingerie:* supply room. 38. *escabeau:* stool.

14. *je me foutais de:* I didn't give a damn for. 20. *Faut-il être têtu!* My, I must be pigheaded! 33. *ballot:* fathead. 41. *caveau:* burial vault. 42. *fossoyeurs:* gravediggers. 44. *ceinturons:* Sam Browne belts.

petit gros, si tu as dit la vérité, je n'ai qu'une parole.° Mais tu le paieras cher si tu t'es fichu de nous.°

Ils partirent dans un brouhaha° et j'attendis paisiblement sous la garde des phalangistes. De temps en temps je souriais parce que je pensais à la tête qu'ils allaient faire.° Je me sentais abruti et malicieux. Je les imaginai, soulevant les pierres tombales, ouvrant une à une les portes des caveaux. Je me représentais la situa- 10 tion comme si j'avais été un autre : ce prisonnier obstiné à faire le héros, ces graves phalangistes avec leurs moustaches et ces hommes en uniforme qui couraient entre les tombes; c'était d'un comique irrésistible. 15

Au bout d'une demi-heure le petit gros revint seul. Je pensai qu'il venait donner l'ordre de m'exécuter. Les autres devaient être restés au cimetière.

L'officier me regarda. Il n'avait pas du tout 20 l'air penaud.°

— Emmenez-le dans la grande cour avec les autres, dit-il. A la fin des opérations militaires un tribunal régulier décidera de son sort.

Je crus que je n'avais pas compris. Je lui 25 demandai :

— Alors on ne me... on ne me fusillera pas?...

— Pas maintenant en tout cas. Après, ça ne me regarde plus.

Je ne comprenais toujours pas. Je lui dis : 30

— Mais pourquoi?

Il haussa les épaules sans répondre et les soldats m'emmenèrent. Dans la grande cour il y avait une centaine de prisonniers, des femmes, des enfants, quelques vieillards. Je me mis à 35 tourner autour de la pelouse centrale, j'étais hébété. A midi on nous fit manger au réfectoire. Deux ou trois types m'interpellèrent.° Je devais les connaître, mais je ne leur répondis pas : je ne savais même plus où j'étais. 40

2. *je n'ai qu'une parole:* I keep my word. 3. *si tu t'es fichu de nous:* if you've been making fun of us. 4. *brouhaha:* hubbub. 7. *la tête... faire:* the faces they were going to make. 21. *penaud:* cast down. 38. *m'interpellèrent:* spoke to me.

Vers le soir on poussa dans la cour une dizaine de prisonniers nouveaux. Je reconnus Garcia, le boulanger. Il me dit :

— Sacré veinard!° Je ne pensais pas te revoir 5 vivant.

— Ils m'avaient condamné à mort, dis-je, et puis ils ont changé d'idée. Je ne sais pas pourquoi.

— Ils m'ont arrêté à deux heures, dit Garcia.

— Pourquoi?

Garcia ne faisait pas de politique.

— Je ne sais pas, dit-il. Ils arrêtent tous ceux qui ne pensent pas comme eux.

Il baissa la voix.

— Ils ont eu Gris. 15

Je me mis à trembler.

— Quand?

— Ce matin. Il avait fait le con.° Il a quitté son cousin mardi parce qu'ils avaient eu des mots. Il ne manquait pas de types qui l'auraient caché mais il ne voulait plus rien devoir à personne. Il a dit : « Je me serais caché chez Ibbieta, mais puisqu'ils l'ont pris j'irai me cacher au cimetière. »

— Au cimetière? 25

— Oui. C'était con. Naturellement ils y ont passé ce matin, ça devait arriver. Ils l'ont trouvé dans la cabane des fossoyeurs. Il leur a tiré dessus et ils l'ont descendu.°

— Au cimetière! 30

Tout se mit à tourner et je me retrouvai assis par terre : je riais si fort que les larmes me vinrent aux yeux.°

4. *Sacré veinard:* Damned lucky guy! 18. *fait le con:* acted like a fool. (A word of obscene origin; eliminate from your vocabulary.) 29. *descendu:* shot. 33. The dénouement, which may seem a mere trick ending, certainly has a much deeper meaning for the author. Ibbieta is "déjà mort"; he makes a final effort to assert his liberty by an ironic act; but by the irony of circumstance, Ramon Gris is just where he had no reason to be. Thus the inevitable absurdity of the world is expressed. (See Claude Magny: *Les Sandales d'Empédocle.* Neuchâtel, La Baconnière, 1945, pp. 146–48.) Is the prison symbolic of man's fate? What is the wall, which gives the story its title? (The clue is on page 405.) How is the story existentialist?

36. Camus [1913–1960]

Albert Camus was born in Mondovi, Algeria. His father was a farm laborer from Alsace, who enlisted in the French army in 1914 and was almost immediately killed. His mother, of Spanish origin, was illiterate and simple-witted; as a cleaning woman in the poor quarters of Algiers she supported her two orphaned sons. Thus Albert Camus knew the wretchedness of the very poor.

A brilliant student, he gained scholarships in school and in the University of Algiers. He planned to make a career as professor of philosophy, but was debarred from it by tuberculosis, which kept recurring throughout his life. He became a successful journalist in Algiers, even editor of a radical paper. He was for a year a member of the Communist Party.

Rejected for military service, he went to Paris early in 1940 and worked on left-wing newspapers. During the Occupation he edited clandestine papers for the Resistance. The resounding success of *L'Étranger* (1942) and *Le Mythe de Sisyphe* (1943) released him from want. After the war he devoted himself to literature. In 1957, when he was only 44, he received the Nobel Prize for Literature.

In the first days of January 1960 Camus was visiting his publisher, Michel Gallimard, in the south of France. Though Camus had his return railway ticket, M. Gallimard proposed to drive him back to Paris. The car skidded at high speed and struck a tree. Both perished. To be killed by one's publisher is certainly the triumph of the Absurd.

Camus has had a vast popularity. His doctrines, his messages, have met the needs of a troubled younger generation in every country. *L'Étranger* is a staple in American schools. *Le Mythe de Sisyphe* became a textbook for philosophically minded rebels. *La Peste* (1947), an allegory of Occupation and Resistance and also of the conflict of good and evil, has sold about a million copies. *La Chute* (1956) has also had a prodigious success.

Camus began as a poetic celebrant of life under the African sun. The darkness of 1939 put an end to such celebrations. He fell in with Sartre and the Existentialists and found their thought congenial, though he never accepted their doctrines entirely. He broke openly with Sartre in 1952.

Le Mythe de Sisyphe develops the theory of the Absurd as a basic principle of human behavior. This is not new; indeed it goes back at least to Ecclesiastes. Malraux had used the theme in two early books (*La Tentation de l'Occident*, 1926, and *Les Conquérants*, 1928). Camus makes a terrifying contrast between man's demand for a happy, meaningful life and the realities of the absurd world. The logical lesson is suicide, but this Camus eludes; we must act *as if* life had meaning.

Camus' later work is more hopeful. He rejected nihilism and negativism, tried to *revaloriser la vie*. He looked to human solidarity as a means to conquer absurdity. Our doom—sickness, suffering, death—is inevitable, but in the meantime we have our work to do—our work for liberty and justice. Camus' occupation was, in sum, an impassioned quest for liberty to create justice and for justice to guarantee liberty. He wrote in a letter: "There is a dead justice and a living justice; and justice dies from the moment it becomes a comfort, when it ceases to be a burning reality, a demand upon oneself."

Our selection is a lecture delivered at the University of Uppsala, Sweden, on December 14, 1957, four days after the author received the Nobel Prize. It is a splendid statement of the artist's position and duty in society—and there is nothing of the Absurd in it.

L'Artiste et son Temps

Un sage oriental demandait toujours, dans ses prières, que la divinité voulût bien lui épargner de vivre une époque intéressante. Comme nous ne sommes pas sages, la divinité ne nous a pas épargnés et nous vivons une époque intéressante. En tout cas, elle n'admet pas que nous puissions nous désintéresser d'elle. Les écrivains d'aujourd'hui savent cela. S'ils parlent, les voilà critiqués et attaqués. Si, devenus modestes, ils se taisent, on ne leur parlera plus que de leur silence, pour le leur reprocher bruyamment.

Au milieu de ce vacarme, l'écrivain ne peut plus espérer se tenir à l'écart pour poursuivre les réflexions et les images qui lui sont chères. Jusqu'à présent, et tant bien que mal, l'abstention a toujours été possible dans l'histoire. Celui qui n'approuvait pas, il pouvait souvent se taire, ou parler d'autre chose. Aujourd'hui, tout est changé, le silence même prend un sens redoutable. A partir du moment où l'abstention elle-même est considérée comme un choix, puni ou loué comme tel, l'artiste, qu'il le veuille ou non, est embarqué. Embarqué me paraît ici plus juste qu'engagé.° Il ne s'agit pas en effet pour l'artiste d'un engagement volontaire, mais plutôt d'un service militaire obligatoire. Tout artiste aujourd'hui est embarqué dans la galère de son temps. Il doit s'y résigner, même s'il juge que cette galère sent le hareng,° que les gardes-chiourme° y sont vraiment trop nombreux et que, de surcroît, le cap est mal pris.° Nous sommes en pleine mer. L'artiste, comme les autres, doit ramer à son tour, sans mourir, s'il le peut, c'est-à-dire en continuant de vivre et de créer.

A vrai dire, ce n'est pas facile et je comprends que les artistes regrettent leur ancien confort. Le changement est un peu brutal. Certes, il y a toujours eu dans le cirque de l'histoire le martyr et le lion. Le premier se soutenait de consolations éternelles, le second de nourriture historique bien saignante.° Mais l'artiste jusqu'ici était sur les gradins.° Il chantait pour rien, pour lui-même, ou, dans le meilleur des cas, pour encourager le martyr et distraire un peu le lion de son appétit. Maintenant, au contraire, l'artiste se trouve dans le cirque. Sa voix, forcément, n'est plus la même; elle est beaucoup moins assurée.

On voit bien tout ce que l'art peut perdre à cette constante obligation. L'aisance d'abord, et cette divine liberté qui respire dans l'œuvre de Mozart. On comprend mieux l'air hagard et buté° de nos œuvres d'art, leur front soucieux et leurs débâcles° soudaines. On s'explique que nous ayons ainsi plus de journalistes que d'écrivains, plus de boys-scouts de la peinture que de Cézanne et qu'enfin la bibliothèque rose° ou le roman noir° aient pris la place de *La Guerre et la Paix* ou de *La Chartreuse de Parme*. Bien entendu, on peut toujours opposer à cet état de choses la lamentation humaniste, devenir ce que Stephan Trophimovitch, dans *Les Possédés*,° veut être à toute force : le reproche incarné. On peut aussi avoir, comme ce personnage, des accès de tristesse civique. Mais cette tristesse ne change rien à la réalité. Il vaut mieux, selon moi, faire sa part° à l'époque, puisqu'elle la réclame si fort, et reconnaître tranquillement que le temps des chers maîtres, des artistes à camélias et des génies montés sur fauteuil est terminé. Créer aujourd'hui, c'est créer dangereusement. Toute publication est un acte et cet acte expose aux passions d'un siècle qui ne pardonne rien. La question n'est donc pas de savoir si cela est ou n'est pas dommageable à l'art. La question, pour tous ceux qui ne peuvent vivre sans l'art et ce qu'il signifie, est seulement de savoir comment, parmi les polices de tant d'idéologies, (que d'églises, quelle solitude!) l'étrange liberté de la création reste possible.

Il ne suffit pas de dire à cet égard que l'art est menacé par les puissances d'État. Dans ce cas, en effet, le problème serait simple : l'artiste se bat ou capitule. Le problème est plus complexe, plus mortel aussi, dès l'instant où l'on s'aperçoit que le combat se livre au-dedans de l'artiste lui-même. La haine de l'art dont notre société offre de si beaux exemples n'a tant d'efficacité, aujourd'hui, que parce qu'elle est entretenue par les artistes eux-mêmes. Le doute des artistes qui nous ont précédés touchait à

---

26. *engagé:* Sartre's word. (See the introduction to the section on Existentialism.) 31. *hareng:* herring. 32. *gardes-chiourme:* slave drivers. 33. *le cap est mal pris:* the course is miscalculated. 44. *saignante:* rare. 45. *gradins:* spectators' seats.

9. *buté:* obstinate, grim. 10. *débâcles:* collapses. 14. *bibliothèque rose:* collection of harmless books for the young. 14. *roman noir:* hard-boiled novels. 19. *Les Possédés:* novel by Dostoevski. 23. *faire sa part:* make due allowance.

leur propre talent. Celui des artistes d'aujourd'hui touche à la nécessité de leur art, donc à leur existence même. Racine en 1957 s'excuserait d'écrire *Bérénice* au lieu de combattre pour la défense de l'Édit de Nantes.°

Cette mise en question de l'art par l'artiste a beaucoup de raisons, dont il ne faut retenir que les plus hautes. Elle s'explique, dans le meilleur des cas, par l'impression que peut avoir l'artiste contemporain de mentir ou de parler pour rien, s'il ne tient compte des misères de l'histoire. Ce qui caractérise notre temps, en effet, c'est l'irruption des masses et de leur condition misérable devant la sensibilité contemporaine. On sait qu'elles existent, alors qu'on avait tendance à l'oublier. Et si on le sait, ce n'est pas que les élites, artistiques ou autres, soient devenues meilleures, non, rassurons-nous, c'est que les masses sont devenues plus fortes et empêchent qu'on les oublie.

Il y a d'autres raisons encore, et quelques-unes moins nobles, à cette démission de l'artiste. Mais quelles que soient ces raisons, elles concourent au même but : décourager la création libre en s'attaquant à son principe essentiel, qui est la foi du créateur en lui-même. « L'obéissance d'un homme à son propre génie, a dit magnifiquement Emerson, c'est la foi par excellence. » Et un autre écrivain américain du XIXᵉ siècle ajoutait : « Tant qu'un homme reste fidèle à lui-même, tout abonde dans son sens,° gouvernement, société, le soleil même, la lune et les étoiles. » Ce prodigieux optimisme semble mort aujourd'hui. L'artiste, dans la plupart des cas, a honte de lui-même et de ses privilèges, s'il en a. Il doit répondre avant toute chose à la question' qu'il se pose : l'art est-il un luxe mensonger?

I

La première réponse honnête que l'on puisse faire est celle-ci : il arrive en effet que l'art soit un luxe mensonger. Sur la dunette° des galères, on peut, toujours et partout, nous le savons, chanter les constellations pendant que les forçats rament et s'exténuent dans la cale°; on peut toujours enregistrer la conversation mondaine qui se poursuit sur les gradins du cirque pendant que la victime craque sous la dent du lion. Et il est bien difficile d'objecter quelque chose à cet art qui a connu de grandes réussites dans le passé. Sinon ceci que les choses ont un peu changé, et qu'en particulier le nombre des forçats et des martyrs a prodigieusement augmenté sur la surface du globe. Devant tant de misère, cet art, s'il veut continuer d'être un luxe, doit accepter aujourd'hui d'être aussi un mensonge.

De quoi parlerait-il en effet? S'il se conforme à ce que demande notre société, dans sa majorité, il sera divertissement sans portée. S'il la refuse aveuglément, si l'artiste décide de s'isoler dans son rêve, il n'exprimera rien d'autre qu'un refus. Nous aurons ainsi une production d'amuseurs ou de grammairiens de la forme, qui, dans les deux cas, aboutit à un art coupé de la réalité vivante. Depuis un siècle environ, nous vivons dans une société qui n'est même pas la société de l'argent (l'argent ou l'or peuvent susciter des passions charnelles), mais celle des symboles abstraits de l'argent. La société des marchands peut se définir comme une société où les choses disparaissent au profit des signes. Quand une classe dirigeante mesure ses fortunes non plus à l'arpent de terre ni au lingot° d'or, mais au nombre de chiffres correspondant idéalement à un certain nombre d'opérations d'échange, elle se voue du même coup à mettre une certaine sorte de mystification au centre de son expérience et de son univers. Une société fondée sur les signes est, dans son essence, une société artificielle où la vérité charnelle de l'homme se trouve mystifiée. On ne s'étonnera pas alors que cette société ait choisi, pour en faire sa religion, une morale de principes formels, et qu'elle écrive les mots de liberté et d'égalité aussi bien sur ses prisons que sur ses temples financiers. Cependant, on ne prostitue pas impunément les mots. La valeur la plus calomniée aujourd'hui est certainement la valeur de liberté. De bons esprits (j'ai toujours pensé qu'il y avait deux sortes d'intelligence, l'intelligence intelligente et l'intelligence bête), mettent en doctrine qu'elle n'est rien qu'un obstacle sur le chemin du vrai progrès. Mais des sottises aussi solennelles ont pu être proférées parce que pendant cent ans la société marchande a fait de la liberté un usage exclusif

---

5. *Édit de Nantes:* grant of freedom of conscience to Protestants, 1598. 31. *sens:* way. 43. *dunette:* poop deck. 46. *cale:* hold.

28. *lingot:* ingot (bar for coining).

et unilatéral, l'a considérée comme un droit plutôt que comme un devoir et n'a pas craint de placer aussi souvent qu'elle l'a pu une liberté de principe au service d'une oppression de fait. Dès lors, quoi de surprenant si cette société n'a pas demandé à l'art d'être un instrument de libération, mais un exercice sans grande conséquence, et un simple divertissement? Tout un beau monde où l'on avait surtout des peines d'argent et seulement des ennuis de cœur s'est ainsi satisfait, pendant des dizaines d'années, de ses romanciers mondains et de l'art le plus futile qui soit, celui à propos duquel Oscar Wilde, songeant à lui-même avant qu'il ait connu la prison, disait que le vice suprême est d'être superficiel.

Les fabricants d'art (je n'ai pas encore dit les artistes) de l'Europe bourgeoise, avant et après 1900, ont ainsi accepté l'irresponsabilité parce que la responsabilité supposait une rupture épuisante avec leur société (ceux qui ont vraiment rompu s'appelaient Rimbaud, Nietzsche, Strindberg et l'on connaît le prix qu'ils ont payé). C'est de cette époque que date la théorie de l'art pour l'art qui n'est que la revendication° de cette irresponsabilité. L'art pour l'art, le divertissement d'un artiste solitaire, est bien justement l'art artificiel d'une société factice et abstraite. Son aboutissement logique, c'est l'art des salons, ou l'art purement formel qui se nourrit de préciosités et d'abstractions et qui finit par la destruction de toute réalité. Quelques œuvres enchantent ainsi quelques hommes tandis que beaucoup de grossières inventions en corrompent beaucoup d'autres. Finalement, l'art se constitue en dehors de la société et se coupe de ses racines vivantes. Peu à peu, l'artiste, même très fêté, est seul, ou du moins n'est plus connu de sa nation que par l'intermédiaire de la grande presse ou de la radio qui en donneront une idée commode et simplifiée. Plus l'art se spécialise, en effet, et plus nécessaire devient la vulgarisation. Des millions d'hommes auront ainsi le sentiment de connaître tel ou tel grand artiste de notre temps parce qu'ils ont appris par les journaux qu'il élève des canaris ou qu'il ne se marie jamais que pour six mois. La plus grande célébrité, aujourd'hui, consiste à être admiré ou détesté sans avoir été lu. Tout artiste qui se mêle de vouloir être célèbre dans notre société doit savoir que ce n'est pas lui qui le sera, mais quelqu'un d'autre sous son nom, qui finira par lui échapper et, peut-être, un jour, par tuer en lui le véritable artiste.

Comment s'étonner dès lors que presque tout ce qui a été créé de valable dans l'Europe marchande du xixe et du xxe siècle, en littérature par exemple, se soit édifié contre la société de son temps! On peut dire que jusqu'aux approches de la Révolution française, la littérature en exercice est, en gros, une littérature de consentement. A partir du moment où la société bourgeoise, issue de la révolution, est stabilisée, se développe au contraire une littérature de révolte. Les valeurs officielles sont alors niées, chez nous par exemple, soit par les porteurs de valeurs révolutionnaires, des romantiques à Rimbaud, soit par les mainteneurs de valeurs aristocratiques, dont Vigny et Balzac sont de bons exemples. Dans les deux cas, peuple et aristocratie, qui sont les deux sources de toute civilisation, s'inscrivent contre la société factice de leur temps.

Mais ce refus, trop longtemps maintenu et raidi, est devenu factice lui aussi et conduit à une autre sorte de stérilité. Le thème du poète maudit né dans une société marchande (*Chatterton*° en est la plus belle illustration), s'est durci dans un préjugé qui finit par vouloir qu'on ne puisse être un grand artiste que contre la société de son temps, quelle qu'elle soit. Légitime à son origine quand il affirmait qu'un artiste véritable ne pouvait composer avec le monde de l'argent, le principe est devenu faux lorsqu'on en a tiré qu'un artiste ne pouvait s'affirmer qu'en étant contre toute chose en général. C'est ainsi que beaucoup de nos artistes aspirent à être maudits, ont mauvaise conscience à ne pas l'être, et souhaitent en même temps l'applaudissement et le sifflet.° Naturellement, la société, étant aujourd'hui fatiguée ou indifférente, n'applaudit et ne siffle que par hasard. L'intellectuel de notre temps n'en finit pas alors de se raidir pour se grandir. Mais à force de tout refuser et jusqu'à la tradition de son art, l'artiste contemporain se donne l'illusion de créer sa propre règle et finit par se croire Dieu. Du même coup, il croit pouvoir créer sa réalité lui-même. Il ne créera pourtant, loin de sa

---

26. *revendication:* claim, demand.

29. *Chatterton:* play by Vigny. 41. *sifflet:* whistle, booing.

société, que des œuvres formelles ou abstraites, émouvantes en tant qu'expériences, mais privées de la fécondité propre à l'art véritable, dont la vocation est de rassembler. Pour finir, il y aura autant de différence entre les subtilités ou les abstractions contemporaines et l'œuvre d'un Tolstoï ou d'un Molière qu'entre la traite escomptée° sur un blé invisible et la terre épaisse du sillon lui-même.

II

L'art peut ainsi être un luxe mensonger. On ne s'étonnera donc pas que des hommes ou des artistes aient voulu faire machine arrière° et revenir à la vérité. Dès cet instant, ils ont nié que l'artiste ait droit à la solitude et lui ont offert comme sujet, non pas ses rêves, mais la réalité vécue et soufferte par tous. Certains que l'art pour l'art, par ses sujets comme par son style, échappe à la compréhension des masses, ou bien n'exprime rien de leur vérité, ces hommes ont voulu que l'artiste se proposât au contraire de parler du et pour le plus grand nombre. Qu'il traduise les souffrances et le bonheur de tous dans le langage de tous, et il sera compris universellement. En récompense d'une fidélité absolue à la réalité, il obtiendra la communication totale entre les hommes.

Cet idéal de la communication universelle est en effet celui de tout grand artiste. Contrairement au préjugé courant, si quelqu'un n'a pas droit à la solitude, c'est justement l'artiste. L'art ne peut pas être un monologue. L'artiste solitaire et inconnu lui-même, quand il en appelle à la postérité, ne fait rien d'autre que réaffirmer sa vocation profonde. Jugeant le dialogue impossible avec des contemporains sourds ou distraits, il en appelle à un dialogue plus nombreux, avec les générations.

Mais pour parler de tous et à tous, il faut parler de ce que tous connaissent et de la réalité qui nous est commune. La mer, les pluies, le besoin, le désir, la lutte contre la mort, voilà ce qui nous réunit tous. Nous nous ressemblons dans ce que nous voyons ensemble, dans ce qu'ensemble nous souffrons. Les rêves changent avec les hommes, mais la réalité du monde est notre commune patrie. L'ambition

du réalisme est donc légitime, car elle est profondément liée à l'aventure artistique.

Soyons donc réalistes. Ou plutôt essayons de l'être, si seulement il est possible de l'être. Car il n'est pas sûr que le mot ait un sens, il n'est pas sûr que le réalisme, même s'il est souhaitable, soit possible. Demandons-nous d'abord si le réalisme pur est possible en art. A en croire les déclarations des naturalistes du dernier siècle, il est la reproduction exacte de la réalité. Il serait donc à l'art ce que la photographie est à la peinture : la première reproduit quand la deuxième choisit. Mais que reproduit-elle et qu'est-ce que la réalité? Même la meilleure des photographies, après tout, n'est pas une reproduction assez fidèle, n'est pas encore assez réaliste. Qu'y a-t-il de plus réel, par exemple, dans notre univers, qu'une vie d'homme, et comment espérer la faire mieux revivre que dans un film réaliste? Mais à quelles conditions un tel film sera-t-il possible? A des conditions purement imaginaires. Il faudrait en effet supposer une camera idéale fixée, nuit et jour, sur cet homme et enregistrant sans arrêt ses moindres mouvements. Le résultat serait un film dont la projection elle-même durerait une vie d'homme et qui ne pourrait être vu que par des spectateurs résignés à perdre leur vie pour s'intéresser exclusivement au détail de l'existence d'un autre. Même à ces conditions, ce film inimaginable ne serait pas réaliste. Pour cette raison simple que la réalité d'une vie d'homme ne se trouve pas seulement là où il se tient. Elle se trouve dans d'autres vies qui donnent une forme à la sienne, vies d'êtres aimés, d'abord, qu'il faudrait filmer à leur tour, mais vies aussi d'hommes inconnus, puissants et misérables, concitoyens, policiers, professeurs, compagnons invisibles des mines et des chantiers,° diplomates et dictateurs, réformateurs religieux, artistes qui créent des mythes décisifs pour notre conduite, humbles représentants, enfin, du hasard souverain qui règne sur les existences les plus ordonnées. Il n'y a donc qu'un seul film réaliste possible, celui-là même qui sans cesse est projeté devant nous par une appareil invisible sur l'écran du monde. Le seul artiste réaliste serait Dieu, s'il existe. Les autres artistes sont, par force, infidèles au réel.

Dès lors, les artistes qui refusent la société

8. *traite escomptée:* discounted draft; a "future." 15. *faire machine arrière:* go into reverse.

40. *chantiers:* work yards.

bourgeoise et son art formel, qui veulent parler de la réalité et d'elle seule, se trouvent dans une douloureuse impasse. Ils doivent être réalistes et ne le peuvent pas. Ils veulent soumettre leur art à la réalité et on ne peut décrire la réalité sans y opérer un choix qui la soumet à l'originalité d'un art. La belle et tragique production des premières années de la révolution russe nous montre bien ce tourment. Ce que la Russie nous a donné à ce moment avec Blok et le grand Pasternak, Maiakovski et Essenine, Eisenstein et les premiers romanciers du ciment et de l'acier, c'est un splendide laboratoire de formes et de thèmes, une féconde inquiétude, une folie de recherches. Il a fallu conclure cependant et dire comment on pouvait être réaliste alors que le réalisme était impossible. La dictature, ici comme ailleurs, a tranché dans le vif :° le réalisme, selon elle, était d'abord nécessaire, et il était ensuite possible, à la condition qu'il se veuille socialiste. Quel est le sens de ce décret?

En fait, il reconnaît franchement qu'on ne peut reproduire la réalité sans y faire un choix et il refuse la théorie du réalisme telle qu'elle a été formulée au XIXᵉ siècle. Il ne lui reste qu'à trouver un principe de choix autour duquel le monde s'organisera. Et il le trouve, non pas dans la réalité que nous connaissons, mais dans la réalité qui sera, c'est-à-dire l'avenir. Pour bien reproduire ce qui est, il faut peindre aussi ce qui sera. Autrement dit, le véritable objet du réalisme socialiste, c'est justement ce qui n'a pas encore de réalité.

La contradiction est assez superbe. Mais, après tout, l'expression même de réalisme socialiste était contradictoire. Comment, en effet, un réalisme socialiste est-il possible alors que la réalité n'est pas tout entière socialiste? Elle n'est socialiste, par exemple, ni dans le passé, ni tout à fait dans le présent. La réponse est simple : on choisira dans la réalité d'aujourd'hui ou d'hier ce qui prépare et sert la cité parfaite de l'avenir. On se vouera donc, d'une part, à nier et à condamner ce qui, dans la réalité, n'est pas socialiste, d'autre part, à exalter ce qui l'est ou le deviendra. Nous obtenons inévitablement l'art de propagande, avec ses bons et ses méchants, une bibliothèque

rose, en somme, coupée,° autant que l'art formel, de la réalité complexe et vivante. Finalement, cet art sera socialiste dans la mesure exacte où il ne sera pas réaliste.

Cette esthétique qui se voulait réaliste devient alors un nouvel idéalisme, aussi stérile, pour un artiste véritable, que l'idéalisme bourgeois. La réalité n'est placée ostensiblement° à un rang souverain que pour être mieux liquidée. L'art se trouve réduit à rien. Il sert et, servant, il est asservi. Seuls, ceux qui se garderont justement de décrire la réalité seront appelés réalistes et loués. Les autres seront censurés aux applaudissements des premiers. La célébrité qui consistait à ne pas ou à être mal lu, en société bourgeoise, consistera à empêcher les autres d'être lus, en société totalitaire. Ici encore, l'art vrai sera défiguré, ou bâillonné,° et la communication universelle rendue impossible par ceux-là mêmes qui la voulaient le plus passionnément.

Le plus simple, devant un tel échec, serait de reconnaître que le réalisme dit socialiste a peu de choses à voir° avec le grand art et que les révolutionnaires, dans l'intérêt même de la révolution, devraient chercher une autre esthétique. On sait au contraire que ses défenseurs crient qu'il n'y a pas d'art possible en dehors de lui. Ils le crient, en effet. Mais ma conviction profonde est qu'ils ne le croient pas et qu'ils ont décidé, en eux-mêmes, que les valeurs artistiques devaient être soumises aux valeurs de l'action révolutionnaire. Si cela était dit clairement, la discussion serait plus facile. On peut respecter ce grand renoncement chez des hommes qui souffrent trop du contraste entre le malheur de tous et les privilèges attachés parfois à un destin d'artiste, qui refusent l'insupportable distance où se séparent ceux que la misère bâillonne et ceux dont la vocation est au contraire de s'exprimer toujours. On pourrait alors comprendre ces hommes, tenter de dialoguer avec eux, essayer par exemple de leur dire que la suppression de la liberté créatrice n'est peut-être pas le bon chemin pour triompher de la servitude et qu'en attendant de parler pour tous, il est stupide de s'enlever le pouvoir de parler pour quelques-uns au moins. Oui, le réalisme socialiste devrait avouer sa parenté, et

---

18–19. *tranché dans le vif:* cut into the quick, the essential.

1. *coupée:* mixed. 9. *ostensiblement:* openly, publicly. 19. *bâillonné:* gagged. 24. *à voir:* to do.

qu'il est le frère jumeau du réalisme politique. Il sacrifie l'art pour une fin étrangère à l'art mais qui, dans l'échelle des valeurs, peut lui paraître supérieure. En somme, il supprime l'art provisoirement pour édifier d'abord la justice. Quand la justice sera, dans un avenir encore imprécisé, l'art ressuscitera. On applique ainsi dans les choses de l'art cette règle d'or de l'intelligence contemporaine qui veut qu'on ne fasse pas d'omelette sans casser des œufs. Mais cet écrasant bon sens ne doit pas nous abuser. Il ne suffit pas de casser des milliers d'œufs pour faire une bonne omelette et ce n'est pas, il me semble, à la quantité de coquilles brisées qu'on estime la qualité du cuisinier. Les cuisiniers artistiques de notre temps doivent craindre au contraire de renverser plus de corbeilles d'œufs qu'ils ne l'auraient voulu et que, dès lors, l'omelette de la civilisation ne prenne° plus jamais, que l'art enfin ne ressuscite pas. La barbarie n'est jamais provisoire. On ne lui fait pas sa part et il est normal que de l'art elle s'étende aux mœurs. On voit alors naître, du malheur et du sang des hommes, les littératures insignifiantes, les bonnes presses, les portraits photographiés et les pièces de patronage° où la haine remplace la religion. L'art culmine ici dans un optimisme de commande,° le pire des luxes justement, et le plus dérisoire des mensonges.

Comment s'en étonner? La peine des hommes est un sujet si grand qu'il semble que personne ne saurait y toucher à moins d'être comme Keats, si sensible, dit-on, qu'il aurait pu toucher de ses mains la douleur elle-même. On le voit bien lorsqu'une littérature dirigée se mêle d'apporter à cette peine des consolations officielles. Le mensonge de l'art pour l'art faisait mine d'ignorer le mal et en prenait ainsi la responsabilité. Mais le mensonge réaliste, s'il prend sur lui avec courage de reconnaître le malheur présent des hommes, le trahit aussi gravement, en l'utilisant pour exalter un bonheur à venir, dont personne ne sait rien et qui autorise donc toutes les mystifications.

Les deux esthétiques qui se sont longtemps affrontées, celle qui recommande un refus total de l'actualité et celle qui prétend tout rejeter de ce qui n'est pas l'actualité, finissent pourtant par se rejoindre, loin de la réalité, dans un même mensonge et dans la suppression de l'art. L'académisme de droite ignore une misère que l'académisme de gauche utilise. Mais, dans les deux cas, la misère est renforcée en même temps que l'art est nié.

III

Faut-il conclure que ce mensonge est l'essence même de l'art? Je dirai au contraire que les attitudes dont j'ai parlé jusqu'ici ne sont des mensonges que dans la mesure où elles n'ont pas grand-chose à voir avec l'art. Qu'est-ce donc que l'art? Rien de simple, cela est sûr. Et il est encore plus difficile de l'apprendre au milieu des cris de tant de gens acharnés à tout simplifier. On veut, d'une part, que le génie soit splendide et solitaire; on le somme, d'autre part, de ressembler à tous. Hélas! la réalité est plus complexe. Et Balzac l'a fait sentir en une phrase : « Le génie ressemble à tout le monde et nul ne lui ressemble. » Ainsi de l'art, qui n'est rien sans la réalité, et sans qui la réalité est peu de chose. Comment l'art se passerait-il en effet du réel et comment s'y soumettrait-il? L'artiste choisit son objet autant qu'il est choisi par lui. L'art, dans un certain sens, est une révolte contre le monde dans ce qu'il a de fuyant et d'inachevé : il ne se propose donc rien d'autre que de donner une autre forme à une réalité qu'il est contraint pourtant de conserver parce qu'elle est la source de son émotion. A cet égard, nous sommes tous réalistes et personne ne l'est. L'art n'est ni le refus total, ni le consentement total à ce qui est. Il est en même temps refus et consentement, et c'est pourquoi il ne peut être qu'un déchirement perpétuellement renouvelé. L'artiste se trouve toujours dans cette ambiguïté, incapable de nier le réel et cependant éternellement voué à le contester dans ce qu'il a d'éternellement inachevé. Pour faire une nature morte,° il faut que s'affrontent et se corrigent réciproquement un peintre et une pomme. Et si les formes ne sont rien sans la lumière du monde, elles ajoutent à leur tour à cette lumière. L'univers réel qui, par sa splendeur, suscite les corps et les statues, reçoit d'eux en même temps une seconde lumière qui fixe

---

20. *prenne:* coagulate. 27. *pièces de patronage:* commissioned party polemics. 29. *de commande:* made to order.

43. *nature morte:* still life.

celle du ciel. Le grand style se trouve ainsi à mi-chemin de l'artiste et de son objet.

Il ne s'agit donc pas de savoir si l'art doit fuir le réel ou s'y soumettre, mais seulement de quelle dose exacte de réel l'œuvre doit se lester° pour ne pas disparaître dans les nuées, ou se traîner, au contraire, avec des semelles de plomb. Ce problème, chaque artiste le résout comme il le sent et le peut. Plus forte est la révolte d'un artiste contre la réalité du monde, plus grand peut être le poids du réel qui l'équilibrera. Mais ce poids ne peut jamais étouffer l'exigence solitaire de l'artiste. L'œuvre la plus haute sera toujours, comme dans les tragiques grecs, dans Melville, Tolstoï ou Molière, celle qui équilibrera le réel et le refus que l'homme oppose à ce réel, chacun, faisant rebondir l'autre dans un incessant jaillissement qui est celui-là même de la vie joyeuse et déchirée. Alors surgit, de loin en loin, un monde neuf, différent de celui de tous les jours et pourtant le même, particulier mais universel, plein d'insécurité innocente, suscité pour quelques heures par la force et l'insatisfaction du génie. C'est cela et pourtant ce n'est pas cela, le monde n'est rien et le monde est tout, voilà le double et inlassable cri de chaque artiste vrai, le cri qui le tient debout, les yeux toujours ouverts, et qui, de loin en loin, réveille pour tous au sein du monde endormi l'image fugitive et insistante d'une réalité que nous reconnaissons sans l'avoir jamais rencontrée.

De même, devant son siècle, l'artiste ne peut ni s'en détourner, ni s'y perdre. S'il s'en détourne, il parle dans le vide. Mais, inversement, dans la mesure où il le prend comme objet, il affirme sa propre existence en tant que sujet et ne peut s'y soumettre tout entier. Autrement dit, c'est au moment même où l'artiste choisit de partager le sort de tous qu'il affirme l'individu qu'il est. Et il ne pourra sortir de cette ambiguïté. L'artiste prend de l'histoire ce qu'il peut en voir lui-même ou y souffrir lui-même, directement ou indirectement, c'est-à-dire l'actualité au sens strict du mot, et les hommes qui vivent aujourd'hui, non le rapport de cette actualité à un avenir imprévisible° pour l'artiste vivant. Juger l'homme contemporain au nom d'un homme qui n'existe pas encore, c'est le rôle de la prophétie.

L'artiste, lui, ne peut qu'apprécier les mythes qu'on lui propose en fonction de° leur répercussion sur l'homme vivant. Le prophète, religieux ou politique, peut juger absolument et d'ailleurs, on le sait, ne s'en prive pas. Mais l'artiste ne le peut pas. S'il jugeait absolument, il partagerait sans nuances la réalité entre le bien et le mal, il ferait du mélodrame. Le but de l'art, au contraire, n'est pas de légiférer° ou de régner, il est d'abord de comprendre. Il règne parfois, à force de comprendre. Mais aucune œuvre de génie n'a jamais été fondée sur la haine et le mépris. C'est pourquoi l'artiste, au terme de son cheminement, absout au lieu de condamner. Il n'est pas juge, mais justificateur. Il est l'avocat perpétuel de la créature vivante, parce qu'elle est vivante. Il plaide vraiment pour l'amour du prochain, non pour cet amour du lointain qui dégrade l'humanisme contemporain en catéchisme de tribunal. Au contraire, la grande œuvre finit par confondre tous les juges. Par elle, l'artiste, en même temps, rend hommage à la plus haute figure de l'homme et s'incline devant le dernier des criminels. « Il n'y a pas, écrit Wilde en prison, un seul des malheureux enfermés avec moi dans ce misérable endroit qui ne se trouve en rapport symbolique avec le secret de la vie. » Oui, et ce secret de la vie coïncide avec celui de l'art.

Pendant cent cinquante ans, les écrivains de la société marchande, à de rares exceptions près, ont cru pouvoir vivre dans une heureuse irresponsabilité. Ils ont vécu, en effet, et puis sont morts seuls, comme ils avaient vécu. Nous autres, écrivains du xxe siècle, ne serons plus jamais seuls. Nous devons savoir au contraire que nous ne pouvons nous évader de la misère commune, et que notre seule justification, s'il en est une, est de parler, dans la mesure de nos moyens, pour ceux qui ne peuvent le faire. Mais nous devons le faire pour tous ceux, en effet, qui souffrent en ce moment, quelles que soient les grandeurs, passées ou futures, des Etats et des partis qui les oppriment : il n'y a pas pour l'artiste de bourreaux privilégiés. C'est pourquoi la beauté, même aujourd'hui, surtout aujourd'hui, ne peut servir aucun parti; elle ne sert, à longue ou brève échéance,° que la

5. *lester:* ballast. 48. *imprévisible:* unforeseeable.

2. *en fonction de:* in terms of. 9. *légiférer:* legislate. 49. *échéance:* term.

douleur ou la liberté des hommes. Le seul artiste engagé est celui qui, sans rien refuser du combat, refuse du moins de rejoindre les armées régulières, je veux dire le franc-tireur.° La leçon qu'il trouve alors dans la beauté, si elle est honnêtement tirée, n'est pas une leçon d'égoïsme, mais de dure fraternité. Ainsi conçue, la beauté n'a jamais asservi aucun homme. Et depuis des millénaires,° tous les jours, à toutes les secondes, elle a soulagé au contraire la servitude de millions d'hommes et, parfois, libéré pour toujours quelques-uns. Pour finir, peut-être touchons-nous ici la grandeur de l'art, dans cette perpétuelle tension entre la beauté et la douleur, l'amour des hommes et la folie de la création, la solitude insupportable et la foule harassante, le refus et le consentement. Il chemine entre deux abîmes, qui sont la frivolité et la propagande. Sur cette ligne de crête où avance le grand artiste, chaque pas est une aventure, un risque extrême. Dans ce risque pourtant, et dans lui seul, se trouve la liberté de l'art. Liberté difficile et qui ressemble plutôt à une discipline ascétique? Quel artiste le nierait? Quel artiste oserait se dire à la hauteur de cette tâche incessante? Cette liberté suppose une santé du cœur et du corps, un style qui soit comme la force de l'âme et un affrontement patient. Elle est, comme toute liberté, un risque perpétuel, une aventure exténuante,° et voilà pourquoi on fuit aujourd'hui ce risque comme on fuit l'exigeante liberté pour se ruer à toutes sortes de servitudes, et obtenir au moins le confort de l'âme. Mais si l'art n'est pas une aventure qu'est-il donc et où est sa justification? Non, l'artiste libre, pas plus que l'homme libre, n'est l'homme du confort. L'artiste libre est celui qui, à grand peine, crée son ordre lui-même. Plus est déchaîné ce qu'il doit ordonner, plus sa règle sera stricte et plus il aura affirmé sa liberté. Il y a un mot de Gide que j'ai toujours approuvé bien qu'il puisse prêter à malentendu. « L'art vit de contrainte et meurt de liberté. » Cela est vrai. Mais il ne faut pas en tirer que l'art puisse être dirigé. L'art ne vit que des contraintes qu'il s'impose à lui-même : il meurt des autres. En revanche, s'il ne se contraint pas lui-même, le voilà qui délire et

s'asservit à des ombres. L'art le plus libre, et le plus révolté, sera ainsi le plus classique; il couronnera le plus grand effort. Tant qu'une société et ses artistes ne consentent pas à ce long et libre effort, tant qu'ils se laissent aller au confort des divertissements ou à celui du conformisme, aux jeux de l'art pour l'art ou aux prêches de l'art réaliste, ses artistes restent dans le nihilisme et la stérilité. Dire cela, c'est dire que la renaissance aujourd'hui dépend de notre courage et de notre volonté de clairvoyance.

Oui, cette renaissance est entre nos mains à tous. Il dépend de nous que l'Occident suscite ces Contre-Alexandre qui devaient renouer le nœud gordien° de la civilisation, tranché par la force de l'épée. Pour cela, il nous faut prendre tous les risques et les travaux de la liberté. Il ne s'agit pas de savoir si, poursuivant la justice, nous arriverons à préserver la liberté. Il s'agit de savoir que, sans la liberté, nous ne réaliserons rien et que nous perdrons, à la fois, la justice future et la beauté ancienne. La liberté seule retire les hommes de l'isolement, la servitude, elle, ne plane que sur une foule de solitudes. Et l'art, en raison de cette libre essence que j'ai essayé de définir, réunit, là où la tyrannie sépare. Quoi d'étonnant dès lors à ce qu'il soit l'ennemi désigné par toutes les oppressions? Quoi d'étonnant à ce que les artistes et les intellectuels aient été les premières victimes des tyrannies modernes, qu'elles soient de droite ou de gauche? Les tyrans savent qu'il y a dans l'œuvre d'art une force d'émancipation qui n'est mystérieuse que pour ceux qui n'en ont pas le culte. Chaque grande œuvre rend plus admirable et plus riche la face humaine, voilà tout son secret. Et ce n'est pas assez de milliers de camps et de barreaux de cellule pour obscurcir ce bouleversant témoignage de dignité. C'est pourquoi il n'est pas vrai que l'on puisse, même provisoirement, suspendre la culture pour en préparer une nouvelle. On ne suspend pas l'incessant témoignage de l'homme sur sa misère et sa grandeur, on ne suspend pas une respiration. Il n'y a pas de culture sans héritage et nous ne pouvons ni ne devons rien refuser du nôtre, celui de l'Occident. Quelles que soient les œuvres de l'avenir, elles seront

---

4. *franc-tireur:* sniper. 9. *millénaires:* thousands of years. 30. *exténuante:* exhausting.

16. *nœud gordien:* Gordian knot, inextricable knot which Alexander slashed.

toutes chargées du même secret, fait de courage et de liberté, nourri par l'audace de milliers d'artistes de tous les siècles et de toutes les nations. Oui, quand la tyrannie moderne nous montre que, même cantonné dans son métier, l'artiste est l'ennemi public, elle a raison. Mais elle rend ainsi hommage, à travers lui, à une figure de l'homme que rien jusqu'ici n'a pu écraser.

Ma conclusion sera simple. Elle consistera à dire, au milieu même du bruit et de la fureur de notre histoire : « Réjouissons-nous. » Réjouissons-nous, en effet, d'avoir vu mourir une Europe menteuse et confortable et de nous trouver confrontés à de cruelles vérités. Réjouissons-nous en tant qu'hommes puisqu'une longue mystification s'est écroulée et que nous voyons clair dans ce qui nous menace. Et réjouissons-nous en tant qu'artistes, arrachés au sommeil et à la surdité, maintenus de force devant la misère, les prisons, le sang. Si, devant ce spectacle, nous savons garder la mémoire des jours et des visages, si, inversement, devant la beauté du monde, nous savons ne pas oublier les humiliés, alors l'art occidental peu à peu retrouvera sa force et sa royauté. Certes, il est, dans l'histoire, peu d'exemples d'artistes confrontés avec de si durs problèmes. Mais, justement, lorsque les mots et les phrases, même les plus simples, se paient en poids de liberté et de sang, l'artiste apprend à les manier avec mesure. Le danger rend classique et toute grandeur, pour finir, a sa racine dans le risque.

Le temps des artistes irresponsables est passé. Nous le regretterons pour nos petits bonheurs. Mais nous saurons reconnaître que cette épreuve sert en même temps nos chances d'authenticité, et nous accepterons le défi. La liberté de l'art ne vaut pas cher quand elle n'a d'autre sens que d'assurer le confort de l'artiste. Pour qu'une valeur, ou une vertu, prenne racine dans une société, il convient de ne pas mentir à son propos, c'est-à-dire de payer pour elle, chaque fois qu'on le peut. Si la liberté est devenue dangereuse, alors elle est en passe de ne plus être prostituée. Et je ne puis approuver, par exemple, ceux qui se plaignent aujourd'hui du déclin de la sagesse. Apparemment, ils ont raison. Mais, en vérité, la sagesse n'a jamais autant décliné qu'au temps où elle était le

plaisir sans risques de quelques humanistes de bibliothèque. Aujourd'hui, où elle est affrontée enfin à de réels dangers, il y a des chances au contraire pour qu'elle puisse à nouveau se tenir debout, à nouveau être respectée.

On dit que Nietzsche après la rupture avec Lou Salomé, entré dans une solitude définitive, écrasé et exalté en même temps par la perspective de cette œuvre immense qu'il devait mener sans aucun secours, se promenait la nuit, sur les montagnes qui dominent le golfe de Gênes,° et y allumait de grands incendies de feuilles et de branches qu'il regardait se consumer. J'ai souvent rêvé de ces feux et il m'est arrivé de placer en pensée devant eux, pour les mettre à l'épreuve, certains hommes et certaines œuvres. Eh bien, notre époque est un de ces feux dont la brûlure insoutenable réduira sans doute beaucoup d'œuvres en cendres! Mais pour celles qui resteront, leur métal sera intact et nous pourrons à leur propos nous livrer sans retenue à cette joie suprême de l'intelligence dont le nom est « admiration ».

On peut souhaiter sans doute, et je le souhaite aussi, une flamme plus douce, un répit, la halte propice à la rêverie. Mais peut-être n'y a-t-il pas d'autre paix pour l'artiste que celle qui se trouve au plus brûlant du combat. « Tout mur est une porte », a dit justement Emerson. Ne cherchons pas la porte, et l'issue, ailleurs que dans le mur contre lequel nous vivons. Cherchons au contraire le répit où il se trouve, je veux dire au milieu même de la bataille. Car selon moi, et c'est ici que je terminerai, il s'y trouve. Les grandes idées, on l'a dit, viennent dans le monde sur des pattes de colombe. Peut-être alors, si nous prêtions l'oreille, entendrions-nous, au milieu du vacarme des empires et des nations, comme un faible bruit d'ailes, le doux remue-ménage° de la vie et de l'espoir. Les uns diront que cet espoir est porté par un peuple, d'autres par un homme. Je crois qu'il est au contraire suscité, ranimé, entretenu, par des millions de solitaires dont les actions et les œuvres, chaque jour, nient les frontières et les plus grossières apparences de l'histoire, pour faire resplendir fugitivement la vérité toujours menacée que chacun, sur ses souffrances et sur ses joies, élève pour tous.

11. *Gênes*: Genoa. 40. *remue-ménage*: bustle.

37-38. Anouilh [1910–   ]

Jean Anouilh is the best-known and probably the best French dramatist of today. He has few rivals in other countries.

Strangely indeed for a man of the theater, he hates publicity, keeps his private life private, and refuses interviews. We know at least that he was born in Bordeaux of a humble background, that he began writing plays in boyhood, that he graduated from a Paris lycée, worked in an advertising agency ("where I learned to be ingenious and exact"), wrote film scripts, and served as secretary to Louis Jouvet's famous acting troupe. Like most important playwrights, he has lived totally for the theater; he has watched the world from backstage.

Anouilh had his first hit in 1935. Some of his successes, well known in America, are *Le Bal des voleurs (Thieves' Carnival)*, 1938; *Antigone*, 1942; *L'Invitation au château (Ring Around the Moon)*, 1947; *La Valse des toréadors*, 1952; *L'Alouette (The Lark)*, 1953; *Becket ou l'honneur de Dieu*, 1959. From *Becket* a distinguished film in English was drawn.

Anouilh's recurring theme is the opposition of the individual to life. The individual, the hero, is in constant search for purity, or fidelity to his essential self. But life demands the surrender of purity; life is a system of compromises and evasions. Here is a dramatic conflict, which is usually resolved by the tragic triumph of the world over the individual. It is an ancient theme, the subject of innumerable fictions, from the story of Prometheus to Malraux's *La Condition humaine*. Life, corrupt and corrupting, is the enemy of purity; the hero, like Joan of Arc in *L'Alouette*, struggles against it and accepts finally the only pure solution, which is death.

The hero, opposing life's compromises, seeks his salvation commonly in love. But love is a deception, for the lover is looking for himself in another, and his effort is doomed to failure. This is an existentialist idea. However, Anouilh is no formal existentialist; he reached his own convictions before Sartre propounded the school's doctrines in France.

Anouilh's first plays accepted the realistic tradition of the modern theater. He then progressed to something more subtle. In one of his plays a character speaks for the author: "Naturalness, truth in the theater, my dear, is the least natural thing in the world. Don't get the idea that it's enough to copy the accents of life . . . . Life is very pretty, but it has no form. Art's object is precisely to give it form and to make by all possible artifices something truer than life."*

This is bold but dangerous doctrine. The spectator may be troubled by Anouilh's strange inventions; he is not persuaded that the artifices set before him are actually truer than life. He may find the motivations difficult, the developments beyond the reach of his own experience of life and behavior. But that is the author's task—to impose his inventions on the reluctant spectator.

Médée is one of a group of re-creations of Greek drama, of which *Antigone* is the best known. It was written in 1946 and first performed in 1953. The story is the famous one told by Euripides and Seneca. Medea the witch, one of the wickedest women in legend, is to some extent rehabilitated. Her total love for Jason turns to total revenge. Since her own nature is destined to be evil, the "purity" she seeks must lie in the acceptance of evil on a heroic scale.

---

* *La Répétition*, in *Pièces brillantes*. Paris, La Table Ronde, p. 387. Camus said something similar—see our last lesson.

Jason, you remember, led the Argonauts to Colchis, on the Black Sea, to obtain the Golden Fleece. Medea, daughter of the King of Colchis, fell in love with Jason; murdering her brother, she helped Jason to steal the Fleece and fled with him to Corinth. A really serious student will read Euripides' *Medea* and will observe how Anouilh has given the old play a new meaning and a new suppleness and richness.

MÉDÉE*

Personnages

MÉDÉE
JASON
CRÉON
LA NOURRICE
LE GARÇON
LES GARDES

En scène, au lever du rideau, MÉDÉE *et* LA NOUR-RICE *accroupies par terre devant une roulotte.†*
Des musiques, des chants vagues au loin.
Elles écoutent.

MÉDÉE. Tu l'entends?
LA NOURRICE. Quoi?
MÉDÉE. Le bonheur. Il rôde.
LA NOURRICE. Ils chantent au village. C'est peut-être une fête chez eux, aujourd'hui.
MÉDÉE. Je hais leurs fêtes. Je hais leur joie.
LA NOURRICE. On n'est pas d'ici.
(*Un silence*)
Chez nous c'est plus tôt, en juin, la fête. Les filles se mettent des fleurs dans les cheveux et les garçons se peignent la figure en rouge avec leur sang et, au petit matin, après les premiers sacrifices, on commence les combats. Qu'ils sont beaux les gars de Colchide° quand ils se battent!
MÉDÉE. Tais-toi.
LA NOURRICE. Après, ils domptent les bêtes sauvages tout le jour. Et le soir on allumait des grands feux devant le palais de ton père, de grands feux jaunes avec des herbes qui sentaient fort. Tu l'as oubliée, toi, petite, l'odeur des herbes de chez nous?
MÉDÉE. Tais-toi. Tais-toi, bonne femme.
LA NOURRICE. Ah, je suis vieille et c'est trop

† *roulotte:* house on wheels. 32. *Colchide:* Colchis, at the eastern end of the Black Sea, between the Caucasus Mountains and Armenia.

long la route... Pourquoi, pourquoi est-on parties, Médée?
MÉDÉE (*crie*). On est parties parce que j'aimais Jason, parce que j'avais volé pour lui mon père, parce que j'avais tué mon frère pour lui! Tais-toi, bonne femme, tais-toi. Crois-tu que c'est bon de toujours redire les choses?
LA NOURRICE. Tu avais un palais aux murs d'or et maintenant nous sommes là, accroupies comme deux mendiantes, devant ce feu qui s'éteint toujours.
MÉDÉE. Va prendre du bois.
(LA NOURRICE *se lève en gémissant et s'éloigne.*)
MÉDÉE (*crie soudain*). Écoute!
(*Elle se dresse.*)
C'est un pas sur la route.
LA NOURRICE (*écoute, puis dit*). Non. C'est le vent.
(MÉDÉE *s'est accroupie, à nouveau. Les chants reprennent au loin.*)
LA NOURRICE. Ne l'attends plus, ma chatte, tu te ronges. Si c'est vrai que c'est une fête, ils ont dû l'inviter là-bas. Il danse, ton Jason, il danse avec les filles des Peslages° et nous sommes là, toutes les deux.
MÉDÉE (*sourdement*). Tais-toi, la vieille.
LA NOURRICE. Je me tais.
(*Un silence, elle s'est mise à quatre pattes pour souffler sur le feu. On entend la musique.*)
MÉDÉE (*soudain*). Sens!
LA NOURRICE. Quoi?
MÉDÉE. Cela pue le bonheur jusque sur cette lande.° Ils nous ont pourtant parqués assez loin de leur village! Ils avaient peur que nous leur volions leurs poules, la nuit.
(*Elle s'est dressée, elle crie.*)
Mais qu'est-ce qu'ils ont donc à chanter et à danser? Est-ce que je chante, moi, est-ce que je danse?
LA NOURRICE. Ils sont chez eux, eux. Leur journée est finie.
(*Un temps, elle rêve.*)

24. *Peslages:* Pelasgians, prehistoric inhabitants of Greece.
33. *lande:* heath.

Te rappelles-tu? Le palais était blanc au bout de l'allée des cyprès quand on rentrait des longues promenades... Tu donnais ton cheval à l'esclave et tu te jetais sur les divans. Alors j'appelais tes filles pour qu'elles te lavent et t'habillent. Tu étais la maîtresse et la fille du roi et rien n'était trop beau pour toi. On tirait les robes des coffres et tu choisissais, calme et nue, pendant qu'elles te frottaient d'huile.

MÉDÉE. Tais-toi, bonne femme, tu es trop bête. Crois-tu que je regrette un palais, des robes, des esclaves?

LA NOURRICE. Fuir, toujours fuir, depuis!

MÉDÉE. Je pouvais fuir, toujours. 15

LA NOURRICE. Chassées, battues, méprisées, sans pays, sans maison.

MÉDÉE. Méprisée, chassée, battue, sans pays, sans maison, mais pas seule.

LA NOURRICE. Et tu me traînes, à mon âge. 20 Et si je meurs, où me laisseras-tu?

MÉDÉE. Dans un trou, n'importe où au bord d'un chemin, la vieille, et moi aussi, cela je l'ai accepté. Mais pas seule.

LA NOURRICE. Il t'abandonne, Médée. 25

MÉDÉE (crie). Non!

(Elle s'arrête.)

Écoute.

LA NOURRICE. C'est le vent. C'est la fête. Il ne rentrera pas, ce soir non plus. 30

MÉDÉE. Mais quelle fête? Quel bonheur qui pue jusqu'ici leur sueur, leur gros vin, leur friture? Gens de Corinthe, qu'avez-vous à crier et à danser? Qu'est-ce qui se passe de si gai ce soir qui m'étreint, moi, qui m'étouffe?... 35 Nourrice, nourrice, je suis grosse ce soir. J'ai mal et j'ai peur comme lorsque tu m'aidais à me tirer un petit de mon ventre... Aide-moi, nourrice! Quelque chose bouge dans moi comme autrefois et c'est quelque chose qui dit 40 non à leur joie à eux là-bas, c'est quelque chose qui dit non au bonheur.

(Elle se serre contre la vieille, tremblante.)

Nourrice, si je crie tu mettras ton poing sur ma bouche, si je me débats tu me tiendras, 45 n'est-ce pas? Tu ne me laisseras pas souffrir seule... Ah! tiens-moi, nourrice, tiens-moi de toutes tes forces. Tiens-moi comme lorsque j'étais petite, comme le soir où j'ai failli mourir en enfantant. J'ai quelque chose à mettre au monde encore cette nuit, quelque chose de plus gros, de plus vivant que moi et je ne sais pas si je vais être assez forte...

UN GARÇON (entre soudain et s'arrête). C'est vous, Médée?

MÉDÉE (lui crie). Oui! Dis vite! Je sais! 5

LE GARÇON. C'est Jason qui m'envoie.

MÉDÉE. Il ne rentrera pas? Il est blessé, mort?

LE GARÇON. Il vous fait dire que vous êtes sauvée. 10

MÉDÉE. Il ne rentrera pas?

LE GARÇON. Il vous fait dire qu'il viendra, qu'il faut l'attendre.

MÉDÉE. Il ne rentrera pas? Où est-il?

LE GARÇON. Chez le roi. Chez Créon. 15

MÉDÉE. Emprisonné?

LE GARÇON. Non.

MÉDÉE (crie encore). Si! C'est pour lui cette fête? Parle! Tu vois bien que je sais. C'est pour lui? 20

LE GARÇON. Oui. C'est pour lui.

MÉDÉE. Qu'a-t-il donc fait? Allons, dis vite. Tu as couru, tu es tout rouge, il te tarde d'y retourner. On danse, n'est-ce pas?

LE GARÇON. Oui. 25

MÉDÉE. Et on boit?

LE GARÇON. Six barriques° ouvertes devant le palais!

MÉDÉE. Et les jeux, et les pétards,° et les fusils° qui partent tous ensemble vers le ciel. 30 Vite, vite, petit, et tu auras joué ton rôle, tu pourras retourner là-bas et t'amuser. Tu ne me connais pas. Qu'est-ce que cela peut te faire ce que tu vas me dire? Pourquoi mon visage te fait-il peur? Tu veux que je sourie? Voilà, je 35 souris. D'ailleurs, c'est plutôt une bonne nouvelle puisqu'on danse. Vite, petit, puisque je sais!

LE GARÇON. Il épouse Créuse, la fille de Créon. C'est demain matin la noce. 40

MÉDÉE. Merci, petit! Va danser maintenant avec les filles de Corinthe. Danse de toutes tes forces, danse toute la nuit. Et quand tu seras vieux, rappelle-toi que c'est toi qui es venu dire à Médée. 45

LE GARÇON (fait un pas). Qu'est-ce qu'il faudra lui dire?

MÉDÉE. A qui?

LE GARÇON. A Jason.

27. *barriques:* barrels. 29. *pétards:* firecrackers. 30. *fusils:* Notice the deliberate anachronism.

MÉDÉE. Dis-lui que je t'ai dit merci!
(*Le garçon s'en va.*)

MÉDÉE (*crie soudain*). Merci, Jason! Merci, Créon! Merci la nuit! Merci tous! Comme c'était simple, je suis délivrée...

LA NOURRICE (*s'approche*). Mon aigle fière, mon petit vautour...°

MÉDÉE. Laisse, femme! Je n'ai plus besoin de tes mains. Mon enfant est venu tout seul. Et c'est une fille, cette fois. O ma haine! Comme tu es neuve... Comme tu es douce, comme tu sens bon. Petite fille noire, voilà que je n'ai plus que toi au monde à aimer.

LA NOURRICE. Viens, Médée...

(MÉDÉE *est debout toute droite, les bras serrés sur sa poitrine.*)

Laisse-moi. J'écoute.

LA NOURRICE. Laisse leur musique. Rentrons.

MÉDÉE. Je ne l'entends plus. J'écoute ma haine... O douceur! O force perdue!... Qu'avait-il fait de moi, nourrice, avec ses grandes mains chaudes? Il a suffi qu'il entre au palais de mon père et qu'il en pose une sur moi. Dix ans sont passés et la main de Jason me lâche. Je me retrouve.° Ai-je rêvé? c'est moi. C'est Médée! Ce n'est plus cette femme attachée à l'odeur d'un homme, cette chienne couchée qui attend. Honte! Honte! Mes joues me brûlent, nourrice. Je l'attendais tout le jour, les jambes ouvertes, amputée... Humblement, ce morceau de moi qu'il pouvait donner et reprendre, ce milieu de mon ventre, qui était à lui... Il fallait bien que je lui obéisse et que je lui sourie et que je me pare pour lui plaire puisqu'il me quittait chaque matin m'emportant, trop heureuse qu'il revienne le soir et me rende à moi-même. Il fallait bien que je la lui donne cette toison du bélier d'or° s'il la voulait, et tous les secrets de mon père et que je tue mon frère pour lui et que je le suive après dans sa fuite, criminelle et pauvre avec lui. J'ai fait tout ce qu'il fallait, voilà tout, et j'aurais pu faire davantage. Tu le sais tout cela, bonne femme, tu as aimé, toi aussi.

LA NOURRICE. Oui, ma louve.°

MÉDÉE (*crie*). Amputée!... O soleil, si c'est vrai que je viens de toi, pourquoi m'as-tu faite amputée? Pourquoi m'as-tu faite une fille? Pourquoi ces seins, cette faiblesse, cette plaie ouverte au milieu de moi? N'aurait-il pas été beau le garçon Médée? N'aurait-il pas été fort? Le corps dur comme la pierre, fait pour prendre et partir après, ferme, intact, entier, lui! Ah! il aurait pu venir, alors, Jason, avec ses grandes mains redoutables, il aurait pu tenter de les poser sur moi! Un couteau, chacun dans la sienne — oui! — et le plus fort tue l'autre et s'en va délivré. Pas cette lutte où je ne voulais que toucher les épaules, cette blessure que j'implorais. Femme! Femme! Chienne! Chair faite d'un peu de boue et d'une côte d'homme! Morceau d'homme! Putain!

LA NOURRICE (*l'embrasse*). Pas toi, pas toi, Médée!

MÉDÉE. Moi comme les autres!... Plus lâche et plus béante que les autres. Dix ans! Mais c'est fini ce soir, nourrice, je suis redevenue Médée. Comme c'est bon.

LA NOURRICE. Calme-toi, Médée.

MÉDÉE. Je me calme, je suis douce. Tu entends comme je suis douce, nourrice, comme je parle doucement. Je meurs. Je tue tout doucement dans moi. J'étrangle.

LA NOURRICE. Viens. Tu me fais peur, rentrons.

MÉDÉE. Moi aussi, j'ai peur.

LA NOURRICE. Qu'est-ce qu'ils vont faire de nous maintenant?

MÉDÉE. Quelle question! Ce qu'il faut se demander, c'est ce que nous allons faire d'eux, la vieille! J'ai peur aussi, mais pas de leur musique, de leurs cris, de leur roi pouilleux,° de leurs ordres — de moi! Jason, tu l'avais endormie et voilà que Médée s'éveille! Haine! Haine! grande vague bienfaisante, tu me laves et je renais.

LA NOURRICE. Ils vont nous chasser, Médée.

MÉDÉE. Peut-être.

LA NOURRICE. Où irons-nous?

MÉDÉE. Il y aura toujours un pays pour nous, bonne femme, de ce côté de la vie ou de l'autre, un pays où Médée sera reine. O mon noir royaume, tu m'es rendu!

LA NOURRICE (*gémit*). Il va falloir tout emballer° encore.

MÉDÉE. On emballera, la vieille, après!

LA NOURRICE. Après quoi?

7. *vautour:* vulture. 20–26. *Je ne l'entends plus... Je me retrouve:* This is a key passage. 39. *Toison du bélier d'or:* fleece of the golden ram. 46. *louve:* she-wolf.

35. *pouilleux:* lousy. 48. *emballer:* pack up.

MÉDÉE.   Tu le demandes?

LA NOURRICE.   Qu'est-ce que tu veux faire, Médée?

MÉDÉE.   Ce que j'ai fait pour lui quand j'ai trahi mon père, quand j'ai dû tuer mon frère pour fuir, ce que j'ai fait au vieux Pélias° quand j'ai essayé que Jason devienne le roi de son île, ce que j'ai fait dix fois pour lui, mais pour moi cette fois, enfin!

LA NOURRICE.   Tu es folle, tu ne peux pas.

MÉDÉE.   Qu'est-ce que je ne peux pas, bonne femme? Je suis Médée, toute seule, abandonnée devant cette roulotte; au bord de cette mer étrangère, chassée, honnie,° haïe, mais rien n'est trop pour moi!

(*La musique est plus forte au loin,* MÉDÉE *crie plus fort qu'elle.*)

Qu'ils le chantent, qu'ils le chantent vite, leur chant d'hyménée! Qu'ils la parent vite, la fiancée, dans son palais. C'est long demain jusqu'à la noce... Ah! Jason, tu me connais pourtant, tu sais quelle vierge tu as prise en Colchide. Qu'est-ce que tu as pu croire? Que j'allais me mettre à pleurer? Je t'ai suivi dans le sang et dans le crime, il va me falloir du sang et un crime pour te quitter.

LA NOURRICE (*se jette contre elle*).   Tais-toi, tais-toi, je t'en supplie! Enfouis tes plaintes au fond de ton cœur, enfouis ta haine. Supporte. Ce soir, ils sont plus forts que nous!

MÉDÉE.   Qu'est-ce que cela peut bien faire, nourrice?

LA NOURRICE.   Tu te vengeras, ma louve, tu te vengeras, mon vautour. Tu leur feras du mal un jour, toi aussi. Mais nous ne sommes rien, ici. Deux étrangères dans leur roulotte avec leur vieux cheval; deux voleuses de basse-cour° à qui les enfants jettent des pierres. Attends un jour, attends un an, bientôt tu seras la plus forte.

MÉDÉE.   Plus forte que ce soir? Jamais.

LA NOURRICE.   Mais que peux-tu dans cette île ennemie? Colchos est loin et de Colchos même tu es chassée. Et Jason nous laisse aussi maintenant. Que te reste-t-il donc?

MÉDÉE.   Moi!

LA NOURRICE.   Pauvre! Créon est roi et ils ne nous ont tolérées que parce qu'il l'a voulu,

sur cette lande. Qu'il dise un mot, qu'il leur permette et ils sont tous ici avec leurs couteaux et les bâtons. Ils nous tueront.

MÉDÉE (*doucement*).   Ils nous tueront. Mais trop tard.

LA NOURRICE (*se jette à ses pieds*).   Médée, je suis vieille, je ne veux pas mourir! Je t'ai suivie, j'ai tout laissé pour toi. Mais la terre est encore pleine de bonnes choses, le soleil sur le banc à la halte, la soupe chaude à midi, les petites pièces qu'on a gagnées dans sa main, la goutte° qui fait chaud au cœur avant de dormir.

MÉDÉE (*la repousse du pied, méprisante*).   Carcasse! Moi aussi, hier, j'aurais voulu vivre, mais ce n'est plus de vivre ou de mourir maintenant qu'il s'agit.

LA NOURRICE (*accrochée à ses jambes*).   Je veux vivre, Médée!

MÉDÉE.   Je sais, vous voulez tous vivre. C'est parce que Jason veut vivre aussi qu'il part.

LA NOURRICE (*ignoble soudain*).   Tu ne l'aimes plus, Médée. Tu ne le désires plus depuis longtemps. On sait tout, tassés dans cette roulotte. Le premier, il t'a dit qu'il avait trop chaud un soir, qu'il voulait mettre sa paillasse° dehors. Tu l'as laissée et je t'ai entendu soupirer d'aise en te détendant,° ce soir-là, d'avoir le lit pour toi toute seule. On tue pour un homme qui vous prend encore, pas pour un homme qu'on laisse sortir la nuit de son lit.

MÉDÉE (*l'a prise par le col, elle la relève brutalement à la hauteur de son visage*).   Attention, femme! Tu en sais trop, tu en dis trop. J'ai sucé ton lait, bon, et j'ai toléré tes jérémiades.° Mais ce n'est pas de lait, tu le sais, que Médée a grandi. Je ne te dois pas plus qu'à la chèvre que j'aurais pu sucer au lieu de toi. Alors écoute: Tu m'en as trop dit avec ta carcasse, et ta goutte, et ton soleil sur ta viande pourrie... A ta vaisselle,° vieille, à ton balai, à tes épluchures,° avec les autres de ta race. Le jeu que nous jouons n'est pas pour vous. Et si vous y crevez aussi par mégarde et sans comprendre, c'est bien dommage, mais c'est tout!

(*Elle la rejette brutalement par terre. A ce moment la vieille crie.*)

LA NOURRICE.   Attention, Médée, on vient!

---

7. Pelias, King of Iolcos, in Thessaly. By an elaborate stratagem Medea arranged that his daughters should kill him. 14. *honnie:* shamed. 38. *basse-cour:* chicken yard.

12. *goutte:* i.e., a drop of brandy. 25. *paillasse:* pallet (straw mattress). 27. *te détendant:* stretching out. 34. *jérémiades:* jeremiads, laments. 40. *vaisselle:* dishwashing. 41. *épluchures:* vegetable-peeling.

(MÉDÉE *se retourne,* CRÉON *est devant elle, entouré de deux ou trois hommes.*)

CRÉON. C'est toi, Médée?

MÉDÉE. Oui.

CRÉON. Je suis Créon, le roi de ce village.

MÉDÉE. Salut.

CRÉON. Ton histoire est venue jusqu'à moi. Tes crimes sont connus ici. Le soir, comme dans toutes les îles de cette côte, les femmes les racontent aux enfants pour leur faire peur. Je t'ai tolérée quelques jours sur cette lande avec ta roulotte; maintenant, tu vas devoir partir.

MÉDÉE. Qu'ai-je fait aux gens de Corinthe? Ai-je pillé leur basse-cour? Leurs bêtes sont-elles malades? Ai-je empoisonné leurs fontaines en allant y puiser l'eau de mes repas?

CRÉON. Rien encore, non. Mais tout cela tu peux le faire un jour. Va-t'en.

MÉDÉE. Créon, mon père aussi est roi.

CRÉON. Je le sais. Va à Colchos te plaindre.

MÉDÉE. Soit, j'y retourne. Je n'effraierai pas plus longtemps les matrones de ton village, mon cheval ne te volera pas plus longtemps l'herbe rare de ta lande. Je retourne à Colchos, mais que celui qui m'en a emmenée m'y ramène.

CRÉON. Que veux-tu dire?

MÉDÉE. Rends-moi Jason.

CRÉON. Jason est mon hôte, fils d'un roi qui fut mon ami et il est libre de ses actes.

MÉDÉE. Que chante-t-on dans ton village? Pourquoi ces coups de feu au ciel, ces danses, ce vin distribué? Si c'est la dernière nuit qu'ils me donnent ici, pourquoi m'empêchent-ils de dormir, tes honnêtes Corinthiens?

CRÉON. Je suis venu te dire cela aussi. On fête ce soir les noces de ma fille. Jason doit l'épouser demain.

MÉDÉE. Longue vie, long bonheur à tous deux!

CRÉON. Ils se passeront de tes vœux.

MÉDÉE. Pourquoi les refuser, Créon? Invite-moi aussi à la noce. Présente-moi à ta fille. Je peux lui être utile, sais-tu? Depuis dix ans que je suis la femme de Jason, j'en ai long à lui apprendre, à elle qui ne le connaît que depuis dix jours.

CRÉON. C'est pour que cette scène n'ait pas lieu que j'ai décidé que tu quitterais Corinthe cette nuit. Attelle,° fais tes paquets, tu as une

heure pour avoir franchi la frontière. Ces hommes te conduiront.

MÉDÉE. Et si je refuse de bouger?

CRÉON. Les fils du vieux Pélias que tu as assassiné ont demandé ta tête à tous les rois de cette côte. Si tu restes, je te livre à eux.

MÉDÉE. Ils sont tes voisins. Ils sont forts. Entre rois on se rend de ces services. Pourquoi ne le fais-tu pas tout de suite?

CRÉON. Jason m'a demandé de te laisser partir.

MÉDÉE. Bon Jason! Il faut que je lui dise merci, n'est-ce pas? Tu me vois torturée par les Thessaliens le jour même de ses noces? Tu me vois au procès, à quelques lieues de Corinthe, disant à haute voix pour qui j'ai fait tuer Pélias? Pour le gendre, honnêtes juges, pour le gendre honoré de ce bon roi voisin avec lequel vous entretenez les meilleures relations possibles... Tu fais bien légèrement ton métier de roi, Créon! J'ai eu le temps d'apprendre au palais de mon père que ce n'est pas ainsi qu'on gouverne. Fais-moi tuer tout de suite.

CRÉON (*sourdement*). Je le devrais, oui. Mais j'ai promis de te laisser partir. Tu as une heure.

MÉDÉE (*se plante en face de lui*). Créon, tu es vieux. Tu es roi depuis longtemps. Tu as assez vu d'hommes et d'esclaves. Tu as assez fait d'ignoble cuisine. Regarde-moi dans les yeux et reconnais-moi. Je suis Médée. La fille d'Éatès qui en a fait égorger d'autres, quand il le fallait, et de plus innocents que moi, je te l'assure. Je suis de ta race. De la race de ceux qui jugent et qui décident, sans revenir après et sans remords. Tu n'agis pas en roi, Créon. Si tu veux donner Jason à ta fille, fais-moi tuer tout de suite avec la vieille et les enfants qui dorment là et le cheval. Brûle tout ça sur cette lande avec deux hommes sûrs et disperse les cendres après. Qu'il ne reste de Médée qu'une grande tache noire sur cette herbe et un conte pour faire peur aux enfants de Corinthe le soir.

CRÉON. Pourquoi veux-tu mourir?

MÉDÉE. Pourquoi veux-tu que je vive maintenant? Ni toi, ni moi, ni Jason n'ont intérêt à ce que je sois encore vivante dans une heure, tu le sais bien.

CRÉON (*a un geste, il dit soudain sourdement*). Je n'aime plus le sang.

MÉDÉE (*lui crie*). Alors, tu es trop vieux pour être roi! Mets ton fils à ta place, qu'il fasse le

---

49. *Attelle:* Hitch up.

travail comme il faut et va soigner tes vignes au soleil. Tu n'es plus bon qu'à ça!

CRÉON. Orgueilleuse! Furie! Crois-tu que c'est pour avoir tes conseils que je suis venu te trouver?

MÉDÉE. Tu n'es pas venu les chercher, mais je te les donne! C'est mon droit. Et le tien est de me faire taire, si tu en as la force. C'est tout.

CRÉON. J'ai promis à Jason que tu partirais sans mal.

MÉDÉE (ricane°). Sans mal! Je ne partirai pas sans mal, comme tu dis. Cela serait trop beau que je n'aie pas mal par-dessus le marché! Que je m'efface, que je m'anéantisse. Une ombre, un souvenir, une erreur regrettable, cette Médée traînée dix ans. C'est un rêve de Jason tout cela! Il peut m'escamoter,° se cacher au milieu de tes gardes dans ton palais, s'enfouir dans l'innocence de ta fille et devenir roi de Corinthe à ta mort, il sait que son nom et le mien sont liés ensemble pour les siècles. Jason-Médée! Cela ne se séparera plus. Chasse-moi, tue-moi, c'est pareil. Avec lui ta fille m'épouse que tu le veuilles ou non, tu m'acceptes avec lui.

(Elle lui crie.)

Créon, sois roi! Fais ce qu'il faut. Chasse Jason. Mes crimes, il en a la moitié, les mains qui vont toucher la peau de ta fille sont rouges du même sang. Donne-nous une heure, moins d'une heure à nous deux. Nous avons l'habitude de fuir après chacun de nos coups, ensemble. C'est vite fait, je te l'assure, les paquets.

CRÉON. Non. Pars seule.

MÉDÉE (doucement soudain). Créon. Je ne veux pas te supplier. Je ne peux pas. Mes genoux ne peuvent pas plier, ma voix ne peut pas se faire humble. Mais tu es humain puisque tu n'as pas su te résoudre à ma mort. Ne me laisse pas partir seule. Rends à l'exilée son navire, rends-lui son compagnon! Je n'étais pas seule quand je suis venue. Pourquoi distinguer maintenant entre nous? C'est pour Jason que j'ai tué Pélias, trahi mon père et massacré mon frère innocent dans ma fuite. Je suis à lui, je suis sa femme et chacun de mes crimes est à lui.

CRÉON. Tu mens. J'ai tout examiné. Jason est innocent sans toi; séparée de la tienne, sa cause est défendable, toi seule t'es salie... Jason est de chez nous, le fils d'un de nos rois, sa jeunesse, comme bien d'autres, a peut-être été folle, c'est un homme à présent qui pense comme nous. Toi seule viens de loin, toi seule es étrangère ici avec tes maléfices° et ta haine. Retourne vers ton Caucase, trouve un homme parmi ta race, un barbare comme toi; et laisse-nous sous ce ciel de raison, au bord de cette mer égale, qui n'a que faire de ta passion désordonnée et de tes cris.

MÉDÉE (après un temps). C'est bien, je partirai. Mais, mes enfants, quelle est leur race? celle du crime ou celle de Jason?

CRÉON. Jason a pensé qu'ils ne pouvaient qu'embarrasser ta fuite. Laisse-les-nous. Ils grandiront dans mon palais. Je te promets ma protection pour eux.

MÉDÉE (doucement). Je dois dire merci, encore, n'est-ce pas? Vous êtes humains, en plus, vous êtes justes, tous, et sans haine.

CRÉON. Garde ton merci. Pars. L'heure déjà s'écoule et quand la lune sera haut du ciel rien ne te protégera plus ici. L'ordre est donné.

MÉDÉE. Quoique barbare, quoique étrangère et si rude que soit ce Caucase d'où je viens, les mères y tiennent leurs petits, Créon, serrés contre elles, comme les autres. Les bêtes des forêts le font aussi... Ils dorment là. Ces cris, ces torches dans la nuit, ces mains inconnues qui les prennent et me les arrachent, c'est peut-être beaucoup pour payer les crimes de leur mère. Donne-moi jusqu'à demain. Je les éveillerai au matin comme d'habitude et je te les enverrai. Crois Médée, roi! A peine auront-ils tourné la route, je serai partie.

CRÉON (la regarde un instant en silence puis dit soudain). Soit. (Il ajoute sourdement sans la quitter du regard.) Tu vois, je me fais vieux. Une nuit c'est trop pour toi. C'est le temps de dix de tes crimes. Je devrais repousser ta prière... Mais j'ai beaucoup tué, Médée, moi aussi. Et dans les villages conquis où j'entrais à la tête de mes soldats ivres, beaucoup d'enfants... Je donne au destin la nuit tranquille de ces deux-là, en échange. Qu'il s'en serve, s'il veut, pour me perdre.

(Il est sorti, suivi des hommes.

Dès qu'il a disparu, le visage de MÉDÉE s'anime et elle lui crie de toutes ses forces, crachant vers lui.)

---

11. *ricane:* with a sneering laugh. 17. *m'escamoter:* make me disappear.

5. *maléfices:* sorceries.

MÉDÉE. Comptes-y, Créon! Compte sur Médée! Il faut l'aider un peu, le destin! Tu as perdu tes griffes, vieux lion, si tu en es à faire des prières, à racheter des petits enfants morts... Ah! tu veux les laisser dormir, ces deux-là, parce que quelque chose te chatouille° au creux de la poitrine, en pensant à tous ceux que tu as tués quand tu es seul, le soir, dans ton palais vide, après le dîner. C'est ton estomac, vieux fauve, qui se délabre.° Pas autre chose! Mange des bouillies, prends des poudres et ne t'attendris plus sur toi, qui es si bon, le vieux Créon que tu connais si bien, un si brave homme au fond, un incompris, mais qui a tout de même égorgé son compte d'innocents quand il avait encore des dents et les membres solides. Chez les bêtes on tue les vieux loups pour leur éviter ces retours en arrière,° ces ultimes attendrissements. N'espère pas qu'ils te seront comptés. Je suis Médée, vieux crocodile! Je pèse juste, moi, si les dieux voulaient s'y laisser prendre. Le bien et le mal cela me connaît. Je sais qu'on paie comptant,° que tous les coups sont bons et qu'il faut se servir soi-même, tout de suite. Et puisque ton sang refroidi, tes glandes mortes, t'ont rendu assez lâche pour me donner cette nuit, tu vas le payer! (Elle crie à LA NOURRICE.) Aux paquets, la vieille! Embarque ta marmite,° roule les draps, attelle le cheval. Nous serons parties dans une heure.

JASON (paraît). Où vas-tu?

MÉDÉE (lui fait face). Je fuis, Jason! Je fuis. Il n'est pas nouveau pour moi de changer de séjour. C'est la cause de ma fuite qui est nouvelle, car jusqu'ici c'est pour toi que j'ai fui.

JASON. J'étais venu derrière eux. J'ai attendu qu'ils s'éloignent pour te voir seule.

MÉDÉE. Tu as encore quelque chose à me dire?

JASON. Tu t'en doutes. En tout cas, j'ai à écouter ce que tu as à me dire, toi, avant de partir.

MÉDÉE. Et tu n'as pas peur?

JASON. Si.

MÉDÉE (va doucement à lui et dit soudain). Que je te regarde... Je t'ai aimé! Dix ans j'ai couché près de toi. Ai-je vieilli comme toi, Jason?

JASON. Oui.

MÉDÉE. Je te revois debout, comme cela, devant moi, la première nuit de Colchide. Ce héros brun, descendu de sa barque, cet enfant gâté qui voulait l'or de la Toison et qu'il ne fallait pas laisser mourir, c'était toi, tu crois?

JASON. C'était moi.

MÉDÉE. J'aurais dû te laisser aller les affronter seul les taureaux! seul les géants surgis tout armés de la terre, le dragon qui gardait la Toison.

JASON. Peut-être.

MÉDÉE. Tu serais mort. Comme ce serait facile un monde sans Jason!

JASON. Un monde sans Médée! Je l'ai rêvé aussi.

MÉDÉE. Mais ce monde comprend et Jason et Médée, et il faut bien le prendre comme il est. Et tu auras beau demander secours à ton beau-père, me faire mener à la frontière par ses hommes; une mer ou deux, ce n'est pas assez entre nous, tu le sais. Pourquoi l'as-tu empêché de me faire tuer?

JASON. Parce que tu as été longtemps ma femme, Médée. Parce que je t'ai aimée.

MÉDÉE. Et je ne le suis plus?

JASON. Non.

MÉDÉE. Heureux Jason délivré de Médée! C'est ton amour soudain pour cette petite oie de Corinthe, sa jeune odeur aigre, ses genoux serrés de pucelle qui t'ont délivré?

JASON. Non.

MÉDÉE. Qui est-ce alors?

JASON. C'est toi.

(Un temps. Ils sont l'un en face de l'autre. Ils se regardent. Elle lui crie soudain.)

MÉDÉE. Tu ne seras jamais délivré, Jason! Médée sera toujours ta femme! Tu peux me faire exiler, m'étrangler tout à l'heure quand tu ne pourras plus m'entendre crier, jamais, jamais plus, Médée ne sortira de ta mémoire! Regarde-le ce visage où tu ne lis que la haine, regarde-le avec ta haine à toi, la rancune et le temps peuvent le déformer, le vice y creuser sa trace; il sera un jour le visage d'une vieille femme ignoble dont ils auront tous horreur, mais toi, tu continueras à y lire jusqu'au bout le visage de Médée!

JASON. Non! Je l'oublierai.

MÉDÉE. Tu crois? Tu iras boire dans d'autres yeux, sucer la vie sur d'autres bouches, prendre ton petit plaisir d'homme où tu

6. *chatouille:* tickles. 10. *se délabre:* is going to pieces. 18. *retours en arrière:* qualms. 23. *comptant:* in cash. 28. *marmite:* cooking pot.

pourras. Oh! tu en auras d'autres femmes, rassure-toi, tu en auras mille maintenant, toi qui n'en pouvais plus° de n'en avoir qu'une. Tu n'en auras jamais assez pour chercher ce reflet dans leurs yeux, ce goût sur leurs lèvres, cette odeur de Médée sur elles.

JASON.   Tout ce que je veux fuir!

MÉDÉE.   Ta tête, ta sale tête d'homme peut le vouloir, tes mains déroutées chercheront malgré toi, dans l'ombre, sur ces corps étranges, la 10 forme perdue de Médée! Ta tête te dira qu'elles sont mille fois plus jeunes ou plus belles. Alors ne ferme pas les yeux, Jason, ne te laisse pas une seconde aller. Tes mains obstinées chercheraient malgré toi leur place sur ta femme... Et tu auras 15 beau en prendre, à la fin, qui me ressembleront, des Médées neuves dans ton lit de vieillard, quand la vraie Médée ne sera plus, quelque part, qu'un vieux sac de peau plein d'os, méconnaissable, il suffira d'une imperceptible 20 épaisseur sur une hanche, d'un muscle plus court ou plus long, pour que tes mains de jeune homme, au bout de tes vieux bras, se souviennent encore et s'étonnent de ne pas la retrouver. Coupe tes mains, Jason, coupe tes mains tout 25 de suite! change de mains aussi si tu veux encore aimer.

JASON.   Crois-tu que c'est pour chercher un autre amour que je te quitte? Crois-tu que c'est pour recommencer? Ce n'est plus seulement 30 toi que je hais, c'est l'amour!

(Un temps, ils se regardent encore.)

MÉDÉE.   Où veux-tu que j'aille? Où me renvoies-tu? Gagnerai-je le Phase,° la Colchide, le royaume paternel, les champs baignés de 35 sang de mon frère? Tu me chasses. Quelles terres m'ordonnes-tu de gagner sans toi? Quelles mers libres? Les détroits du Pont° où je suis passée derrière toi, trichant, mentant, volant pour toi; Lemnos où on n'a pas dû 40 m'oublier; la Thessalie où ils m'attendent pour venger leur père, tué pour toi? Tous les chemins que je t'ai ouverts, je me les suis fermés. Je suis Médée chargée d'horreur et de crimes. Tu peux ne plus me connaître, ils me connaissent 45 encore, eux. Quel embarras, hein, un vieux complice? Il fallait me laisser tuer, tu le vois bien.

JASON.   Je te sauverai.

MÉDÉE.   Tu me sauveras! Que sauveras-tu? Cette peau usée, cette carcasse de Médée bonne à traîner dans son ennui et sa haine n'importe 5 où? Un peu de pain et une maison quelque part et qu'elle vieillisse, n'est-ce pas, dans le silence, qu'on n'entende plus parler d'elle, enfin! Pourquoi es-tu lâche, Jason? Pourquoi ne vas-tu pas jusqu'au bout? Il n'est qu'un lieu, qu'une demeure où Médée enfin se taira. Cette paix que tu voudrais que j'aie, pour pouvoir vivre, donne-la-moi. Va dire à Créon que tu acceptes. Ce ne sera qu'une petite minute dure à passer. Tu as déjà tué Médée aujourd'hui, tu le sais bien. Médée est morte. Qu'est-ce que c'est qu'un peu de sang de Médée en plus? Une flaque qu'on lavera par terre, une caricature figée dans un rictus° d'horreur qu'on cachera quelque part, dans un trou. 20 Rien. Achève, Jason! Je n'en peux plus déjà d'attendre. Va dire à Créon.

JASON.   Non.

MÉDÉE (plus doucement).   Pourquoi? Crois-tu qu'un muscle qu'on déchire, une peau qui se 25 fend, ce soit plus?

JASON.   Je ne veux pas de ta mort non plus. C'est encore toi, ta mort. Je veux l'oubli et la paix.

MÉDÉE.   Tu ne les auras jamais plus, Jason! Tu les as perdus en Colchide ce soir, dans la forêt où tu m'as prise dans tes bras. Morte ou vivante, Médée est là, devant ta joie et ta paix, montant la garde. Ce dialogue que tu as commencé avec elle, tu ne le termineras qu'avec ta mort maintenant. Après les mots de la tendresse et de l'amour, ç'aura été les insultes et les scènes, c'est la haine, à présent, soit, mais c'est toujours avec Médée que tu parles. Le monde est Médée pour toi, à jamais.

JASON.   Le monde a-t-il donc toujours été Jason pour toi?

MÉDÉE.   Oui!

JASON.   Tu oublies vite! Ce n'est pas pour une dernière scène de ménage que je suis venu te trouver, mais cette couche où tu nous prétends liés à jamais, qui l'a désertée la première? Qui, la première, a accepté d'autres mains sur sa peau, le poids d'un autre homme sur son ventre?

MÉDÉE.   Moi!

---

3. *qui n'en pouvais plus:* who couldn't stand it. 34. *Phase:* 50 Phasis, region of Caucasus. 38. *Pont:* Pontus, kingdom beside the Black Sea.

18. *rictus:* fixed grin.

JASON. Je croyais que tu avais oublié aussi pourquoi nous avions fui de Naxos.°

MÉDÉE. Tu t'échappais déjà. Ton corps reposait près de moi chaque nuit, mais dans ta tête, dans ta sale tête d'homme, fermée, tu forgeais déjà un autre bonheur, sans moi. Alors j'ai essayé de te fuir la première, oui!

JASON. C'est un mot commode, fuir.

MÉDÉE. Pas tellement, tu vois, car je ne l'ai pas pu. Ces mains, cette autre odeur, ce plaisir même que tu ne me donnais plus, toi, je les ai haïs tout de suite. Je t'ai aidé à le tuer, je t'ai dit l'heure. J'ai été ta complice contre lui. Je te l'ai vendu. L'as-tu oublié, toi, ce soir où je t'ai dit : « Viens, il est là, tu peux le prendre? »

JASON. Ne reparle plus jamais de ce soir-là!

MÉDÉE. J'ai été ignoble, hein, ce soir-là, deux fois? Et tu me méprisais, tu me haïssais de toutes tes forces et je n'avais plus à attendre autre chose de toi que ce regard froid — mais c'est tout de même toi que j'ai supplié de m'emmener. Il était beau pourtant, tu sais, Jason, mon berger de Naxos! Il était jeune et il m'aimait, lui!

JASON. Pourquoi n'est-ce pas à lui que tu as dit de me tuer? Je dormirais, maintenant, loin de toi; j'aurais fini.

MÉDÉE. Je n'ai pas pu! Il a fallu que je me recolle° à ta haine, comme une mouche, que je reprenne mon chemin avec toi; que je me recouche le lendemain contre ton corps ennuyé pour pouvoir enfin m'endormir. Tu crois que je ne me suis pas mille fois plus méprisée que toi? J'ai hurlé seule devant ma glace, je me suis déchirée avec mes ongles d'être cette chienne qui revenait se coucher dans son trou. Les bêtes s'oublient, elles, et se quittent, au moins, le désir mort…° Je te connais pourtant, héros pour filles de Corinthe! Je t'ai pesé, moi. Je sais ce que tu peux donner. Mais je suis encore là, tu vois.

JASON. Tu l'as peut-être fait tuer trop vite, ton berger!

MÉDÉE (lui jette soudain). J'ai essayé, Jason, tu ne l'as pas su? J'ai essayé encore avec d'autres, depuis. Je n'ai pas pu!

(Un temps, JASON dit soudain plus doucement.)

JASON. Pauvre Médée…

MÉDÉE (se dresse devant lui comme une furie). Je te défends d'avoir pitié!

JASON. Le mépris, tu me le permets? Pauvre Médée encombrée de toi-même! Pauvre Médée à qui le monde ne renvoie jamais que Médée. Tu peux défendre d'avoir pitié. Personne n'aura jamais pitié de toi. Et moi non plus, si j'apprenais aujourd'hui ton histoire, je ne le pourrais pas. L'homme Jason te juge avec les autres hommes. Et ton cas est réglé pour toujours. Médée! C'est un beau nom pourtant, il n'aura été qu'à toi seule dans ce monde. Orgueilleuse! Emporte celle-là dans le petit coin sombre où tu caches tes joies : il n'y aura pas d'autres Médée, jamais, sur cette terre. Les mères n'appelleront jamais plus leurs filles de ce nom. Tu seras seule, jusqu'au bout des temps, comme en cette minute.

MÉDÉE. Tant mieux!

JASON. Tant mieux! Redresse-toi, serre les poings, crache, piétine… Plus nous serons à te juger, à te haïr, mieux cela sera, n'est-ce pas? Plus le cercle s'élargira autour de toi, plus tu seras seule, plus tu auras mal pour mieux haïr toi aussi, plus cela sera bon. Eh bien, tu n'es pas toute seule ce soir, tant pis… Moi qui ai le plus souffert par toi, moi que tu as choisi entre tous pour dévorer, j'ai pitié de toi.

MÉDÉE. Non!

JASON. J'ai pitié de toi, Médée, qui ne connais que toi, qui ne peux donner que pour prendre, j'ai pitié de toi attachée pour toujours à toi-même, entourée d'un monde vu par toi…

MÉDÉE. Garde ta pitié! Médée blessée est encore redoutable. Défends-toi plutôt!

JASON. Tu as l'air d'une petite bête éventrée qui se débat empêtrée° dans ses tripes et qui baisse encore la tête pour attaquer.

MÉDÉE. Cela tourne mal, Jason, pour les chasseurs qui se permettent ces attendrissements au lieu de recharger leur arme. Tu sais tout ce que je peux encore?

JASON. Oui. Je le sais.

MÉDÉE. Tu sais que je ne m'attendrirai pas, moi, que je ne me mettrai pas à avoir pitié à la dernière minute! Tu m'as vu faire front et tout risquer d'autres fois, pour bien moins?

JASON. Oui.

MÉDÉE (crie). Alors qu'est-ce que tu veux? Pourquoi viens-tu tout brouiller soudain avec

2. The episode of Medea's unfaithfulness on the island of Naxos seems to be an invention of Anouilh's. 29. *me recolle*: stick myself. 38. *le désir mort*: when desire is dead.

37. *empêtrée*: entangled.

ta pitié? Je suis ignoble, tu le sais. Je t'ai trahi comme les autres. Je ne sais faire que le mal. Tu n'en peux plus de moi et tu sens bien quel crime je prépare. Garde-toi, voyons! Recule! Appelle les autres! Défends-toi, au lieu de me regarder ainsi!

JASON. Non.

MÉDÉE. Je suis Médée! Je suis Médée, tu te trompes! Médée qui ne t'a rien donné, jamais, que de la honte. J'ai menti, j'ai triché, j'ai volé, je suis sale... C'est à cause de moi que tu fuis et que tout est taché de sang autour de toi. Je suis ton malheur, Jason, ton ulcère, tes croûtes.° Je suis ta jeunesse perdue, ton foyer dispersé, ta vie errante, ta solitude, ton mal honteux. Je suis tous les sales gestes et toutes les sales pensées. Je suis l'orgueil, l'égoïsme, la crapulerie,° le vice, le crime. Je pue! Je pue, Jason! Ils ont tous peur de moi et se reculent. Tu le sais pourtant que je suis tout cela et que je serai bientôt la déchéance, la laideur, la vieillesse haineuse. Tout ce qui est noir et laid sur la terre, c'est moi qui l'ai reçu en dépôt. Alors, puisque tu le sais, pourquoi n'arrêtes-tu pas de me regarder ainsi? Je n'en veux pas de ta tendresse. Je n'en veux pas de tes bons yeux.

(Elle crie devant lui.)

Arrête, arrête, Jason! ou je te tue tout de suite pour que tu ne me regardes plus comme cela!

JASON *(doucement)*. C'est peut-être ce qui serait le mieux, Médée.

MÉDÉE *(le regarde et dit simplement)*. Non. Pas toi.

JASON *(va à elle, il lui prend le bras)*. Alors, écoute-moi. Je ne peux pas t'empêcher d'être toi. Je ne peux pas t'empêcher de faire le mal que tu portes en toi. Les dés sont jetés, d'ailleurs. Ces conflits insolubles se dénouent, comme les autres, et quelqu'un sait sans doute déjà comment tout cela finira. Je ne peux rien empêcher. Tout juste jouer le rôle qui m'est dévolu,° depuis toujours. Mais ce que je peux, c'est tout dire, une fois. Les mots ne sont rien, mais il faut qu'ils soient dits tout de même. Et si je dois être, ce soir, au nombre des morts de cette histoire, je veux mourir lavé de mes mots...

Je t'ai aimée, Médée, comme un homme aime une femme, d'abord. Tu n'as sans doute connu ou goûté que cet amour-là, mais je t'ai donné plus qu'un amour d'homme — peut-être sans que tu l'aies su. Je me suis perdu en toi comme un petit garçon dans la femme qui l'a mis au monde. Tu as été longtemps ma patrie, ma lumière, tu as été l'air que je respirais, l'eau qu'il fallait boire pour vivre et le pain de tous les jours.

Quand je t'ai prise à Colchos, tu n'étais qu'une fille plus belle et plus dure que les autres que j'avais conquise avec la Toison et que j'emportais. C'est ce Jason-là que tu regrettes? Je t'emportais comme l'or de ton père, pour te dépenser vite, pour t'user joyeusement comme lui. Et puis après, mon Dieu, il me restait ma barque, mes compagnons fidèles et d'autres aventures à courir. Je t'ai d'abord aimée comme toi, Médée : à travers moi. Le monde était Jason, la joie de Jason, son courage et sa force — sa faim. Et si nous avions tous les deux de grandes dents, on verrait bien un jour qui dévorerait l'autre...

Et puis un soir, un soir qui ressemblait pourtant à tous les autres, tu t'es endormie à table comme une petite fille, la tête contre moi. Et ce soir-là, où tu n'étais peut-être que fatiguée de la route trop longue, je me suis soudain senti chargé de toi. Une minute avant, j'étais Jason encore et je n'avais que mon plaisir à prendre dans ce monde, durement. Il a suffi que tu te taises, que ta tête glisse sur mon épaule et cela a été fini... Les autres continuaient à rire ou à parler autour de moi, mais je venais de les quitter. Le jeune homme Jason était mort. J'étais ton père et ta mère; j'étais celui qui portait la tête de Médée endormie sur lui. Que rêvais-tu, toi, dans ta petite cervelle de femme, pendant que je me chargeais ainsi de toi? Je t'ai emportée sur notre lit, et je ne t'ai pas aimée, pas même désirée, ce soir-là. Je t'ai seulement regardée dormir. La nuit était calme, nous avions devancé depuis longtemps les poursuivants de ton père, mes compagnons veillaient en armes autour de nous et pourtant je n'ai pas osé fermer les yeux. Je t'ai défendue, Médée — contre rien d'ailleurs — toute cette nuit-là.

Au matin, la fuite a repris et les jours ont ressemblé aux autres mais, peu à peu, tous ces garçons qui m'avaient suivi les premiers sur la

---

14. *croûtes:* scabs. 18. *crapulerie:* debauchery. 42–43. *m'est dévolu:* has fallen to my lot.

mer inconnue, tous ces petits gars d'Iolchos qui étaient prêts à attaquer des monstres avec leurs armes fragiles sur un signe de moi, ont eu peur. Ils ont compris que je n'étais plus leur chef, que je ne les mènerais plus chercher rien, nulle part, maintenant que je t'avais trouvée. Leur regard était triste et un peu méprisant peut-être, mais ils ne m'ont pas fait de reproches. Nous avons partagé l'or et ils nous ont laissés. Le monde alors a pris sa forme. La forme que je croyais lui voir garder toujours. Le monde est devenu Médée...

Les as-tu oubliés ces jours où nous n'avons rien fait, rien pensé l'un sans l'autre? Deux complices devant la vie devenue dure, deux petits frères qui portaient leur sac côte à côte tout pareils, à la vie à la mort, les manches retroussées, et pas d'histoires, chacun la moitié du barda,° chacun son couteau dans les coups durs, la moitié des fatigues, la moitié de la bouteille au repas. Je t'aurais fait honte si je t'avais tendu la main quand le passage était difficile, si je t'avais offert de t'aider. Jason ne commandait plus qu'un seul petit argonaute. Ma petite armée frêle aux cheveux levés dans un mouchoir, aux yeux clairs et droits, c'était toi. Mais je pouvais conquérir le monde encore avec ma petite troupe fidèle!... Au premier matin sur l'*Argo*, avec mes trente matelots qui m'avaient donné leur vie, je ne m'étais pas senti si fort... Et le soir, à la halte, le soldat et le capitaine se déshabillaient côte à côte, tout surpris de se retrouver un homme et une femme sous leurs deux blouses pareilles, et de s'aimer.

Nous pouvons être malheureux maintenant, Médée, nous pouvons nous déchirer et souffrir. Ces jours nous ont été donnés, et il ne peut y avoir jamais de honte ou de sang qui les tachent...

(*Un silence. Il rêve un peu.* MÉDÉE *s'est accroupie par terre pendant qu'il parlait, ses bras autour de ses genoux, la tête cachée. Il s'accroupit par terre près d'elle sans la regarder.*)

Après, le petit soldat a repris son visage de femme et le capitaine a dû redevenir un homme lui aussi et nous avons commencé à nous faire mal. D'autres filles sont passées dans les rues que je ne pouvais pas m'empêcher de regarder. J'ai entendu pour la première fois, étonné, ton rire fuser° avec d'autres hommes et puis tes mensonges sont venus. Un seul d'abord, qui nous a suivis longtemps comme une bête venimeuse dont nous n'osions pas fixer le regard en nous détournant, puis d'autres, chaque jour plus nombreux. Et le soir quand nous nous prenions en silence, honteux de nos corps encore complices, tout leur troupeau grouillait° et respirait autour de nous dans la nuit. Notre haine a dû naître alors d'une de ces luttes sans tendresse et nous avons été trois désormais à fuir, elle entre nous. Mais pourquoi redire ce qui est mort? Ma haine aussi est morte...

(*Il s'est arrêté.* MÉDÉE *dit doucement.*)

MÉDÉE.   Si nous ne veillons que des choses mortes, pourquoi avons-nous si mal, tous les deux, Jason?

JASON.   Parce que toutes les choses sont dures à naître dans ce monde et dures à mourir aussi.

MÉDÉE.   Tu as souffert?

JASON.   Oui.

MÉDÉE.   En faisant ce que je faisais, je n'étais pas plus heureuse que toi.

JASON.   Je le sais.

(*Un temps.*)

MÉDÉE (*demande sourdement*).   Pourquoi es-tu resté si longtemps?

JASON (*a un geste*).   Je t'ai aimée, Médée. J'ai aimé notre vie forcenée.° J'ai aimé le crime et l'aventure avec toi. Et nos étreintes, nos sales luttes de chiffonniers,° et cette entente de complices que nous retrouvions le soir, sur la paillasse, dans un coin de notre roulotte, après nos coups. J'ai aimé ton monde noir, ton audace, ta révolte, ta connivence avec l'horreur et la mort, ta rage de tout détruire. J'ai cru avec toi qu'il fallait toujours prendre et se battre et que tout était permis.

MÉDÉE.   Et tu ne le crois plus ce soir?

JASON.   Non. Je veux accepter maintenant.

MÉDÉE (*murmure*).   Accepter?

JASON.   Je veux être humble. Ce monde, ce chaos où tu me menais par la main, je veux qu'il prenne une forme enfin. C'est toi qui as raison sans doute en disant qu'il n'est pas de raison, pas de lumière, pas de halte, qu'il faut toujours fouiller les mains sanglantes, étrangler et rejeter tout ce qu'on arrache. Mais

---

1. *fuser:* rise up. 9. *grouillait:* swarmed. 30. *forcenée:* frantic. 32. *chiffonniers:* rag pickers.

19. *barda:* pack, kit.

je veux m'arrêter, moi, maintenant, être un homme. Faire sans illusions peut-être, comme ceux que nous méprisions; ce qu'ont fait mon père et le père de mon père et tous ceux qui ont accepté avant nous, et plus simplement que nous, de déblayer° une petite place où tienne l'homme dans ce désordre et cette nuit.

MÉDÉE.   Tu le pourras, tu crois?

JASON.   Sans toi, sans ton poison bu tous les jours, je le pourrai, oui.

MÉDÉE.   Sans moi. Tu as donc pu imaginer un monde sans moi, toi?

JASON.   Je vais l'essayer de toutes mes forces. Je ne suis plus assez jeune à présent pour souffrir. Ces contradictions épouvantables, ces abîmes, ces blessures, je leur réponds maintenant par le geste le plus simple qu'ont inventé les hommes pour vivre : je les écarte.

MÉDÉE.   Tu parles doucement, Jason, et tu dis des mots terribles. Comme tu es sûr de toi. Comme tu es fort.

JASON.   Oui, je suis fort!

MÉDÉE.   Race d'Abel, race des justes, race des riches, comme vous parlez tranquillement. C'est bon, n'est-ce pas, d'avoir le ciel pour soi et aussi les gendarmes. C'est bon de penser un jour comme son père et le père de son père, comme tous ceux qui ont eu raison depuis toujours. C'est bon d'être bon, d'être noble, d'être honnête. Et tout cela, donné un beau matin, comme par hasard, quand viennent les premières fatigues, les premières rides, le premier or. Joue le jeu, Jason, fais le geste, dis oui! Tu te prépares une belle vieillesse, toi!

JASON.   Ce geste j'aurais voulu le faire avec toi, Médée. J'aurais tout donné pour que nous devenions deux vieux l'un à côté de l'autre, dans un monde apaisé. C'est toi qui ne l'as pas voulu.

MÉDÉE.   Non!

JASON.   Poursuis ta course. Tourne en rond, déchire-toi, bats-toi, méprise, insulte, tue, refuse tout ce qui n'est pas toi. Moi, je m'arrête. Je me contente. J'accepte ces apparences aussi durement, aussi résolument que je les ai refusées autrefois avec toi. Et s'il faut continuer à se battre, c'est pour elles maintenant que je me battrai, humblement, adossé à ce mur dérisoire, construit de mes mains entre le néant absurde et moi.

6. *déblayer:* clear out.

(*Un temps. Il ajoute.*)

Et c'est cela, sans doute, en fin de compte — et pas autre chose — être un homme.

MÉDÉE.   N'en doute pas, Jason. Tu es un homme maintenant.

JASON.   J'accepte ton mépris, avec ce nom.

(*Il s'est levé.*)

Cette jeune fille est belle. Moins belle que toi quand tu m'es apparue ce premier soir de Colchide et je ne l'aimerai jamais comme je t'ai aimée. Mais elle est neuve, elle est simple, elle est pure. Je vais la recevoir sans sourire des mains de son père et de sa mère, tout à l'heure, dans le soleil du matin, avec sa robe blanche et son cortège de petits enfants... De ses doigts gauches de petite fille, j'attends l'humilité et l'oubli. Et, si les dieux le veulent, ce que tu hais le plus au monde, ce qui est le plus loin de toi : le bonheur, le pauvre bonheur.

(*Un silence, il s'est tu.* MÉDÉE *murmure.*)

MÉDÉE.   Le bonheur...

(*Un silence encore. Elle dit soudain d'une petite voix humble, sans bouger.*)

Jason, c'est dur à dire, presque impossible. Cela m'étrangle et j'ai honte. Si je te disais que je vais essayer maintenant avec toi, tu me croirais?

JASON.   Non.

MÉDÉE (*après un temps*).   Tu aurais raison. (*Elle ajoute, la voix neutre.*) Voilà. Nous avons tout dit, n'est-ce pas?

JASON.   Oui.

MÉDÉE.   Tu as fini, toi. Tu es lavé. Tu peux t'en aller maintenant. Adieu, Jason.

JASON.   Adieu, Médée. Je ne peux pas te dire : sois heureuse... Sois toi-même.

(*Il est sorti,* MÉDÉE *murmure encore :*)

MÉDÉE.   Leur bonheur... (*Elle se dresse soudain et crie à* JASON *disparu.*) Jason! Ne pars pas ainsi. Retourne-toi! Crie quelque chose. Hésite, aie mal! Jason, je t'en supplie, il suffit d'une minute de désarroi ou de doute dans tes yeux pour nous sauver tous!... (*Elle court après lui, s'arrête et crie encore.*) Jason! Tu as raison, tu es bon, tu es juste, et tout est sur mon dos pour toujours. Mais une seconde, une seule petite seconde, doutes-en! Retourne-toi et je serai peut-être délivrée... (*Son bras retombe, lassé,* JASON *doit être loin. Elle appelle d'une autre voix.*) Nourrice. (LA NOURRICE *paraît sur le seuil de la roulotte.*) Le jour va se lever bientôt. Réveille les enfants, habille-les comme pour une fête. Je veux qu'ils aillent porter mon cadeau de noces à la fille de Créon.

LA NOURRICE. Ton cadeau, pauvre! Que te reste-t-il donc à donner?

MÉDÉE. Dans la cachette, le coffre noir que j'ai emporté de Colchos. Apporte-le.

LA NOURRICE. Tu avais défendu qu'on y touche! Que Jason même sache qu'il existait.

MÉDÉE. Va le chercher, la vieille, et sans parler. On n'a plus le temps de t'écouter, toi. Il faut que tout aille terriblement vite maintenant. Donne le coffre aux enfants et conduis-les jusqu'en vue de la ville; qu'ils demandent le palais du roi, qu'ils disent que c'est un cadeau de leur mère Médée pour l'épousée... Qu'ils le remettent entre ses mains et qu'ils reviennent. Écoute encore. Le coffre contient un voile d'or et un diadème, restes du trésor de ma race. Qu'ils ne l'ouvrent pas, eux.

(Elle crie soudain terrible à la vieille hésitante.)
Obéis!

(La vieille disparaît dans la roulotte. Elle ressortira plus tard silencieusement avec les enfants.)

MÉDÉE (restée seule). C'est maintenant, Médée, qu'il faut être toi-même... O mal! Grande bête vivante qui rampe sur moi et me lèche, prends-moi. Je suis à toi cette nuit, je suis ta femme. Pénètre-moi, déchire-moi, gonfle et brûle au milieu de moi. Tu vois, je t'accueille, je t'aide, je m'ouvre... Pèse sur moi de ton grand corps velu,° serre-moi dans tes grandes mains calleuses, ton souffle rauque sur ma bouche, écoute-moi. Je vis enfin! Je souffre et je nais. Ce sont mes noces. C'est pour cette nuit d'amour avec toi que j'ai vécu.

Et toi, nuit, nuit pesante, nuit bruissante de cris étouffés et de luttes, nuit grouillante du bond de toutes les bêtes qui se pourchassent,° qui se prennent, qui se tuent, attends encore un peu s'il te plaît, ne passe pas trop vite... O bêtes innombrables autour de moi, travailleuses obscures de cette lande, innocentes terribles, tueuses... C'est cela qu'ils appellent une nuit calme, les hommes, ce grouillement géant d'accouplements silencieux et de meurtres. Mais je vous sens moi, je vous entends toutes ce soir pour la première fois, au fond des eaux et des herbes, dans les arbres, sous la terre... Un même sang bat dans nos veines. Bêtes de la nuit, étrangleuses, mes sœurs! Médée est une bête comme vous! Médée va jouir et tuer comme vous. Cette lande touche à d'autres landes et ces landes à d'autres encore jusqu'à la limite de l'ombre, où des millions de bêtes pareilles se prennent et égorgent en même temps. Bêtes de cette nuit! Médée est là, debout au milieu de vous, consentante et trahissant sa race. Je pousse avec vous votre cri obscur. J'accepte comme vous, sans plus vouloir comprendre le noir commandement. J'écrase du pied, j'éteins la petite lumière. Je fais le geste honteux. Je prends sur moi, j'assume, je revendique. Bêtes, je suis vous! Tout ce qui chasse et tue cette nuit est Médée!

LA NOURRICE (entre soudain). Médée! Les enfants ont dû arriver au palais et une grande rumeur s'élève de la ville. Je ne sais pas quel est ton crime, mais l'air en retentit déjà. Attelle vite, fuyons, gagnons la frontière.

MÉDÉE. Moi, fuir? Mais si j'étais déjà partie, je reviendrais pour jouir du spectacle.

LA NOURRICE. Quel spectacle?

LE GARÇON (surgit). Tout est perdu! La royauté, l'État sont tombés. Le roi et sa fille sont morts!

MÉDÉE. Morts si vite? Comment?

LE GARÇON. Deux enfants sont venus à l'aube porter un présent à Créuse, un coffre noir qui contenait un voile richement brodé d'or et un diadème précieux. A peine les eut-elle touchés, à peine s'en fut-elle parée, comme une petite fille curieuse devant sa glace, Créuse a changé de couleur, elle est tombée se tordant dans d'horribles souffrances, défigurée par le mal.

MÉDÉE (crie). Laide? Laide comme la mort n'est-ce pas?

LE GARÇON. Créon est accouru, il a voulu la prendre, arracher le voile et le cercle d'or qui tuaient sa fille, mais à peine les a-t-il touchés, voilà que lui aussi pâlit. Il hésite un instant, l'horreur dans ses yeux, puis s'écroule, hurlant de douleur. Ils sont couchés l'un contre l'autre maintenant, expirant dans les soubresauts° et mélangeant leurs membres et personne n'ose approcher d'eux. Mais le bruit court que c'est toi qui as envoyé le poison. Les hommes ont pris leurs bâtons, leurs couteaux; ils accourent vers la roulotte. J'ai couru devant,

---

32. *velu*: hairy. 39. *pourchassent*: pursue.

46. *soubresauts*: convulsions.

tu n'auras même pas le temps de te disculper.
Fuis, Médée.

MÉDÉE (*crie*). Non! (*Elle crie au petit qui se
sauve.*) Merci, petit, merci pour la seconde fois!
Fuis, toi! Il vaut mieux ne pas me connaître.
Aussi longtemps que les hommes se souvien-
dront, il vaudra mieux ne pas m'avoir connue!
(*Elle se tourne vers la nourrice.*) Prends ton couteau,
nourrice, égorge le cheval, qu'il ne reste rien de
Médée tout à l'heure. Mets des fagots sous la 10
roulotte, nous allons faire un feu de joie comme
en Colchide. Viens!

LA NOURRICE. Où m'entraînes-tu?

MÉDÉE. Tu le sais. La mort, la mort est
légère. Suis-moi, la vieille, tu verras! Tu as fini 15
de traîner tes vieux os qui te font mal et de
geindre. Tu vas te reposer enfin, un long dimanche!

LA NOURRICE (*se détache hurlant*). Je ne veux
pas, Médée! Je veux vivre! 20

MÉDÉE. Combien de temps, vieillarde, la
mort sur ton dos?

(*Les enfants entrent en courant et viennent se jeter
effrayés dans les jupes de* MÉDÉE.)

MÉDÉE (*s'arrête*). Ah! Vous voilà vous deux? 25
Vous avez peur? Tous ces gens qui courent et
qui hurlent, ces cloches... Tout va se taire. (*Elle
tire leurs têtes en arrière, regarde leurs yeux et murmure.*)
Innocences! Piège des yeux d'enfants, petites
brutes sournoises, têtes d'hommes. Vous avez 30
froid? Je ne vous ferai pas de mal. Je ferai vite.
Juste le temps de l'étonnement de la mort dans
vos yeux. (*Elle les caresse.*) Allons, que je vous
rassure, que je vous serre une minute, petits
corps chauds. On est bien contre sa mère; on 35
n'a plus peur. Petites vies tièdes sorties de mon
ventre, petites volontés de vivre et d'être
heureux... (*Elle crie soudain.*) Jason! Voilà ta
famille, tendrement unie. Regarde-la. Et puisses-tu te demander toujours si Médée n'aurait 40
pas aimé, elle aussi, le bonheur et l'innocence.
Si elle n'aurait pas pu être, elle aussi, la fidélité
et la foi. Quand tu souffriras, tout à l'heure, et
jusqu'au jour de ta mort, pense qu'il y a eu
une petite fille Médée exigeante et pure autre- 45
fois. Une petite Médée tendre et bâillonnée au
fond de l'autre. Pense qu'elle aura lutté toute
seule, inconnue, sans une main tendue et que
c'était elle, ta vraie femme! J'aurais voulu
Jason, j'aurais peut-être voulu moi aussi que 50
cela dure toujours et que ce soit comme dans les

histoires! Je veux, je veux, en cette seconde
encore, aussi fort que lorsque j'étais petite, que
tout soit lumière et bonté! Mais Médée innocente a été choisie pour être la proie et le lieu
de la lutte... D'autres plus frêles ou plus 5
médiocres peuvent glisser à travers les mailles°
du filet jusqu'aux eaux calmes ou à la vase; le
fretin,° les dieux l'abandonnent. Médée, elle,
était un trop beau gibier dans le piège : elle y
reste. Ce n'est pas tous les jours qu'ils ont cette 10
aubaine° les dieux, une âme assez forte pour
leurs rencontres, leurs sales jeux. Ils m'ont tout
mis sur le dos et ils me regardent me débattre.
Regarde avec eux, Jason, les derniers sursauts
de Médée! J'ai l'innocence à égorger encore 15
dans cette petite fille qui aurait tant voulu et
dans ces deux petits morceaux tièdes de moi.
Ils attendent ce sang, là-haut, ils n'en peuvent
plus, de l'attendre! (*Elle entraîne les enfants vers la
roulotte.*) Venez, petits, n'ayez pas peur. Vous 20
voyez, je vous tiens, je vous caresse et nous
rentrons tous trois à la maison...

(*Ils sont rentrés dans la roulotte. La scène reste vide
un instant.* LA NOURRICE *reparaît hagarde, comme
une bête qui se cache, elle appelle.*) 25

LA NOURRICE. Médée! Médée! Où es-tu?
Ils arrivent! (*Elle recule et crie soudain.*) Médée!

(*Des flammes ont jailli de partout, elles entourent la
roulotte.* JASON *entre rapidement à la tête des hommes
armés.*) 30

JASON. Éteignez ce feu! Saisissez-vous d'elle!

MÉDÉE (*paraît à la fenêtre de la roulotte et crie*).
N'approche pas, Jason! Interdis-leur de faire
un pas!

JASON (*s'arrête*). Où sont les enfants? 35

MÉDÉE. Demande-le-toi une seconde encore
que je regarde bien tes yeux. (*Elle lui crie.*) Ils
sont morts, Jason! Ils sont morts égorgés tous
les deux, et avant que tu aies pu faire un pas, ce
même fer va me frapper. Désormais j'ai re- 40
couvré mon sceptre; mon frère, mon père et la
toison du bélier d'or est rendue à la Colchide :
j'ai retrouvé ma patrie et la virginité que tu
m'avais ravies! Je suis Médée, enfin, pour
toujours! Regarde-moi avant de rester seul 45
dans ce monde raisonnable, regarde-moi bien,
Jason! Je t'ai touché avec ces deux mains-là, je
les ai posées sur ton front brûlant pour qu'elles
soient fraîches et d'autres fois brûlantes sur ta

6. *mailles:* meshes. 8. *fretin:* small fish. 11. *aubaine:*
windfall.

peau. Je t'ai fait pleurer, je t'ai fait aimer. Regarde-les, ton petit frère et ta femme, c'est moi. C'est moi! C'est l'horrible Médée! Et essaie maintenant de l'oublier!

(Elle se frappe et s'écroule dans les flammes qui redoublent et enveloppent la roulotte. JASON *arrête d'un geste les hommes qui allaient bondir et dit simplement.)*

JASON.   Oui, je t'oublierai. Oui, je vivrai et malgré la trace sanglante de ton passage à côté de moi, je referai demain avec patience mon pauvre échafaudage d'homme sous l'œil indifférent des dieux. *(Il se tourne vers les hommes.)* Qu'un de vous garde autour du feu jusqu'à ce qu'il n'y ait plus que des cendres, jusqu'à ce que le dernier os de Médée soit brûlé. Venez, vous autres. Retournons au palais. Il faut vivre maintenant, assurer l'ordre, donner des lois à Corinthe et rebâtir sans illusions un monde à notre mesure pour y attendre de mourir.

(Il est sorti avec les hommes sauf un qui se fait une chique° et prend morosement la garde devant le brasier. LA NOURRICE *entre et vient timidement s'accroupir près de lui dans le petit jour qui se lève.)*

LA NOURRICE.   On n'avait plus le temps de m'écouter moi. J'avais pourtant quelque chose

à dire. Après la nuit vient le matin et il y a le café à faire et puis les lits. Et quand on a balayé, on a un petit moment tranquille au soleil avant d'éplucher les légumes. C'est alors que c'est bon, si on a pu grappiner° quelques sous, la petite goutte chaude au creux du ventre. Après on mange la soupe et on nettoie les plats. L'après-midi, c'est le linge ou les cuivres et on bavarde un peu avec les voisines et le souper arrive tout doucement... Alors on se couche et on dort.

LE GARDE *(après un temps).*   Il va faire beau aujourd'hui.

LA NOURRICE.   Ça sera une bonne année. Il y aura du soleil et du vin. Et la moisson?

LE GARDE.   On a fauché la semaine dernière. On va rentrer° demain ou après-demain si le temps se maintient.

LA NOURRICE.   La récolte sera bonne par chez vous?

LE GARDE.   Faut pas se plaindre. Il y aura encore du pain pour tout le monde cette année-ci.

Le rideau est tombé pendant qu'ils parlaient.

21. *chique:* quid of tobacco.

5. *grappiner:* scrape up. 17. *rentrer:* bring in (the harvest).

39. Le Nouveau Roman: Robbe-Grillet [1922–   ]

Le Nouveau Roman represents, at this writing, one of the latest considerable literary movements in France. The name is a bad one; ere long *le nouveau roman* will become *le vieux roman*. The movement arose, as usual, from dissatisfaction with prevailing types and standards. It is *against* nearly all the literary acceptances of the novel—against philosophical background, psychology, sharply drawn consistent characters, well-plotted plot, chronology, magniloquent style, transitions, even metaphors. In short, it is *against* the concept of the novel as an arranged parallel to life.

The *nouveau roman* proposes, after these massive rejections, a novel consisting of suggestion and mystery. It may describe *things* with entire clarity; it may not describe emotions and mental processes, for it has no right to enter others' spirits. It may tell a story, but the story must be obscured by appearances, as it is in life. It prefers the present tense as an escape from the artistic tyranny of time. Its characters are likely to be nameless. It uses repetitions endlessly, as our thoughts endlessly repeat. Grammar is an unnecessary subjection; thought and language are dislocated as they are in our vacant minds. There is an obvious similarity of the writers' purpose to that of abstract painters who are trying to create "pure objects in themselves."

An outstanding practitioner of *le nouveau roman* is Alain Robbe-Grillet. Born in Brest, he became an agronomist and statistician. He was sent on missions to Africa and the French West Indies, and turned the exotic background to account in *La Jalousie*. His profession is reflected in his taste for exact description of physical objects, with specific measurements. As an advocate of *chosisme* he is preoccupied with the furniture of the external world.

Robbe-Grillet's subarea of *le nouveau roman* is *l'école du regard*. Externality, he says, must be described only as what the character *sees*. Typically the character sees constantly the same things, with small variations in his look. These monotonous impressions must be recorded, without explanation or intervention by the author.

His most successful novels are *Le Voyeur* (1955) and *La Jalousie* (1957). Each recounts, apparently, the story of a crime. But the crimes are never stated; they are suggested by the things seen and uninterpreted. In *Le Voyeur* the (apparent) criminal is a schizophrenic, who conveniently dismisses everything unpleasant from his conscious memory. In *La Jalousie* we see only two characters, the wife and the lover. There is a third character, the husband, who is never mentioned, who never appears; but he *sees*, and we see with him.

Robbe-Grillet's technique, so visual, lends itself well to the cinema. His film, *L'Année dernière à Marienbad*, was a brilliant innovation. The "meaning" is obscure; indeed Robbe-Grillet says it is wrong to speculate on the meaning. The play is merely itself— an hour and a half of melancholy and poetic mystery.

The *nouveau roman*, if approached with respect, has its fascination. It is extremely intelligent; it produces often a powerful stimulus to emotional response. But its frame is small; it rejects most of the possibilities developed in the traditional novel, the picture of truly imagined characters against recognizable reality. It is over-obsessed with technique. It is certainly hard, and sometimes, riding its theories, it becomes very dull.

It is a pity not to give you an example of a full-length *nouveau roman*. But they cannot be condensed without injustice. *Instantanés* (snapshots), a collection of short impressions (1962), will give you a good idea of Robbe-Grillet's outlook and style.

INSTANTANÉS*

[*Extracts*]

Le Remplaçant†

L'étudiant prit un peu de recul et leva la tête vers les branches les plus basses. Puis il fit un pas en avant, pour essayer de saisir un rameau qui semblait à sa portée; il se haussa sur la pointe des pieds et tendit la main aussi haut qu'il put, mais il ne réussit pas à l'atteindre. Après plusieurs tentatives infructueuses, il parut y renoncer. Il abaissa le bras et continua seulement à fixer des yeux quelque chose dans le feuillage.

Ensuite il revint au pied de l'arbre, où il se posta dans la même position que la première

fois : les genoux légèrement fléchis, le buste courbé vers la droite et la tête inclinée sur l'épaule. Il tenait toujours sa serviette° de la main gauche. On ne voyait pas l'autre main, de laquelle il s'appuyait sans doute au tronc, ni le visage qui était presque collé contre l'écorce, comme pour en examiner de très près quelque détail, à un mètre cinquante du sol environ.

L'enfant° s'était de nouveau arrêté dans sa lecture, mais cette fois-ci il devait y avoir un point, peut-être même un alinéa,° et l'on pouvait croire qu'il faisait un effort pour marquer la fin du paragraphe. L'étudiant se redressa pour inspecter l'écorce un peu plus haut.

Des chuchotements s'élevaient dans la classe. Le répétiteur° tourna la tête et vit que la plupart des élèves avaient les yeux levés, au lieu de

† This is one of a series called *Visions réfléchies*. *Réfléchies* has both the senses of "reflected" and "reflected upon." Who is *Le Remplaçant*? Surely the teacher.

3. *serviette:* book bag. 9. *L'enfant:* Do not confuse with *l'étudiant.* 11. *alinéa:* indented line, paragraph. 16. *répétiteur:* instructor.

suivre la lecture sur le livre; le lecteur lui-même regardait vers la chaire d'un air vaguement interrogateur, ou craintif. Le répétiteur prit un ton sévère :

« Qu'est-ce que vous attendez pour continuer ? »

Toutes les figures s'abaissèrent en silence et l'enfant reprit, de la même voix appliquée, sans nuance et un peu trop lente, qui donnait à tous les mots une valeur identique et les espaçait uniformément :

« Dans la soirée, Joseph de Hagen, un des lieutenants de Philippe, se rendit donc au palais de l'archevêque pour une prétendue visite de courtoisie.° Comme nous l'avons dit les deux frères... »

De l'autre côté de la rue, l'étudiant scrutait à nouveau les feuilles basses. Le répétiteur frappa sur le bureau du plat de sa main :

« Comme nous l'avons dit, virgule, les deux frères... »

Il retrouva le passage sur son propre livre et lut en exagérant la ponctuation :

« Reprenez : « Comme nous l'avons dit, les deux frères s'y trouvaient déjà, afin de pouvoir, le cas échéant, se retrancher derrière cet alibi... » et faites attention à ce que vous lisez. »

Après un silence, l'enfant recommença la phrase :

« Comme nous l'avons dit, les deux frères s'y trouvaient déjà, afin de pouvoir, le cas échéant, se retrancher derrière cet alibi — douteux en vérité, mais le meilleur qui leur fût permis dans cette conjoncture — sans que leur méfiant cousin... »

La voix monotone se tut brusquement, au beau milieu de la phrase. Les autres élèves, qui relevaient déjà la tête vers le pantin° de papier suspendu au mur, se replongèrent aussitôt dans leurs livres. Le répétiteur ramena les yeux de la fenêtre jusqu'au lecteur, assis du côté opposé, au premier rang près de la porte.

« Eh bien, continuez! Il n'y a pas de point. Vous avez l'air de ne rien comprendre à ce que vous lisez ! »

L'enfant regarda le maître, et au-delà, un peu sur la droite, le pantin de papier blanc.

« Est-ce que vous comprenez, oui ou non ?

— Oui, dit l'enfant d'une voix mal assurée.

— Oui, monsieur, corrigea le répétiteur.

— Oui, monsieur », répéta l'enfant.

Le répétiteur regarda le texte dans son livre et demanda :

« Que signifie pour vous le mot « alibi » ? »

L'enfant regarda le bonhomme de papier découpé, puis le mur nu, droit devant lui, puis le livre sur son pupitre; et de nouveau le mur, pendant près d'une minute.

« Eh bien ?

— Je ne sais pas, monsieur », dit l'enfant.

Le répétiteur passa lentement la classe en revue. Un élève leva la main, près de la fenêtre du fond. Le maître tendit un doigt vers lui, et le garçon se leva de son banc :

« C'est pour qu'on croie qu'ils étaient là, monsieur.

— Précisez. De qui parlez-vous ?

— Des deux frères, monsieur.

— Où voulaient-ils faire croire qu'ils étaient ?

— Dans la ville, monsieur, chez l'archevêque.

— Et où étaient-ils en réalité ? »

L'enfant réfléchit un moment avant de répondre.

« Mais ils y étaient vraiment, monsieur, seulement ils voulaient s'en aller ailleurs et faire croire aux autres qu'ils étaient encore là. »

Tard dans la nuit, dissimulés sous des masques noirs et enveloppés d'immenses capes, les deux frères se laissent glisser le long d'une échelle de corde au-dessus d'une ruelle déserte.

Le répétiteur hocha la tête plusieurs fois, sur le côté, comme s'il approuvait à demi. Au bout de quelques secondes, il dit : « Bon. »

« Maintenant vous allez nous résumer tout le passage, pour vos camarades qui n'ont pas compris. »

L'enfant regarda vers la fenêtre. Ensuite il posa les yeux sur son livre, pour les relever bientôt en direction de la chaire :

« Où faut-il commencer, monsieur ?

— Commencez au début du chapitre. »

Sans se rasseoir, l'enfant tourna les pages de son livre et, après un court silence, se mit à raconter la conjuration de Philippe de Cobourg. Malgré de fréquentes hésitations et reprises, il le faisait de façon à peu près cohérente. Cependant il donnait beaucoup trop d'importance

15. The boy is reading from an unidentified school history about intrigues in medieval Germany. 38. *pantin:* puppet, cut-out caricature.

à des faits secondaires et, au contraire, mention-
nait à peine, ou même pas du tout, certains
événements de premier plan. Comme, par
surcroît, il insistait plus volontiers sur les actes
que sur leurs causes politiques, il aurait été bien
difficile à un auditeur non averti de démêler les
raisons de l'histoire et les liens qui unissaient
les actions ainsi décrites entre elles comme avec
les différents personnages. Le répétiteur déplaça
insensiblement son regard le long des fenêtres.
L'étudiant était revenu sous la branche la plus
basse; il avait posé sa serviette au pied de
l'arbre et sautillait° sur place en levant un bras.
Voyant que tous ses efforts étaient vains, il
resta de nouveau immobile, à contempler les
feuilles inaccessibles. Philippe de Cobourg
campait avec ses mercenaires sur les bords du
Neckar.° Les écoliers, qui n'étaient plus censés
suivre le texte imprimé, avaient tous relevé la tête
et considéraient sans rien dire le pantin de papier
accroché au mur. Il n'avait ni mains ni pieds,
seulement quatre membres grossièrement découpés et une tête ronde, trop grosse, où était
passé le fil. Dix centimètres plus haut, à l'autre
bout du fil, on voyait la boulette de buvard
mâché° qui le retenait.

Mais le narrateur s'égarait dans des détails
tout à fait insignifiants et le maître finit par
l'interrompre :

« C'est bien, dit-il, nous en savons assez
comme ça. Asseyez-vous et reprenez la lecture
en haut de la page : « Mais Philippe et ses
partisans... »

Toute la classe, avec ensemble, se pencha vers
les pupitres, et le nouveau lecteur commença,
d'une voix aussi inexpressive que son camarade,
bien que marquant avec conscience les virgules
et les points :

« Mais Philippe et ses partisans ne l'entendaient pas de cette oreille. Si la majorité des
membres de la Diète — ou même seulement le
parti des barons — renonçaient ainsi aux pré-
rogatives accordées, à lui comme à eux, en
récompense de l'inestimable soutien qu'ils
avaient apporté à la cause archiducale lors du
soulèvement,° ils ne pourraient plus dans
l'avenir, ni eux ni lui, demander la mise en
accusation d'aucun nouveau suspect, ou la

suspension sans jugement de ses droits seigneu-
riaux. Il fallait à tout prix que ces pourparlers,
qui lui paraissaient engagés de façon si défavo-
rable à sa cause, fussent interrompus avant la
date fatidique.° Dans la soirée, Joseph de
Hagen, un des lieutenants de Philippe, se
rendit donc au palais de l'archevêque, pour
une prétendue visite de courtoisie. Comme nous
l'avons dit, les deux frères s'y trouvaient déjà... »

Les visages restaient sagement penchés sur
les pupitres. Le répétiteur tourna les yeux vers
la fenêtre. L'étudiant était appuyé contre
l'arbre, absorbé dans son inspection de l'écorce.
Il se baissa très lentement, comme pour suivre
une ligne tracée sur le tronc — du côté qui
n'était pas visible depuis les fenêtres de l'école.
A un mètre cinquante du sol, environ, il
arrêta son mouvement et inclina la tête sur le
côté, dans la position exacte qu'il occupait
auparavant. Une à une, dans la classe, les
figures se relevèrent.

Les enfants regardèrent le maître, puis les
fenêtres. Mais les carreaux du bas étaient
dépolis et, au-dessus, ils ne pouvaient apercevoir
que le haut des arbres et le ciel. Contre les
vitres, il n'y avait ni mouche ni papillon.
Bientôt tous les regards contemplèrent de
nouveau le bonhomme en papier blanc.°

Scène

Quand le rideau s'ouvre, la première chose
que l'on aperçoit depuis la salle° — entre les
pans° de velours rouge qui s'écartent avec
lenteur — la première chose que l'on aperçoit
est un personnage vu de dos, assis à sa table de
travail au milieu de la scène vivement éclairée.

Il se tient immobile, ses deux coudes et ses
avant-bras reposant sur le dessus de la table.
Sa tête est tournée vers la droite — à quarante-
cinq degrés environ — pas assez pour que l'on
distingue les traits du visage, sauf un commencement de profil perdu° : la joue, la tempe,
l'arête du maxillaire,° le bord de l'oreille...

5. *fatidique:* fateful. 28. The teacher watches, through the
dirty window, the student pursuing an incomprehensible
investigation. The students watch the teacher and the
caricature behind his head. All watch the ancient adventure
in the textbook. Nothing happens. It is a "snapshot." There
are feelings, but they are not stated. 34. *salle:* auditorium of
theater. 35. *pans:* sections (of stage curtains). 44. *profil perdu:*
receding profile. 45. *arête du maxillaire:* ridge of the jaw.

13. *sautillait:* was hopping. 18. Neckar, a river in south-
central Germany. 26. *boulette de buvard mâché:* ball of
chewed-up blotting paper. 46. *soulèvement:* uprising.

On ne voit pas non plus ses mains, bien que l'attitude du personnage laisse deviner leur position respective : la gauche étalée à plat sur des feuilles éparses, l'autre serrant un porte-plume, relevé pour un instant de réflexion au-dessus du texte interrompu. De chaque côté sont empilés en désordre de gros livres, dont la forme et les dimensions sont celles de dictionnaires — de langue étrangère, sans doute — ancienne, probablement.

La tête, tournée vers la droite, est dressée : le regard a quitté les livres et la phrase interrompue. Il est dirigé vers le fond de la pièce, à l'endroit où de lourds rideaux de velours rouge masquent, du plafond jusqu'au sol, quelque large baie vitrée. Les plis des rideaux sont verticaux et réguliers, très rapprochés les uns des autres, ménageant entre eux de profonds creux d'ombre...

Un bruit violent attire l'attention à l'autre extrémité de la pièce : des coups frappés contre un panneau° de bois, avec suffisamment de force et d'insistance pour laisser comprendre qu'ils se répètent, à ce moment, au moins pour la seconde fois.

Cependant le personnage reste silencieux et immobile. Puis, sans bouger le buste, il fait pivoter sa tête, lentement, vers la gauche. Son regard levé décrit ainsi tout le mur qui constitue le fond de la grande pièce, un mur nu — c'est-à-dire sans aucun meuble — mais recouvert de boiseries sombres, depuis les rideaux rouges de la fenêtre jusqu'au battant° fermé d'une porte de taille ordinaire, sinon petite. Le regard s'y arrête, tandis que les coups y retentissent de nouveau, si violents que l'on croit voir trembler le panneau de bois.

Les traits du visage demeurent invisibles, malgré son changement d'orientation. En effet, après une rotation de quatre-vingt-dix degrés environ, la tête occupe maintenant une position symétrique de celle du début, par rapport à l'axe commun de la pièce, de la table et de la chaise. On aperçoit donc, en profil perdu, l'autre joue, l'autre tempe, l'autre oreille, etc.

On frappe à la porte, encore une fois, mais plus faiblement, comme une supplication dernière — ou comme sans espoir, ou bien avec un calme retrouvé, ou manque d'assurance, ou n'importe quoi. Quelques secondes plus tard,

on entend des pas lourds qui décroissent peu à peu dans un long corridor.

Le personnage tourne de nouveau la tête vers les rideaux rouges de droite. Il siffle, entre ses dents, quelques notes de ce qui doit être une phrase musicale — complainte populaire ou mélodie — mais déformée, discontinue, difficilement identifiable.

Puis, après une minute d'immobilité silencieuse, il ramène les yeux sur son ouvrage.

La tête se baisse. Le dos s'arrondit. Le dossier de la chaise est formé d'un cadre rectangulaire, que viennent compléter deux barres verticales, supportant, au centre, un carré de bois plein. On entend, plus faibles, plus disloquées encore, quelques mesures du refrain, sifflées entre les dents.

Brusquement le personnage relève la tête en direction de la porte et s'immobilise, le cou tendu. Il reste ainsi de longues secondes — comme aux aguets.° Cependant, de la salle, on ne perçoit pas le moindre bruit.

Le personnage se met debout avec précaution, écarte sa chaise en évitant de la faire traîner ou heurter le sol, se met en marche à pas muets vers les rideaux de velours. Il en écarte légèrement le bord extérieur, du côté droit, et regarde au dehors dans la direction de la porte (vers la gauche). On distinguerait donc, à ce moment, son profil gauche, s'il ne se trouvait masqué par le pan d'étoffe rouge que la main ramène contre la joue. En revanche on peut voir maintenant, sur la table, les feuilles étalées de papier blanc.

Elles sont assez nombreuses et se recouvrent partiellement l'une l'autre. Les feuilles inférieures, dont les angles dépassent de tous les côtés de façon très irrégulière, sont hachurées° par les lignes serrées d'une écriture soigneuse. Celle du dessus, la seule à être visible tout entière, n'est encore écrite qu'à moitié; elle se termine, au milieu d'une ligne, par une phrase interrompue, sans aucun signe de ponctuation après le dernier mot.

A droite de cette feuille apparaît le bord de celle d'au-dessous : un triangle très allongé, dont la base mesure environ deux centimètres et dont la pointe aiguë s'avance vers la partie postérieure de la table — là où sont les dictionnaires.

22. *panneau:* panel. 33. *battant:* swing-door.

21. *aux aguets:* on the lookout. 37. *hachurées:* hatched, closely written.

Plus à droite encore, au-delà de cette pointe, mais dirigé vers le côté de la table, un autre coin de page dépasse de toute la largeur d'une main; il présente également une forme triangulaire, voisine celle-ci d'un demi-carré (coupé suivant une diagonale). Entre le sommet de ce dernier triangle et le dictionnaire le plus proche est posé, sur le bois ciré de la table, un objet blanchâtre gros comme le poing : un caillou poli par l'usure,° creusé en une sorte de coupe très épaisse — beaucoup plus épaisse que creuse — aux contours irréguliers et arrondis. Dans le fond de la dépression, un bout de cigarette est écrasé au milieu des cendres. A son extrémité non brûlée, le papier porte des traces très apparentes de rouge à lèvres.

Le personnage présent en scène, cependant, était de toute évidence un homme : cheveux coupés courts, veste et pantalon. Relevant les yeux, on constate qu'il est maintenant debout devant la porte, face à celle-ci, c'est-à-dire tournant toujours le dos à la salle. On dirait qu'il cherche à entendre quelque chose, qui se passerait de l'autre côté du panneau.

Mais aucun bruit ne parvient jusqu'à la salle. Sans se retourner, le personnage recule ensuite vers la rampe,° tout en continuant de regarder la porte. Lorsqu'il arrive à proximité de la table, il pose la main droite sur le coin de celle-ci et...

« Moins vite », dit à ce moment une voix dans la salle. C'est quelqu'un, sans doute, qui parle dans un porte-voix,° car les syllabes résonnent avec une ampleur anormale.

Le personnage s'arrête. La voix reprend :

« Moins vite, ce mouvement! Recommencez à partir de la porte : vous faites d'abord un pas en arrière — un seul — et vous restez immobile pendant quinze ou vingt secondes. Puis vous poursuivez votre recul vers la table, mais beaucoup plus lentement. »

Le personnage est donc debout contre la porte, face à celle-ci, c'est-à-dire tournant toujours le dos. On dirait qu'il cherche à entendre quelque chose, qui se passerait de l'autre côté du panneau. Aucun bruit ne parvient jusqu'à la salle. Sans se retourner, le personnage fait un pas en arrière et s'immobilise à nouveau. Au bout d'un certain temps il reprend sa marche à reculons, vers la table où l'attend son ouvrage, très lentement, à petits pas réguliers et silencieux, tandis qu'il continue de fixer la porte du regard. Son déplacement est rectiligne, sa vitesse uniforme. Au-dessus des jambes que l'on voit à peine bouger, le buste reste parfaitement rigide, ainsi que les deux bras, tenus un peu écartés du corps et arqués.

Lorsqu'il arrive à proximité de la table, il pose la main droite sur le coin de celle-ci et, pour en longer le bord latéral gauche, change légèrement sa direction. En se guidant sur l'arête° de bois, il progresse ainsi, maintenant, perpendiculairement à la rampe... puis, passé le coin, parallèlement à celle-ci... et il se rassoit sur sa chaise, masquant de son large dos les feuilles de papier étalées devant lui.

Il regarde les feuilles de papier, puis les rideaux rouges de la fenêtre, puis de nouveau la porte; et, tourné de ce côté il prononce quatre ou cinq mots indistincts.

« Plus fort! » dit le porte-voix dans la salle.

« A présent, ici, ma vie, encore... » prononce la voix naturelle — celle du personnage sur la scène.

« Plus fort! » dit le porte-voix.

« A présent, ici, ma vie, encore... » répète le personnage en haussant le ton.

Ensuite il se replonge dans son ouvrage.°

La Plage

Trois enfants marchent le long d'une grève.° Ils s'avancent, côte à côte, se tenant par la main. Ils ont sensiblement la même taille, et sans doute aussi le même âge : une douzaine d'années. Celui du milieu, cependant, est un peu plus petit que les deux autres.

Hormis ces trois enfants, toute la longue plage est déserte. C'est une bande de sable assez large, uniforme, dépourvue de roches isolées comme de trous d'eau, à peine inclinée entre la falaise° abrupte, qui paraît sans issue, et la mer.

Il fait très beau. Le soleil éclaire le sable jaune d'une lumière violente, verticale. Il n'y a pas un nuage dans le ciel. Il n'y a pas, non plus, de vent. L'eau est bleue, calme, sans la moindre

---

10. *usure:* wear. 27. *rampe:* footlights. 32. *porte-voix:* megaphone.

13. *arête:* edge. 29. What have we learned of the stage play and of the character of the protagonist? 34. *grève:* beach. 44. *falaise:* cliff.

ondulation venant du large, bien que la plage soit ouverte sur la mer libre, jusqu'à l'horizon.

Mais à intervalles réguliers, une vague soudaine, toujours la même, née à quelques mètres du bord, s'enfle brusquement et déferle° 5 aussitôt, toujours sur la même ligne. On n'a pas alors l'impression que l'eau avance, puis se retire; c'est, au contraire, comme si tout ce mouvement s'exécutait sur place. Le gonflement de l'eau produit d'abord une légère 10 dépression, du côté de la grève, et la vague prend un peu de recul, dans un bruissement° de graviers° roulés; puis elle éclate et se répand, laiteuse, sur la pente, mais pour regagner seulement le terrain perdu. C'est à peine si 15 une montée plus forte, çà et là, vient mouiller un instant quelques décimètres supplémentaires.

Et tout reste de nouveau immobile, la mer, plate et bleue, exactement arrêtée à la même 20 hauteur sur le sable jaune de la plage, où marchent côte à côte les trois enfants.

Ils sont blonds, presque de la même couleur que le sable : la peau un peu plus foncée, les 25 cheveux un peu plus clairs. Ils sont habillés tous les trois de la même façon, culotte courte et chemisette, l'une et l'autre en grosse° toile d'un bleu délavé.° Ils marchent côte à côte, se tenant par la main, en ligne droite, parallèlement à 30 la mer et parallèlement à la falaise, presque à égale distance des deux, un peu plus près de l'eau pourtant. Le soleil, au zénith, ne laisse pas d'ombre à leur pied.

Devant eux le sable est tout à fait vierge, 35 jaune et lisse depuis le rocher jusqu'à l'eau. Les enfants s'avancent en ligne droite, à une vitesse régulière, sans faire le plus petit crochet,° calmes et se tenant par la main. Derrière eux le sable, à peine humide, est marqué des trois lignes 40 d'empreintes laissées par leurs pieds nus, trois successions régulières d'empreintes semblables et pareillement espacées, bien creuses, sans bavures.°

Les enfants regardent droit devant eux. Ils 45 n'ont pas un coup d'œil vers la haute falaise, sur leur gauche, ni vers la mer dont les petites vagues éclatent périodiquement, sur l'autre côté. A plus forte raison ne se retournent-ils pas, pour contempler derrière eux la distance parcourue. Ils poursuivent leur chemin, d'un pas égal et rapide.

Devant eux, une troupe d'oiseaux de mer arpente° le rivage, juste à la limite des vagues. Ils progressent parallèlement à la marche des enfants, dans le même sens que ceux-ci, à une centaine de mètres environ. Mais, comme les oiseaux vont beaucoup moins vite, les enfants se rapprochent d'eux. Et tandis que la mer efface au fur et à mesure les traces des pattes étoilées, les pas des enfants demeurent inscrits avec netteté dans le sable à peine humide, où les trois lignes d'empreintes continuent de s'allonger.

La profondeur de ces empreintes est constante : à peu près deux centimètres. Elles ne sont déformées ni par l'effondrement des bords ni par un trop grand enfoncement du talon, ou de la pointe. Elles ont l'air découpées à l'emporte-pièce° dans une couche superficielle, plus meuble,° du terrain.

Leur triple ligne ainsi se développe, toujours plus loin, et semble en même temps s'amenuiser,° se ralentir, se fondre en un seul trait, qui sépare la grève en deux bandes, sur toute sa longueur, et qui se termine à un menu mouvement mécanique, là-bas, exécuté comme sur place : la descente et la remontée alternative de six pieds nus.

Cependant à mesure que les pieds nus s'éloignent, ils se rapprochent des oiseaux. Non seulement ils gagnent rapidement du terrain, mais la distance relative qui sépare les deux groupes diminue encore beaucoup plus vite, comparée au chemin déjà parcouru. Il n'y a bientôt plus que quelques pas entre eux...

Mais, lorsque les enfants paraissent enfin sur le point d'atteindre les oiseaux, ceux-ci tout à coup battent des ailes et s'envolent, l'un d'abord, puis deux, puis dix... Et toute la troupe, blanche et grise, décrit une courbe au-dessus de la mer pour venir se reposer sur le sable et se remettre à l'arpenter, toujours dans le même sens, juste à la limite des vagues, à une centaine de mètres environ.

A cette distance, les mouvements de l'eau

---

5. *déferle*: breaks. 12. *bruissement*: rustling. 13. *graviers*: gravel. 28. *grosse*: coarse. 29. *délavé*: washed-out. 37. *crochet*: deviation. 44. *bavures*: dribblings.

7. *arpente*: walks along. 23. *à l'emporte-pièce*: with a punch. 24. *meuble*: movable. 26. *s'amenuiser*: dwindle.

sont quasi imperceptibles, si ce n'est par un changement soudain de couleur, toutes les dix secondes, au moment où l'écume éclatante brille au soleil.

Sans s'occuper des traces qu'ils continuent de découper, avec précision, dans le sable vierge, ni des petites vagues sur leur droite, ni des oiseaux, tantôt volant, tantôt marchant, qui les précèdent, les trois enfants blonds s'avancent côte à côte, d'un pas égal et rapide, se tenant par la main.

Leurs trois visages hâlés,° plus foncés que les cheveux, se ressemblent. L'expression en est la même : sérieuse, réfléchie, préoccupée peut-être. Leurs traits aussi sont identiques, bien que, visiblement, deux de ces enfants soient des garçons et le troisième une fille. Les cheveux de la fille sont seulement un peu plus longs, un peu plus bouclés, et ses membres à peine un peu plus graciles. Mais le costume est tout à fait le même : culotte courte et chemisette, l'une et l'autre en grosse toile d'un bleu délavé.

La fille se trouve à l'extrême droite, du côté de la mer. A sa gauche, marche celui des deux garçons qui est légèrement plus petit. L'autre garçon, le plus proche de la falaise, a la même taille que la fille.

Devant eux s'étend le sable jaune et uni, à perte de vue. Sur leur gauche se dresse la paroi° de pierre brune, presque verticale, où aucune issue n'apparaît. Sur leur droite, immobile et bleue depuis l'horizon, la surface plate de l'eau est bordée d'un ourlet° subit, qui éclate aussitôt pour se répandre en mousse blanche.

Puis, dix secondes plus tard, l'onde qui se gonfle creuse à nouveau la même dépression, du côté de la plage, dans un bruissement de graviers roulés.

La vaguelette déferle; l'écume laiteuse gravit à nouveau la pente, regagnant les quelques décimètres de terrain perdu. Pendant le silence qui suit, de très lointains coups de cloche résonnent dans l'air calme.

« Voilà la cloche », dit le plus petit des garçons, celui qui marche au milieu.

Mais le bruit des graviers que la mer aspire couvre le trop faible tintement. Il faut attendre la fin du cycle pour percevoir à nouveau quelques sons, déformés par la distance.

« C'est la première cloche », dit le plus grand.

La vaguelette déferle, sur leur droite.

Quand le calme est revenu, ils n'entendent plus rien. Les trois enfants blonds marchent toujours à la même cadence régulière, se tenant tous les trois par la main. Devant eux, la troupe d'oiseaux qui n'était plus qu'à quelques enjambées, gagnée par une brusque contagion, bat des ailes et prend son vol.

Ils décrivent la même courbe au-dessus de l'eau, pour venir se reposer sur le sable et se remettre à l'arpenter, toujours dans le même sens, juste à la limite des vagues, à une centaine de mètres environ.

« C'est peut-être pas la première, reprend le plus petit, si on n'a pas entendu l'autre, avant...

— On l'aurait entendue pareil° », répond son voisin.

Mais ils n'ont pas, pour cela, modifié leur allure; et les mêmes empreintes, derrière eux, continuent de naître, au fur et à mesure, sous leurs six pieds nus.

« Tout à l'heure, on n'était pas si près », dit la fille.

Au bout d'un moment, le plus grand des garçons, celui qui se trouve du côté de la falaise, dit :

« On est encore loin. »

Et ils marchent ensuite en silence tous les trois.

Ils se taisent ainsi jusqu'à ce que la cloche, toujours aussi peu distincte, résonne à nouveau dans l'air calme. Le plus grand des garçons dit alors : « Voilà la cloche. » Les autres ne répondent pas.

Les oiseaux, qu'ils étaient sur le point de rattraper, battent des ailes et s'envolent, l'un d'abord, puis deux, puis dix...

Puis toute la troupe est de nouveau posée sur le sable, progressant le long du rivage, à cent mètres environ devant les enfants.

La mer efface à mesure les traces étoilées de leurs pattes. Les enfants, au contraire, qui marchent plus près de la falaise, côte à côte, se tenant par la main, laissent derrière eux de

---

13. *hâlés:* tanned. 30. *paroi:* wall. 34. *ourlet:* hem, edge. 21. *pareil:* just the same.

profondes empreintes, dont la triple ligne s'allonge parallèlement aux bords, à travers la très longue grève.

Sur la droite, du côté de l'eau immobile et plate, déferle, toujours à la même place, la même petite vague.°

Un Souterrain*

Une foule clairsemée° de gens pressés, marchant tous à la même vitesse, longe un couloir dépourvu de passages transversaux, limité d'un bout comme de l'autre par un coude, obtus, mais qui masque entièrement les issues terminales, et dont les murs sont garnis, à droite comme à gauche, par des affiches publicitaires toutes identiques se succédant à intervalles égaux. Elles représentent une tête de femme, presque aussi haute à elle seule qu'une des personnes de taille ordinaire qui défilent devant elle, d'un pas rapide, sans détourner le regard.

Cette figure géante, aux cheveux blonds bouclés, aux yeux encadrés de cils très longs, aux lèvres rouges, aux dents blanches, se présente de trois quarts, et sourit en regardant les passants qui se hâtent et la dépassent l'un après l'autre, tandis qu'à côté d'elle, sur la gauche, une bouteille de boisson gazeuse,° inclinée à quarante-cinq degrés, tourne son goulot° vers la bouche entrouverte. La légende est inscrite en écriture cursive, sur deux lignes : le mot « encore » placé au-dessus de la bouteille, et les deux mots « plus pure » au-dessous, tout en bas de l'affiche, sur une oblique légèrement montante par rapport au bord horizontal de celle-ci.

Sur l'affiche suivante se retrouvent les mêmes mots à la même place, la même bouteille inclinée dont le contenu est prêt à se répandre, le même sourire impersonnel. Puis, après un espace vide couvert de céramique blanche, la même scène de nouveau, figée au même instant où les lèvres s'approchent du goulot tendu et du liquide sur le point de couler, devant laquelle les mêmes gens pressés passent sans détourner la tête, poursuivant leur chemin vers l'affiche suivante.

Et les bouches se multiplient, et les bouteilles, et les yeux grands comme des mains au milieu de leurs longs cils courbes. Et, sur l'autre paroi du couloir, les mêmes éléments se reproduisent encore avec exactitude (à ceci près que les directions du regard et du goulot y sont interchangées), se succédant à intervalles constants de l'autre côté des silhouettes sombres des voyageurs, qui continuent à défiler, en ordre dispersé mais sans interruption, sur le fond bleu-ciel des panneaux, entre les bouteilles rougeâtres et les visages roses aux lèvres disjointes. Mais, juste avant le coude, leur passage est gêné par un homme arrêté, à un mètre environ du mur de gauche. Le personnage est habillé d'un costume gris, de teinte peu franche,° et tient dans la main droite qui pend le long de son corps un journal plié en quatre. Il est en train de contempler la paroi, aux environs d'un nez plus grand que tout son visage qui se trouve au niveau de ses propres yeux.

En dépit de la taille énorme du dessin et du peu de détails dont il s'orne, la tête du spectateur se penche en avant, comme pour mieux voir. Les passants doivent s'écarter un instant de leur trajectoire rectiligne afin de contourner cet obstacle inattendu; presque tous passent derrière, mais quelques-uns, s'apercevant trop tard de la contemplation qu'ils vont interrompre, ou ne voulant pas se déranger pour si peu de leur route, ou ne se rendant compte de rien, s'avancent entre l'homme et l'affiche, dont ils interceptent alors le regard.

6. Does a general impression emerge from this barest of anecdotes? Notice that the spectator follows the children like a traveling movie camera. * *souterrain:* connecting walkway in the Paris subway. 11. *clairsemée:* scattered. 30. *gazeuse:* carbonated. 31. *goulot:* neck, spout.

25. *peu franche:* impure, equivocal.

40. Ionesco [1912–   ]

As too rapid changes of stimuli provoke nervous breakdowns, so the overturn of old faiths and fixities and the appearance of new menaces and terrors have provoked, in France and elsewhere, a mood of neurotic despair, with a literature to match. One of its manifestations is the Theater of the Absurd, or Anti-Theater. In France it claims as ancestors Alfred Jarry's *Ubu Roi* (1896), Apollinaire's *Les Mamelles de Tirésias* (1917), and also Dadaism and Surrealism. Since the Second World War the Theater of the Absurd has come into its own. Its rejection of lucidity, logic, communication, character-portrayal, moral import, and traditional dramatic structure and effect, has found a sympathetic public. The idea seems to be that since the author and actors are bewildered the audiences must be bewildered, too.

Eugène Ionesco (the surname is the Rumanian form of "Johnson") is, with Samuel Beckett, the leading practitioner in France of the Theater of the Absurd. Born in Rumania of a French mother, he spent his childhood in France. He attended the University of Bucharest, where he amused himself by publishing a book called *No!* Half of it was hysterical adulation of the leading Rumanian writers; the other half was a blasting denunciation of the same men. When the Rumanian Fascists came into power, Ionesco obtained a grant (in 1938) to work in Paris on a thesis on the Themes of Sin and Death in French Poetry since Baudelaire. This he has not yet finished. He lived precariously in Paris during and after the war.

Most playwrights (like Anouilh) are totally dedicated to the theater. Not Ionesco; he has said that he was always embarrassed for the actors. "Going to the theater to me meant going to see people, apparently serious people, making a spectacle of themselves." He became a playwright by chance. He wrote a skit, *La Cantatrice chauve*, on the banality of the dialogues in a do-it-yourself manual for learning English. "I was trying to evolve a pure, free comic style similar to that of the Marx Brothers," he said. His friends were delighted and arranged for its presentation. It was produced in 1950, to the bewilderment of scant audiences; later it turned into a hit. Ionesco discovered that he had a great talent for dramatic writing. Many of his other plays (*La Leçon*, 1951; *Les Chaises*, 1952; *Tueur sans gages*, 1959; *Rhinocéros*, 1959; *Le Roi se meurt*, 1963) have been very successful, both on the professional stage and with amateur groups in this and other countries.

After a time Ionesco seemed to feel that he had pushed the demonstration of the Absurd about as far as it could go. In the later plays he turns more to symbolism, to meaning. Thus *Rhinocéros* can be only a picture of the lone truth-seeker, the truth-seer, in a world of mass madness.

One reads a good deal about Ionesco's philosophy of disintegration, about his "heroic attempt to break through the barriers of human communication." My own opinion is that he is essentially a very funny fellow. He said himself that his drama lies in the extreme exaggeration of feelings, the dislocation of flat, everyday reality, and also in the dislocation and disarticulation of language. But this is what comics have always done.

Le Nouveau Locataire (1955) well displays his method. It begins with a realistic reproduction of *la plate réalité quotidienne*; it rises to noble heights of logical absurdity. It illustrates also one of Ionesco's recurrent themes—the obsessive existence of material things, like the chairs in *Les Chaises*, the hemming in of man by the world's furniture. It also seems a very pleasant way of concluding a course of French literature.

LE NOUVEAU LOCATAIRE*

Personnages

LE MONSIEUR
LA CONCIERGE
PREMIER DÉMÉNAGEUR†
DEUXIÈME DÉMÉNAGEUR

Décor

Une pièce nue, sans aucun meuble. Une fenêtre ouverte, au milieu, sur le mur du fond. Portes à deux battants,° à droite et à gauche. Murs clairs. Le jeu doit être, au début, très réaliste, ainsi que les décors et, par la suite, les meubles qu'on apportera. Puis le rythme, à peine marqué, donnera insensiblement au jeu un certain caractère de cérémonie. Le réalisme, de nouveau, à la dernière scène.

Au lever du rideau, assez grand tintamarre° : on entend, en provenance des coulisses,° des bruits de voix, de marteaux,° des bribes° de refrains, des cris d'enfants, des pas dans les escaliers, un orgue de barbarie,° etc. Un moment, scène vide dans ce bruit; puis, ouvrant la porte avec fracas, entre, par la droite, LA CONCIERGE, un trousseau de clés à la main, chantant d'une voix forte.

LA CONCIERGE.   La, la, la, tralalala, tralalali, tralalalala-a-a! (*Elle agite le trousseau de clés.*) La, la, la, la! (*Elle s'interrompt de chanter, se dirige vers la fenêtre ouverte, s'y penche.*) Gustave! Gustave! Gustave! Hé-é-é, Georges, va dire à Gustave d'aller voir Monsieur Clérence!... Georges!... (*silence*) Georges!... (*silence*) Il n'est pas là non plus! (*Elle se penche très fort par la fenêtre, tout en chantant à tue-tête.*) La! la! la! la! la! la! la! la! la! la!

Cependant que le vacarme continue et que LA CONCIERGE est penchée très fort par la fenêtre, entre par la gauche, silencieusement, LE MONSIEUR, d'âge moyen, petite moustache noire, tout de sombre vêtu : chapeau melon° sur la tête, veston et pantalon noirs, gants, souliers vernis,° pardessus sur le bras et une petite valise de cuir noir; il ferme doucement la porte et,

d'une démarche très silencieuse, va vers LA CONCIERGE qui ne le voit pas, s'arrête tout près de celle-ci, attend, sans bouger, une seconde, tandis que LA CONCIERGE,
5 *sentant une présence étrangère, interrompt soudain son chant, demeurant, toutefois, quelques instants, dans la même position, puis, lorsque LE MONSIEUR dit :*)

LE MONSIEUR.   Madame la Concierge?

LA CONCIERGE   (*se retourne et, mettant la main sur son cœur, elle crie.*) Aaaah! Aaah Aaah!
10 (*Elle hoquette.°*) Pardon, Monsieur, j'ai le hoquet! (LE MONSIEUR *demeure immobile.*) Vous venez d'entrer?

LE MONSIEUR.   Oui, Madame.

LA CONCIERGE.   Je voulais voir si Gustave, ou bien Georges, ou bien un autre, était dans la
15 cour! C'est pour aller chez Monsieur Clérence. Enfin!... Bref, vous êtes arrivé, alors?

LE MONSIEUR.   Vous le voyez, Madame.

LA CONCIERGE.   Je ne vous attendais pas
20 pour aujourd'hui... Je croyais que vous deviez venir demain... Vous êtes le bienvenu. Avez-vous bien voyagé? Pas fatigué? Ce que vous m'avez fait peur! Vous avez sans doute fini plus tôt que vous ne croyiez! C'est ça. C'est
25 parce que je ne m'y attendais pas. (*Elle hoquette.*) C'est le hoquet. C'est la surprise. Tout est en ordre. Heureusement que vos prédécesseurs, oui, les locataires qui étaient là avant vous, ont tout déménagé à temps. Le vieux monsieur a
30 pris sa retraite. Je ne sais pas très bien ce qu'il faisait, lui. Ils ont dit qu'ils m'enverraient des cartes postales. Il était fonctionnaire. Pas nerveux. Vous aussi peut-être? Oui? Non? Je ne sais pas quel ministère. J'ai oublié. Il me l'a
35 dit. Les ministères, moi, vous savez! Pourtant, mon premier mari aussi était garçon de bureau. C'étaient de bien braves gens. Ils me racontaient tout. Oh, moi, j'ai l'habitude des confidences. Je suis discrète! La vieille dame, elle, ne travaillait
40 pas. Elle n'a jamais rien fait de sa vie. Je faisais leur ménage, elle avait quelqu'un pour les commissions, quand elle venait pas c'était encore moi! (*Elle hoquette.*) La surprise! Vous m'avez fait peur! C'est que je ne vous attendais
45 que demain. Ou après-demain. Ils avaient un petit chien, ils détestaient les chats, d'abord c'est pas permis les chats dans la maison, c'est pas moi, c'est le gérant,° moi ça m'est égal! C'étaient des gens rangés,° ils n'avaient pas d'enfant, le

---

* Copyright Éditions Gallimard, tous droits réservés.
Locataire: Lodger. † *déménageur:* mover. 14. *portes à deux battants:* double doors. 21. *tintamarre:* racket. 22. *coulisses:* wings. 23. *marteaux:* hammers. 23. *bribes:* snatches. 25. *orgue de barbarie:* street organ. 44. *melon:* derby. 45. *vernis:* patent leather.

10. *hoquette:* hiccups. 48. *gérant:* manager. 49. *rangés:* settled down.

dimanche, ils allaient à la campagne, chez leurs cousins, les vacances en Bourgogne, le monsieur était natif, c'est là qu'ils se sont retirés maintenant, mais ils n'aimaient pas le bourgogne, ça leur montait à la tête, ils aimaient mieux le bordeaux, mais pas trop, vous savez, de vieilles gens, même quand ils étaient jeunes, que voulez-vous, nous n'avons pas tous les mêmes goûts, moi c'est pas comme ça. Enfin, ils étaient bien gentils. Et vous? Dans le commerce? Employé? Rentier?° Retraité? Oh, pas encore retraité, vous êtes encore trop jeune, on ne sait jamais, il y en a qui se retirent plus tôt, quand on est fatigué, n'est-ce pas, et qu'on a les moyens, tout le monde ne peut pas, tant mieux pour ceux qui peuvent! Vous avez de la famille?

LE MONSIEUR (*déposant sa valise et son pardessus par terre*). Non, Madame.

LA CONCIERGE. Déposez votre valise, Monsieur. C'est du bon cuir, ne vous fatiguez pas. Mettez-là où vous voulez. Tiens, j'ai plus le hoquet, c'est passé la surprise! Enlevez donc votre chapeau.

LE MONSIEUR *enfonce légèrement son chapeau sur sa tête.*

LA CONCIERGE. C'est pas la peine d'enlever votre chapeau, Monsieur. Mais oui, vous êtes chez vous. La semaine dernière c'était pas encore chez vous, comme ça change, c'était chez eux, que voulez-vous, on vieillit, c'est l'âge, maintenant vous êtes chez vous, c'est pas moi qui dirai le contraire, moi ça me regarde pas, on est très bien ici, une bonne maison, ça fait vingt ans, hein, ça fait bien loin déjà... (LE MONSIEUR, *sans mot dire, fait plusieurs pas dans la pièce vide qu'il inspecte du regard, ainsi que les murs, les portes, le placard°; il a maintenant les mains derrière le dos. Elle continue.*) Ooh, Monsieur, ils ont tout laissé en bon état! Des gens propres, des personnes distinguées, quoi, enfin, ils avaient des défauts, comme vous et moi, ils n'étaient pas aimables, et pas bavards, pas bavards, ils m'ont jamais rien dit grand-chose, que des bêtises, lui, le vieux, ça allait à peu près, elle, pas du tout, elle a jeté son chat par la fenêtre, c'est tombé sur la tête du gérant, heureusement pas sur mes fleurs, ça a fait « pif », et lui, il la battait, si c'est croyable, Monsieur, dans notre siècle, c'est leur affaire, moi je me mêle pas de ça, une fois je suis montée, il cognait dessus, elle criait :

« Salaud, salaud, marchand de bouse°... » (*Elle rit aux éclats;* LE MONSIEUR, *maintenant, toujours sans parler, vérifie de plus près l'état des murs, des portes, des serrures, il les touche de la main, hoche la tête, etc., tandis que, tout en parlant,* LA CONCIERGE *le suit des yeux; le tintamarre du dehors continue.*) « ...marchand de bouse », oh, j'ai bien ri, Monsieur, enfin, ils ne sont plus là, faut pas en dire du mal, ils sont comme morts, pas tout à fait, d'autant plus qu'il n'y a pas de quoi, ils étaient bien aimables, j'ai pas eu à m'en plaindre, sauf pour le jour de l'an...° Oh, ne craignez rien, Monsieur, c'est solide, la maison, c'est pas d'hier, on n'en fait plus comme ça aujourd'hui... Vous serez bien ici... Oh, pour ça... les voisins sont bien gentils, c'est la concorde, c'est toujours très calme, jamais j'ai appelé ici la police, sauf au troisième, c'est un inspecteur, il crie tout le temps, il veut arrêter tout le monde...

LE MONSIEUR (*montrant du doigt*). Madame, la fenêtre!... (*Sa voix est égale et terne.*)

LA CONCIERGE. Ah, mais oui, Monsieur! Je veux bien faire votre ménage. Je ne demande pas cher, Monsieur. On s'entendra, vous n'aurez pas les assurances à payer...

LE MONSIEUR (*même geste, même calme*). La fenêtre, Madame!

LA CONCIERGE. Ah, oui, Monsieur, pardon, j'oubliais. (*Elle ferme la fenêtre; le vacarme diminue un peu.*) ...Vous savez, Monsieur, une parole en amène une autre et le temps passe...

(LE MONSIEUR *continue ses vérifications.*)

LA CONCIERGE. J'ai fermé votre fenêtre, vous voyez, c'est comme vous avez voulu, ça ferme facilement. (LE MONSIEUR *vérifie la fermeture de la fenêtre, examine la fenêtre elle-même.*) Ça donne sur la cour, c'est pourtant clair, vous voyez, c'est parce que c'est le sixième...

LE MONSIEUR. Il n'y avait rien de libre au rez-de-chaussée.

LA CONCIERGE. Ah, je vous comprends, vous savez, pas facile le sixième, la maison n'a pas d'ascenseur...

LE MONSIEUR (*plutôt pour lui*). Ça n'est pas pour ça. Je ne suis pas fatigué, Madame.

LA CONCIERGE. Ah! alors, c'est pourquoi, Monsieur? Vous n'aimez pas le soleil? C'est vrai, ça fait mal aux yeux! A partir d'un certain

---

1. *bouse:* dung. 12. *jour de l'an:* New Year's Day is the customary day for giving tips to the staff.

11. *Rentier?* Of independent means? 37. *placard:* closet.

âge, on peut s'en dispenser, ça brunit trop la peau…

LE MONSIEUR. Non, Madame.

LA CONCIERGE. Pas trop, c'est vrai, pas trop… Vous n'avez pas dans quoi vous coucher ce soir? Je peux vous prêter un lit! (*Depuis quelques instants,* LE MONSIEUR, *toujours examinant la pièce, calcule les endroits où il va disposer les meubles qui vont arriver; du doigt, il montre, pour lui-même, les emplacements; il sort de sa poche un ruban-mètre,° mesure.*) Je vais vous aider à placer vos meubles, ne vous en faites pas,° je vous donnerai des idées, ça ne manque pas, c'est pas la première fois, puisque je vais faire votre ménage, c'est pas aujourd'hui qu'ils vont venir vos meubles, ils vont pas les apporter si vite, allez, je la connais leur galerie, des marchands quoi, ils sont comme ça, tous comme ça…

LE MONSIEUR. Si, Madame.

LA CONCIERGE. Vous croyez qu'ils vont les apporter aujourd'hui, vos meubles? Tant mieux pour vous, moi ça m'arrange, j'ai pas de lit à vous prêter, mais ça m'arrange, j'ai pas de lit à vous prêter, mais ça m'étonnerait, comme je les connais, ah, là, là, j'en ai vu, c'est pas les premiers, ils ne viendront pas, ils ne viendront pas, c'est samedi, ah non c'est mercredi, j'ai un lit pour vous… puisque je fais votre ménage… (*Elle veut ouvrir la fenêtre.*)

LE MONSIEUR. Pardon, Madame!

LA CONCIERGE. Qu'est-ce qu'il y a? (*Elle fait de nouveau semblant d'ouvrir la fenêtre.*) Je veux appeler Georges pour qu'il dise à Gustave d'aller voir Monsieur Clérence…

LE MONSIEUR. Laissez la fenêtre, Madame.

LA CONCIERGE. C'est parce que Monsieur Clérence voudrait bien savoir si Monsieur Eustache qui est l'ami de Monsieur Gustave, de Georges aussi, puisqu'ils sont un peu parents, pas tout à fait, mais un peu…

LE MONSIEUR. Laissez la fenêtre, Madame.

LA CONCIERGE. Bon, bon, bon, bon! J'ai compris, vous ne voulez pas, j'aurais pas fait de mal, c'est votre droit, votre fenêtre, pas la mienne, je n'en veux pas, j'ai compris, vous commandez, comme vous voudrez, j'y touche plus, vous êtes propriétaire de l'appartement, pour pas bien cher, bref, ça ne me regarde pas,

la fenêtre avec, elle est à vous, tout s'achète avec de l'argent, c'est ça la vie, moi je dis rien, je ne me mêle pas, c'est votre affaire, faudra descendre les six étages pour chercher Gustave, une pauvre vieille femme, ah, là, là, les hommes sont capricieux, ça ne pense à rien du tout, mais moi je vous obéis, vous savez, je veux bien, ça ne me gêne pas, je suis même contente, je vais faire votre ménage, je serai comme qui dirait votre domestique, n'est-ce pas, Monsieur, c'est entendu?

LE MONSIEUR. Non, Madame.

LA CONCIERGE. Comment, Monsieur?

LE MONSIEUR. Je n'ai pas besoin de vos services, Madame.

LA CONCIERGE. Ça c'est trop fort! C'est pourtant vous qui m'avez priée, c'est malheureux, j'ai pas eu de témoin, je vous ai cru sur parole, je me suis laissée faire… je suis trop bonne…

LE MONSIEUR. Non, Madame, non. Ne m'en veuillez pas.

LA CONCIERGE. Mais alors!

(*On frappe à la porte de gauche.*)

LE MONSIEUR. Les meubles!

LA CONCIERGE. Je vais ouvrir. Ne vous dérangez pas, c'est à moi d'ouvrir, pour vous servir, je suis votre domestique.

(*Elle veut aller ouvrir la porte,* LE MONSIEUR *s'interpose, l'arrête.*)

LE MONSIEUR (*toujours très calme*). N'en faites rien, Madame, je vous en prie!

(*Il va vers la porte à gauche, l'ouvre, tandis que* LA CONCIERGE, *les mains sur les hanches, s'exclame :*)

LA CONCIERGE. Ah, ça, par exemple! Ils vous enjôlent,° ils vous promettent tout, et ils ne tiennent pas leur parole!

(LE MONSIEUR *ouvre la porte; entre le* PREMIER DÉMÉNAGEUR.)

PREMIER DÉMÉNAGEUR. M'sieurs-dames!

LE MONSIEUR. Les meubles sont arrivés?

PREMIER DÉMÉNAGEUR. On peut les monter?

LE MONSIEUR. Si vous voulez, Monsieur.

PREMIER DÉMÉNAGEUR. Bien, Monsieur. (*Il sort.*)

LA CONCIERGE. Vous n'allez pas pouvoir arranger vos meubles tout seul, Monsieur.

LE MONSIEUR. Les déménageurs vont m'aider, Madame.

LA CONCIERGE. C'est pas la peine de faire

---

11. *ruban-mètre:* tape measure. 12. *ne vous en faites pas:* don't worry.

36. *enjôlent:* take in.

venir des étrangers, je ne le connais pas, je l'ai jamais vu, c'est pas prudent! Vous auriez pu prier mon mari. J'aurais pas dû le laisser entrer, il faut pas se fier, on ne sait jamais, c'est comme ça que ça arrive, si c'est pas idiot, y a mon mari, c'est mon deuxième, le premier je ne sais pas ce qu'il est devenu, il est en bas, il n'a rien à faire, il est chômeur,° il est costaud,° vous savez, ça lui ferait gagner quelques sous, pourquoi donner à d'autres, ça ne sert à rien, il pourra très bien les monter, vous savez, il est tuberculeux, faut tout de même qu'il gagne sa croûte, ils ont raison les grévistes,° et mon premier mari aussi, il a plus rien voulu savoir,° il est parti et après on s'étonne!... Enfin, je suis pas méchante, je ferai votre ménage, je veux bien être votre domestique...

LE MONSIEUR. Je n'ai pas besoin de vos services, Madame, je m'excuse beaucoup, Madame, je le ferai tout seul.

LA CONCIERGE (en colère, elle crie). Il s'excuse! il s'excuse! ça se moque du monde! ah, j'aime pas ça, j'aime pas qu'on se paye ma tête.° Je regrette mes vieux, ils n'étaient pas comme ça. Tout ce qu'il y a de plus gentils, et si serviables,° ils sont tous pareils! ils se valent bien! ils vous font perdre votre temps, j'ai pas que ça à faire, il me dit de monter, et puis après... (Les bruits de marteaux s'intensifient, ainsi que d'autres bruits, en provenance des coulisses. LE MONSIEUR fait la grimace ; elle crie, à la cantonade :°) Faites pas de bruit! On ne peut plus s'entendre! (au MONSIEUR) Je vais pas ouvrir la fenêtre, je veux pas vous les casser, vos carreaux, je suis honnête, moi, on me l'a jamais reproché, alors c'était pour rien, et ma lessive,° j'aurais mieux fait de ne pas vous écouter!

La porte à gauche s'ouvre, par laquelle réapparaît le PREMIER DÉMÉNAGEUR, *avec beaucoup de bruit, portant deux tout petits tabourets, cependant que* LA CONCIERGE *poursuit sa diatribe.*)

PREMIER DÉMÉNAGEUR (au MONSIEUR). Voilà toujours ça!

LA CONCIERGE (au DÉMÉNAGEUR qui ne l'écoute pas). Il ne faut pas le croire, mon gars...

PREMIER DÉMÉNAGEUR (au MONSIEUR). Où faut-il les mettre?

LA CONCIERGE (même jeu). ...c'est un menteur, il vous paiera pas, ils achètent tout avec de l'argent!

LE MONSIEUR (calme, au DÉMÉNAGEUR). Mettez-en un là, Monsieur, s'il vous plaît! et un là! (Il indique un côté et l'autre, en bas de la porte à gauche.)

LA CONCIERGE (même jeu). ...tu vas te donner un mal de chien.

PREMIER DÉMÉNAGEUR (même jeu). Bien, Monsieur. (Il met les petits tabourets aux endroits indiqués.)

LA CONCIERGE (même jeu). ...On se crève pour rien, c'est ça la vie pour nous...

(Le PREMIER DÉMÉNAGEUR sort; LA CONCIERGE se tourne du côté du MONSIEUR.)

LA CONCIERGE. Je ne sais pas qui vous êtes, moi je suis quelqu'un, Monsieur, je vous connais déjà... Madame Mathilde (c'est-à-dire : je suis Madame Mathilde.)

LE MONSIEUR (toujours calme, sortant de l'argent de sa poche). Tenez, Madame, pour votre peine! (Il lui tend de l'argent.)

LA CONCIERGE. Non, mais, pour qui me prenez-vous!... je ne suis pas une mendiante, j'aurais pu avoir des enfants, c'est pas ma faute, c'est mon mari, ils seraient grands, maintenant, j'en veux pas de votre argent! (Elle prend l'argent, le met dans la poche de son tablier.°) — Merci bien, Monsieur!... Alors, c'est non, na,° vous pouvez crier tant que ça vous plaira, je ne veux pas faire votre ménage, des messieurs comme vous, j'en veux pas moi, il a besoin de personne, il veut faire ça tout seul, si c'est pas malheureux, à votre âge— (Elle continue, tandis que LE MONSIEUR, tranquillement, va vers la porte de gauche, met les tabourets à la place l'un de l'autre, s'éloigne pour juger de l'effet.) —un vicieux, un vicieux dans la maison, il a besoin de personne, pas même un chien, les vicieux ça court les rues, quelle époque, j'aurais pas voulu en avoir, quel malheur, dans notre immeuble rien que des braves gens (encore plus fort :) ça fait peur exprès aux gens quand ils regardent par la fenêtre, j'aurais pu tomber et ça n'a besoin de rien, un petit plaisir inoffensif, j'ai pas autre chose à me mettre sous la dent, le cinéma, de temps en temps, et puis c'est tout, ils ne savent même pas ce qu'ils veulent... (LE MONSIEUR,

---

8. *chômeur:* out of work. 8. *costaud:* strong. 13. *grévistes:* strikers. 14. *il a plus... savoir:* he'd had enough. 23. *se paye ma tête:* make a fool of me. 26. *serviables:* obliging. 31. *à la cantonade:* into the wings. 36. *lessive:* washing.

29. *tablier:* apron. 30. *na:* (childish exclamation).

finalement, a replacé les petits tabourets comme ils étaient, s'éloigne, contemple.) ...ça ne connaît pas grand-chose à la vie et ça ne fait que rouspéter...°

LE MONSIEUR *(regardant les tabourets, l'air satisfait, mais à peine car il est de nature flegmatique).* Comme ça, c'est mieux!

(Le PREMIER DÉMÉNAGEUR entre avec bruit par la porte de gauche, un vase dans la main.)

LA CONCIERGE *(même jeu).* Et ça se croit, ça se croit, Dieu sait quoi, c'est que des bandits, des voyous, des fainéants...

LE MONSIEUR *(au PREMIER DÉMÉNAGEUR).* Ici, Monsieur, vous pouvez. *(Il indique le coin du plateau,° dans le fond, à gauche.)*

PREMIER DÉMÉNAGEUR. Là-bas? Bien, Monsieur! *(Il se dirige vers l'endroit indiqué.)*

LA CONCIERGE *(même jeu).* Ils vous proposent toutes sortes de choses honteuses, pour de l'argent...

LE MONSIEUR *(au PREMIER DÉMÉNAGEUR qui n'a pas mis l'objet tout à fait dans le coin).* Non, dans le coin, tout à fait dans le coin...

LA CONCIERGE *(même jeu).* Mais avec moi, ça ne marche pas!

PREMIER DÉMÉNAGEUR. Là?

LE MONSIEUR. Oui, là, c'est bien comme ceci...

LA CONCIERGE *(même jeu).* Car tout ne s'achète pas, Monsieur, l'argent ne pourrit pas tout!... Je n'accepte pas, moi!

PREMIER DÉMÉNAGEUR *(au MONSIEUR).* Mais où allez-vous mettre le reste?

LE MONSIEUR *(au DÉMÉNAGEUR).* Ne craignez rien, Monsieur, j'ai pensé à tout, vous allez voir, il y aura de la place...

(Le PREMIER DÉMÉNAGEUR sort par la gauche.)

LA CONCIERGE. C'est que je m'y attendais, j'étais sur mes gardes, je les connais, moi, ces cocos-là, tous ces beaux messieurs, ça court les rues, j'ai pris des renseignements, j'ai pas accepté, les filles ça court après, moi, on ne m'aura pas!° Je sais ce que vous voulez faire, je connais vos intentions, vous avez voulu me prostituer, moi, une mère de famille, me proposer ça, à moi, une mère de famille, une mère de famille, pas si bête, pas folle, heureusement, il y a l'inspecteur de police, Monsieur, dans cette maison même, je porterai plainte, je

vous ferai arrêter, et puis il y a mon mari aussi pour me défendre... ah! il n'a besoin de personne, hein? on va voir ça!

LE MONSIEUR *(qui n'a pourtant rien d'inquiétant, se tourne vers LA CONCIERGE; il est infiniment calme, n'élève pas du tout la voix, il conserve sa dignité, mais il est assez autoritaire).* Ne vous énervez pas, Madame, je vous le conseille, en m'excusant; ça vous ferait du mal, Madame!

LA CONCIERGE *(un peu intimidée).* Comment osez-vous me dire ça à moi, une mère de famille! On ne m'aura pas! ça ne se passera pas comme ça! Vous venez d'arriver, que voulez-vous? Vous me faites monter, vous m'engagez, et, sans raison, vous me mettez à la porte! Quand il y avait les vieux, ici même, là où vous êtes...

LE MONSIEUR *(sans gestes, mains croisées derrière le dos).* Retournez, Madame, dans votre loge! Il y a peut-être du courrier!°

(LA CONCIERGE s'arrête de parler, elle est comme prise de peur, LE MONSIEUR la regarde, sans bouger, puis il se retourne vers le vase, le contemple; profitant du fait que LE MONSIEUR a le dos tourné, LA CONCIERGE s'enfuit vers la droite, en disant pour elle :)

LA CONCIERGE. C'est pour y mettre quoi, le vase! *(Puis, arrivée tout près de la porte, elle dit plus fort :)* Une mère de famille! On ne m'aura pas! Je verrai l'inspecteur! *(Voulant sortir, elle se heurte au DEUXIÈME DÉMÉNAGEUR qui entre.)* Attention, vous! *(Puis, elle sort, cependant qu'on l'entend encore crier et que LE MONSIEUR se tourne vers le nouvel arrivant.)* On ne m'aura pas! on ne m'aura pas!

DEUXIÈME DÉMÉNAGEUR. Bonjour, Monsieur. C'est pour l'emménagement de vos meubles.

LE MONSIEUR. Bonjour, Monsieur. Merci. Votre camarade est déjà là. *(Il montre à gauche, du doigt, par-dessus l'épaule.)*

DEUXIÈME DÉMÉNAGEUR. Bien. Je vais l'aider. *(Il traverse le plateau en se dirigeant vers la porte de gauche; il aperçoit les deux petits tabourets et, dans le coin, le petit vase qui doit avoir environ 30 centimètres de hauteur.)* Il a déjà commencé à les monter, je vois!

LE MONSIEUR. Oui, Monsieur, il a déjà commencé à les monter.

DEUXIÈME DÉMÉNAGEUR. Il y a longtemps qu'il est arrivé?

LE MONSIEUR. Non, à peine un instant.

---

4. *rouspéter:* make trouble, bellyache. 15. *plateau:* stage floor. 43. *on ne m'aura pas:* they won't fool me.

19. *courrier:* mail.

DEUXIÈME DÉMÉNAGEUR. Il en reste beaucoup?

LE MONSIEUR. Encore pas mal de choses. (*bruit à gauche*) Il monte l'escalier.

PREMIER DÉMÉNAGEUR (*en coulisse*). T'es là? Viens me donner un coup de main!

(*Le* DEUXIÈME DÉMÉNAGEUR *sort par la gauche, disparaît une seconde, puis on le voit réapparaître, de dos d'abord, et peinant; pendant ce temps,* LE MONSIEUR, *tendant le bras en direction de différents endroits de la pièce : plancher, murs, etc., comme pour mieux repérer° les emplacements des meubles, dit :*)

LE MONSIEUR. Une... deux... trois... quatre... une...

(*Le* DEUXIÈME DÉMÉNAGEUR, *de dos, a réapparu presque en entier. On ne voit pas encore ce qu'il porte avec tant de peine; dans les coulisses, voix du :*)

PREMIER DÉMÉNAGEUR (*péniblement*). Vas-y... Va!

LE MONSIEUR (*même jeu*). Une... deux... trois... quatre... une...

(*Les deux* DÉMÉNAGEURS *apparaissent en entier, portant, péniblement, un second vase vide, identique au premier, visiblement extrêmement léger; mais leur effort conjugué doit paraître très grand; en effet, ils trébuchent° dans cet effort.*)

PREMIER DÉMÉNAGEUR. Allez, encore un coup!...

DEUXIÈME DÉMÉNAGEUR. Tiens bon!...

LE MONSIEUR (*même jeu*). Une... deux... trois...

PREMIER DÉMÉNAGEUR (*au* MONSIEUR). Et celui-là, où faut-il le mettre?

LE MONSIEUR (*se tournant vers eux*). Mettezle... là... s'il vous plaît! (*Il indique du doigt, à gauche de la porte de gauche, tout près de la rampe.*) C'est ça! (*Les deux* DÉMÉNAGEURS *portent le vase à l'endroit indiqué.*) Comme ceci. Parfait.

(*Les deux* DÉMÉNAGEURS *ont déposé le vase; ils se relèvent, se frottent les bras, les reins, enlèvent leurs casquettes, s'épongent le front; pendant ce temps, on entend* LA CONCIERGE, *dans l'escalier, mêlant sa voix à celle d'autres personnes, de temps en temps, jusqu'à la cessation progressive de tous les bruits.*)

DEUXIÈME DÉMÉNAGEUR. Si tout est comme ça! Alors!

LE MONSIEUR. Vous êtes fatigués, Messieurs?

PREMIER DÉMÉNAGEUR. Oh... ce n'est rien... On a l'habitude... (*à son collègue*) Perds pas ton temps! On y va!

(*Les* DÉMÉNAGEURS *sortent par la porte à gauche, tandis que :*)

LE MONSIEUR (*compte*). Une... deux... trois... quatre... une... deux... trois... (*Puis il se déplace, repère les emplacements, utilise de temps à autre le ruban-mètre qu'il tient à la main.*) Là, ça sera bien... ça, on le mettra là... ça, ici!... Voilà...

(*Le* PREMIER DÉMÉNAGEUR *entre par la gauche, portant un autre vase, difficilement, mais seul.*)

LE MONSIEUR (*lui indique, à l'autre bout du plateau, le coin, au fond, à droite. Le* PREMIER DÉMÉNAGEUR *s'y dirige, y dépose l'objet, tandis que* LE MONSIEUR *mesure en disant :*) Une... deux... une... trois... cinq... une... deux... sept... Bon... voilà... ça ira...

PREMIER DÉMÉNAGEUR. Est-ce bien là, Monsieur?

(*A mesure que les objets apportés seront plus grands et sembleront plus lourds, les* DÉMÉNAGEURS *auront l'air de les porter avec plus de facilité; finalement, en se jouant et en jouant.*)

LE MONSIEUR. Oui, Monsieur, c'est bien. (*Puis, le* PREMIER DÉMÉNAGEUR *sort à gauche, tandis que le* DEUXIÈME *entre, par la même porte, portant un autre vase, tout pareil.*) Là-bas, s'il vous plaît! (*Il indique, près de la rampe, le coin à droite.*)

DEUXIÈME DÉMÉNAGEUR. Ah, oui! (*Il dépose l'objet, sort par la gauche, tandis qu'entre, toujours par la même porte, le* PREMIER DÉMÉNAGEUR, *portant deux autres tout petits tabourets, identiques à ceux de tout à l'heure.*)

PREMIER DÉMÉNAGEUR. Et ceux-là, Monsieur, où les mettre?

LE MONSIEUR (*indiquant les deux côtés de la porte de droite*). Là et là, bien entendu, ça fera pendant avec les autres!

PREMIER DÉMÉNAGEUR. J'aurais dû y penser... (*Il va porter les objets aux endroits indiqués.*) Ouf!... Il reste de la place? (*Il s'arrête un instant, les mains vides, au milieu de la pièce, puis il sort par la gauche.*)

LE MONSIEUR. Ça s'arrangera. Bien sûr. J'y pense, moi.

DEUXIÈME DÉMÉNAGEUR (*entrant par la gauche avec une valise*). Là, Monsieur... (*Il montre le côté droit de la fenêtre du fond et s'y dirige;* LE MONSIEUR *l'arrête.*)

LE MONSIEUR. Pardon, pas là, là... (*LE MONSIEUR indique le côté gauche de la fenêtre; le* DEUXIÈME DÉMÉNAGEUR *va y déposer son objet, disant :*)

12. *repérer:* work out. 26. *trébuchent:* stumble.

DEUXIÈME DÉMÉNAGEUR. Bon, Monsieur. Soyez plus précis, je vous prie.

LE MONSIEUR. D'accord.

DEUXIÈME DÉMÉNAGEUR. Pour qu'on ne se fatigue pas pour rien!

LE MONSIEUR. Je comprends!

PREMIER DÉMÉNAGEUR (*tandis que le* DEUXIÈME DÉMÉNAGEUR *sort par la gauche, entre par la gauche, avec un guéridon°*). Et ça? Où?

LE MONSIEUR. Ah, oui... oui... c'est pas facile pour lui trouver une petite place...

PREMIER DÉMÉNAGEUR. Peut-être ici, Monsieur? (*Il va, avec le guéridon, vers la fenêtre, à gauche.*)

LE MONSIEUR. C'est l'endroit rêvé. (*Les guéridons sont tous de formes et de couleurs différentes.*) Oui.

(*Le* PREMIER DÉMÉNAGEUR *pose le guéridon et sort.*)

DEUXIÈME DÉMÉNAGEUR (*entre par la gauche avec un guéridon*). Et ça?

LE MONSIEUR (*indiquant, à gauche du guéridon précédent*). Ici, s'il vous plaît.

DEUXIÈME DÉMÉNAGEUR (*pose le guéridon, puis :*) Mais alors, il n'y aura plus de place pour vos assiettes!

LE MONSIEUR. C'est prévu, c'est prévu.

DEUXIÈME DÉMÉNAGEUR (*regardant sur le plateau*). Je ne vois pas trop.

LE MONSIEUR. Si.

DEUXIÈME DÉMÉNAGEUR. Moi, je veux bien. (*Il s'en va par la gauche, tandis que le* PREMIER DÉMÉNAGEUR *arrive, avec un autre guéridon.*)

LE MONSIEUR (*au* PREMIER DÉMÉNAGEUR). A côté de l'autre.

(*Puis, cependant que le* PREMIER DÉMÉNAGEUR *porte le guéridon et sort, et qu'entre le* DEUXIÈME DÉMÉNAGEUR, *toujours par la gauche, avec un autre guéridon,* LE MONSIEUR *trace, par terre, un cercle, à la craie; plus particulièrement un cercle plus grand au milieu;* LE MONSIEUR *s'interrompt et se relève, pour indiquer au* DEUXIÈME DÉMÉNAGEUR, *l'emplacement du nouveau guéridon.*)

LE MONSIEUR. Là, le long du mur, à côté de l'autre! (*Tandis que le* DEUXIÈME DÉMÉNAGEUR *pose le guéridon,* LE MONSIEUR *qui a fini de tracer son cercle se relève de nouveau et dit :*) Ça sera bien! (*Arrive, pendant que sort le* DEUXIÈME DÉMÉNAGEUR, *toujours par la gauche, le* PREMIER DÉMÉNAGEUR, *avec un autre guéridon.*) A côté de l'autre!

(*Il indique l'endroit, le* PREMIER DÉMÉNAGEUR

9. *guéridon:* small pedestal table.

pose le guéridon et sort par la gauche. LE MONSIEUR, *un instant seul, compte les guéridons apportés.*)

LE MONSIEUR. Oui... oui... il faudra maintenant... (*Entre, par la droite, le* PREMIER DÉMÉNAGEUR, *avec un autre guéridon.*) Tout autour... (*Puis, par la gauche, le* DEUXIÈME DÉMÉNAGEUR.) ...Tout autour...

(*Les* DÉMÉNAGEURS, *le* PREMIER *sortant par la gauche et entrant par la droite, le* DEUXIÈME *entrant par la gauche et sortant par la droite, apportent des guéridons et autres objets divers : chaises, paravents, lampes à pied, piles de livres, qu'ils déposent, en se croisant, tour à tour, tout autour du plateau, le long des murs; cela se fait de façon à ce qu'il y ait, pendant cette scène, toujours un déménageur sur le plateau.*)

LE MONSIEUR. Tout autour, tout autour... tout autour... (*Puis, une fois que les murs sont tous bordés par une première rangée de meubles,* LE MONSIEUR *dit au* PREMIER DÉMÉNAGEUR *qui entre, les mains vides, par la gauche :*) Vous pouvez, maintenant, apporter une échelle! (*Le* PREMIER DÉMÉNAGEUR *sort par où il est entré, le* DEUXIÈME *entre par la droite.*) Une échelle!

(*Le* DEUXIÈME DÉMÉNAGEUR *sort par la porte par laquelle il est entré.*)

LE MONSIEUR (*regardant tout autour des murs se frotte les mains*). Voilà. Ça prend forme. Ça sera très habitable. Ça sera pas mal.

(*Entrent, par la gauche et la droite, des côtés opposés par où ils sont partis, les deux* DÉMÉNAGEURS; LE MONSIEUR *indique à celui venant de gauche, le mur de droite, et vice versa; sans parler.*)

PREMIER DÉMÉNAGEUR. D'accord.

DEUXIÈME DÉMÉNAGEUR. D'accord.

(*Les* DÉMÉNAGEURS *posent, en se croisant, à droite et à gauche, les échelles contre les murs.*)

LE MONSIEUR. Laissez-là les échelles! Vous pouvez apporter les tableaux.

(*Les* DÉMÉNAGEURS *descendent de leurs échelles, sortent à droite et à gauche. En s'en allant vers la sortie, le* DEUXIÈME *touche à un des cercles de craie, du milieu du plateau.*)

LE MONSIEUR. Attention, n'abîmez pas mon cercle.

DEUXIÈME DÉMÉNAGEUR. Ah oui, on va tâcher!

LE MONSIEUR. Attention! (*Le* DEUXIÈME DÉMÉNAGEUR *sort, tandis qu'entre, par le côté opposé, le* PREMIER *avec une grande toile, représentant un visage monstrueux de vieillard.*) Attention, attention à mes cercles! (*Ceci d'une voix calme et neutre.*)

PREMIER DÉMÉNAGEUR. Je tâcherai. C'est pas commode quand on est embarrassé...

LE MONSIEUR. Accrochez le tableau...

PREMIER DÉMÉNAGEUR. Oui, Monsieur.

(*Il monte à l'échelle, accroche au mur, soigneusement, le tableau.*

Le DEUXIÈME DÉMÉNAGEUR, *par le côté opposé à celui par lequel est entré le* PREMIER, *entre, lui aussi, avec une grande toile représentant un autre personnage monstrueux de vieillard.*)

LE MONSIEUR. Mes ancêtres. (*au* DEUXIÈME DÉMÉNAGEUR) Montez à l'échelle. Accrochez le tableau.

DEUXIÈME DÉMÉNAGEUR (*montant à l'échelle le tableau à la main, au mur opposé*). C'est pas facile, avec vos cercles. Surtout, lorsqu'on va amener les objets lourds. On ne peut pas tout voir. (*Il s'occupe d'accrocher le tableau.*)

LE MONSIEUR. Si. Avec de la bonne volonté.

(LE MONSIEUR *prend parmi les objets apportés, un livre, une boîte ou d'autres objets plus petits, qu'il porte au centre du plateau, qu'il remet en place après les avoir regardés en les levant au-dessus de sa tête, cependant que les ouvriers sont occupés à bien fixer les toiles sur les deux murs;* LE MONSIEUR *peut aussi pousser un peu un meuble ou deux, refaire les cercles à la craie; tout ceci, sans paroles; il y a les bruits, faibles, des marteaux, et les bruits du dehors, déjà transformés, devenus musique.* LE MONSIEUR *contemple les tableaux et la pièce d'un air satisfait. Les deux ouvriers ont terminé, ainsi que* LE MONSIEUR; *le travail a dû durer quelque temps, dans l'absence de paroles; les* DÉMÉNAGEURS *descendent de leurs échelles; ils vont les poser quelque part, par exemple à un endroit assez libre près des portes de gauche et de droite; puis, ils s'approchent du* MONSIEUR *qui regarde un des tableaux, puis l'autre.*)

PREMIER DÉMÉNAGEUR (*montrant les tableaux accrochés, au* MONSIEUR). Ça va?

LE MONSIEUR (*au* DÉMÉNAGEUR). Ça va.

DEUXIÈME DÉMÉNAGEUR. Ça m'a l'air bien.

LE MONSIEUR (*contemplant les tableaux*). C'est bien accroché. (*pause*) Apportez les meubles lourds.

DEUXIÈME DÉMÉNAGEUR. J'ai soif. (*Il s'essuie le front.*)

LE MONSIEUR. Alors, le buffet. (*Les* DÉMÉNAGEURS *vont ensemble vers la porte de droite;* LE MONSIEUR *se tourne vers la fenêtre.*) Une... oui... Ici...

(*Avant que les* DÉMÉNAGEURS *arrivent à la porte de droite, celle-ci s'ouvre, à deux battants, et un buffet, poussé par une force invisible, pénètre sur le plateau. Tandis que se referment les deux battants de la porte, les deux* DÉMÉNAGEURS *se saisissent du buffet, tournent leurs têtes vers* LE MONSIEUR *qui, du geste, repère le nouvel emplacement.*)

LES DEUX DÉMÉNAGEURS (*s'étant un peu avancés vers le milieu du plateau*). Où?

LE MONSIEUR (*dos tourné au public, main tendue vers la fenêtre*). Mais... là!...

PREMIER DÉMÉNAGEUR. Vous n'aurez plus de lumière.

LE MONSIEUR. Il y a l'électricité.

(*Le* PREMIER DÉMÉNAGEUR *pousse le buffet contre la fenêtre; le buffet la bouche incomplètement; il n'est pas assez haut; le* DEUXIÈME DÉMÉNAGEUR *va à une des portes, appuie sur le bouton, la lampe s'allume au plafond; il prend une toile représentant un paysage d'hiver; la toile s'est glissée, toute seule, entre les battants de la porte; il va la mettre au-dessus du buffet; la fenêtre est, cette fois, entièrement recouverte; le* PREMIER DÉMÉNAGEUR *ouvre le buffet, y prend une bouteille, boit un coup, passe la bouteille au* DEUXIÈME *qui boit un coup et qui la tend, ensuite, au* MONSIEUR.*)

LE MONSIEUR. Non. Jamais.

(*Puis les deux* DÉMÉNAGEURS, *à tour de rôle, boivent à la bouteille qu'ils se passent, en regardant la fenêtre recouverte.*)

LE MONSIEUR. C'est mieux, ainsi.

(*Les deux* DÉMÉNAGEURS, *tout en continuant de boire de temps à autre, se tournent, eux aussi, du côté de la fenêtre recouverte par le buffet et la toile représentant un paysage d'hiver, ce qui fait que tous les trois sont, de cette façon, de dos au public.*)

PREMIER DÉMÉNAGEUR (*approuvant*). Ha! Ha!

DEUXIÈME DÉMÉNAGEUR (*approuvant*). Ha! Ha!

LE MONSIEUR. Pas exactement. (*Il indique la toile aux* DÉMÉNAGEURS.) J'aime pas... Retournez!°

(*Ils vont retourner le tableau, tandis que* LE MONSIEUR *les regarde faire; on voit le dos du tableau, son cadre sombre, les ficelles; puis, les deux* DÉMÉNAGEURS *s'éloignent un peu, reprenant la bouteille où ils continuent de boire, et vont se mettre d'un côté et de l'autre du* MONSIEUR, *toujours dos au public; ils regardent encore le buffet surmonté du tableau, en silence quelques instants.*)

LE MONSIEUR. Je préfère.

---

40. *Retournez:* Turn it over.

PREMIER DÉMÉNAGEUR. C'est plus joli.

LE MONSIEUR. C'est plus joli. Plus sobre.

DEUXIÈME DÉMÉNAGEUR. C'est plus joli. Plus sobre.

LE MONSIEUR. Ah!, oui, c'est plus joli, plus sobre.

PREMIER DÉMÉNAGEUR. Ah, oui...

DEUXIÈME DÉMÉNAGEUR. Ah, oui...

LE MONSIEUR. Comme ça, on ne verra plus rien.

PREMIER DÉMÉNAGEUR. C'est toujours ça de fait.

(Silence)

DEUXIÈME DÉMÉNAGEUR (au bout d'un temps, tournant la bouteille, le goulot° vers le bas). Il n'y en a plus.

PREMIER DÉMÉNAGEUR. Dernière goutte.

DEUXIÈME DÉMÉNAGEUR (tenant la bouteille dans la même position, au MONSIEUR). Il n'y en a plus.

LE MONSIEUR. Moi non plus.

(Le PREMIER DÉMÉNAGEUR prend la bouteille des mains du DEUXIÈME, la met dans le buffet, referme le buffet.)

LE MONSIEUR. Les voisins ne gêneront plus.

PREMIER DÉMÉNAGEUR. Plus agréable pour tout le monde.

DEUXIÈME DÉMÉNAGEUR. Tout le monde sera content.

LE MONSIEUR. Tous contents. (un moment de silence) Au boulot.° Continuons. Mon fauteuil.

PREMIER DÉMÉNAGEUR. Où le mettre?

DEUXIÈME DÉMÉNAGEUR. Où le mettre?

LE MONSIEUR. Dans le cercle. (Il indique le cercle du milieu.) Vous n'abîmerez plus mon cercle.

PREMIER DÉMÉNAGEUR (au MONSIEUR). On le verra mieux.

LE MONSIEUR (au PREMIER DÉMÉNAGEUR). Allez le prendre. (Le PREMIER DÉMÉNAGEUR va vers la porte de droite; au DEUXIÈME DÉMÉNAGEUR :) Maintenant, les meubles lourds, les bois roses.

(Le PREMIER DÉMÉNAGEUR arrive à la porte de droite; apparaît le fauteuil, toujours poussé du dehors; il le prend; le DEUXIÈME va à la porte de droite; la moitié d'une armoire apparaît, il s'en saisit, la tire vers lui, vers le centre du plateau; les mouvements sont devenus très lents; dorénavant, tous les meubles apparaissent tour à tour, par les deux portes, poussés du dehors; cependant, ils n'apparaissent qu'à moitié; les DÉMÉNAGEURS les tirent à eux; quand les

meubles sont complètement tirés dans la pièce, immédiatement d'autres meubles apparaissent, à moitié, et ainsi de suite; le PREMIER DÉMÉNAGEUR a donc pris le fauteuil, tandis que l'autre, à l'autre porte, tire à lui une énorme armoire couchée; le PREMIER DÉMÉNAGEUR met le fauteuil dans le cercle.)

LE MONSIEUR (voyant l'armoire rose). C'est beau le rose.

PREMIER DÉMÉNAGEUR (après avoir mis le fauteuil à l'intérieur du cercle). Bon fauteuil.

LE MONSIEUR (tâtant le rembourrage° du fauteuil). C'est doux. Bien capitonné.° (au PREMIER DÉMÉNAGEUR) Apportez, Monsieur, s'il vous plaît, apportez.

(Le PREMIER DÉMÉNAGEUR va vers la porte de droite, où il trouve une autre armoire rose, couchée°; le DEUXIÈME, tout en tirant l'armoire, jette un regard vers LE MONSIEUR, comme pour demander, silencieusement, où placer le meuble.)

LE MONSIEUR. Là! (Les armoires — il pourra y en avoir, en tout, quatre — vont être disposées, d'après les indications continuelles du MONSIEUR, le long des trois murs, parallèlement aux autres rangées de meubles; tantôt le PREMIER, tantôt le DEUXIÈME DÉMÉNAGEUR, interrogeront LE MONSIEUR du regard, chaque fois qu'ils auront sorti en entier les meubles d'entre les battants des portes, et LE MONSIEUR dira, en indiquant du doigt :) Là! là! là! là!

(A chaque « là! », les DÉMÉNAGEURS hocheront la tête, en signe de « oui », et porteront les meubles; après les quatre armoires, ce sera de plus petits meubles, — encore des guéridons, des canapés aussi, des paniers en osier, des meubles inconnus, etc. — en face des autres meubles longeant les trois murs, serrant de plus en plus près LE MONSIEUR au milieu du plateau; tout ceci est devenu une sorte de ballet pesant, les mouvements étant toujours très lents.)

LE MONSIEUR (tandis que les DÉMÉNAGEURS apportent toujours les meubles, qu'ils lui posent la demande silencieuse, qu'on voit les meubles entrer, poussés du dehors, etc., est au centre, une main sur le dossier du fauteuil, l'autre indiquant). Là... là...

(Faire en sorte que ce jeu dure longtemps; il peut être d'une lenteur décomposée; puis revenir à un rythme naturel; à un moment donné, le PREMIER DÉMÉNAGEUR apporte, par la droite, un poste de

---

15. goulot: neck. 30. boulot: work.

11. rembourrage: stuffing. 12. capitonné: upholstered. 16. couchée: on its side.

radio ; lorsque le regard interrogateur de ce PREMIER
DÉMÉNAGEUR *se pose sur* LE MONSIEUR, *celui-ci
dit, d'un ton à peine plus élevé :)*

LE MONSIEUR.   Ah, non, certainement pas.

PREMIER DÉMÉNAGEUR.   Il ne fonctionne pas.

LE MONSIEUR.   Dans ce cas, oui. Ici. (*Il
indique une place près du fauteuil ; le* PREMIER
DÉMÉNAGEUR *s'exécute, repart vers la droite pour
d'autres meubles, tandis que, par la gauche, avec
même coup d'œil interrogateur, arrive, portant un seau,
le* DEUXIÈME DÉMÉNAGEUR.) *Oui, bien entendu,
ici.

(Il indique l'autre côté du fauteuil ; le* DEUXIÈME
DÉMÉNAGEUR *pose le seau puis, les deux* DÉMÉNA-
GEURS *partent chacun de leur côté et reviennent avec
les meubles fermant de plus en plus le cercle autour
du* MONSIEUR *; le jeu se fait maintenant sans paroles,
dans le silence absolu ; les bruits, et la voix de* LA
CONCIERGE, *du dehors, progressivement, se sont
complètement éteints ; les* DÉMÉNAGEURS *marchent à
pas feutrés° ; les meubles également entrent sans aucun
bruit ; les* DÉMÉNAGEURS, *à chaque fois qu'ils font
entrer un nouveau meuble, jettent toujours un regard
au* MONSIEUR, *et celui-ci continue d'indiquer, sans
proférer un mot, par le geste de la main, les endroits
où il faut déposer les objets dont le cercle se rapproche
toujours, de plus en plus, de lui ; cette scène muette, de
gestes aux mouvements encore plus décomposés, doit,
aussi, durer longtemps, plus encore, peut-être, que celle
des « là... là... là... là... » du* MONSIEUR *; finalement,
le* DEUXIÈME DÉMÉNAGEUR *apporte, par la gauche,
une énorme pendule, tandis que l'autre* DÉMÉNAGEUR
continue son jeu ; LE MONSIEUR, *apercevant la pendule,
fait un signe de surprise et d'indécision, puis un signe
négatif ; ensuite, tandis que le* DEUXIÈME DÉMÉNA-
GEUR *sort avec la pendule et va apporter un autre
meuble, le* PREMIER DÉMÉNAGEUR *arrive avec une
autre pendule en tous points semblable à la première ;*
LE MONSIEUR *le renvoie d'un geste, puis se reprend.)*

LE MONSIEUR.   Si... à la rigueur, pourquoi
pas ?

(*On apporte la pendule près du fauteuil où* LE
MONSIEUR *indique, du doigt l'emplacement ; le*
DEUXIÈME DÉMÉNAGEUR *apporte maintenant un
grand paravent, très élevé ; il arrive près du fauteuil,
tandis que le* PREMIER DÉMÉNAGEUR *arrive, lui aussi,
à son côté, avec autre paravent de même taille.)*

DEUXIÈME DÉMÉNAGEUR.   Vous n'allez plus
avoir de place !

LE MONSIEUR.   Si. (*Il s'assoit dans son fauteuil à
l'intérieur du cercle.*) Comme cela.

(*Un deuxième, puis un troisième paravent arrivent,
portés par les* DÉMÉNAGEURS, *entourant de trois côtés*
LE MONSIEUR, *dans son cercle. Un côté reste ouvert,
face au public.* LE MONSIEUR *est assis dans son
fauteuil, chapeau sur la tête, visage vers le public ; de
chaque côté, les deux* DÉMÉNAGEURS, *le corps derrière
les paravents, avançant leurs têtes vers* LE MONSIEUR,
le regardent un instant.)

PREMIER DÉMÉNAGEUR.   Ça va ? Vous êtes
bien ? (LE MONSIEUR *fait « oui » de la tête.*) On est
bien chez soi.

DEUXIÈME DÉMÉNAGEUR.   Vous étiez fatigué.
Reposez-vous un peu.

LE MONSIEUR.   Continuez... Il en reste beaucoup ?

Jeu muet. LE MONSIEUR *est assis, immobile, chapeau sur la tête, face au public ; les deux* DÉMÉNA-
GEURS *vont, l'un à la porte de droite, l'autre à la
porte de gauche ; les battants sont grands ouverts ; on
aperçoit, bouchant totalement les entrées des portes, de
grandes planches aussi hautes que ces portes, à gauche
vertes, à droite violettes, qui semblent être les dos de
hautes et larges armoires ; en deux mouvements
symétriques, chacun regardant sa porte, les deux*
DÉMÉNAGEURS *se grattent la tête sous leur casquette,
l'air embarrassé ; haussements simultanés d'épaules,
des bras, qu'ils posent ensuite sur les hanches ; puis, en
même temps, ils se retournent parmi les meubles, d'un
côté et de l'autre du plateau ; ils se regardent, puis :)*

DEUXIÈME DÉMÉNAGEUR.   Qu'est-ce qu'on va
faire ?

LE MONSIEUR (*sans bouger*).   Il en reste beaucoup ? Ce n'est pas fini ?

(*Le* PREMIER DÉMÉNAGEUR, *sans répondre au*
MONSIEUR, *fait encore un geste significatif vers le*
DEUXIÈME, *geste d'embarras, répété par ce* DEUXIÈME
DÉMÉNAGEUR.)

LE MONSIEUR (*sans bouger, toujours très calme*).
Avez-vous apporté tous les meubles ?

(*Jeu muet quelques instants. Les deux* DÉMÉNA-
GEURS, *de leurs places, se retournent vers leurs portes
respectives, puis toujours à leurs places, vers* LE
MONSIEUR, *qui ne peut plus les apercevoir.*)

PREMIER DÉMÉNAGEUR.   Monsieur, c'est bien
ennuyeux...

LE MONSIEUR.   Quoi ?

DEUXIÈME DÉMÉNAGEUR.   Les meubles qui
restent sont trop grands, les portes pas assez
hautes.

---

21. *feutrés:* felted, noiseless.

PREMIER DÉMÉNAGEUR. Ça ne peut pas passer.

LE MONSIEUR. Qu'est-ce que c'est?

PREMIER DÉMÉNAGEUR. Armoires.

LE MONSIEUR. La verte, la violette?

DEUXIÈME DÉMÉNAGEUR. Oui.

PREMIER DÉMÉNAGEUR. Et ce n'est pas tout. Il y en a encore.

DEUXIÈME DÉMÉNAGEUR. C'est plein dans l'escalier. On ne circule plus.

LE MONSIEUR. Dans la cour aussi, c'est plein. Dans la rue aussi.

PREMIER DÉMÉNAGEUR. Les voitures ne circulent plus, en ville. Des meubles, plein.

DEUXIÈME DÉMÉNAGEUR (*au* MONSIEUR). Au moins, ne vous plaignez pas, Monsieur, vous avez une place assise.

PREMIER DÉMÉNAGEUR. Le métro, peut-être, doit marcher.

DEUXIÈME DÉMÉNAGEUR. Oh, non.

LE MONSIEUR (*toujours de sa place*). Non. Les souterrains, tout bloqués.

DEUXIÈME DÉMÉNAGEUR (*au* MONSIEUR). Vous en avez des meubles! La Seine ne coule plus. Bloquée, aussi. Plus d'eau.

PREMIER DÉMÉNAGEUR. Alors, qu'est-ce qu'on fait, si ça n'entre plus?

LE MONSIEUR. On ne peut pas les laisser dehors.

(*Les* DÉMÉNAGEURS *parlent toujours de leurs places.*)

PREMIER DÉMÉNAGEUR. On peut les faire venir par le grenier. Mais... faudrait défoncer le plafond.

DEUXIÈME DÉMÉNAGEUR. Pas la peine. Maison moderne. Plafond roulant.° (*au* MONSIEUR) Vous le savez?

LE MONSIEUR. Non.

DEUXIÈME DÉMÉNAGEUR. Si. C'est simple. On frappe. (*Il approche ses mains l'une de l'autre.*) Le plafond s'ouvre.

LE MONSIEUR (*de son fauteuil*). Non... Je crains la pluie pour mes meubles. Ils sont neufs et délicats.

DEUXIÈME DÉMÉNAGEUR. Pas de danger, Monsieur. Je connais le système. Le plafond s'ouvre, se ferme, s'ouvre, se ferme, à volonté.

PREMIER DÉMÉNAGEUR. Alors, on pourrait peut-être.

LE MONSIEUR (*de son fauteuil*). A condition de le refermer tout de suite. Pas de négligence.

35. *roulant:* retractable.

PREMIER DÉMÉNAGEUR. On n'oubliera pas. Je suis là. (*au* DEUXIÈME DÉMÉNAGEUR) Tu es prêt?

DEUXIÈME DÉMÉNAGEUR. Oui.

PREMIER DÉMÉNAGEUR (*au* MONSIEUR). D'accord?

LE MONSIEUR Entendu.

PREMIER DÉMÉNAGEUR (*au* DEUXIÈME DÉMÉNAGEUR). Vas-y.

(*Le* DEUXIÈME DÉMÉNAGEUR *frappe dans ses mains. Du plafond descendent, sur le devant de la scène, de grandes planches cachant complètement aux yeux du public,* LE MONSIEUR *dans son haut enclos; il peut en descendre, également, une ou deux sur scène, parmi les autres meubles; ou de gros tonneaux, par exemple; le nouveau locataire est ainsi complètement emmuré; enjambant les meubles, le* PREMIER DÉMÉNAGEUR, *après avoir frappé trois coups restés sans réponse, sur une des faces latérales de l'enclos, se dirige avec son échelle vers les planches qui recouvrent l'enclos; il a un bouquet de fleurs à la main, qu'il essaiera de cacher aux yeux du public; en silence, il appuie l'échelle à droite et monte; arrivé au sommet de la planche latérale, il regarde, d'en haut, à l'intérieur de l'enclos, interpelle* LE MONSIEUR.)

PREMIER DÉMÉNAGEUR. Ça y est, Monsieur, tout est là. Vous êtes bien, ça va la petite installation?

VOIX DU MONSIEUR (*égale à elle-même, simplement un peu assourdie*). Plafond. Fermez plafond, s'il vous plaît.

PREMIER DÉMÉNAGEUR (*du haut de son échelle, à son camarade*). Ferme le plafond, on te prie. Tu as oublié.

DEUXIÈME DÉMÉNAGEUR (*de sa place*). Ah oui. (*Il frappe dans ses mains pour que le plafond se referme.*) Voilà.

VOIX DU MONSIEUR. Merci.

PREMIER DÉMÉNAGEUR (*sur son échelle*). Alors, vous serez bien à l'abri comme cela. Vous n'aurez pas froid... Ça va?

VOIX DU MONSIEUR (*après un silence*). Ça va.

PREMIER DÉMÉNAGEUR. Passez-moi votre chapeau, Monsieur, ça peut vous gêner.

(*Après une courte pause, on voit le chapeau du* MONSIEUR, *apparaissant de l'intérieur de l'enclos.*)

PREMIER DÉMÉNAGEUR (*prenant le chapeau et jetant les fleurs à l'intérieur de l'enclos*). Voilà. Vous serez plus à l'aise. Prenez ces fleurs. (*au* DEUXIÈME DÉMÉNAGEUR) Ça y est?

DEUXIÈME DÉMÉNAGEUR. Tout y est.

PREMIER DÉMÉNAGEUR. Bon. (*au* MONSIEUR) On a tout apporté, Monsieur, vous êtes chez vous. (*Il descend de l'échelle.*) On s'en va. (*Il va poser l'échelle contre le mur, ou bien il la met, au hasard, mais doucement, sans fracas, parmi les autres objets qui entourent l'enclos du* MONSIEUR. *Au* DEUXIÈME DÉMÉNAGEUR) Viens.

(*Les deux* DÉMÉNAGEURS *se dirigent, au hasard, on ne sait trop où, vers le fond de la scène, chacun de son côté, vaguement, en direction d'issues invisibles, problématiques, car la fenêtre est bouchée, aussi bien que les portes aux battants grands ouverts, toujours laissant apercevoir les planches violemment colorées qui les obstruent. A un moment, le* PREMIER DÉMÉNAGEUR, *d'un bout du plateau, le chapeau du* MONSIEUR *à la main, s'arrête, se retourne, parle en direction du* MONSIEUR *caché.*)

PREMIER DÉMÉNAGEUR. Vous n'avez besoin de rien?

(*Silence*)

DEUXIÈME DÉMÉNAGEUR. Vous n'avez besoin de rien?

VOIX DU MONSIEUR (*après un silence; immobilité sur scène*). Éteignez. (*obscurité complète sur le plateau*) Merci.

Rideau.

Index of Authors and Titles

INDEX OF AUTHORS AND TITLES